A-Z HERTFOR E

CONTENTS

Key to Map Pages	2-3
Map Pages	4-165
Index to Streets, Towns, Villages and selected Places of Interest	166-221
Index to Hospitals and Hospices	222-223
Index to Stations	224

REFERENCE

- Motorway M1
- A Road A5
  - Under Construction
  - Proposed
- B Road B1368
- Dual Carriageway
- One-Way Street
  Traffic flow on A Roads is indicated by a heavy line on the driver's left.
- Restricted Access
- Pedestrianized Road
- Track
- Footpath
- Residential Walkway
- Railway — Station, Heritage Sta., Level Crossing, Tunnel
- Underground Station — Is the registered trade mark of Transport for London
- Built-Up Area — CHURCH STREET
- Local Authority Boundary
- Posttown Boundary
- Postcode Boundary
- Map Continuation 90

- Car Park (Selected)
  - Park and Ride P+L
- Church or Chapel
- Cycle Route (Selected)
- Fire Station
- Hospital
- House Numbers (A & B Roads only) 13 8
- Information Centre
- National Grid Reference 525
- Police Station
- Post Office
- Toilet
  - with facilities for the Disabled
- Viewpoint
- Educational Establishment
- Hospital or Hospice
- Industrial Building
- Leisure or Recreational Facility
- Place of Interest
- Public Building
- Shopping Centre or Market
- Other Selected Buildings

SCALE
1:20,267

approx. 3 Inches (7.94 cm) to 1 Mile or 4.93 cm to 1km

Copyright of Geographers' A-Z Map Company Ltd.

Head Office:
Fairfield Road, Borough Green, Sevenoaks, Kent TN15 8PP
Telephone: 01732 781000 (Enquiries & Trade Sales)
01732 783422 (Retail Sales)
www.a-zmaps.co.uk

Edition 2 2002 Edition 2A 2005 (part revision)

KEY TO MAP PAGES

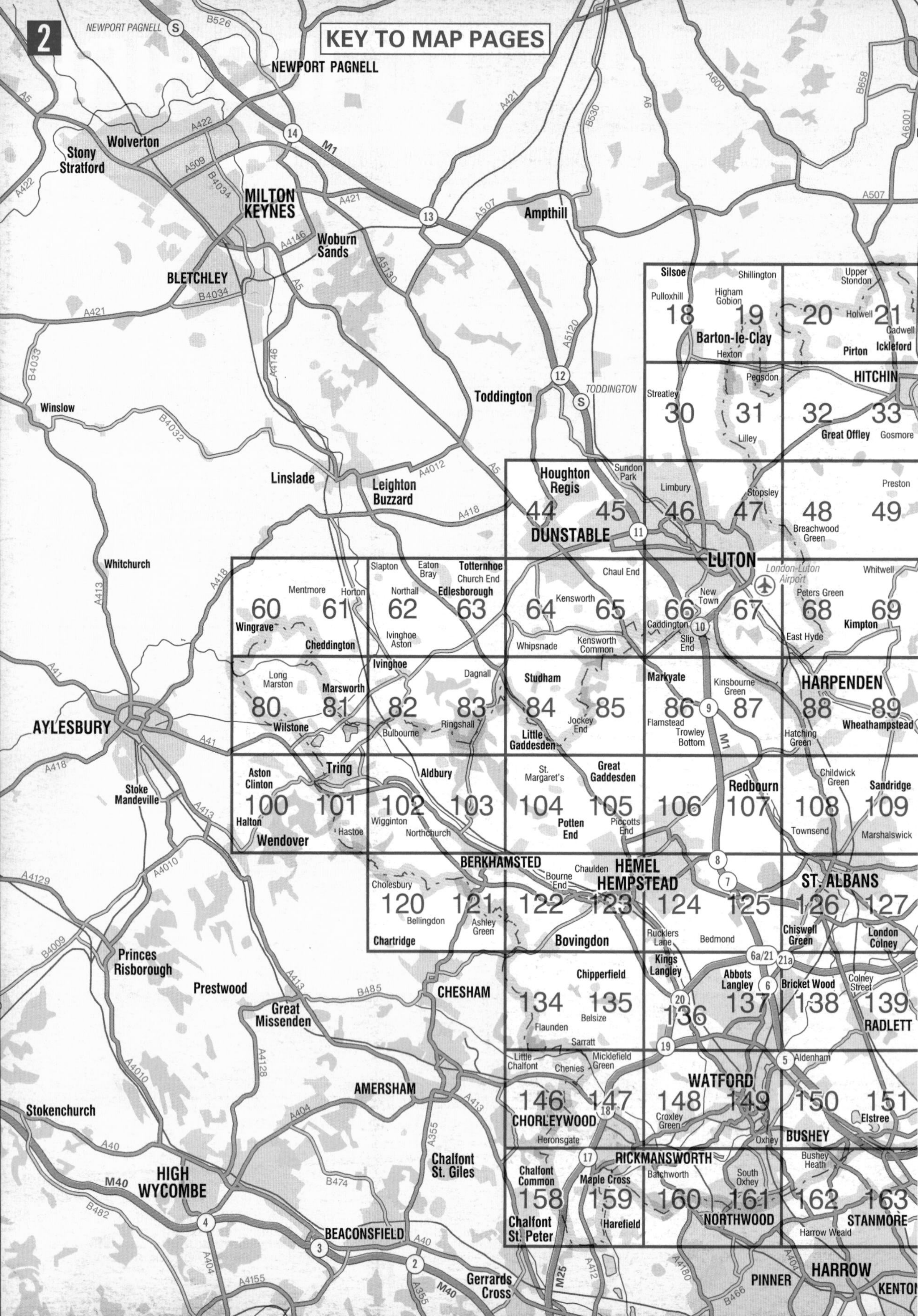
NEWPORT PAGNELL
Milton Keynes
Bletchley
Wolverton
Stony Stratford
Woburn Sands
Ampthill
Toddington
Linslade
Leighton Buzzard
Winslow
Whitchurch
Aylesbury
Stoke Mandeville
Wendover
Princes Risborough
Prestwood
Great Missenden
Chesham
Amersham
Stokenchurch
High Wycombe
Beaconsfield
Chalfont St. Giles
Gerrards Cross
Silsoe
Shillington
Upper Stondon
Pulloxhill
Higham Gobion
18 19 20 21
Barton-le-Clay
Hexton
Holwell
Cadwell
Pirton
Ickleford
Streatley
Pegsdon
Hitchin
30 31 32 33
Lilley
Great Offley
Gosmore
Houghton Regis
Sundon Park
Limbury
Stopsley
Preston
44 45 46 47 48 49
Dunstable
Breachwood Green
Luton
London-Luton Airport
Whitwell
Slapton
Eaton Bray
Totternhoe
Church End
Mentmore
Horton
Northall
Edlesborough
Kensworth
Chaul End
New Town
Peters Green
60 61 62 63 64 65 66 67 68 69
Wingrave
Cheddington
Ivinghoe Aston
Whipsnade
Kensworth Common
Caddington
Slip End
East Hyde
Kimpton
Ivinghoe
Dagnall
Studham
Markyate
Kinsbourne Green
Harpenden
Long Marston
Marsworth
80 81 82 83 84 85 86 87 88 89
Wilstone
Bulbourne
Ringshall
Little Gaddesden
Jockey End
Flamstead
Trowley Bottom
Hatching Green
Wheathampstead
Tring
Aldbury
St. Margaret's
Great Gaddesden
Redbourn
Childwick Green
Sandridge
Aston Clinton
100 101 102 103 104 105 106 107 108 109
Halton
Hastoe
Wigginton
Northchurch
Potten End
Piccotts End
Townsend
Marshalswick
Berkhamsted
Bourne End
Chaulden
Hemel Hempstead
St. Albans
Cholesbury
120 121 122 123 124 125 126 127
Bellingdon
Ashley Green
Chartridge
Bovingdon
Rucklers Lane
Bedmond
Chiswell Green
London Colney
Chipperfield
Kings Langley
Abbots Langley
Bricket Wood
Colney Street
134 135 136 137 138 139
Belsize
Flaunden
Sarratt
Radlett
Little Chalfont
Chenies
Micklefield Green
Watford
Aldenham
146 147 148 149 150 151
Chorleywood
Croxley Green
Oxhey
Bushey
Elstree
Heronsgate
Rickmansworth
Chalfont Common
Maple Cross
Batchworth
South Oxhey
Bushey Heath
158 159 160 161 162 163
Chalfont St. Peter
Harefield
Northwood
Stanmore
Harrow Weald
Pinner
Harrow
Kenton
TODDINGTON
M1
M40
M25

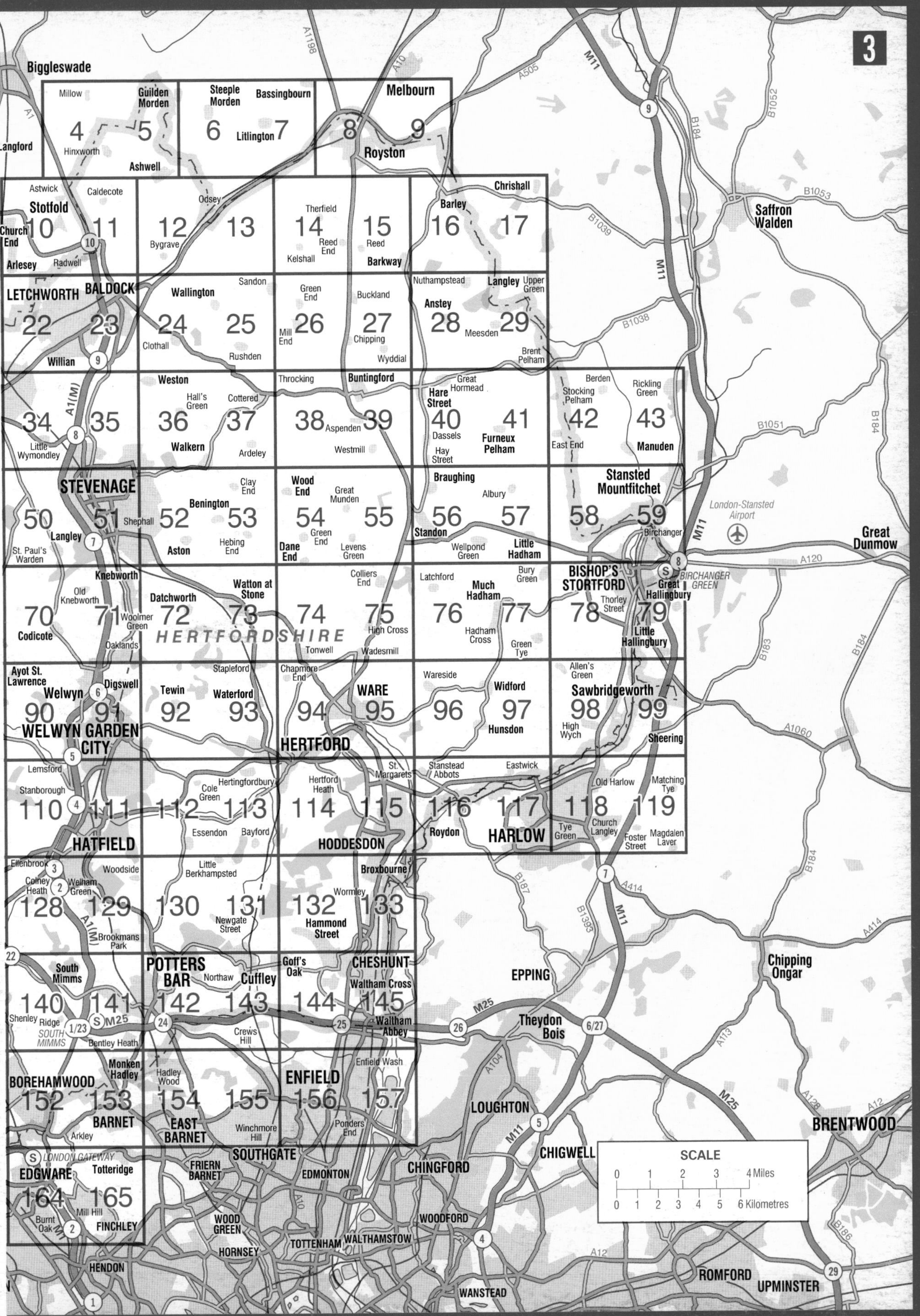
Biggleswade
Langford
Millow
Guilden Morden
Hinxworth
Ashwell
Steeple Morden
Bassingbourn
Litlington
Melbourn
Royston
A1198
A10
A505
M11
B1052
B184
A1
4
5
6
7
8
9
Astwick
Caldecote
Stotfold
Church End
Arlesey
Radwell
Odsey
Bygrave
Therfield
Reed End
Kelshall
Reed
Barkway
Barley
Chrishall
10
11
12
13
14
15
16
17
B1039
B1053
Saffron Walden
LETCHWORTH
BALDOCK
Wallington
Sandon
Green End
Buckland
Nuthampstead
Langley
Upper Green
Anstey
Meesden
Mill End
Chipping
Wyddial
Clothall
Rushden
Willian
Brent Pelham
22
23
24
25
26
27
28
29
B1038
Weston
Hall's Green
Cottered
Throcking
Buntingford
Great Hormead
Hare Street
Berden
Stocking Pelham
Rickling Green
Aspenden
Dassels
Furneux Pelham
East End
Manuden
Little Wymondley
Walkern
Ardeley
Westmill
Hay Street
34
35
36
37
38
39
40
41
42
43
A1(M)
B1051
STEVENAGE
Clay End
Benington
Wood End
Great Munden
Braughing
Albury
Stansted Mountfitchet
London-Stansted Airport
Shephall
Langley
St. Paul's Walden
Aston
Hebing End
Green End
Dane End
Levens Green
Standon
Wellpond Green
Little Hadham
Birchanger
Great Dunmow
50
51
52
53
54
55
56
57
58
59
A120
Knebworth
Old Knebworth
Datchworth
Watton at Stone
Colliers End
Latchford
Much Hadham
Bury Green
BISHOP'S STORTFORD
Thorley Street
Great Hallingbury
BIRCHANGER GREEN
Codicote
Woolmer Green
Oaklands
HERTFORDSHIRE
Tonwell
High Cross
Wadesmill
Hadham Cross
Green Tye
Little Hallingbury
70
71
72
73
74
75
76
77
78
79
B183
Ayot St. Lawrence
Welwyn
Digswell
Tewin
Stapleford
Waterford
Chapmore End
WARE
Wareside
Widford
Allen's Green
Sawbridgeworth
WELWYN GARDEN CITY
HERTFORD
Hunsdon
High Wych
Sheering
90
91
92
93
94
95
96
97
98
99
A1060
Lemsford
Stanborough
Cole Green
Hertingfordbury
Hertford Heath
St. Margarets
Stanstead Abbots
Eastwick
Old Harlow
Matching Tye
Essendon
Bayford
HODDESDON
Roydon
HARLOW
Tye Green
Church Langley
Foster Street
Magdalen Laver
HATFIELD
110
111
112
113
114
115
116
117
118
119
Ellenbrook
Woodside
Colney Heath
Welham Green
Little Berkhampsted
Broxbourne
Wormley
Newgate Street
Hammond Street
Brookmans Park
128
129
130
131
132
133
B187
B1393
A414
B184
South Mimms
POTTERS BAR
Northaw
Cuffley
Goff's Oak
CHESHUNT
Waltham Cross
EPPING
Chipping Ongar
Shenley
Ridge
SOUTH MIMMS
Bentley Heath
Crews Hill
Waltham Abbey
Theydon Bois
140
141
142
143
144
145
M25
A104
A113
A128
A12
Monken Hadley
Hadley Wood
Enfield Wash
BOREHAMWOOD
ENFIELD
LOUGHTON
BARNET
EAST BARNET
Winchmore Hill
Ponders End
Arkley
CHIGWELL
BRENTWOOD
152
153
154
155
156
157
LONDON GATEWAY
EDGWARE
Totteridge
FRIERN BARNET
SOUTHGATE
EDMONTON
CHINGFORD
Mill Hill
Burnt Oak
FINCHLEY
WOOD GREEN
HORNSEY
TOTTENHAM
WALTHAMSTOW
WOODFORD
HENDON
WANSTEAD
ROMFORD
UPMINSTER
164
165
B186
SCALE
0 1 2 3 4 Miles
0 1 2 3 4 5 6 Kilometres

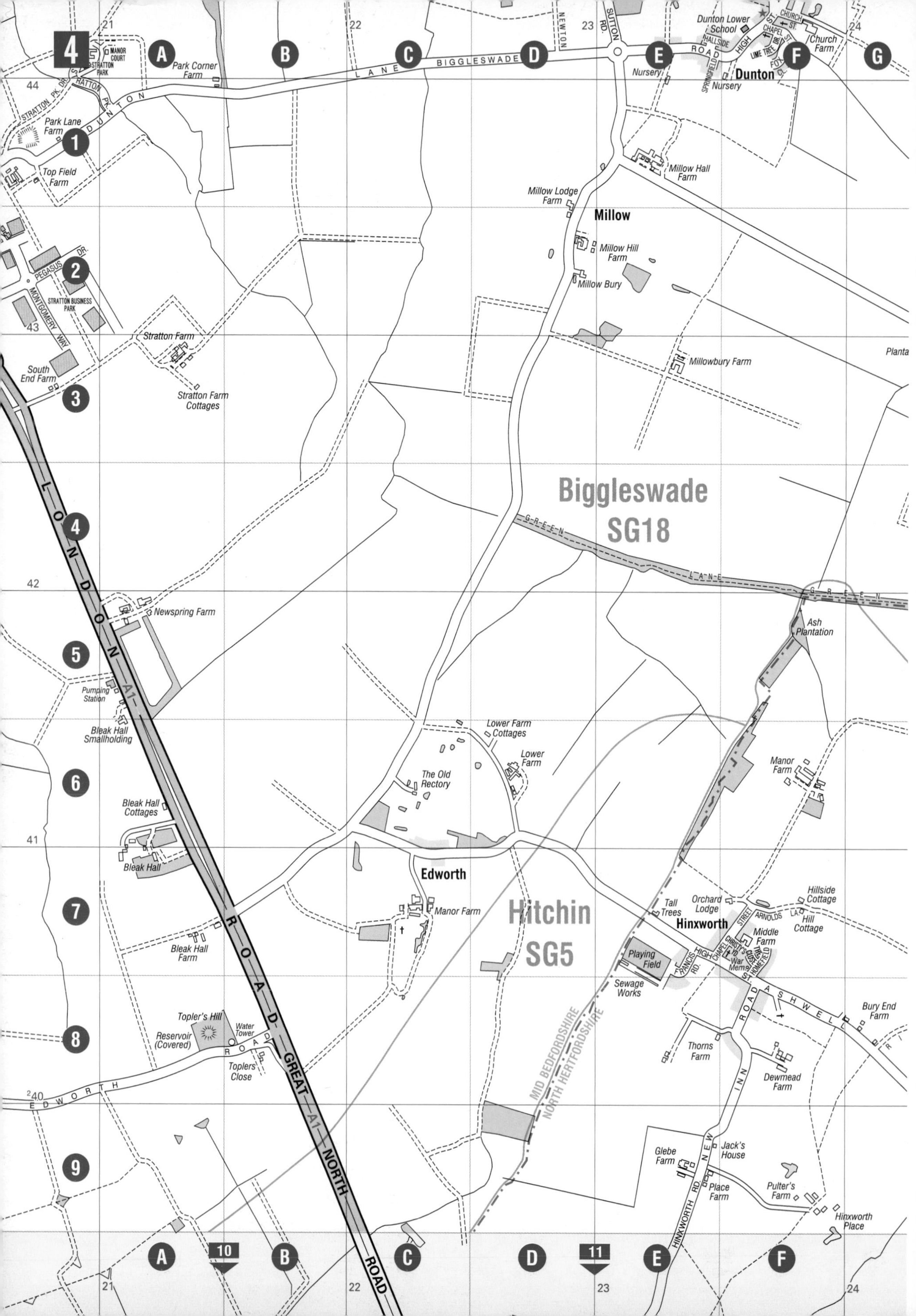

4
Park Corner Farm
Park Lane Farm
Top Field Farm
Stratton Business Park
Pegasus Dr.
Montgomery Way
Stratton Farm
Stratton Farm Cottages
South End Farm
Newspring Farm
Pumping Station
Bleak Hall Smallholding
Bleak Hall Cottages
Bleak Hall
Bleak Hall Farm
Topler's Hill
Reservoir (Covered)
Water Tower
Toplers Close
Edworth Road
London Road
Great North Road
A1
Biggleswade Lane
Dunton Lane
Sutton Rd.
Newton
Dunton Lower School
Dunton
Nursery
Church Farm
Millow Hall Farm
Millow Lodge Farm
Millow
Millow Hill Farm
Millow Bury
Millowbury Farm
Biggleswade SG18
Green Lane
Ash Plantation
Lower Farm Cottages
Lower Farm
The Old Rectory
Edworth
Manor Farm
Hitchin SG5
Tall Trees
Orchard Lodge
Hinxworth
Playing Field
Sewage Works
Hillside Cottage
Hill Cottage
Middle Farm
War Meml
Ashwell Road
Bury End Farm
Thorns Farm
Dewmead Farm
New Inn Road
Jack's House
Glebe Farm
Place Farm
Pulter's Farm
Hinxworth Place
Hinxworth Rd
Mid Bedfordshire
North Hertfordshire
10
11

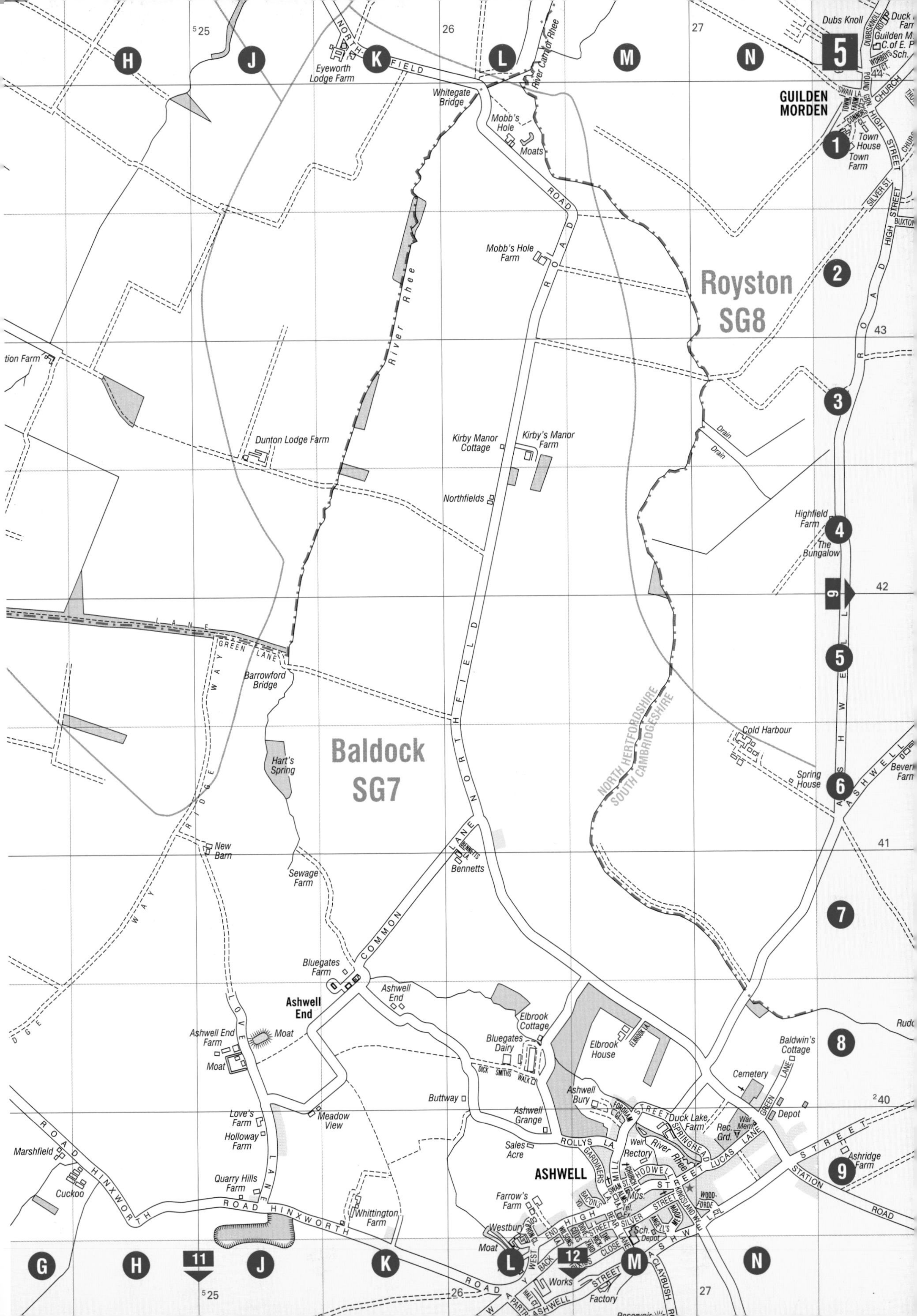

5
Royston
SG8
Baldock
SG7
GUILDEN MORDEN
ASHWELL
Ashwell End
Dubs Knoll
Eyeworth Lodge Farm
Whitegate Bridge
Mobb's Hole
Moats
Mobb's Hole Farm
River Cam or Rhee
River Rhee
NORTH FIELD ROAD
Town House
Town Farm
Highfield Farm
The Bungalow
Kirby Manor Cottage
Kirby's Manor Farm
Northfields
Dunton Lodge Farm
Drain
GREEN LANE
Barrowford Bridge
Hart's Spring
RIDGE WAY
New Barn
Sewage Farm
Bennetts
COMMON LANE
Bluegates Farm
Ashwell End
Ashwell End Farm
Moat
Elbrook Cottage
Elbrook House
Bluegates Dairy
DICK SMITHS WALK
Buttway
Ashwell Bury
Ashwell Grange
Sales Acre
Love's Farm
Holloway Farm
Meadow View
Quarry Hills Farm
Marshfield
Cuckoo
HINXWORTH ROAD
Whittington Farm
Farrow's Farm
Westbury
Rectory
Weir
Duck Lake Farm
Cemetery
Baldwin's Cottage
Depot
War Mem.
Rec. Grd.
Cold Harbour
Spring House
ASHWELL STREET
STATION ROAD
Ashridge Farm
NORTH HERTFORDSHIRE
SOUTH CAMBRIDGESHIRE
ROLLYS LA.
HIGH STREET
SILVER STREET
SPRINGHEAD
LUCAS LANE
Works
Factory
Sch.
Mus.
11
12
9
25
26
27
40
41
42
43
44
G
H
J
K
L
M
N
1
2
3
4
5
6
7
8
9

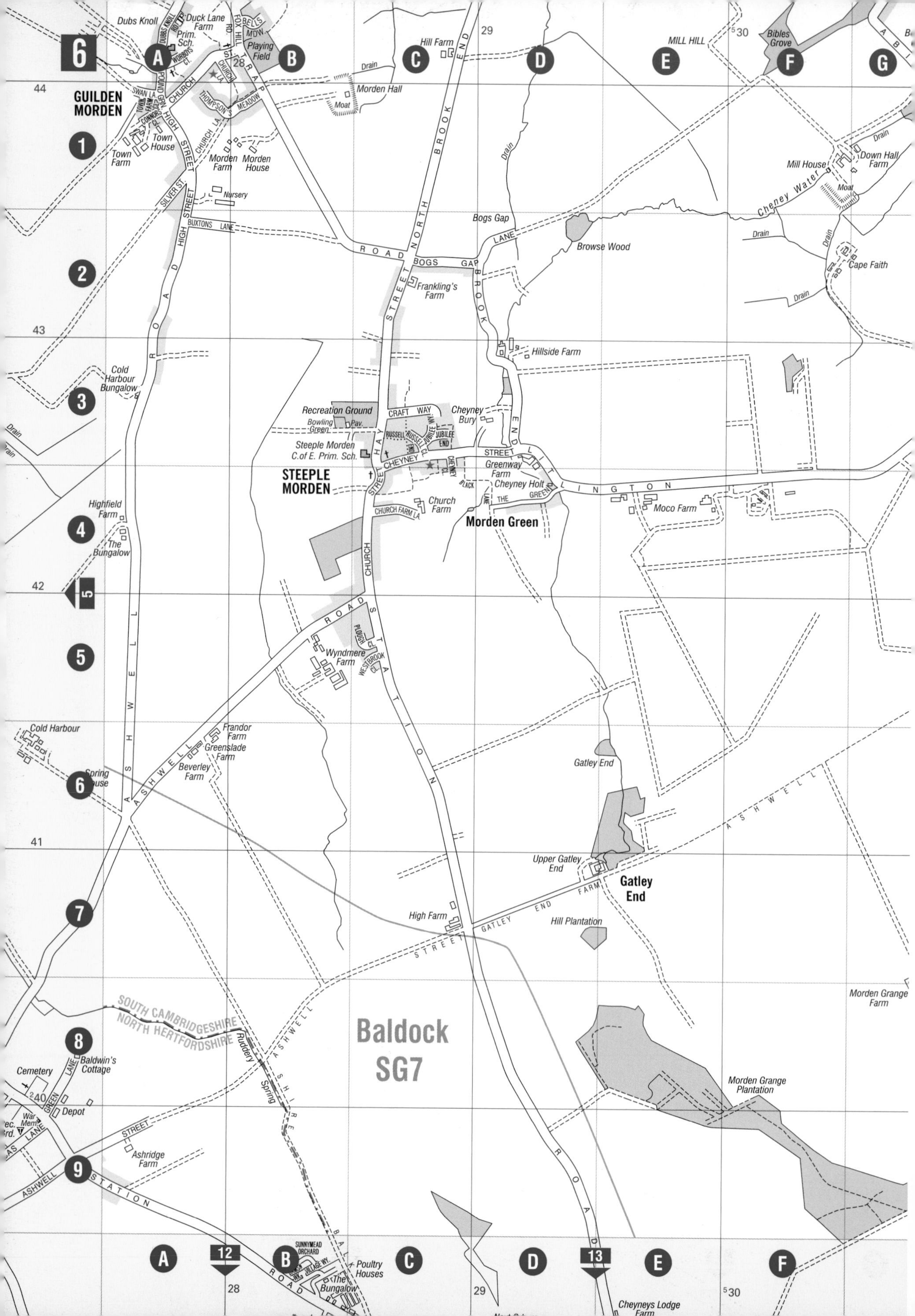

6

44

GUILDEN MORDEN

A · B · C · D · E · F · G

1 · 2 · 3 · 4 · 5 · 6 · 7 · 8 · 9

Dubs Knoll
Duck Lane Farm
Prim. Sch.
Playing Field
Hill Farm
MILL HILL
Bibles Grove
29
30

Town Farm
Town House
Morden Morden House
Morden Hall
Moat
Mill House
Down Hall Farm
Moat
Cape Faith

43

Nursery
Bogs Gap
Browse Wood
Drain
Drain

Cold Harbour Bungalow
Franklin's Farm
BOGS GAP BROOK
Cheney Water

Highfield Farm
Hillside Farm

42

The Bungalow
5

Recreation Ground
Bowling Green
Pav.
CRAFT WAY
Cheyney Bury
RUSSELL HOUSE
JUBILEE END
Greenway Farm
Cheyney Holt
Moco Farm
THE GREEN

STEEPLE MORDEN
Steeple Morden C. of E. Prim. Sch.
Church Farm
Morden Green
CHURCH FARM LA.

Wyndmere Farm

Cold Harbour
Frandor Farm
Greenslade Farm
Beverley Farm
Gatley End

41

Spring House
6

Upper Gatley End
Gatley End
ASHWELL

7

High Farm
GATLEY END FARM
Hill Plantation
Morden Grange Farm

SOUTH CAMBRIDGESHIRE
NORTH HERTFORDSHIRE

8

Cemetery
Baldwin's Cottage
Ruddery Spring
Baldock SG7
Morden Grange Plantation

40
War Mem.
Rec. Grd.
Depot

9

Ashridge Farm
ASHWELL STATION

A · B · C · D · E · F
12
28
SUNNYMEAD ORCHARD
The Bungalow
Poultry Houses
13
29
30
Cheyneys Lodge Farm

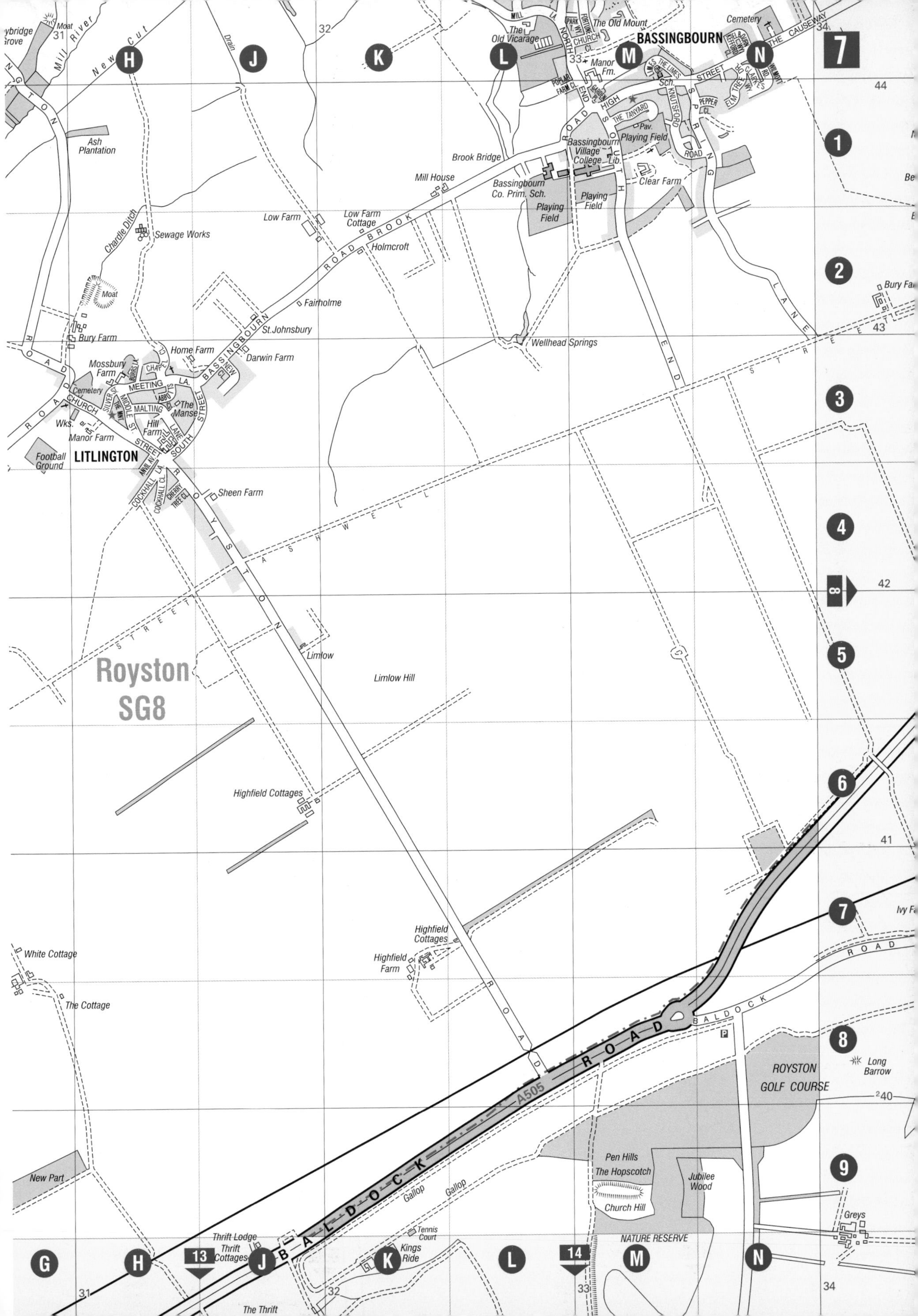
7
BASSINGBOURN
LITLINGTON
Royston
SG8
The Old Vicarage
The Old Mount
Cemetery
Manor Fm.
THE CAUSEWAY
HIGH STREET
NORTH END
SOUTH END
THE TANYARD
KNUTSFORD ROAD
SPRING LANE
PEPPER CL.
THE LIMES
Sch.
Pav.
Playing Field
Bassingbourn Village College
Lib.
Clear Farm
Brook Bridge
Mill House
Bassingbourn Co. Prim. Sch.
Playing Field
Low Farm
Low Farm Cottage
Holmcroft
BROOK ROAD
Fairholme
St.Johnsbury
Darwin Farm
Home Farm
BASSINGBOURN ROAD
Wellhead Springs
Bury Farm
Mossbury Farm
Cemetery
MEETING LA.
MALTING
The Manse
Hill Farm
Manor Farm
Wks.
CHURCH STREET
SOUTH STREET
Football Ground
Sheen Farm
ROYSTON ROAD
ASHWELL STREET
STREET
Sewage Works
Chardle Ditch
Moat
Ash Plantation
New Cut
Mill River
Drain
Moat
Limlow
Limlow Hill
Highfield Cottages
Highfield Cottages
Highfield Farm
White Cottage
The Cottage
BALDOCK ROAD
A505
ROAD
Royston Golf Course
Long Barrow
Pen Hills
The Hopscotch
Church Hill
Jubilee Wood
NATURE RESERVE
Greys
Gallop
Gallop
Tennis Court
Kings Ride
Thrift Lodge
Thrift Cottages
The Thrift
New Part
Bury Fa
Ivy Fa
H J K L M N
G H J K L M N
1 2 3 4 5 6 7 8 9
8
13
14
31 32 33 34
44 43 42 41 40

KNEESWORTH
Cemetery
CAUSEWAY
SWINNELL CL.
OLD NORTH ROAD
KNEESWORTH HOUSE HOSPITAL
Nursery
Beauval Farm
Bellevue Farm
TUDOR CT.
Turnpike Nursery
Bury Farm
LANE
ASHWELL STREET
ERMINE STREET
A1198
(ROMAN ROAD)
Highfield Farm
Filter Beds
Tanks
Sewage Works
A10
Green
Shant Dog Ranch
Holland Hall
New Farm
A505
ROAD
Roman Way First Sch. & Roysia Sch.
Superstore
THE QUADRANT
Factory
Playing Field
Works
Rec. Grd.
Ind. Est.
ANGLIAN BUSINESS PARK
Royston
THE MALTINGS
Depot
Playing Field
The Meridian School
Greneway School
Cemy.
Football Grd.
Icknield Walk First Sch.
Play. Fld.
Ridgeway
Rec. Ground
Tannery Drift First Sch.
Mus.
ROYSTON CAVE
THE LANTERNS
T.H.
Cin.
Swim. Pool
Priory Gdns.
Ten. Cts.
PRIORY LA.
MELBOURN
Burloes Cottages
ROYSTON
Bury Plantation
Burloes Hall
Ivy Farm
BALDOCK
Club Ho.
Ten. Cts.
Playing Fld.
Cricket Grd.
THERFIELD HEATH (NATURE RESERVE)
Long Barrow
ROYSTON GOLF COURSE
Valley Plantation
Rifle Range
Heath Farm
Wicker Hall
Reservoir (Covered)
LONDON ROAD
BARKWAY
B1039
RD.
Stile Plantation Nature Res.
The Drift Way
ROYSTON & DISTRICT HOSPITAL
The Ridings
Ashtrees
Flint Hall Farm
Sunnymead
Works
New Stud Farm
Cow Plantation
Earthworks
Greys
Maple Cottage
Seven Rides Plantation
Halfmoon Plantation
A B C D E F G
1 2 3 4 5 6 7 8 9
34 35 36 37
43 42 41 40
7 14 15

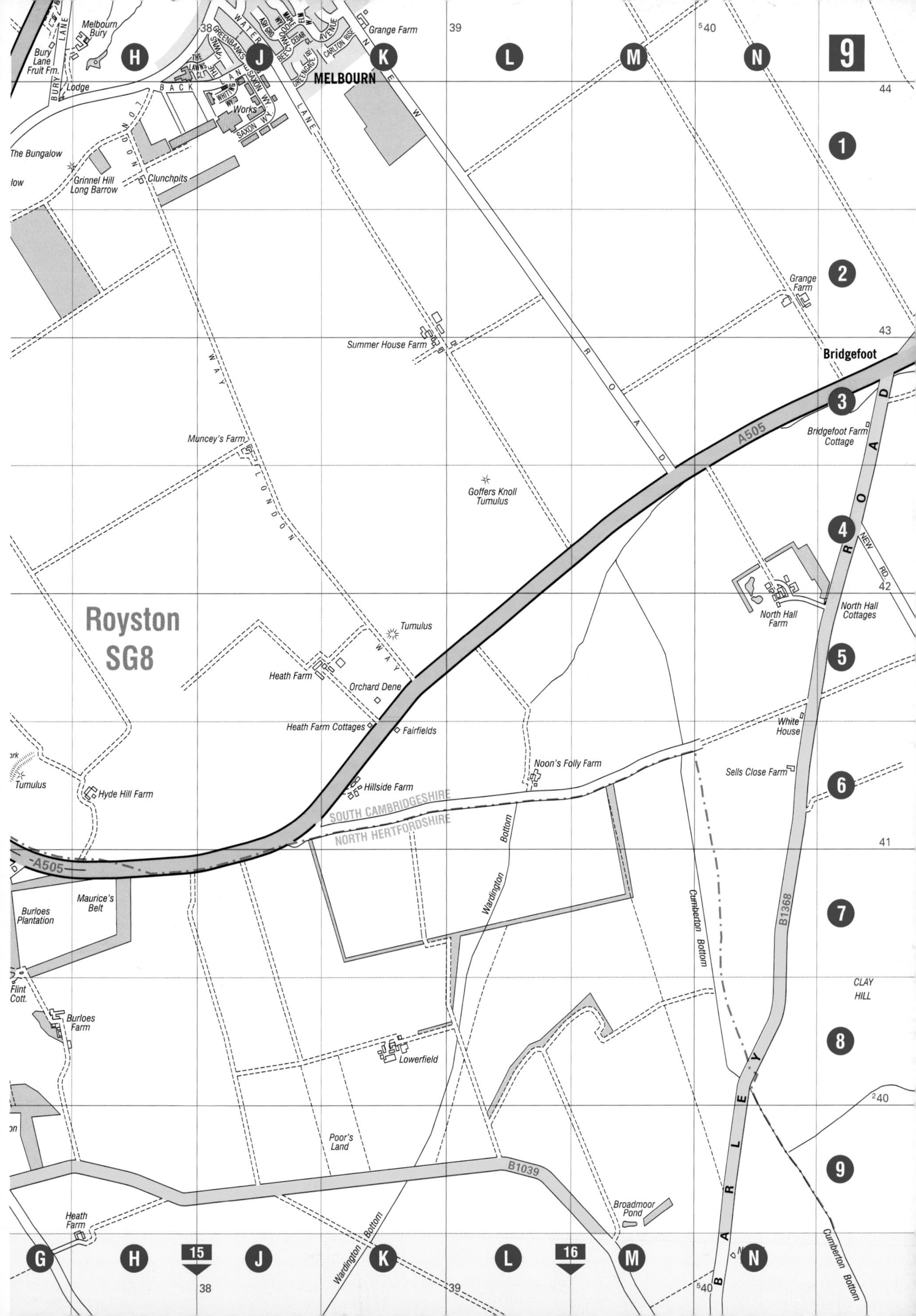

9
Melbourn Bury
Bury Lane Fruit Fm.
Lodge
BURY LANE
BACK LANE
MELBOURN
Grange Farm
WATER
GREENBANKS
THE LAWNS CL.
THE SWALE
ASH GRO.
BEECH
CEDAR
WOODLANDS
AVENUE
CARLTON RISE
GREENGATE
SAXON WY.
WHITING WY.
Works
LANE
The Bungalow
Grinnel Hill Long Barrow
Clunchpits
LONDON WAY
LONDON ROAD
Summer House Farm
Grange Farm
Bridgefoot
Bridgefoot Farm Cottage
A505
Muncey's Farm
Goffers Knoll Tumulus
NEW RD.
North Hall Farm
North Hall Cottages
Royston
SG8
Tumulus
Heath Farm
Orchard Dene
Heath Farm Cottages
Fairfields
White House
Sells Close Farm
Noon's Folly Farm
Hillside Farm
Hyde Hill Farm
Tumulus
SOUTH CAMBRIDGESHIRE
NORTH HERTFORDSHIRE
Wardington Bottom
Cumberton Bottom
B1368
Maurice's Belt
Burloes Plantation
Flint Cott.
Burloes Farm
CLAY HILL
Lowerfield
BARLEY ROAD
Poor's Land
B1039
Broadmoor Pond
Heath Farm
Wardington Bottom
Cumberton Bottom
H J K L M N
1 2 3 4 5 6 7 8 9
G H J K L M N
15
16
38 39 540
44 43 42 41 240

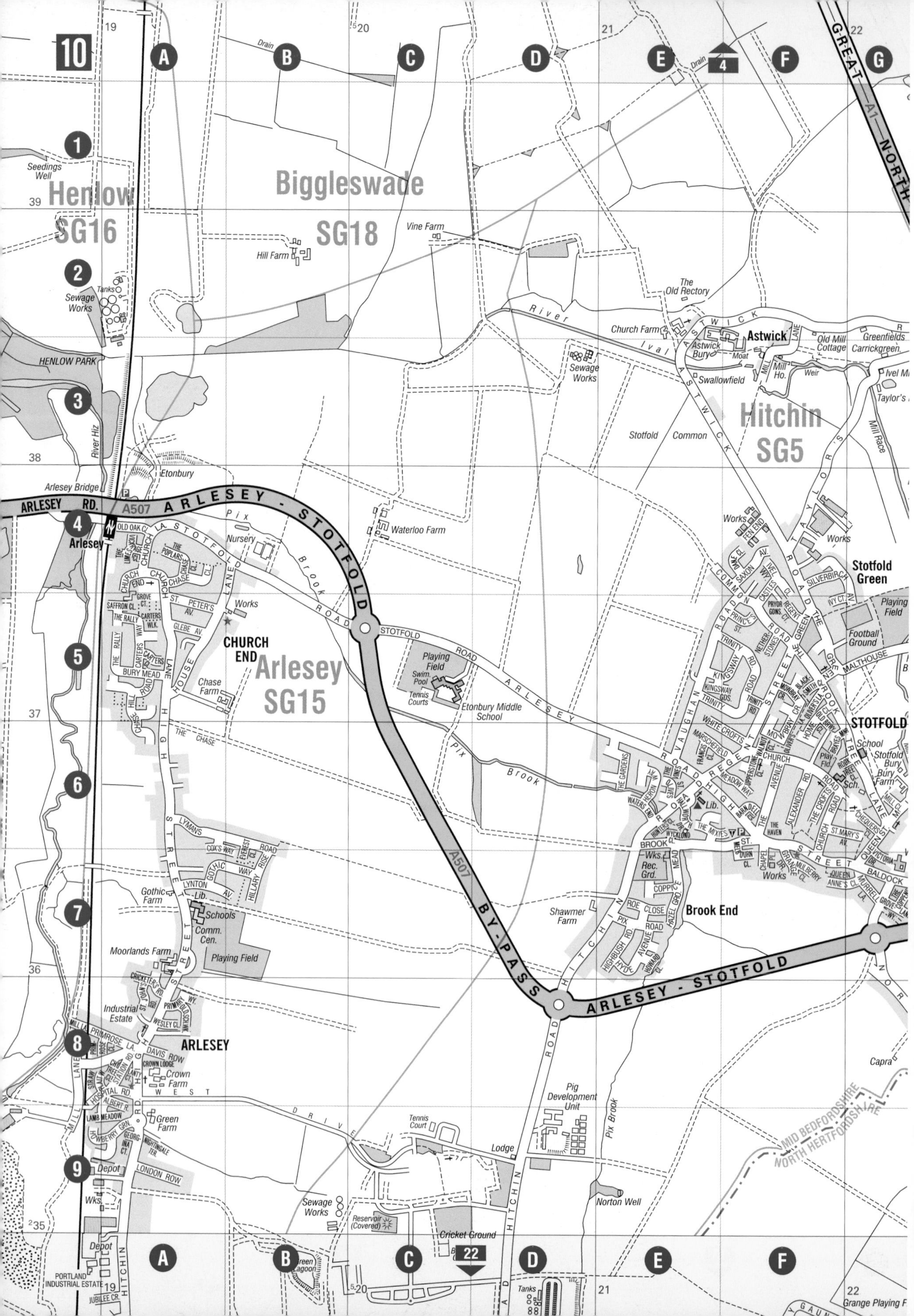

Henlow
SG16
Biggleswade
SG18
Hitchin
SG5
Arlesey
SG15
Seedings Well
Sewage Works
Tanks
HENLOW PARK
River Hiz
Arlesey Bridge
Etonbury
ARLESEY RD.
A507
ARLESEY - STOTFOLD
Arlesey
Pix Brook
Nursery
Works
CHURCH END
Chase Farm
THE CHASE
Hill Farm
Vine Farm
Waterloo Farm
STOTFOLD ROAD
Playing Field
Swim. Pool
Tennis Courts
Etonbury Middle School
A507 BY-PASS
River Ival
The Old Rectory
Church Farm
Astwick
Astwick Bury
Moat
Mill Ho.
Weir
Swallowfield
Old Mill Cottage
Greenfields
Carrickgreen
Ivel Mill
Mill Race
Stotfold Common
Stotfold Green
Football Ground
STOTFOLD
School
Stotfold Bury
Bury Farm
Brook End
Shawmer Farm
Lib.
Rec. Grd.
Gothic Farm
Schools
Comm. Cen.
Moorlands Farm
Industrial Estate
ARLESEY
Crown Farm
Green Farm
Depot
Wks.
WEST DRIVE
Tennis Court
Lodge
Sewage Works
Reservoir (Covered)
Cricket Ground
Pig Development Unit
Norton Well
Pix Brook
Capra
MID BEDFORDSHIRE
NORTH HERTFORDSHIRE
PORTLAND INDUSTRIAL ESTATE
JUBILEE CR.
Green Lagoon
Tanks
Grange Playing F
GREAT NORTH
A1
4
22

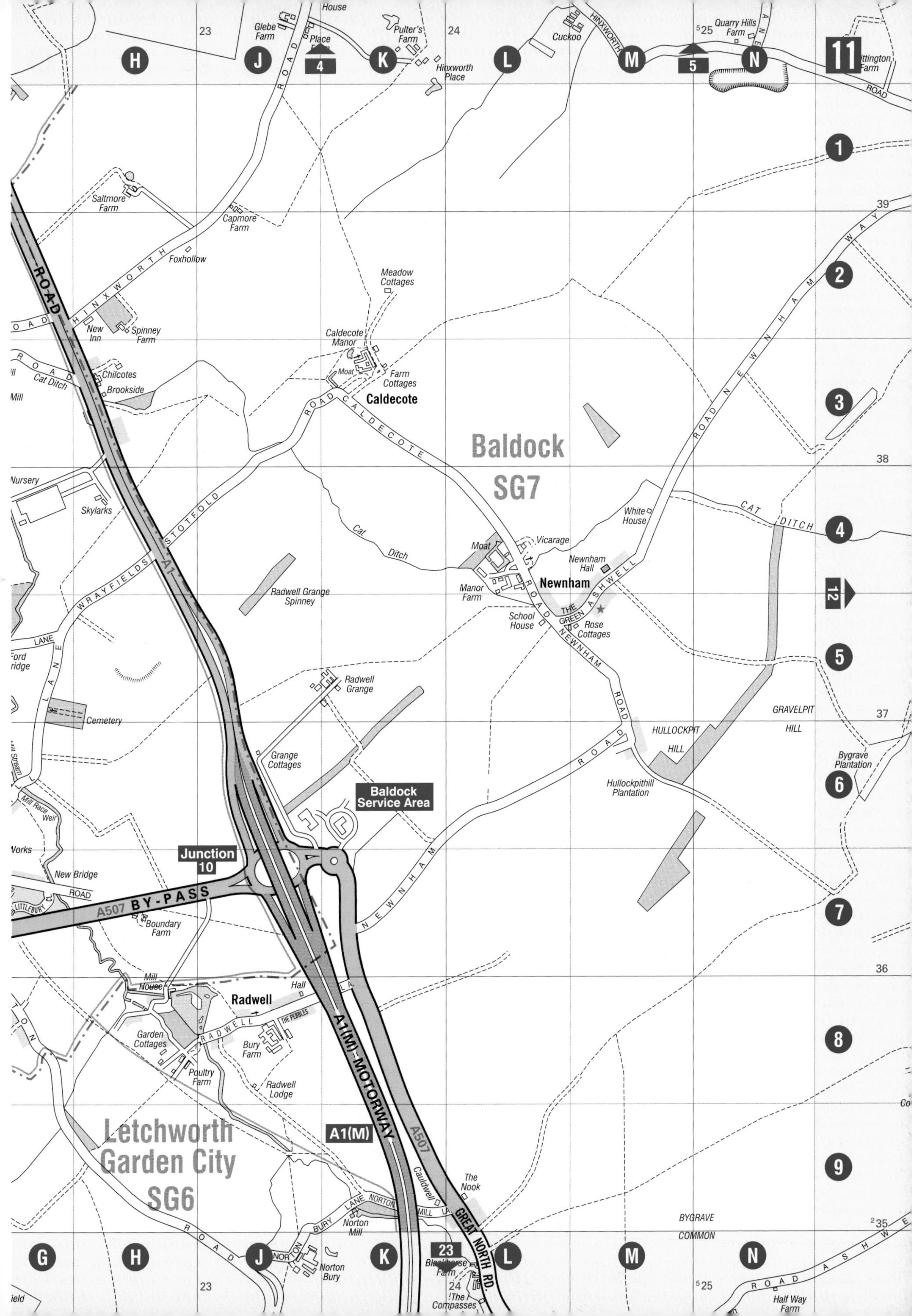

11
Baldock
SG7
Letchworth
Garden City
SG6
Caldecote
Newnham
Radwell
Glebe Farm
Place
Pulter's Farm
Hinxworth Place
Cuckoo
Quarry Hills Farm
Saltmore Farm
Capmore Farm
Foxhollow
Meadow Cottages
Caldecote Manor
Moat
Farm Cottages
New Inn
Spinney Farm
Chilcotes
Brookside
Cat Ditch
Nursery
Skylarks
Radwell Grange Spinney
White House
Vicarage
Newnham Hall
Manor Farm
School House
Rose Cottages
Radwell Grange
Cemetery
Grange Cottages
Baldock Service Area
Junction 10
HULLOCKPIT HILL
Hullockpithill Plantation
GRAVELPIT HILL
Bygrave Plantation
Mill Race
Weir
Works
New Bridge
A507 BY-PASS
Boundary Farm
Mill House
Hall
THE PEBBLES
Garden Cottages
Bury Farm
Poultry Farm
Radwell Lodge
A1(M)
A1(M) MOTORWAY
A507
The Nook
Norton Mill
Norton Bury
Blackhorse Farm
The Compasses
GREAT NORTH RD.
BYGRAVE COMMON
Half Way Farm
ROAD
HINXWORTH ROAD
CALDECOTE ROAD
STOTFOLD ROAD
WRAYFIELDS
NEWNHAM WAY
NEWNHAM ROAD
ASHWELL ROAD
THE GREEN
CAT DITCH
LANE
RADWELL LA
NORTON BURY LANE
MILL LA
Cauldwell

12
ASHWELL
Baldock
SG7
Whittington Farm
Farrow's Farm
Westbury
Moat
Hall
Works
Factory
Reservoir (covered)
Partridge Hall
Ashridge Farm
Poultry Houses
The Bungalow
Beech House
Redlands Farm Cottages
Redlands Farm
Arbury Banks
Claybush Hill
Ashwell Fields
Ash Hill
Highley Hill
Tumulus
The Knoll
Cat Ditch
Pembroke Farm
Pembroke Cottages
Slip End Farm
GRAVELPIT HILL
Bygrave Plantation
MITCHELL HILL
Hare Park Farm
Hare Park Cottage
Sewage Works
Jubilee Cottages
Pomona
Manor Farm
Bygrave
Manor House
The Moat House
Old Rectory
Park Wood
Parkwood Bungalow
Wireless Station
Masts
Tumulus
A505
ROYSTON ROAD
Red Cottages
WEDON WAY
METLEY HILL
Bygrave Lodge Farm
The Firs
Half Way Farm
NEWNHAM WAY
HINXWORTH ROAD
ASHWELL STREET
STATION
Claybush Road
BYGRAVE RD.
DIXIES CLOSE
BACK
WEST END
HIGH STREET
Sch.
Depot

13
H
J
K
L
M
N
6
7
14
25
1
2
3
4
5
6
7
8
9
G
H
J
K
L
M
N
29
30
31
32
39
38
37
36
35
New Part
Thrift Lodge
Thrift Cottages
Kings Ride
The Thrift
Thrift Farm
Jockey House Cottages
Cheyneys Lodge Farm
Cheyneys Lodge
Next Odsey
Hill Farm
ROAD
Penny Loaf Hill Plantation
Burial Ground
Railway Cottages
Ashwell & Morden
SOUTH CAMBRIDGESHIRE
NORTH HERTFORDSHIRE
A505
Lower Coombe Farm
COOMBE ROAD
Thrift Hill
Odsey Corner
Odsey House Cottage
Odsey Meadows
Odsey
The Lodge
Gallows Hill
Heath Barn
Coombe Farm
Royston
SG8
BALDOCK ROAD
THERFIELD ROAD
Heath Farm
Gatleyway Farm
Chesara
Works
Slip Inn Hill
Poultry Houses
DEADMAN'S HILL
Crouch Hill
Stump Cross
Mount Hill
Pott's Hill
Ash Pollard
Tresillian
Lodge Farm
Bury Barns
Buntingford
SG9
Rain Hill
WHEAT HILL
Gannock Farm
Gannock Green
DRIFT WAY
Wheathill
Mount Eagle
Cat Ditch
Mill Hill
Partridge Hall Farm

14
BALDOCK ROAD
Gallop
Tennis Court
Kings Ride
The Thrift
Thrift Farm
Pen Hills
The Hopscotch
Church Hill
7
Jubilee Wood
NATURE RESERVE
Greys
8
Duckpuddle Bush
Pantile Farm
Thrift Hill
COOMBE ROAD
Coombe Farm
13
Gatleyway Farm
Royston SG8
Park Farm
MILL LA.
Slipes Wood
Hill Farm
Therfield First Sch.
Burial Ground
PEDLARS LANE
THE CAUSEWAY
FOX LA.
Water Tower
Motte & Bailey
Hall
CHURCH LA.
Hay Farm
ROW
THERFIELD
Wimsey Hall Plantation
Chain Walk
Stump Cross
North End
Fish Pond
THE GRANGE
Rec. Grd.
Hay Green
HOOPS GREEN LA.
Washington Green
HAYWOOD LANE
Haywood House
Hay Green Farm
Fox Hall
Kelshall
Hagger's Farm
Grange Farm
KELSHALL STREET
Cross (Remains of)
Manor Farm
Pott's Hill
ROOKS NEST LANE
Brook House
River Rib
Mardleybury
Moat
Reed End
Sherlocks
Holborn Farm
DUCKS' GREEN
Dane End
Rooksnest Farm
FEARS GREEN
Woodcotes
KELSHALL GREEN LANE
Hobb's Grove
Buntingford SG9
Lords Wood
Little Sark
Chapel Green
The Homestead
Philpott's Wood
COLLINS
26
LANE
Partridge Hall Farm
Hawkins Wood
Sewage Works
Brandish Wood

DISTRICT HOSPITAL
(Covered)
Sunnymead
Ashtrees
The Ridings
Flint Hall Farm
8
Works
New Stud Farm
Heath Farm
9
Maple Cottage
Seven Rides
Halfmoon Plantation
Seven Rides Plantation
Wardington Bottom
Fox Farm
Whiteley Hill
Grange Farm
Whiteley Hill Yard
A10
Mile End Farm
Windmill (disused)
Fares Stables
Main Yard
Field Barn
Newsells Barn Farm
STOCK BANK
Long Penn Yard
Stockbank Bush
Hatchpen
Fox Cottage
Welsh Harp
16
The Pump House
West Wo Cottage
News
Cooper Green
ERMINE STREET (ROMAN ROAD)
The White House
Stables
Nature Reserve
Obelisk
THE JOINT
ROYSTON
Reed End Farm
Wireless Station
Mast
Mill Cnr.
Mill Corner Farm
LANE
JACKSON'S LA.
CORONATION ROW
CROW
Wireless Station
Mast
Mast
WILLOW CL.
BLACKSMITH'S LA.
BRICKYARD
Reed First School
THE MARSH
STREET
Wisbridge Farm
Ckt. Grd.
Wireless Station
Reed Green
CHURCH
REED
Sallow Wood
Periwinkle Hill
Motte & Bailey
The Rookery
Southview
Goodfellows Farm
DRIFTWAY
HIGH
WINDMILL CL.
PERIWINKLE CL.
ROAD
CAMBRIDGE RD.
Hall
Rec. Grd.
War Mem.
Moats
LANE
Fish Ponds
Bush Wood
Moat
Rokey Wood
BARKWAY
STREET
WHITEHOUSE CT.
Church Farm
Reed Hall
Silo
Moat
Gannock Grove
Moat
Roundabout
Gannock Green
CHURCH LA.
Vic.
Manor Farm
Barkway First Sch.
Elms Farm
B1368
BURRS LA.
River Quin
ASHGROVE
MEWS
THE BEECHES
TOWNSEND CL.
ASH MILL
Rushingwells
Reed Wood
Strawberry Grove
Poultry Farm
GAS LA.
Sewage Works
Hilly Wood
27
BUCKLAND RD.
Greenways
HIGH
OLD
Howlet's Farm
NUTHAMPS
Southfield Grove
H J K L M N G
36 37 38 39 35
1 2 3 4 5 6 7 8 9

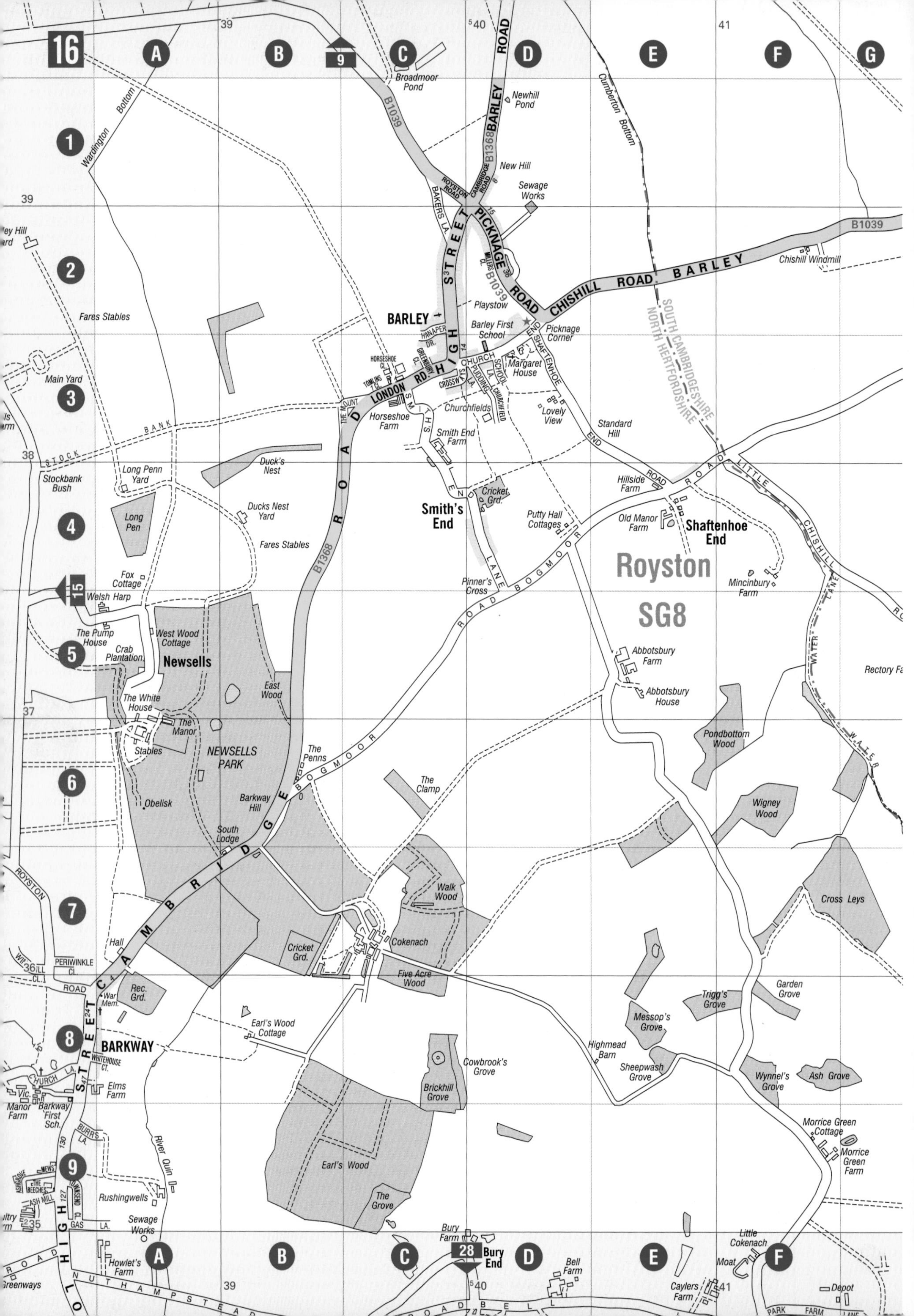
16
A
B
C
D
E
F
G
9
15
28
39
40
41
38
37
36
35
1
2
3
4
5
6
7
8
Broadmoor Pond
B1039
BARLEY ROAD
B1368
Newhill Pond
New Hill
Sewage Works
ROYSTON ROAD
CAMBRIDGE ROAD
BAKERS LA.
HIGH STREET
PICKNAGE ROAD
MILLERS CL.
CHISHILL ROAD
BARLEY
Chishill Windmill
Cumberton Bottom
Wardington Bottom
Fares Stables
Main Yard
STOCK BANK
Stockbank Bush
Long Penn Yard
Long Pen
Duck's Nest
Ducks Nest Yard
Playstow
Barley First School
Picknage Corner
HANAPER DR.
GREENBURY CL.
HORSESHOE CL.
TOMLINS CL.
LONDON RD.
THE MOUNT
CHURCH LA.
CROSSWAYS
PUDDING LA.
SCHOOL LA.
CHURCHFIELD
Margaret House
SHAFTENHOE END
Horseshoe Farm
Churchfields
Lovely View
Smith End Farm
SMITHS END LANE
Standard Hill
SOUTH CAMBRIDGESHIRE
NORTH HERTFORDSHIRE
Cricket Grd.
Smith's End
Hillside Farm
ROAD
LITTLE CHISHILL
Putty Hall Cottages
Old Manor Farm
Shaftenhoe End
Royston
SG8
Mincinbury Farm
Fox Cottage
Welsh Harp
The Pump House
Crab Plantation
West Wood Cottage
Newsells
Pinner's Cross
BOGMOOR ROAD
WATER LANE
Abbotsbury Farm
Abbotsbury House
Rectory Fa
East Wood
The White House
The Manor
Stables
NEWSELLS PARK
The Penns
Pondbottom Wood
The Clamp
Obelisk
Barkway Hill
Wigney Wood
South Lodge
CAMBRIDGE ROAD
ROYSTON
Walk Wood
Cross Leys
Hall
Cricket Grd.
Cokenach
PERIWINKLE CL.
Five Acre Wood
Rec. Grd.
War Mem.
Garden Grove
Trigg's Grove
Messop's Grove
Earl's Wood Cottage
BARKWAY
Highmead Barn
WHITEHOUSE CT.
Cowbrook's Grove
Sheepwash Grove
Wynnel's Grove
Ash Grove
CHURCH LA.
Vic.
Elms Farm
Manor Farm
Barkway First Sch.
Brickhill Grove
BURRS LA.
Morrice Green Cottage
Morrice Green Farm
River Quin
MEWS
THE BEECHES
ASH MILL
TOWNSEND CL.
Earl's Wood
Rushingwells
The Grove
Sewage Works
GAS LA.
Bury Farm
Bury End
Little Cokenach
Howlet's Farm
Bell Farm
Moat
Greenways
NUTHAMPSTEAD ROAD
OLD HIGH STREET
BELL ROAD
Caylers Farm
Depot
PARK FARM LANE

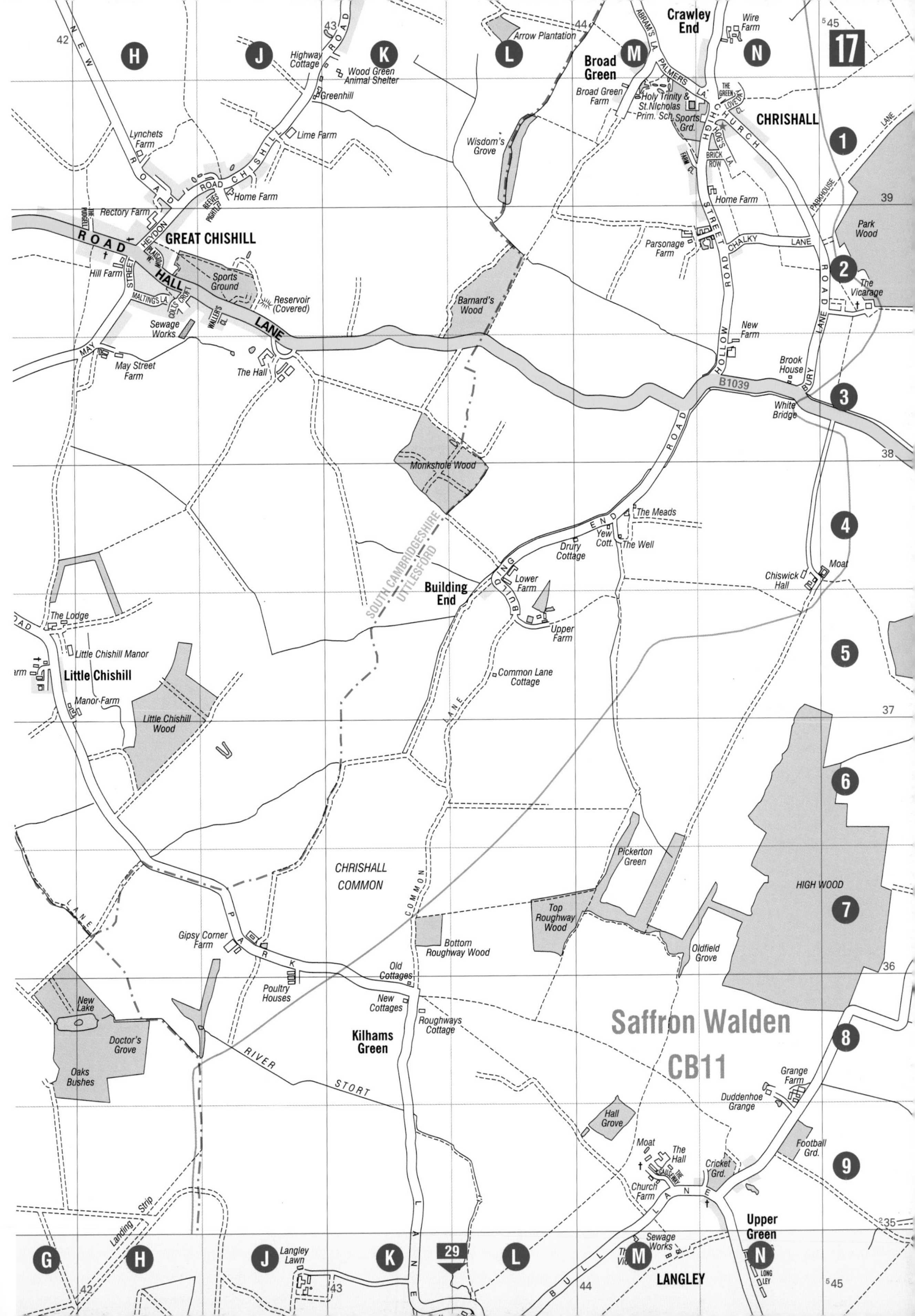
17
Crawley End
Wire Farm
Broad Green
Broad Green Farm
Holy Trinity & St.Nicholas Prim. Sch.
Sports Grd.
CHRISHALL
Arrow Plantation
Highway Cottage
Wood Green Animal Shelter
Greenhill
Lime Farm
Lynchets Farm
Home Farm
Rectory Farm
GREAT CHISHILL
Hill Farm
Sports Ground
Reservoir (Covered)
Sewage Works
May Street Farm
The Hall
Wisdom's Grove
Barnard's Wood
Monkshole Wood
Home Farm
Parsonage Farm
Park Wood
The Vicarage
New Farm
Brook House
B1039
White Bridge
The Meads
Yew Cott.
The Well
Drury Cottage
Lower Farm
Upper Farm
Building End
SOUTH CAMBRIDGESHIRE
UTTLESFORD
Chiswick Hall
Moat
The Lodge
Little Chishill Manor
Little Chishill
Manor Farm
Little Chishill Wood
Common Lane Cottage
CHRISHALL COMMON
Pickerton Green
Top Roughway Wood
Bottom Roughway Wood
Oldfield Grove
HIGH WOOD
Gipsy Corner Farm
Poultry Houses
Old Cottages
New Cottages
Roughways Cottage
New Lake
Doctor's Grove
Oaks Bushes
Kilhams Green
RIVER STORT
Saffron Walden CB11
Grange Farm
Duddenhoe Grange
Hall Grove
Football Grd.
Moat
The Hall
Cricket Grd.
Church Farm
Sewage Works
Upper Green
LANGLEY
Langley Lawn
Landing Strip
29

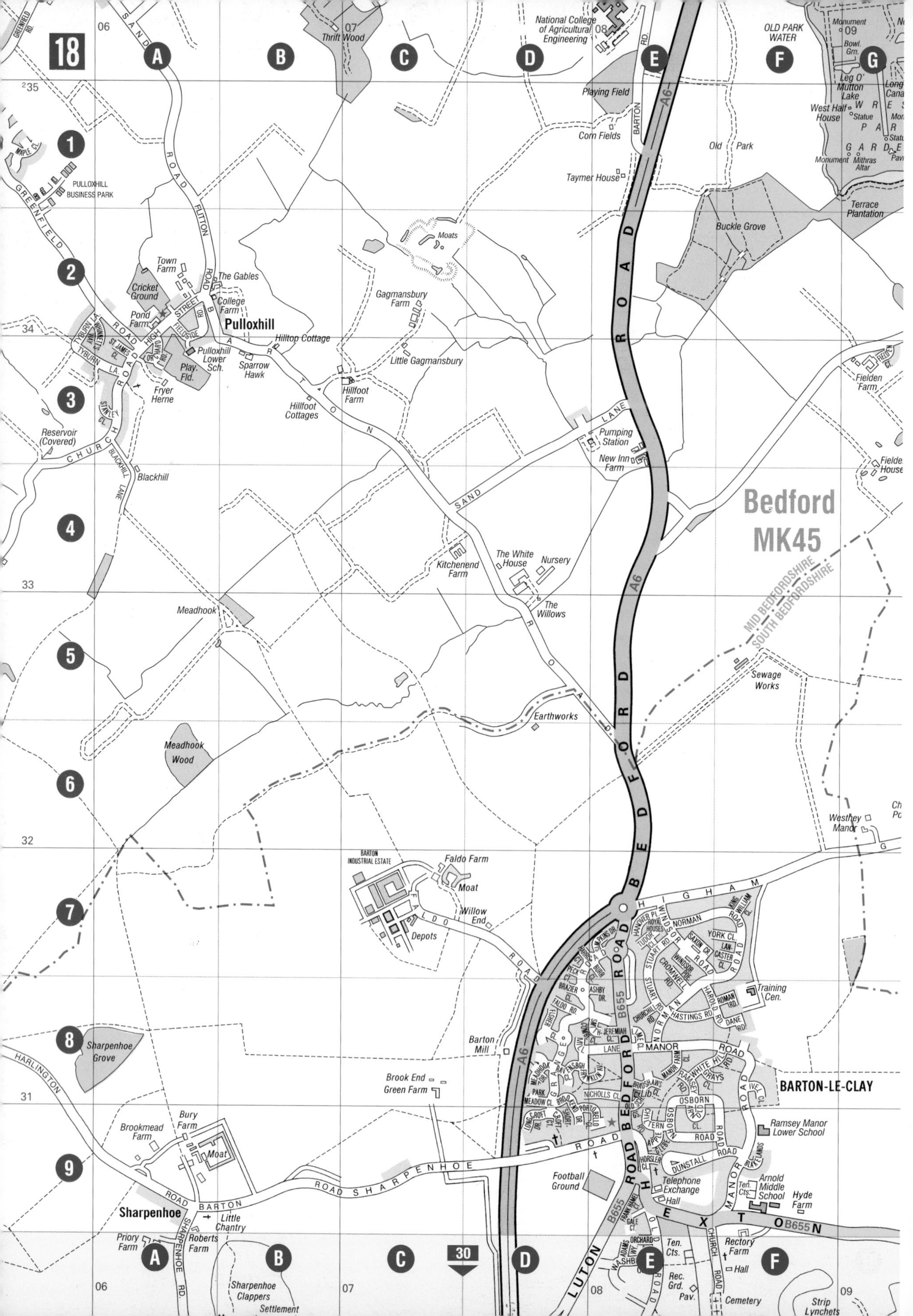

18
Thrift Wood
National College of Agricultural Engineering
OLD PARK WATER
Monument
Bowl. Grn.
Leg O' Mutton Lake
Long Canal
West Half House
Statue
WREST PARK GARDENS
Monument
Mithras Altar
Playing Field
Corn Fields
BARTON RD.
Old Park
Taymer House
Terrace Plantation
Buckle Grove
PULLOXHILL BUSINESS PARK
GREENFIELD RD.
MAPLE CL.
SAND ROAD
FLITTON ROAD
Moats
Town Farm
The Gables
Cricket Ground
College Farm
Gagmansbury Farm
Pond Farm
Pulloxhill
HIGH STREET
Hilltop Cottage
Little Gagmansbury
TYBURN LA.
WHINNETTS WAY
ST JAMES CL.
Pulloxhill Lower Sch.
Sparrow Hawk
Play. Fld.
Hillfoot Farm
Fryer Herne
Hillfoot Cottages
STANLEY CL.
Fielden Farm
Reservoir (Covered)
CHURCH RD.
BLACKHILL LANE
Blackhill
Pumping Station
New Inn Farm
Fielden House
SAND LANE
Bedford MK45
Kitchenend Farm
The White House
Nursery
MID BEDFORDSHIRE
SOUTH BEDFORDSHIRE
Meadhook
The Willows
SAND ROAD
A6
BEDFORD ROAD
Sewage Works
Earthworks
Meadhook Wood
Westhey Manor
BARTON INDUSTRIAL ESTATE
Faldo Farm
Moat
Willow End
FALDO ROAD
Depots
HIGHAM ROAD
NORMAN RD.
KING WILLIAM RD.
YORK CL.
LANCASTER CL.
WINDSOR RD.
SAXON CR.
CROMWELL RD.
STUART RD.
Training Cen.
ROMAN RD.
HASTINGS RD.
DANE RD.
CHURCHILL RD.
B655
MANOR ROAD
Barton Mill
Sharpenhoe Grove
HARLINGTON ROAD
Brook End Green Farm
NICHOLLS CL.
Lib.
OSBORN RD.
BARTON-LE-CLAY
Ramsey Manor Lower School
Bury Farm
Brookmead Farm
Moat
SHARPENHOE ROAD
DUNSTALL
Football Ground
Telephone Exchange
Hall
Arnold Middle School
Hyde Farm
Sharpenhoe
BARTON ROAD
Little Chantry
HEXTON ROAD
Priory Farm
Roberts Farm
SHARPENHOE RD.
30
LUTON ROAD
Ten. Cts.
CHURCH ROAD
Rectory Farm
Hall
Rec. Grd.
Pav.
Cemetery
Sharpenhoe Clappers
Settlement
Strip Lynchets

H
J
K
L
M
N
Lower Gravenhurst
Rectory Farm
The Old Rectory
Bury End
Sewage Works
Lordship Farm
New Farm
Caravan Site
Cain Hill
Drain
Whitehall Lodge
Whitehall
East Half Ho.
Whitehall Plantation
BROAD WATER
Ion Farm
The Kilns
Earthwork
Woodmer End
Upton End
Arkle House
Redhouse Farm
Ion Lodge
Little Ion
Shillington Lower School
Playing Field
Hillfoot End
Shillington
The Gables
Hall
Northley Farm
Moorhen Farm
Saldon
College Farm
College Farm Cottages
The Bungalow
Ion Bridge Poultry Farm
Archers Farm
The Old School
Parsonage Farm
Hanscombe End Farm
Hanscombe End
Moat
Earthwork
Fish Ponds
Chalkleybush Farm
Green Farm
Apsley End
Pirton Grange Farm
Model Farm
Model Farm Nursery
Manor Cottage
Higham Cottages
Manor Farm
Boa Vista
MANOR FARM BUSINESS PARK
The Old Rectory
Temara
Higham Gobion
Hitchin SG5
Pirton Grange
Moat
Pirton Hall
Apsleybury Wood
Lowerpiece Spinnies
Apsley Bury Farm
Moat
Ravendale Farm
Shillington Manor
Manor Cottages
Hexton Common
NORTH HERTFORDSHIRE
MID BEDFORDSHIRE
The Mill
Manor Farm
Sewage Works
Mill Lane Plantation
New Cottages
Grange Fm.
Pegsdon Common Farm
Playing Field
Model Cottages
The Curl Paper
Weir
The Rookery
The Bungalow
New Cotts.
Dairy Cotts.
Hall
HEXTON
Model Farm
Bury Farm
Pegsdon Belt
Church Wood
Dower House
Hexton Manor
Belt Plantation
Hexton Jun. & Inf. Schs.
Spring
The Gallows
Pegsdon
Common Farm Cottages
G
BARTON ROAD
HITCHIN RD.
PEGSDON WAY
Cockpits
Ravensburgh
Ravensview
Waytinghill
The Butts
Flats
20
31
1
2
3
4
5
6
7
8
9
33
32
31
34
35
10
11
12

20
Bury End
Upper Stondon
Henlow
SG16
Upton End
Shillington
Apsley End
Burge End
PIRTON
Lordship Farm
New Farm
Caravan Site
Upton End Farm
Arkle House
Redhouse Farm
Clawders Hill Farm
Marquis House
Shillington Lower School
Playing Field
The Gables
Hall
The Old School
Parsonage Farm
Moat
Pirton Grange Farm
Pirton Hall
Wesley Spinney
Lowerpiece Spinnies
Shillington Manor
Kettledean Farm
Pegsdon Common Farm
Knocking Knoll Long Barrow
Common Farm Cottages
Tumulus
Tingley Field Plantation
Tingley Wood
High Down House
Hanginghill Plantation
Highdown Plantation
Highdown Farm
Highdown Cottages
Lower Plantation
Punch's Cross
Chibley Farm
Chibley Cottages
Rosehill Cottages
Rosehill Farm
Tyne Hill Farm
TYNE HILL
Trinity College Farm
Mayfield Farm
Nursery
Stondon Lower School
Mount Pleas Farm
Club Ho.
Caravan Park
MID BEDFORDSHIRE
NORTH HERTFORDSHIRE
New Wrights Farm
Burge End Farm
Hammonds Farm
West Lane Farm
Wrights Farm
Rectory Farm
Moat
Rectory Manor
Northmead
Pirton Jun. & Inf. Sch.
Water Tower
Hill Farm
Toot Hill
Motte & Bailey
Vicarage
Playing Field
Playground
Walnut Tree Farm
Drain
MARQUIS HILL
SHILLINGTON ROAD
HIGH ROAD
WEST LANE
HOLWELL
HAMBRIDGE WAY
HITCHIN ROAD
WOOD
19
32
A B C D E F G
1 2 3 4 5 6 7 8 9
13 14 515
34 33 32 31 235

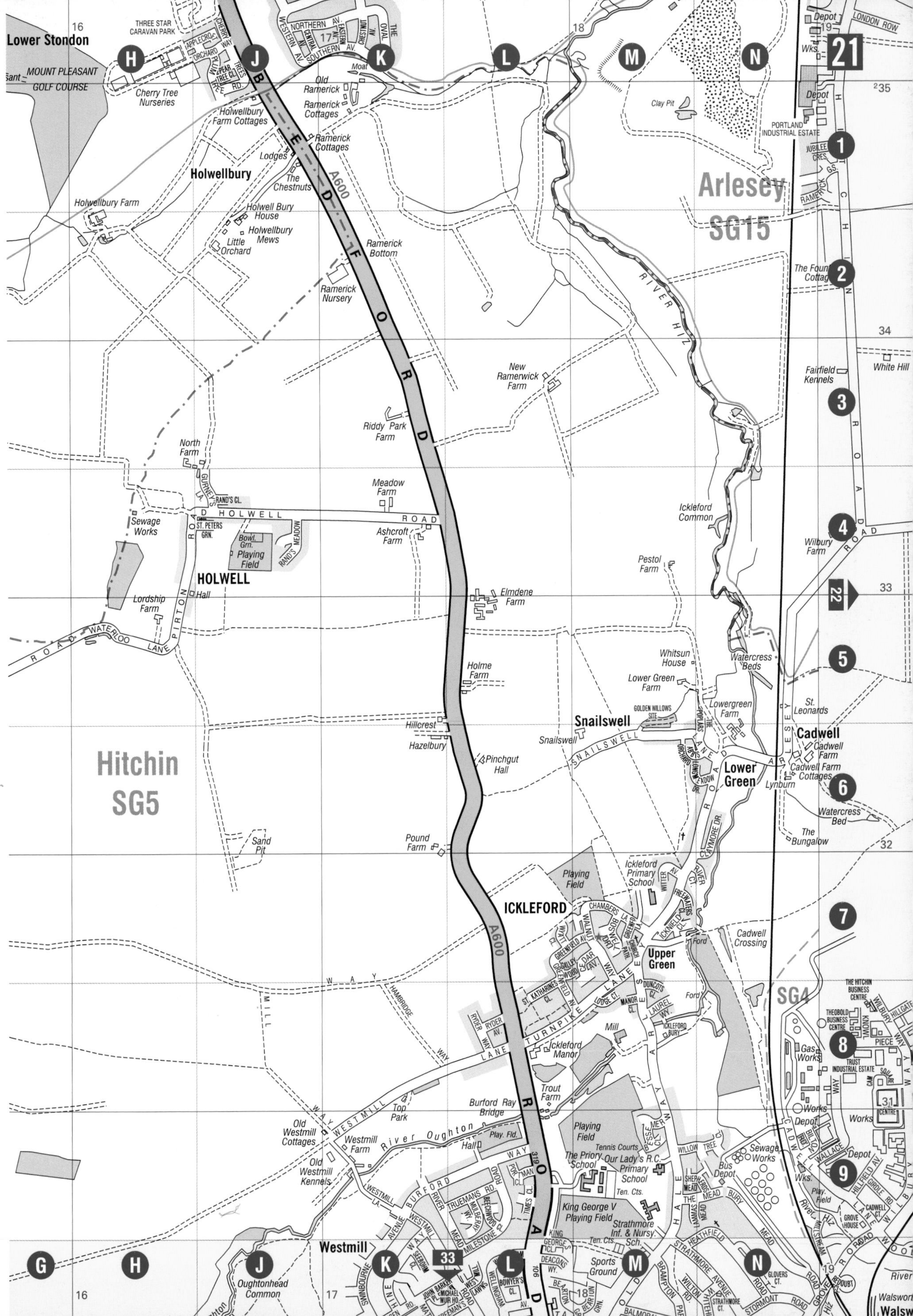

21
Lower Stondon
THREE STAR CARAVAN PARK
MOUNT PLEASANT GOLF COURSE
Cherry Tree Nurseries
Holwellbury Farm Cottages
Holwellbury
Holwellbury Farm
Lodges
The Chestnuts
Holwell Bury House
Holwellbury Mews
Little Orchard
Old Ramerick
Ramerick Cottages
Ramerick Bottom
Ramerick Nursery
Moat
BEDFORD ROAD
A600
NORTHERN AV.
SOUTHERN AV.
WESTERN AV.
Clay Pit
PORTLAND INDUSTRIAL ESTATE
Depot
Wks.
LONDON ROW
JUBILEE CRES.
Arlesey
SG15
RIVER HIZ
The Fountain Cottages
New Ramerwick Farm
Riddy Park Farm
Fairfield Kennels
White Hill
North Farm
Meadow Farm
Ashcroft Farm
HOLWELL ROAD
Sewage Works
RAND'S CL.
ST. PETERS GRN.
Bowl. Grn.
Playing Field
RAND'S MEADOW
HOLWELL
Hall
Lordship Farm
PIRTON ROAD
WATERLOO LANE
Elmdene Farm
Ickleford Common
Pestol Farm
Wilbury Farm
Holme Farm
Whitsun House
Lower Green Farm
Watercress Beds
Lowergreen Farm
St. Leonards
Cadwell
Cadwell Farm
Cadwell Farm Cottages
Lynburn
Snailswell
GOLDEN WILLOWS SITE
SNAILSWELL LANE
Lower Green
Hillcrest
Hazelbury
Pinchgut Hall
Hitchin
SG5
Sand Pit
Pound Farm
Watercress Bed
The Bungalow
Ickleford Primary School
Playing Field
ICKLEFORD
CLAYMORE DR.
Upper Green
Cadwell Crossing
Ford
SG4
Mill
Ickleford Manor
Trout Farm
TURNPIKE LANE
ARLESEY ROAD
WAY
HAMBRIDGE WAY
MILL WAY
THE HITCHIN BUSINESS CENTRE
THEOBOLD BUSINESS CENTRE
Gas Works
TRUST INDUSTRIAL ESTATE
Works
Depot
Burford Ray Bridge
Top Park
Old Westmill Cottages
Westmill Farm
River Oughton
Play. Fld.
Hall
Old Westmill Kennels
Playing Field
Tennis Courts
The Priory School
Our Lady's R.C. Primary School
Ten. Cts.
Sewage Works
Bus Depot
King George V Playing Field
Strathmore Inf. & Nursy. Sch.
Westmill
Oughtonhead Common
Sports Ground
33
22
Walsworth

22
Arlesey
SG15
SG5
SG4
Hitchin
LETCHWORTH
Letchworth
Sewage Works
Reservoir (Covered)
Cricket Ground
Bowling Green
Green Lagoon
Blue Lagoon
Norton Well
Depot
PORTLAND INDUSTRIAL ESTATE
JUBILEE CR.
Fountain Cottage
White Hill
Fairfield Kennels
Lower Wilbury Farm
MID BEDFORDSHIRE
NORTH HERTFORDSHIRE
Tanks
Filter Beds
Stonehill Jun. & Inf. Sch.
Standalone Farm
Standalone Farm Centre
Grange Playing Fields
Grange Jun. Sch.
Inf. Sch.
Playing Field
NORTON COMMON
Swimming Pool
Wilbury Farm
Fox Covert
Wilburyhill Farm
Wilbury Jun. Sch.
Icknield Inf. Sch.
Recreation Ground
Cemetery
Wilbury Hill
Watercress Beds
St. Leonards
Cadwell
Cadwell Farm
Cadwell Farm Cottages
Watercress Bed
The Bungalow
Cadwell Crossing
Engineering Training Sch.
Fearnhill School
Neville Bridge
Nth. Herts College
Mus. & Art Gall.
Gardens
Sports Grd.
Rec. Grd.
Small Holding
St. Thomas More R.C. Prim. Sch.
The Highfield School
Briar Patch (Children's Home)
St. Christopher School
Sports Ground
Pitch & Putt Course
Letchworth Hall Hotel
LETCHWORTH GOLF COURSE
Club House
Fiveways House
Nursery
Lodge
Keysheath
Highover Farm
THE HITCHIN BUSINESS CENTRE
THEOBOLD BUSINESS CENTRE
TRUST INDUSTRIAL ESTATE
Depots
Works
CAM CENTRE
HITCHIN RD.
BALDOCK
CAMBRIDGE ROAD
A505
Walsworth Common
Walsworth
River Purwell
The Orchard
10
21
34

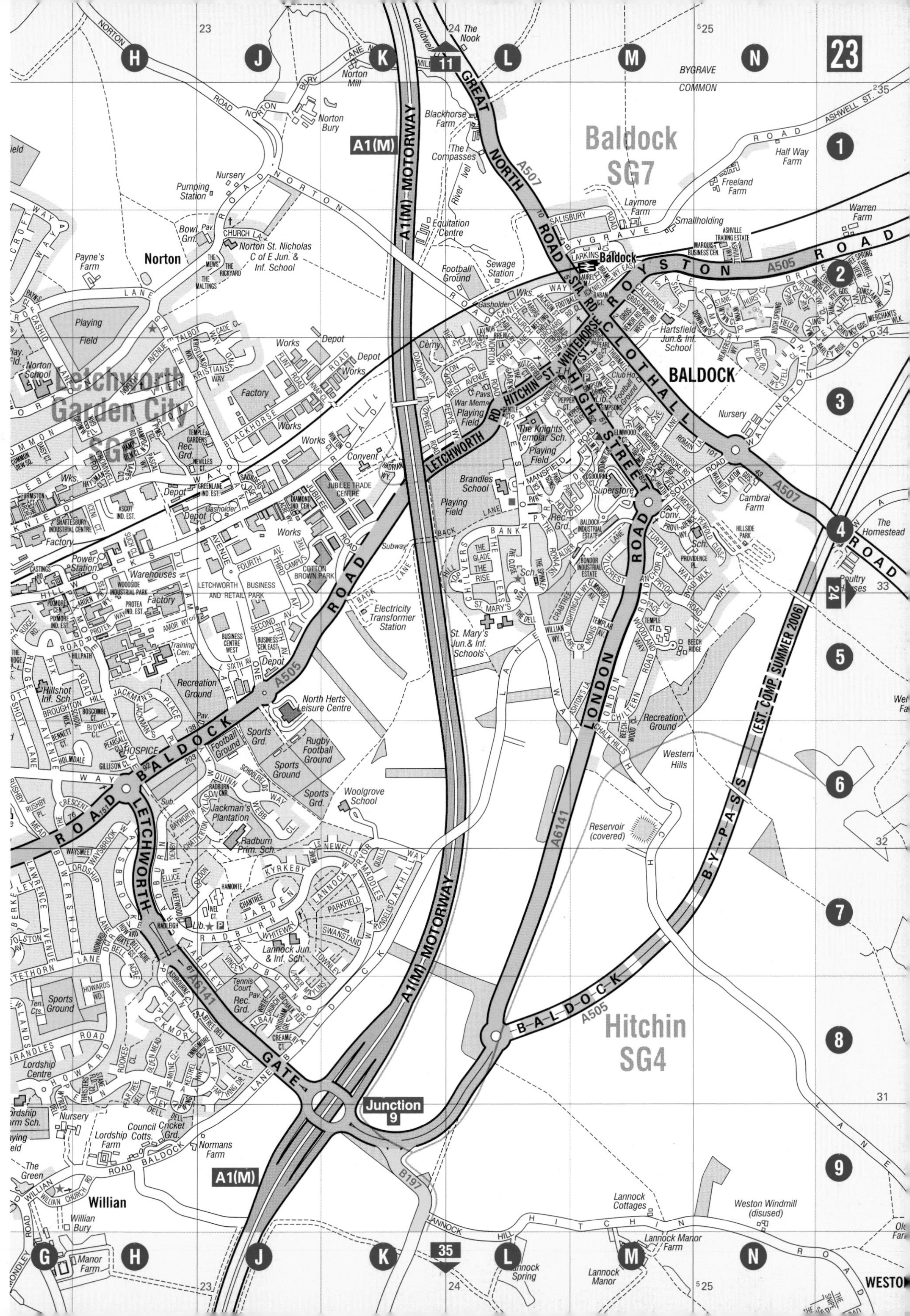
Baldock
SG7
BALDOCK
Letchworth
Garden City
SG6
Hitchin
SG4
Norton
Willian
BYGRAVE
COMMON
A1(M)
A1(M) MOTORWAY
GREAT NORTH ROAD
A507
A505
A6141
ROYSTON ROAD
CLOTHALL ROAD
LONDON ROAD
HIGH STREET
HITCHIN ST.
LETCHWORTH RD.
BALDOCK ROAD
LETCHWORTH GATE
BY-PASS (EST. COMP. SUMMER 2006)
Junction 9
11
35
24
Norton Mill
Norton Bury
Blackhorse Farm
The Compasses
River Ivel
Equitation Centre
Football Ground
Sewage Station
Pumping Station
Nursery
Norton St. Nicholas C of E Jun. & Inf. School
Payne's Farm
Playing Field
Norton School
Half Way Farm
Freeland Farm
Laymore Farm
Smallholding
Warren Farm
Hartsfield Jun.& Inf. School
The Knights Templar Sch.
Brandles School
Superstore
Cambrai Farm
The Homestead
Poultry Houses
Electricity Transformer Station
St. Mary's Jun.& Inf. Schools
North Herts Leisure Centre
Rugby Football Ground
Woolgrove School
Jackman's Plantation
Radburn Prim. Sch.
Lannock Jun. & Inf. Sch.
Recreation Ground
Western Hills
Reservoir (covered)
Lordship Farm
Council Cotts.
Cricket Grd.
Normans Farm
Lannock Cottages
Weston Windmill (disused)
Lannock Manor Farm
Lannock Spring
Lannock Manor
Manor Farm
Willian Bury
The Green
LETCHWORTH BUSINESS AND RETAIL PARK
JUBILEE TRADE CENTRE
COTTON BROWN PARK
HOSPICE
Lordship Centre
Sports Ground
WESTON

A
B
C
D
E
F
G
12
26
27
28
235
34
33
32
31
1
2
3
4
5
6
7
8
9
Bygrave Lodge Farm
METLEY HILL
Tumulus
ASHWELL ROAD
ROYSTON ROAD
A505
The Firs
Warren Farm
BY-PASS (EST. COMP. SUMMER 2006)
Baldock
SG7
CLOTHALL COMMON
The Homestead
CLOTHALL ROAD
A507
WARREN LANE
WARREN ROAD
Poultry Houses
23
Cambrai Farm
HILLSIDE PARK
BALDOCK
WALLINGTON ROAD
Quickswood Farm
Meadow Cottage
Farm Cottage
Ponds
Pond
Spital Wood
Prim Spring
Bush Spring
Round Wood
BIRD HILL
WINDMILL HILL
Welbury Farm
Clothallbury Wood
Clothall Bury
Kingswoodbury
Fish Ponds
Clothall House
ASHANGER HILL
Clothall
The Glebe House
Church Farm House
Parkfield Cottages
ASHANGER LA
The Dell
The Gables
Hickman's Hill
Green Grove
Bush Wood
Toggs Spring
BURNTHOUSE LANE
Toggs
Kingswoodbury House
Hitchin
SG4
HATCH LANE
Green End
Westfield Common
Coldash Wood
Rydals Wood
Darnall's Hall Farm
Weston Windmill (disused)
Old Farm
Water Tower
HITCHIN ROAD
FORE STREET
MILL LANE
WESTON
Horseshoe Farm
Oakley's Farm
Weston Bury
36
Burymead

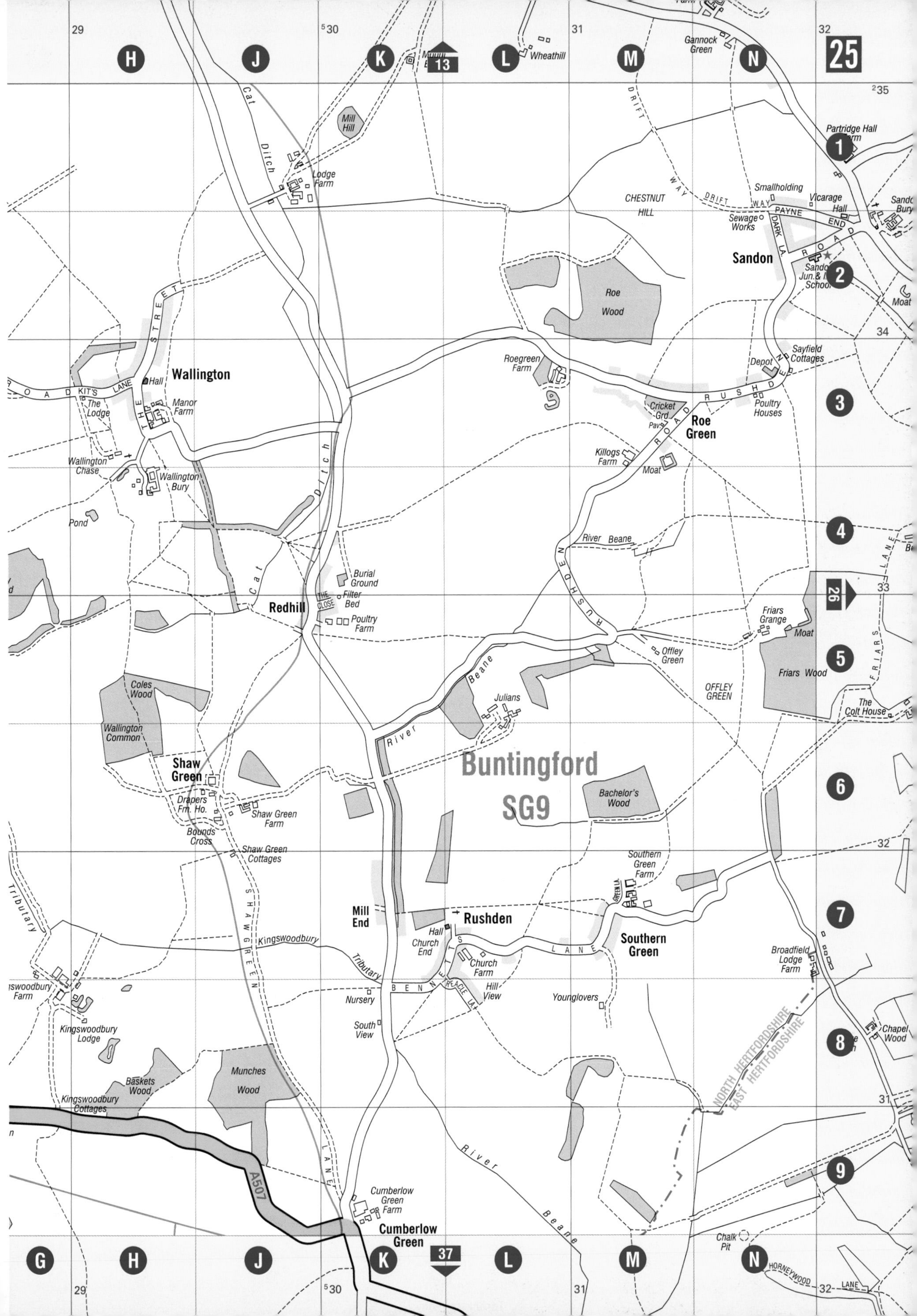
Wallington
Sandon
Roe Green
Redhill
Buntingford
SG9
Shaw Green
Mill End
Rushden
Southern Green
Cumberlow Green
Wheathill
Gannock Green
Partridge Hall Farm
Mill Hill
Lodge Farm
Cat Ditch
CHESTNUT HILL
Smallholding
Vicarage Hall
Sewage Works
PAYNE END
DARK LA.
Sandon Jun.& Inf. School
Roe Wood
Roegreen Farm
Sayfield Cottages
Depot
RUSHDEN ROAD
Cricket Grd.
Pav
Poultry Houses
Killogs Farm
Moat
THE STREET
KIT'S LANE
Hall
The Lodge
Manor Farm
Wallington Chase
Wallington Bury
Pond
River Beane
Burial Ground
THE CLOSE
Filter Bed
Poultry Farm
Friars Grange
Offley Green
OFFLEY GREEN
Friars Wood
The Colt House
FRIARS LANE
Coles Wood
Wallington Common
Julians
Bachelor's Wood
Drapers Fm. Ho.
Shaw Green Farm
Bounds Cross
Shaw Green Cottages
SHAW GREEN LANE
Southern Green Farm
GREEN LA.
Tributary
Kingswoodbury
Hall
Church End
BENNETTS LANE
Church Farm
REACLE LA.
Hill View
Nursery
South View
Younglovers
Broadfield Lodge Farm
NORTH HERTFORDSHIRE
EAST HERTFORDSHIRE
Chapel Wood
Kingswoodbury Farm
Kingswoodbury Lodge
Baskets Wood
Kingswoodbury Cottages
Munches Wood
A507
Cumberlow Green Farm
Chalk Pit
HORNEYWOOD LANE
13
26
37

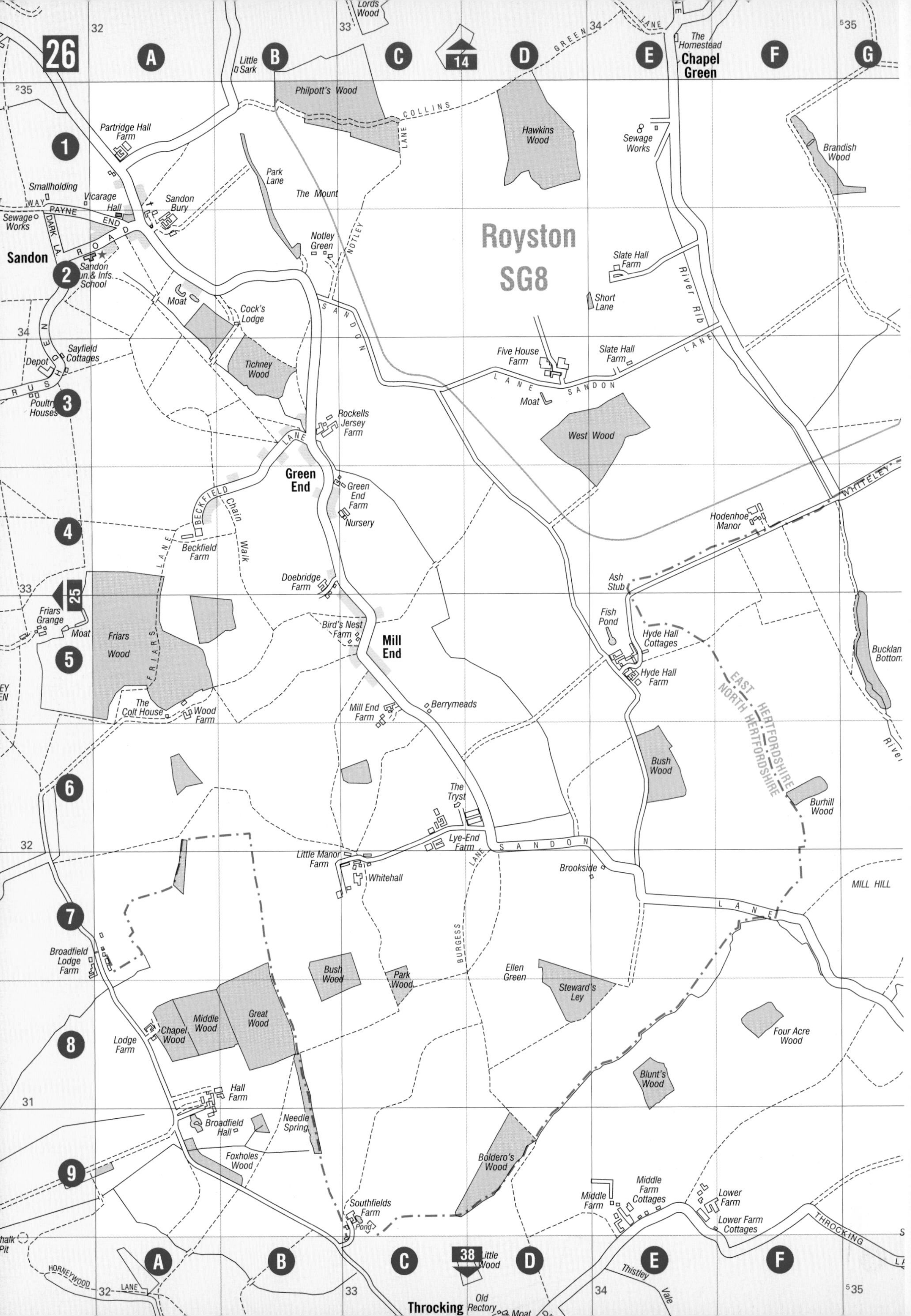

A B C D E F G

1

2

3

4

5

6

7

8

9

Royston SG8

Chapel Green

The Homestead

Little Sark

Philpott's Wood

Hawkins Wood

Brandish Wood

Partridge Hall Farm

Sewage Works

Smallholding

Vicarage Hall

Sandon

Sandon Bury

Park Lane

The Mount

Notley Green

Sewage Works

Slate Hall Farm

Short Lane

Sandon Jun. & Infs. School

Moat

Cock's Lodge

Depot

Sayfield Cottages

Tichney Wood

Five House Farm

Slate Hall Farm

Moat

Poultry Houses

Rockells Jersey Farm

West Wood

River Rib

Hodenhoe Manor

Green End

Green End Farm

Nursery

Beckfield Farm

Beckfield Lane

Chain Walk

Doebridge Farm

Ash Stub

25

Friars Grange

Moat

Friars Wood

FRIARS LANE

Bird's Nest Farm

Mill End

Fish Pond

Hyde Hall Cottages

Bucklan Bottom

The Colt House

Wood Farm

Mill End Farm

Berrymeads

Hyde Hall Farm

Bush Wood

Burhill Wood

EAST HERTFORDSHIRE
NORTH HERTFORDSHIRE

The Tryst

Lye-End Farm

Little Manor Farm

Whitehall

Brookside

MILL HILL

Broadfield Lodge Farm

Bush Wood

Park Wood

Ellen Green

Steward's Ley

Four Acre Wood

SANDON LANE

BURGESS LANE

Lodge Farm

Chapel Wood

Middle Wood

Great Wood

Blunt's Wood

Hall Farm

Broadfield Hall

Needle Spring

Boldero's Wood

Middle Farm

Middle Farm Cottages

Lower Farm

Foxholes Wood

Southfields Farm

Pond

Lower Farm Cottages

THROCKING

Chalk Pit

HORNEYWOOD LANE

38 Little Wood

Thistley

Vale

Throcking Old Rectory Moat

A B C D E F

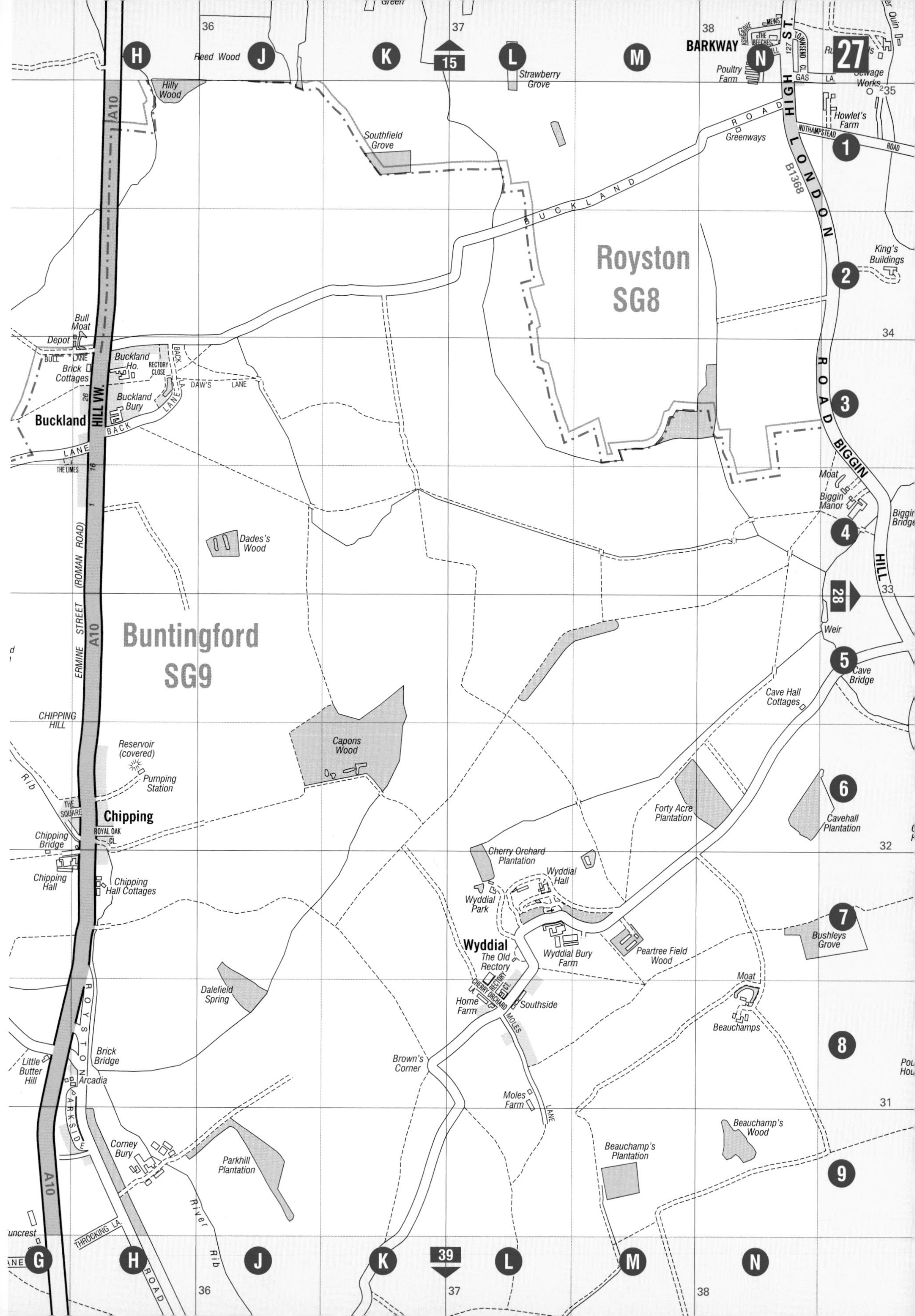

BARKWAY
Royston SG8
Buntingford SG9
Buckland
Chipping
Wyddial
Reed Wood
Hilly Wood
Southfield Grove
Strawberry Grove
Poultry Farm
Howlet's Farm
Greenways
BUCKLAND ROAD
NUTHAMPSTEAD ROAD
HIGH ST.
LONDON ROAD
BIGGIN HILL
B1368
King's Buildings
Moat
Biggin Manor
Weir
Cave Bridge
Cave Hall Cottages
Forty Acre Plantation
Cavehall Plantation
Bushleys Grove
Beauchamps
Beauchamp's Wood
Beauchamp's Plantation
Peartree Field Wood
Wyddial Hall
Wyddial Park
Wyddial Bury Farm
The Old Rectory
Home Farm
Southside
Moles Farm
MOLES LANE
Brown's Corner
Cherry Orchard Plantation
Capons Wood
Dades's Wood
Dalefield Spring
Parkhill Plantation
Corney Bury
River Rib
Bull Moat
Depot
BULL LANE
Brick Cottages
Buckland Ho.
RECTORY CLOSE
Buckland Bury
DAW'S LANE
BACK LANE
THE LIMES
HILL VW.
ERMINE STREET (ROMAN ROAD)
A10
CHIPPING HILL
Reservoir (covered)
Pumping Station
THE SQUARE
ROYAL OAK CL.
Chipping Bridge
Chipping Hall
Chipping Hall Cottages
ROYSTON ROAD
Brick Bridge
Little Butter Hill
Arcadia
PARKSIDE
THROCKING LA.
Sewage Works
GAS LA.
15
28
39

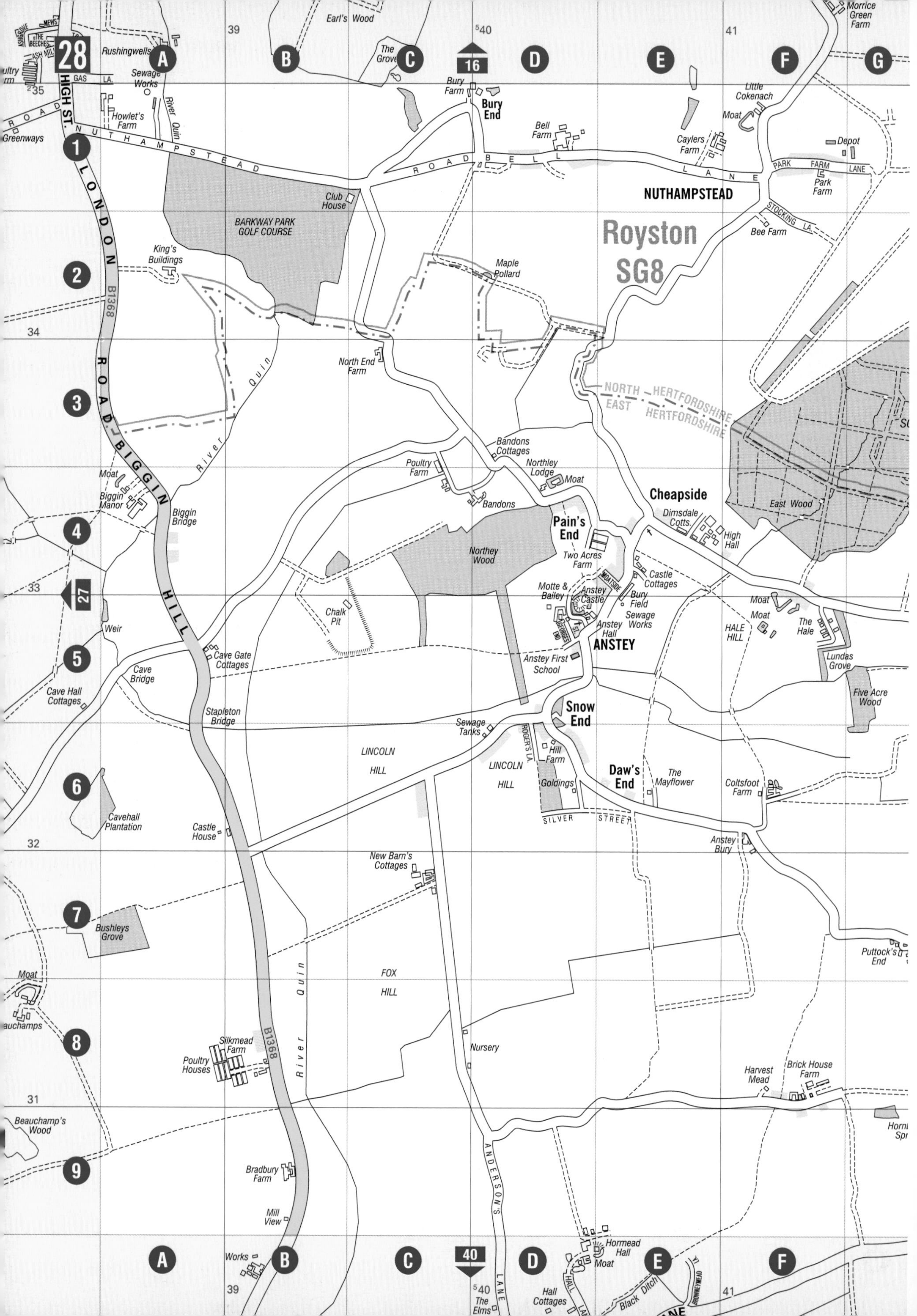
28
Rushingwells
Sewage Works
Howlet's Farm
River Quin
Greenways
HIGH ST.
NUTHAMPSTEAD ROAD
Earl's Wood
The Grove
16
Bury Farm
Bury End
Bell Farm
ROAD BELL LANE
Little Cokenach
Moat
Caylers Farm
Depot
PARK FARM LANE
Park Farm
NUTHAMPSTEAD
STOCKING LA.
Bee Farm
Morrice Green Farm
Royston SG8
Club House
BARKWAY PARK GOLF COURSE
King's Buildings
LONDON ROAD
B1368
Maple Pollard
North End Farm
NORTH HERTFORDSHIRE
EAST HERTFORDSHIRE
BIGGIN HILL
River Quin
Bandons Cottages
Poultry Farm
Northley Lodge
Moat
Bandons
Cheapside
Dimsdale Cotts.
High Hall
East Wood
Moat
Biggin Manor
Biggin Bridge
Pain's End
Northey Wood
Two Acres Farm
MOATSIDE
Castle Cottages
27
Chalk Pit
Motte & Bailey
Anstey Castle
Bury Field
Sewage Works
Anstey Hall
ANSTEY
GEORGE'S END
Moat
Moat
HALE HILL
The Hale
Weir
Cave Gate Cottages
Cave Bridge
Anstey First School
Lundas Grove
Cave Hall Cottages
Stapleton Bridge
Snow End
Five Acre Wood
Sewage Tanks
LINCOLN HILL
LINCOLN HILL
ROGER'S LA.
Hill Farm
Goldings
Daw's End
The Mayflower
Coltsfoot Farm
SILVER STREET
Cavehall Plantation
Castle House
Anstey Bury
New Barn's Cottages
Bushleys Grove
FOX HILL
River Quin
Puttock's End
Moat
Beauchamps
Silkmead Farm
Poultry Houses
B1368
Nursery
Harvest Mead
Brick House Farm
Beauchamp's Wood
ANDERSON'S LANE
Bradbury Farm
Mill View
Hormead Hall
Moat
Works
40
HALL LA.
Hall Cottages
Black Ditch
BROWNEYMEAD
The Elms
A B C D E F G
1 2 3 4 5 6 7 8 9
39 540 41
35 34 33 32 31

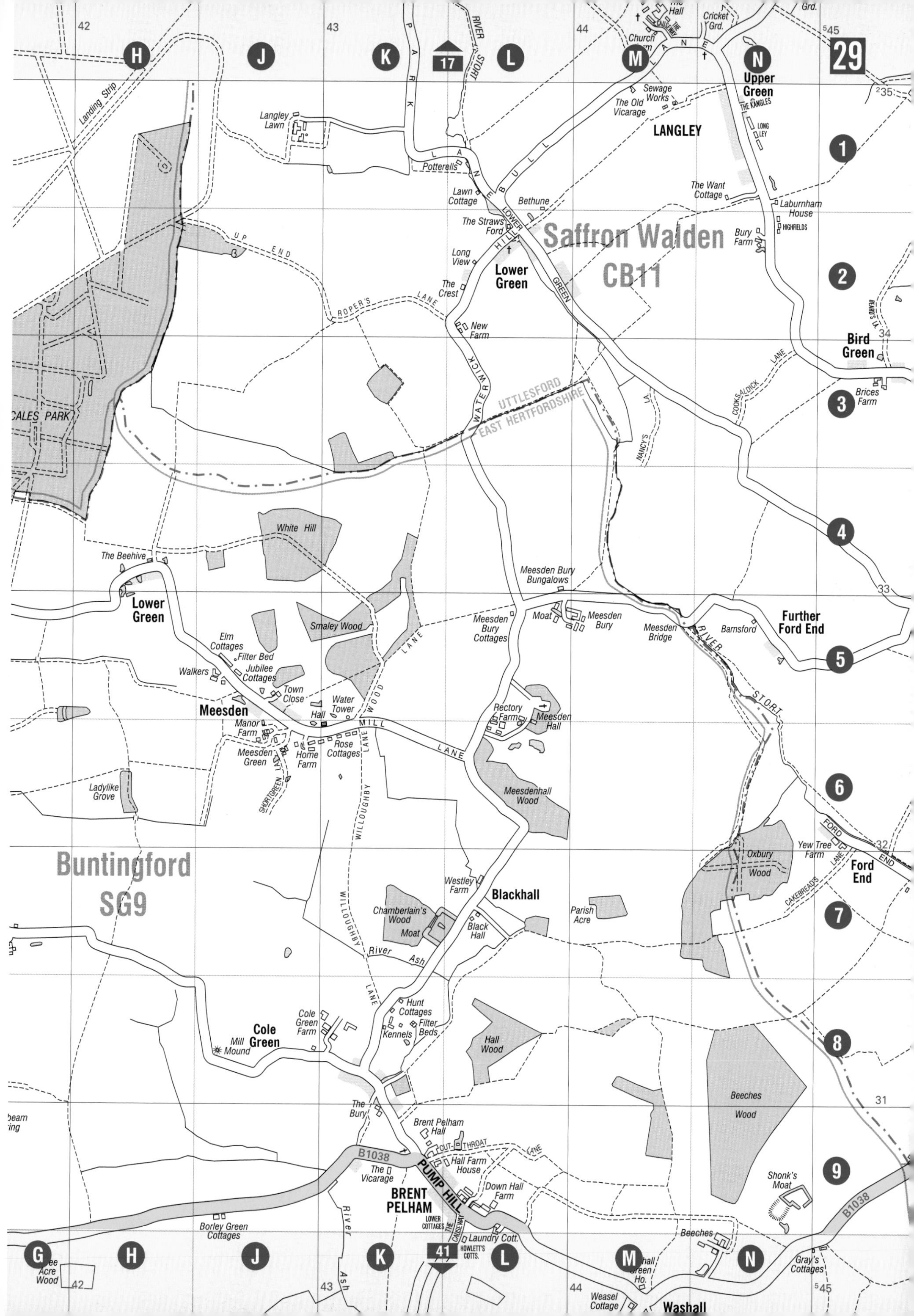
17
H
J
K
L
M
N
Upper Green
LANGLEY
Langley Lawn
Landing Strip
Potterells
Lawn Cottage
Bethune
The Straws Ford
Long View
The Crest
Lower Green
New Farm
Sewage Works
The Old Vicarage
Church Farm
Cricket Grd.
The Want Cottage
Laburnham House
Bury Farm
Saffron Walden
CB11
Bird Green
Brices Farm
UP END
ROPER'S LANE
UTTLESFORD
EAST HERTFORDSHIRE
CALES PARK
White Hill
The Beehive
Lower Green
Meesden Bury Bungalows
Smaley Wood
Elm Cottages
Filter Bed
Jubilee Cottages
Walkers
Town Close
Water Tower
Meesden
Hall
Manor Farm
Meesden Green
Home Farm
Rose Cottages
MILL LANE
Meesden Bury Cottages
Moat
Meesden Bury
Meesden Bridge
Barnsford
Further Ford End
RIVER STORT
Rectory Farm
Meesden Hall
Meesdenhall Wood
Ladylike Grove
WILLOUGHBY LANE
Buntingford
SG9
Westley Farm
Blackhall
Chamberlain's Wood
Moat
Black Hall
Parish Acre
Oxbury Wood
Yew Tree Farm
Ford End
River Ash
Hunt Cottages
Filter Beds
Kennels
Cole Green Farm
Cole Green
Mill Mound
Hall Wood
Beeches Wood
The Bury
Brent Pelham Hall
Hall Farm House
Down Hall Farm
B1038
The Vicarage
PUMP HILL
BRENT PELHAM
Borley Green Cottages
Laundry Cott.
Shonk's Moat
Beeches
Gray's Cottages
41
Weasel Cottage
Washall
G
42
43
44
45
1
2
3
4
5
6
7
8
9
35
34
33
32
31

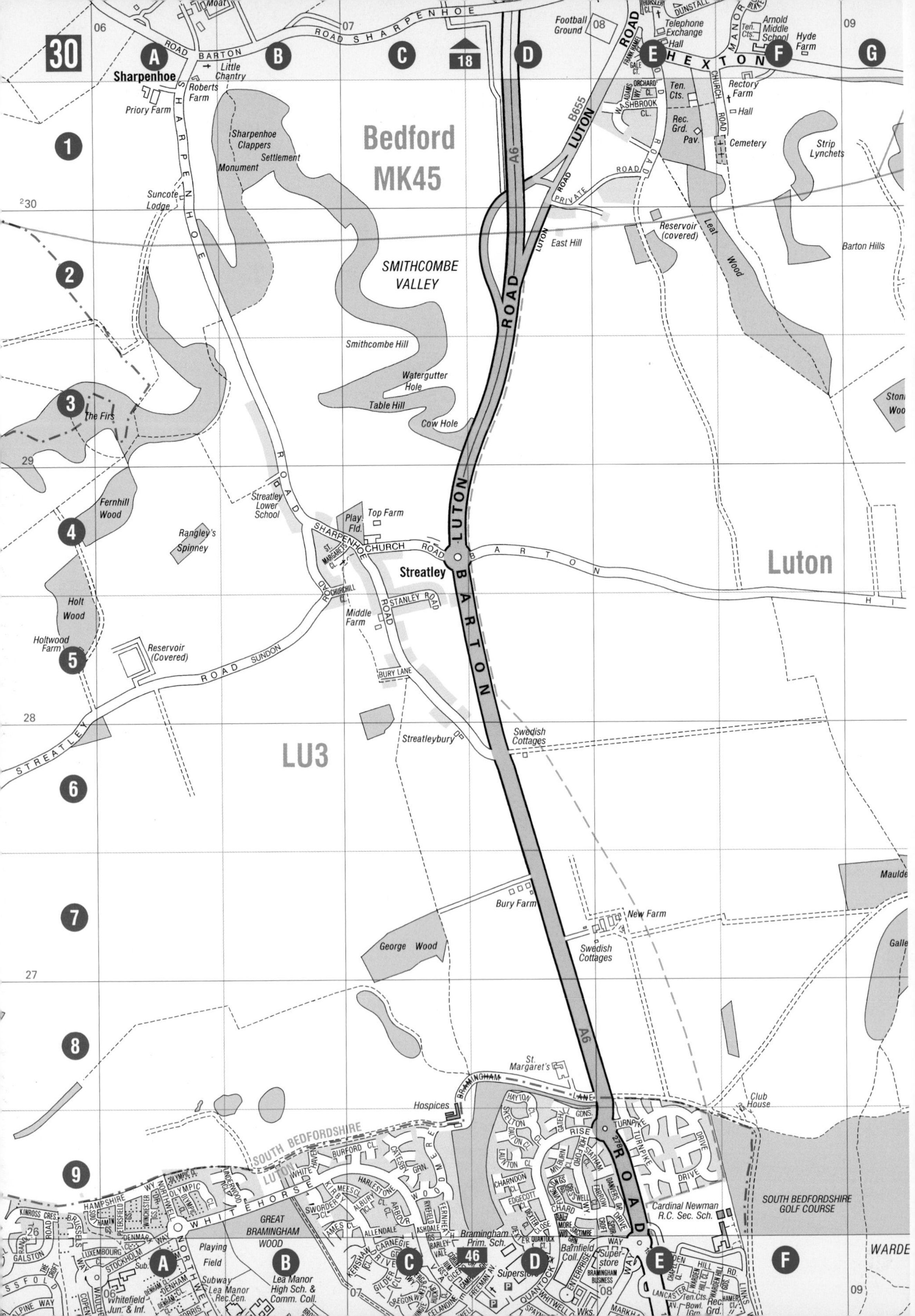
Bedford
MK45
Luton
LU3
Sharpenhoe
Streatley
SHARPENHOE ROAD
BARTON ROAD
LUTON ROAD
HEXTON ROAD
SUNDON ROAD
STREATLEY ROAD
CHURCH ROAD
BARTON HILL
BRAMINGHAM LANE
WHITEHORSE
NORTHWELL
A6
B655
Priory Farm
Roberts Farm
Little Chantry
Sharpenhoe Clappers Settlement
Monument
Suncote Lodge
SMITHCOMBE VALLEY
Smithcombe Hill
Watergutter Hole
Table Hill
Cow Hole
The Firs
Fernhill Wood
Rangley's Spinney
Holt Wood
Holtwood Farm
Reservoir (Covered)
Streatley Lower School
Top Farm
Play. Fld.
Middle Farm
STANLEY ROAD
BURY LANE
Streatleybury
Swedish Cottages
Bury Farm
New Farm
George Wood
St. Margaret's
Hospices
Club House
SOUTH BEDFORDSHIRE GOLF COURSE
Cardinal Newman R.C. Sec. Sch.
GREAT BRAMINGHAM WOOD
Playing Field
Lea Manor High Sch. & Comm. Coll.
Lea Manor Rec.Cen.
Whitefield Jun. & Inf.
Bramingham Prim. Sch.
Barnfield Coll.
Superstore
Football Ground
Telephone Exchange
Hall
Arnold Middle School
Hyde Farm
Rectory Farm
Rec. Grd.
Pav.
Cemetery
Strip Lynchets
Reservoir (covered)
Leat Wood
East Hill
Barton Hills
PRIVATE ROAD
18
46

HEXTON
Playing Field
Model Cottages
New Cotts.
Dairy Cotts.
Hall
Farm
Church Wood
Dower House
Hexton Manor
The Curl Paper
Weir
The Rookery
19
Spring Head
Hexton Jun. & Inf. Schs.
Belt Plantation
The Flats
B655
ROAD BARTON ROAD HITCHIN ROAD
Ravensburgh
Ravensview
The Butts
Reservoir
The Bungalow
Pegsdon Belt
Farm
Moat
Pegsdson Barns
The Gallows
Pegsdon
PEGSDON WAY
Common Farm Cottages
Pegsdon Lodge
Meg Point
Hitchin
SG5
DEACON HILL
Waytinghill Plantation
Cockpits
Claypit Plantation
Bonfirehill Knoll
High Charbury
Furzens Wood
Church Hole
Ravensburgh Castle (Fort)
CLAYPIT PLANTATION
Cank Hill
Claypit Hole
Fairy Hole
Nomansland
Moor Hill
Mortgrove Plantation
Lion Hill
Burwell Plantation
Gravel Hill
LILLEY
Butts Hill
Butts Hill Wood
CLARK'S HILL
MID BEDFORDSHIRE
NORTH HERTFORDSHIRE
Earthwork
Hoo Bit
Pegsdons Spring
Wicks Spring
Hitchin Spring
Calveswick Spring
Muzzleford Wood
Telegraph Hill
Tumulus
Staple Knoll
Brogsdell Plantation
Brogsdell
32
Wasgrove Wood
Newfield Wood
Barton Hill Farm
ROAD
Woodside Cottage
Mortgrove Farm
Mortgrove Cottages
LU2
HEXTON
NORTH HERTFORDSHIRE
SOUTH BEDFORDSHIRE
Walk Spring
Burnwell Spinneys
Lilley Manor
Manor Cottages
Dennison Cottages
Pump Cottages
Ward's Spring
LILLEY HOO
Kingshill Plantation
LANE
KINGSHILL
Stockinghill Plantation
Mazebeard Spring
Pond Farm
Pond Cottages
Ward's Farm
ROAD
Lilley Hoo Farm
RECTORY LA.
GREEN ACRES
RUELEY DELL RD.
THE
EAST STREET
Baulk Cottages
BAULK
LILLEYHOO
Ward's Wood
WARDSWOOD
LANE
Lilleypark Plantation
LILLEY PARK
Church Farm
Lilley
WEST STREET
Hall Play. Fld.
George's Plantation
Mushroom Elders
Lilleypark Wood
LILLEY
Ralphs Farm
Subway
Silver Lion Cottages
A505
BEECH HILL
HOLLYBUSH HILL
BOTTOM
Dog Kennel Farm
Whitehill Wood
Plantation
47
Thomas Plantation
G H J K L M N
1 2 3 4 5 6 7 8 9
10 11 12 30 29 28 27 26

A
B
C
D
E
F
G
20
Highdown Farm
Highdown Cottages
High Down House
Lower Plantation
Highdown Plantation
Tumulus
Tingley Wood
Hanginghill Plantation
Common Farm Cottages
Icknield Way Path
Tingley Field Plantation
Punch's Cross
HITCHIN ROAD
B655
Shrub Wood
Tingley Cottage
Wellbury Cottages
HEXTON
DEACON HILL
MID BEDFORDSHIRE
NORTH HERTFORDSHIRE
Lodgefield Plantation
Old Wellbury
Woodfield Cottage
Sallow Wood
Conduit Plantation
Lodgefield Plantation
Park View
New Wellbury
Markham's Hill
Gravelhill Plantation
Pegsdons Spring
Markhamshill Plantation
Markham's Lodge
Wellbury House
Swimming Pool
Wicks Spring
Hitchin Spring
Dovesclose Spring
Saddle Plantation
SG5
Calveswick Spring
Muzzleford Wood
Wellbury Lower Wood
Little Offley
31
Wasgrove Wood
Wasgrove Spring
Newfield Wood
South Lodge
North Lodge
Summer Wood House
Summer Wood
Clouds Hill Farm
West Lodge Cottages
Clouds Hill Cottages
Wasgrove Plantation
Newfield Spring
Garden Cottage
LILLEY HOO
Lawrance's Springs
Offley Grange
The Cottage
STOCKING LANE
Clouds Hill
Birkitt Hill
Birkitt Hill House
A505
Mazebeard Spring
HONEYSUCKLE LA
Westend Farm
SCHOOL LANE
Minsbury Hill
Minsbury Plantations
Offleyroad Plantation
OFFLEY HILL
Cockinghill Plantation
Offley Endowed Prim. Sch.
Peartree Acre Wood
New Plantation
MEADOW WAY
HILLTOP COTTS.
Oldroad Plantation
Icehouse Plantation
Westbury Farm
HIGH ST.
Lilley Hoo Farm
GREAT OFFLEY
Offley Place
Aldwicks Plantation
BAULK
LILLEYHOO LANE
Hill Rise
WEST LA.
KINGS
Gardenfield Spinney
Rec. Grd.
Botanybay Plantation
Mill Farm
Claypit Cottages
Clarion Ho.
Chalk Hill
Luton LU2
The Flints
SALUSBURY
LAWNS CL.
GOSLING AV.
CLARION CL.
HARRIS LANE
RED LION COTTS.
ANGEL COTTS.
LUTON HILL
Glebe Farm
Keeper's Cottage
WHITE HILL
Angels Farm
WALDEN ROAD
HILL
Mead Springs
Mead Springs
HOO COTTAGES
HOO FARM COTTAGES
HOO LANE
BEECH HILL
HOLLYBUSH
Offley Hoo
Cockrood Spring
Subway
Thomas Plantation
Cornelius Wood
Angel's
48
Dog Kennel Farm
WESTBURY WOOD
Haycock Spinney

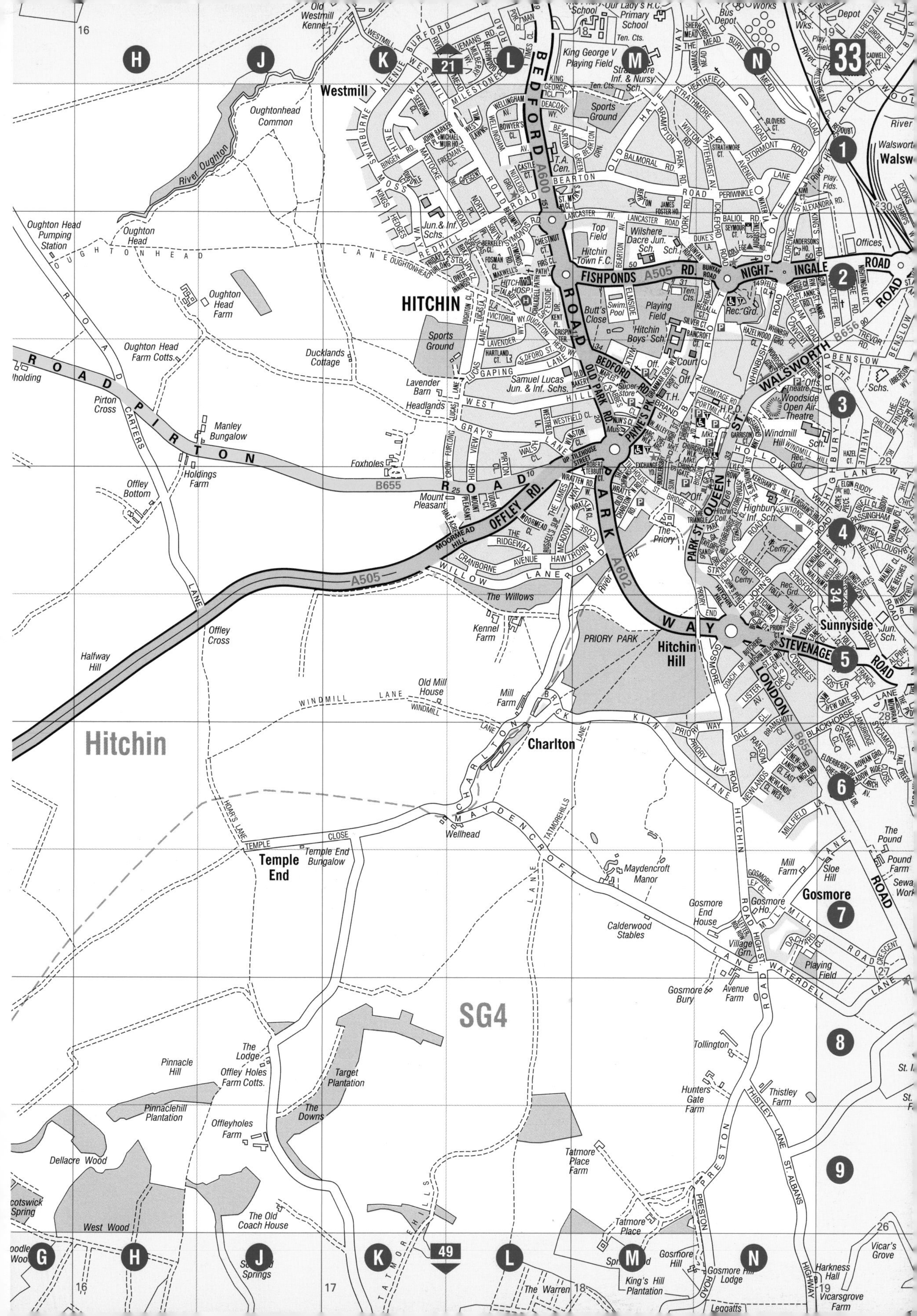
Hitchin
HITCHIN
SG4
Westmill
Oughtonhead Common
River Oughton
Oughton Head Pumping Station
Oughton Head
Oughton Head Farm
Oughton Head Farm Cotts.
Pirton Cross
Manley Bungalow
Holdings Farm
Offley Bottom
Ducklands Cottage
Lavender Barn
Headlands
Foxholes
Mount Pleasant
The Willows
Kennel Farm
Offley Cross
Halfway Hill
Old Mill House
Mill Farm
Charlton
Priory Park
Hitchin Hill
Temple End
Temple End Bungalow
Wellhead
Maydencroft Manor
Calderwood Stables
Gosmore End House
Gosmore
Gosmore Ho.
Village Grn.
Mill Farm
Sloe Hill
The Pound
Pound Farm
Playing Field
Gosmore Bury
Avenue Farm
Tollington
Hunters Gate Farm
Thistley Farm
Tatmore Place Farm
Tatmore Place
Gosmore Hill
Gosmore Hill Lodge
King's Hill Plantation
The Warren
Leggatts
Vicar's Grove
Harkness Hall
Vicarsgrove Farm
Pinnacle Hill
The Lodge
Offley Holes Farm Cotts.
Target Plantation
The Downs
Pinnaclehill Plantation
Offleyholes Farm
Dellacre Wood
West Wood
The Old Coach House
Sunnyside
Walsworth
Woodside Open Air Theatre
Windmill Hill
Highbury Inf. Sch.
Samuel Lucas Jun. & Inf. Schs.
Sports Ground
Hitchin Town F.C.
Top Field
Wilshere Dacre Jun. Sch.
Butt's Close
Playing Field
Hitchin Boys' Sch.
King George V Playing Field
Strathmore Inf. & Nursy. Sch.
Our Lady's R.C. Primary School
Bus Depot
The Priory
BEDFORD ROAD
PIRTON ROAD
OFFLEY RD.
FISHPONDS RD.
NIGHTINGALE ROAD
WALSWORTH ROAD
STEVENAGE ROAD
LONDON ROAD
PARK WAY
QUEEN ST.
WINDMILL LANE
MAYDENCROFT LANE
TATMOREHILLS LANE
HITCHIN ROAD
PRESTON ROAD
ST. ALBANS HIGHWAY
THISTLEY LANE
A505
A600
A602
B655
B656
21
34
49
H J K L M N G
1 2 3 4 5 6 7 8 9
16 17 18 19 26 27 28 29 30

Depot
Highover Farm
Lodge
Keysheath
LETCHWORTH GOLF COURSE
Hall Hotel
Fiveways House
Guys
22
The Orchard
Longwood
WILLIAN ROAD
Walsworth Common
Walsworth
River Purwell
River Hiz
SG5
Offices
NIGHTINGALE ROAD
CAMBRIDGE ROAD
A505
North Herts. College
Watercress Beds
Purwell
Sports Centre
Playing Fields
Hitchin
Lower Plantation
Upper Plantation
WYMONDLEY ROAD
Rec. Grd.
Purwell Mill
PINEHILL HOSPITAL
Playing Field
William Ransom Jun. & Inf. Sch.
Windmill Hill
Theatre
Open Air Theatre
WALSWORTH ROAD
B656
The Belt
Ash Plantation
Hitchin
Watercress Beds
HITCHIN ROAD
Ivy Cottages
Manor Farm
Playing Field
Grange Farm
Hall
Council Cotts.
GRAVELEY ROAD
GRAVELEY LANE
GREAT WYMONDLEY
The Vicarage
Delamere House
Priory Cotts.
Highbury Inf. Sch.
Oakfield
Cemy.
Ippollitts Brook
Sunnyside
Jun. Sch.
STEVENAGE ROAD
A602
Oakfield Farm
Oakhurst
Kingshott School
Swimming Pool
Ash Brook
Ashbrook Cotts.
Hillcrest
Ashbrook
LITTLE WYMONDLEY ROAD
Wymondley Jun. & Inf. School
Works
The Priory
Poultry House
Wymondley Hall
The Old Vicarage
Filter Beds
Settling Tanks
Sewage Works
The Pound
Pound Farm
Sewage Works
Mill Farm
Sloe Hill
Gosmore
Gosmore Ho.
Village Grn.
Oil Depot
Wymondley House
LITTLE WYMONDLEY
Bungalow Farm
Playground
Tennis Court
Cricket Gnd.
Wymondley Bury
Lodge's Farm
Brookend Farm
St. Ippollitts Jun. & Inf. Sch.
St. Ippollitts
Works
Foundry
Playing Field
Avenue Farm
Cemetery
Playing Fld.
Wymondley Transforming Station
Blakemore Farm
WYMONDLEY BY-PASS
A602
Redcoats Green Cottages
Redcoats
Titmore Green
Beech House
Bury Wood
Chantry Farm
Margaret's Wood
Todd's Green
St. Ibbs
St. Ibbs Farm
Thistley Farm
Redcoats Farm
Titmore Farm
Lower Titmore Green
Holmesdale
Lower Titmore Farm
Dell Close
Poultry Farm
Pig Farm
Lucas's Wood
Greenbanks
Peascod Hall
Little Almshoe
The Wyck
Almshoe Bury Cottages
Little Almshoe Cottages
Little Almshoe Farm
Harkness Hall
Vicarsgrove Farm
Gosmore Hill Lodge
A1(M)
50
33

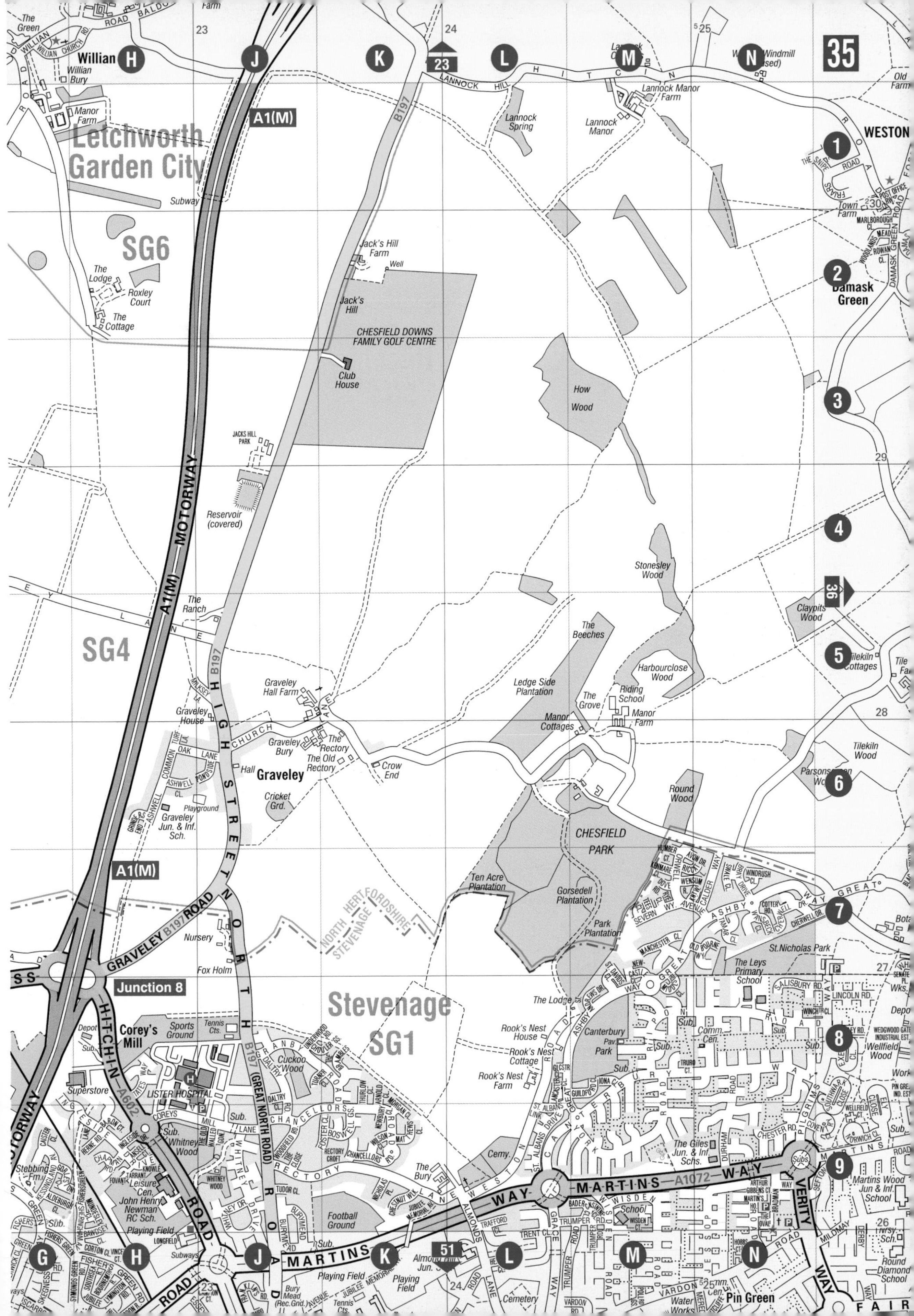
Letchworth Garden City
SG6
SG4
Stevenage
SG1
Willian
Weston
Damask Green
Graveley
A1(M)
A1(M) MOTORWAY
B197
Lannock Hill
Lannock Manor Farm
Lannock Manor
Lannock Spring
Jack's Hill Farm
Jack's Hill
CHESFIELD DOWNS FAMILY GOLF CENTRE
Club House
How Wood
Reservoir (covered)
Stonesley Wood
Claypits Wood
The Beeches
Harbourclose Wood
Ledge Side Plantation
Riding School
Manor Farm
Manor Cottages
Graveley Hall Farm
Graveley Bury
The Rectory
The Old Rectory
Crow End
Round Wood
CHESFIELD PARK
Ten Acre Plantation
Gorsedell Plantation
Park Plantation
Tilekiln Wood
St.Nicholas Park
The Leys Primary School
Junction 8
Corey's Mill
LISTER HOSPITAL
Superstore
Cuckoo Wood
Rook's Nest House
Rook's Nest Cottage
Rook's Nest Farm
Canterbury Park
The Giles Jun. & Inf. Schs.
Martins Wood Jun & Inf. School
Football Ground
Playing Field
Pin Green
MARTINS WAY
A1072
HITCHIN ROAD
A602
GRAVELEY ROAD
HIGH STREET
NORTH ROAD
GREAT NORTH ROAD
NORTH HERTFORDSHIRE
STEVENAGE
23
36
51

Weston
Old Farm
Darnall's Hall Farm
Water Tower
WESTON
Horseshoe Farm
Oakley's Farm
Weston Bury
Burymead
Church End
Weston Jun. & Inf. Sch.
Hall Manor House
Recreation Ground
Vicarage
Cowmead
Glebe Cottage
Town Farm
Pond
Damask Green
Cricket Ground
Park Lodge
Bullock's Pasture Plantation
Top Plantation
Weston Park
Hitchin
SG4
Oaken Dell
Barnacks Hill Wood
Sewage Works
LOLLEYWOOD
Coldash Wood
Rydals
Park Wood
Bottom Plantation
Fairclough Hall Farm
Weston Lodge
Long Plantation
Bonfield's Lower Plantation
Warrensgreen Farm
Bonfield's Upper Plantation
Irongate Farm
Fontley
Warren's Green
Friend's Green Farm
Warrensgreen Cottages
Hall's Green
Irongate Cottage
Donkey Hall
Fontley Lodge
The Thatched Cottage
Warrensgreen Wood
Claypits Wood
The Bungalows
Leatherwells
Tilekiln Cottages
Tile Kiln Farm
Dell Spring
Howells Farm
Hick's Grove Cottages
Hick's Grove
Longdell Wood
Tilekiln Wood
Howell's Wood
Dane End Farm Cottage
Parsonsgreen Wood
New Spring
Nine Acre Spring
Dane End
Newberry Grove
The Warren
NORTH HERTFORDSHIRE
EAST HERTFORDSHIRE
Brooches Wood
Botany Bay Farm
St.Nicholas Park
The Leys Primary School
Sheepleys Spring
Wychelms Spring
CHURCHEND COMMON
Claypithills Spring
Hangbols Wood
Jack Pallett's Spring
Stevenage
Depot
Wellfield Wood
PARSONS GREEN INDUSTRIAL ESTATE
PIN GREEN IND. EST.
Boxbury Farm
Nature Reserves
Lobs Hole
Nursery
SG1
Martin's Wood
BOX WOOD (NATURE RESERVES)
Martins Wood Jun & Inf. School
Boxwood Lodge
Box Wood
Boxbury Farm Cottages
Round Diamond School
STEVENAGE
B1037
ROAD
Finche's End
Rooks Nest Farm
Springhill
Pin Green
FAIRLAND
WAY

24
35
52

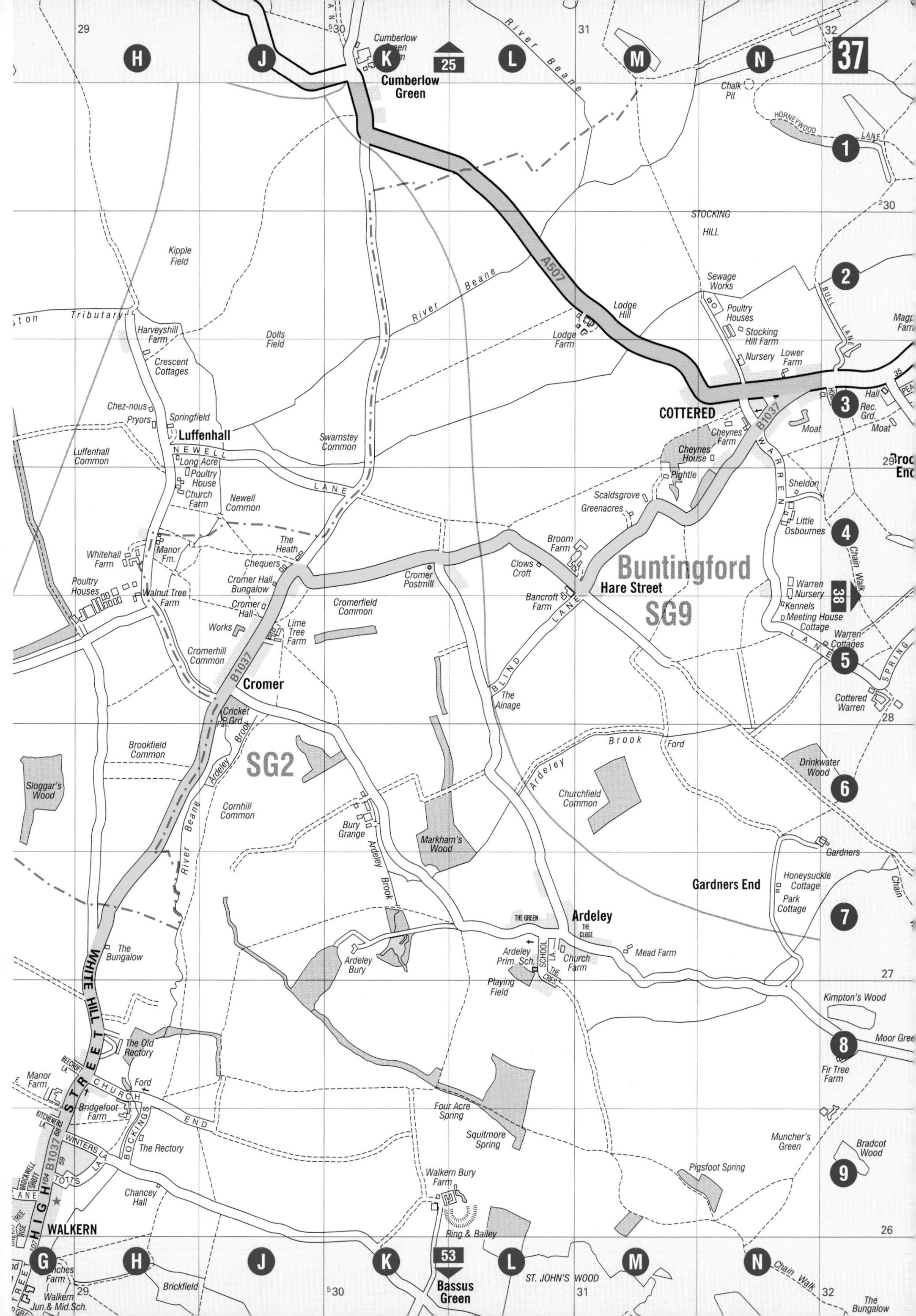
Cumberlow Green
25
River Beane
Chalk Pit
Horneywood Lane
Stocking Hill
Kipple Field
Tributary
Harveyshill Farm
Crescent Cottages
Dolls Field
River Beane
A507
Lodge Hill
Lodge Farm
Sewage Works
Poultry Houses
Stocking Hill Farm
Nursery
Lower Farm
Bull Lane
Chez-nous
Pryors
Springfield
Luffenhall
Luffenhall Common
Newell Lane
Long Acre
Poultry House
Church Farm
Newell Common
Swamstey Common
COTTERED
Cheynes Farm
Cheynes House
Pightle
B1037
Warren
Hall
Rec. Grd.
Moat
Sheldon
Scaldsgrove
Greenacres
Little Osbournes
Whitehall Farm
Manor Fm.
The Heath
Chequers
Cromer Hall Bungalow
Cromer Postmill
Clows Croft
Broom Farm
Buntingford
Hare Street
SG9
Chain Walk
Warren Nursery
Kennels
Meeting House Cottage
Warren Cottages
38
Poultry Houses
Walnut Tree Farm
Cromer Hall
Works
Lime Tree Farm
Cromerfield Common
Bancroft Farm
Blind Lane
Cromerhill Common
Cromer
The Ainage
Cottered Warren
Spring Lane
Cricket Grd.
Brookfield Common
SG2
Brook
Ford
Ardeley Brook
Sloggar's Wood
River Beane
Cornhill Common
Ardeley
Churchfield Common
Drinkwater Wood
Bury Grange
Ardeley Brook
Markham's Wood
Gardners
Gardners End
Honeysuckle Cottage
Park Cottage
The Green
Ardeley
The Close
The Bungalow
White Hill
Ardeley Bury
Ardeley Prim. Sch.
School La.
The Cres.
Church Farm
Mead Farm
Playing Field
Kimpton's Wood
Moor Green
The Old Rectory
Beecroft La.
Manor Farm
Church End
Ford
Bridgefoot Farm
Bockings
Kitcheners La.
Winters La.
The Rectory
Four Acre Spring
Squitmore Spring
Fir Tree Farm
Muncher's Green
Bradcot Wood
High Street
B1037
Brockwell Shott
Totts Lane
Chancey Hall
Walkern Bury Farm
Pigsfoot Spring
WALKERN
Ring & Bailey
53
Bassus Green
Brickfield
St. John's Wood
Chain Walk
Walkern Jun.& Mid.Sch.
The Bungalow
H J K L M N G
1 2 3 4 5 6 7 8 9
29 30 31 32 26 27 28

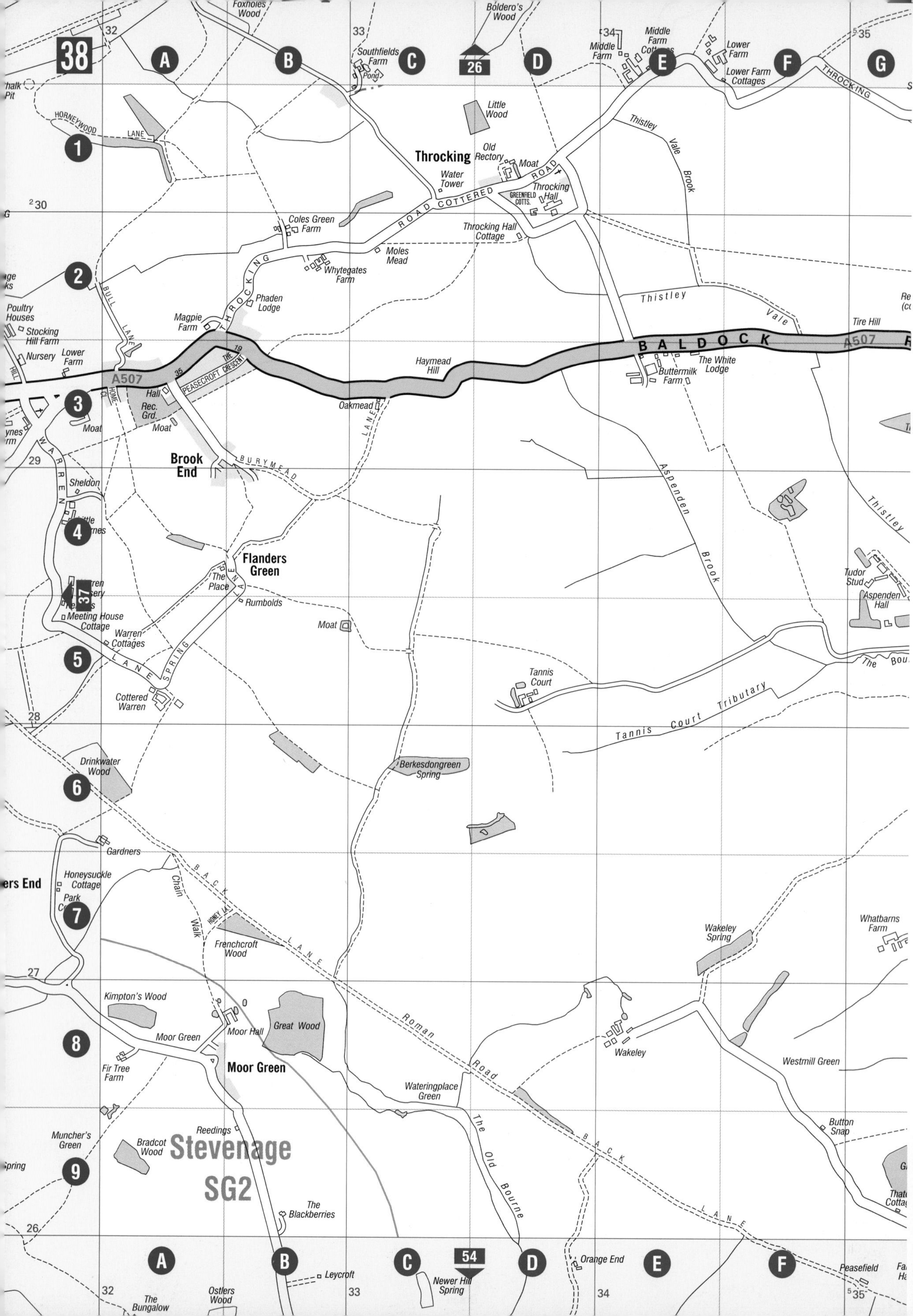
Foxholes Wood
Boldero's Wood
Southfields Farm
Pond
Middle Farm
Middle Farm Cottages
Lower Farm
Lower Farm Cottages
THROCKING
26
Little Wood
Throcking
Old Rectory
Moat
Water Tower
COTTERED ROAD
GREENFIELD COTTS.
Throcking Hall
Thistley Vale Brook
HORNEYWOOD LANE
Coles Green Farm
Throcking Hall Cottage
Moles Mead
Whytegates Farm
THROCKING
BULL LANE
Phaden Lodge
Magpie Farm
Poultry Houses
Stocking Hill Farm
Nursery
Lower Farm
Thistley
Vale
Tire Hill
BALDOCK
A507
Haymead Hill
Buttermilk Farm
The White Lodge
PEASECROFT
THE CRESCENT
Hall
Rec. Grd.
Moat
Oakmead
LANE
Brook End
BURYMEAD
WARREN
Sheldon
Aspenden Brook
Thistley
Flanders Green
The Place
Rumbolds
Moat
37
Meeting House Cottage
Warren Cottages
SPRING LANE
Tudor Stud
Aspenden Hall
The Bourne
Tannis Court
Tannis Court Tributary
Cottered Warren
Drinkwater Wood
Berkesdongreen Spring
Gardners
Honeysuckle Cottage
Chain Walk
BACK LANE
HONEY LA.
Frenchcroft Wood
Wakeley Spring
Whatbarns Farm
Kimpton's Wood
Roman Road
Moor Green
Moor Hall
Great Wood
Wakeley
Westmill Green
Fir Tree Farm
Moor Green
Wateringplace Green
The Old Bourne
Button Snap
Muncher's Green
Reedings
Bradcot Wood
Stevenage SG2
BACK LANE
The Blackberries
54
Orange End
Leycroft
Newer Hill Spring
Peasefield
The Bungalow
Ostlers Wood

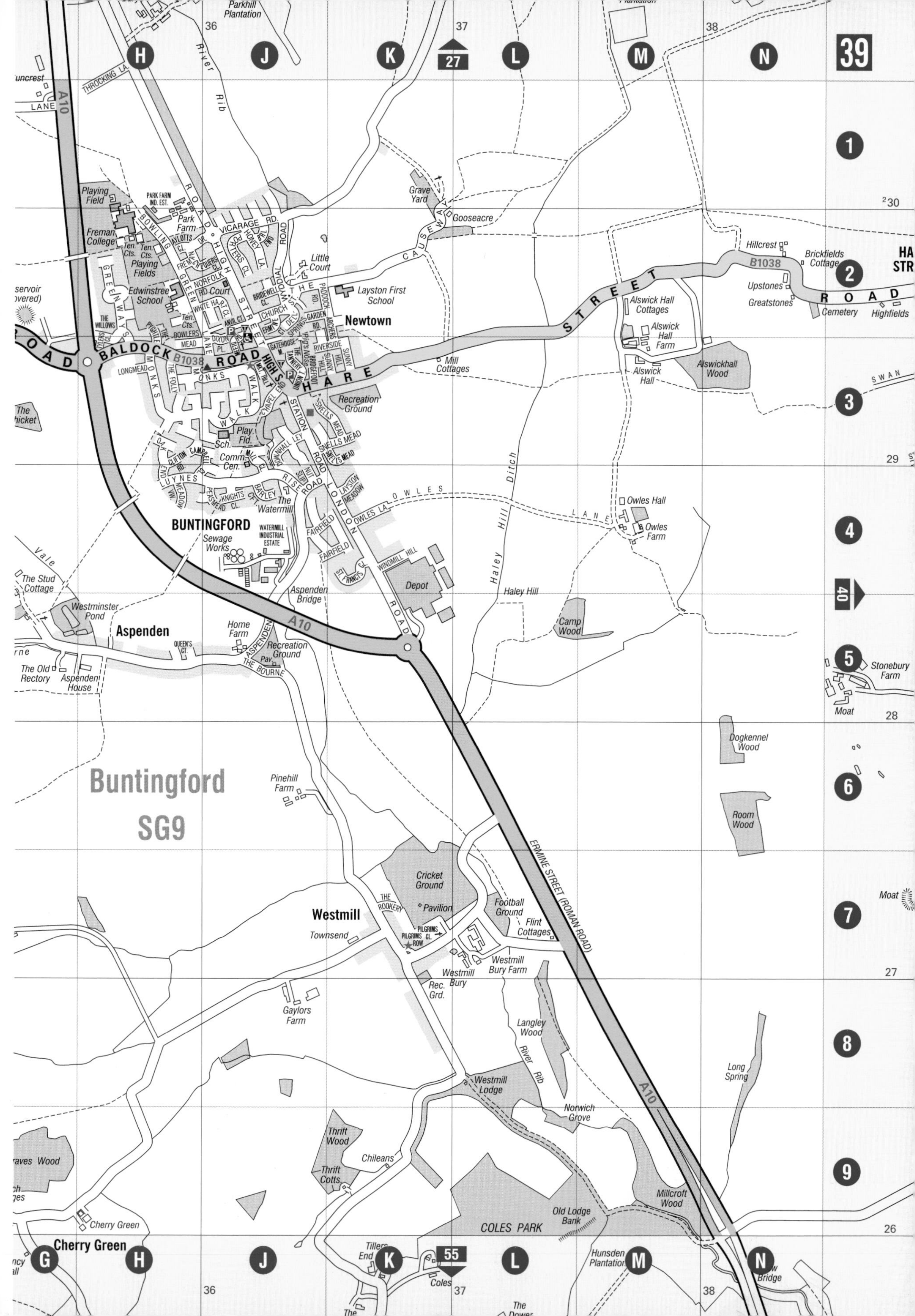
Buntingford
SG9
BUNTINGFORD
Aspenden
Westmill
Newtown
Cherry Green
COLES PARK
Parkhill Plantation
River Rib
Grave Yard
Gooseacre
CAUSEWAY
Little Court
Layston First School
Playing Field
PARK FARM IND. EST.
Park Farm
Freman College
Edwinstree School
BALDOCK ROAD
HARE STREET
B1038
Mill Cottages
Recreation Ground
Alswick Hall Cottages
Alswick Hall Farm
Alswick Hall
Alswickhall Wood
Hillcrest
Brickfields Cottage
Upstones
Greatstones
Cemetery
Highfields
Owles Hall
Owles Farm
OWLES LANE
Haley Hill Ditch
Haley Hill
Camp Wood
Depot
Sewage Works
WATERMILL INDUSTRIAL ESTATE
The Watermill
Aspenden Bridge
Home Farm
Recreation Ground
Westminster Pond
The Stud Cottage
The Old Rectory
Aspenden House
Stonebury Farm
Moat
Dogkennel Wood
Room Wood
Pinehill Farm
Cricket Ground
Pavilion
Football Ground
Flint Cottages
Townsend
Westmill Bury Farm
Westmill Bury
Rec. Grd.
Gaylors Farm
Langley Wood
ERMINE STREET (ROMAN ROAD)
A10
Westmill Lodge
Norwich Grove
Long Spring
Thrift Wood
Thrift Cotts.
Chileans
Millcroft Wood
Old Lodge Bank
Hunsden Plantation
Tillers End
Coles
Cherry Green
27
55
40

Bradbury Farm
Works
B1368
GREAT HORMEAD
HARE STREET
Hillcrest
HARE
Brickfields Cottage
Upstones
Greatstones
STREET B1038 ROAD
Cemetery
Highfields
Moorfields
Pav.
Play. Fld.
Hormead Prim. Sch.
Playing Field
B1038
Bury Lodge
Great Hormead Brook
Great Hormead Bury
Church End Cottages
JUBILEE COTTAGES
WILLOW CL.
HORSESHOE HILL
HORSESHOE LANE
HALFACRE LA.
ANDERSON'S LANE
The Elms
Bury Farm
Hall Cottages
HALL LANE
Hormead Hall
Moat
Black Ditch
CONDUIT LANE
BROWNINGMEAD
Dane End House
The Firs
Sparksfield
SWAN LANE
Fayland Cottages
WORSTED LANE
STONECROSS LA.
New Cottages
Glebe House
Park View
Balons Farm
Little Hormead
Bulls Farm
Black Ditches
The Thrift
Little Hormead Brook
River Quin
Bummers Hill
Mutfords
Moat
Mutton Hall
Stonebury Farm
Moat
Dassel's Hill
Dogkennel Wood
Room Wood
ROSE MEADOW
Dassels
Moat
Dassels Bury
Rookdene
Bozengreen Farm
Rotten Row
Bozen Green
HOARE'S LANE
LANE
Sewage Works
Hay Cottage
The Kennels
Hay Lodge
The Stud Fm.
Hay Street
Quinbury Farm
THE CAUSEWAY
Braughing Bourne
Pentlow Hill
Braughing Bourne
New Bridge
Long Spring
A B C D E F G
1 2 3 4 5 6 7 8 9
39 540 41
230 29 28 27 26

28
39
56

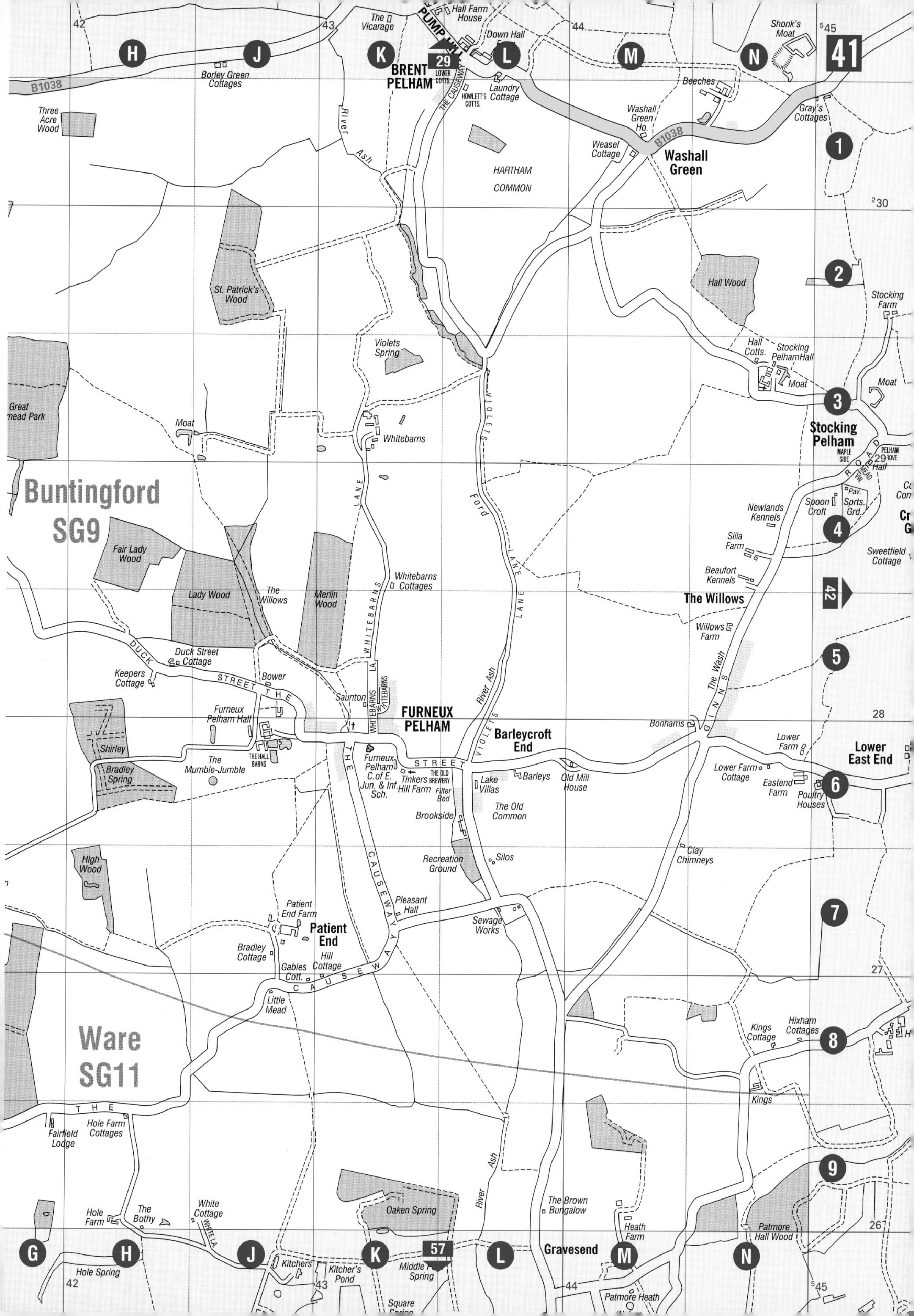
41
Brent Pelham
Furneux Pelham
Stocking Pelham
Washall Green
Barleycroft End
Patient End
Lower East End
The Willows
Gravesend
Buntingford SG9
Ware SG11
B1038
Hartham Common
St. Patrick's Wood
Great Mead Park
Fair Lady Wood
Lady Wood
Merlin Wood
Violets Spring
Hall Wood
High Wood
Oaken Spring
Patmore Hall Wood
Three Acre Wood
Shonk's Moat
Borley Green Cottages
The Vicarage
Hall Farm House
Down Hall
Laundry Cottage
Beeches
Washall Green Ho.
Weasel Cottage
Gray's Cottages
Stocking Farm
Hall Cotts.
Stocking Pelham Hall
Moat
Newlands Kennels
Silla Farm
Beaufort Kennels
Spoon Croft
Sprts. Grd.
Sweetfield Cottage
Willows Farm
The Wash
Bonhams
Lower Farm
Lower Farm Cottage
Eastend Farm
Poultry Houses
Clay Chimneys
Kings Cottage
Hixham Cottages
Kings
Heath Farm
The Brown Bungalow
Patmore Heath
Whitebarns
Whitebarns Cottages
Whitebarns Lane
Violets Lane
Ford Lane
River Ash
The Causeway
Duck Street
Duck Street Cottage
Keepers Cottage
Bower
The Willows
Saunton
Furneux Pelham Hall
The Hall Barns
The Mumble-Jumble
Shirley
Bradley Spring
Furneux Pelham C.of E. Jun. & Inf. Sch.
The Old Brewery
Tinkers Hill Farm
Filter Bed
Lake Villas
Barleys
Old Mill House
The Old Common
Brookside
Recreation Ground
Silos
Pleasant Hall
Sewage Works
Patient End Farm
Bradley Cottage
Hill Cottage
Gables Cott.
Little Mead
Fairfield Lodge
Hole Farm Cottages
Hole Farm
The Bothy
White Cottage
Hole Spring
Kitchers
Kitcher's Pond
Middle Spring
Square Spring
29
42
57

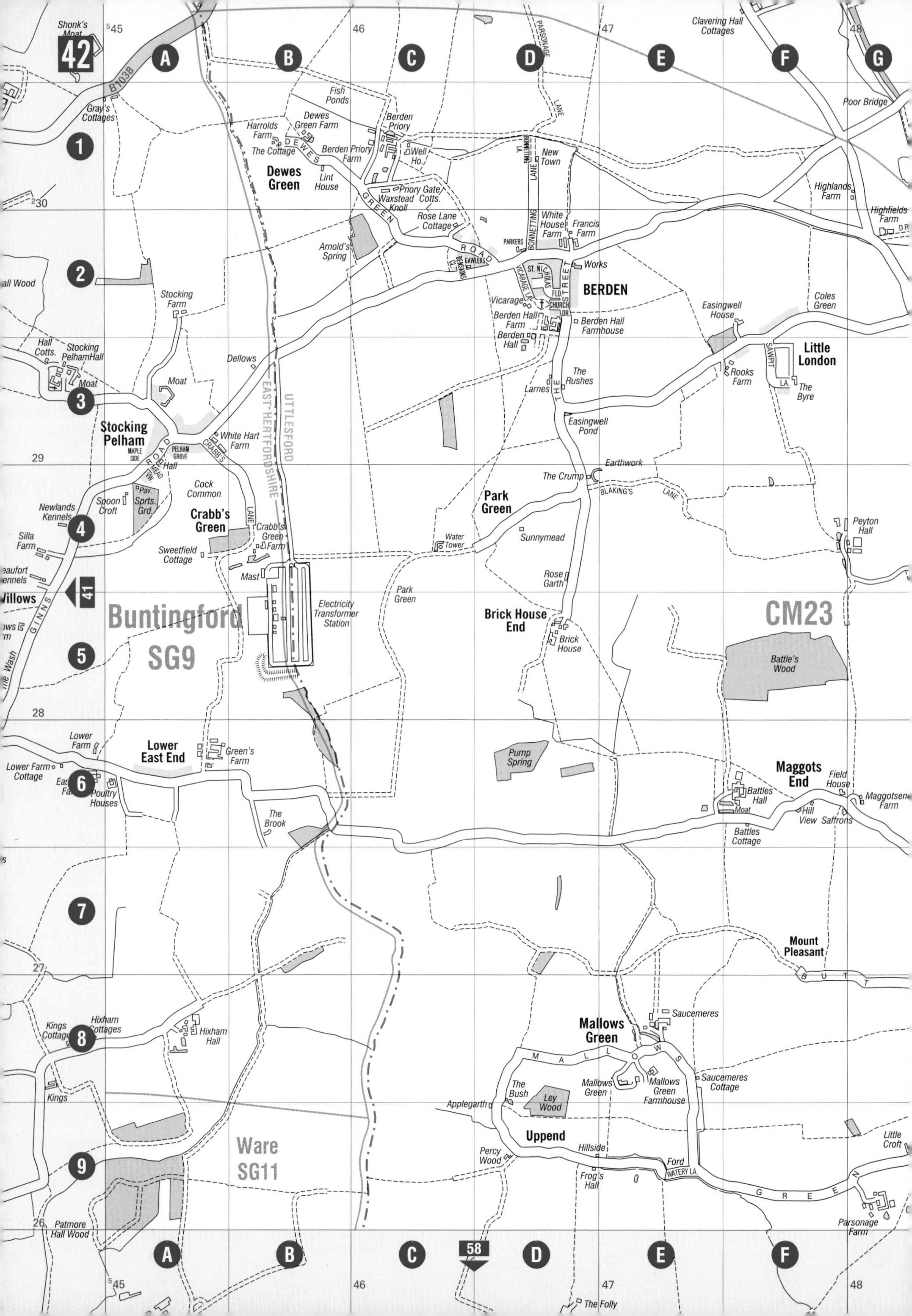
Shonk's Moat
Clavering Hall Cottages
Poor Bridge
B1038
Gray's Cottages
Fish Ponds
Dewes Green Farm
Berden Priory
Harrolds Farm
The Cottage
Berden Priory Farm
Well Ho.
New Town
Dewes Green
Lint House
Priory Gate Cotts.
Waxstead Knoll
Highlands Farm
Highfields Farm
Rose Lane Cottage
White House Farm
Francis Farm
Parkers
Arnold's Spring
Gawlers
Benskins Cl.
Works
BERDEN
St. Nicholas Fld
Vicarage La.
Vicarage
Church Dr.
Berden Hall Farm
Berden Hall
Berden Hall Farmhouse
Easingwell House
Coles Green
Stocking Farm
Hall Cotts.
Stocking Pelham Hall
Moat
Dellows
Little London
Sawpit La.
Rooks Farm
The Byre
The Rushes
Larnes
Stocking Pelham
Maple Side
Pelham Grove
Crabb's
White Hart Farm
Easingwell Pond
Uttlesford
East Hertfordshire
Hall
Earthwork
The Crump
Blaking's Lane
Cock Common
Park Green
Newlands Kennels
Spoon Croft
Pav.
Sprts. Grd.
Crabb's Green
Lane
Crabb's Green Farm
Peyton Hall
Sunnymead
Water Tower
Silla Farm
Sweetfield Cottage
Mast
Rose Garth
Park Green
Electricity Transformer Station
Brick House End
Brick House
Willows
Ginns
Buntingford SG9
CM23
Battle's Wood
41
The Wash
Lower Farm
Lower East End
Green's Farm
Pump Spring
Maggots End
Field House
Lower Farm Cottage
Poultry Houses
Battles Hall
Moat
Maggotsend Farm
Hill View
Saffrons
The Brook
Battles Cottage
Mount Pleasant
Butt
Hixham Cottages
Kings Cottage
Hixham Hall
Mallows Green
Saucemeres
Mallows
Kings
Mallows Green
Mallows Green Farmhouse
Saucemeres Cottage
The Bush
Ley Wood
Applegarth
Uppend
Ware SG11
Percy Wood
Hillside
Ford
Watery La.
Frog's Hall
Green
Little Croft
Parsonage Farm
Patmore Hall Wood
58
The Folly
A B C D E F G
1 2 3 4 5 6 7 8 9
545 46 47 48
30 29 28 27 26

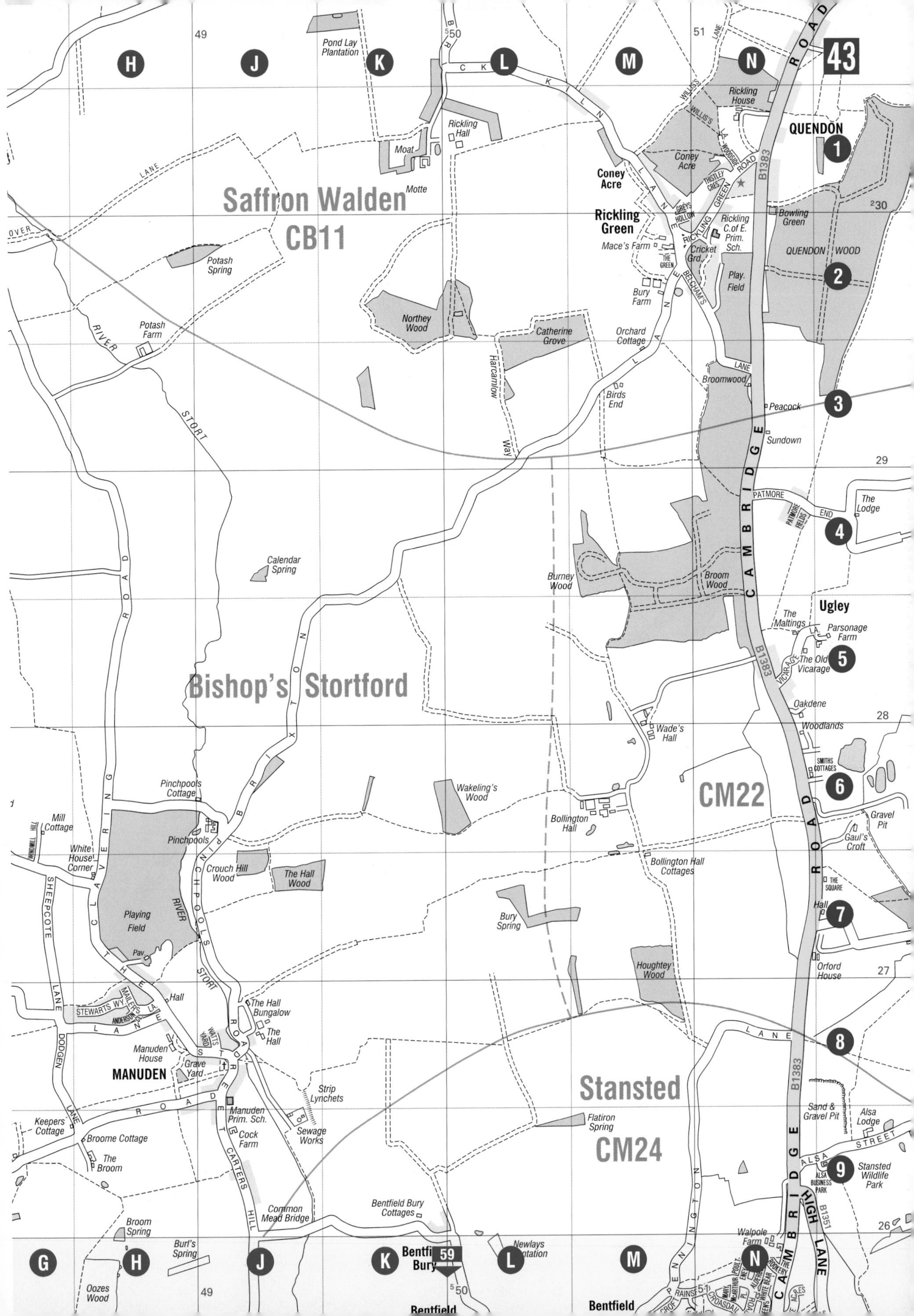
43
H
J
K
L
M
N
49
50
51
Pond Lay Plantation
Rickling House
QUENDON
Rickling Hall
Moat
Motte
Coney Acre
Coney Acre
Saffron Walden
CB11
Rickling Green
Mace's Farm
Rickling C.of E. Prim. Sch.
Cricket Grd.
Bowling Green
QUENDON WOOD
Play. Field
Potash Spring
Potash Farm
Northey Wood
Catherine Grove
Bury Farm
Orchard Cottage
Harcamlow Way
Broomwood
Birds End
Peacock
Sundown
The Lodge
PATMORE END
Calendar Spring
Burney Wood
Broom Wood
CAMBRIDGE ROAD
B1383
Ugley
The Maltings
Parsonage Farm
The Old Vicarage
Bishop's Stortford
BRIXTON
CLAVERING ROAD
Oakdene
Woodlands
Wade's Hall
SMITHS COTTAGES
CM22
Pinchpools Cottage
Wakeling's Wood
Mill Cottage
White House Corner
Pinchpools
Bollington Hall
Gravel Pit
Gaul's Croft
Crouch Hill Wood
The Hall Wood
Bollington Hall Cottages
Playing Field
Bury Spring
Hall
Houghtey Wood
Orford House
Pav.
STEWARTS WY.
Hall
The Hall Bungalow
The Hall
Manuden House
MANUDEN
Grave Yard
Strip Lynchets
Stansted
Sand & Gravel Pit
Alsa Lodge
Manuden Prim. Sch.
Keepers Cottage
Broome Cottage
Cock Farm
Sewage Works
Flatiron Spring
CM24
Stansted Wildlife Park
The Broom
ALSA STREET
Common Mead Bridge
Bentfield Bury Cottages
Broom Spring
Walpole Farm
HIGH LANE
Burl's Spring
Newlays Plantation
Oozes Wood
Bentfield Bury
59
Bentfield
G
1
2
3
4
5
6
7
8
9
30
29
28
27
26

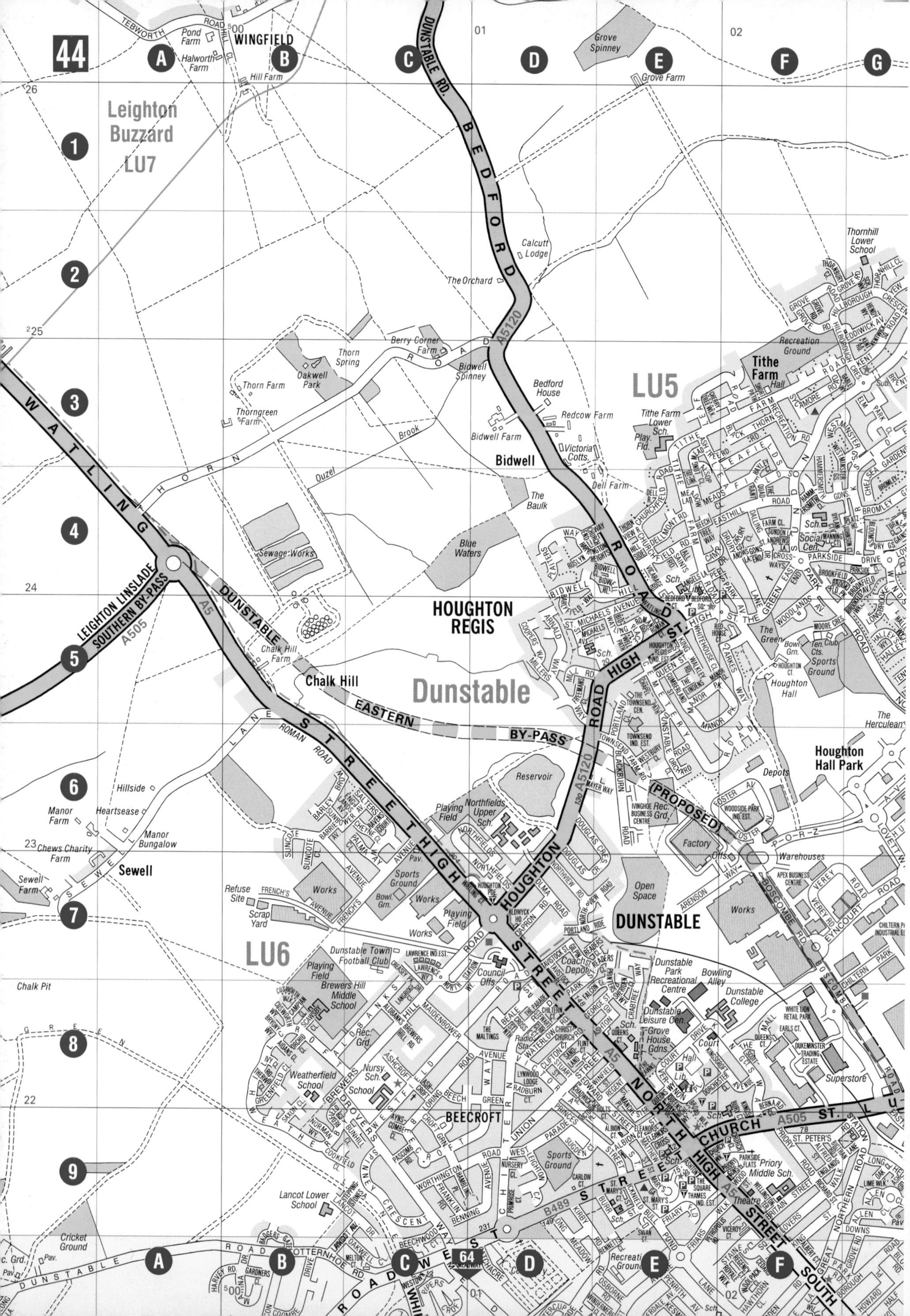
WINGFIELD
Pond Farm
Halworth Farm
Hill Farm
TEBWORTH ROAD
DUNSTABLE RD.
Grove Spinney
Grove Farm
Leighton Buzzard
LU7
BEDFORD
Calcutt Lodge
The Orchard
A5120
Berry Corner Farm
Thorn Spring
Oakwell Park
Bidwell Spinney
Thorn Farm
Thorngreen Farm
Bedford House
Redcow Farm
Bidwell Farm
Victoria Cotts.
Bidwell
Dell Farm
The Baulk
Brook
Ouzel
THORN
WATLING
Sewage Works
Blue Waters
LU5
Tithe Farm
Tithe Farm Lower Sch.
Play. Fld.
Recreation Ground
Thornhill Lower School
HOUGHTON REGIS
LEIGHTON LINSLADE SOUTHERN BY-PASS
A505
A5
DUNSTABLE
Chalk Hill Farm
Chalk Hill
Dunstable
EASTERN
BY-PASS
(PROPOSED)
STREET
HIGH
ROMAN ROAD
Reservoir
Playing Field
Northfields Upper Sch.
Hillside
Manor Farm
Heartsease
Manor Bungalow
Chews Charity Farm
Sewell
Sewell Farm
Refuse Site
Scrap Yard
Works
Sports Ground
Bowl. Grn.
Open Space
DUNSTABLE
Factory
Warehouses
Depots
Houghton Hall Park
Houghton Hall
The Green
Sports Ground
The Herculean
LU6
Chalk Pit
Dunstable Town Football Club
Playing Field
Brewers Hill Middle School
Council Offs.
Coach Depot
Dunstable Park Recreational Centre
Bowling Alley
Dunstable College
Dunstable Leisure Cen.
Grove House Gdns.
Weatherfield School
Nursy. Sch.
School
BEECROFT
Sports Ground
Priory Middle Sch.
Theatre
Superstore
Lancot Lower School
Cricket Ground
GREEN
DUNSTABLE ROAD
TOTTERNHOE RD
WEST STREET
B489
NORTH
CHURCH
A505
SOUTH
Recreation Ground
64

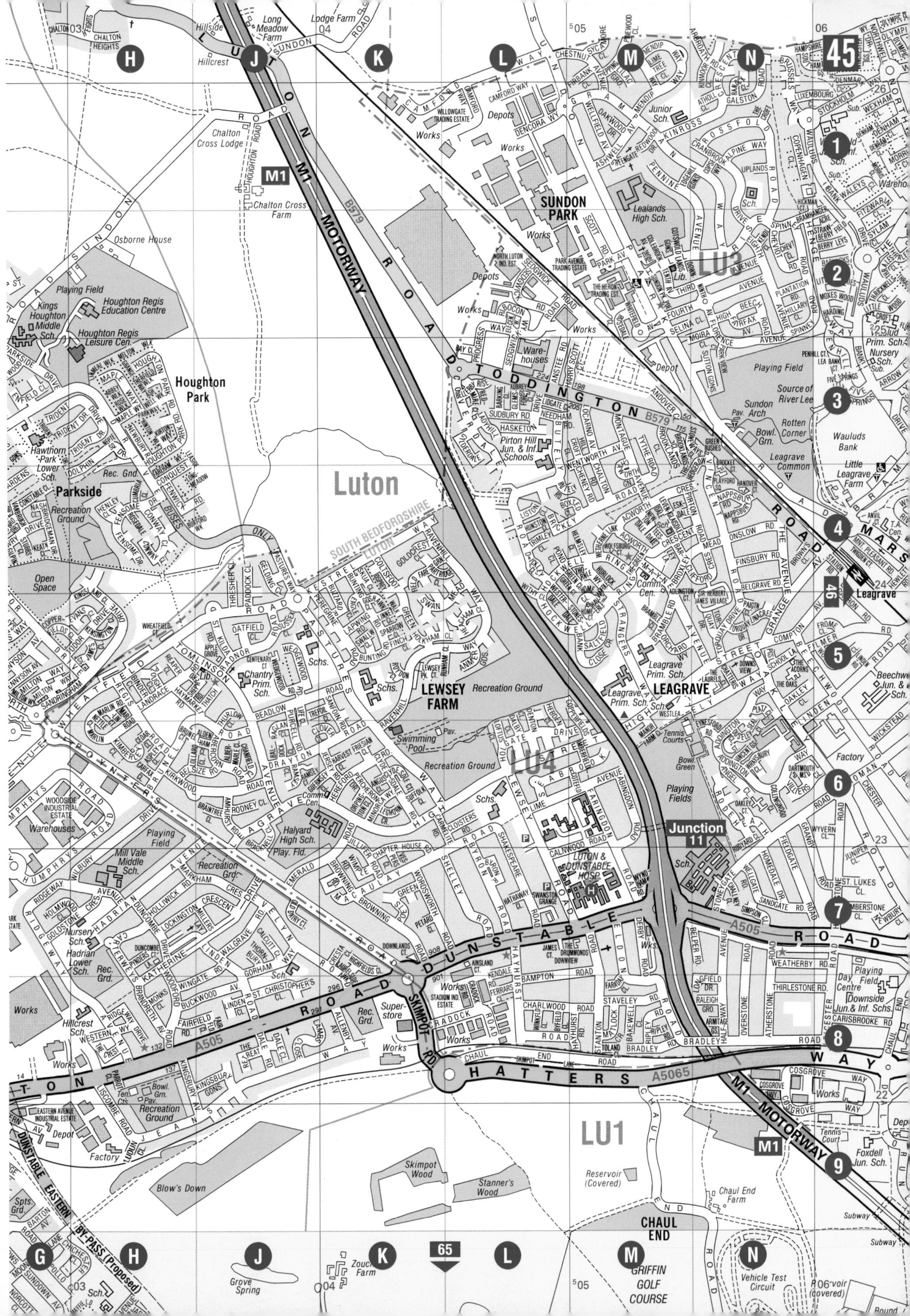
45
Luton
Houghton Park
Parkside
Lewsey Farm
Leagrave
Sundon Park
Chaul End
LU1
LU3
LU4
M1 Motorway
Toddington Road
Dunstable Road
Hatters Way
Junction 11
Luton & Dunstable Hosp.
Halyard High Sch.
Lealands High Sch.
Leagrave Common
Wauluds Bank
Little Leagrave Farm
Playing Field
Recreation Ground
Swimming Pool
Blow's Down
Skimpot Wood
Stanner's Wood
Griffin Golf Course
Vehicle Test Circuit
Grove Spring
Zouch Farm
Chalton Cross Lodge
Chalton Cross Farm
Osborne House
Houghton Regis Education Centre
Houghton Regis Leisure Cen.
Kings Houghton Middle Sch.
Hawthorn Park Lower Sch.
Mill Vale Middle Sch.
Hadrian Lower Sch.
Hillcrest Sch.
Pirton Hill Jun. & Inf. Schools
Chantry Prim. Sch.
Leagrave Prim. Sch.
Downside Jun.& Inf. Schs.
Foxdell Jun. Sch.
Beechwood Jun. & Inf. Sch.
Source of River Lee
Sundon Arch
Rotten Corner
Leagrave
Dunstable Eastern By-Pass (Proposed)
46
65

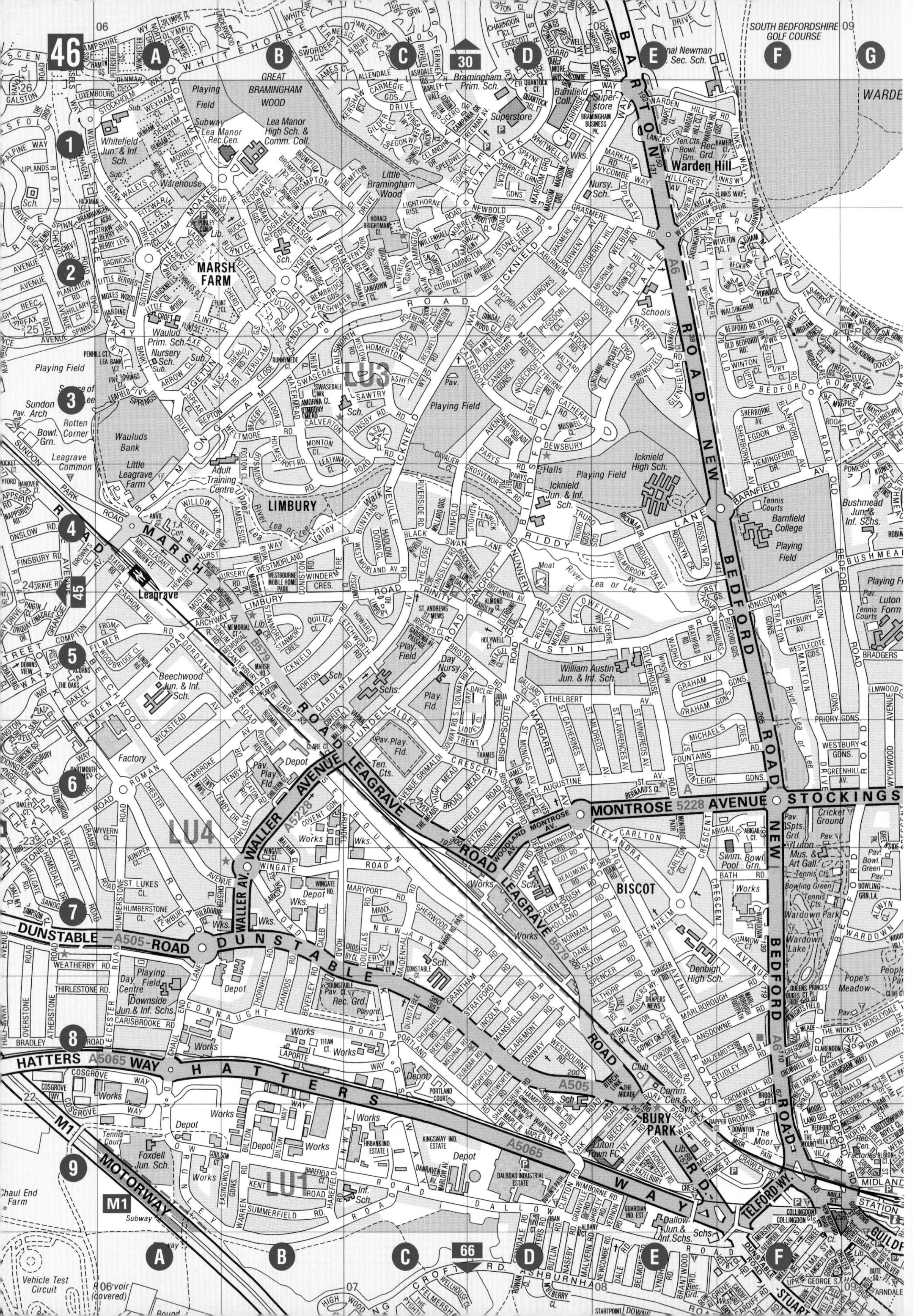

A
B
C
D
E
F
G
1
2
3
4
5
6
7
8
9
06
07
08
09
30
66
45
SOUTH BEDFORDSHIRE GOLF COURSE
WHITEHORSE
GREAT BRAMINGHAM WOOD
Playing Field
Lea Manor Rec.Cen.
Lea Manor High Sch. & Comm. Coll.
Whitefield Jun. & Inf. Sch.
Warehouse
Little Bramingham Wood
Bramingham Prim. Sch.
Superstore
Barnfield Coll.
BRAMINGHAM BUSINESS PK.
Warden Hill
WARDEN HILL
Cardinal Newman Sec. Sch.
MARSH FARM
Lib.
Sch.
Waulud Prim. Sch.
Nursery Sch.
Playing Field
Sundon Arch
Rotten Corner
Bowl. Grn.
Waulds Bank
Little Leagrave Farm
Leagrave Common
Adult Training Centre
LIMBURY
LU3
LU4
LU1
Playing Field
Icknield High Sch.
Icknield Jun. & Inf. Sch.
Halls
Schools
Barnfield College
Playing Field
Tennis Courts
Bushmead Jun. & Inf. Schs.
Luton Form
River Lea or Lee
Moat
Leagrave
MARSH ROAD
ICKNIELD WAY
NEW BEDFORD ROAD
A6
LEAGRAVE ROAD
B579
WALLER AVENUE
A5228
MONTROSE AVENUE
STOCKINGSTONE
DUNSTABLE ROAD
A505
HATTERS WAY
A5065
M1 MOTORWAY
M1
William Austin Jun. & Inf. Sch.
Beechwood Jun. & Inf. Sch.
Factory
Play. Fld.
Day Nursy.
Ten. Cts.
Depot
Works
BISCOT
Swim. Pool
Bowl. Grn.
Luton Mus. & Art Gall.
Cricket Ground
Wardown Park
Wardown Lake
Pope's Meadow
Denbigh High Sch.
Rec. Grd.
Playgrd.
Day Centre
Downside Jun.& Inf. Schs.
Foxdell Jun. Sch.
Chaul End Farm
Vehicle Test Circuit
BURY PARK
Luton Town FC
Comm. Cen. & Syn.
Club
DALROAD INDUSTRIAL ESTATE
KINGSWAY IND. ESTATE
FIRBANK IND. ESTATE
Dallow Jun.& Inf. Schs.
TELFORD WY.
MIDLAND
STATION
GUILDFORD
STUART
The Moor
Subway

H
J
K
L
M
N
31
1
2
3
4
5
6
7
8
9
48
67
26
25
24
23
22
510
11
12
Lilleypark Wood
Ralphs Farm
Hall Play. Fld.
Dog Kennel Farm
Jamaica Plantation
Whitehill Wood
Keepers Cottage
Whitehill Farm
Oaket Wood
Beanfield Cottages
Upshot Wood
Whitehill Cottages
SOUTH BEDFORDSHIRE
LUTON
Common Farm
Butterfield Green
Beechill Plantation
North Lodge
Icehouse Plantation
Dick's Gap
East Lodge
Great Hayes Wood
PUTTERIDGE PARK
Putteridge Bury
Tennis Court
Hawleydell Plantation
Home Farm
The Vale Cemetery and Crematorium
Manor Farm
STOPSLEY COMMON
Lothair Road Recreation Ground
Putteridge High Sch. & Comm. Coll.
NORTH HERTFORDSHIRE
Putteridge Jun. & Inf. Sch.
Recreation Centre
West Lodge Cottages
Mangrove Hall
Messina Plantn
Mangrove Lodge
Mangrove Green Cotts.
Mangrove Green
Playing Field
Luton Regional Sports Centre
Tennis Courts
STOPSLEY MOBILE HOME PARK
Luton
Stopsley High Sch. & Comm. Coll.
Playing Field
Bowling Grn.
STOPSLEY
Rec. Grd.
Playgrd.
Playing Field
Slipe Spring
Parsonage Farm
Cockernhoe Endowed C.of E. Prim. Sch.
Cockernhoe Farm
Cockernhoe
LU2
Sacred Heart R.C. Schs.
ROUND GREEN
Someries Jun. & Inf. Schools
Slaughter's Wood
Spts. Grd.
Ramridge Jun. & Inf. Schs.
Sports Ground
Play. Field
Ashcroft High Sch.
Wigmore Prim. Sch.
WIGMORE PK CENTRE
Richmond Hill Sch.
HIGH TOWN
HART HILL
Hart Hill Primary Sch.
Playing Fld.
Crawley Green Inf. & Wenlock C.E. Jun. Schs.
City Amenity Site
AIRPORT EXECUTIVE PARK
Works
Terminal Buildings
LONDON-LUTON AIRPORT
LUTON
A505
A5228
HITCHIN ROAD
BEECH HILL
STOPSLEY WAY
VAUXHALL WAY
PUTTERIDGE ROAD
WIGMORE LANE
HAYLANDS WAY
CRAWLEY GREEN ROAD
LUTON ROAD

SG5
Luton
LU2
WESTBURY WOOD
Angel's Wood
Woodfern Wick
Young's Wood
Judkin's Wood
Sallow Wood
Thomas Plantation
Dog Kennel Farm
PUTTERIDGE PARK
East Lodge
Hawleydell Plantation
Baronsfield
Lilley Bottom Farm
Bealine
Pigeon Hill
Offley Chase
Tennis Courts
Furzen Wood
Furzen Wood Cottage
Lodge Farm
Lodge Farm Cottages
Kingswell End
Lane House
Stopsley Holes Farm
Haycock Spinney
Offley Hoo
Mead Springs
Cockrood Spring
Cornelius Wood
Mangrove Hall
Mangrove Green Cotts.
Mangrove Green
Messina Plantation
STUBBOCKS WOOD
Parsonage Farm
Cockernhoe Farm
Cockernhoe Endowed C.of E. Prim. Sch.
Cockernhoe
Brickkiln Wood
Tea Green
Crouchmoor Cottage
Crouchmoor Farm
Tankards Farm
Wood Close Cottage
Windmill (disused)
Roundabouts Plantation
Watkin's Wood
Lord's Wood
Wandon End
Wandon End Farm
Works
Ivy Cottages
Green Acres
Darley Wood
Darleyhall
Colemans Green
The Heath
Heath Farm
Brownings Cottage
The Spinney
Medlow House
Colemans Farm
Breachwood Green
Sch.
Greathouse Wood
Bailey's Farm
New Winchill Cottages
Winch Hill Farm
Winch Hill House
Winch
Wetherfield Spring
City Amenity Site
NORTH HERTFORDSHIRE
LUTON
LILLEY BOTTOM
WHITE HILL
LUTON RD
KINGS WALDEN RD
HOLLYBUSH
Subway
LILLEY BOTTOM
CHALK HILL
BRICK KILN LANE
STONY LANE
DARLEY ROAD
WINDMILL ROAD
MILLWAY
BROWNINGS LANE
COLEMANS ROAD
THE HEATH
CHAPEL RD
OXFORD RD.
PASTURE LANE
LOWER
ORCHARD WY.
LORD'S VW.
THE MEADOWS
ST. MARY'S RISE
BAILEY'S CLOSE
CHURCH ROAD
LYE HILL
EATON GREEN ROAD
MANGROVE RD
ELMTREE
RIGGS WY.
LEY
PARK HILL
DRAYTON
GREEN
PERRYMEAD
RYLANDS HEATH
TAMETON CL.
CUTLERS GRN.
EMMER GRN.
WARMINSTER GRN.
REEDS DALE
FELBRIGG CL.
ENNISMORE GRN.
MALTHOUSE GRN.
BROOK VALE
THE DELL
COLWELL CT.
CORBRIDGE
HEATON
LAX
CHATTON CL.
BIRTLEY CT.
Offs
LEWSEY
A B C D E F G
1 2 3 4 5 6 7 8 9
13 14 515
26 25 24 23 22
32 47 68
NDON-LUTON AIRPORT

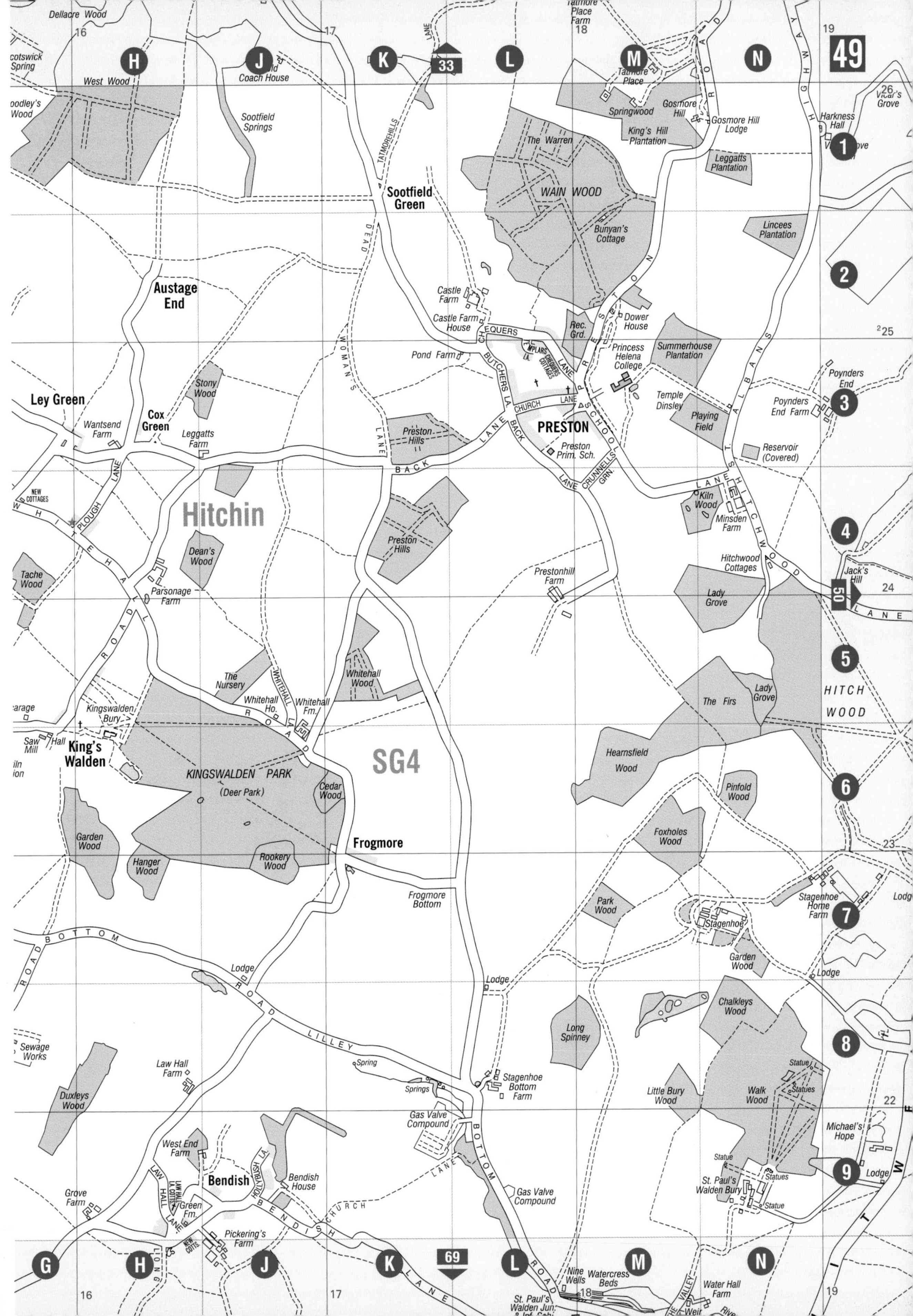

Dellacre Wood
Scotswick Spring
West Wood
Coodley's Wood
Old Coach House
Sootfield Springs
33
Tatmore Place Farm
Tatmore Place
Springwood
Gosmore Hill
Gosmore Hill Lodge
King's Hill Plantation
Harkness Hall
Vicar's Grove
Leggatts Plantation
The Warren
WAIN WOOD
Sootfield Green
Bunyan's Cottage
Lincees Plantation
Austage End
Castle Farm
Castle Farm House
Dower House
Rec. Grd.
CHEQUERS
Pond Farm
Princess Helena College
Summerhouse Plantation
Poynders End
Poynders End Farm
Temple Dinsley
Playing Field
Ley Green
Stony Wood
Wantsend Farm
Cox Green
Leggatts Farm
Preston Hills
PRESTON
Preston Prim. Sch.
Reservoir (Covered)
BACK LANE
CHURCH LANE
BUTCHERS LA.
SCHOOL LANE
CRUNNELLS GRN.
Kiln Wood
Minsden Farm
NEW COTTAGES
PLOUGH LANE
Hitchin
Dean's Wood
Hitchwood Cottages
Jack's Hill
LANE
Tache Wood
Parsonage Farm
Prestonhill Farm
Lady Grove
50
WHITEHALL ROAD
HITCH WOOD
The Nursery
Whitehall Wood
The Firs
Whitehall Ho.
Whitehall Fm.
WHITEHALL LA.
Kingswalden Bury
Hall
Saw Mill
King's Walden
SG4
Hearnsfield Wood
KINGSWALDEN PARK
(Deer Park)
Cedar Wood
Pinfold Wood
Garden Wood
Frogmore
Foxholes Wood
Hanger Wood
Rookery Wood
Frogmore Bottom
Stagenhoe Home Farm
Lodge
Park Wood
Stagenhoe
BOTTOM ROAD
Garden Wood
Lodge
Chalkleys Wood
LILLEY BOTTOM ROAD
Long Spinney
Sewage Works
Law Hall Farm
Spring
Stagenhoe Bottom Farm
Springs
Statue
Statues
Little Bury Wood
Walk Wood
Duxleys Wood
Gas Valve Compound
Michael's Hope
West End Farm
BOTTOM
Bendish House
Bendish
HOLLYBUSH LA.
LAW HALL LANE
Green Fm.
Gas Valve Compound
St. Paul's Walden Bury
Statues
Statue
Lodge
Grove Farm
BENDISH CHURCH LANE
Pickering's Farm
NEW COTTS.
LONG
69
ROAD
Nine Wells
Watercress Beds
Water Hall Farm
St. Paul's Walden Jun. & Inf. Sch.
THE VALLEY
Weir
G H J K L M N
1 2 3 4 5 6 7 8 9
16 17 18 19
22 23 24 25 26

Little Almshoe
Little Almshoe Cottages
Little Almshoe Farm
Almshoe Bury Cottages
Harkness Hall
Vicar's Grove
Vicarsgrove Farm
Lincees Plantation
MILL HILL
Chapelfoot
Almshoe Bury
Coney Cottages
Poynders End
Reservoir (Covered)
Minsden Chapel (Remains of)
Nursery
Chapel Gate
Minsden Chapel Plantation
Jack's Hill
Hill End Farm
Langley End
Hitchin SG4
HITCH WOOD
Lady Grove
Pinfold Wood
Works
Rushgreen Farm
Rush Green
Letchmore Farm
Rushgreen Wood
High Broomin Wood
Upper Kitching Spring
Dyes Farm
(Horse Ride)
Langley Bottom Farm
Langley Bottom
Shilley Green Farm
Hobsland Spring
Maiden Spring
Martins Spring
Hitch Spring
Breach Spring
Lodges
Stagenhoe Home Farm
Easthall
Little Easthall Farm
Orchard Cottage
Langleyhill Farm
Maids Grove
Brown's Wood
Lammas Wood
Middle Easthall Farm
Easthall Wood
Wellcroft Wood
St. Paul's Walden
Langley Fm.
Langley
Hall Farm
Crabtree Spring
Hodgkins Dell
Soot Wood
The Firs
Reynolds Wood
Michael's Hope
Lodge
Garden Wood
Statue
Statues
Walk
Easthall Farm
Easthall Cottages
Peartree Wood
Briary Spring
Roundwood Dell
Burleighcroft Wood
Burleigh Fm. Cotts.
The Fussens
Pickwiddens Plantation
Rusling End Farm
Graffridge Wood
Lower Titmore Farm
Dell Close
Greenbanks
Pig Farm
Lucas's Wood
Symonds Green
NORTH HERTFORDSHIRE
STEVENAGE
A1(M)
MOTORWAY
Subway
LONDON ROAD
B656
B651
WHITE LANE
LANGLEY LANE
DYES LANE
KITCHING LANE
BULLOCK'S HILL
WHITWELL
NORTONSTREET LANE
HITCHWOOD LANE
34
49
70

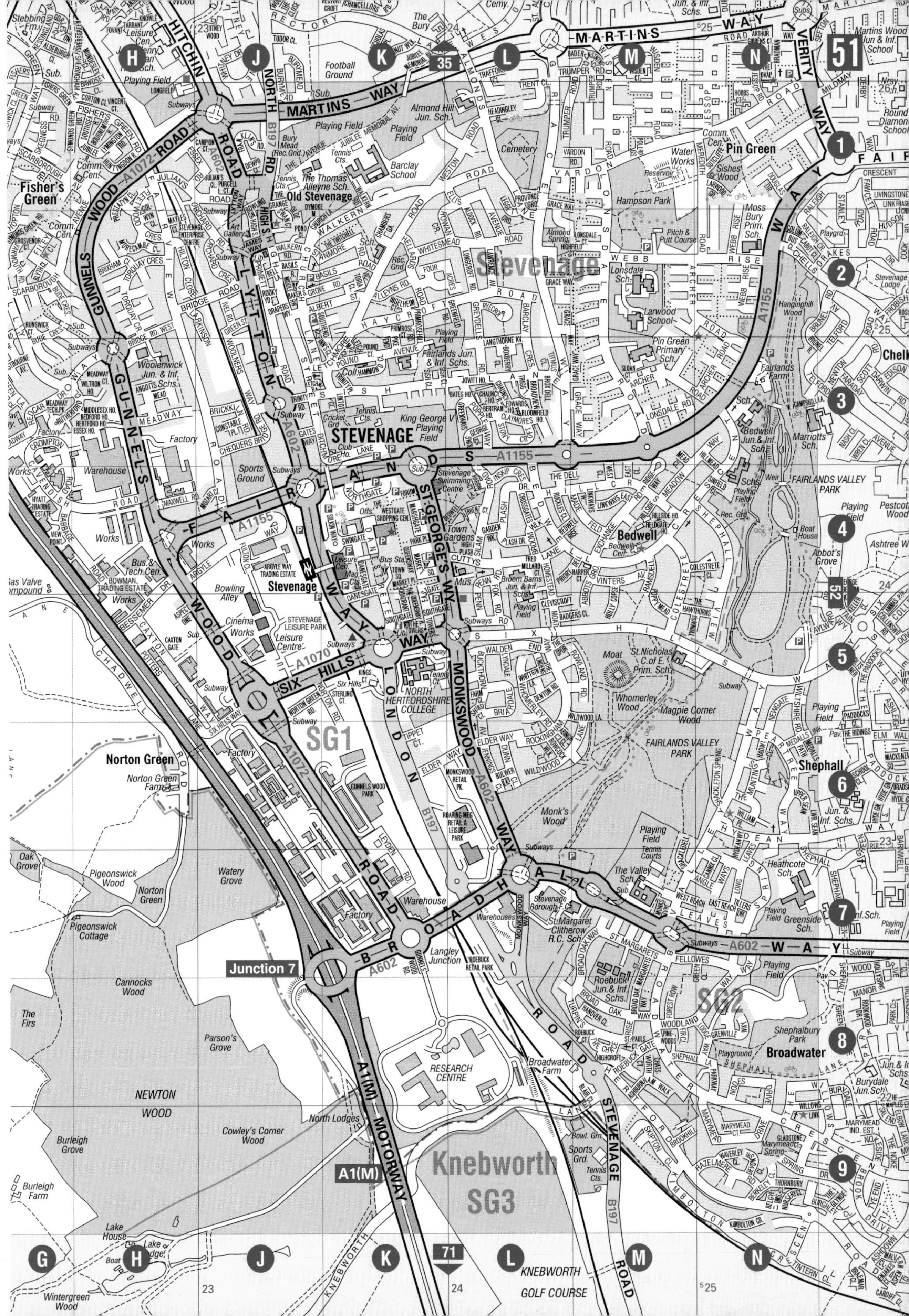

H
J
K
L
M
N
35
MARTINS WAY
HITCHIN ROAD
NORTH RD
Fisher's Green
Old Stevenage
The Thomas Alleyne Sch.
Barclay School
Football Ground
Almond Hill Jun. Sch.
Cemetery
Pin Green
Water Works
Hampson Park
Stevenage
Lonsdale Sch.
Larwood School
Pin Green Primary Sch.
GUNNELS WOOD ROAD
LYTTON WAY
STEVENAGE
King George V Playing Field
FAIRLANDS WAY
A1155
ST. GEORGE'S WAY
Fairlands Jun. & Inf. Schs.
Woolenwick Jun. & Inf. Schs.
Sports Ground
Warehouse
Factory
Works
Bowling Alley
Cinema
Stevenage Leisure Park
Leisure Centre
Stevenage
Town Gardens
Bedwell
Bedwell Jun. & Inf. Sch.
Marriotts Sch.
FAIRLANDS VALLEY PARK
Abbot's Grove
52
SIX HILLS WAY
A1070
NORTH HERTFORDSHIRE COLLEGE
SG1
LONDON ROAD
MONKSWOOD WAY
A602
St. Nicholas C. of E. Prim. Sch.
Whomerley Wood
Magpie Corner Wood
Monk's Wood
Shephall
Norton Green
Norton Green Farm
Oak Grove
Pigeonswick Wood
Watery Grove
Pigeonswick Cottage
Junction 7
BROADHALL WAY
The Valley Sch.
Heathcote Sch.
Greenside Sch.
Stevenage Borough F.C.
St. Margaret Clitherow R.C. Sch.
Roebuck Jun. & Inf. Schs.
Langley Junction
SG2
Cannocks Wood
The Firs
Parson's Grove
RESEARCH CENTRE
Broadwater Farm
Shephalbury Park
Broadwater
Burydale Jun. Sch.
NEWTON WOOD
Burleigh Grove
Cowley's Corner Wood
North Lodges
A1(M) MOTORWAY
A1(M)
Knebworth SG3
STEVENAGE ROAD
B197
Sports Grd.
Burleigh Farm
Lake House
G
H
J
K
71
L
M
N
KNEBWORTH GOLF COURSE
Wintergreen Wood
23
24
25
1
2
3
4
5
6
7
8
9

52
36
72
51
A
B
C
D
E
F
G
1
2
3
4
5
6
7
8
9
26
27
28
25
24
23
22
SG1
SG2
Stevenage
Pin Green
Chells
Chells Manor
Shephall
Broadwater
Poplars
Aston End
ASTON
FAIRLANDS WAY
VERITY WY.
A1155
B1037
STEVENAGE ROAD
BROADHALL WAY
A602
GRESLEY WAY
SIX HILLS WAY
Martins Wood Jun.& Inf.
Martin's Wood
BOX WOOD
Box Wood
Boxbury Farm Cottages
Round Diamond School
Nobel Sch.
Lodge Farm Inf.& Jun.Schs.
Camps Hill Comm. Prim. Sch.
Marriotts Sch.
Bedwell Jun.& Inf. Sch.
FAIRLANDS VALLEY PARK
Pestcotts Wood
Ashtree Wood
Abbot's Grove
Great Collens Wood
Collenswood Sch.
Ashtree Jun.& Inf. Schs
Chells Recreation Ground
Featherston Wood Prim. School
Ridlins Wood Playing Field
Ridlins Wood
Athletics Ground
Loves Wood
Barnwell Sch.
Heathcote Sch.
Burydale Jun.Sch.
Moss Bury Prim. Sch.
Hanginghill Wood
Fairlands Farm
Stevenage Lodge
Poultry Farm
Holders
Elm Green
Brookhall Farm
New Wood
White Farm
Poplar Farm
Lord's Farm
Bareleigh
Aston St. Mary's C.of E. Jun.& Inf. School
Millhouse
Aston Dene
The Greenkeeper Club House
STEVENAGE GOLF COURSE
Lady's Wood
Aston End Brook
Astonbury Farm
Aston Bury Farmhouse
Aston Bury
Sacombe Corner Wood
Lower Wood
Pumping Station
River Beane
Holbrook Cottages
Holbrook Farm
HIGH WOOD
Haily Pa Wood
Little Croft
Walkern Croft
Walkern Mill
Springhill
Rooks Nest Farm
Finche's En
Playing Field
WALKERN ROAD
BENINGTON ROAD
BROOKFIELD LANE
LONG LANE
BENINGTON ROAD
FROGMORE HILL
FROGHALL
STEVENAGE
EAST HERTFORDSHIRE
Ford
Pump House
White Hall
ASTONBURY WOOD
Sports Ground
Stevenage Brook
Superstore
Comm. Cen.

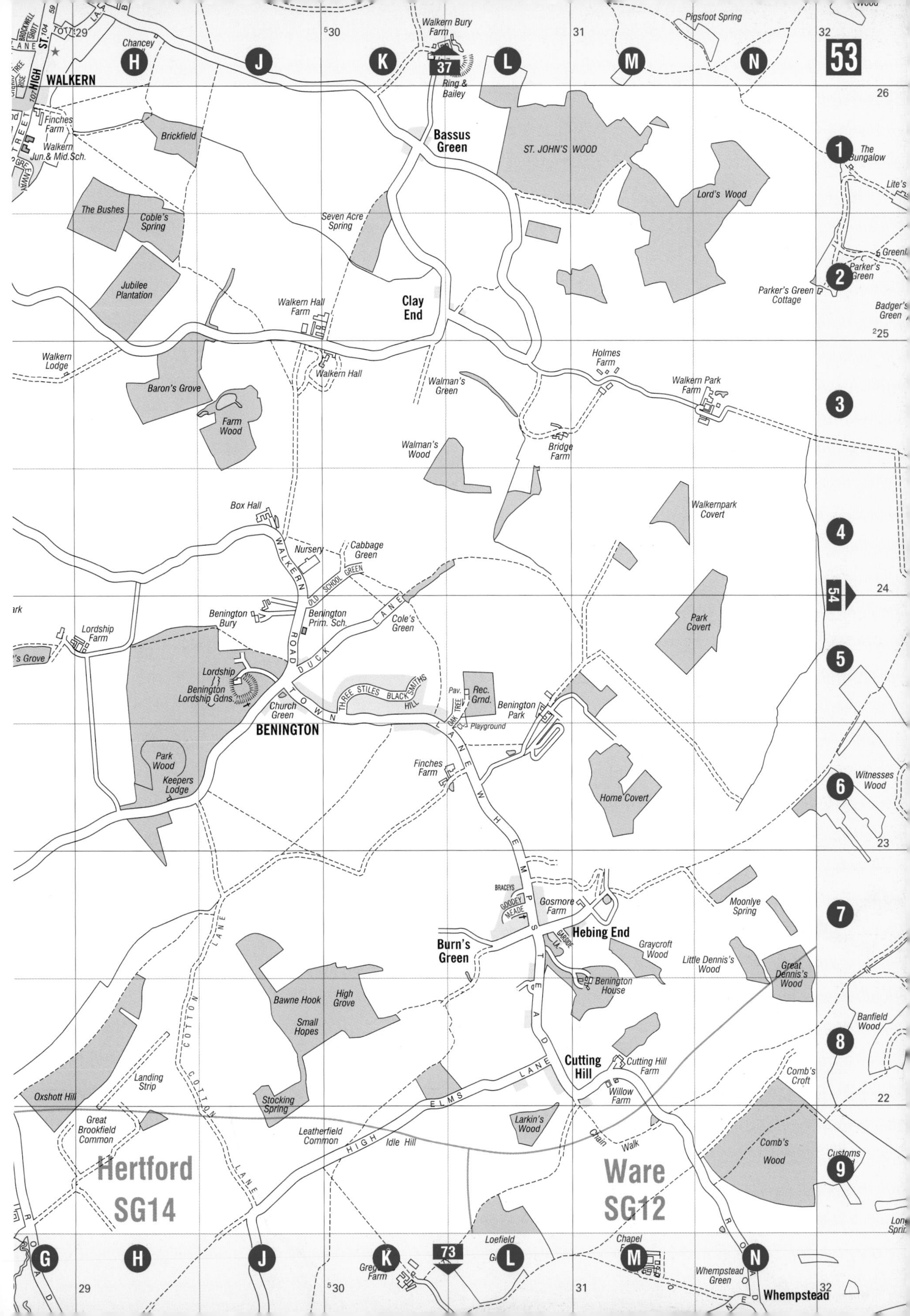
WALKERN
Chancey
Walkern Bury Farm
Pigsfoot Spring
Ring & Bailey
Finches Farm
Walkern Jun.& Mid.Sch.
Brickfield
Bassus Green
ST. JOHN'S WOOD
The Bungalow
Lord's Wood
The Bushes
Coble's Spring
Seven Acre Spring
Parker's Green
Parker's Green Cottage
Badger's Green
Jubilee Plantation
Walkern Hall Farm
Clay End
Walkern Lodge
Walkern Hall
Holmes Farm
Walkern Park Farm
Baron's Grove
Walman's Green
Farm Wood
Bridge Farm
Walman's Wood
Box Hall
Walkernpark Covert
Nursery
Cabbage Green
WALKERN ROAD
OLD SCHOOL GREEN
Park Covert
Benington Bury
Benington Prim. Sch.
DUCK LANE
Cole's Green
Lordship Farm
Lordship
Benington Lordship Gdns.
THREE STILES
BLACKSMITHS HILL
Pav.
Rec. Grnd.
Benington Park
Church Green
TOWN LANE
BENINGTON
Playground
Park Wood
Keepers Lodge
Finches Farm
Home Covert
Witnesses Wood
WHEMPSTEAD ROAD
BRACEYS
GOODEY MEADE
Gosmore Farm
Moonlye Spring
Hebing End
GARSIDE LA.
Burn's Green
Graycroft Wood
Little Dennis's Wood
Great Dennis's Wood
Bawne Hook
High Grove
Small Hopes
Benington House
Banfield Wood
COTTON LANE
Cutting Hill
Cutting Hill Farm
Landing Strip
Willow Farm
Comb's Croft
Oxshott Hill
Stocking Spring
HIGH ELMS LANE
Larkin's Wood
Great Brookfield Common
Leatherfield Common
Idle Hill
Chain Walk
Comb's Wood
Customs
Hertford SG14
Ware SG12
Loefield
Chapel
Whempstead Green
Whempstead
Farm
37
73
54
G H J K L M N
1 2 3 4 5 6 7 8 9
29 30 31 32
26 25 24 23 22

Leycroft
Newer Hill Spring
Orange End
Back Lane
Peasefield
The Bungalow
Ostlers Wood
Wood End
Lite's Farm
Hightree Farm
Coates Manor Farm
Cowley Spring
Cherry Farm
Greenlands
Parker's Green
Highbury Farm
Parker's Green Cottage
Badger's Green
Lye Lane
Rush Green Cottages
Mill Farm
Rush Green
Thrift Wood
Stevenage
SG2
Little Lye Grove
Sander's Green
Stag Hall Farm
Dark Lane
Moat
Bugby's Farm
Baxter's Spring
Chain Walk
Ware
Shout's Wood
Great Munden Farm
Libury Hall
Frogs Hall La.
The Street
Witnesses Wood
Haultwick
Woolston Farm
Hornbeam Common
Gifford's Lane
Gifford's Wood
Dane End Tributary
Goldsell Common
Moonlye Spring
Great Dennis's Wood
Pav.
Cricket Ground
King's Hill
Green End Farm
Green End
Graves Wood
Bandy Common
SG12
Banfield Wood
Fellowsfield Common
The Wilderness
Radio Receiving Station
Comb's Croft
Lordship's Farm
Kings Wood
Three Corner Wood
Apsley Common
Comb's Wood
Customs Wood
Little Munden C of E Prim. Sch.
Easington Common
Swimming Pool
Church Lane
Short Whiteley Common
Fullars Common
Moorfield Common
Trencher Hill
The Old Bourne
Long Spring
Dane End
Kingsfield
Windmills
Gladstone Rd.
Munden Road
Echo Wood
Dane End Farm
Whitehill Farm
The Hollow
Langton's Lane
Crabcroft Spring
Whempstead
Pearman Dr.
Shelly's Wood

38
53
74

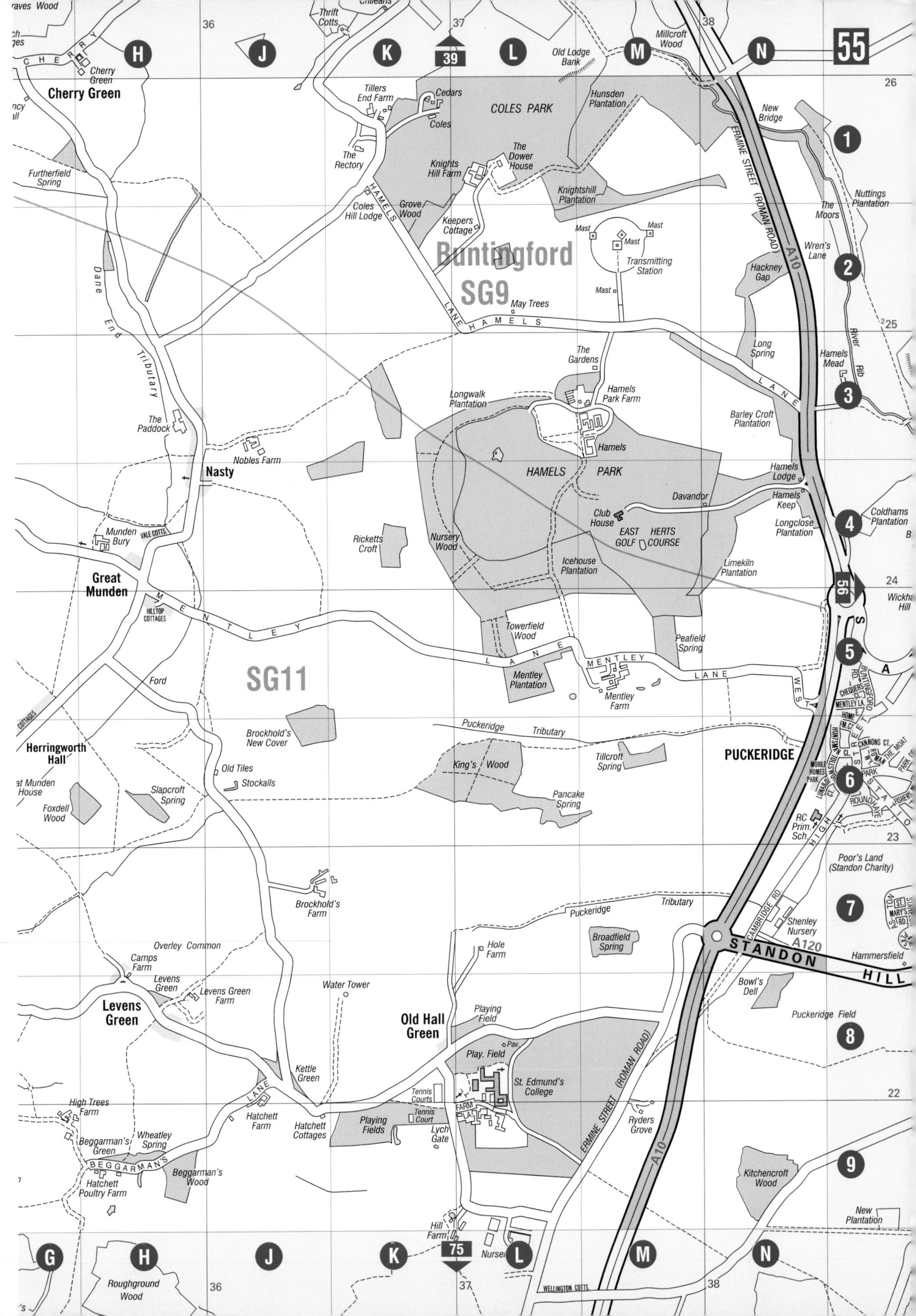

39
56
75
H
J
K
L
M
N
G
1
2
3
4
5
6
7
8
9
36
37
38
26
25
24
23
22
Cherry Green
Thrift Cotts.
Millcroft Wood
Old Lodge Bank
Tillers End Farm
Cedars
Coles
COLES PARK
Hunsden Plantation
New Bridge
The Rectory
Knights Hill Farm
The Dower House
Furtherfield Spring
Knightshill Plantation
ERMINE STREET (ROMAN ROAD)
Nuttings Plantation
The Moors
Coles Hill Lodge
HAMELS LANE
Grove Wood
Keepers Cottage
Mast
Transmitting Station
Wren's Lane
Buntingford SG9
Hackney Gap
A10
Dane End Tributary
May Trees
River Rib
The Gardens
Long Spring
Hamels Mead
Longwalk Plantation
Hamels Park Farm
The Paddock
Barley Croft Plantation
Nobles Farm
Hamels
Nasty
HAMELS PARK
Hamels Lodge
Davandor
Hamels Keep
Club House
EAST HERTS GOLF COURSE
Coldhams Plantation
Longclose Plantation
Munden Bury
VALE COTTS.
Ricketts Croft
Nursery Wood
Icehouse Plantation
Limekiln Plantation
Great Munden
HILLTOP COTTAGES
MENTLEY LANE
Towerfield Wood
Peafield Spring
Mentley Plantation
Mentley Farm
Ford
SG11
WEST
Puckeridge Tributary
Brockhold's New Cover
Herringworth Hall
Old Tiles
Stockalls
King's Wood
Tillcroft Spring
PUCKERIDGE
Great Munden House
Foxdell Wood
Slapcroft Spring
Pancake Spring
RC Prim. Sch.
HIGH STREET
Poor's Land (Standon Charity)
Brockhold's Farm
CAMBRIDGE RD.
Shenley Nursery
Hole Farm
Broadfield Spring
A120
STANDON HILL
Hammersfield
Overley Common
Camps Farm
Levens Green
Levens Green Farm
Water Tower
Bowl's Dell
Puckeridge Field
Playing Field
Old Hall Green
Play. Field
Pav.
St. Edmund's College
Kettle Green
Tennis Courts
Tennis Court
FARM LA.
High Trees Farm
Hatchett Farm
Hatchett Cottages
Playing Fields
Lych Gate
Ryders Grove
Beggarman's Green
Wheatley Spring
BEGGARMAN'S
Beggarman's Wood
Hatchett Poultry Farm
Kitchencroft Wood
New Plantation
Hill Farm
Nurse
Roughground Wood
WELLINGTON COTTS.

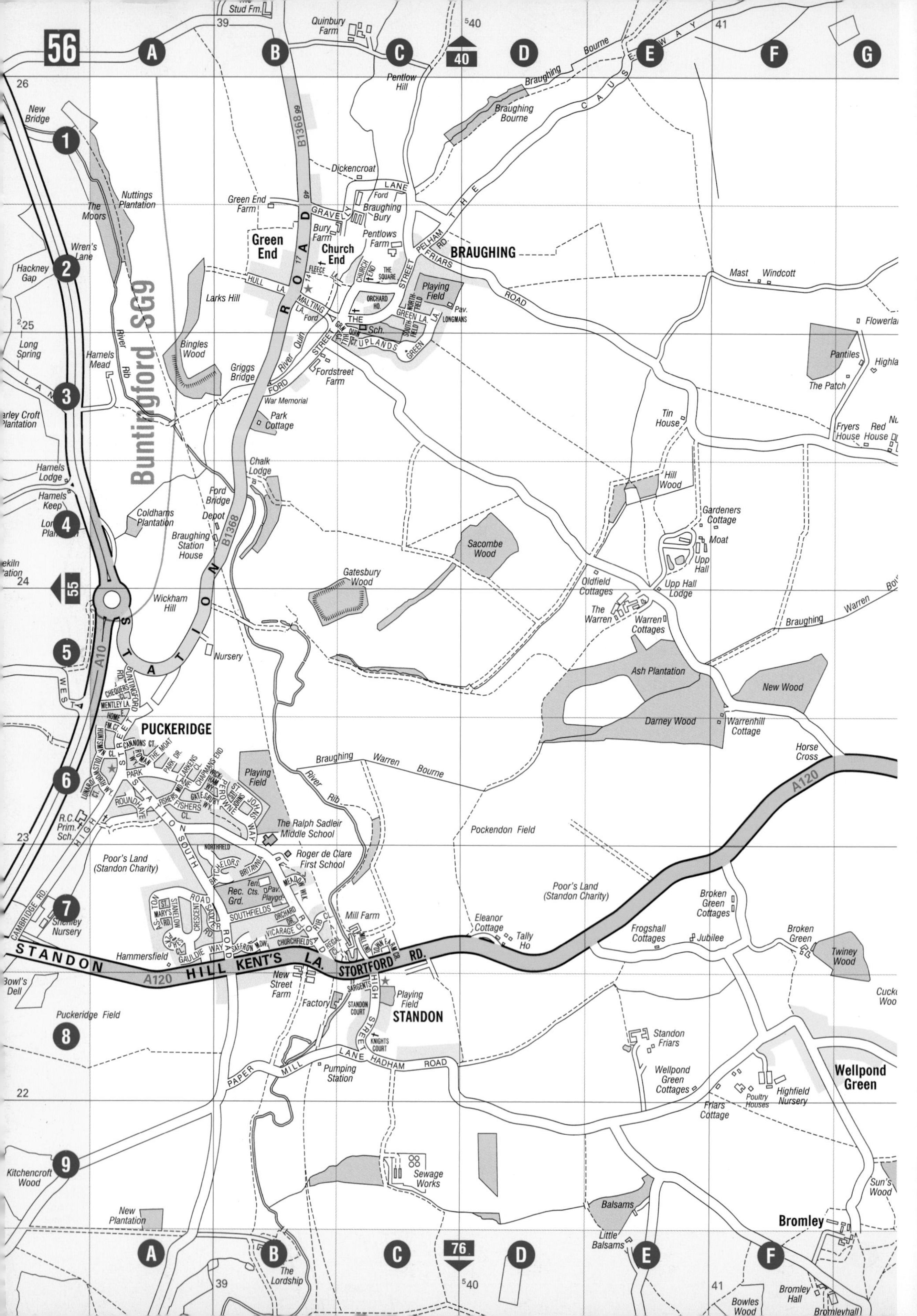
A
B
C
D
E
F
G
1
2
3
4
5
6
7
8
9
40
55
76
Buntingford SG9
BRAUGHING
Green End
Church End
PUCKERIDGE
STANDON
Wellpond Green
Bromley
Braughing Bourne
Pentlow Hill
Quinbury Farm
Stud Fm.
New Bridge
Nuttings Plantation
The Moors
Wren's Lane
Hackney Gap
Long Spring
Hamels Mead
Larks Hill
Bingles Wood
Griggs Bridge
Dickencroat
Green End Farm
Braughing Bury
Bury Farm
Pentlows Farm
Playing Field
Fordstreet Farm
War Memorial
Park Cottage
Chalk Lodge
Ford Bridge
Depot
Braughing Station House
Coldhams Plantation
Hamels Lodge
Hamels Keep
Wickham Hill
Nursery
Gatesbury Wood
Sacombe Wood
Mast
Windcott
Flowerla
Pantiles
The Patch
Tin House
Fryers House
Red House
Hill Wood
Gardeners Cottage
Moat
Upp Hall
Upp Hall Lodge
Oldfield Cottages
The Warren
Warren Cottages
Braughing Warren
Ash Plantation
New Wood
Darney Wood
Warrenhill Cottage
Horse Cross
Braughing Warren Bourne
River Rib
Pockendon Field
The Ralph Sadleir Middle School
Roger de Clare First School
Poor's Land (Standon Charity)
R.C. Prim. Sch.
Rec. Grd.
Mill Farm
Eleanor Cottage
Tally Ho
Frogshall Cottages
Jubilee
Broken Green Cottages
Broken Green
Twiney Wood
Shelley Nursery
Hammersfield
Bowl's Dell
New Street Farm
Factory
Playing Field
Puckeridge Field
Standon Friars
Pumping Station
Wellpond Green Cottages
Poultry Houses
Highfield Nursery
Friars Cottage
Kitchencroft Wood
Sewage Works
New Plantation
Balsams
Little Balsams
Sun's Wood
The Lordship
Bromley Hall
Bowles Wood
Bromleyhall
A10
A120
B1368
STATION ROAD
STANDON HILL
KENT'S LA.
STORTFORD RD.
HIGH STREET
CAMBRIDGE RD.
PAPER MILL LANE
HADHAM ROAD
FRIARS ROAD
PELHAM RD.
THE CAUSEWAY
39
41
26
25
24
23
22

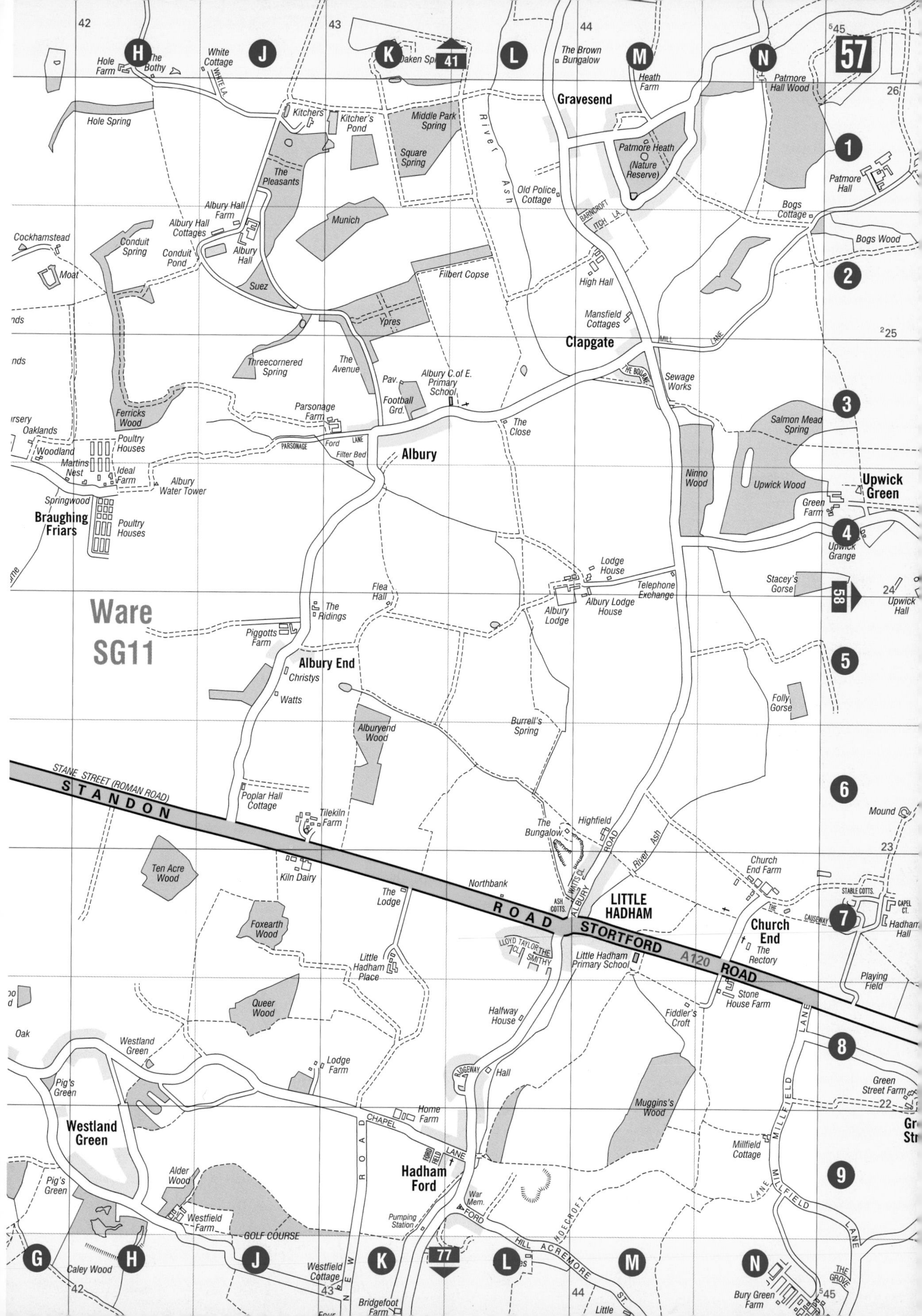

Gravesend
Patmore Heath (Nature Reserve)
Patmore Hall Wood
Patmore Hall
Heath Farm
The Brown Bungalow
Hole Farm
The Bothy
White Cottage
Oaken Spring
Kitchers
Kitcher's Pond
Middle Park Spring
Square Spring
Hole Spring
The Pleasants
Albury Hall Farm
Albury Hall Cottages
Albury Hall
Cockhamstead
Conduit Spring
Conduit Pond
Moat
Munich
Suez
Filbert Copse
Ypres
Old Police Cottage
Bogs Cottage
Bogs Wood
High Hall
Mansfield Cottages
Clapgate
Mill Lane
Sewage Works
Threecornered Spring
The Avenue
Albury C.of E. Primary School
Pav.
Football Grd.
Parsonage Farm
Parsonage Lane
Ford
Filter Bed
Albury
The Close
Ferricks Wood
Oaklands
Woodland
Martins Nest
Poultry Houses
Ideal Farm
Albury Water Tower
Springwood
Braughing Friars
Salmon Mead Spring
Ninno Wood
Upwick Wood
Upwick Green
Green Farm
Upwick Grange
Stacey's Gorse
Upwick Hall
Lodge House
Telephone Exchange
Albury Lodge House
Albury Lodge
Flea Hall
The Ridings
Piggotts Farm
Ware SG11
Albury End
Christys
Watts
Folly Gorse
Alburyend Wood
Burrell's Spring
Stane Street (Roman Road)
Standon Road
Poplar Hall Cottage
Tilekiln Farm
The Bungalow
Highfield
Albury Road
River Ash
Mound
Ten Acre Wood
Kiln Dairy
Northbank
The Lodge
Church End Farm
Stable Cotts.
Capel Ct.
Little Hadham
Ash. Cotts.
Watts Cl.
Foxearth Wood
Stortford Road
A120
The Causeway
Hadham Hall
Church End
The Rectory
Lloyd Taylor Cl.
The Smithy
Little Hadham Primary School
Little Hadham Place
Stone House Farm
Playing Field
Queer Wood
Halfway House
Fiddler's Croft
Oak
Westland Green
Lodge Farm
Ridgeway
Hall
Green Street Farm
Pig's Green
Home Farm
Chapel Lane
Muggins's Wood
Millfield Cottage
Millfield Lane
Ford Field
New Road
Hadham Ford
Alder Wood
Westfield Farm
Golf Course
War Mem.
Pumping Station
Ford Hill
Hoecroft
Acremore St.
Caley Wood
Westfield Cottage
Bridgefoot Farm
Little
Bury Green Farm
The Grove
41
58
77

Patmore Hall Wood
Patmore Hall
Bogs Cottage
Bogs Wood
Shaw Wood
Sherwood Cottage
Shaw Wood Lane
The Studio
Farnham Green
Farnham Hall
The Folly
Lincolns
Chatter End
Thrifts
Savenend Cottage
Savenend Farm
Savenend Lodge
Rectory
FARNHAM
Farnham C. of E. Prim. Sch.
Hall
Playground
Globe Farm
Thrimley Lane
Thrimley House
Rectory Lane
Rectory Dr.
Globe Cres.
Moat
Walkers
The Globe
Level's Green
Earlsbury
Hill Farm
Bell's Cottages
Salmon Mead Spring
Upwick Wood
Upwick Green
Green Farm
THE COMMON
Upwick Grange
Piggots
Hoy's Farm
Stacey's Gorse
Upwick Hall
Walnuttree Green
Ware SG11
Folly Gorse
Moorfield Spring
Bailey Hills
Walnuttree Cottages
Walnut Tree La.
Wickham Hall
Silo
Mound
Parkfield Spring
UTTLESFORD
EAST HERTFORDSHIRE
Newwood Spring
Church End Farm
Church End
The Rectory
Stable Cotts.
Capel Ct.
Hadham Hall
The Causeway
Baud Cl.
Bloodhounds' Wood
Hoggate's Wood
Playing Field
Stone House Farm
ROAD
Rootypiece Plantation
Hadham Park
High Wood
Blackthorn Spring
Hadham Lodge
A120
STANE STREET (ROMAN ROAD)
HADHAM
Savernake
Green Street Farm
Hoop House
Green Street
Att House Farm
Harveys Cotts.
Bounds Field
Hadham Park Cottages
Cradle End
Little Plantings Wood
Great Plantings Wood
Ivy Farm
East Wood
Millfield Lane
Millfield Cottage
The Grove
Bury Green Farm
Reservoir (Covered)
Dane O'Coys Farm
Playing Field
Squash Cts.
Play. Field
Cricketfield
A1250
Superstore
Bishops Park Centre
BISHOPS PARK WAY
A1184
Patmore Cl.
Dane Acres
Maple Spring
Maple Gro.
Matching La.
Maze Green Road
Playing Field
Bishop's Stortford College
Northgate Jun. & Mid. Sch.
Whitehall College
Ash Grove
Pav.
Ckt. Grd.
Ten. Cts.
Oak Plantation
Parsonage Farm
Bourne Brook
Watery La.
Mallows Green Rd.
Ford
Frog Hall
Percy Wood
Hillside
Lancaster Wy
Burghley Av.
Chequers
Crozier Av.
Princes Gate
Anglesey Cl.
Duchess Cl.
Windsor
Blair Cl.
Chatsworth
Woburn
Lords
Park Cottages
Westfield Rd.
Willow Cl.
Willow Springs
Oakleigh Ct.
Maple Av.
Dane Ho.
Hadham Gro.
Marshbarns

42
57
78

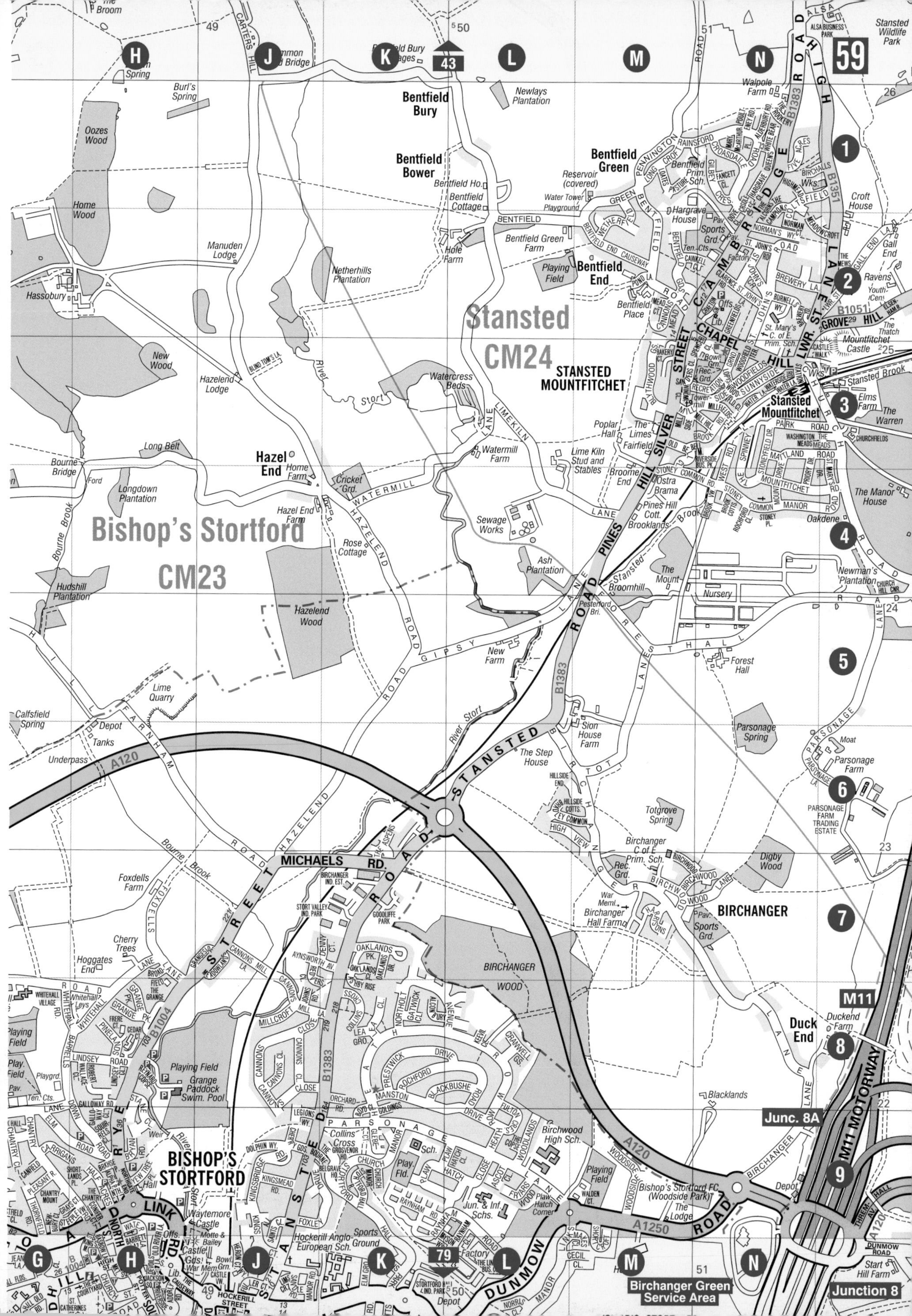
Stansted CM24
STANSTED MOUNTFITCHET
Stansted Mountfitchet
Bishop's Stortford CM23
BISHOP'S STORTFORD
BIRCHANGER
Bentfield Bury
Bentfield Bower
Bentfield Green
Bentfield End
Hazel End
Duck End
BIRCHANGER WOOD
Birchanger Green Service Area
Junction 8
Junc. 8A
M11 MOTORWAY
A120
A1250
B1383
B1004
B1051
B1351
43
79
Hazelend Wood
Hudshill Plantation
Ozes Wood
Home Wood
New Wood
Netherhills Plantation
Newlays Plantation
Ash Plantation
Forest Hall
Parsonage Farm
Totgrove Spring
Digby Wood
Mountfitchet Castle
Stansted Wildlife Park
The Manor House
The Mount
Hassobury
Hazelend Lodge
Manuden Lodge
Sion House Farm
The Step House
Bishop's Stortford FC (Woodside Park)
Birchwood High Sch.
Hockerill Anglo European Sch.
Waytemore Castle
MICHAELS RD.
SILVER STREET
CHAPEL HILL
CAMBRIDGE ROAD
DUNMOW ROAD
STANSTED ROAD
GIPSY ROAD
FARNHAM ROAD
HAZELEND ROAD
WATERMILL LANE
BIRCHANGER LANE
PARSONAGE ROAD
LINK RD.
HOCKERILL STREET

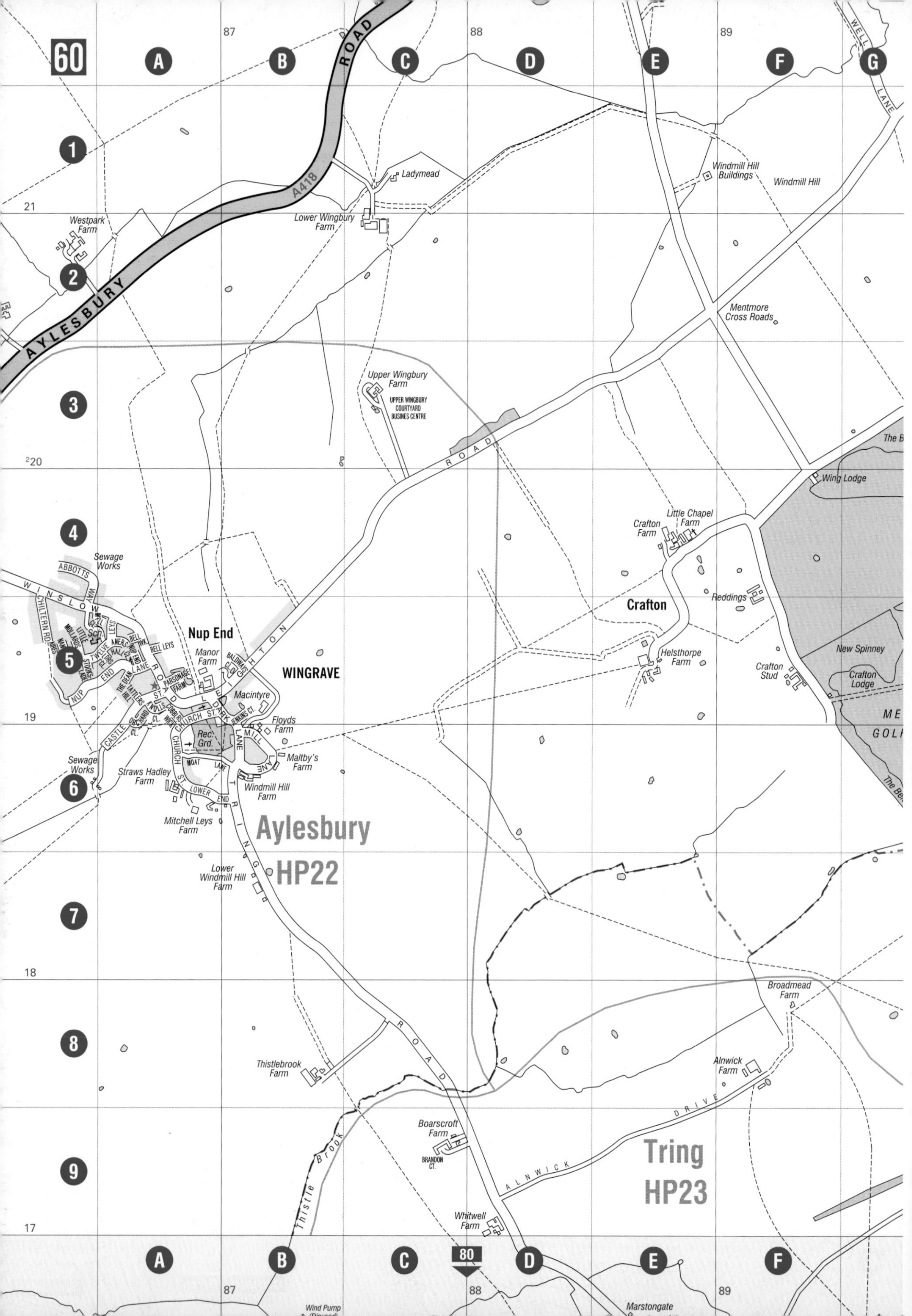

AYLESBURY ROAD
A418
Ladymead
Westpark Farm
Lower Wingbury Farm
Windmill Hill Buildings
Windmill Hill
Mentmore Cross Roads
Upper Wingbury Farm
UPPER WINGBURY COURTYARD BUSINES CENTRE
ROAD
The B
Wing Lodge
Little Chapel Farm
Crafton Farm
Sewage Works
ABBOTTS
WINSLOW
CHILTERN ROAD
Sch.
Nup End
Manor Farm
BALDWAYS CL.
Crafton
Reddings
Helsthorpe Farm
New Spinney
WINGRAVE
Crafton Stud
Crafton Lodge
Macintyre
CHURCH ST
DARK LANE
JENKINS CT.
Floyds Farm
MILL LANE
Rec. Grd.
CASTLE
Maltby's Farm
Sewage Works
Straws Hadley Farm
MOAT LANE
LOWER END
Windmill Hill Farm
Mitchell Leys Farm
Aylesbury HP22
Lower Windmill Hill Farm
RING ROAD
Broadmead Farm
Thistlebrook Farm
Alnwick Farm
Boarscroft Farm
BRANDON CT.
ALNWICK DRIVE
Tring HP23
Thistle Brook
Whitwell Farm
WELL LANE
87
88
89
21
20
19
18
17
A
B
C
D
E
F
G
1
2
3
4
5
6
7
8
9
80
Wind Pump
Marstongate

Leighton Buzzard
LU7
Ledburn
Ledburn Farm
Dennaway Buildings
The Cottage
Whaddon Farm
Grand Union Canal Walk
Rowden Farm
Weir
Bridego Bridge
B488
GRAND UNION CANAL
Rec. Grd.
BURY FARM CL.
HORTON
Slapton Lock
Horton Hill Farm
Cricket Grd.
Pav.
Mentmore Stud
HOWELL HILL CL.
Bridge Farm
War Meml.
Mentmore
Manor House
ROSEBERY MEWS
Big Wood
Mansom
Lock
MENTMORE PARK
Horton Hall
Sewage Works
Horton
Ponds
OLD FARM CL.
BROGAS WAY
Horton House
Kennels
MENTMORE COURSE
Model Farm
Club House
Lodge
HORTON ROAD
Cheddington
B488
Ivinghoe Locks
AYLESBURY VALE
DACORUM
BREACHWELL PL.
Glebe House
Foxons Farm
STATION ROAD
BLENHEIM CL.
Hall
Elsage Farm
Church Hill Farm
MENTMORE ROAD
CHURCH HILL
Hall
Rectory
Moat
CHEDDINGTON
MARSTON ROAD
WEST END RD.
Manor House
LAMMAS
LONG CROFT
Cheddington Combined Sch.
THE GREEN
HIGH STREET
West End Farm
Betlow Farm
MANOR RD.
BARKHAM
NEW CLOSE
GOOSE ACRE
THE BAULK
BERRYFIELD
SUNNY BANK
HILL SIDE
THE SLIPE
TOWN FARM MDWS.
LEECHES WY.
MANOR POUND RD.
KEEPERS CL.
Little Seabrook Farm
LONG LANE
CHEDDINGTON LANE
Westend Hill
Tennis Cts.
Rec. Grd.
Lock
Bowling Green
Falcon House
Great Seabrook Farm
Lock
90
91
92
93
21
20
19
18
17
1
2
3
4
5
6
7
8
9
G
H
J
K
L
M
N
62
81

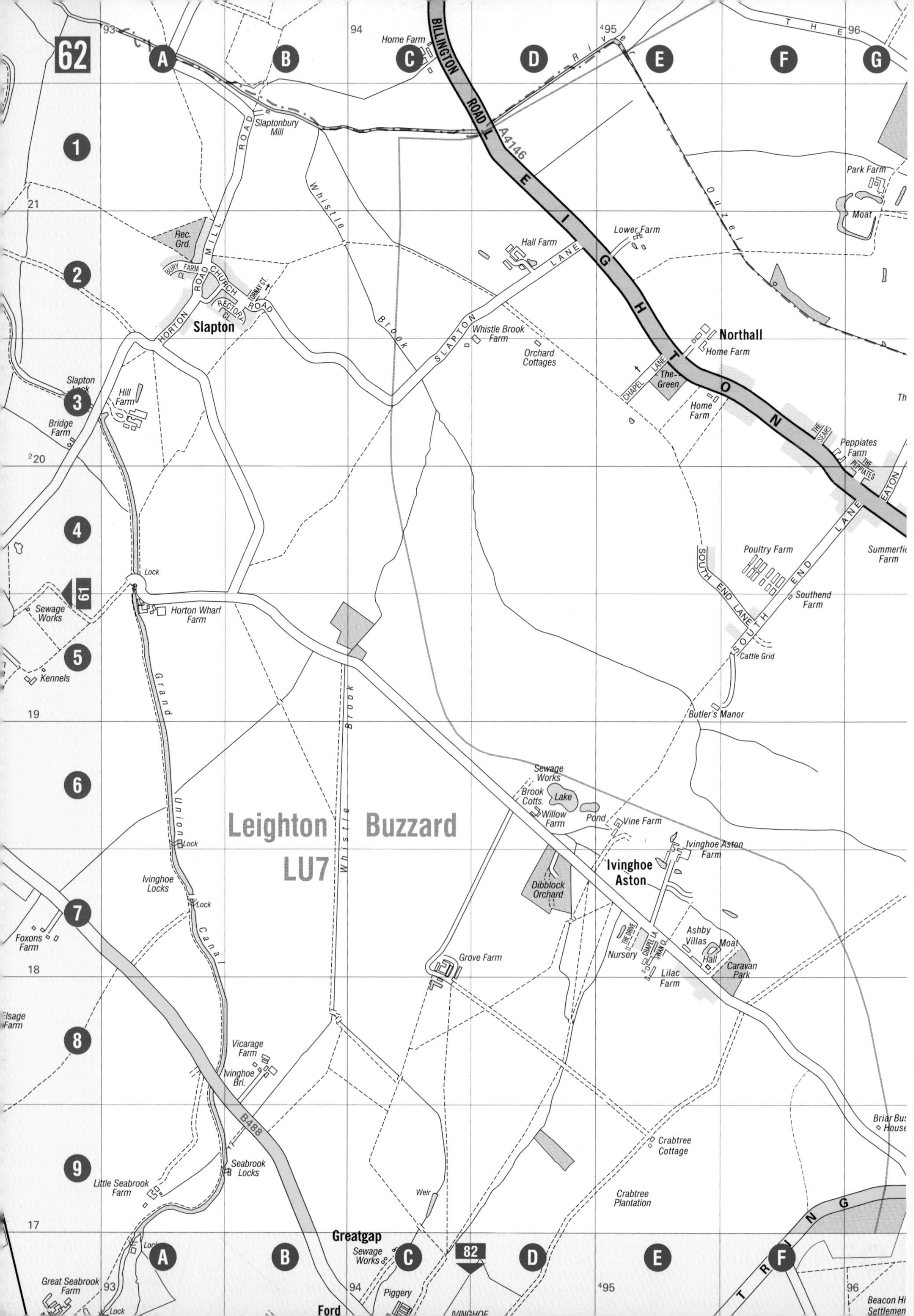

62

A B C D E F G

1

21

2

Slapton

3
Slapton Lock
Hill Farm
Bridge Farm

2 20

4
Lock
61

5
Sewage Works
Kennels

19

6
Leighton Buzzard
LU7

7
Foxons Farm
Ivinghoe Locks
Lock

18

Elsage Farm

8
Vicarage Farm
Ivinghoe Bri.

9
Little Seabrook Farm
Seabrook Locks

17

A B C D E F

Greatgap
Sewage Works
Piggery
82
Ford

Slaptonbury Mill
Home Farm
BILLINGTON ROAD
A4146
Rec. Grd.
BURY FARM CL.
HORTON ROAD
CHURCH ROAD
RECTORY CL.
Whistle Brook
Slapton Brook
Hall Farm
Lower Farm
Whistle Brook Farm
Orchard Cottages
LEIGHTON LANE
CHAPEL LANE
Northall
Home Farm
The Green
Home Farm
THE OAKS
Peppiates Farm
THE PEPPIATES
EATON LANE
Park Farm
Moat
SOUTH END LANE
Poultry Farm
Southend Farm
Summerfield Farm
Cattle Grid
Butler's Manor
Horton Wharf Farm
Grand Union Canal
Whistle Brook
Sewage Works
Brook Cotts.
Lake
Willow Farm
Pond
Vine Farm
Ivinghoe Aston Farm
Ivinghoe Aston
Dibblock Orchard
Nursery
Ashby Villas
Moat
Hall
Caravan Park
Lilac Farm
Grove Farm
Crabtree Cottage
Crabtree Plantation
Briar Bush House
THE RIDGEWAY
Great Seabrook Farm
Lock
IVINGHOE
Beacon Hi Settlemen
River Ouzel

93 94 495 96

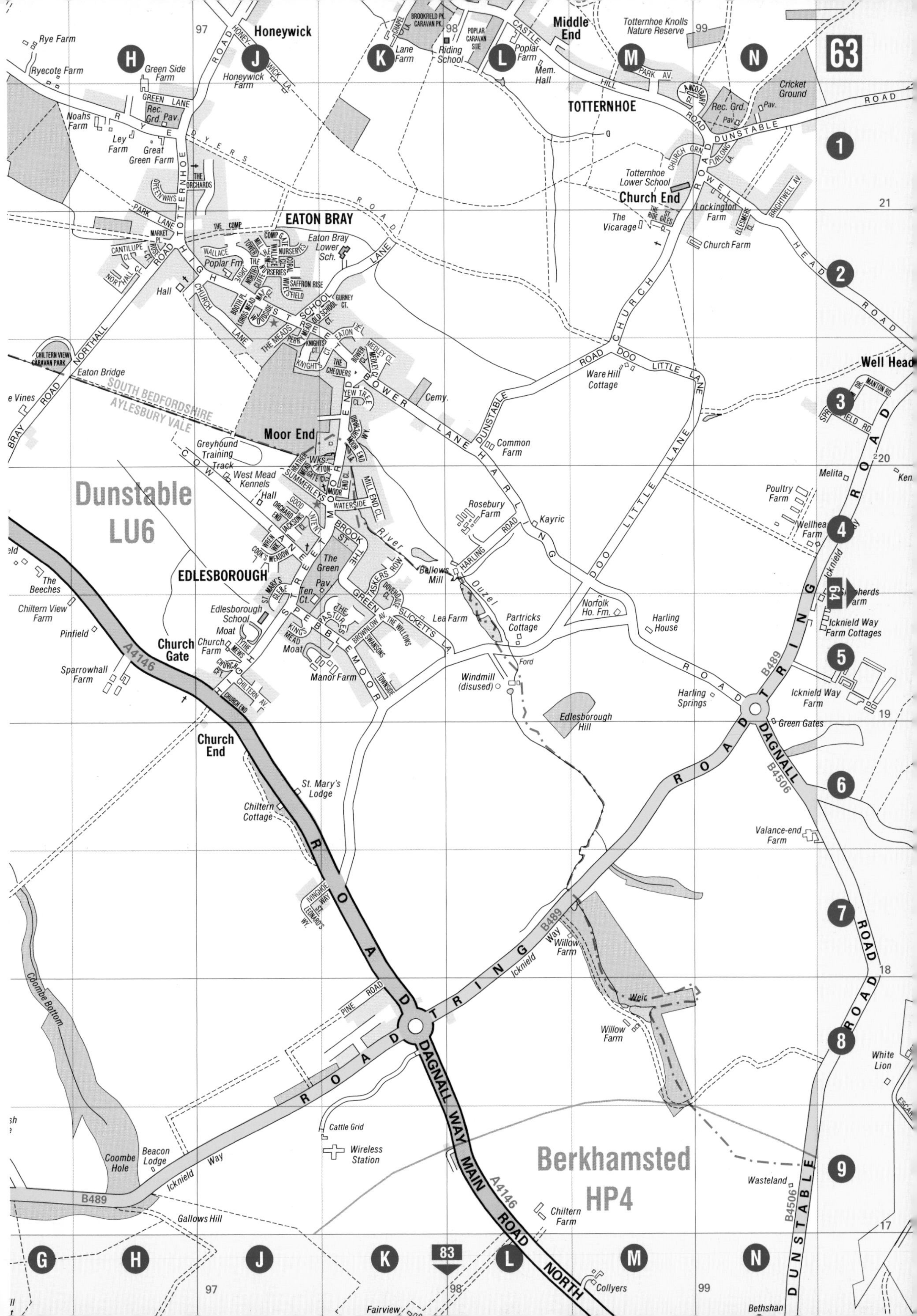
Honeywick
Rye Farm
Ryecote Farm
Green Side Farm
Honeywick Farm
Noahs Farm
Ley Farm
Great Green Farm
Rec. Grd.
Pav.
Lane Farm
Riding School
Poplar Caravan Site
Brookfield Pk. Caravan Pk.
Poplar Farm
Mem. Hall
Middle End
Totternhoe Knolls Nature Reserve
TOTTERNHOE
Cricket Ground
Totternhoe Lower School
Church End
Lockington Farm
The Vicarage
Church Farm
EATON BRAY
Eaton Bray Lower Sch.
Poplar Fm.
Hall
Chiltern View Caravan Park
Eaton Bridge
SOUTH BEDFORDSHIRE
AYLESBURY VALE
Ware Hill Cottage
Well Head
Cemy.
Moor End
Greyhound Training Track
West Mead Kennels
Hall
Common Farm
Dunstable LU6
Rosebury Farm
Kayric
Melita
Poultry Farm
Wellhead Farm
River Ouzel
Bellows Mill
EDLESBOROUGH
The Green
Pav.
Ten. Ct.
The Beeches
Chiltern View Farm
Pinfield
Edlesborough School
Moat
Church Farm
Church Gate
Sparrowhall Farm
Lea Farm
Partricks Cottage
Norfolk Ho. Fm.
Harling House
Icknield Way Farm Cottages
Ford
Windmill (disused)
Manor Farm
Edlesborough Hill
Harling Springs
Icknield Way Farm
Green Gates
Church End
St. Mary's Lodge
Chiltern Cottage
Valance-end Farm
Willow Farm
Weir
Willow Farm
White Lion
Cattle Grid
Wireless Station
Coombe Bottom
Coombe Hole
Beacon Lodge
Icknield Way
Gallows Hill
Berkhamsted HP4
Chiltern Farm
Wasteland
Collyers
Fairview
Bethshan
TRING ROAD
DAGNALL ROAD
DAGNALL WAY
MAIN ROAD NORTH
DUNSTABLE ROAD
A4146
B489
B4506
83
64

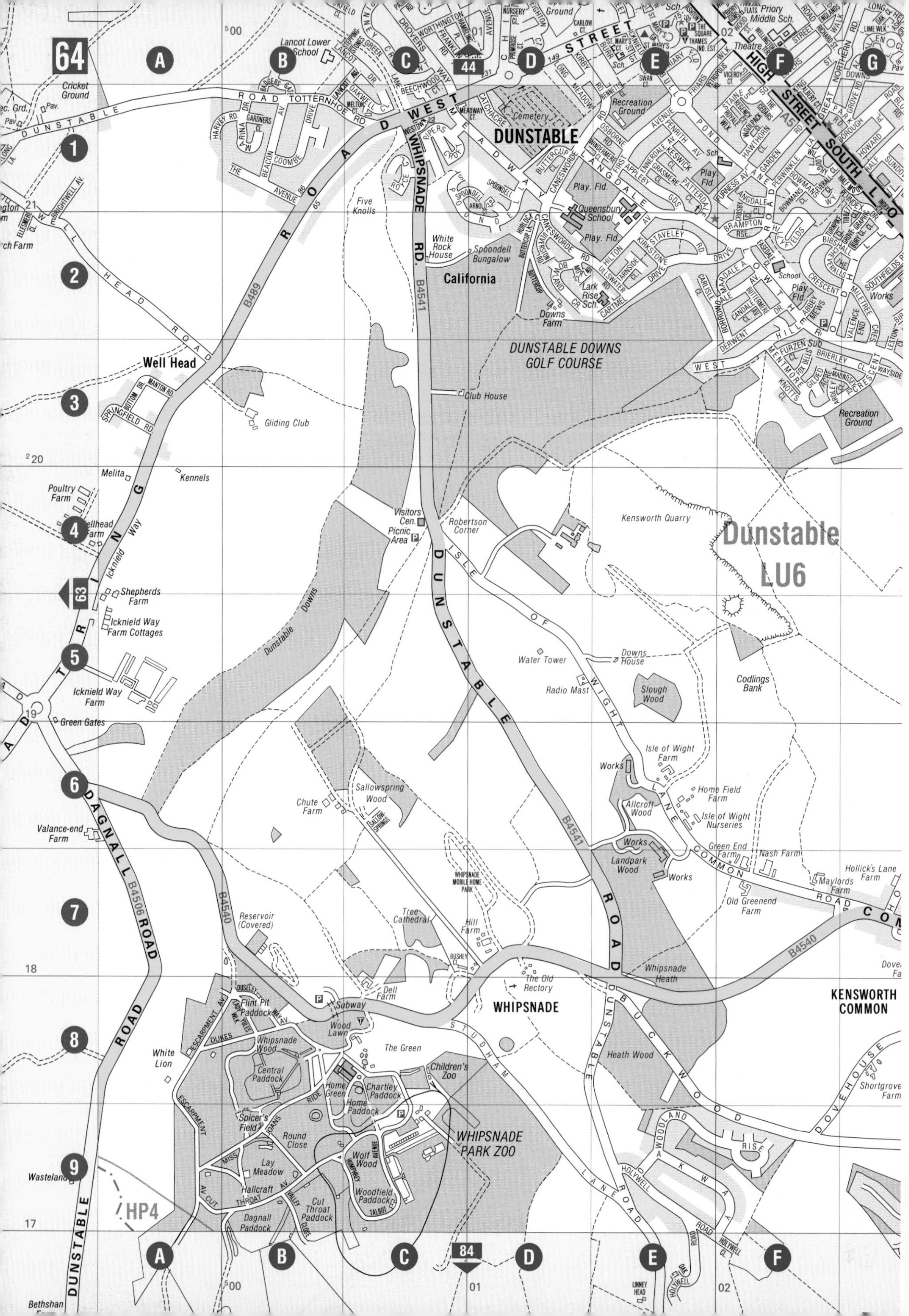
DUNSTABLE
California
Well Head
WHIPSNADE
KENSWORTH COMMON
Dunstable LU6
DUNSTABLE DOWNS GOLF COURSE
WHIPSNADE PARK ZOO
Kensworth Quarry
Dunstable Downs
Gliding Club
Club House
Visitors Cen.
Picnic Area
Robertson Corner
Water Tower
Radio Mast
Downs House
Slough Wood
Codlings Bank
Isle of Wight Farm
Home Field Farm
Allcroft Wood
Isle of Wight Nurseries
Landpark Wood
Green End Farm
Nash Farm
Hollick's Lane Farm
Maylords Farm
Old Greenend Farm
Whipsnade Heath
Heath Wood
Shortgrove Farm
Sallowspring Wood
Chute Farm
Tree Cathedral
Hill Farm
The Old Rectory
Dell Farm
The Green
Children's Zoo
Reservoir (Covered)
White Lion
Wasteland
Bethshan
HP4
Valance-end Farm
Green Gates
Icknield Way Farm
Icknield Way Farm Cottages
Shepherds Farm
Wellhead Farm
Poultry Farm
Melita
Kennels
Cricket Ground
Lancot Lower School
Queensbury School
Lark Rise Sch.
Downs Farm
Recreation Ground
Cemetery
Priory Middle Sch.
Theatre
White Rock House
Spoondell Bungalow
Five Knolls
WEST STREET
HIGH STREET SOUTH
DUNSTABLE ROAD
TOTTERNHOE ROAD
WHIPSNADE RD.
ISLE OF WIGHT LANE
COMMON ROAD
DAGNALL ROAD
BUCKWOOD
STUDHAM LANE
ICKNIELD WAY
WELL HEAD ROAD
DOVEHOUSE
B489
B4541
B4540
B4506
A5
63
44
84

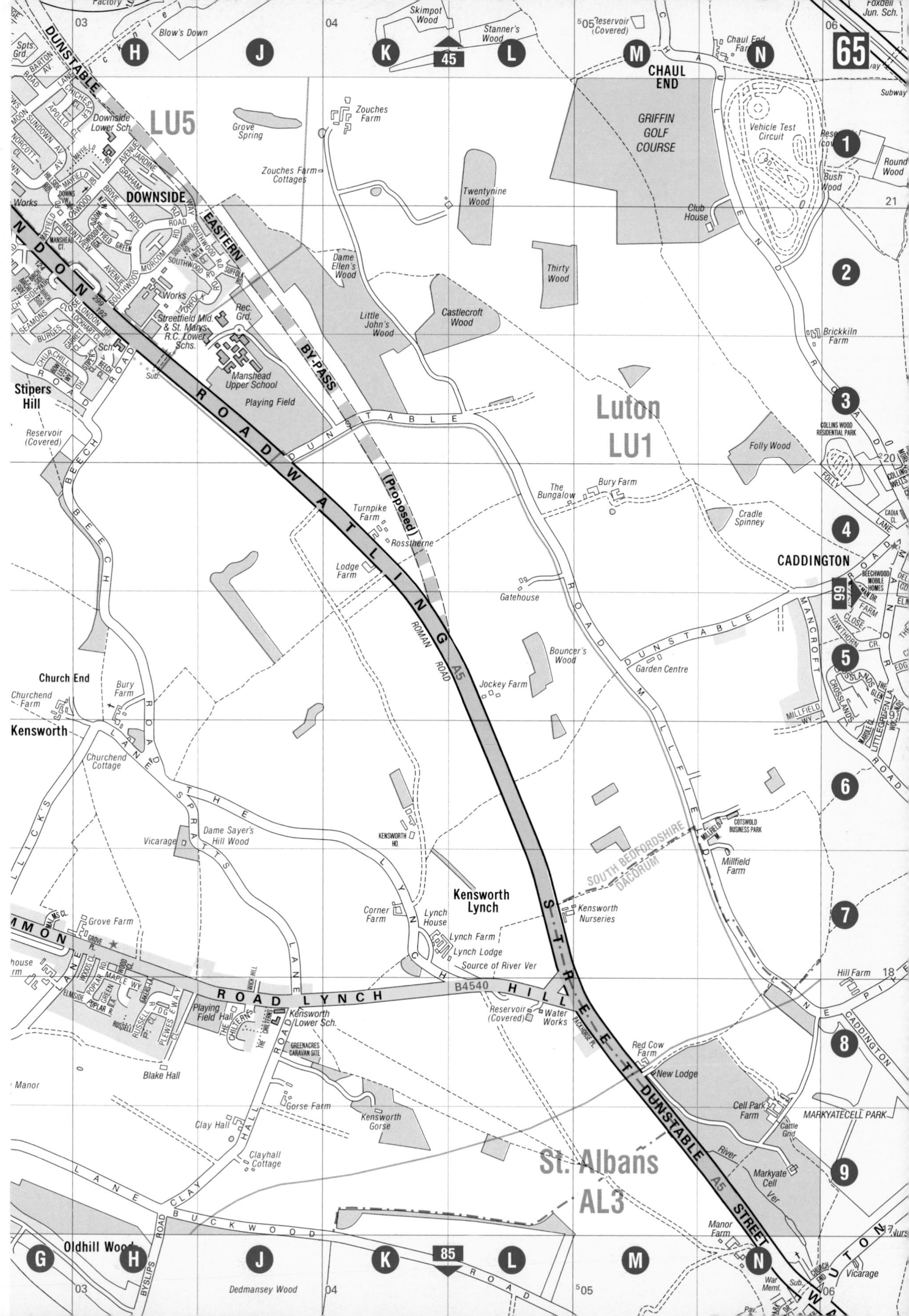

Blow's Down
Skimpot Wood
45
Stanner's Wood
Reservoir (Covered)
Chaul End Farm
Foxdell Jun. Sch.
CHAUL END
Zouches Farm
Grove Spring
LU5
Downside Lower Sch.
GRIFFIN GOLF COURSE
Vehicle Test Circuit
Round Wood
Bush Wood
Zouches Farm Cottages
Twentynine Wood
Club House
DOWNSIDE
EASTERN BY-PASS (Proposed)
Dame Ellen's Wood
Thirty Wood
Works
Rec. Grd.
Streetfield Mid. & St. Marys R.C. Lower Schs.
Little John's Wood
Castlecroft Wood
Brickkiln Farm
Manshead Upper School
Playing Field
Stipers Hill
Luton LU1
Reservoir (Covered)
COLLINS WOOD RESIDENTIAL PARK
Folly Wood
The Bungalow
Bury Farm
Turnpike Farm
Rossherne
Cradle Spinney
CADDINGTON
Lodge Farm
Gatehouse
BEECHWOOD MOBILE HOMES
99
WATLING ROAD
ROMAN ROAD
A5
Bouncer's Wood
Garden Centre
Church End
Churchend Farm
Bury Farm
Jockey Farm
Kensworth
Churchend Cottage
MILLFIELD WY.
Dame Sayer's Hill Wood
Vicarage
KENSWORTH HO.
COTSWOLD BUSINESS PARK
SOUTH BEDFORDSHIRE DACORUM
Millfield Farm
Kensworth Lynch
Corner Farm
Lynch House
Kensworth Nurseries
Grove Farm
Lynch Farm
Lynch Lodge
Source of River Ver
Hill Farm
ROAD LYNCH
B4540
HILL
Reservoir (Covered)
Water Works
Playing Field
Hall
Kensworth Lower Sch.
Red Cow Farm
New Lodge
GREENACRES CARAVAN SITE
Blake Hall
Manor
Gorse Farm
Kensworth Gorse
Cell Park Farm
MARKYATECELL PARK
Cattle Grid
Clay Hall
Clayhall Cottage
St. Albans AL3
River Ver
Markyate Cell
DUNSTABLE STREET
BUCKWOOD ROAD
CLAY HALL LANE
Manor Farm
Oldhill Wood
85
Dedmansey Wood
War Meml.
Vicarage
03 04 05 06
G H J K L M N
1 2 3 4 5 6 7 8 9
18 19 20 21

M1 MOTORWAY
M1
Junction 10a
Junction 10
46
65
86
A
B
C
D
E
F
G
1
2
3
4
5
6
7
8
9
06
07
08
09
21
20
19
18
17
CADDINGTON
WINSDON HILL
FARLEY HILL
Woodside
Aley Green
SLIP END
Pepperstock
LU1
St. Albans AL3
Vehicle Test Circuit
Reservoir (covered)
Round Wood
Bush Wood
Badgerdell Wood
Blossom Spring
Brickkiln Farm
Inion's Farm
Folly Wood
Collins Wood Residential Park
Manor Farm
Cradle Spinney
Beechwood Mobile Homes
Five Oak Middle & Willowfield Schools
Grove Caravan Site
Little Meadow Caravan Park
Woodside Park Homes
Woodside Animal Farm
Tipplehill Farm
Piper's Farm
Hillcrest Caravan Site
Works
Whyley Cottage
Nursery
Cemetery
Lower Woodside Farm
Woodside Farm & Wild Fowl Park
Hill Farm
Foxdell Farm
Markyatecell Park
Top Spring
Home Farm
Caddington Hall
Stable Spring
Middle Spring
The Lodge
Lower Farm
Nurseries
Broom Leys Wood
Sewage Works
Grove Farm
Limekiln Plantation
Birchin Grove
Pepsal End Manor
Pepsalend Farm
Chalk Wood
Round Wood
Newland Farm
Prebendal Farm
Vicarage
Slip End Lower School
Timberlands Caravan Site
Downlands Park Homes
Brickhill Farm Park Homes
Barnfield College
Play. Field
Tennis Courts
Jun. & Inf. Sch.
Farley Jun. Sch.
Hillborough Jun. & Inf. Schools
HOSP. Comm. Cen.
Cemetery Nursy. Sch.
Bowling Green
Tennis Courts
The Mossman Collection
Stockwell Gdns.
STOCKWOOD COUNTRY PARK
Stockwood Craft Museum
Club House
Running Track
Lodge
STOCKWOOD PARK GOLF COURSE
SOUTH BEDFORDSHIRE
LUTON
DACORUM
MOTORWAY
CROFT RD.
ASHBURNHAM ROAD
DOWNS ROAD
WHIPPERLEY RING
WHIPPERLEY WAY
MEYRICK AVENUE
HILLBOROUGH
B4540
WHITEHILL AV.
FARLEY
NEWLANDS RD
WOODSIDE ROAD
LUTON ROAD
MANOR ROAD
DUNSTABLE RD.
GROVE RD
CHURCH RD
MARKYATE ROAD
LUTON ROAD
PIPERS LANE
MILLFIELD LANE
CADDINGTON COMMON
HALF MOON LANE
PEPSAL END ROAD
STREET
WATLING STREET
DALLOW ROAD
TELFORD WY.
STUART ST.
CHAPEL ST.
LONDON ROAD

LUTON
LONDON-LUTON AIRPORT
Terminal Buildings
LU2
Luton Airport Parkway
MOTOR WORKS
Cemetery
PARK TOWN
NEW TOWN
Luton
WINDMILL RD.
GIPSY LA.
AIRPORT WAY
VAUXHALL WAY
A505
A1081
B653
LOWER HARPENDEN ROAD
LONDON ROAD
KIMPTON ROAD
Someries
Someries Farm
Someries Lodge
Bush Pasture
Copt Hall
Copt Hall Cottages
George Wood
Hardingdell Wood
Fernell's Wood
Watbridge Cottages
Warren Hill Lodges
Boat House
Engine Spring
The Lodge
New Mill End
Station House
New Mill End Farm
Sewage Works
Birch Wood
Hillside
Graves Wood
West Hyde
Flint Hyde Cottages
LUTON HOO PARK
Luton Hoo
Stocking Wood
Lower Kidney Wood
Kidney Wood
Bull Wood
Bull Wood Cottages
The Plain
Columnhill Spring
The Stable Yard
Luton Hoo Home Farm
Flowergarden Wood
Luton Hoo Estate
Saw Mill
The Gables
Home Farm Cotts.
Tumble Grove
The Hermitage
The New Lodge
Gibraltar Cottages
Gibraltar Farm
LIMETREE AVENUE
South Luton High Sch.
Playing Field
Sports Ground
Sports Centre
CAPABILITY GREEN
Luton Lodges
River Lea or Lee
SOMERIES ARCH
Hotel
Depot
BARRATT IND. PK
Retail Park
Rec. Grd.
Crawley Green Inf. & Wenlock C.E. Jun. Schs.
EAST H
47
68
87
H J K L M N
G H J K L M N
1 2 3 4 5 6 7 8 9
10 11 12
21 20 19 18

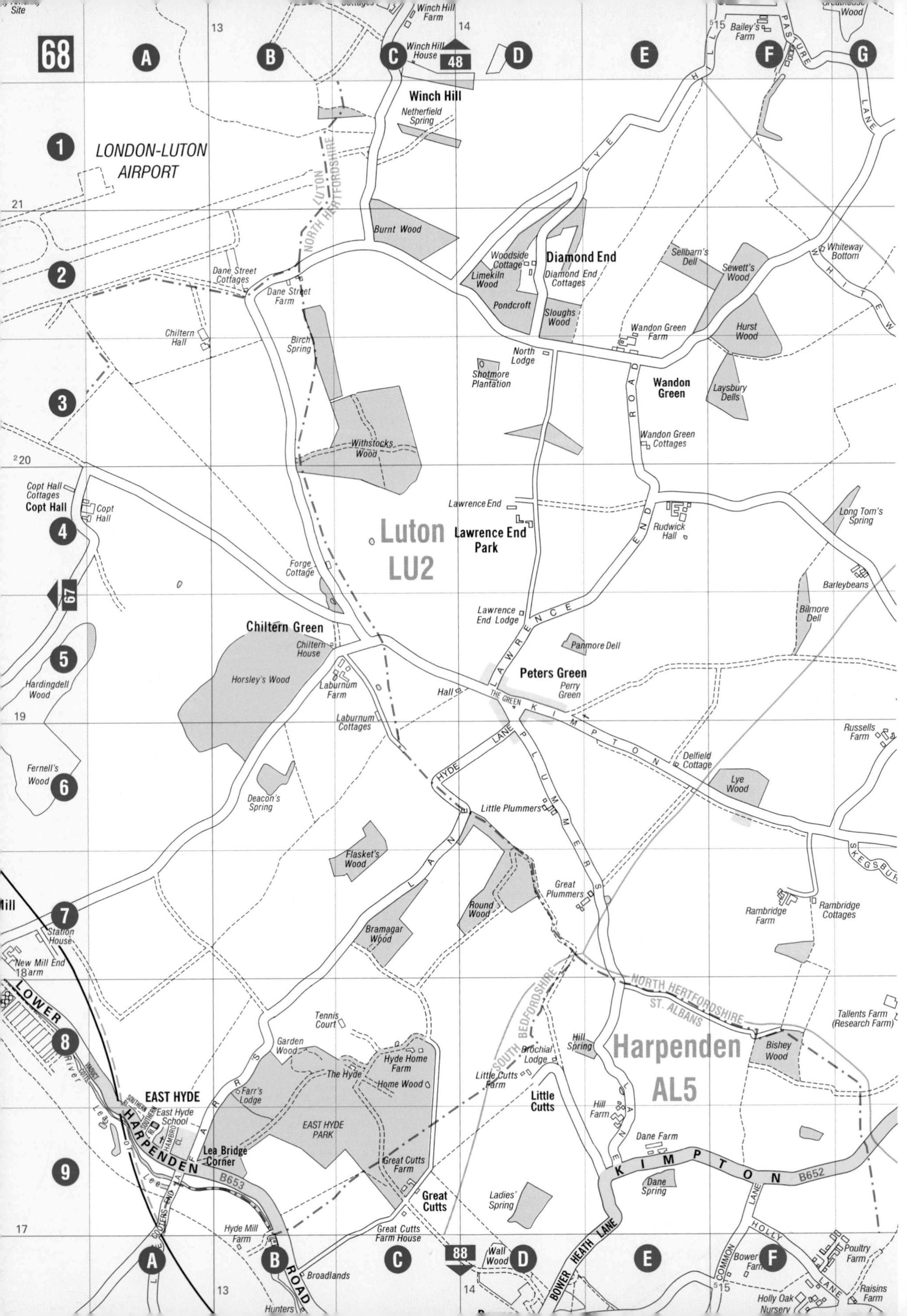

LONDON-LUTON AIRPORT
Winch Hill Farm
Winch Hill House
Winch Hill
Netherfield Spring
LUTON
NORTH HERTFORDSHIRE
Burnt Wood
Dane Street Cottages
Dane Street Farm
Chiltern Hall
Birch Spring
Withstocks Wood
Woodside Cottage
Limekiln Wood
Diamond End
Diamond End Cottages
Pondcroft
Sloughs Wood
North Lodge
Shotmore Plantation
Sellbarn's Dell
Sewett's Wood
Whiteway Bottom
Hurst Wood
Wandon Green Farm
Wandon Green
Laysbury Dells
Wandon Green Cottages
Bailey's Farm
Copt Hall Cottages
Copt Hall
Forge Cottage
Lawrence End
Luton LU2
Lawrence End Park
Rudwick Hall
Long Tom's Spring
Barleybeans
Bilmore Dell
Lawrence End Lodge
Chiltern Green
Chiltern House
Panmore Dell
Peters Green
Perry Green
Horsley's Wood
Hardingdell Wood
Laburnum Farm
Hall
THE GREEN
Laburnum Cottages
Fernell's Wood
Deacon's Spring
HYDE LANE
PLUMMERS
KIMPTON
Delfield Cottage
Lye Wood
Russells Farm
Little Plummers
Flasket's Wood
Round Wood
Great Plummers
Bramagar Wood
Rambridge Farm
Rambridge Cottages
SKEGSBU
Station House
New Mill End Farm
LOWER
River Lee
NORTH HERTFORDSHIRE
ST. ALBANS
SOUTH BEDFORDSHIRE
Tallents Farm (Research Farm)
Tennis Court
Garden Wood
Hyde Home Farm
The Hyde
Home Wood
Hill Spring
Brochial Lodge
Harpenden AL5
Bishey Wood
Farr's Lodge
EAST HYDE
East Hyde School
EAST HYDE PARK
Little Cutts Farm
Little Cutts
Hill Farm
Dane Farm
Lea Bridge Corner
HARPENDEN
B653
Great Cutts Farm
Great Cutts
Ladies' Spring
Dane Spring
B652
Hyde Mill Farm
Great Cutts Farm House
Wall Wood
BOWER HEATH LANE
COMMON LANE
HOLLY LANE
Bower Farm
Poultry Farm
Broadlands
Holly Oak Nursery
Raisins Farm
Hunters
ROAD
LYE HILL
PASTURE LANE
WHITEWAY
WANDON ROAD
LAWRENCE END
FARRS LANE
COOTERS END LANE
48
67
88

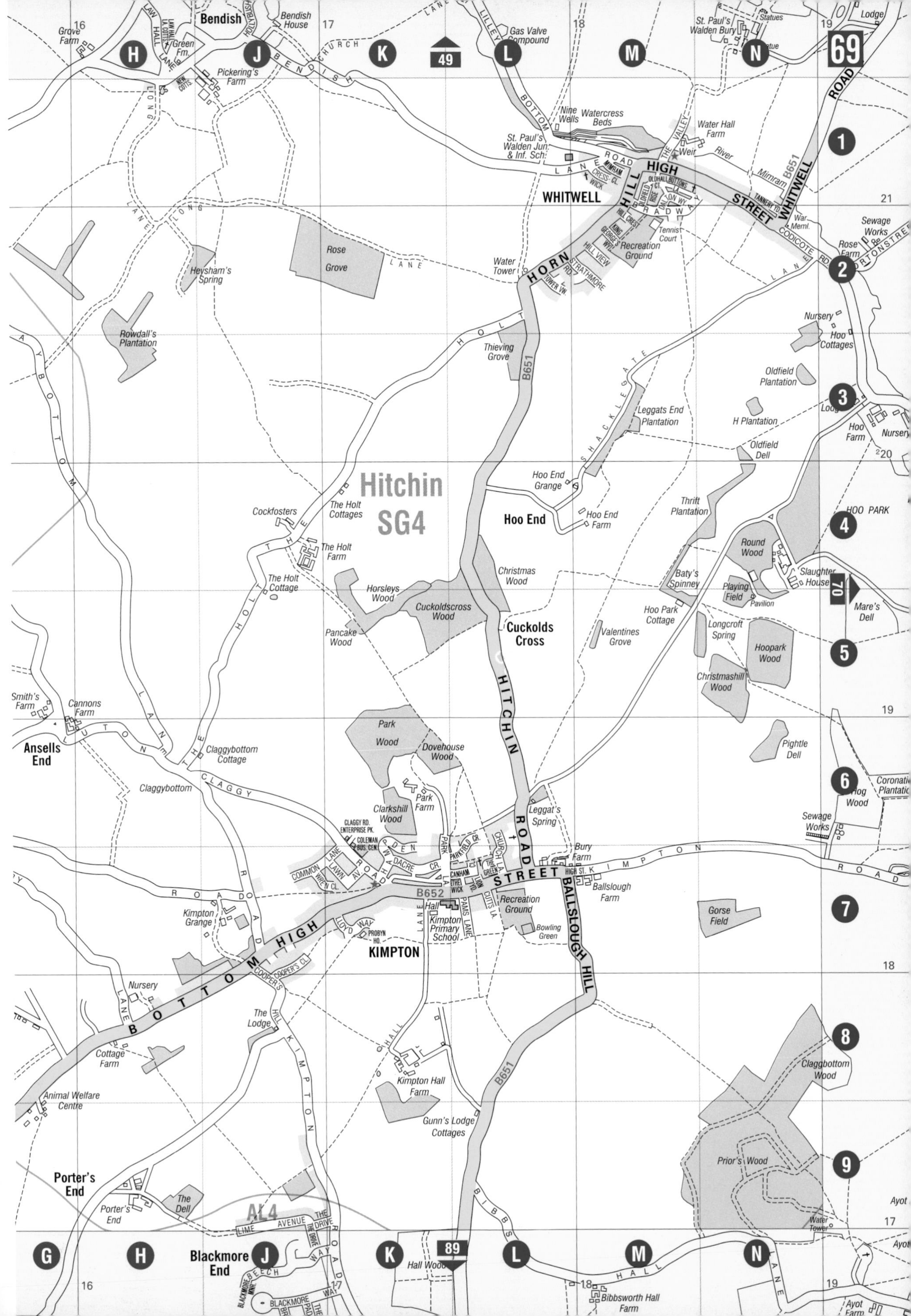

Bendish
Bendish House
Grove Farm
Green Fm.
Pickering's Farm
Gas Valve Compound
St. Paul's Walden Bury
Statues
Lodge
Nine Wells
Watercress Beds
St. Paul's Walden Jun. & Inf. Sch.
Water Hall Farm
Weir
River
Mimram
WHITWELL
Tennis Court
Recreation Ground
War Meml.
Sewage Works
Rose Farm
Water Tower
Rose Grove
Heysham's Spring
Rowdall's Plantation
Thieving Grove
Nursery
Hoo Cottages
Oldfield Plantation
Leggats End Plantation
H Plantation
Hoo Farm
Oldfield Dell
Hoo End Grange
Hitchin SG4
Hoo End
Hoo End Farm
Thrift Plantation
HOO PARK
Round Wood
Slaughter House
Cockfosters
The Holt Cottages
The Holt Farm
Christmas Wood
Baty's Spinney
Playing Field
Pavilion
The Holt Cottage
Horsleys Wood
Cuckoldscross Wood
Pancake Wood
Cuckolds Cross
Hoo Park Cottage
Valentines Grove
Longcroft Spring
Hoopark Wood
Mare's Dell
Christmashill Wood
Smith's Farm
Cannons Farm
Ansells End
Park Wood
Dovehouse Wood
Claggybottom Cottage
Pightle Dell
Claggybottom
Park Farm
Clarkshill Wood
Leggat's Spring
Hog Wood
Coronation Plantation
Sewage Works
CLAGGY RD. ENTERPRISE PK.
COLEMAN BUS. CEN.
Bury Farm
Ballslough Farm
Kimpton Grange
Hall
Kimpton Primary School
Recreation Ground
Bowling Green
Gorse Field
KIMPTON
PROBYN HO.
Nursery
The Lodge
Cottage Farm
Claggbottom Wood
Animal Welfare Centre
Kimpton Hall Farm
Gunn's Lodge Cottages
Prior's Wood
Porter's End
The Dell
Water Tower
Ayot
Blackmore End
Hall Wood
Bibbsworth Hall Farm
Ayot Farm
BOTTOM HIGH ROAD
HIGH STREET
HITCHIN ROAD
BALLSLOUGH HILL
KIMPTON ROAD
HORN HILL
WHITWELL ROAD
CODICOTE RD
SHACKLEGATE LANE
THE HOLT
LUTON LANE
CLAGGY ROAD
LIME AVENUE
THE DRIVE
HALL LANE
BIBBS HALL LANE
KIMPTON HILL
B651
B652
AL4
49
70
89

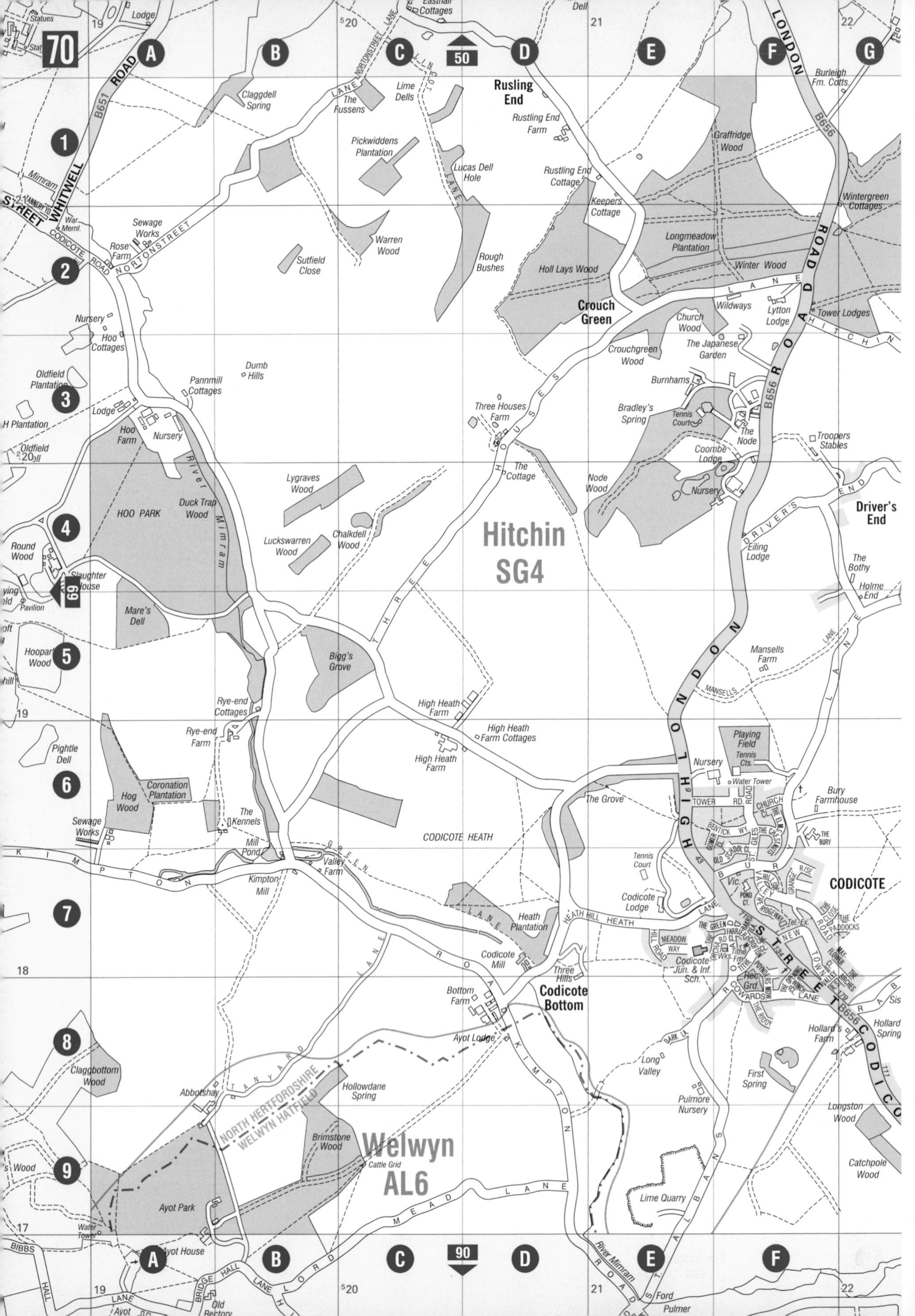

Hitchin
SG4
Welwyn
AL6
Rusling End
Crouch Green
Driver's End
CODICOTE
Codicote Bottom
HOO PARK
CODICOTE HEATH
NORTH HERTFORDSHIRE
WELWYN HATFIELD
HIGH STREET
LONDON ROAD
B656
B651
WHITWELL ROAD
NORTONSTREET LANE
THREE HOUSES LANE
KIMPTON ROAD
HEATH LANE
LORD MEAD LANE
BRIDGE HALL LANE
ST. ALBANS ROAD
HITCHIN LANE
DRIVERS END LANE
MANSELLS LANE
COWARDS LANE
TANYARD LANE
GREEN LANE
Claggdell Spring
Pickwiddens Plantation
Lucas Dell Hole
Warren Wood
Sutfield Close
Rough Bushes
Holl Lays Wood
Graffridge Wood
Longmeadow Plantation
Winter Wood
Church Wood
Crouchgreen Wood
The Japanese Garden
Bradley's Spring
Node Wood
Lygraves Wood
Duck Trap Wood
Luckswarren Wood
Chalkdell Wood
Bigg's Grove
Mare's Dell
Hoopark Wood
Pightle Dell
Hog Wood
Coronation Plantation
Heath Plantation
Claggbottom Wood
Hollowdane Spring
Brimstone Wood
Ayot Park
Ayot House
Lime Quarry
First Spring
Longston Wood
Catchpole Wood
Hollard's Farm
Hollard Spring
Pulmore Nursery
Long Valley
Three Houses Farm
High Heath Farm
High Heath Farm Cottages
Rustling End Farm
Rustling End Cottage
Keepers Cottage
Lytton Lodge
Tower Lodges
Burleigh Fm. Cotts
Wintergreen Cottages
Troopers Stables
Eiling Lodge
The Bothy
Holme End
Mansells Farm
Bury Farmhouse
Codicote Lodge
Codicote Mill
Bottom Farm
Ayot Lodge
Abbotshay
Kimpton Mill
Valley Farm
Mill Pond
The Kennels
Rye-end Cottages
Rye-end Farm
Pannmill Cottages
Dumb Hills
Hoo Cottages
Hoo Farm
Oldfield Plantation
Round Wood
Slaughter House
Sewage Works
Rose Farm
War Meml.
Codicote Jun. & Inf. Sch.
Rec. Grd.
Water Tower
Playing Field
Cattle Grid
River Mimram
Ford

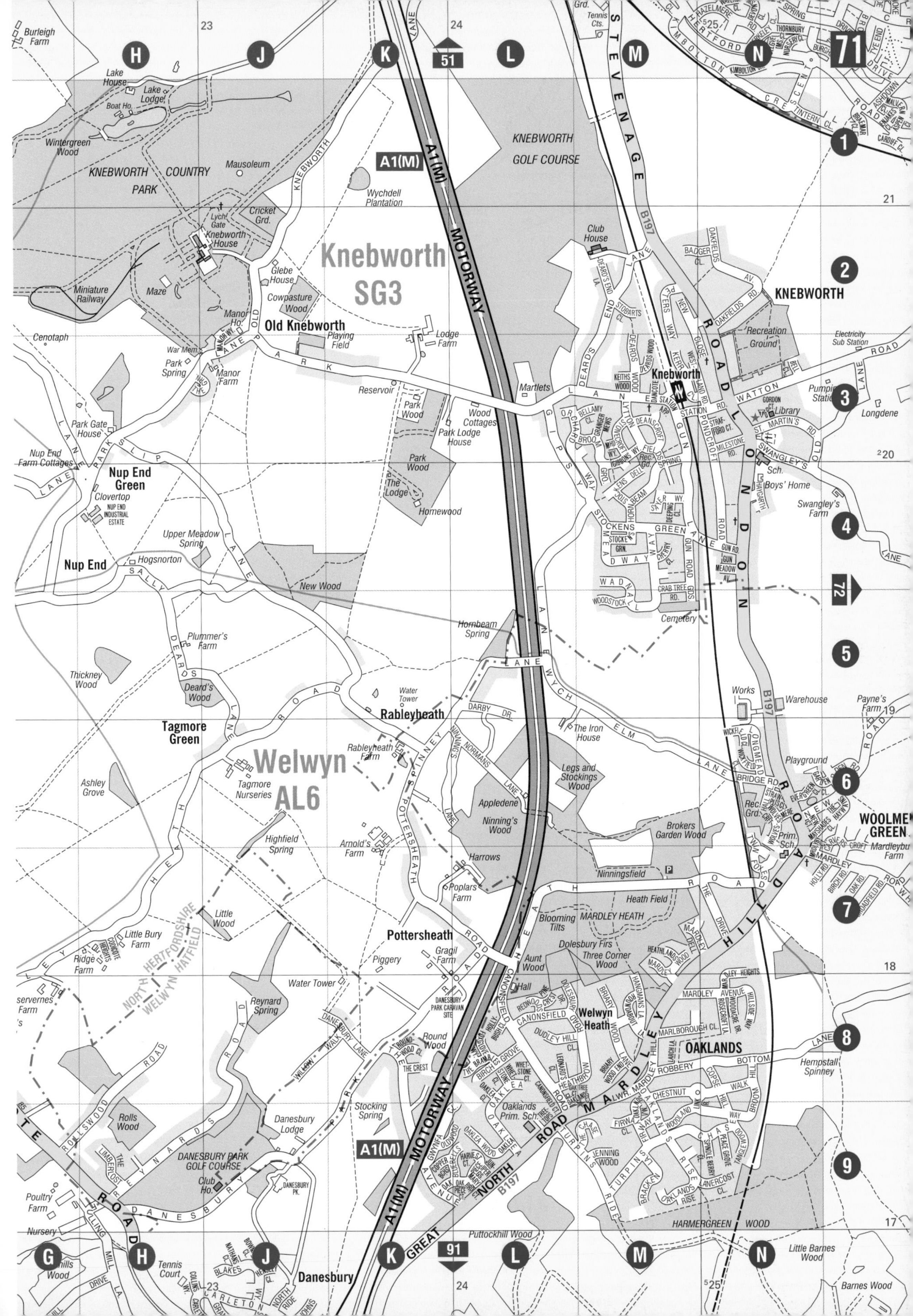
71
51
91
72
Knebworth
SG3
Welwyn
AL6
KNEBWORTH COUNTRY PARK
KNEBWORTH GOLF COURSE
Old Knebworth
KNEBWORTH
Nup End Green
Nup End
Tagmore Green
Rableyheath
Pottersheath
Welwyn Heath
OAKLANDS
WOOLMER GREEN
Danesbury
A1(M)
MOTORWAY
STEVENAGE ROAD
LONDON ROAD
B197
GREAT NORTH ROAD
MARDLEY HILL
Burleigh Farm
Lake House
Lake Lodge
Boat Ho.
Wintergreen Wood
Mausoleum
Cricket Grd.
Knebworth House
Lych Gate
Miniature Railway
Maze
Glebe House
Cowpasture Wood
Manor Ho.
Playing Field
Lodge Farm
Wychdell Plantation
Cenotaph
War Mem.
Park Spring
Manor Farm
Reservoir
Park Wood
Wood Cottages
Park Lodge House
Martlets
Club House
Park Gate House
Nup End Farm Cottages
Clovertop
NUP END INDUSTRIAL ESTATE
The Lodge
Homewood
Upper Meadow Spring
Hogsnorton
New Wood
Hornbeam Spring
Plummer's Farm
Thickney Wood
Deard's Wood
Water Tower
Rableyheath Farm
The Iron House
Legs and Stockings Wood
Ashley Grove
Tagmore Nurseries
Appledene
Ninning's Wood
Highfield Spring
Arnold's Farm
Harrows
Brokers Garden Wood
Ninningsfield
Poplars Farm
Heath Field
MARDLEY HEATH
Blooming Tilts
Dolesbury Firs
Three Corner Wood
Aunt Wood
Little Wood
Little Bury Farm
Ridge Farm
Piggery
Gragil Farm
Water Tower
NORTH HERTFORDSHIRE
WELWYN HATFIELD
Reynard Spring
DANESBURY PARK CARAVAN SITE
Round Wood
Rolls Wood
Danesbury Lodge
Stocking Spring
DANESBURY PARK GOLF COURSE
Club Ho.
Poultry Farm
Nursery
Tennis Court
Puttockhill Wood
HARMERGREEN WOOD
Little Barnes Wood
Barnes Wood
Hempstall Spinney
Recreation Ground
Electricity Sub Station
Library
Swangley's Farm
Boys' Home
Sch.
Longdene
Cemetery
Works
Warehouse
Payne's Farm
Playground
Rec. Grd.
Prim. Sch.
Mardleybury Farm
Oaklands Prim. Sch.
Tennis Cts.
Grd.
Knebworth
21
20
19
18
17
23
24
25
1
2
3
4
5
6
7
8
9
H
J
K
L
M
N
G

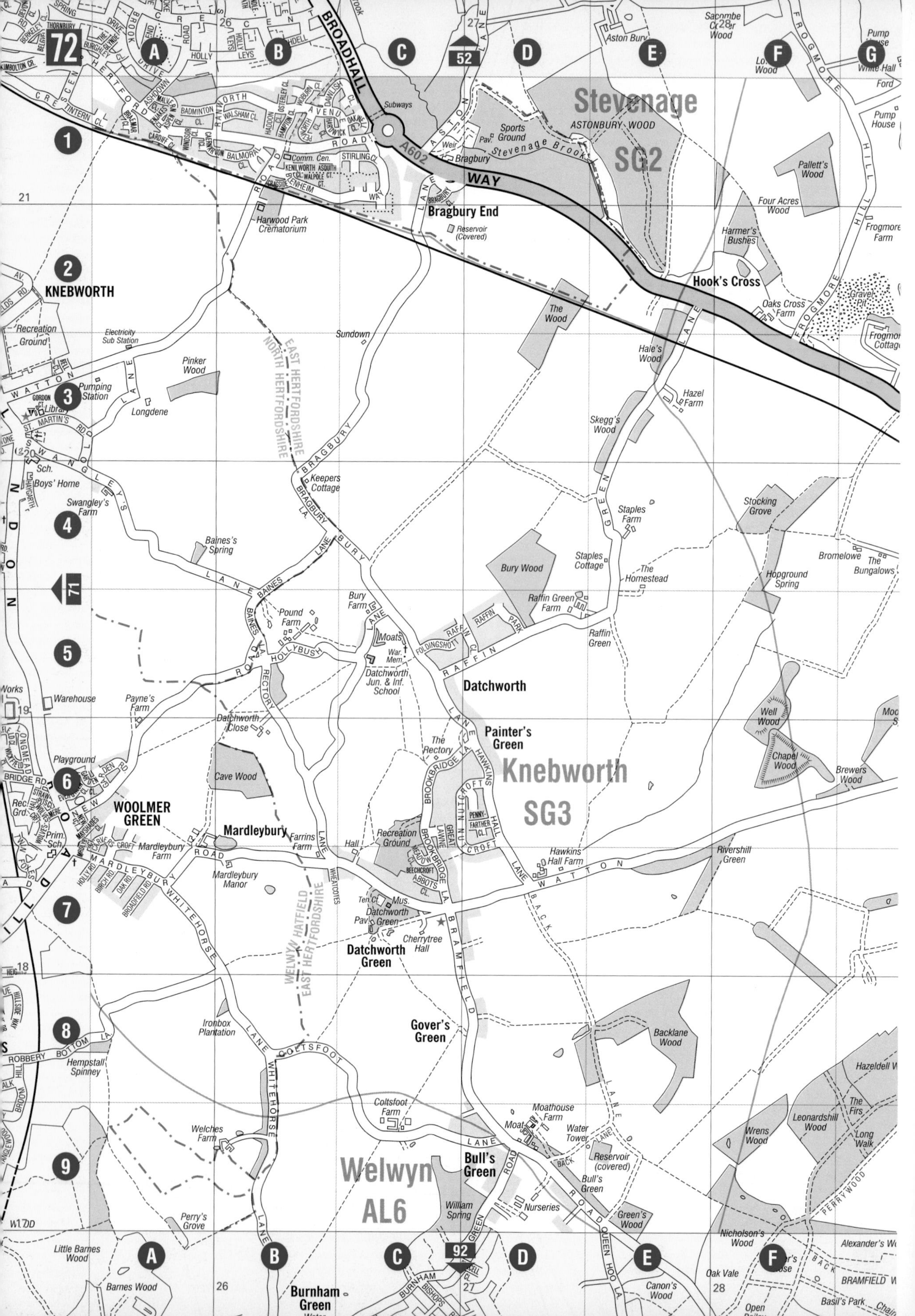

52
71
92
Stevenage
SG2
Knebworth
SG3
Welwyn
AL6
KNEBWORTH
WOOLMER GREEN
Datchworth
Bragbury End
Hook's Cross
Painter's Green
Datchworth Green
Gover's Green
Bull's Green
Burnham Green
Mardleybury
Aston Bury
Astonbury Wood
Sports Ground
Stevenage Brook
Bragbury
BROADHALL WAY
A602
Subways
Weir
Pav.
Comm. Cen.
Harwood Park Crematorium
Reservoir (Covered)
Sacombe Corner Wood
Pump House
White Hall
Ford
Pallett's Wood
Four Acres Wood
Frogmore Farm
Harmer's Bushes
Oaks Cross Farm
Gravel Pit
Frogmore Cottage
The Wood
Hale's Wood
Hazel Farm
Skegg's Wood
Sundown
Pinker Wood
Electricity Sub Station
Recreation Ground
Pumping Station
Library
Longdene
Sch.
Boys' Home
Swangley's Farm
Baines's Spring
Keepers Cottage
EAST HERTFORDSHIRE
NORTH HERTFORDSHIRE
Staples Farm
Stocking Grove
Bury Wood
Staples Cottage
The Homestead
Bromelowe
The Bungalows
Hopground Spring
Raffin Green Farm
Raffin Green
Bury Farm
Pound Farm
Moats
War. Mem.
Datchworth Jun. & Inf. School
Works
Warehouse
Payne's Farm
Datchworth Close
Cave Wood
The Rectory
Well Wood
Chapel Wood
Brewers Wood
Playground
Rec. Grd.
Prim. Sch.
Farrins Farm
Hall
Recreation Ground
Hawkins Hall Farm
Rivershill Green
Mardleybury Farm
Mardleybury Manor
Ten. Ct.
Mus.
Datchworth Green
Cherrytree Hall
WELWYN HATFIELD
EAST HERTFORDSHIRE
Ironbox Plantation
Backlane Wood
Hempstall Spinney
Hazeldell Wood
Coltsfoot Farm
Moathouse Farm
Moat
Water Tower
The Firs
Leonardshill Wood
Wrens Wood
Long Walk
Welches Farm
Reservoir (covered)
Bull's Green
William Spring
Nurseries
Green's Wood
Perry's Grove
Nicholson's Wood
Alexander's Wood
Little Barnes Wood
Barnes Wood
Oak Vale
Canon's Wood
Basil's Park
Open Bailey
BRAMFIELD
WATTON
RAFFIN
BRAGBURY LANE
BAINES LANE
HOLLYBUSH
RECTORY LANE
WHITEHORSE LANE
COLTSFOOT LANE
BRAMFIELD ROAD
BACK LANE
HAWKINS HALL LANE
BROOKBRIDGE LANE
QUEEN HOO LA.
FROGMORE HILL
ASTON LANE
SWANGLEY'S LANE
MARDLEYBURY ROAD
ROBBERY BOTTOM LA.
PERRYWOOD
HERTFORD ROAD
CRESCENT
RANWORTH AVENUE
BALMORAL CL.
STIRLING CL.
KENILWORTH CL.
ASQUITH CT.
WALPOLE CT.
BLENHEIM WAY
BADMINTON CL.
WALSHAM CL.
TINTERN CL.
HOLLY LEYS
HOLLY CL.
THORNBURY
SPRING DRIVE
BROOK END
ASHDOWN
CARDIFF CL.
WINDSOR CL.
CAERNARVON CL.
FOLDINGSHOTT
RAFFIN PARK
NUTCROFT
PENNY-FARTHER CL.
GREAT LAWNE
ABBOTS CL.
BEECHCROFT
MEADOW
WHEATCOTES
GORDON CT.
ST. MARTIN'S RD.
GARDEN RD.
LONGMEAD
BRIDGE RD.
NEW RD.
MARDLEYBURY RD.
HOLLY RD.
BIRCH RD.
OAK RD.
BROADFIELD RD.
HILLSIDE WAY
BROOM
BURNHAM
BISHOPS
21
26
27
28
20
19
18
17
A
B
C
D
E
F
G
1
2
3
4
5
6
7
8
9

Ware
SG12
Hertford
SG14
WATTON AT STONE
Watton at Stone
Whempstead
Blue Hill
Stapleford
Loefield Grove
Chapel Farm
Gregory's Farm
Whempstead Green
Whempstead Farm
Whempstead Gate Farm
Lamsden Common
Hog's Wood
Arbury Wood
Frogmore Hall
Blue Hill Farm
Bromley Bottom
Bushy Leys Spring
Bromley Common
Bromley Spring
Meadow Spring
The Rookery
Blue Hill House
Blackditch Wood
Lawn Spring
Willey Wood
A602
Punyards Wood
Sacombe Hill Farm
Bardolphspark Wood
Broom Hall Farm
Toes' Wood
The Grove
Bardolphs
Bardolphs Cottages
Watton Lodge
Watton House
Watton at Stone Primary School
Cricket Ground
WARE ROAD
STATION ROAD
The Garden House
The Beehive Cottage
Heath Mount School
WOODHALL PARK
The Spring
Crowbury
Hanginghill Wood
Watkin's Spring North
Watkin's Cottages
Watkin's Spring
Chain Walk
Moat
Watton Green
Broad Water
Watkins Hall Farm
Watkin's Spring South
Hertford Lodge West
Hertford Lodge East
Home Farm
The River House
The Cuts
Tumbling Bay
Perrywood Cottages
Martin Spring
Perrywood Farm
Perrywood Spring
Foxdell Wood
Brickclamps Wood
A119
Hornbeam
King Edward's Gorse
Patchendon Farm
Widow Bushes
Burgess Corner
Lower Blackbuck Wood
Hawkin's Dell
Hornbeam Pollard
Great Gobions Farm
Valentine Cottage
Clusterbolt Wood
South End
Upper Blackbuck Wood
Broomfield Spring
Joinery Works
Kitchencroft Spring
Stapleford Place Farm
Stapleford Junior Mixed & Inf. Sch.
HIGH ROAD
Stapleford Marsh Ditch
River Beane
Stonyhills
Upper Stonyhills
Saw Mill
53
74
93

74
A
B
C
D
E
F
G
1
2
3
4
5
6
7
8
9
32
33
34
35
21
20
19
18
17
54
73
94
DANE END
Whempstead
Long Spring
Swimming Pool
Short Whiteley Common
Fullars Common
Moorfield Common
Trenchers Hill
Echo Wood
The Old Bourne
Dane End Farm
Munden Road
Pearman Dr.
Whitehill Farm
The Hollow
Crabcroft Spring
Shelly's Wood
Shelly's Mead Plantation
Langton's Lane
Claypits Wood
Cottonborough Common
Whempstead Farm
Whempstead Gate Farm
Whempstead Lane
Sewage Works
Club House
Cock's Wood
Hasley Grove
Lodge Farm
WHITEHILL GOLF COURSE
Wicks Wood
Brookfield Common
Smart's Hill
Longcroft Wood
Heath Spring
Bushy Leys Spring
Meadow Spring
Floodgate Spring
Willeycotes Wood
Dane End Tributary
Rowney Priory
Rowney Lane
Rowney Wood
Lowgate Lane
Roman Road
Lowgate Farm
Potterscroft Wood
Punyards Wood
Sacombe Hill Farm
Sacombe Hill
Sacombe Green
Sacombe Green Farm
Sacombe Farm
Oak Tree Farm
Ware
Sacombe Hill Cottages
Sacombe Green Rd.
Sacombe
Sacombe Pound
Marshall's Lane
Winches Farm
Hertford SG14
Glebe Cottage
Pumping Station
Glebe House
War Mem.
Church Wood
Dilly Wood
Low Wood
Watton Lodge
The Garden House
Tennis Courts
The Beehive Cottage
WOODHALL PARK
Ware Road
The Bungalow
The Cottage
Home Wood
Home Farm
Sacombe House
Sacombebury
Sacombebury Lodge
SACOMBE PARK
The Garden Cottage
Loverswalk Wood
Coldharbour Wood
Sidehill Wood
Sacombe Lake
The Clumps
Gages Wood
Reservoir (covered)
SG12
Furzeground Wood
The Cuts
The River House
Ware Lodge
A602
Hornbeam
King Edward's Gorse
Riding Wood
Chelsings Tributary
Burr's Green Farm
Burr's Green Cottages
Roads Wood
Bengeo Temple Farm
Moat
Lord's Wood
Chelsing
Bourne Wood
Chelsing Cottages
Hawkin's Dell
Temple Lane
Stony Hills
Water Tower
Playing Field
The Orchard
Wade's Wood
South End
Tonwell
Chappell Ct.
Sch.
Bourne Honour
Barleycroft
Joinery Works
B158
Anchor Lane
Dimmings
Dimmings Cottage
Sewage Works
Gravelpit Plantation

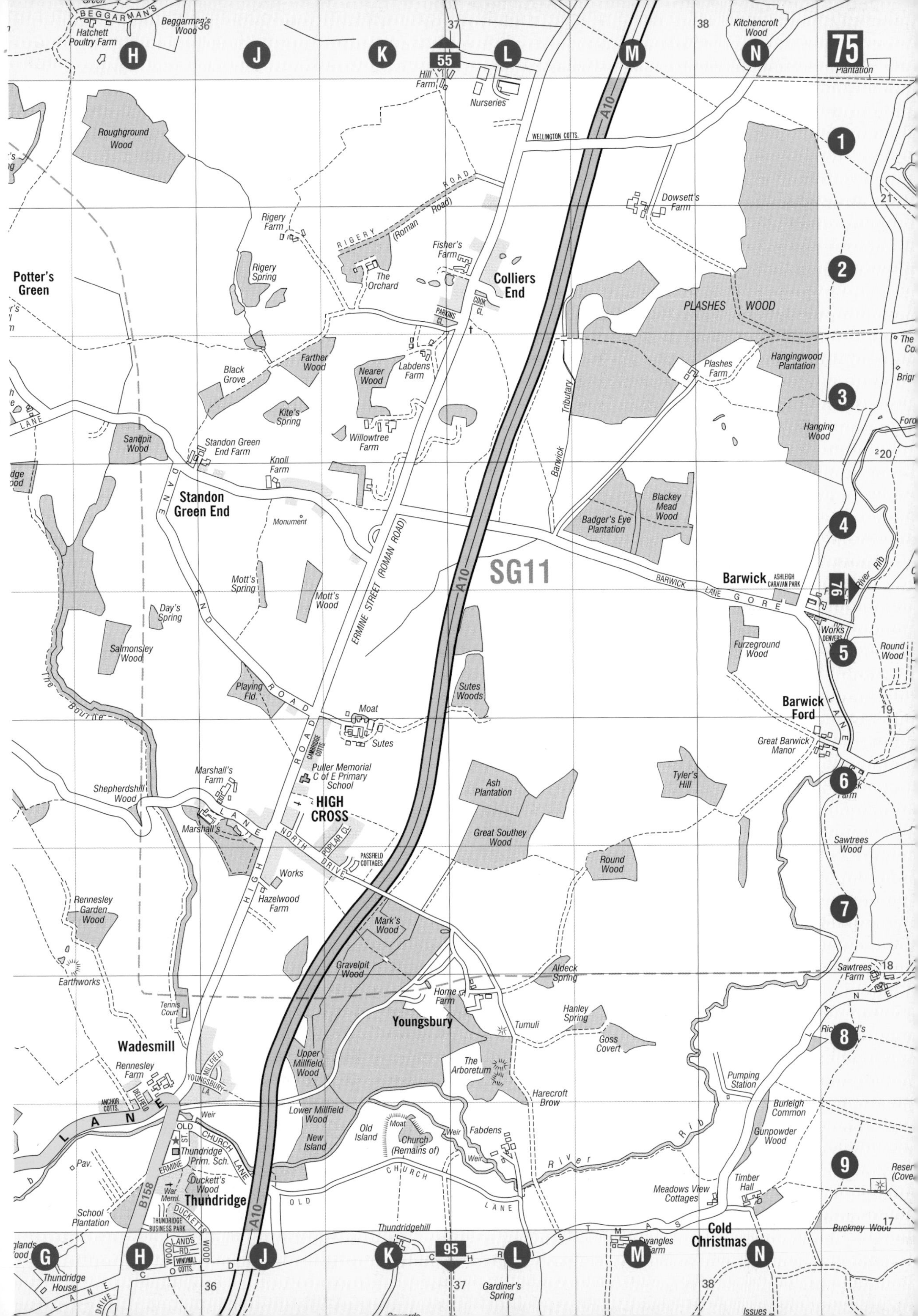
Beggarman's Wood
Hatchett Poultry Farm
Kitchencroft Wood
Plantation
Hill Farm
Nurseries
Wellington Cotts.
Roughground Wood
Dowsett's Farm
Rigery Farm
Rigery Road (Roman Road)
Fisher's Farm
Rigery Spring
The Orchard
Colliers End
Potter's Green
Plashes Wood
Parkins Cl.
Cook Cl.
Farther Wood
Nearer Wood
Labdens Farm
Black Grove
Plashes Farm
Hangingwood Plantation
Tributary
Kite's Spring
Willowtree Farm
Hanging Wood
Sandpit Wood
Standon Green End Farm
Knoll Farm
Barwick
Standon Green End
Monument
Badger's Eye Plantation
Blackey Mead Wood
Dane End Road
SG11
Mott's Spring
Mott's Wood
Ermine Street (Roman Road)
Barwick Lane
Gore Lane
Ashleigh Caravan Park
River Rib
Day's Spring
Salmonsley Wood
Works
Denvers
Furzeground Wood
Round Wood
Sutes Woods
Playing Fld.
The Bourne
Moat
Sutes
Barwick Ford
Cambridge Cotts.
Great Barwick Manor
Puller Memorial C of E Primary School
Marshall's Farm
Ash Plantation
Tyler's Hill
Shepherdshill Wood
High Cross
Marshall's Lane
Great Southey Wood
Sawtrees Wood
North Drive
Poplar Cl.
Passfield Cottages
Round Wood
Works
Hazelwood Farm
High Road
Rennesley Garden Wood
Mark's Wood
Gravelpit Wood
Aldeck Spring
Sawtrees Farm
Earthworks
Home Farm
Tennis Court
Youngsbury
Hanley Spring
Tumuli
Goss Covert
Wadesmill
Millfield
Upper Millfield Wood
The Arboretum
Rennesley Farm
Youngsbury La.
Pumping Station
Anchor Cotts.
Harecroft Brow
Burleigh Common
Weir
Lower Millfield Wood
Old Church Lane
Old Island
Moat
Church (Remains of)
Fabdens
Gunpowder Wood
New Island
Thundridge Prim. Sch.
Ermine St.
River Rib
Pav.
Duckett's Wood
War Meml.
Thundridge
Church Lane
Old Lane
Meadows View Cottages
Timber Hall
Thundridge Business Park
School Plantation
B158
Woodlands Rd.
Ducketts Wood
Windmill Cotts.
Thundridgehill
Christmas Lane
Swangles Farm
Cold Christmas
Buckney Wood
Thundridge House
Old Lane
Drive
Gardiner's Spring
Issues
A10
36
37
38
17
18
19
20
21
55
95
76
G H J K L M N
1 2 3 4 5 6 7 8 9

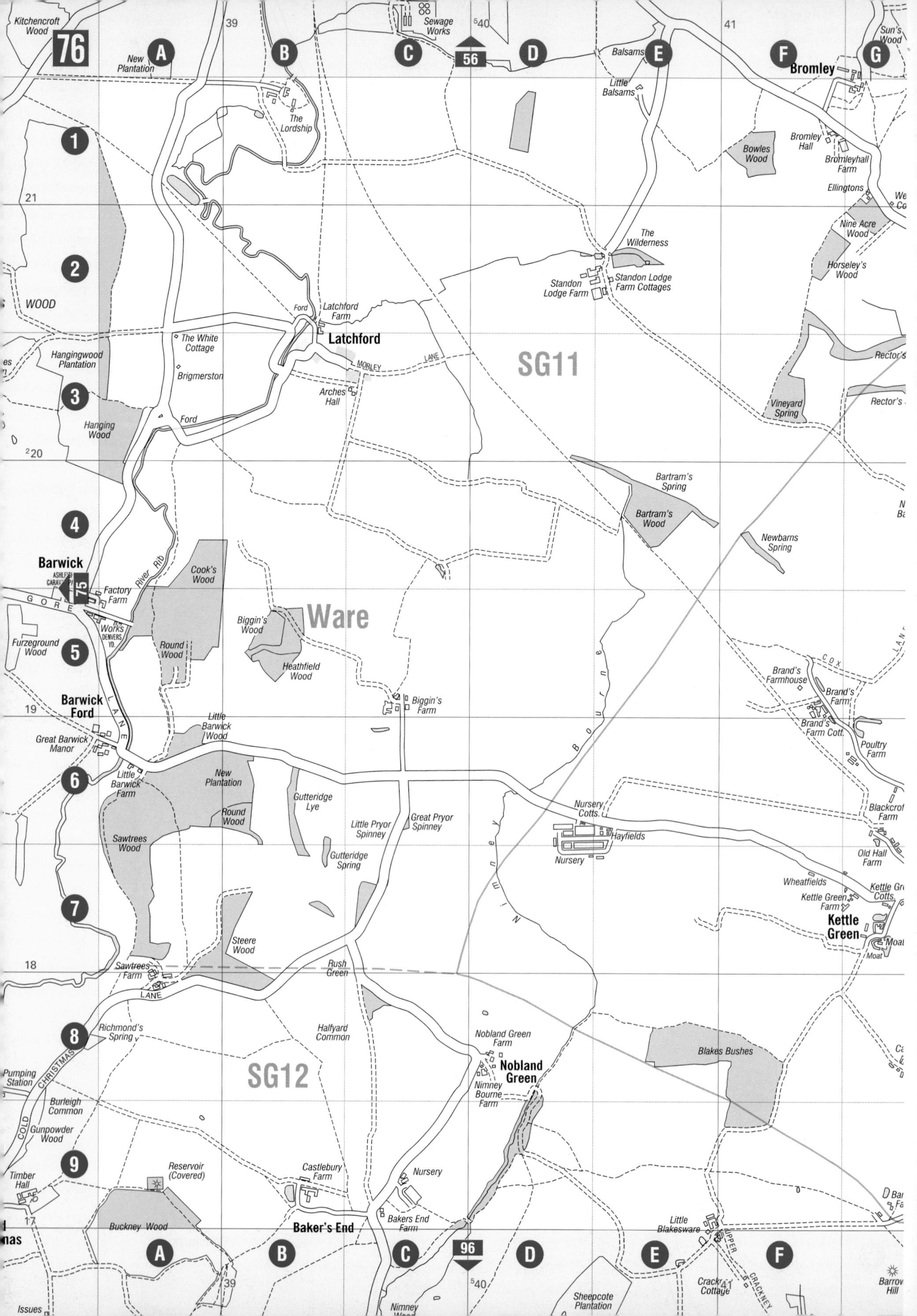
76
56
75
96
A
B
C
D
E
F
G
1
2
3
4
5
6
7
8
9
39
540
41
21
220
19
18
17
Kitchencroft Wood
New Plantation
Sewage Works
Balsams
Little Balsams
Bromley
Sun's Wood
The Lordship
Bowles Wood
Bromley Hall
Bromleyhall Farm
Ellingtons
Nine Acre Wood
Horseley's Wood
The Wilderness
Standon Lodge Farm
Standon Lodge Farm Cottages
WOOD
Ford
Latchford Farm
Latchford
MORLEY LANE
The White Cottage
Hangingwood Plantation
Brigmerston
Arches Hall
SG11
Rector's
Vineyard Spring
Hanging Wood
Ford
Bartram's Spring
Bartram's Wood
Newbarns Spring
Barwick
Cook's Wood
River Rib
Factory Farm
GORE
Works
Ware
Biggin's Wood
Furzeground Wood
Round Wood
Heathfield Wood
COX LANE
Brand's Farmhouse
Brand's Farm
Brand's Farm Cott.
Poultry Farm
Barwick Ford
Biggin's Farm
LANE
Little Barwick Wood
Great Barwick Manor
Bourne
Little Barwick Farm
New Plantation
Gutteridge Lye
Nursery Cotts.
Blackcroft Farm
Round Wood
Little Pryor Spinney
Great Pryor Spinney
Hayfields
Sawtrees Wood
Nursery
Gutteridge Spring
Old Hall Farm
Wheatfields
Kettle Green Cotts.
Kettle Green Farm
Kettle Green
Moat
Nimney
Steere Wood
Sawtrees Farm
Rush Green
LANE
Richmond's Spring
Halfyard Common
Nobland Green Farm
Nobland Green
Blakes Bushes
Pumping Station
CHRISTMAS
SG12
Nimney Bourne Farm
Burleigh Common
COLD
Gunpowder Wood
Timber Hall
Reservoir (Covered)
Castlebury Farm
Nursery
Buckney Wood
Baker's End
Bakers End Farm
Little Blakesware
UPPER CRACKNEY
Crack Cottage
Barrow Hill
Sheepcote Plantation
Issues
Nimney Wood

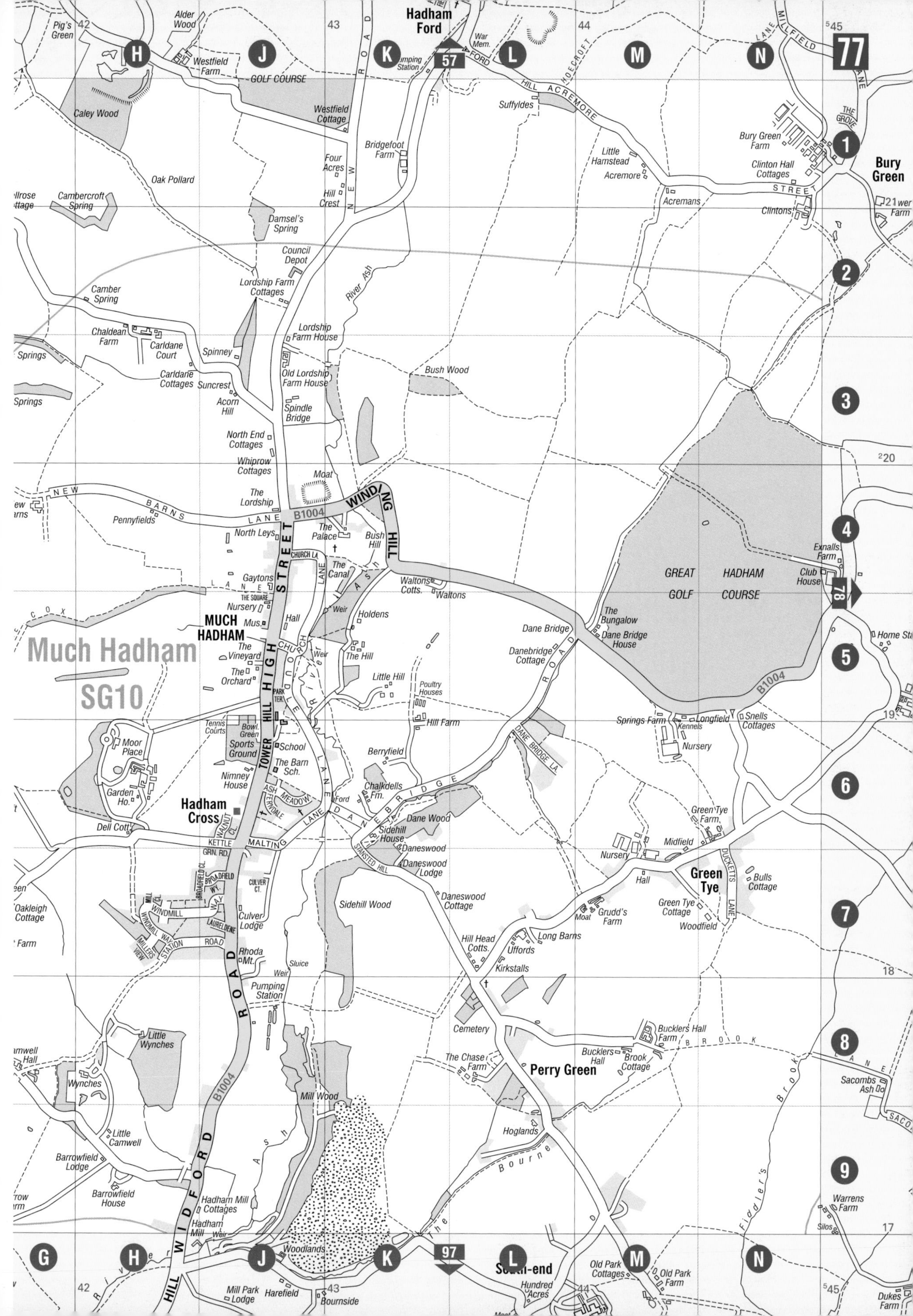
77
Hadham Ford
57
War Mem.
Pumping Station
Alder Wood
Pig's Green
Westfield Farm
GOLF COURSE
Caley Wood
Westfield Cottage
Bridgefoot Farm
Four Acres
Hill Crest
NEW ROAD
FORD HILL
ACREMORE
HOECROFT
Suffyldes
Little Hamstead
Acremore
Acremans
Clintons
MILLFIELD LANE
THE GROVE
Bury Green Farm
Clinton Hall Cottages
STREET
Bury Green
Oak Pollard
Cambercroft Spring
Damsel's Spring
Council Depot
Lordship Farm Cottages
River Ash
Camber Spring
Chaldean Farm
Carldane Court
Springs
Spinney
Lordship Farm House
Old Lordship Farm House
Carldane Cottages
Suncrest
Acorn Hill
Bush Wood
Spindle Bridge
North End Cottages
Whiprow Cottages
Moat
The Lordship
NEW BARNS LANE
Pennyfields
B1004
WINDING HILL
The Palace
Bush Hill
North Leys
CHURCH LA.
The Canal
Gaytons
THE SQUARE
Nursery
Waltons Cotts.
Waltons
COX LANE
MUCH HADHAM
Mus.
Hall
Weir
Holdens
Much Hadham
SG10
The Vineyard
The Orchard
CHURCH
The Hill
Little Hill
Poultry Houses
Hill Farm
Dane Bridge
Danebridge Cottage
The Bungalow
Dane Bridge House
GREAT HADHAM GOLF COURSE
Exnalls Farm
Club House
78
Home St
Tennis Courts
Bowl. Green
Sports Ground
School
The Barn Sch.
Moor Place
Garden Ho.
Nimney House
Berryfield
Chalkdells Fm.
DANE BRIDGE LA.
DANE BRIDGE
Springs Farm
Longfield
Kennels
Nursery
Snells Cottages
Hadham Cross
ASH MEADOW
Ford
Dane Wood
Sidehill House
Daneswood
Daneswood Lodge
Dell Cott.
KETTLE
MALTING LANE
GRN. RD.
BROADFIELD WY.
CULVER CT.
WINDMILL
WINDMILL WAY
LAURELDENE
STATION ROAD
MILLERS VIEW
Culver Lodge
Sidehill Wood
Daneswood Cottage
STANSTED HILL
Green Tye Farm
Midfield
Nursery
Hall
Green Tye
DUCKETTS LANE
Bulls Cottage
Oakleigh Cottage
Moat
Grudd's Farm
Green Tye Cottage
Woodfield
Long Barns
Hill Head Cotts.
Uffords
Kirkstalls
Rhoda Mt.
Sluice
Weir
Pumping Station
Cemetery
Bucklers Hall Farm
BROOK LANE
Little Wynches
Wynches
The Chase Farm
Bucklers Hall
Brook Cottage
Perry Green
Sacombs Ash
Mill Wood
Hoglands
The Bourne
Fiddler's Brook
Little Camwell
Barrowfield Lodge
Barrowfield House
Hadham Mill Cottages
Hadham Mill
Weir
Warrens Farm
Silos
WIDFORD ROAD
HILL
River
Woodlands
97
South-end
Old Park Cottages
Old Park Farm
Hundred Acres
Mill Park Lodge
Harefield
Bournside
Dukes Farm
G H J K L M N
1 2 3 4 5 6 7 8 9
42 43 44 545
220 19 18 17

Cradle End
Great Plantings Wood
East Wood
58
Bury Green Farm
Clinton Hall Cottages
Clintons
Bury Green
Lower Farm
Stocking Wood
Stocking Wood Plantation
Ware
SG11
BISHOP'S STORTFORD
Bishop's Stortford College
Playing Field
Park Cottages
Stortford Park
St. Joseph's R.C. Prim. Sch.
Claypits Farm House
The Firs Jun. Sch.
BISHOPS PARK WAY
A1184
GREAT HADHAM ROAD
B1004
Thorley Houses
Uplands Barn
Finch Croft
Castle Farm
ST. JAMES
Manor Fields Prim. Sch.
Jobbers Wood
Exnalls Farm
77
GREAT HADHAM GOLF COURSE
Much Hadham
SG10
Home Stalls
Warren Farm
Butler's Hall
New Cottages
Brook Farm
Corner Cottage
Cricket Ground
CM23
The Old Rectory
Moor Hall Cottages
Moor Hall
Brookfield Spring
Thorley
Thorley Hall
Gatney Spring
MATHAMS WOOD
Bulls Cottage
Blount's Farm
Blount's Cottages
Henley Herne Spring
Sacombs Ash
Sawbridgeworth
CM21
Trims Green
Burstead Cottages
Ranch House
Bursteads
Meadow View
Hylands Nursery
Longlands
Sunnyside
Warrens Farm
Silos
Sweetdews
Shingle Hall
Newhouse Farm
The Billet
Allen's Green
Allen Green
Dukes Farm
98

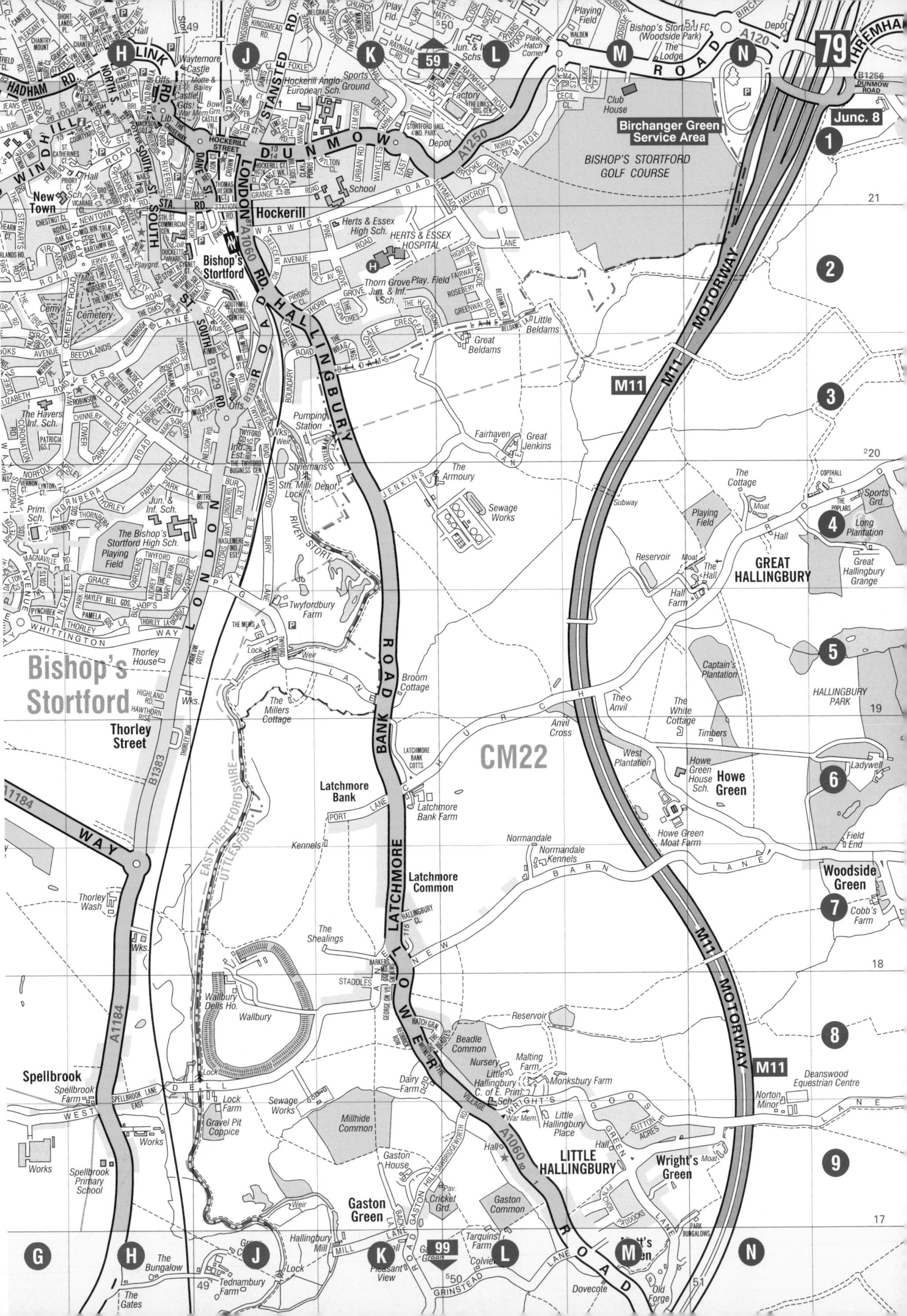
Bishop's Stortford
Thorley Street
Hockerill
New Town
Birchanger Green Service Area
BISHOP'S STORTFORD GOLF COURSE
Junc. 8
M11 MOTORWAY
GREAT HALLINGBURY
HALLINGBURY PARK
Howe Green
CM22
Latchmore Bank
Latchmore Common
Woodside Green
Wallbury
Spellbrook
LITTLE HALLINGBURY
Wright's Green
Gaston Green
HERTS & ESSEX HOSPITAL
DUNMOW ROAD
HALLINGBURY ROAD
LATCHMORE BANK
LOWER ROAD
CHURCH LANE
BARN LANE
A1184 WAY
EAST HERTFORDSHIRE
UTTLESFORD
Deanswood Equestrian Centre
Norton Minor
Millhide Common
Gaston Common
Sewage Works
Great Jenkins
Great Beldams
Little Beldams
Twyfordbury Farm
Captain's Plantation
59
99

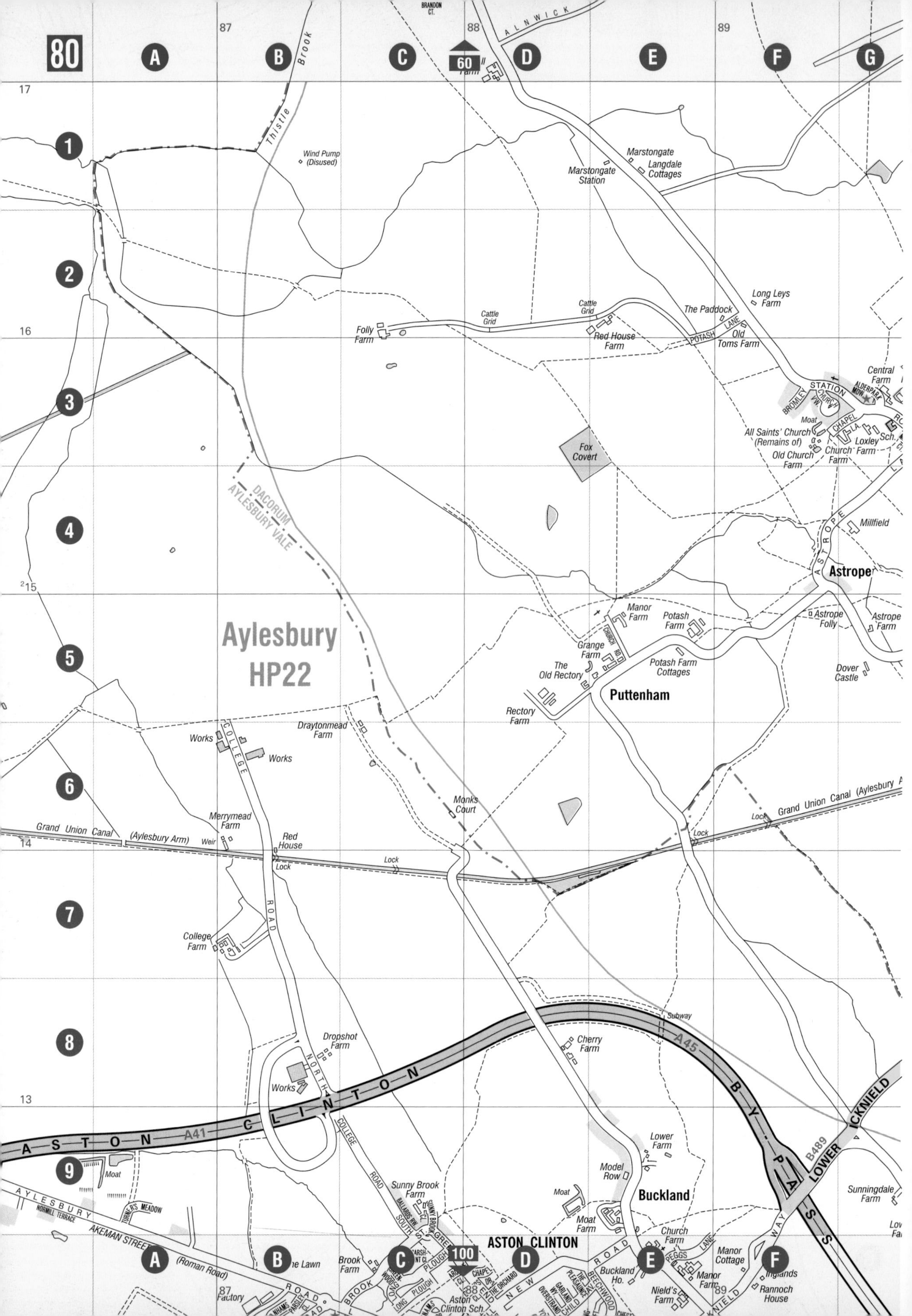
A
B
C
D
E
F
G
1
2
3
4
5
6
7
8
9
87
88
89
17
16
15
14
13
60
100
BRANDON CT.
ALNWICK
Thistle Brook
Wind Pump (Disused)
Marstongate
Langdale Cottages
Marstongate Station
Long Leys Farm
The Paddock
Cattle Grid
Folly Farm
Red House Farm
POTASH LANE
Old Toms Farm
Central Farm
STATION
BROMLEY
CHURCH VW.
ALDERPARK MDW.
Moat
CHAPEL LA.
All Saints' Church (Remains of)
Old Church Farm
Church Farm
Loxley Farm
Sch.
Fox Covert
DACORUM
AYLESBURY VALE
ASTROPE
Millfield
Astrope
Manor Farm
Potash Farm
Astrope Folly
Astrope Farm
Aylesbury
HP22
CHURCH RD.
Grange Farm
The Old Rectory
Potash Farm Cottages
Dover Castle
Puttenham
Rectory Farm
Draytonmead Farm
Works
COLLEGE
Monks Court
Merrymead Farm
Grand Union Canal (Aylesbury Arm)
Weir
Red House
Lock
ROAD
College Farm
Subway
Dropshot Farm
Cherry Farm
NORTH
A45
BY-PASS
ASTON CLINTON
A41
LOWER ICKNIELD
B489
COLLEGE ROAD
Lower Farm
Model Row
Buckland
Moat
Moat Farm
Sunny Brook Farm
Sunningdale Farm
AYLESBURY
NORMILL TERRACE
TURNER'S MEADOW
AKEMAN STREET (Roman Road)
The Lawn
Brook Farm
Church Farm
PEGGS LANE
Manor Cottage
Manor Farm
Buckland Ho.
NEW ROAD
THE PLEASANCE
BEECHWOOD
Inglands
Rannoch House
Nield's Farm
Factory
Aston Clinton Sch.
LONG PLOUGH
BROOK
THE ORCHARD
ICKNIELD WAY

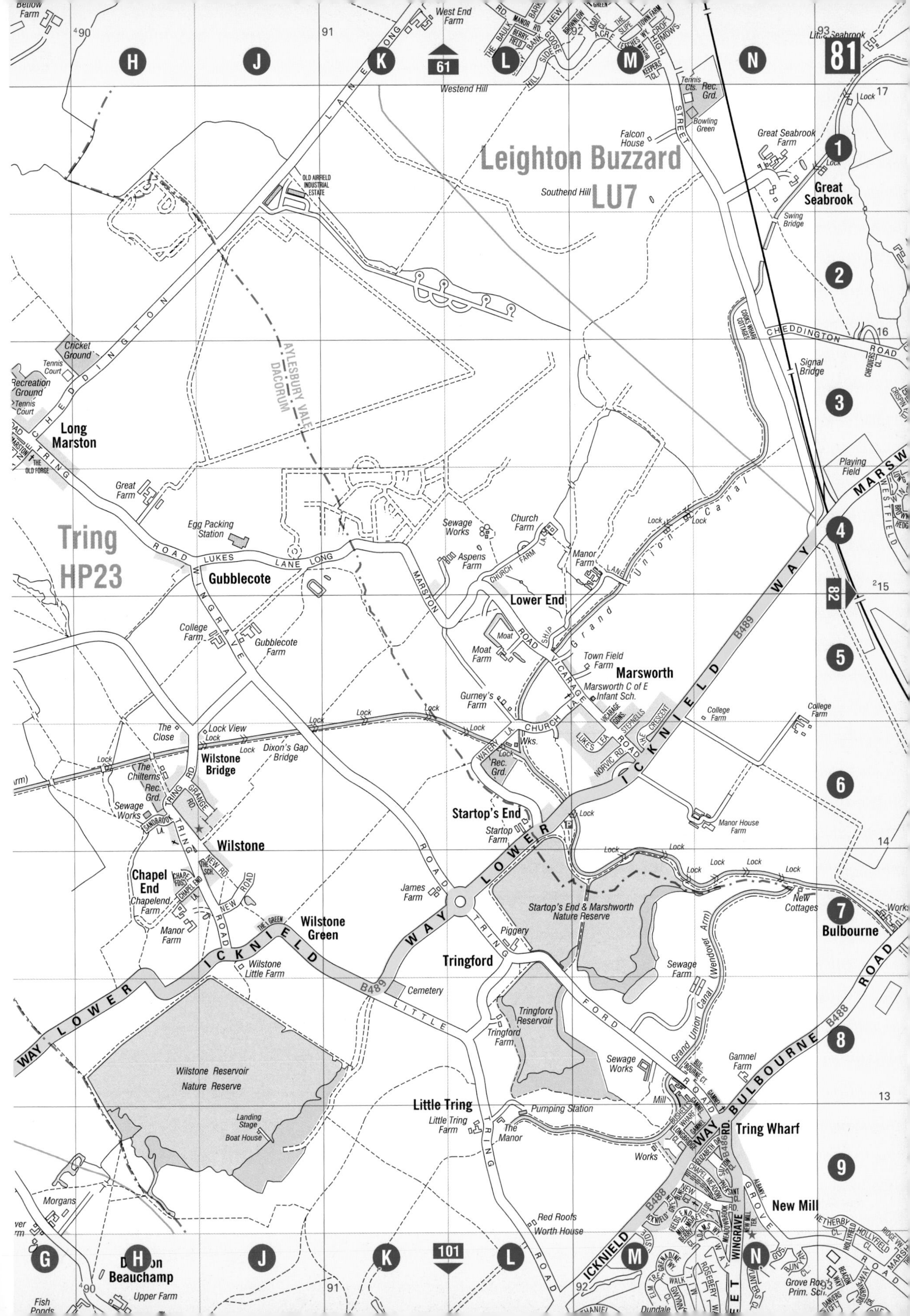

Leighton Buzzard
LU7
Tring
HP23
Long Marston
Gubblecote
Lower End
Marsworth
Wilstone Bridge
Wilstone
Chapel End
Wilstone Green
Startop's End
Tringford
Little Tring
Tring Wharf
New Mill
Great Seabrook
Bulbourne
Drayton Beauchamp
West End Farm
Westend Hill
Southend Hill
Falcon House
Great Seabrook Farm
Swing Bridge
Signal Bridge
Cricket Ground
Recreation Ground
Great Farm
Egg Packing Station
College Farm
Gubblecote Farm
Sewage Works
Church Farm
Aspens Farm
Manor Farm
Moat Farm
Town Field Farm
Marsworth C of E Infant Sch.
Gurney's Farm
Lock View
Dixon's Gap Bridge
James Farm
Startop's End & Marshworth Nature Reserve
Tringford Reservoir
Tringford Farm
Wilstone Reservoir Nature Reserve
Landing Stage
Boat House
Cemetery
Piggery
Pumping Station
The Manor
Little Tring Farm
Red Roofs
Worth House
Gamnel Farm
Manor House Farm
New Cottages
Playing Field
Morgans
Upper Farm
Grove Road Prim. Sch.
Chapelend Farm
Wilstone Little Farm
Grand Union Canal
Grand Union Canal (Wendover Arm)
AYLESBURY VALE
DACORUM
LOWER ICKNIELD WAY
B489
B488
BULBOURNE ROAD
CHEDDINGTON LANE
CHEDDINGTON ROAD
LUKES LANE
LONG LANE
MARSTON ROAD
WINGRAVE ROAD
TRING ROAD
LITTLE TRINGFORD
TRINGFORD ROAD
HIGH STREET
VICARAGE ROAD
CHURCH LA.
WATERY LA.
61
101
82

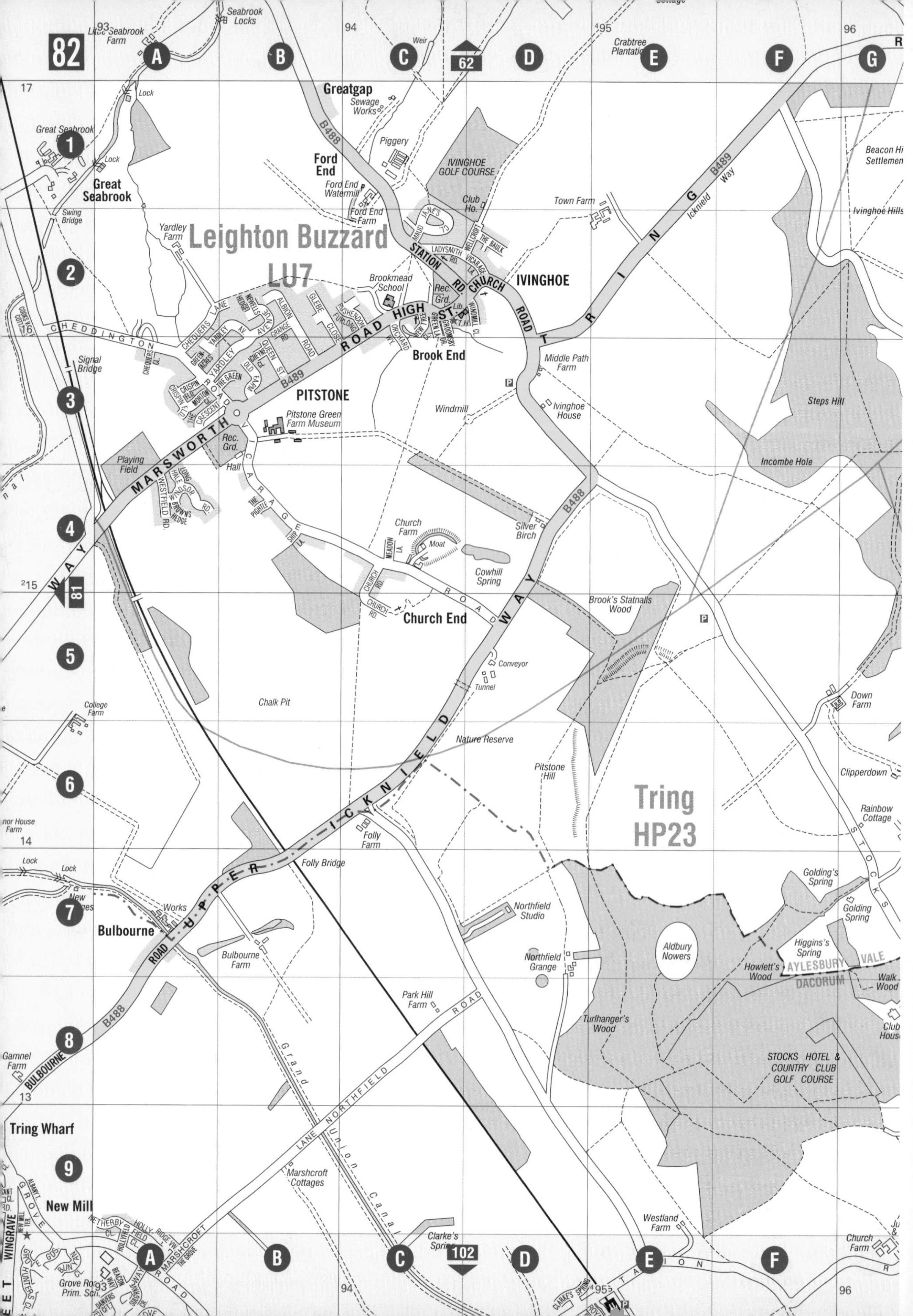

82
62
81
102
Leighton Buzzard
LU7
Tring
HP23
Little Seabrook Farm
Seabrook Locks
Weir
Crabtree Plantation
Greatgap
Sewage Works
Piggery
Great Seabrook Farm
Lock
Great Seabrook
Swing Bridge
Ford End
Ford End Watermill
Ford End Farm
IVINGHOE GOLF COURSE
Club Ho.
Beacon Hill Settlement
Town Farm
Ivinghoe Hills
Yardley Farm
STATION RD
LADYSMITH RD.
VICARAGE LA.
WELLCROFT
THE BAULK
MAUD JANE'S CL.
CHURCH ROAD
IVINGHOE
RING
Icknield Way
B489
B488
Brookmead School
Rec. Grd.
Lib.
T.H.
WINDMILL CL.
HIGH ST.
CHEDDINGTON
CHEQUERS LANE
HEDGES
NEWELLS
ALBION
AVE.
GLEBE CLOSE
RUSHENDON FURLONG
ORCHARD WY.
NEW TREE
GREEN LA.
GROOMSBY DR.
Brook End
YARDLEY AV.
GRANGE RD.
ROAD
QUEEN ST.
CHEYNE CL.
OLD FARM
THE GREEN
CHEQUERS CL.
GREEN ACRES
CRISPIN FLD.
CRISPIN CL.
MORTON CL.
THE CRESCENT
Signal Bridge
Middle Path Farm
Windmill
PITSTONE
Pitstone Green Farm Museum
Ivinghoe House
Steps Hill
Rec. Grd.
Hall
Playing Field
MARSWORTH ROAD
VICARAGE RD.
LONG HALE
WESTFIELD RD.
WINDSOR RD.
BROWNS HEDGE
THE PIGHTLE
SHIP LA.
Incombe Hole
Church Farm
MEADOW LA.
Moat
Silver Birch
Cowhill Spring
CHURCH RD.
Church End
Brook's Statnalls Wood
WAY
Conveyor
Tunnel
Down Farm
College Farm
Chalk Pit
Nature Reserve
ICKNIELD
Pitstone Hill
Clipperdown
Manor House Farm
Rainbow Cottage
Folly Farm
UPPER
Folly Bridge
STOCKS
Golding's Spring
Lock
New Cottages
Works
Northfield Studio
Golding Spring
Bulbourne
Aldbury Nowers
Higgins's Spring
Bulbourne Farm
Northfield Grange
Howlett's Wood
AYLESBURY VALE
DACORUM
Walk Wood
Park Hill Farm
Turlhanger's Wood
Club House
Gamnel Farm
BULBOURNE ROAD
Grand Union Canal
NORTHFIELD LANE
STOCKS HOTEL & COUNTRY CLUB GOLF COURSE
Tring Wharf
Marshcroft Cottages
New Mill
Westland Farm
Clarke's Spring
Church Farm
NETHERBY CL.
HOLLY FIELD
HOLLY RIDGE
MARSHCROFT
THE GROVE
GROVE
WINGRAVE
Grove Road Prim. Sch.
CLARKE'S SPRING
STATION
A
B
C
D
E
F
G
1
2
3
4
5
6
7
8
9
93
94
95
96
17
16
215
14
13

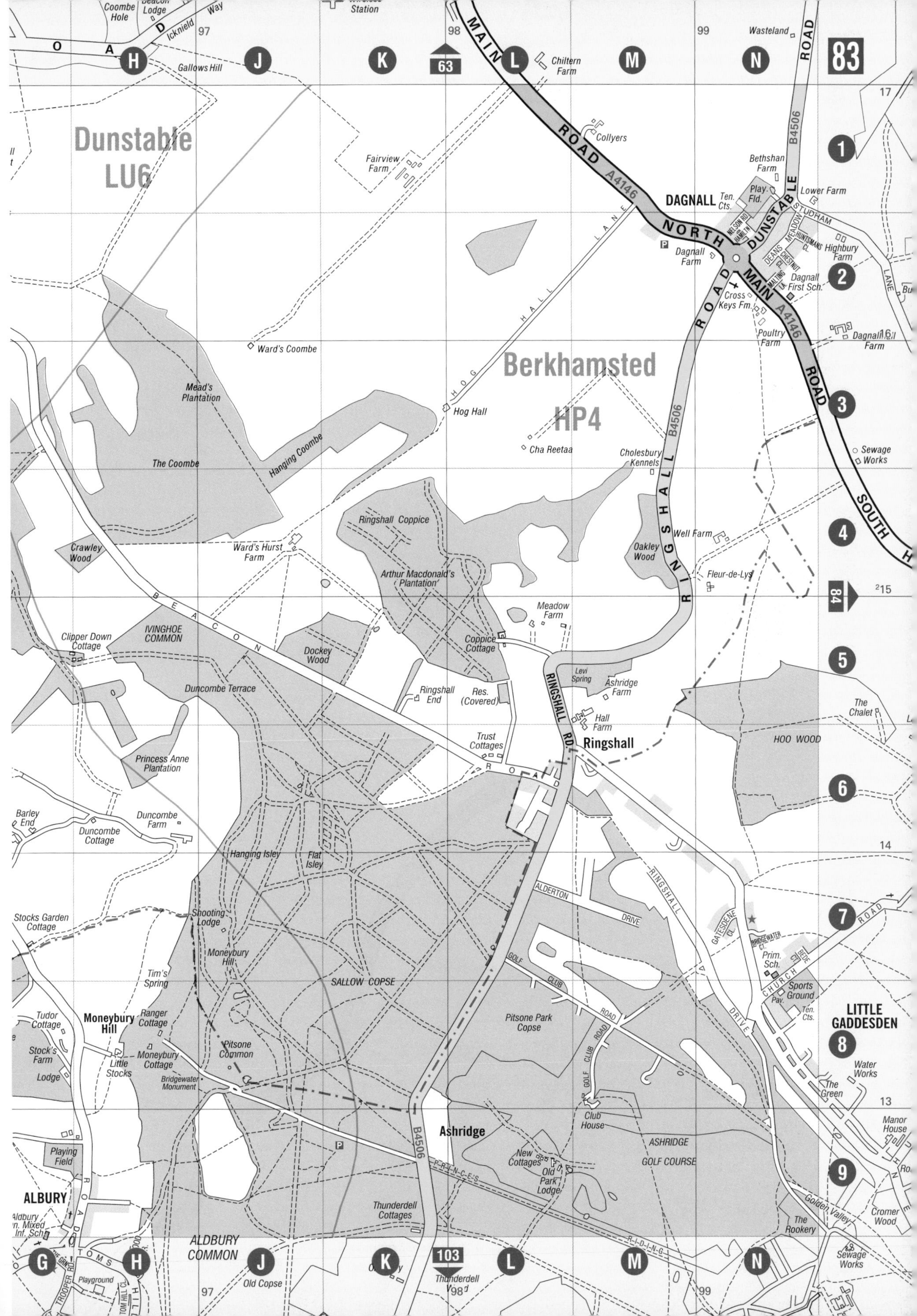

Coombe Hole
Beacon Lodge
Icknield Way
Station
Gallows Hill
Chiltern Farm
Wasteland
Dunstable LU6
Collyers
Fairview Farm
MAIN ROAD A4146
NORTH ROAD
B4506
DUNSTABLE ROAD
Bethshan Farm
DAGNALL
Play. Fld.
Ten. Cts.
Lower Farm
STUDHAM
Highbury Farm
Dagnall Farm
Dagnall First Sch.
Cross Keys Fm.
Poultry Farm
Dagnall Farm
MAIN ROAD A4146
SOUTH ROAD
HOG HALL LANE
Ward's Coombe
Berkhamsted HP4
Mead's Plantation
Hog Hall
Cha Reetaa
Cholesbury Kennels
Sewage Works
The Coombe
Hanging Coombe
Ringshall Coppice
RINGSHALL ROAD B4506
Well Farm
Oakley Wood
Crawley Wood
Ward's Hurst Farm
Arthur Macdonald's Plantation
Fleur-de-Lys
BEACON ROAD
Meadow Farm
Clipper Down Cottage
IVINGHOE COMMON
Dockey Wood
Coppice Cottage
Levi Spring
Ashridge Farm
Duncombe Terrace
Ringshall End
Res. (Covered)
RINGSHALL RD.
Hall Farm
The Chalet
Trust Cottages
Ringshall
HOO WOOD
Princess Anne Plantation
Barley End
Duncombe Farm
Duncombe Cottage
Hanging Isley
Flat Isley
RINGSHALL DRIVE
ALDERTON DRIVE
Stocks Garden Cottage
Shooting Lodge
GATESDENE CL.
BRIDGEWATER CT.
CHURCH ROAD
Prim. Sch.
Moneybury Hill
GOLF CLUB ROAD
Tim's Spring
SALLOW COPSE
Sports Ground
Pav.
Ten. Cts.
LITTLE GADDESDEN
Tudor Cottage
Moneybury Hill
Ranger Cottage
Pitsone Park Copse
Stock's Farm
Moneybury Cottage
Pitsone Common
Water Works
Lodge
Little Stocks
Bridgewater Monument
The Green
Club House
Manor House
Ashridge
ASHRIDGE GOLF COURSE
Playing Field
New Cottages
Old Park Lodge
PRINCES RIDING
ALBURY
Thunderdell Cottages
The Rookery
Golden Valley
Cromer Wood
Aldbury Jn. Mixed Inf. Sch.
ALDBURY COMMON
Sewage Works
Playground
Old Copse
Thunderdell
TOMS HILL
TROOPER RD.
63
84
103
97
98
99
17
16
15
14
13
G H J K L M N
1 2 3 4 5 6 7 8 9

84
Wasteland
Lay Meadow
Wolf Wood
PARK ZOO
Hallcraft
Cut Throat Paddock
Woodfield Paddock
Dagnall Paddock
64
Bethsham Farm
Lower Farm
Play Fld.
DUNSTABLE
Highbury Farm
DAGNALL
Dagnallhall Farm
Poultry Farm
WHIPSNADE PARK GOLF COURSE
The Bungalow
Dagnallhill Wood
Club House
SOUTH BEDFORDSHIRE
AYLESBURY VALE
Longspoons Wood
Masons Plantation
LINNEY HEAD
Westhill Farm
Ashen Grove
Bell Wood
Bell Farm
Church Grove
Manor Farm
Castle Grove
The Vicarage
Valley Farm
Studham
Studham Lower School
Old School House
Studham Common
KENSWORTH ROAD
MAIN ROAD
A4146
SOUTH HEMEL HEMPSTEAD ROAD
Sewage Works
COMMON ROAD
Man's Grove
Mansgrove Farm
Studhamhall Farm
Elm Grove
Home Reddings
Bury Farm
83
Dunstable LU6
Clementsend Farm
Barwythe Hall
Ravensdell Wood
Long Wood
The Chalet
Lamsey Farm
HOO WOOD
Milebarn Farm
Berkhamsted
Badger Wood
Gade Plas
Church Farm
HP4
Valley Farm
Greencroft Wood
Pedleyhill Farm
Hudnall Common Plantation
Hudnall Corner
PEDLEY
Prim. Sch.
Sports Ground
Hudnall
HUDNALL COMMON
Deadmanhill Spring
Water Works
The Green
LITTLE GADDESDEN
Manor House
Hudnall Farm
Whitfield Spring
DAGNALL ROAD
River Gade
Robin Hood Farm
Robin Hood House
Cromer Wood
HP1
Lower Gade Farm
Hudnall Park Outdoor Centre
The Rookery
Little Gaddesden House
Sewage Works
Home Farm
Lady Grove
104
Hudnall Common
Hill Wood
Covetous Corner

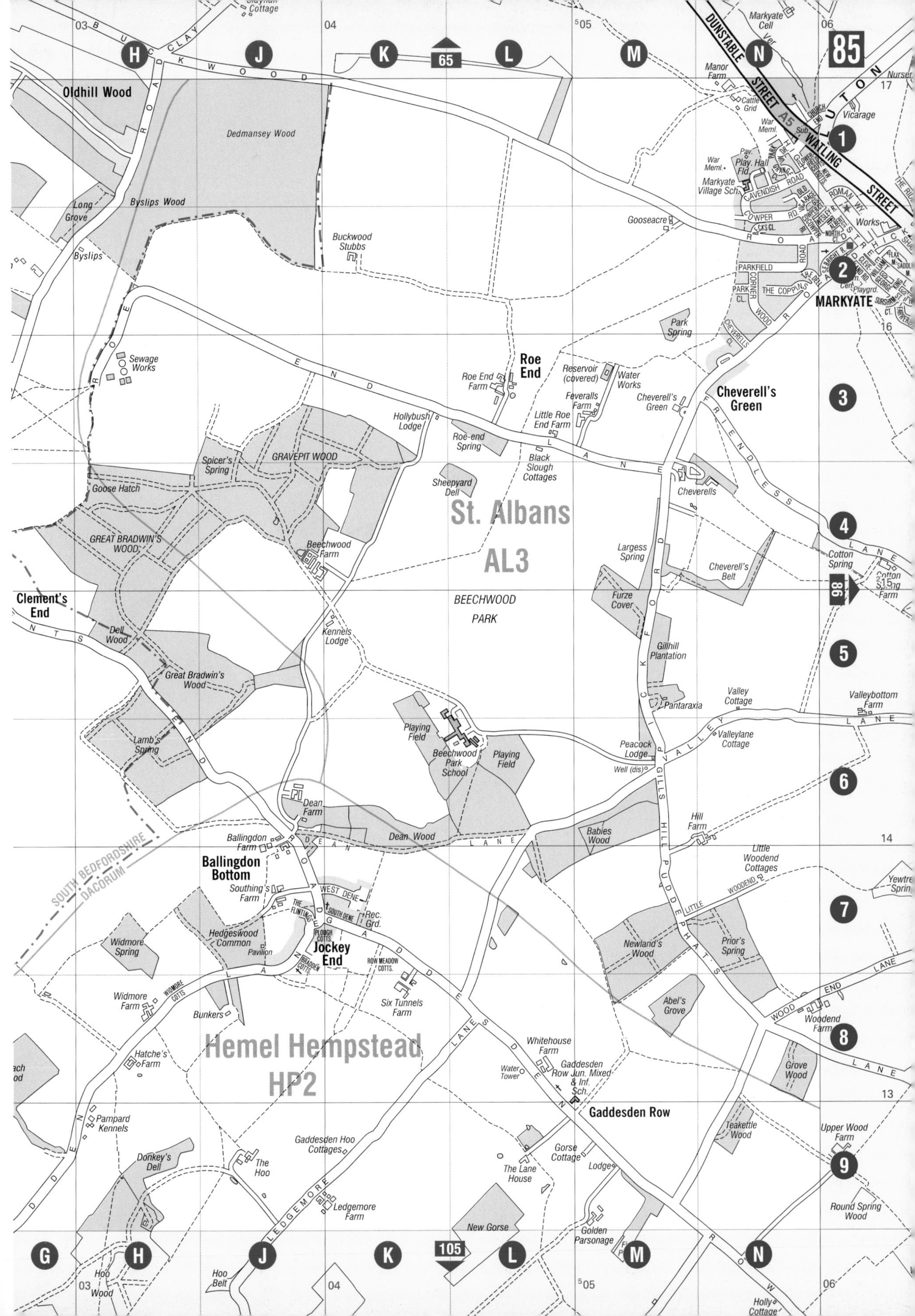
Oldhill Wood
Dedmansey Wood
Byslips Wood
Long Grove
Byslips
Buckwood Stubbs
Sewage Works
Roe End
Roe End Farm
Reservoir (covered)
Water Works
Feveralls Farm
Little Roe End Farm
Cheverell's Green
Hollybush Lodge
Roe-end Spring
Black Slough Cottages
Spicer's Spring
GRAVEPIT WOOD
Goose Hatch
Sheepyard Dell
St. Albans
AL3
Cheverells
GREAT BRADWIN'S WOOD
Beechwood Farm
Largess Spring
Cheverell's Belt
Cotton Spring
Furze Cover
BEECHWOOD PARK
Clement's End
Dell Wood
Kennels Lodge
Gillhill Plantation
Great Bradwin's Wood
Valley Cottage
Valleybottom Farm
Pantaraxia
Lamb's Spring
Playing Field
Beechwood Park School
Peacock Lodge
Valleylane Cottage
Well (dis)
Dean Farm
Dean Wood
Babies Wood
Hill Farm
Ballingdon Farm
Ballingdon Bottom
Little Woodend Cottages
Southing's Farm
Rec. Grd.
SOUTH BEDFORDSHIRE
DACORUM
Widmore Spring
Hedgeswood Common
Pavilion
Jockey End
Newland's Wood
Prior's Spring
Widmore Farm
Bunkers
Six Tunnels Farm
Abel's Grove
Woodend Farm
Hemel Hempstead
HP2
Hatche's Farm
Whitehouse Farm
Water Tower
Gaddesden Row Jun. Mixed & Inf. Sch.
Grove Wood
Gaddesden Row
Pampard Kennels
Teakettle Wood
Upper Wood Farm
Donkey's Dell
Gaddesden Hoo Cottages
The Hoo
Gorse Cottage
The Lane House
Lodge
Round Spring Wood
Ledgemore Farm
New Gorse
Golden Parsonage
Hoo Belt
Hoo Wood
Holly Cottage
Markyate Cell
Ver
Manor Farm
Cattle Grid
Vicarage
War Meml.
Play. Fld.
Markyate Village Sch.
Gooseacre
Works
PARKFIELD
MARKYATE
Park Spring
Cheverell's Green
DUNSTABLE STREET
WATLING STREET
A5
LUTON ROAD
CAVENDISH ROAD
COWPER RD
THE COPPINS
PARK CL.
CORNER WOOD
CHEVERELLS CL.
BUCKWOOD ROAD
ROE END LANE
FRIENDLESS LANE
PICKFORD ROAD
VALLEY LANE
GILLS HILL
PUDDEPHAT'S LANE
LITTLE WOODEND
WOOD END LANE
DEAN LANE
WEST DENE
SOUTH DENE
HOGG END
DODDS LANE
GADDESDEN ROW
ROW MEADOW COTTS.
BRADDEN COTTS
PLOUGH COTTS
THE FLINTINGS
WIDMORE COTTS
LEDGEMORE LANE
CLAY WOOD
BULL LANE
65
105
98

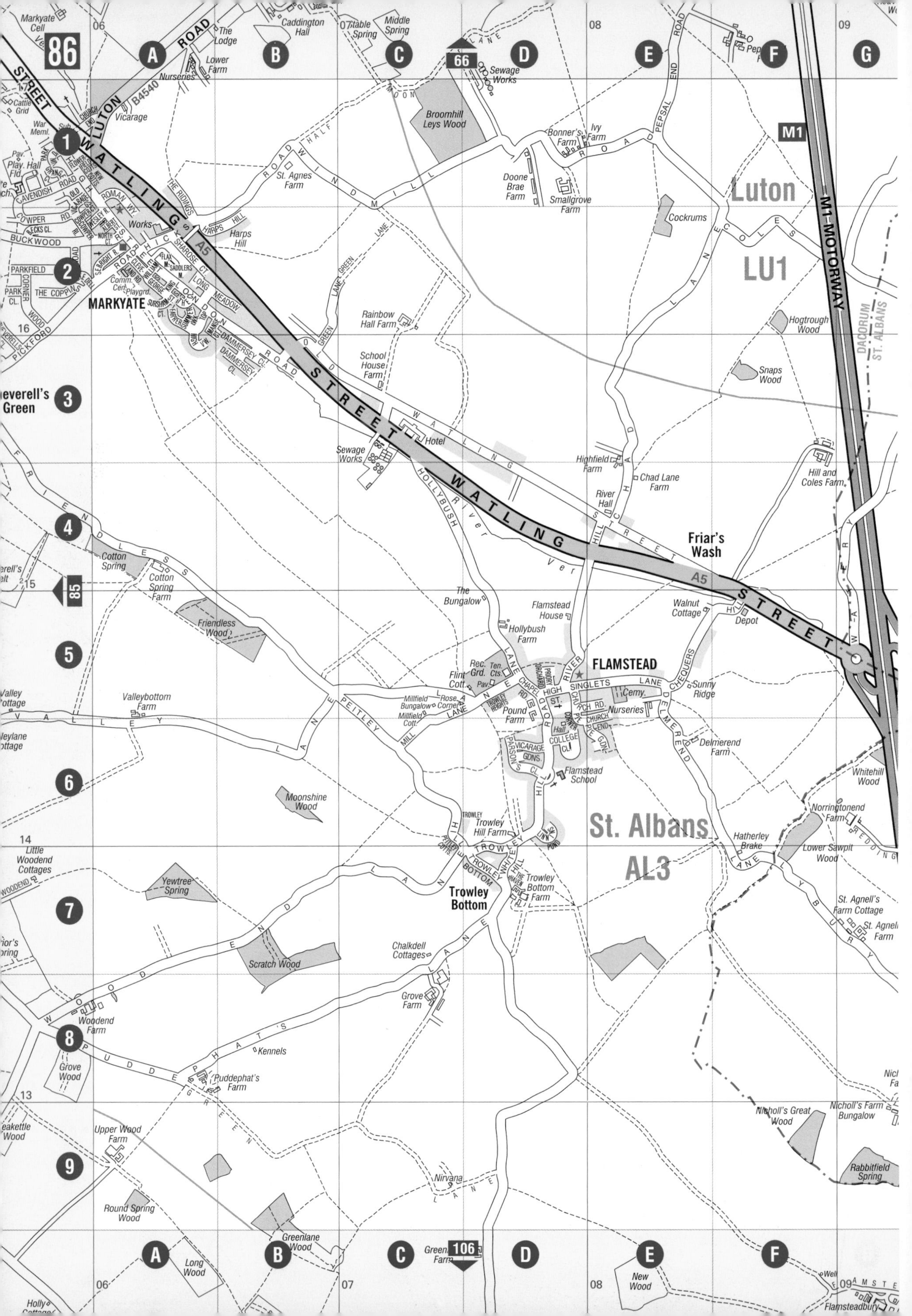
86
A
B
C
D
E
F
G
1
2
3
4
5
6
7
8
9
06
07
08
09
17
16
15
14
13
66
85
106
Markyate Cell
The Lodge
Caddington Hall
Stable Spring
Middle Spring
Lower Farm
Nurseries
Sewage Works
Broomhill Leys Wood
Pepsal End Farm
LUTON ROAD
B4540
Vicarage
CHURCH END
WATLING STREET
A5
Cattle Grid
War Meml.
Play. Hall Fld.
Pav.
CAVENDISH ROAD
COWPER RD
BUCKWOOD
PARKFIELD
CORNER WOOD
THE COPPINS
PICKFORD
ROMAN WY
Works
MARKYATE
Comm. Cen.
Playgrd.
HICKS ROAD
SHAROSE CT
LONG MEADOW
LONDON ROAD
DAMMERSEY CL.
THE RIDINGS
HARPS HILL
Harps Hill
St. Agnes Farm
HALF MOON LANE
WINDMILL ROAD
Bonner's Farm
Ivy Farm
PEPSAL END ROAD
M1
Doone Brae Farm
Smallgrove Farm
Luton
Cockrums
M1 MOTORWAY
LU1
COLES LANE
DACORUM
ST. ALBANS
Hogtrough Wood
Snaps Wood
Rainbow Hall Farm
GREEN LANE
OLD ROAD
School House Farm
Peverell's Green
Hotel
Sewage Works
HOLLYBUSH LANE
River Ver
Highfield Farm
Chad Lane Farm
CHAD LANE
River Hall
Hill and Coles Farm
HILL STREET
Friar's Wash
FRIENDLESS LANE
Cotton Spring
Cotton Spring Farm
Friendless Wood
The Bungalow
Flamstead House
Walnut Cottage
Depot
Hollybush Farm
Rec. Grd.
Ten. Cts.
Pav.
Flint Cott.
FLAMSTEAD
HIGH ST.
SINGLETS LANE
CHEQUERS
Sunny Ridge
Cemy.
Nurseries
Valley Cottage
Valleybottom Farm
VALLEY LANE
Millfield Bungalow
Millfield Cott.
Rose Corner
MILL LANE
PEITLEY LANE
Pound Farm
CHAPEL RD
ORCHARD
PRIORY
RIVER HILL
CHURCH RD.
CHURCH END
COLLEGE CL
VICARAGE GDNS.
PARSONS CL
Hall
DELMEREND LANE
Delmerend Farm
Flamstead School
Whitehill Wood
Moonshine Wood
Trowley Hill Farm
TROWLEY HILL
Norringtonend Farm
St. Albans
AL3
Hatherley Brake
Lower Sawpit Wood
REDDING LANE
Little Woodend Cottages
WOODEND
Yewtree Spring
ROWLEY BOTTOM
Trowley Bottom Farm
Trowley Bottom
St. Agnell's Farm Cottage
St. Agnells Farm
BURY LANE
WOODEND LANE
Scratch Wood
Chalkdell Cottages
Grove Farm
Woodend Farm
PUDDEPHAT'S LANE
Kennels
Grove Wood
Puddephat's Farm
GREEN LANE
Nicholl's Great Wood
Nicholl's Farm Bungalow
Upper Wood Farm
Rabbitfield Spring
Nirvana
Round Spring Wood
Greenlane Wood
Green Farm
Long Wood
New Wood
Holly Cottage
Well
Flamsteadbury

Luton
LU1
Harpenden
AL5
Kinsbourne Green
Harpendenbury
REDBOURN
Rothamsted Estate
REDBOURN GOLF COURSE
HERTFORDSHIRE SHOWGROUND
Junction 9
M1 MOTORWAY
LONDON ROAD
LUTON ROAD
A1081
DUNSTABLE ROAD
A5183
WATLING STREET (ROMAN ROAD)
REDBOURN LANE
B487
West Hyde
Circus Wood
Lady Bute's Lodge
Flint Hyde Cottages
Lady Bray Farm
Kennels Farm
Fir Tree Spring
Fiddler's Hill
Thralesend Cottages
Thrales End Farm
Whitewalls
Jenny's Spring
Brickfield Farm
Eight Acre Spring
Pollard's Farm
Little Trees Farm
Long Spring
Dove House Farm
Turner's Hall Farm
Annables Farm
Cooters End Farm
Wood End Sch.
Faulkners End Farm
Delgarth
Verlam End
Whitehill Wood
Northfield Spring
Harpendenbury Stables
Club House
New Cottages
Harpendenbury Farm
Rothamsted Experimental Farm
Collye Grove Cottages
Knott Wood
Rothamsted Manor House
Recreation Ground
Rec. Grd.
Roundwood Park Sch.
Roundwood Jun. & Inf. Sch.
Playing Field
The Wildings
Redding Wood
Nursery
Thatched Cottage
Scout Spring
Bylands House
Homelea
Normead
Lybury Farm
Dell Cottage
Lybury Field
St. Lukes School
Scout Farm
Deacon's Spring
Harpenden Rugby Club
Redbourn Jun. & Inf.
Hammondsend Farm
River Ver
67
107
88

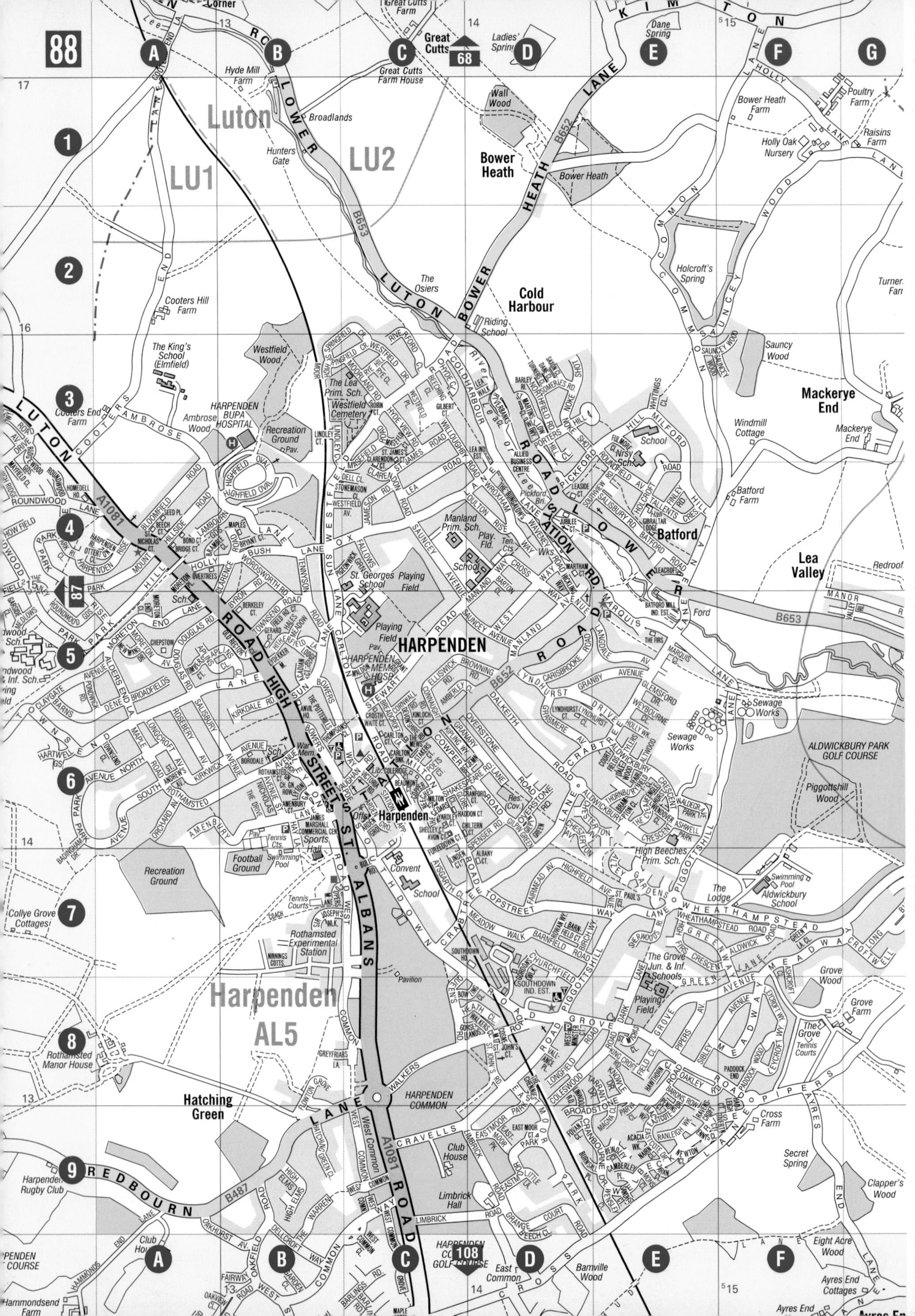
A
B
C
D
E
F
G
1
2
3
4
5
6
7
8
9
13
14
15
16
17
Great Cutts
68
87
108
Great Cutts Farm
Great Cutts Farm House
Ladies' Spring
Dane Spring
KIMPTON
Hyde Mill Farm
LOWER
Broadlands
Luton
LU1
LU2
Hunters Gate
Wall Wood
Bower Heath
Bower Heath Farm
Poultry Farm
Holly Oak Nursery
Raisins Farm
HOLLY
LANE
HEATH
B652
COMMON
WOOD
Holcroft's Spring
The Osiers
LUTON ROAD
B653
BOWER
Cold Harbour
Riding School
Cooters Hill Farm
Cooters End Farm
The King's School (Elmfield)
Westfield Wood
HARPENDEN BUPA HOSPITAL
Ambrose Wood
Recreation Ground
Pav.
The Lea Prim. Sch.
Westfield Cemetery
SAUNCEY
Saunc Wood
Saunc Wood
Mackerye End
Windmill Cottage
School
Batford Farm
Batford
Lea Valley
Redroof
MANOR
B653
Ford
BATFORD MILL IND. EST.
THE FIRS
MARQUIS
Manland Prim. Sch.
Play. Fld.
St. Georges School
Playing Field
HARPENDEN
HARPENDEN MEMORIAL HOSP.
STATION ROAD
LOWER LUTON ROAD
HIGH STREET
ST. ALBANS ROAD
A1081
Sewage Works
ALDWICKBURY PARK GOLF COURSE
Piggottshill Wood
High Beeches Prim. Sch.
The Lodge
Swimming Pool
Aldwickbury School
WHEATHAMPSTEAD ROAD
Grove Wood
Grove Farm
The Grove
Tennis Courts
The Grove Jun. & Inf. Schools
Playing Field
Harpenden
Convent School
Football Ground
Swimming Pool
Sports Hall
Recreation Ground
Tennis Courts
Rothamsted Experimental Station
Pavilion
Harpenden AL5
Collye Grove Cottages
Rothamsted Manor House
Hatching Green
HARPENDEN COMMON
SOUTHDOWN IND. EST.
Cross Farm
Secret Spring
Clapper's Wood
Eight Acre Wood
Ayres End Cottages
Ayres End
Club House
Limbrick Hall
East Common
Bamville Wood
HARPENDEN COMMON GOLF COURSE
Harpenden Rugby Club
REDBOURN
B487
Club House
Hammondsend Farm
PENDEN COURSE

Porters End
Blackmore End
Hitchin
SG4
Hall Wood
Bibbsworth Hall Farm
NORTH HERTFORDSHIRE
ST. ALBANS
Hog's Plough
Lamer Wood
Nursery
Astridge Farm
Lamer House
Harepark Spring
Shaw's Corner (National Trust)
Ayot Farm
Gustard Wood
Lower Gustard Wood
Hillgate Spring
Round Spring
LAMER PARK
Bride Hall
Mackery End Farm
GUSTARDWOOD COMMON
Heron's Farm
MID HERTS GOLF COURSE
Club House
Marshallsheath Wood
Home Farm
Lamerwood Country Club
Heath Cottage
Delaport House
Lamer Farm
Cromwell Piggeries
St. Albans
AL4
Marshall's Heath
Marshalls Heath
Playing Field
Dairy Cottage
The Dell
Lea House
The Spinney
Castle Farm
LUTON ROAD
The Folly
Wheathampstead House
Leasey Bridge
CODICOTE ROAD
CORY-WRIGHT WAY
River Lea
Black Bridge
WHEATHAMPSTEAD
The Watersplash
Sewage Works
Sports Ground
Leasey Bridge Farm
Marford Farm
Down Green House
Old Acres
Pipers Croft
Poultry Farm
High Pastures
High Oak
MARFORD ROAD
Pipers Farm
Devil's Dyke
The Slad
Wheathampstead Education Centre
Tennis Courts
Playing Field
Little Stocking Wood
Little Piggotts Wood
Amwell
Samuels Farm
Stocking Wood
Belgic Oppidum
Beech Hyde Farm
Amwell Farm
Silverlands Kennels
Lane Farm Cottage
Glen Nurseries
Old Beech Hyde
Memorial
Cricket Club
Pearman's Spring
Colemangreen Spring
West End Farm
Westend Cottages
Nomansland
Kents Dell
NOMANSLAND COMMON
Long Spinney
Coleman Green
Walcy
Darblay

90
70
110
89
Ayot St. Lawrence
Ayot Park
Ayot House
Old Rectory
Ayot Farm
Shaw's Corner (National Trust)
Harepark Spring
Norfolk Cottages
Hillfarm Cottages
Hill View Cottages
Hill Farm
Bride Hall
Round Spring
Little Norfolk Wood
Great Norfolk Wood
Stocking Springs
Hurstling's Wood
Ryefield Farm
Lince's Spring
Sander's Spring
Linces Farm
Welwyn
AL6
Tamarisk Cottage
Dowdell's Wood
Dowdell's Cottage
Ayot St. Peter
The Lodge
Grave Yard
Ayot Bury
Rectory Wood
The Rectory
The Old Rectory
War Memorial
Tennis Court
Ayot Place
Scratching Grove
Threegroves Wood
Fish Wood
Coneydell Spring
Cherrytree Spring
Warren Wood
Bladder Wood
Saul's Wood
Little Hocketts Wood
Long Spring
Mitchell's Wood
Manor Farm
Ayot Little Green
Ayot Green
Hunter's Bridge
Bowle's Wood
Melbourne Stud
Robinson's Wood
Black Bridge
Sparrowhall Bridge
Sparrowhall Farm
James's Wood
The Watersplash
River Lea or Lee
Gray's Wood
St. Albans
AL4
The White Cottage
Ford
Waterend House
Waterend
Cowpers Spring
Park Mead Spring
Crackendell Wood
Cat's Gallows
Fancy Plantation
Reservoirs (covered)
Reservoir Plantation
Cattle Grid
A1(M)
Charlies Croft
Keepers Cottage
Flint Bridge
Bluebell Hill Wood
David's Dingle
Chalkdell Farm
Samuels Farm
Belgic Oppidum
Stable Cottages
Stable Flats
Club Ho.
Brocket Hall
Tennis Courts
Flint Bridge Plantation
Warren Farm
The Broadwater
BROCKET PARK
Beechen Dell
BROCKET HALL GOLF COURSE
Four Gate Plantation
Weir
Cattle Grids
Junction 5
Lamb's Grove
Old Beech Hyde
Memorial
Colemangreen Spring
Kents
Coleman Green
Walcy
Darblay
Sprite Field Spring
Fletcher's Wick
Upper Cromer Hyde Farm
Cromer Hyde
Templehill Plantation
Lodgehill Plantation
Works
Lemsford
Prior's Wood
Cattle Grid
Quarry
Catchpole Wood
DANESBURY PARK GOLF COURSE
NORTH HERTFORDSHIRE
WELWYN HATFIELD
ST. ALBANS
River Mimram
Pulmer Water
Water Tower
MARFORD ROAD
B653
CROMER HYDE LANE
LORD MEAD LANE
KIMPTON ROAD
ST. ALBANS ROAD
AYOT ST. PETER ROAD
AYOT LITTLE GREEN LANE
HOMERSWOOD
CODICOTE ROAD
BRIDE HALL LANE
HILL FARM LANE
WATEREND LANE
COLEMAN GREEN LANE
ROAD

91
DANESBURY PARK GOLF COURSE
DANESBURY HOSPITAL
Danesbury
A1(M)
MOTORWAY
GREAT NORTH ROAD
B197
71
Puttockhill Wood
HARMERGREEN WOOD
Little Barnes Wood
Barnes Wood
Poultry Farm
Nursery
Oakhills Wood
CODICOTE ROAD
B656
Cemetery
Tennis Court
WELWYN
Lockleys
Cattle Grid
Lockley Farm
Hazel Grove
Whores Wood
Foxley Grove
Harmer Green
Reservoir (covered)
War Mem.
Welwyn Roman Baths
Sherrardswood School
Tennis Courts
Hobbs Hill
Playing Fields
Danesbury Home
Pumping Station
Lockleys Wood
Harmergreen House
BY-PASS
Junction 6
A1000
HERTFORD ROAD
DIGSWELL
Welwyn North
Prim. Sch.
Council Offs.
Whitehill Farm
Whitehill
Horseshoe Plantation
Cook's Wood
Pumping Station
Playing Fields
Monk's Walk Sch.
Sandybottom Wood
BESSEMER ROAD
River Mimram
DIGSWELL PARK ROAD
92
THE FRYTHE
Resr. (Cov.)
Tennis Court
Cricket Ground
Digswell Park
Digswell Lake
Welwyn Viaduct
Weir
Tennis Courts
The Alders
St. John's C. of E. Prim. Sch.
Tewin Water Sch.
Reservoir
Playing Field
Malms Wood
Homerswood Jun. Mixed & Inf. Sch.
Digswell Water
Homer's Wood
DIGSWELL HILL
Digswell Place Farm
Welwyn Garden City
Old Wood
Temple Wood
Digswell Place Stables
Library
Rowans Jun. Mixed & Inf. Sch.
Reservoir (covered)
Reservoirs
Brock's Wood
Templewood Primary School
Haldens
Works
WATERSIDE
B1000
SHERRARDSPARK WOOD
Lyles Bridge
Shire Park
MUNDELLS
PANSHANGER GOLF COURSE
Lake
Black Fan Valley
AL7
Factory
Football Ground
Reddings Plantation
Sherrardspark
Digswell Junction
Oakfields Coll.
WELWYN GARDEN CITY
Depot
WELWYN GARDEN CITY GOLF COURSE
AL8
BRIDGE ROAD
THE CAMPUS
B195
Gasholders
Warehouses
Hunters Bri.
BLACK FAN ROAD
Sir Frederic Osborn Sch.
Panshanger
Playing Field
Club House
Monkton House
Welwyn Garden City
Factory
Works
Warehouse
Hern's Wood
A1(M) MOTORWAY
GREAT NORTH ROAD
VALLEY ROAD
BROADWATER ROAD
Peartree
Handside
Playing Field
111
Bushey Leys
Play. Fld.
G H J K L M N
1 2 3 4 5 6 7 8 9
23 24 25
17 16 15 14 13

92
A
B
C
D
E
F
G
1
2
3
4
5
6
7
8
9
26
27
28
17
16
15
14
13
Bull's Green
72
91
112
Perry's Grove
Little Barnes Wood
Barnes Wood
Barnes Wood
Harmer Green
Burnham Green
Water Tower
Caravan Site
Lodge Farm
Village Hall
Reservoir (covered)
Nursery
War Mem.
Little Hillfoot Wood
Tewin Wood
Cooks Wood
Hopkyns Wood
Dawley Wood
Dawley Plantation
Welwyn AL6
Upper Green Pav.
Margery Green
Margery Wood
Crown Farm
TEWIN
Tewin Hill Farm
Sidehill Wood
Queen Hoo Hall
Nicholson's Wood
Oak Vale
Barber's Close
Canon's Wood
Brickground Wood
Open Bailey
Basil's Park
Nancybury Gorse
Symond's Wood
Greenhill Lodge
Seven Acre Wood
Beal's Wood
Bramfieldbury
Moat
BRAMFIELD PARK WOOD
Alexander's Wood
Reservoir (covered)
Nurseries
Green Wood
Westend Farm
Bacon's Green
Bacon's Farm
Flexleys Wood
Red Wood
Home Wood
Lamb Dell Wood
Marden Hill
Hooks Bushes
The Lodge
Reservoir
Playing Field
Tewin Water Sch.
Home Wood
Weirs
Weir
Hideaway
The Old Rectory
Muspatts Farm
Tewin Cowper Junior & Infant School
Swim. Pool
War Mem.
Westley Wood
Rectory Wood
Tewin Lodge
Tewin Bury Farm
Tewin Mill Farm
Tewin Mill House
River Mimram
Warrengate Farm
Bericot Green
Panshanger Aerodrome
Henry Wood
Moneyhole Lane Park
Brocket Hill
West Lodge
Broad Water Island
Sluices
Poplars Grove
PANSHANGER GOLF COURSE
Club House
Football Ground
Black Fan Valley
Library
Jun. Mixed & Inf. Sch.
Welwyn Garden City AL7
Springmead Jun. Mixed & Inf. Sch.
Sir Frederic Osborn Sch.
Panshanger Playing Field
Superstore
Prim. Sch.
Hern's Wood
Bushey Leys
Birchall Wood
Nursery Gardens
HERTFORD ROAD
WATERSIDE
B1000
B195
BLACK FAN ROAD
WELWYN HATFIELD
EAST HERTFORDSHIRE

Great Gobions Farm
Valentine Cottage
Upper Blackbuck Wood
Broomfield Spring
73
Stapleford Place Farm
Stapleford Junior Mixed & Inf. Sch.
Valentine Spring
Brewfield Spring
Warren Wood
Works
Stapleford
Stonyhills
Bright's Hill
Beanfield Wood
Saw Mill
WARREN WOOD INDUSTRIAL ESTATE
Upper Stonyhills Wood
Lower Stonyhills Wood
Stonyhill Lodge
Foxleys Wood
Winter Dell
Row Wood
Sally Rainbow's Dell
A119
Flowersash Wood
Little Gobions
Hubbards
Hubbard's Wood
Bullsmill
Greenhall Farm
Bramfield
Bramfield House
New House
PRIEST WOOD
BULLSMILL LANE
Bardon Clumps
Village Hall
Playing Field
Waterford Hall Cottages
Waterford Hall Farm
Barleycroft Grove
Bramfield Place Farm
Hopgrounds
Depot
Filter Beds
Holly Grove
Works
VICARAGE LANE
BRAMFIELD LANE
Lies Grove
94
Depots
WATERFORD
Hertford SG14
Gravel Pits
Waterford Plantation
Play. Fld.
War Mem.
Willow Cottage
Westend House
Waterford Marsh
Water Tower
Goldings
Tennis Courts
Great Mole Wood
Oakfield Plantation
Kennels
Swimming Pool
Bengeo Prim. Sch.
Nursery
Playing Field
Broadoak End
Icehouse Wood
Great Mole Wood
Barnsleys Wood
Charterfield Plantation
Hanging Grove
Tennis Court
Broadoak End Farm
Goldings Canal
River Beane
Holly Bushes House
Selebroom Wood
Windyridge Farm
Eleven Acre Wood
Boat House
Long Wood
Bengeo
Little Mole Wood
Archer's Spring
North Lodge
Panshanger Stables
Cemetery
WELWYN
St. Joseph's R.C. Prim. Sch.
Prim. Sch.
EVERGREEN WOOD
Blakemore Wood
Garden Wood
B1000
Hertford North
The Sele Sch.
Hollybush Prim. Sch.
Swim. Pool
Play. Fld.
Mill Mead Prim. Sch.
HERTFORD CO. HOSP.
Riverside Cottage
Chesher's Plantation
Lady Hughes's Wood
Chelmsford Wood
Osier Beds
113
HERTINGFORDBURY
A414
HERTFORD
NORTH ROAD
Epcombs
Depot
Works

Tonwell
Chapmore End
Stonyhills
Dimmings
Dimmings Cottage
Upper Stonyhills Wood
Lower Stonyhills Wood
Stonyhill Lodge
Chapmore-end Farm
High Trees Farm
Sewage Works
The Well House
Paynes Hall
Chelsing Lodge
Gravelpit Plantation
HANBURY MANOR GOLF COURSE
Westmill Plantation
Gravel Works
Conveyors
Flowersash Wood
Bengeo Lammas Land
Rickneys Cottages
Rickneys
Bardon Clumps
Westmill Farm
The Bungalows
Gravel Pit
Jubilee Plantation
Lane Plantation
Rockfield Spinney
St. John's Wood
Oak Wood
Pumping Station
Depots
Eight Acre Plantation
Rushwood
Ware Park Farm
Cowshed Corner
Monastery
Nursery
Ware Park
Bardon Farm
Woodlands
South Lodge
Playing Field
The Chauncy School
St. Catherine's Prim. Sch.
Cemetery
Sports Field
SG14
Bengeo Prim. Sch.
Bengeo Hall
Revel's Hall
Sports Grd.
Bengeo
Little Mole Wood
Water Tower
King's Mead
Hertford
Chadwell Spring
Monument
BARROW FIELD GOLF COURSE
Dicker Mill
Hartham
Duncombe School
HERTFORD
Hertford East
The Pines Jun. & Inf. Sch.
Pine Hurst
Wheatcroft Jun. & Inf. Sch.
SG13
Superstore
Ballshill Grove
Foxholes Business Park
Rush Green Lodge
Rush Green
Rush Green Farm
Foxholes Farm
Simon Balle Sch.
HERTFORD CO. HOSP.
Mill Mead Prim. Sch.
WESTMILL ROAD
WARE ROAD
ANCHOR LANE
WADESMILL ROAD
BENGEO STREET
PORT HILL
STANSTEAD ROAD
LONDON ROAD
GASCOYNE WAY
HERTINGFORDBURY RD
NORTH RD
SACOMBE ROAD
River Rib
River Beane
River Lea or Lee
New River
74
93
114

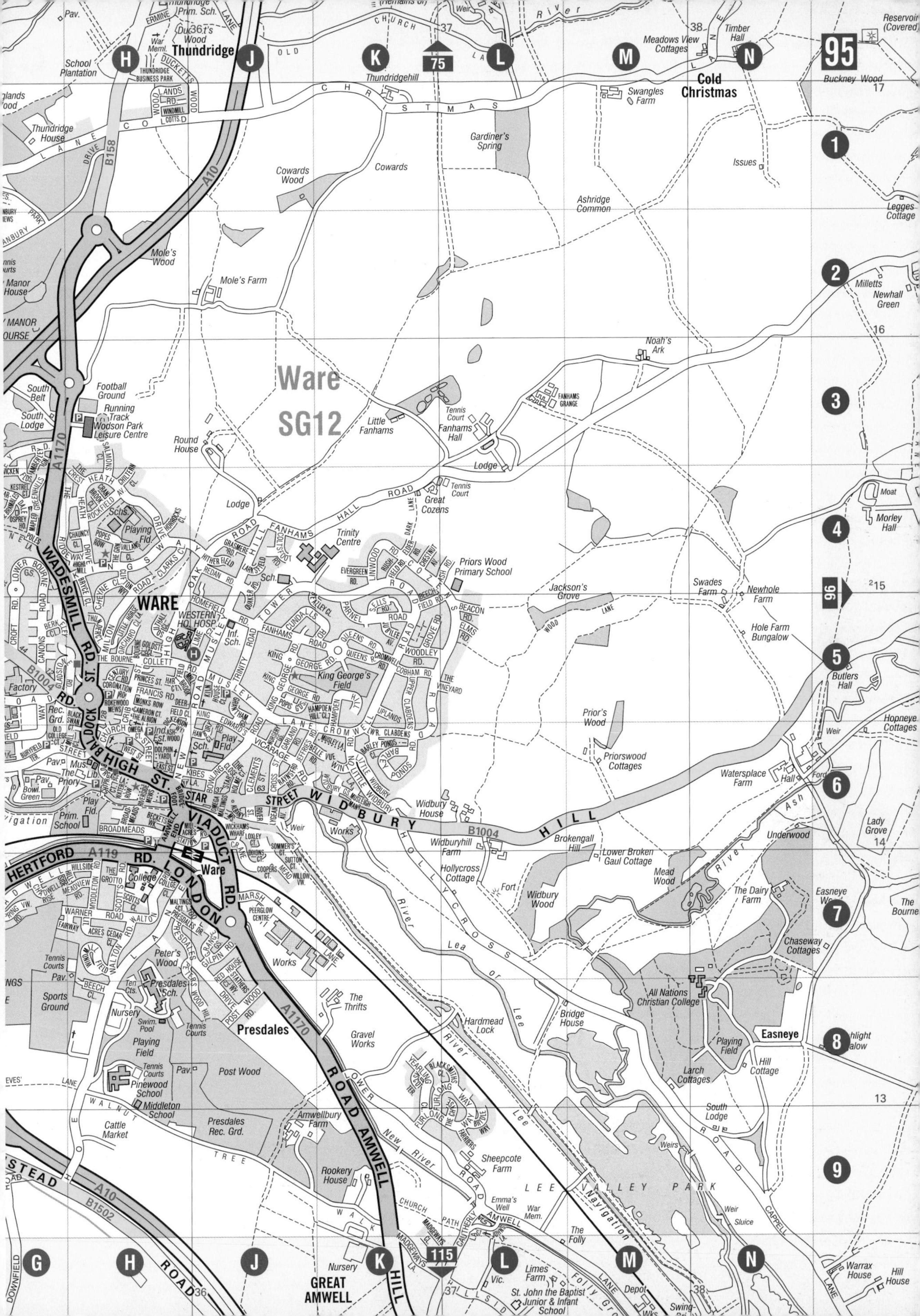
Thundridge
Cold Christmas
Ware SG12
WARE
Wadesmill Rd.
High St.
Viaduct Rd.
London Rd.
Hertford Rd.
Widbury Hill
Fanhams Hall Road
Presdales
Easneye
Great Amwell
Amwell Hill
Lee Valley Park
Lee Navigation
New River
Swangles Farm
Gardiner's Spring
Cowards Wood
Cowards
Mole's Wood
Mole's Farm
Ashridge Common
Noah's Ark
Little Fanhams
Fanhams Hall
Round House
Lodge
Great Cozens
Trinity Centre
Priors Wood Primary School
Jackson's Grove
Swades Farm
Newhole Farm
Hole Farm Bungalow
Butlers Hall
Prior's Wood
Priorswood Cottages
Watersplace Farm
Widbury House
Widburyhill Farm
Hollycross Cottage
Brokengall Hill
Lower Broken Gaul Cottage
Mead Wood
Widbury Wood
The Dairy Farm
Chaseway Cottages
All Nations Christian College
Bridge House
Hardmead Lock
Larch Cottages
Hill Cottage
South Lodge
Sheepcote Farm
Amwellbury Farm
Rookery House
Emma's Well
The Folly
Limes Farm
St. John the Baptist Junior & Infant School
Football Ground
Running Track
Wodson Park Leisure Centre
King George's Field
Western Ho. Hosp.
Peter's Wood
Presdales Sch.
Post Wood
Pinewood School
Middleton School
Presdales Rec. Grd.
Cattle Market
Sports Ground
The Thrifts
Gravel Works
Meadows View Cottages
Timber Hall
Buckney Wood
Legges Cottage
Milletts
Newhall Green
Morley Hall
Hopneye Cottages
Lady Grove
Underwood
Warrax House
Hill House

75
96
115

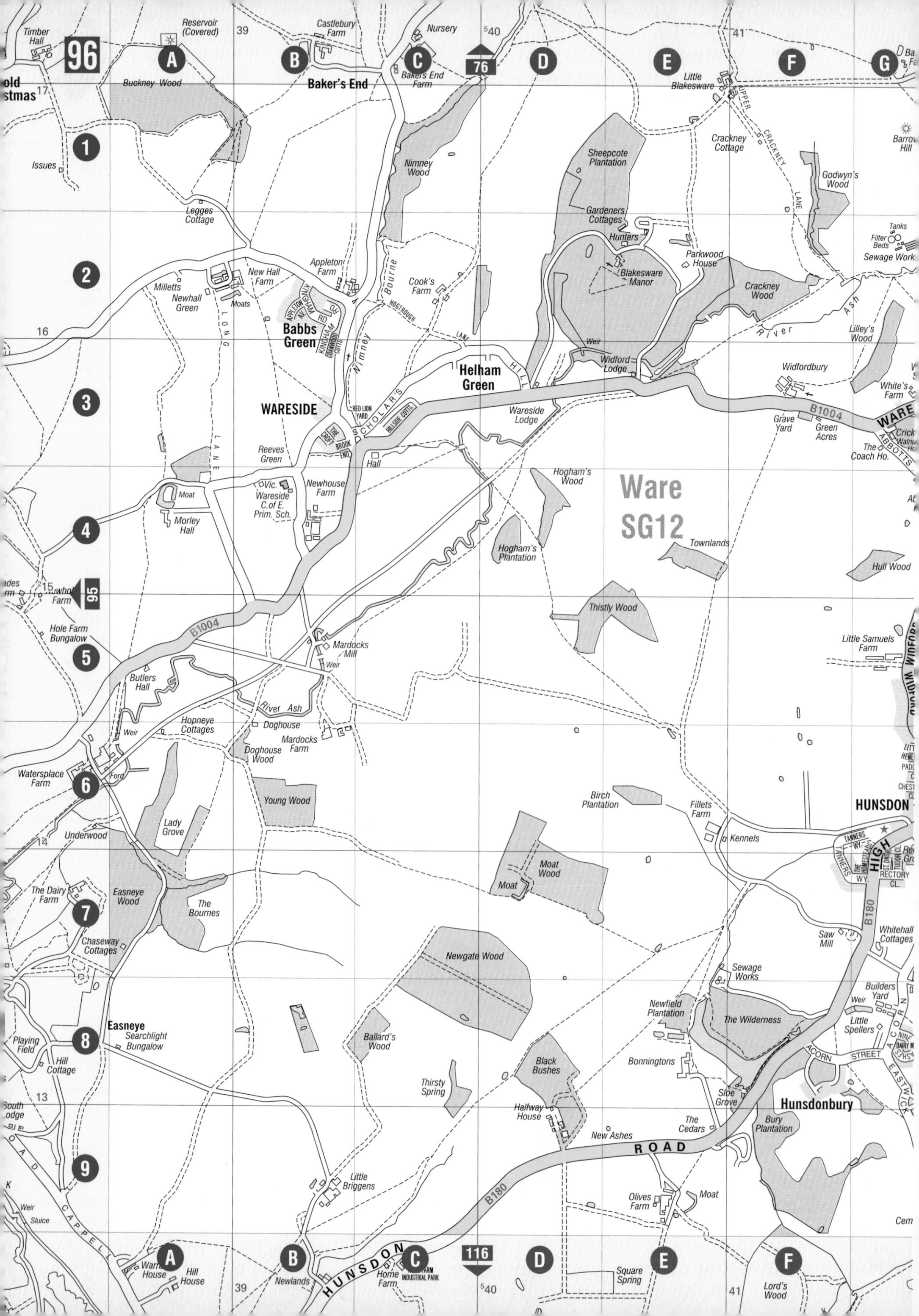

96
Timber Hall
Reservoir (Covered)
Castlebury Farm
Nursery
Baker's End
Bakers End Farm
76
Little Blakesware
Buckney Wood
Issues
Nimney Wood
Sheepcote Plantation
Crackney Cottage
Godwyn's Wood
Barrow Hill
Legges Cottage
Gardeners Cottages
Hunters
Parkwood House
Blakesware Manor
Crackney Wood
Sewage Works
Appleton Farm
New Hall Farm
Milletts
Newhall Green
Moats
Cook's Farm
Babbs Green
Helham Green
Widford Lodge
Widfordbury
Lilley's Wood
White's Farm
WARESIDE
Wareside Lodge
Grave Yard
Green Acres
The Coach Ho.
B1004
Reeves Green
Hall
Hogham's Wood
Ware
SG12
Moat
Vic.
Wareside C.of E. Prim. Sch.
Newhouse Farm
Morley Hall
Hogham's Plantation
Townlands
Hull Wood
Thistly Wood
Hole Farm Bungalow
95
Mardocks Mill
Weir
Little Samuels Farm
Butlers Hall
River Ash
Hopneye Cottages
Doghouse
Mardocks Farm
Doghouse Wood
Watersplace Farm
Ford
Young Wood
Birch Plantation
Fillets Farm
HUNSDON
Lady Grove
Underwood
Kennels
Moat Wood
The Dairy Farm
Easneye Wood
The Bournes
Saw Mill
Whitehall Cottages
Chaseway Cottages
Newgate Wood
Sewage Works
Builders Yard
Newfield Plantation
The Wilderness
Little Spellers
Easneye
Searchlight Bungalow
Playing Field
Ballard's Wood
Hill Cottage
Black Bushes
Bonningtons
ACORN STREET
Thirsty Spring
Sloe Grove
Hunsdonbury
Halfway House
The Cedars
Bury Plantation
New Ashes
ROAD
Little Briggens
B180
Olives Farm
Moat
HUNSDON
Newlands
Home Farm
Hill House
116
Square Spring
Lord's Wood
Weir
Sluice
CAPPELL
39
40
41
17
16
15
14
13

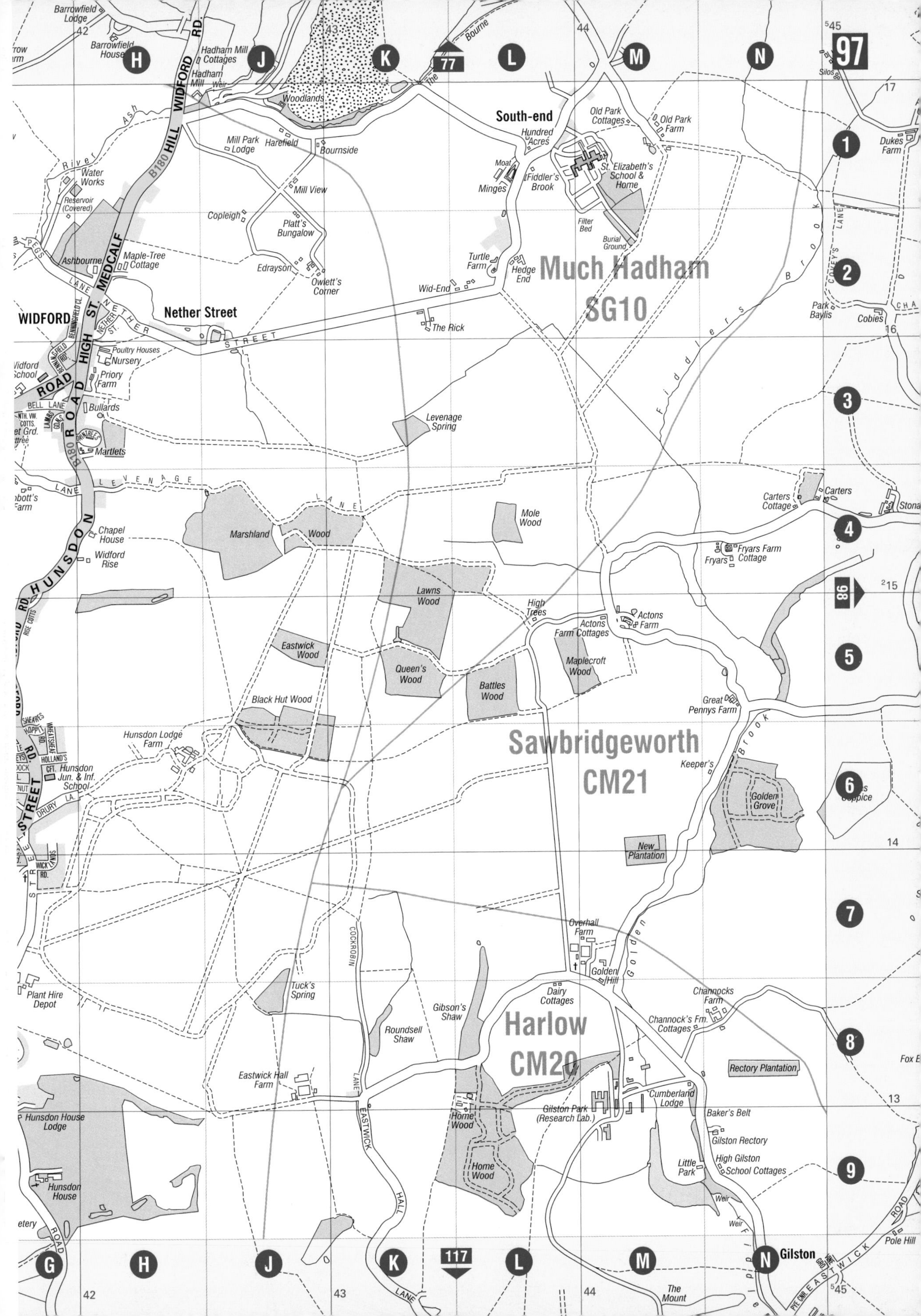
Much Hadham
SG10
Sawbridgeworth
CM21
Harlow
CM20
South-end
Nether Street
WIDFORD
Gilston
Barrowfield Lodge
Barrowfield House
Hadham Mill Cottages
Hadham Mill
Woodlands
Mill Park Lodge
Harefield
Bournside
Mill View
Water Works
Reservoir (Covered)
Copleigh
Platt's Bungalow
Ashbourne
Maple-Tree Cottage
Edrayson
Owlett's Corner
Hundred Acres
Old Park Cottages
Old Park Farm
St. Elizabeth's School & Home
Moat
Minges
Fiddler's Brook
Filter Bed
Burial Ground
Turtle Farm
Hedge End
Wid-End
The Rick
Dukes Farm
Park Baylis
Cobies
Poultry Houses
Nursery
Priory Farm
Bullards
Martlets
Levenage Spring
Chapel House
Widford Rise
Marshland Wood
Mole Wood
Carters Cottage
Carters
Fryars Farm Cottage
Fryars
Lawns Wood
High Trees
Actons Farm
Actons Farm Cottages
Eastwick Wood
Queen's Wood
Battles Wood
Maplecroft Wood
Black Hut Wood
Great Pennys Farm
Hunsdon Lodge Farm
Hunsdon Jun. & Inf. School
Keeper's
Golden Grove
New Plantation
Overhall Farm
Golden Hill
Dairy Cottages
Tuck's Spring
Gibson's Shaw
Roundsell Shaw
Plant Hire Depot
Channocks Farm
Channock's Fm. Cottages
Rectory Plantation
Eastwick Hall Farm
Cumberland Lodge
Gilston Park (Research Lab.)
Baker's Belt
Home Wood
Gilston Rectory
High Gilston School Cottages
Little Park
Hunsdon House Lodge
Hunsdon House
Weir
Pole Hill
The Mount
B180 HIGH ST. MEDCALF ROAD
WIDFORD HILL
HUNSDON ROAD
NETHER STREET
LEVENAGE LANE
COCKROBIN LANE
EASTWICK HALL LANE
EASTWICK ROAD
COVEY'S LANE
BELL LANE
DRURY LA.
River Ash
Fiddlers Brook
Golden Brook
The Bourne
77
86
117
H J K L M N
1 2 3 4 5 6 7 8 9
G H J K L M N
42 43 44 45
17 16 15 14 13

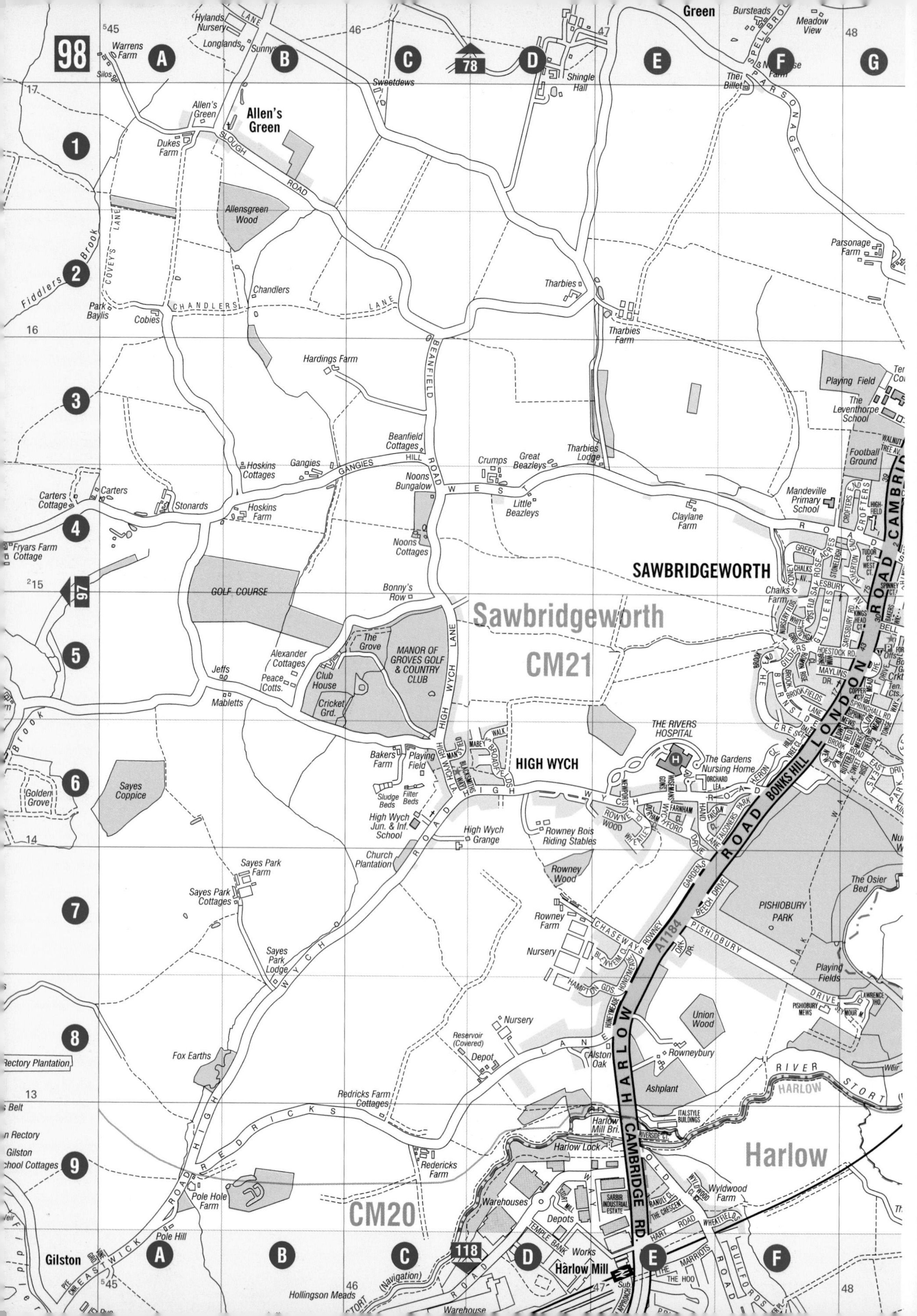

98
Warrens Farm
Silos
Hylands Nursery
Longlands
Sunnyside
Sweetdews
78
Shingle Hall
Green
Bursteads
Meadow View
The Billet
PARSONAGE
Allen's Green
Dukes Farm
SLOUGH ROAD
Allensgreen Wood
COVEY'S LANE
Fiddlers Brook
Park Baylis
Cobies
CHANDLERS LANE
Chandlers
Tharbies
Tharbies Farm
Parsonage Farm
Hardings Farm
BEANFIELD ROAD
Playing Field
The Leventhorpe School
Beanfield Cottages
Hoskins Cottages
Gangies
GANGIES HILL
Crumps
Great Beazleys
Tharbies Lodge
Football Ground
Noons Bungalow
WEST ROAD
Carters Cottage
Carters
Stonards
Hoskins Farm
Little Beazleys
Claylane Farm
Mandeville Primary School
Fryars Farm Cottage
Noons Cottages
SAWBRIDGEWORTH
97
GOLF COURSE
Bonny's Row
Chalks Farm
Sawbridgeworth
The Grove
MANOR OF GROVES GOLF & COUNTRY CLUB
CM21
Alexander Cottages
Club House
Jeffs
Peace Cotts.
Cricket Grd.
Mabletts
HIGH WYCH LANE
THE RIVERS HOSPITAL
The Gardens Nursing Home
Bakers Farm
Playing Field
HIGH WYCH
Sayes Coppice
Golden Grove
Sludge Beds
Filter Beds
High Wych Jun. & Inf. School
HIGH WYCH ROAD
High Wych Grange
Rowney Bois Riding Stables
LONDON ROAD
Sayes Park Farm
Church Plantation
Rowney Wood
The Osier Bed
Sayes Park Cottages
Rowney Farm
PISHIOBURY PARK
Nursery
A1184
Sayes Park Lodge
Playing Fields
PISHIOBURY DRIVE
Rectory Plantation
Nursery
Union Wood
Fox Earths
Reservoir (Covered)
Depot
Alston Oak
Rowneybury
RIVER STORT
Ashplant
Redricks Farm Cottages
REDRICKS LANE
HARLOW
Harlow Mill Bri.
Harlow Lock
Harlow
Gilston School Cottages
Redericks Farm
Pole Hole Farm
Warehouses
Wyldwood Farm
CM20
Depots
CAMBRIDGE RD.
Pole Hill
Gilston
EASTWICK ROAD
118
TEMPLE BANK
Works
Harlow Mill
THE HOO
GUILFORDS ROAD
Hollingson Meads
Warehouse

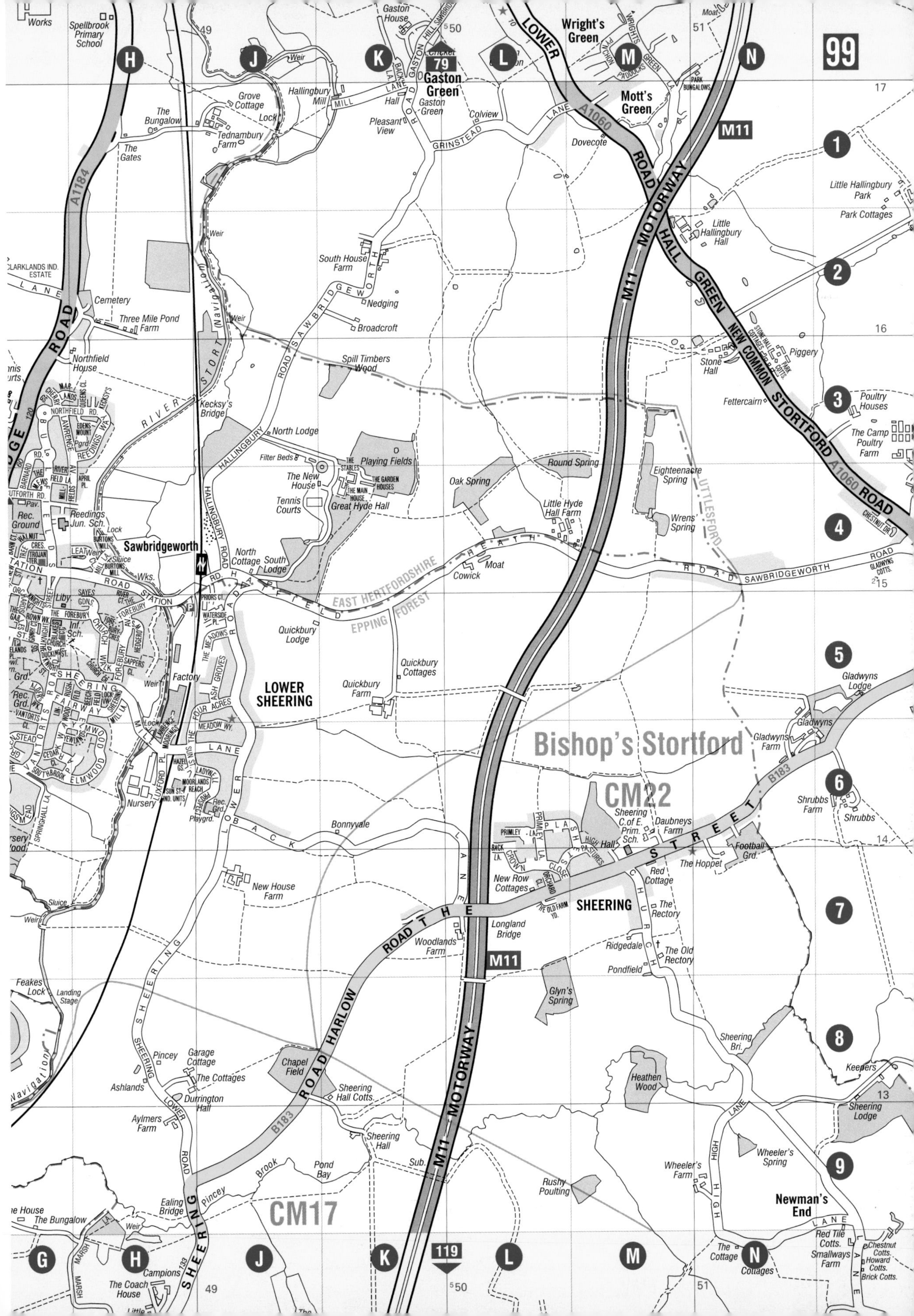

Works
Spellbrook Primary School
Gaston House
Gaston Green
Wright's Green
Mott's Green
Hallingbury Mill
Grove Cottage
The Bungalow
Tednambury Farm
The Gates
Lock
Pleasant View
Colview
Dovecote
Little Hallingbury Park
Park Cottages
Little Hallingbury Hall
CLARKLANDS IND. ESTATE
South House Farm
Nedging
Broadcroft
Cemetery
Three Mile Pond Farm
Northfield House
Spill Timbers Wood
Stone Hall
Piggery
Fettercairn
Poultry Houses
The Camp Poultry Farm
Kecksy's Bridge
North Lodge
Playing Fields
Round Spring
Eighteenacre Spring
The New House
Tennis Courts
Great Hyde Hall
Oak Spring
Little Hyde Hall Farm
Wrens' Spring
Reedings Jun. Sch.
Sawbridgeworth
North Cottage
South Lodge
Cowick
Moat
EAST HERTFORDSHIRE
EPPING FOREST
UTTLESFORD
SAWBRIDGEWORTH ROAD
Quickbury Lodge
Quickbury Cottages
Quickbury Farm
LOWER SHEERING
Factory
Gladwyns Lodge
Gladwyns Farm
Bishop's Stortford
CM22
Shrubbs Farm
Shrubbs
Nursery
Bonnyvale
Sheering C.of E. Prim. Sch.
Daubneys Farm
Football Grd.
The Hoppet
New House Farm
New Row Cottages
Red Cottage
SHEERING
The Rectory
Longland Bridge
Woodlands Farm
Ridgedale
The Old Rectory
Pondfield
Glyn's Spring
Feakes Lock
Landing Stage
Sheering Bri.
Keepers
Pincey
Garage Cottage
The Cottages
Chapel Field
Heathen Wood
Ashlands
Durrington Hall
Sheering Hall Cotts.
Sheering Lodge
Aylmers Farm
Sheering Hall
Wheeler's Spring
Wheeler's Farm
Pond Bay
Rushy Poulting
Ealing Bridge
Newman's End
CM17
The Bungalow
The Cottage
Cottages
Tile Cotts.
Chestnut Cotts.
Smallways Farm
Howard Cotts.
Brick Cotts.
Campions
The Coach House
M11 MOTORWAY
LOWER HALL GREEN ROAD
NEW COMMON STORTFORD ROAD
HARLOW ROAD
THE STREET
SHEERING LOWER ROAD
HALLINGBURY ROAD
SAWBRIDGEWORTH ROAD
STATION ROAD
RIVER STORT (Navigation)
79
119

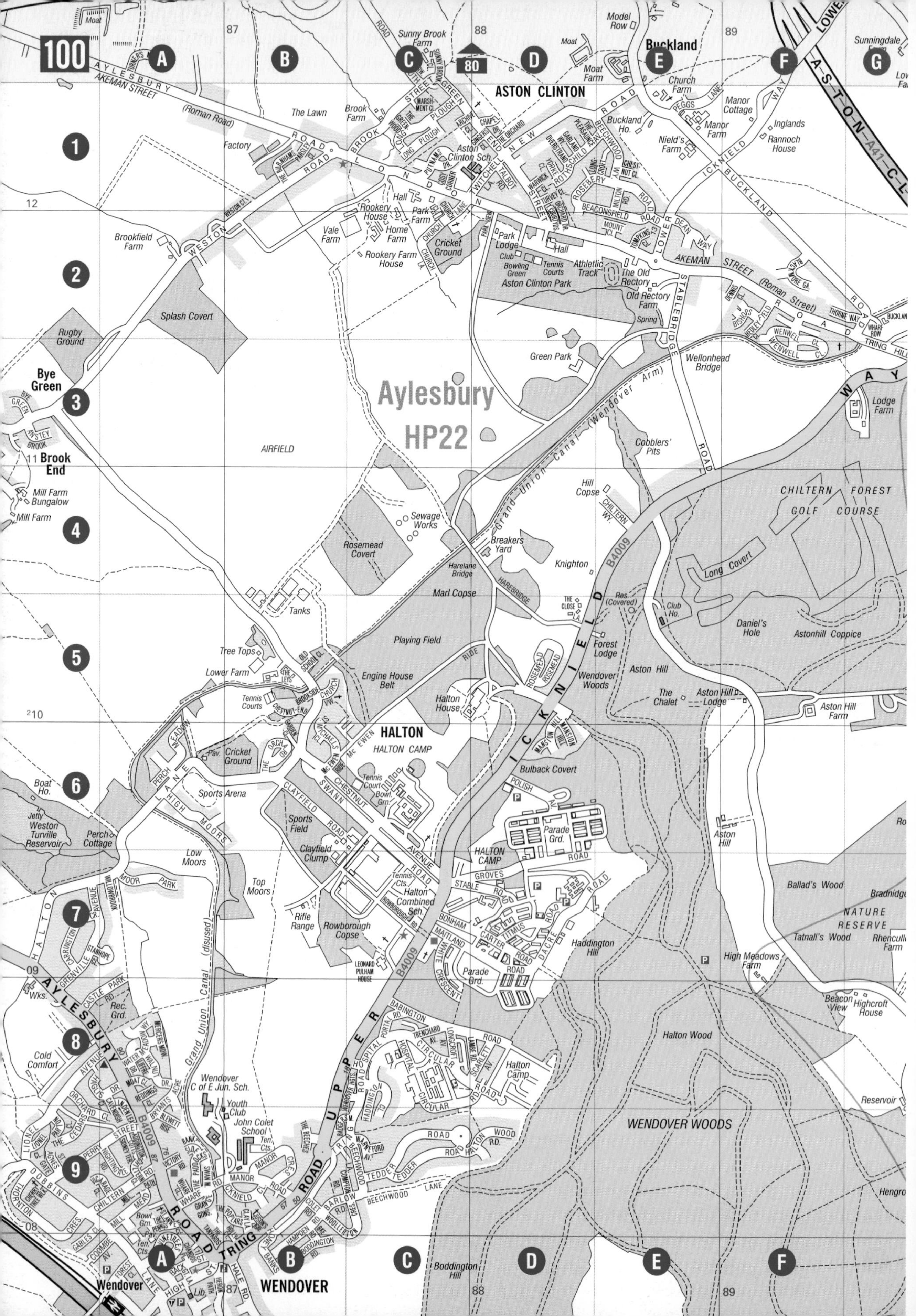

ASTON CLINTON
Buckland
Aylesbury
HP22
HALTON
HALTON CAMP
WENDOVER
Wendover
WENDOVER WOODS
AKEMAN STREET
(Roman Road)
LONDON ROAD
WESTON ROAD
ICKNIELD WAY
UPPER ICKNIELD WAY
B4009
A41
Grand Union Canal (Wendover Arm)
Grand Union Canal (disused)
Bye Green
Brook End
Mill Farm Bungalow
Mill Farm
Rugby Ground
Splash Covert
Brookfield Farm
Factory
The Lawn
Brook Farm
Sunny Brook Farm
Moat
Model Row
Moat Farm
Church Farm
Manor Cottage
Manor Farm
Nield's Farm
Inglands
Rannoch House
Sunningdale
Aston Clinton Sch.
Hall
Rookery House
Park Farm
Home Farm
Vale Farm
Rookery Farm House
Cricket Ground
Park Lodge
Club
Bowling Green
Tennis Courts
Athletic Track
Aston Clinton Park
The Old Rectory
Old Rectory Farm
Spring
Green Park
Wellonhead Bridge
Lodge Farm
AIRFIELD
Cobblers' Pits
Hill Copse
Sewage Works
Rosemead Covert
Breakers Yard
Harelane Bridge
Marl Copse
Knighton
CHILTERN FOREST GOLF COURSE
Long Covert
Club Ho.
Daniel's Hole
Astonhill Coppice
Res. (Covered)
Forest Lodge
Wendover Woods
Aston Hill
The Chalet
Aston Hill Lodge
Aston Hill Farm
Tanks
Tree Tops
Lower Farm
Playing Field
Engine House Belt
Halton House
Tennis Courts
Cricket Ground
Pav.
Sports Arena
Boat Ho.
Jetty
Weston Turville Reservoir
Perch Cottage
Low Moors
Top Moors
Sports Field
Clayfield Clump
Tennis Court
Bowl. Grn.
Bulback Covert
Parade Grd.
Halton Combined Sch.
Rifle Range
Rowborough Copse
Leonard Pulham House
Haddington Hill
Ballad's Wood
Bradnidge
NATURE RESERVE
Tatnall's Wood
Rhenculle Farm
High Meadows Farm
Beacon View
Highcroft House
Halton Wood
Halton Camp
Reservoir
Hengrove
Wks.
Rec. Grd.
Cold Comfort
Wendover C of E Jun. Sch.
Youth Club
John Colet School
Ten. Cts.
Bowl Grn.
Pav.
Lib.
Boddington Hill
80
87
88
89
12
11
10
09
08

Drayton Beauchamp
Upper Farm
The School House
Fish Ponds
The Old Rectory
Bridge Farm
Drayton Bridge
Moat
Subway
Church Hill Farm
The Close
Broadview Farm
Hatchways
Beeches Farm
Drayton Holloway
Icknield House
Miswell Farm
Miswell House
Miswell Cottages
Icknield Farm
ICKNIELD WAY INDUS. EST.
Red Roofs
Worth House
New Mill
Grove Road Prim. Sch.
Dundale Primary Sch.
Tring Sch. & Sports Cen.
Tennis Courts
Works
Cattle Mkt.
Cemy.
Play. Fields
Cricket Ground
Pound Meadow
Dunsley Farm
Upper Dunsley
Mem. Garden
Superstore
TRING
The Arts Educational School
Museum
Sports Field
Rec. Grd.
Goldfield Inf. Sch.
Cemetery
Convent Sch.
AKEMAN STREET (Roman Road)
London Lodge
Park Wood
Great West Plantation
HOME FARM
TRING PARK
Drayton Manor
Little Turretts
Uplands
Dancersend
West Leith
Tring HP23
Pine Ridge
The New House
Badgers Wood
Merryweathers
Stud Barn
West Leith Farm
Stubbings Wood
Buckland Hoo
Dancers End Lodge
Astonhill Place
Busker's End
Coombe Hill
Dancers End Farm
Terrier's End
Fidlers Green
Deacon's Hill Wood
Evan's Spring
Hastoe Hill
High Spring
Grove Wood
Bishop's Wood
Ebb's Pit
Hang Hill Cottages
Yew Tree Cottage
Pond Cottage
Hanghill
Dog Wood
Wixe's Wood
Riding Stables
Marlin Hill Farm
Hastoe Cross
Round Spring
Spencersgreen
Painsend Farm
Red Craft
Pavis Wood
Hastoe House
Hastoe Farm
Hastoe
Halls
Wick Farm
Wick Wood
Bull's Wood
Langlands
Bittam's Wood
Works
Water Works
Southpark House
Northill Wood
Black Wood
Oakengrove
Longcroft
Keepers Cottage
Kiln Farm
Shrubb's Wood
High Scrubs
Chivery Hall Farm
Pig Farm
Drayton Wood Ho.
Haresgarden Wood
DRAYTON WOOD
Leylands Farm
Sunny View
Hengrove
Chivery
Chivery Farm
Chiltern Cottage
Buckland Wood
Bottom Ho.
Beechwood Farm
Shirelane Farm
DACORUM
AYLESBURY VALE
CHILTERN
A41
B4635
B4009
B488
B486
TRING BY-PASS
ICKNIELD WAY
AYLESBURY ROAD
WESTERN ROAD
HIGH STREET
LONDON ROAD
BROOK ST.
DANCERS END LANE
HASTOE LANE
MARLIN HILL
DUCKMORE LANE
LEAFY LANE
DRAYTON HOLLOW
CHURCH LANE
GADMORE LANE
81
102
H J K L M N
G H J K L M N
1 2 3 4 5 6 7 8 9
490 91 92 93
12 11 210 09 08

Tring
HP23
TRING
Upper Dunsley
WIGGINTON
Wigginton Bottom
New Ground
Cow Roast
Clayhill
TRING PARK
Tring
Marshcroft Cottages
Clarke's Spring
The Court Theatre
The Rookery Lodge
Pendley Farm
Pendley Manor
Football Grounds
Cow Lane Farm
Chestnut Wood
Pendley Beeches
Lodge Bushes
Keepers Lodge
Depot
New Ground Farm
No-Man's Friend Wood
Langton Wood
Park Wood
North Pest House Wood
Bull's Wood
Park Farm
Lewin's Farm
Sheep Walk
Wick Farm
Wick Wood
Grim's Ditch (Course of)
Hill Green Farm
Lower Wood
Geary's Hill
Harding's Wood
Great Hill Plantation
Crawley's Lane Farm
Wood Row
Woodrow Farm
Smart's Wood
White Farm
Victoria Wood
Sunways
Nursery
Grim's Ditch
Hamberlins Wood
Breeche's Wood
Newsetts Wood
Fernwood
Westhaven
Tennis Courts
Cherry Tree Farm
Lodge Farm
Shootersway Farmhouse
The Shrubbery
Roundhill Wood
The Flats
Africandawns Kennels
Three Oaks Plantation
Bungalow Nurseries
Chiltern Farm
Langly Farm
Greenacres
Redwing Farm
The Hollies
Farthings
Nursery
Shirelane Farm
Ambers Farm
High Scrubs
Kiln Farm
Keepers Cottage
Windbush
Tring Lodge
Merrymead
Hamberlins Farm
Tinkers Lodge
Hockey Ground
Playing Field
Marina
Cow Roast Lock
Church Farm
Grove Road Prim. Sch.
Tring School
The Arts Educational School
Superstore
Mem. Garden
Dunsley Farm
Cricket Ground
Pound Meadow
Play. Fields
London Lodge
Oddy Hill
Obelisk
Rec. Grd.
War Mem.
AKEMAN STREET
A4251
A41
TRING BY-PASS
BERKHAMSTED ROAD
LONDON ROAD
STATION ROAD
NEW GROUND ROAD
BEGGARS LANE
BOTTOM HOUSE LANE
ROSSWAY LANE
TINKERS LANE
HAMBERLINS LANE
SHOOTERSWAY
CHESHAM ROAD
CHOLESBURY ROAD
KILN ROAD
WICK ROAD
CRAWLEY'S LANE
HEMP LANE
VICARAGE ROAD
Grand Union Canal
82
101
120

ASHRIDGE GOLF COURSE
PRINCE'S RIDING
Old Park Lodge
ALDBURY COMMON
ALDBURY
Old Copse
The Old Dairy
Thunderdell Wood
The Rookery
Sewage Works
Ashridge Management College
Gryme's Dell
ASHRIDGE PARK
Woodyard Cottage
Harding's Rookery
Brightwood
Rail Copse
Tom's Hill
Tom's Hill House
The Scrubs
Little Coldharbour Farm
Coldharbour Spring
Coldharbour Farm
Berkhamsted Common
BERKHAMSTED COMMON
Bottom Spring
Broomfield Spring
High Spring
Furzefield Wood
NORTHCHURCH COMMON
Norcott Hill
THE BUNGALOWS
Norcott Hall
Reservoir (Covered)
NORCOTT COURT
Brickkiln Cottage
Frith's Beech
Northchurch Common
Hill Farm
Berkhamsted HP4
Gorseside
Northchurch Farm
Dudswell House
River Bulbourne
Dudswell
TRING ROAD
HIGH STREET
Morningstar
Hamberlins
Piggery Farm
Cornerfield
NORTHCHURCH COMMON
Bridgewater Sch.
New Farm
Hedgelands
Castle Hill Farm
Golf Driving Range
Northchurch
BERKHAMSTED
Little Dickshill Wood
Sports Ground
Works
Swags Spring
GOSSOM'S END
A4251
Grand Union Canal
The Rookery
Berkhamsted
Berkhamsted Castle (Remains)
Grim's Ditch
Cox Dell
Egerton-Rothesay School
Playing Field
Shootersway
The Plantation
SHOOTERSWAY
BY-PASS
B4506
83
104
121

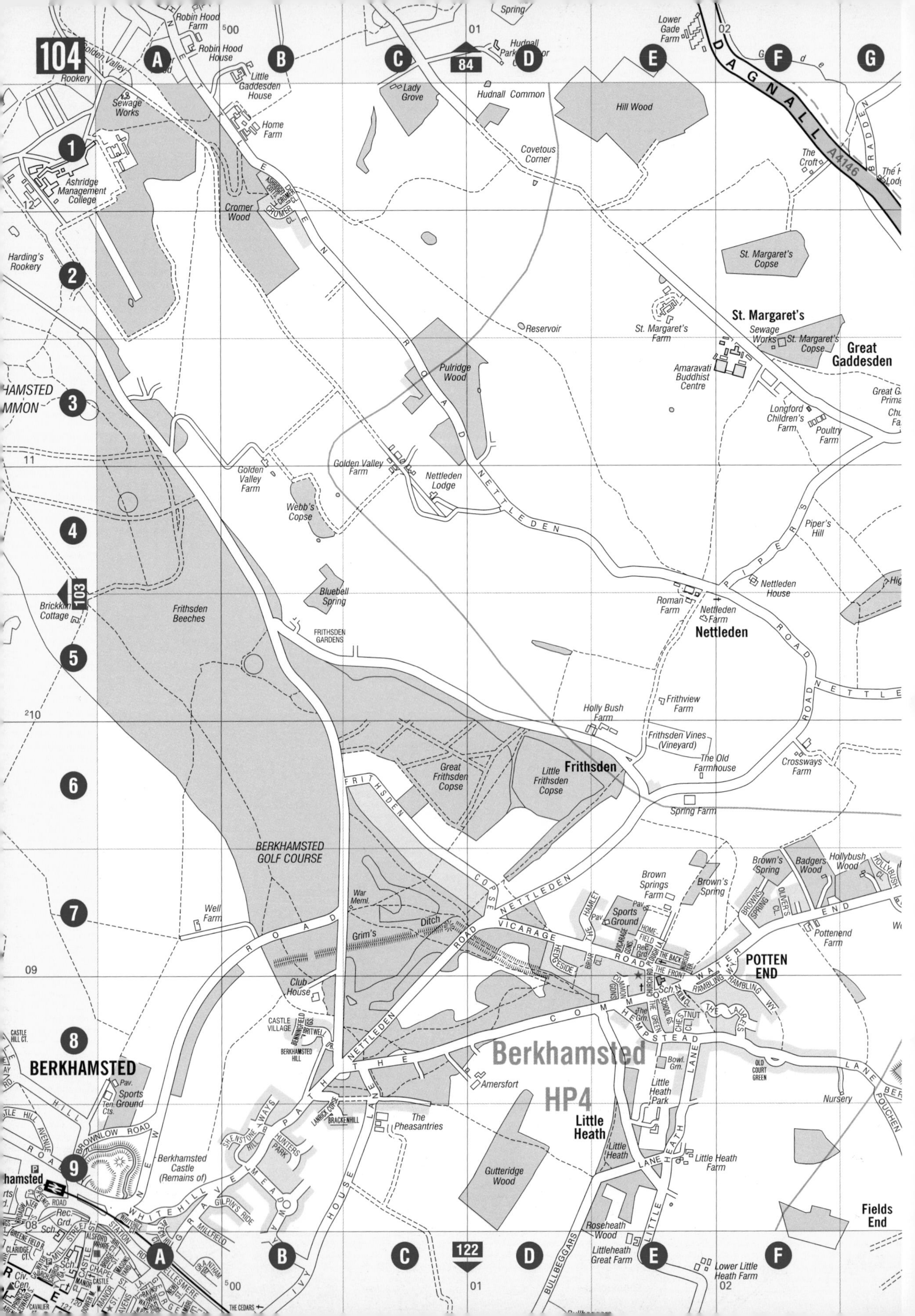
Robin Hood Farm
Robin Hood House
Little Gaddesden House
Home Farm
Golden Valley
Rookery
Sewage Works
Ashridge Management College
Cromer Wood
Lady Grove
Hudnall Common
Hudnall Park
Covetous Corner
Hill Wood
Lower Gade Farm
DAGNALL
A4146
The Croft
St. Margaret's Copse
Harding's Rookery
Reservoir
St. Margaret's Farm
St. Margaret's
Sewage Works
St. Margaret's Copse
Great Gaddesden
Amaravati Buddhist Centre
Pulridge Wood
Longford Children's Farm
Poultry Farm
Golden Valley Farm
Nettleden Lodge
Webb's Copse
Piper's Hill
Bluebell Spring
Nettleden House
Brickkiln Cottage
Frithsden Beeches
FRITHSDEN GARDENS
Roman Farm
Nettleden Farm
Nettleden
Frithview Farm
Holly Bush Farm
Frithsden Vines (Vineyard)
The Old Farmhouse
Crossways Farm
Great Frithsden Copse
Little Frithsden Copse
Frithsden
Spring Farm
BERKHAMSTED GOLF COURSE
Brown's Spring
Badgers Wood
Hollybush Wood
Brown Springs Farm
Brown's Spring
War Meml.
Sports Ground
Well Farm
Grim's Ditch
Pottenend Farm
POTTEN END
Club House
CASTLE VILLAGE
Berkhamsted HP4
BERKHAMSTED
Sports Ground
Amersfort
Little Heath Park
Nursery
The Pheasantries
Little Heath
Berkhamsted Castle (Remains of)
Gutteridge Wood
Little Heath Farm
Fields End
Roseheath Wood
Littleheath Great Farm
Lower Little Heath Farm
THE CEDARS

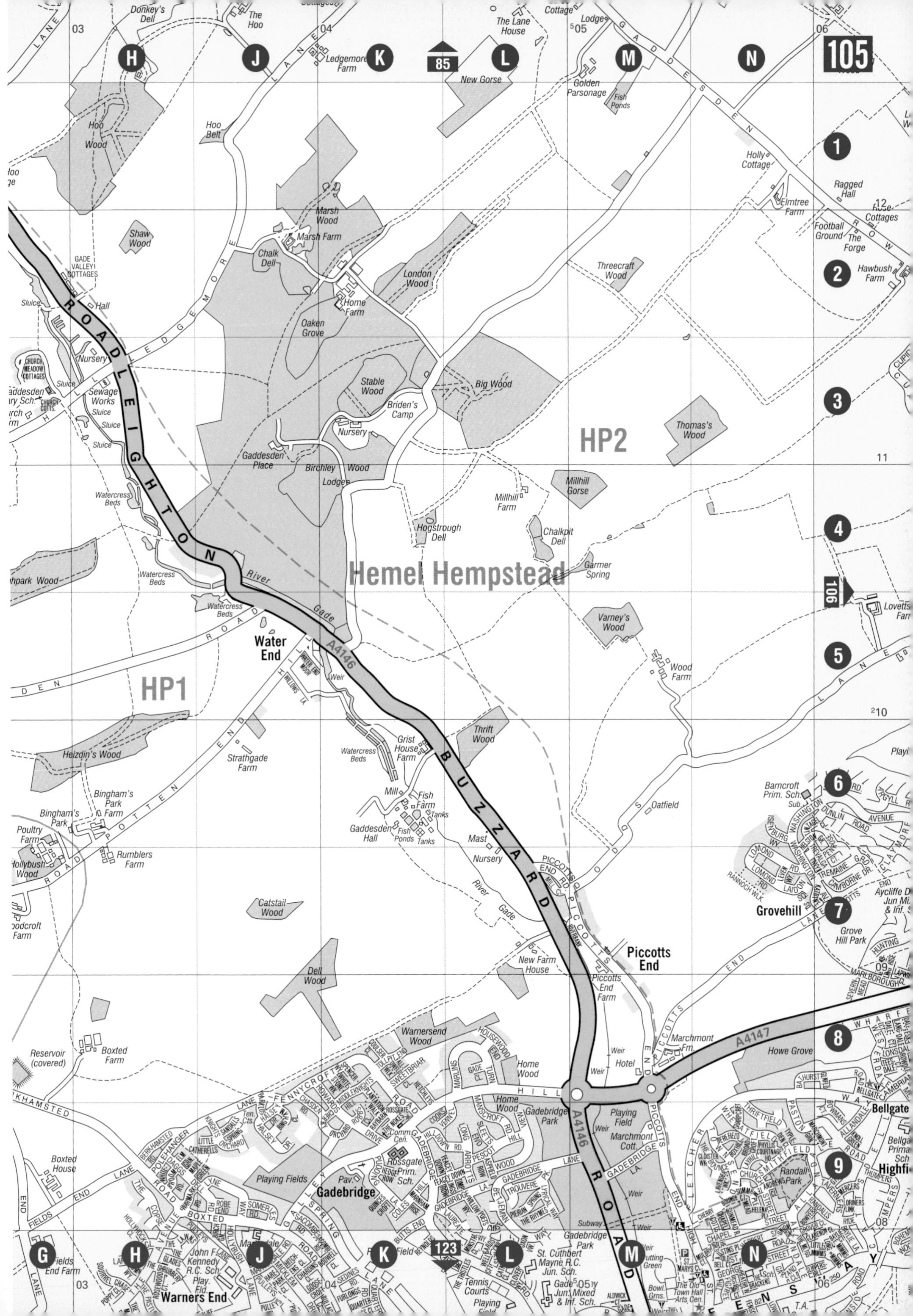

Hemel Hempstead
HP1
HP2
Water End
Piccotts End
Grovehill
Gadebridge
Warners End
Highfield
Bellgate
LEIGHTON BUZZARD ROAD
A4146
A4147
River Gade
Donkey's Dell
The Hoo
Ledgemore Farm
The Lane House
New Gorse
Golden Parsonage
Fish Ponds
Hoo Wood
Hoo Belt
Marsh Wood
Marsh Farm
Shaw Wood
Chalk Dell
Home Farm
London Wood
Oaken Grove
Stable Wood
Big Wood
Briden's Camp
Nursery
Gaddesden Place
Birchley Wood
Lodge
Holly Cottage
Ragged Hall
Elmtree Farm
Football Ground
The Forge
Hawbush Farm
Threecraft Wood
Thomas's Wood
Millhill Gorse
Millhill Farm
Chalkpit Dell
Hogstrough Dell
Garmer Spring
Varney's Wood
Wood Farm
Lovetts Farm
Watercress Beds
Sluice
Sewage Works
Heizdin's Wood
Strathgade Farm
Bingham's Park Farm
Bingham's Park
Poultry Farm
Hollybush Wood
Rumblers Farm
Thrift Wood
Grist House Farm
Fish Farm
Mill
Gaddesden Hall
Mast
Oatfield
Barncroft Prim. Sch.
Grove Hill Park
Catstail Wood
Dell Wood
New Farm House
Piccotts End Farm
Marchmont Fm.
Howe Grove
Reservoir (covered)
Boxted Farm
Warnersend Wood
Home Wood
Gadebridge Park
Playing Field
Marchmont Cott.
Hotel
Weir
Boxted House
Playing Fields
Rossgate Prim. Sch.
Randall Park
Fields End Farm
John F. Kennedy R.C. Sch.
St. Cuthbert Mayne R.C. Jun. Sch.
Gade Jun. Mixed & Inf. Sch.
Tennis Courts
The Old Town Hall Arts Cen.
Subway

85
106
123

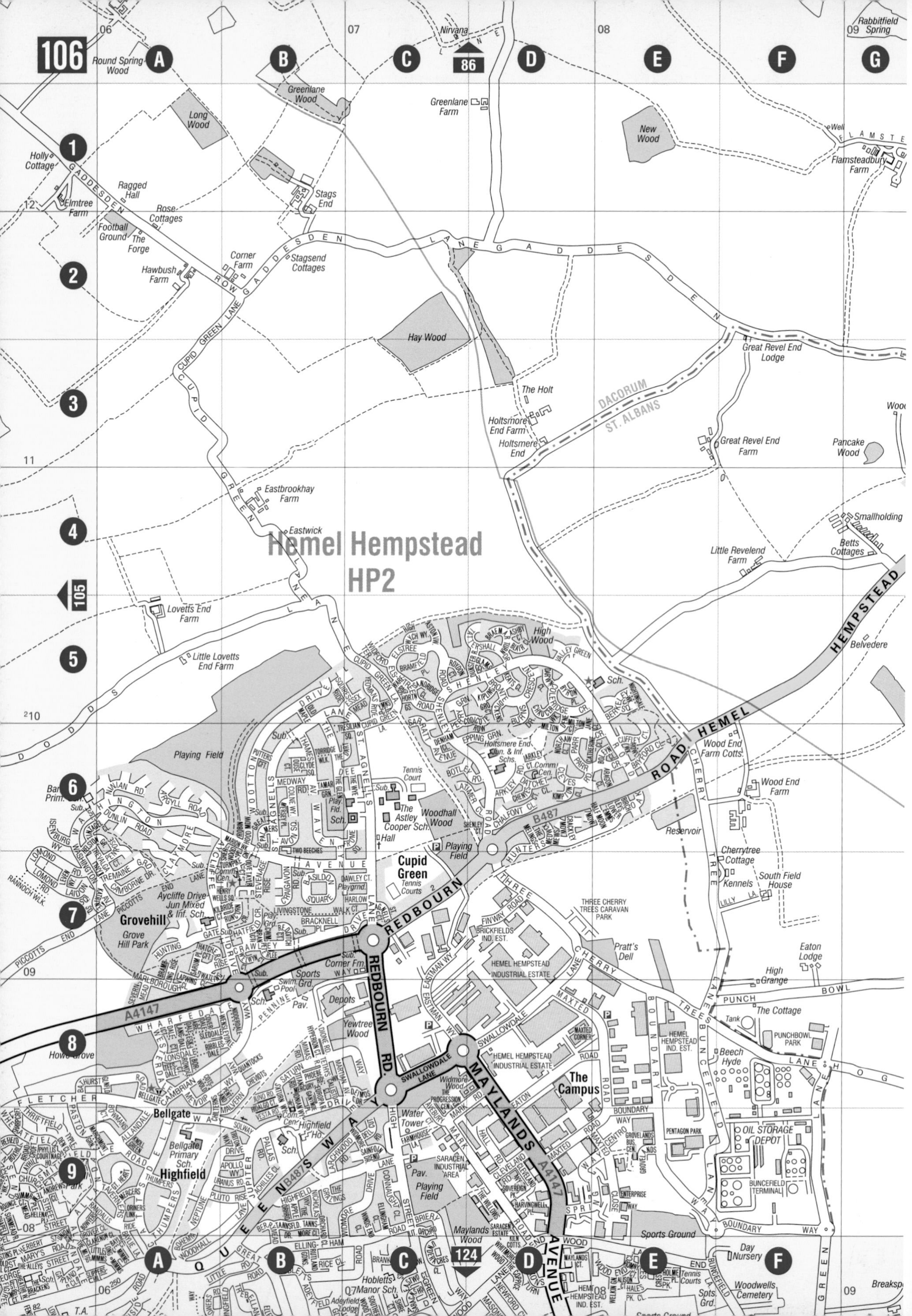
Hemel Hempstead
HP2
Round Spring Wood
Greenlane Wood
Greenlane Farm
Long Wood
New Wood
Flamsteadbury Farm
Rabbitfield Spring
Holly Cottage
Ragged Hall
Elmtree Farm
Rose Cottages
Stags End
Football Ground
The Forge
Corner Farm
Stagsend Cottages
Hawbush Farm
GADDESDEN ROW
GADDESDEN LANE
CUPID GREEN LANE
Hay Wood
Great Revel End Lodge
The Holt
Holtsmore End Farm
Holtsmere End
DACORUM
ST. ALBANS
Great Revel End Farm
Pancake Wood
Eastbrookhay Farm
Eastwick
Smallholding
Betts Cottages
Little Revelend Farm
Lovetts End Farm
Little Lovetts End Farm
High Wood
Belvedere
HEMPSTEAD ROAD
HEMEL
Sch.
Playing Field
Wood End Farm Cotts.
Wood End Farm
The Astley Cooper Sch.
Woodhall Wood
Holtsmere End Jun. & Inf. Schs.
Reservoir
Cupid Green
Playing Field
Cherrytree Cottage
Kennels
South Field House
THREE CHERRY TREES CARAVAN PARK
Grovehill
Grove Hill Park
Aycliffe Drive Jun Mixed & Inf. Sch.
BRICKFIELDS IND. EST.
HEMEL HEMPSTEAD INDUSTRIAL ESTATE
Pratt's Dell
Eaton Lodge
High Grange
PUNCH BOWL LANE
The Cottage
PUNCHBOWL PARK
A4147
REDBOURN RD.
Sports Grd.
Depots
Yewtree Wood
Howe Grove
Beech Hyde
HEMEL HEMPSTEAD IND. EST.
The Campus
MAYLANDS AVENUE
Widmore Wood
Bellgate
Bellgate Primary Sch.
Highfield
Water Tower
OIL STORAGE DEPOT
BUNCEFIELD TERMINAL
PENTAGON PARK
SARACEN INDUSTRIAL AREA
Playing Field
QUEENSWAY
B487
Maylands Wood
Sports Ground
Day Nursery
Hobletts Manor Sch.
Woodwells Cemetery
Breakspear
86
105
124

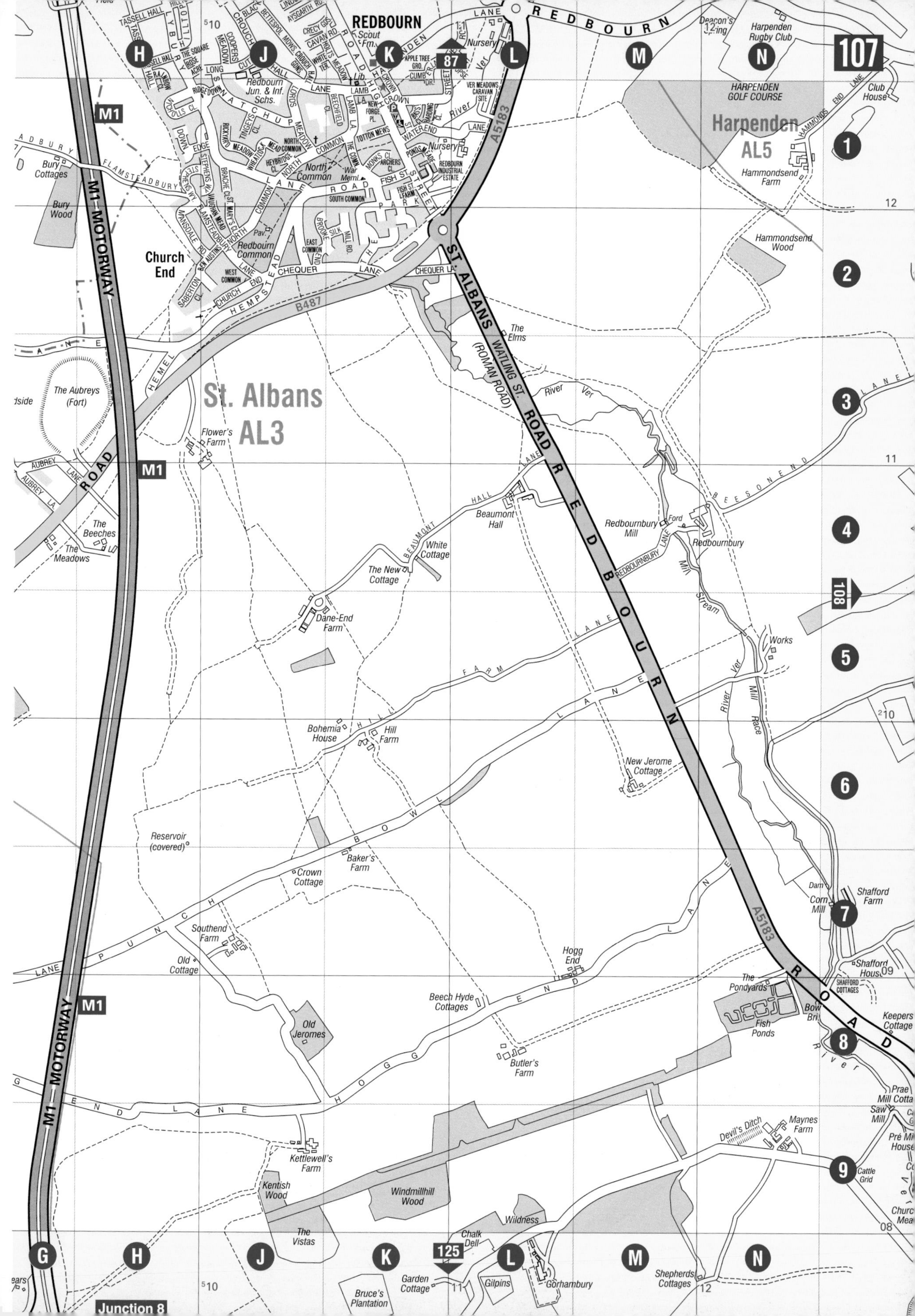
REDBOURN
Church End
St. Albans
AL3
Harpenden
AL5
HARPENDEN GOLF COURSE
Harpenden Rugby Club
Hammondsend Farm
Hammondsend Wood
Bury Cottages
Bury Wood
The Aubreys (Fort)
Flower's Farm
The Beeches
The Meadows
The Elms
WATLING ST. (ROMAN ROAD)
ST. ALBANS ROAD
REDBOURN ROAD
River Ver
Beaumont Hall
White Cottage
The New Cottage
Dane-End Farm
Redbournbury Mill
Redbournbury
Works
Bohemia House
Hill Farm
New Jerome Cottage
Reservoir (covered)
Baker's Farm
Crown Cottage
Southend Farm
Old Cottage
Hogg End
Beech Hyde Cottages
Old Jeromes
Butler's Farm
The Pondyards
Fish Ponds
Shafford Farm
Corn Mill
Keepers Cottage
Kettlewell's Farm
Kentish Wood
Windmillhill Wood
Wildness
The Vistas
Chalk Dell
Gilpins
Gorhambury
Garden Cottage
Bruce's Plantation
Shepherds Cottages
Maynes Farm
Devil's Ditch
Cattle Grid
M1 MOTORWAY
Junction 8
A5183
B487
HOGG END LANE
PUNCH BOWL LANE
HILL FARM LANE
BEESONEND LANE
BEAUMONT HALL LANE
HEMEL HEMPSTEAD ROAD
CHEQUER LANE
87
108
125

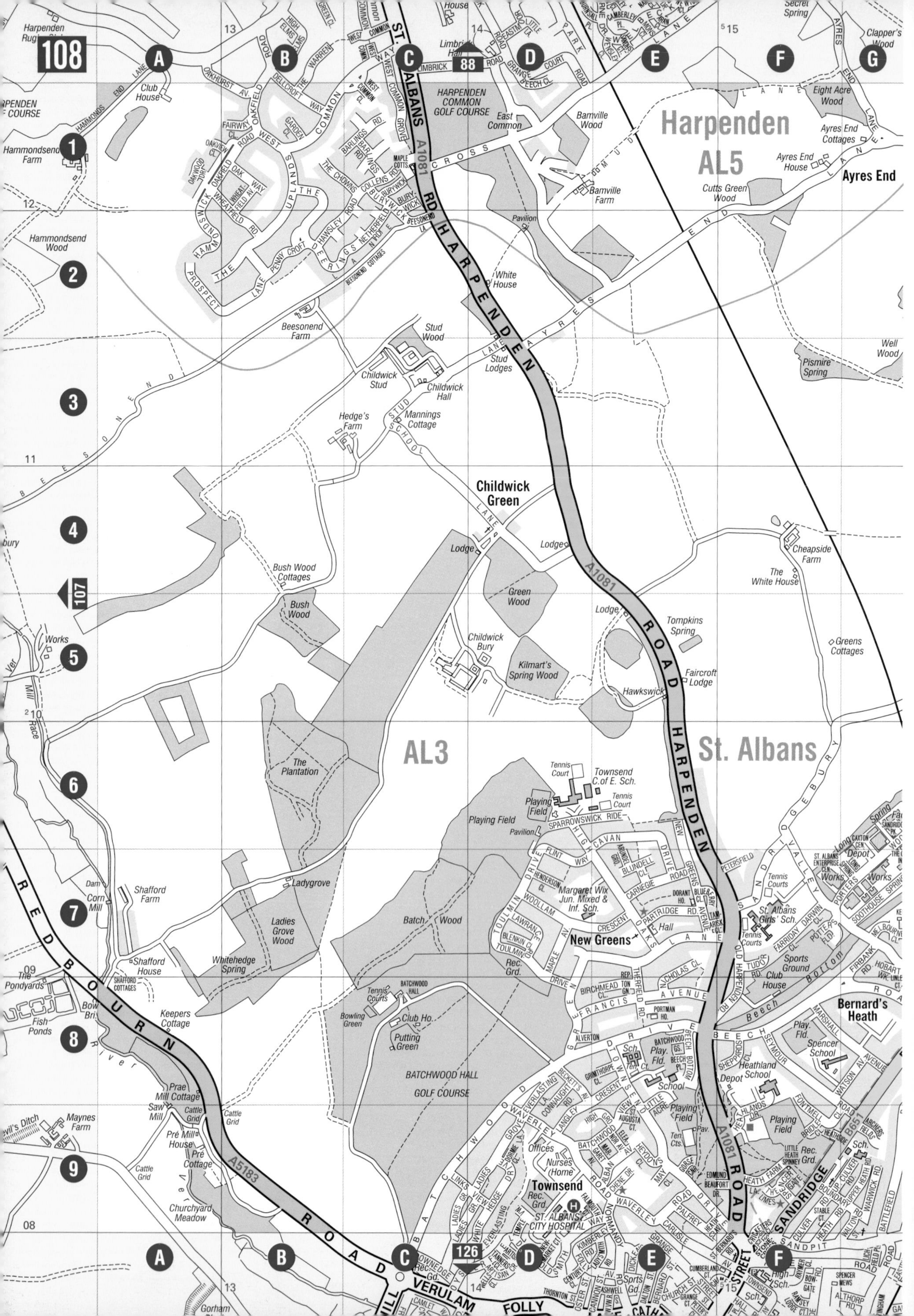
Harpenden AL5
Ayres End
Hammondsend Farm
Hammondsend Wood
Club House
Harpenden Common Golf Course
East Common
Bamville Wood
Bamville Farm
Cutts Green Wood
Eight Acre Wood
Ayres End Cottages
Ayres End House
Clapper's Wood
Secret Spring
Pavilion
White House
Beesonend Farm
Stud Wood
Stud Lodges
Childwick Stud
Childwick Hall
Hedge's Farm
Mannings Cottage
Pismire Spring
Well Wood
Childwick Green
Lodge
Bush Wood Cottages
Bush Wood
Green Wood
Cheapside Farm
The White House
Tompkins Spring
Childwick Bury
Kilmart's Spring Wood
Faircroft Lodge
Hawkswick
Greens Cottages
Works
Mill Race
AL3
St. Albans
The Plantation
Townsend C.of E. Sch.
Playing Field
Ladygrove
Shafford Farm
Corn Mill
Dam
Ladies Grove Wood
Batch Wood
Whitehedge Spring
Shafford House
New Greens
Margaret Wix Jun. Mixed & Inf. Sch.
St. Albans Girls' Sch.
Sports Ground
Club House
Bernard's Heath
The Pondyards
Fish Ponds
Keepers Cottage
Batchwood Hall
Bowling Green
Club Ho.
Putting Green
Batchwood Hall Golf Course
Heathland School
Spencer School
Playing Field
Prae Mill Cottage
Saw Mill
Maynes Farm
Pré Mill House
Pré Cottage
Churchyard Meadow
Townsend
St. Albans City Hospital
Nurses (Home)
Offices
Redbourn Road
Harpenden Road
St. Albans Rd
A1081
A5183
B651
Sandridge Road
Verulam
Folly
Gorham
88
126
107
A B C D E F G
1 2 3 4 5 6 7 8 9

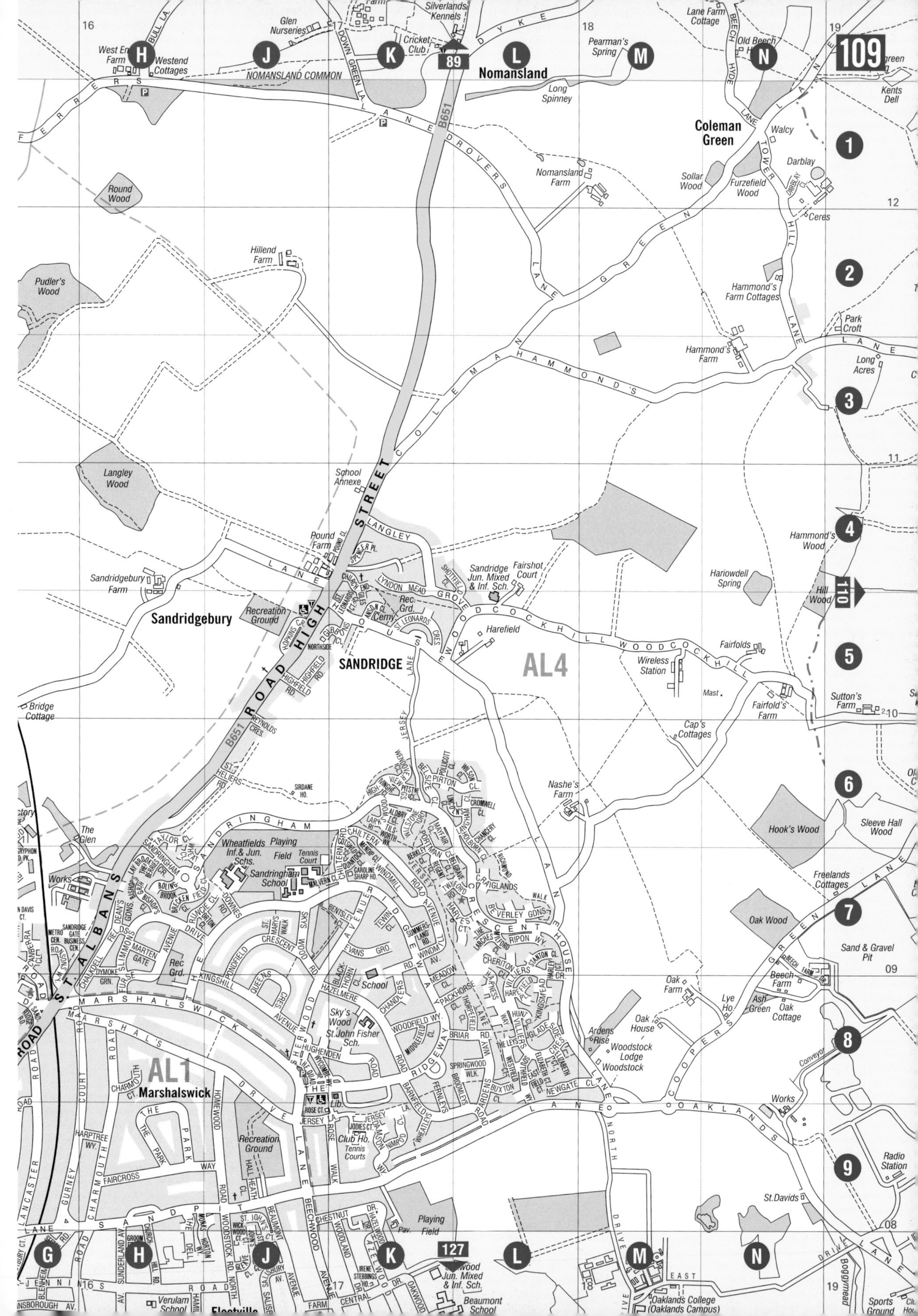
Nomansland
Coleman Green
Sandridgebury
SANDRIDGE
AL4
AL1
Marshalswick
NOMANSLAND COMMON
Round Wood
Pudler's Wood
Langley Wood
Hillend Farm
Nomansland Farm
Sollar Wood
Furzefield Wood
Darblay
Hammond's Farm Cottages
Hammond's Farm
Park Croft
Long Acres
Hammond's Wood
Hariowdell Spring
Hill Wood
Wireless Station
Fairfolds
Fairfold's Farm
Sutton's Farm
Cap's Cottages
Nashe's Farm
Hook's Wood
Sleeve Hall Wood
Freelands Cottages
Oak Wood
Sand & Gravel Pit
Beech Farm
Ash Green
Oak Cottage
Oak Farm
Lye Ho.
Oak House
Ardens Rise
Woodstock Lodge
Woodstock
Radio Station
St.Davids
Works
Conveyor
Sandridge Jun. Mixed & Inf. Sch.
Fairshot Court
Harefield
Pound Farm
School Annexe
Recreation Ground
Sandridgebury Farm
Bridge Cottage
The Glen
Wheatfields Inf.& Jun. Schs.
Playing Field
Tennis Court
Sandringham School
Rec Grd.
School
Sky's Wood
St.John Fisher Sch.
Lib.
Club Ho.
Tennis Courts
Recreation Ground
Playing Field
Verulam School
Fleetville
Beaumont School
Oakwood Jun. Mixed & Inf. Sch.
Oaklands College (Oaklands Campus)
Sports Ground
ST. ALBANS ROAD
HIGH STREET
B651
COLEMAN GREEN
HAMMOND'S LANE
DROVERS LANE
WOODCOCK HILL
HOUSE LANE
COOPERS GREEN LANE
OAKLANDS LANE
MARSHALSWICK LANE
SANDRINGHAM CRESCENT
SANDPIT LANE
JENNINGS ROAD
Silverlands Kennels
Glen Nurseries
Cricket Club
West End Farm
Westend Cottages
Lane Farm Cottage
Old Beech Ho.
Pearman's Spring
Long Spinney
Walcy
Ceres
Kents Dell
Mast
89
110
127

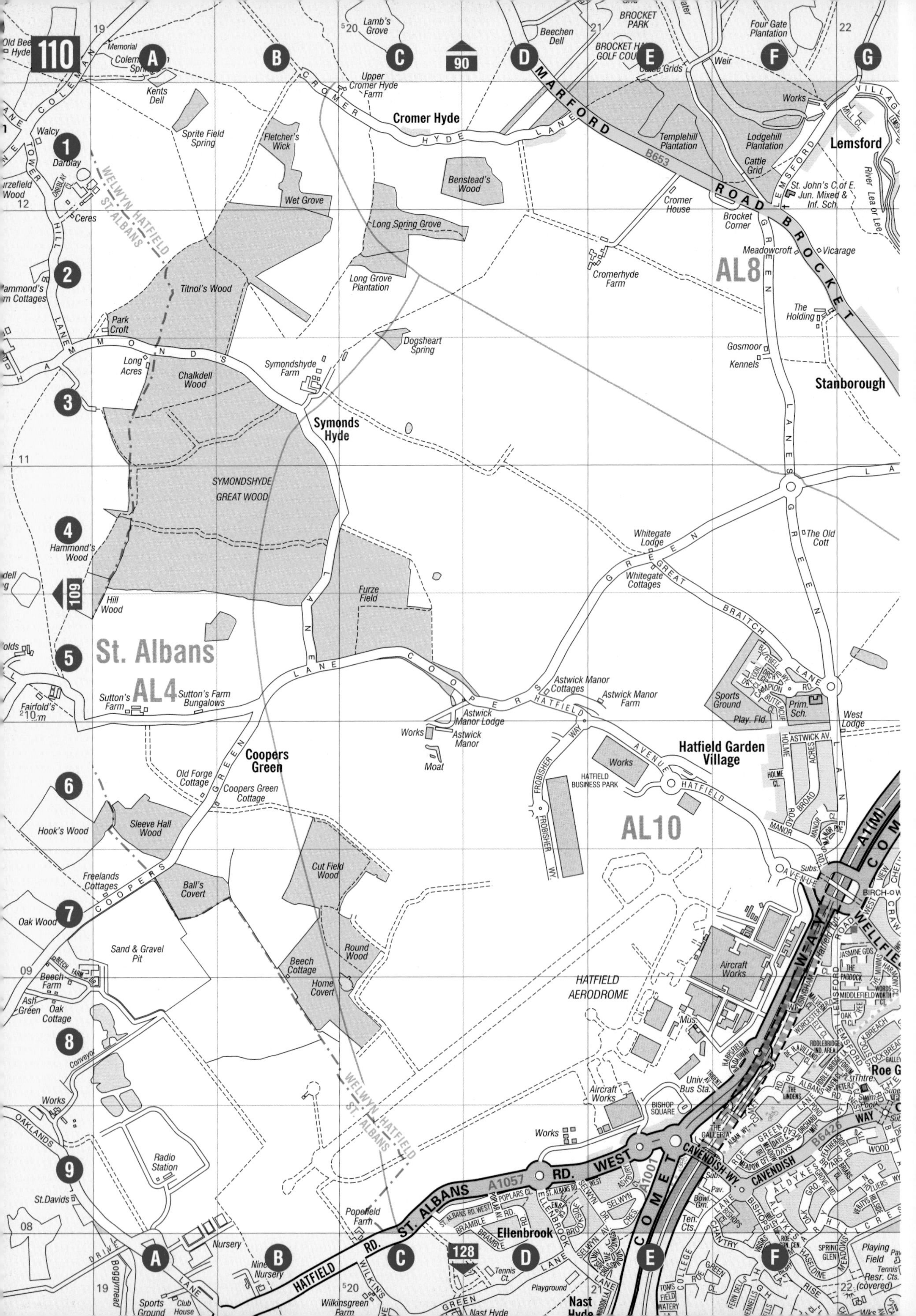

Cromer Hyde
Lemsford
Stanborough
Symonds Hyde
St. Albans
AL4
AL8
AL10
Coopers Green
Hatfield Garden Village
HATFIELD AERODROME
Ellenbrook
BROCKET PARK
BROCKET HALL GOLF COURSE
SYMONDSHYDE GREAT WOOD
Titnol's Wood
Chalkdell Wood
Sleeve Hall Wood
Hook's Wood
Oak Wood
Cut Field Wood
Round Wood
Home Covert
Ball's Covert
Sand & Gravel Pit
Radio Station
Furze Field
Benstead's Wood
Long Spring Grove
Wet Grove
Fletcher's Wick
Templehill Plantation
Lodgehill Plantation
Cromerhyde Farm
Symondshyde Farm
Astwick Manor
Astwick Manor Farm
Whitegate Lodge
Whitegate Cottages
HATFIELD BUSINESS PARK
Aircraft Works
MARFORD ROAD
BROCKET ROAD
HATFIELD AVENUE
ST. ALBANS RD. WEST
HATFIELD RD.
COMET WAY
CAVENDISH WAY
COOPERS GREEN LANE
GREAT BRAITCH LANE
A1(M)
A1057
A1001
B653
B6426
90
109
128

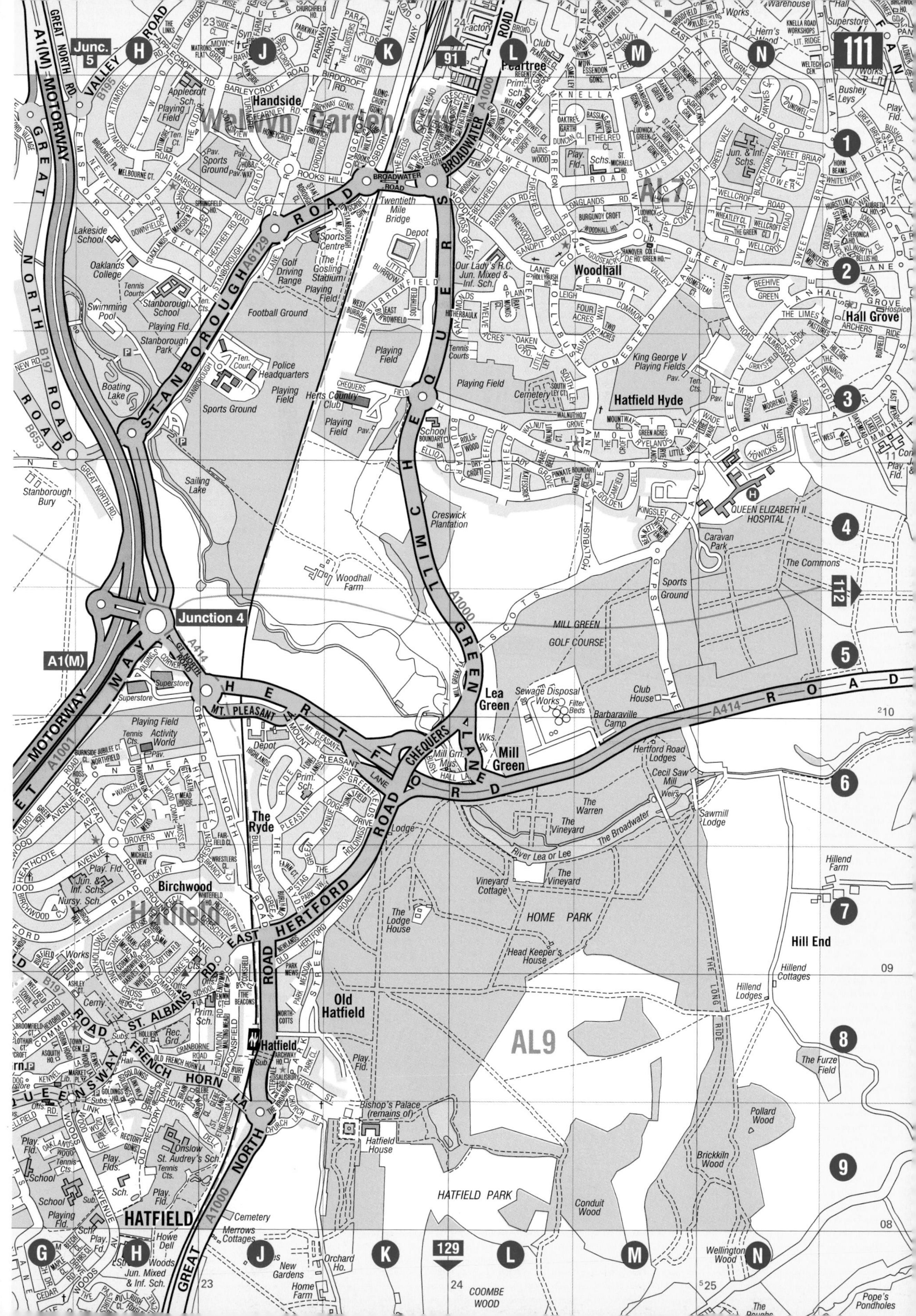

Welwyn Garden City
Handside
Peartree
Woodhall
Hatfield Hyde
Hall Grove
AL7
Junc. 5
Junction 4
A1(M)
91
112
129
GREAT NORTH RD.
A1(M) MOTORWAY
VALLEY ROAD
BROADWATER ROAD
STANBOROUGH ROAD
A6129
CHEQUERS
MILL GREEN LANE
A1000
HERTFORD ROAD
A414
Twentieth Mile Bridge
Depot
Sports Centre
The Gosling Stadium
Golf Driving Range
Football Ground
Stanborough School
Stanborough Park
Swimming Pool
Boating Lake
Sports Ground
Police Headquarters
Herts Country Club
Playing Field
Oaklands College
Lakeside School
Sailing Lake
Stanborough Bury
Creswick Plantation
Woodhall Farm
King George V Playing Fields
Cemetery
QUEEN ELIZABETH II HOSPITAL
Caravan Park
The Commons
Sports Ground
MILL GREEN GOLF COURSE
Club House
Barbaraville Camp
Sewage Disposal Works
Filter Beds
Lea Green
Mill Green
Mill Grn. Mus.
Hertford Road Lodges
Cecil Saw Mill
Sawmill Lodge
The Warren
The Vineyard
The Broadwater
River Lea or Lee
Vineyard Cottage
The Lodge House
HOME PARK
Head Keeper's House
Hillend Farm
Hill End
Hillend Cottages
Hillend Lodges
THE LONG RIDE
The Furze Field
Pollard Wood
Brickkiln Wood
Conduit Wood
Wellington Wood
HATFIELD PARK
Bishop's Palace (remains of)
Hatfield House
Old Hatfield
AL9
Hatfield
HATFIELD
The Ryde
Birchwood
Playing Field Activity World
Superstore
MT. PLEASANT
ST. ALBANS RD.
FRENCH HORN LA.
QUEENSWAY
Onslow St. Audrey's Sch.
Howe Dell
Woods Jun. Mixed & Inf. Sch.
Cemetery
Merrows Cottages
New Gardens
Orchard Ho.
Home Farm
COOMBE WOOD
Pope's Pondholes
G H J K L M N
1 2 3 4 5 6 7 8 9
23 24 25
12 11 10 09 08

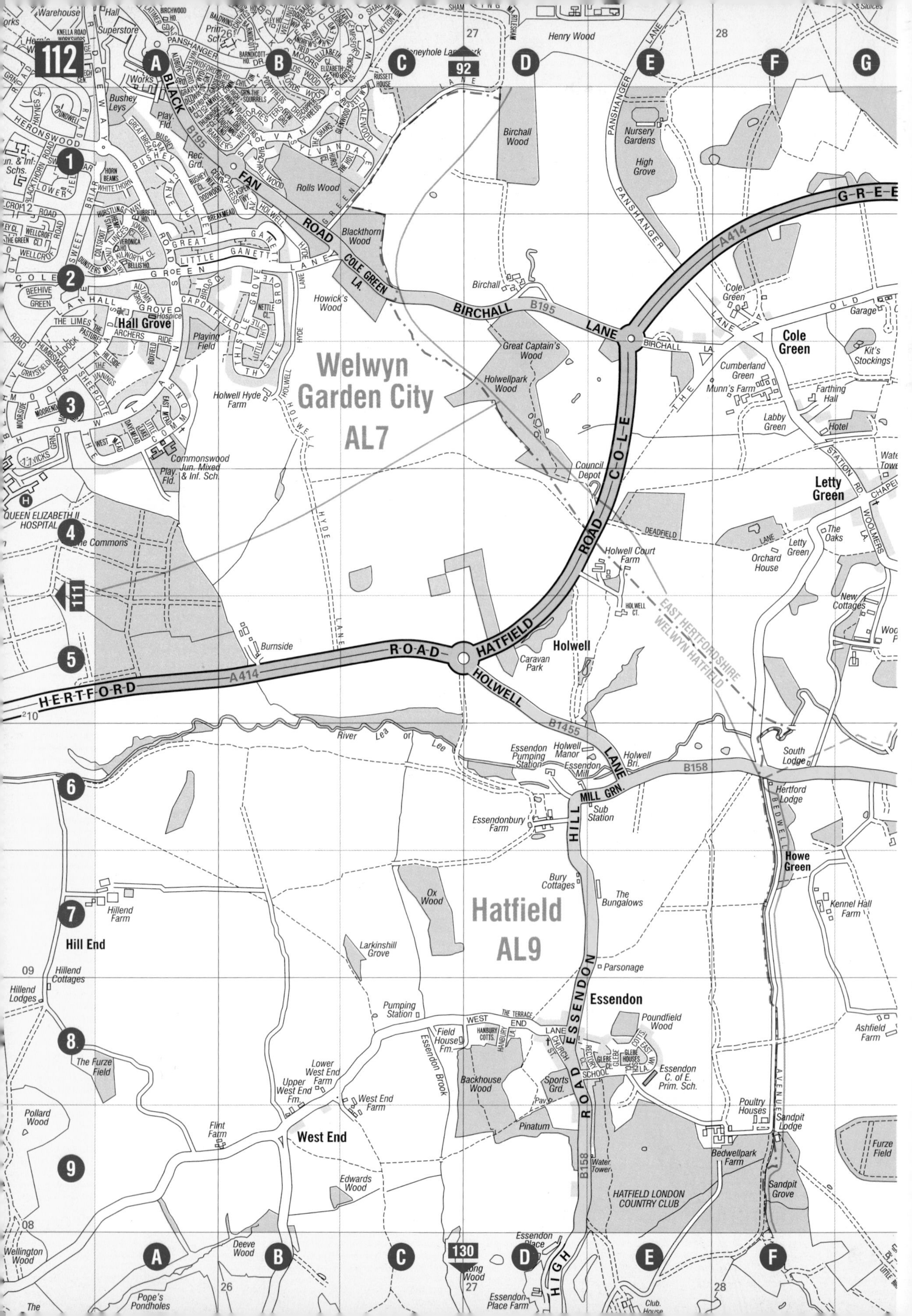
112
A
B
C
D
E
F
G
1
2
3
4
5
6
7
8
9
26
27
28
92
111
130
09
08
Welwyn Garden City AL7
Hatfield AL9
Henry Wood
Superstore
Warehouse
Works
Bushey Leys
Play. Fld.
Rec. Grd.
BLACK FAN ROAD
B195
Rolls Wood
Blackthorn Wood
COLE GREEN LA.
Howick's Wood
Birchall Wood
Nursery Gardens
High Grove
PANSHANGER LANE
BIRCHALL LANE
Birchall
Great Captain's Wood
Holwellpark Wood
Hall Grove
Hospice
Playing Field
Holwell Hyde Farm
HOLWELL HYDE LANE
Commonswood Jun. Mixed & Inf. Sch.
QUEEN ELIZABETH II HOSPITAL
The Commons
Burnside
HERTFORD ROAD
A414
HATFIELD ROAD
COLE GREEN
Council Depot
DEADFIELD
Holwell Court Farm
HOLWELL CT.
Holwell
Caravan Park
HOLWELL LANE
B1455
EAST HERTFORDSHIRE
WELWYN HATFIELD
Cole Green
Cumberland Green
Munn's Farm
Farthing Hall
Labby Green
Hotel
Kit's Stockings
Garage
Letty Green
STATION RD.
The Oaks
Orchard House
New Cottages
South Lodge
Hertford Lodge
BEDWELL AVENUE
Howe Green
Kennel Hall Farm
River Lea or Lee
Essendon Pumping Station
Holwell Manor
Essendon Mill
Holwell Bri.
B158
MILL GRN.
Sub Station
Essendonbury Farm
HILL
Bury Cottages
The Bungalows
Ox Wood
Larkinshill Grove
Hillend Farm
Hill End
Hillend Cottages
Hillend Lodges
Parsonage
Essendon
Poundfield Wood
Pumping Station
WEST END LANE
THE TERRACE
Field House Fm.
HANBURY COTTS.
Essendon Brook
Backhouse Wood
Sports Grd.
SCHOOL
Essendon C. of E. Prim. Sch.
Poultry Houses
Sandpit Lodge
Ashfield Farm
Furze Field
The Furze Field
Lower West End Farm
Upper West End Fm.
West End Farm
West End
Flint Farm
Pollard Wood
Pinatum
Water Tower
HATFIELD LONDON COUNTRY CLUB
Bedwellpark Farm
Sandpit Grove
Edwards Wood
ESSENDON ROAD
HIGH ROAD
Essendon Place
Long Wood
Essendon Place Farm
Deeve Wood
Wellington Wood
Pope's Pondholes
Club House

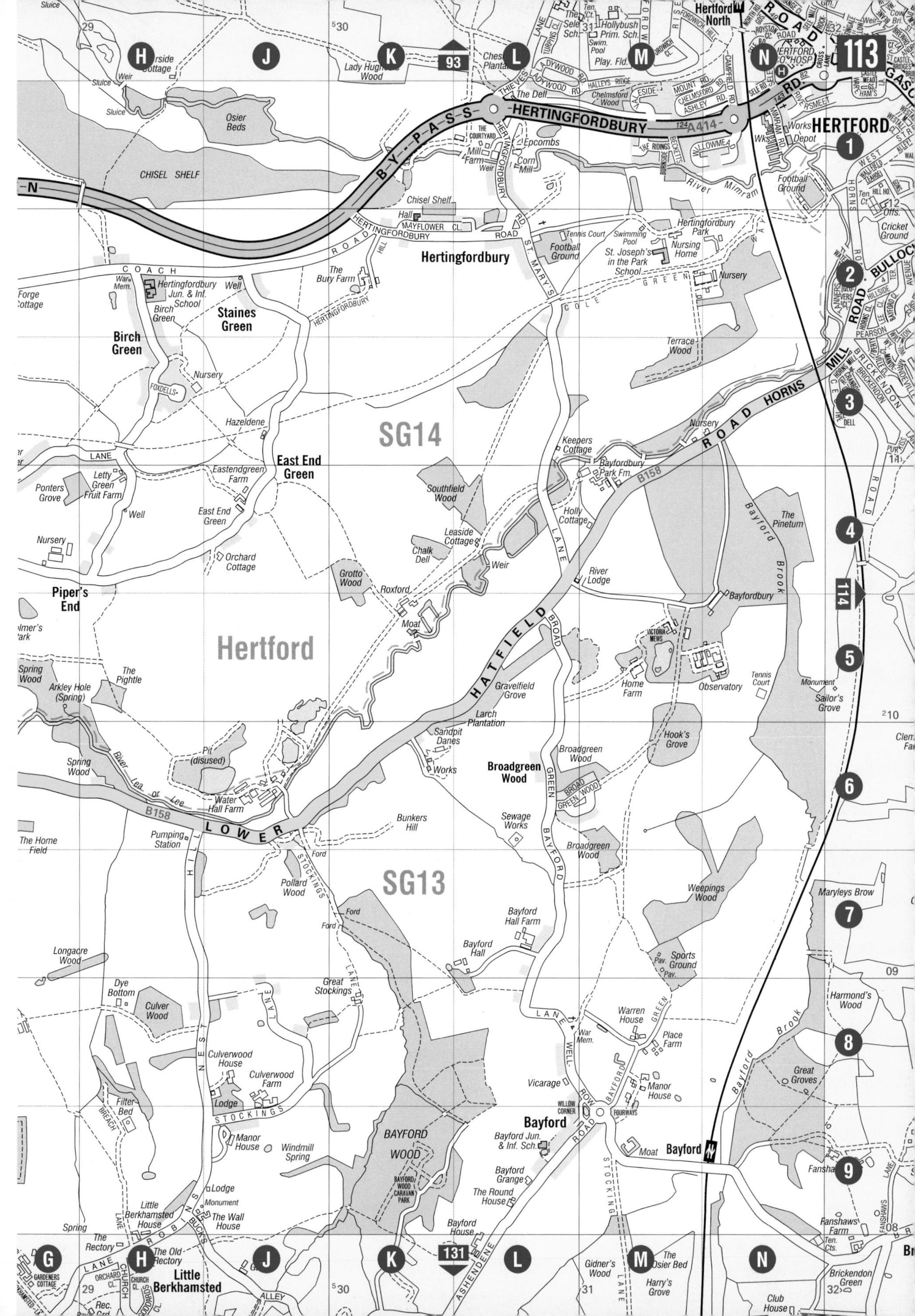

113
93
131
114
HERTFORD
Hertford North
Hertford
SG14
SG13
Hertingfordbury
HERTINGFORDBURY
BY-PASS
A414
CHISEL SHELF
Osier Beds
Chisel Shelf
Lady Hughes Wood
Staines Green
Birch Green
East End Green
Piper's End
Letty Green Fruit Farm
Ponters Grove
Eastendgreen Farm
Hazeldene
Nursery
Orchard Cottage
Hertingfordbury Jun. & Inf. School
The Bury Farm
Football Ground
St. Joseph's in the Park School
Nursing Home
Hertingfordbury Park
Terrace Wood
Keepers Cottage
Bayfordbury Park Fm.
Southfield Wood
Leaside Cottage
Chalk Dell
Grotto Wood
Roxford
Moat
Weir
River Lodge
Bayfordbury
The Pinetum
Bayford Brook
Observatory
Home Farm
Victoria Mews
Tennis Court
Monument
Sailor's Grove
Gravelfield Grove
Larch Plantation
Sandpit Danes
Works
Hook's Grove
Broadgreen Wood
Sewage Works
Bunkers Hill
Water Hall Farm
Pit (disused)
Spring Wood
Arkley Hole (Spring)
The Pightle
River Lea or Lee
B158
LOWER
HATFIELD
HORNS ROAD
Pumping Station
The Home Field
Pollard Wood
Ford
STOCKINGS
Weepings Wood
Bayford Hall Farm
Bayford Hall
Sports Ground
Great Stockings
Longacre Wood
Dye Bottom
Culver Wood
Culverwood House
Culverwood Farm
Lodge
Filter Bed
Manor House
Windmill Spring
BAYFORD WOOD
BAYFORD WOOD CARAVAN PARK
Bayford
Bayford Jun. & Inf. Sch.
Bayford Grange
The Round House
Bayford House
Vicarage
War Mem.
Warren House
Place Farm
Moat
Maryleys Brow
Harmond's Wood
Great Groves
Fanshaws Farm
Brickendon Green
Club House
Gidner's Wood
The Osier Bed
Harry's Grove
Little Berkhamsted
Little Berkhamsted House
The Old Rectory
The Rectory
The Wall House
Monument
Spring
ROBINS NEST HILL
ASHENDENE
Cricket Ground
Football Ground
HERTFORD CO. HOSP.

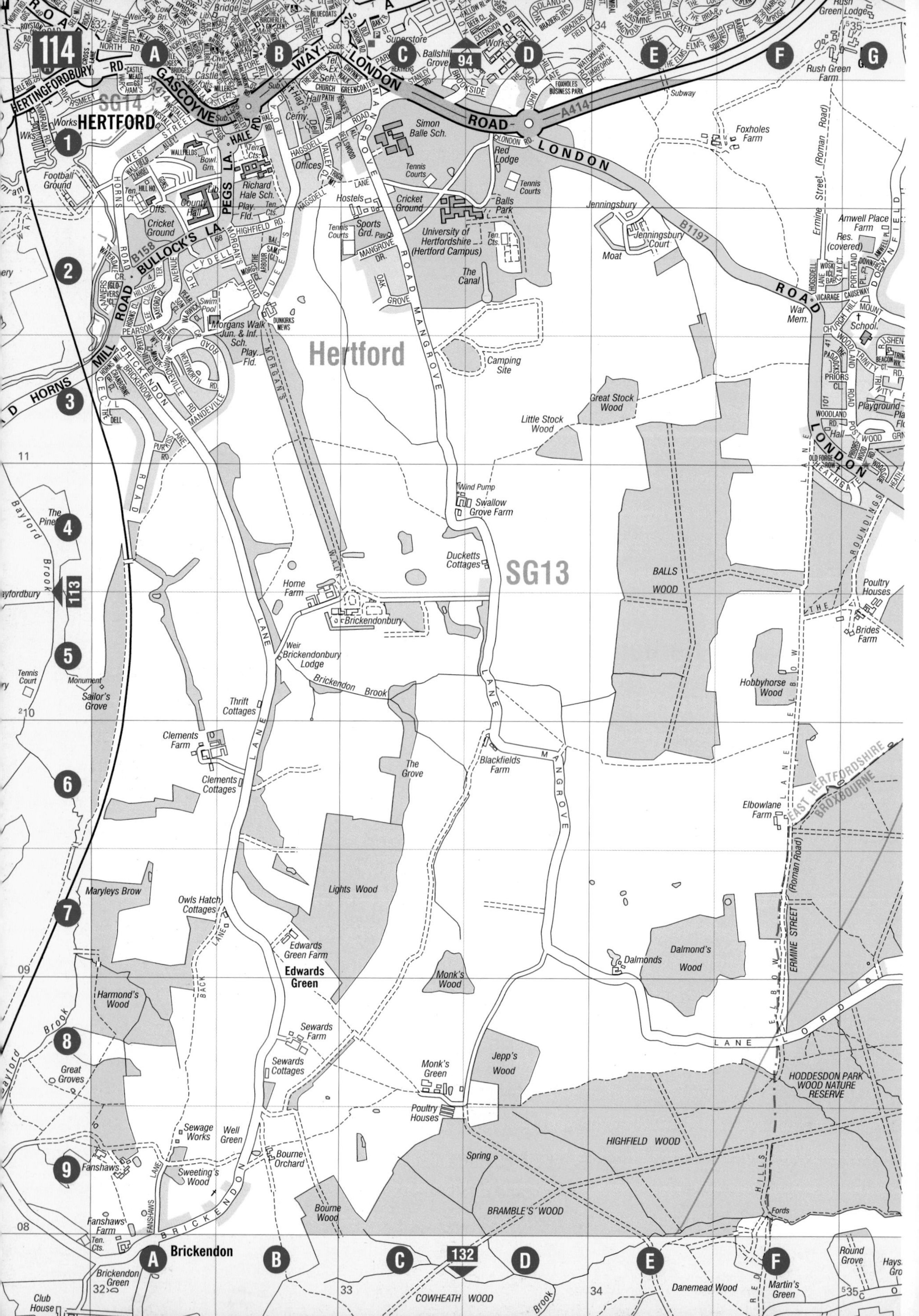
HERTFORD
Hertford
SG14
SG13
Superstore
Ballshill Grove
94
Simon Balle Sch.
Foxholes Farm
Rush Green Lodge
Rush Green Farm
Football Ground
Richard Hale Sch.
County Hall
Cricket Ground
Red Lodge
Balls Park
University of Hertfordshire (Hertford Campus)
The Canal
Jenningsbury
Jenningsbury Court
Moat
Amwell Place Farm
War Mem.
School
Morgans Walk Jun. & Inf. Sch.
Camping Site
Great Stock Wood
Little Stock Wood
Playground
Wind Pump
Swallow Grove Farm
Ducketts Cottages
Home Farm
Brickendonbury
Brickendonbury Lodge
Brickendon Brook
BALLS WOOD
Poultry Houses
Brides Farm
Hobbyhorse Wood
The Pines
Bayford Brook
Bayfordbury
113
Monument
Sailor's Grove
Thrift Cottages
Clements Farm
Clements Cottages
The Grove
Blackfields Farm
Elbowlane Farm
EAST HERTFORDSHIRE
BROXBOURNE
Maryleys Brow
Owls Hatch Cottages
Lights Wood
Edwards Green Farm
Edwards Green
Monk's Wood
Dalmonds
Dalmond's Wood
ERMINE STREET (Roman Road)
Harmond's Wood
Sewards Farm
Sewards Cottages
Monk's Green
Jepp's Wood
HODDESDON PARK WOOD NATURE RESERVE
Great Groves
Poultry Houses
Sewage Works
Well Green
Bourne Orchard
HIGHFIELD WOOD
Spring
Fanshaws
Sweeting's Wood
Bourne Wood
BRAMBLE'S WOOD
Fords
Fanshaws Farm
Brickendon
Brickendon Green
Club House
132
COWHEATH WOOD
Danemead Wood
Martin's Green
Round Grove
Hays Grove
LONDON ROAD
GASCOYNE WAY
MANGROVE ROAD
MANGROVE LANE
BRICKENDON LANE
LORD LANE
ELBOW LANE
B1197
A414
B158

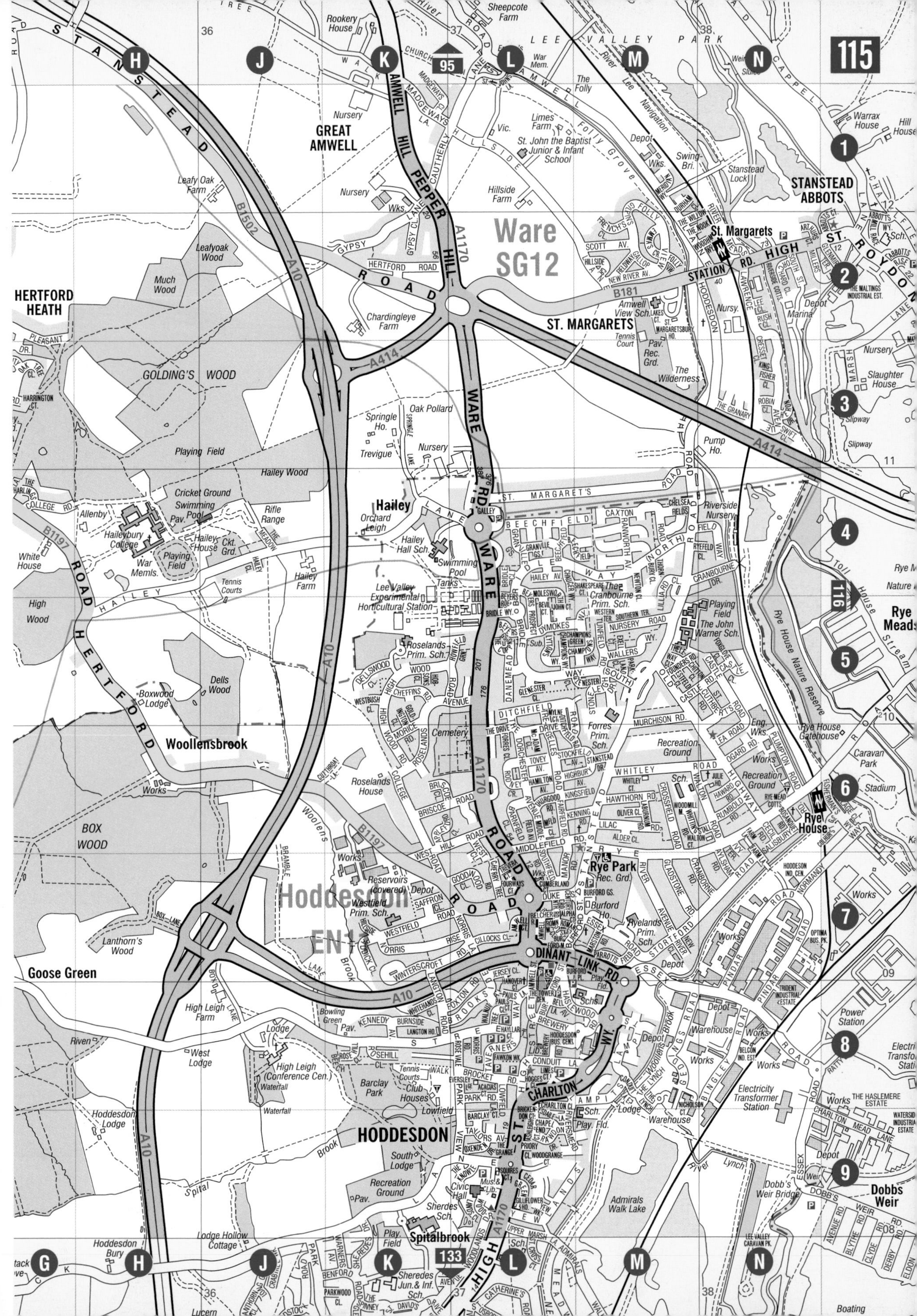
95
133
116
Ware SG12
Hoddesdon EN11
GREAT AMWELL
HERTFORD HEATH
STANSTEAD ABBOTS
ST. MARGARETS
HODDESDON
Hailey
Woollensbrook
Goose Green
Rye Park
Rye House
Rye Meads
Dobbs Weir
Spitalbrook
LEE VALLEY PARK
Sheepcote Farm
Rookery House
GOLDING'S WOOD
BOX WOOD
Leafyoak Wood
Much Wood
Leafy Oak Farm
Chardingleye Farm
Hillside Farm
Limes Farm
The Folly
St. John the Baptist Junior & Infant School
Haileybury College
Hailey Wood
High Wood
Dells Wood
Lanthorn's Wood
Lee Valley Experimental Horticultural Station
Roselands Prim. Sch.
Roselands House
Forres Prim. Sch.
The Cranbourne Prim. Sch.
The John Warner Sch.
Westfield Prim. Sch.
Ryelands Prim. Sch.
Sheredes Sch.
High Leigh (Conference Cen.)
Barclay Park
Admirals Walk Lake
Rye House Nature Reserve
Power Station
Electricity Transformer Station
Stanstead Lock
Slaughter House
Hoddesdon Bury
Lodge Hollow Cottage
A10
A414
A1170
B1502
B1197
B181
STANSTEAD ROAD
HERTFORD ROAD
WARE ROAD
AMWELL HILL
PEPPER HILL
HIGH ST.
STATION RD.
DINANT LINK RD.
CHARLTON WY.
HODDESDON ROAD
ST. MARGARET'S ROAD
LOWER ROAD

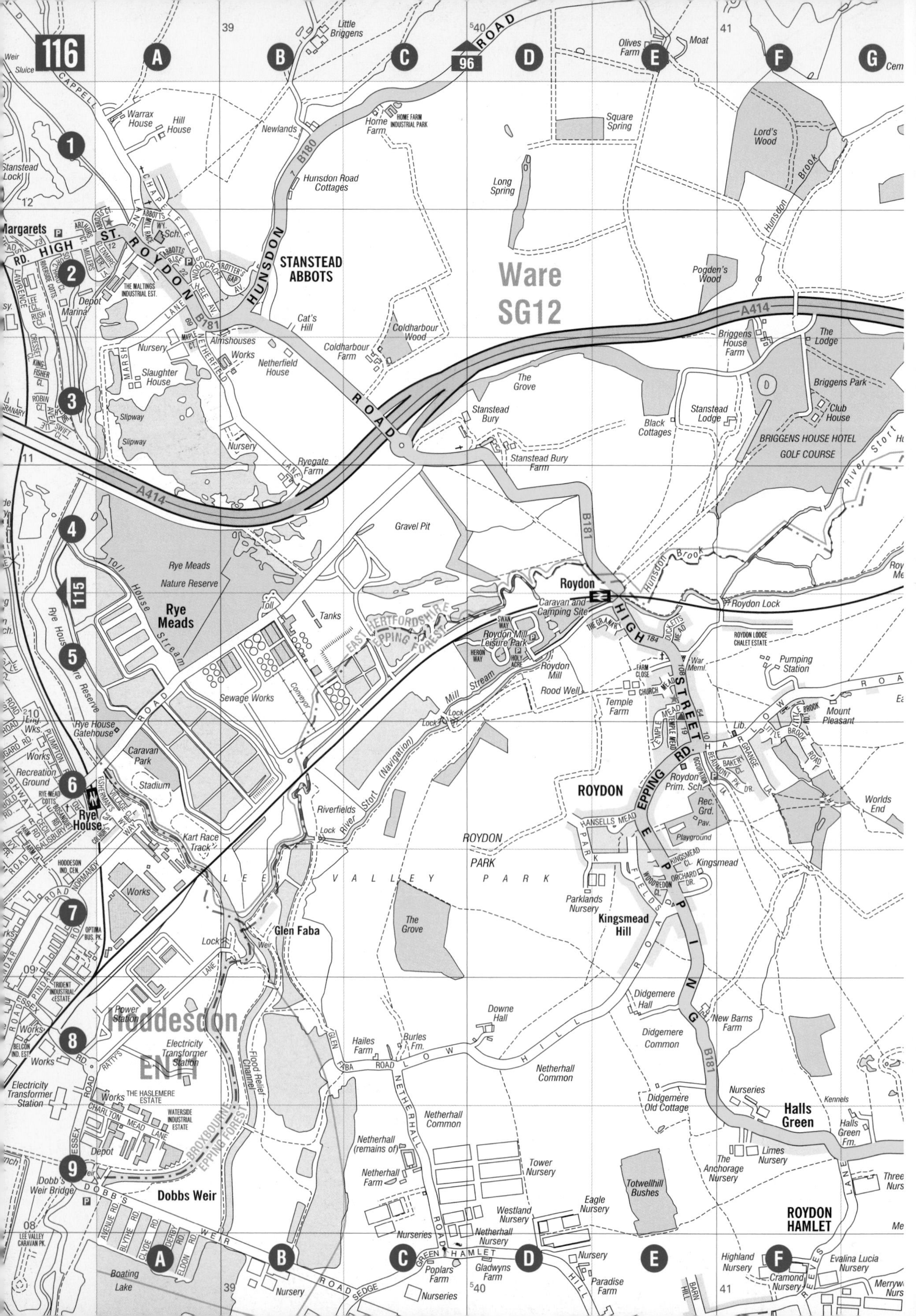
Little Briggens
Olives Farm
Moat
96
ROAD
Warrax House
Hill House
Newlands
Home Farm
HOME FARM INDUSTRIAL PARK
Square Spring
Lord's Wood
Stanstead Lock
Hunsdon Road Cottages
Long Spring
Hunsdon Brook
Margarets
HIGH ST.
ROYDON
HUNSDON
STANSTEAD ABBOTS
Ware SG12
Pogden's Wood
THE MALTINGS INDUSTRIAL EST.
Depot
Marina
B181
Cat's Hill
Coldharbour Wood
A414
Briggens House Farm
The Lodge
Almshouses
Works
Nursery
Slaughter House
Netherfield House
Coldharbour Farm
The Grove
Briggens Park
Stanstead Bury
Stanstead Lodge
Club House
Black Cottages
BRIGGENS HOUSE HOTEL GOLF COURSE
Slipway
Slipway
Nursery
Ryegate Farm
Stanstead Bury Farm
River Stort
Gravel Pit
B181
Rye Meads Nature Reserve
Toll House Stream
Rye Meads
115
Roydon
Roydon Lock
Toll
Tanks
EAST HERTFORDSHIRE
EPPING FOREST
Caravan and Camping Site
HIGH STREET
Roydon Mill Leisure Park
Roydon Mill
ROYDON LODGE CHALET ESTATE
Pumping Station
War Meml.
Rye House Nature Reserve
Sewage Works
Conveyor
Mill Stream
Rood Well
Temple Farm
CHURCH MEAD
Lock
Rye House Gatehouse
Caravan Park
Stadium
River Stort (Navigation)
Mount Pleasant
Recreation Ground
Rye House
Riverfields
Lock
EPPING RD.
Roydon Prim. Sch.
Rec. Grd.
Pav.
Playground
Worlds End
ROYDON
Kart Race Track
ROYDON PARK
Kingsmead
HODDESDON IND. CEN.
Works
LEE VALLEY PARK
Parklands Nursery
OPTIMA BUS. PK.
Lock
Glen Faba
The Grove
Kingsmead Hill
Weir
TRIDENT INDUSTRIAL ESTATE
Didgemere Hall
Power Station
Hoddesdon
Downe Hall
Electricity Transformer Station
Flood Relief Channel
Hailes Farm
Burles Fm.
Didgemere Common
New Barns Farm
BELCON IND. EST.
Works
EN11
GLEN FABA ROAD
LOW HILL
Netherhall Common
B181
Electricity Transformer Station
Works
THE HASLEMERE ESTATE
WATERSIDE INDUSTRIAL ESTATE
Netherhall Common
Didgemere Old Cottage
Nurseries
Halls Green
Kennels
Halls Green Fm.
BROXBOURNE EPPING FOREST
Depot
Netherhall (remains of)
Tower Nursery
Limes Nursery
The Anchorage Nursery
Weir
Dobb's Weir Bridge
Dobbs Weir
Netherhall Farm
Westland Nursery
Eagle Nursery
Totwellhill Bushes
ROYDON HAMLET
LEE VALLEY CARAVAN PK.
Nurseries
Netherhall Nursery
DOBB'S WEIR ROAD
Boating Lake
Nursery
Poplars Farm
Gladwyns Farm
Nursery
Paradise Farm
Highland Nursery
Evalina Lucia Nursery
Cramond Nursery
Nurseries
SEDGE GREEN
HAMLET HILL
REEVES LANE
A B C D E F G
1 2 3 4 5 6 7 8 9
39
540
41
12
11
10
09
08

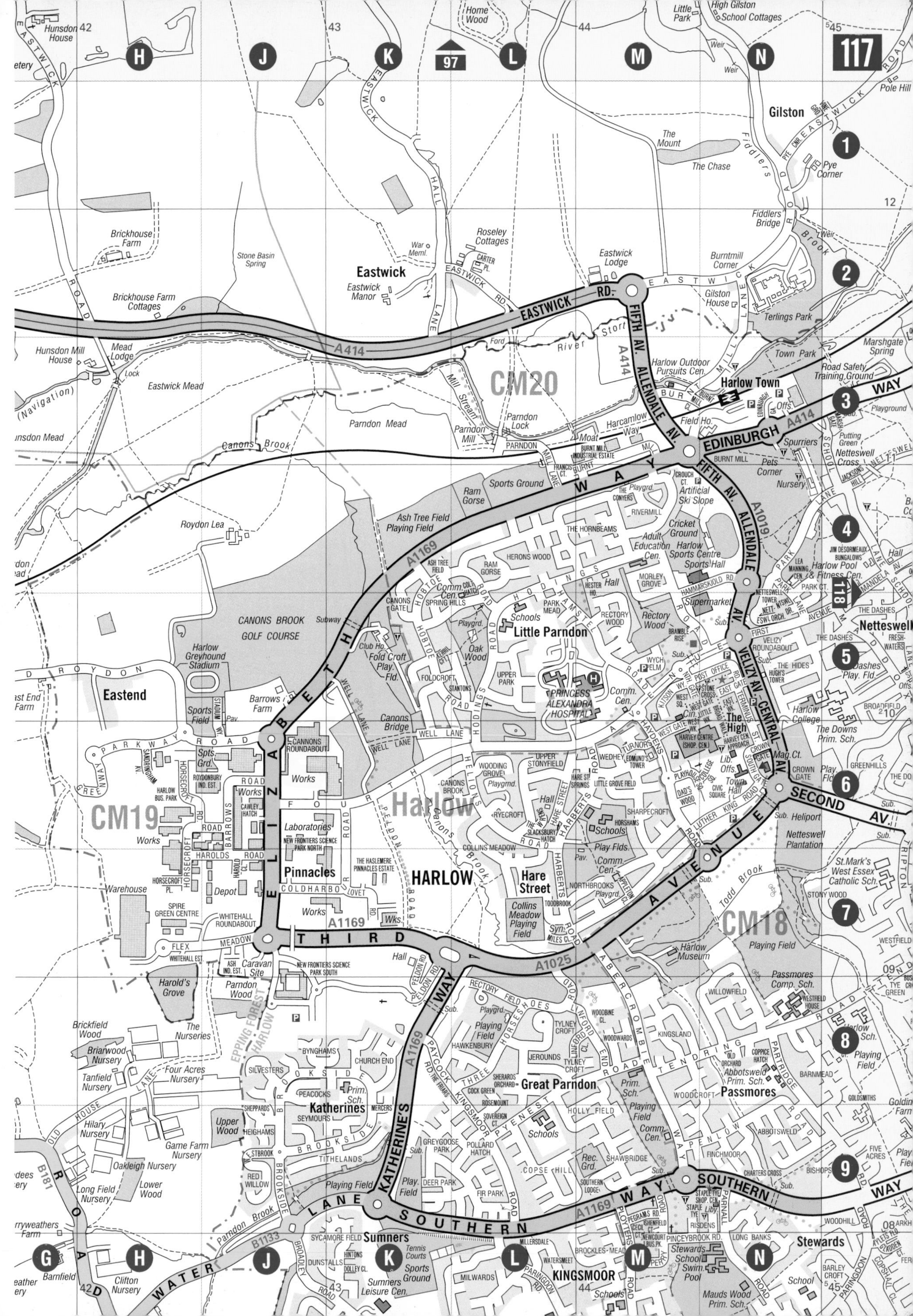
Eastwick
Gilston
Harlow Town
CM20
CM19
CM18
Eastend
Little Parndon
Harlow
HARLOW
Hare Street
Netteswell
Great Parndon
Katherines
Passmores
Sumners
KINGSMOOR
Stewards
Pinnacles
97
118

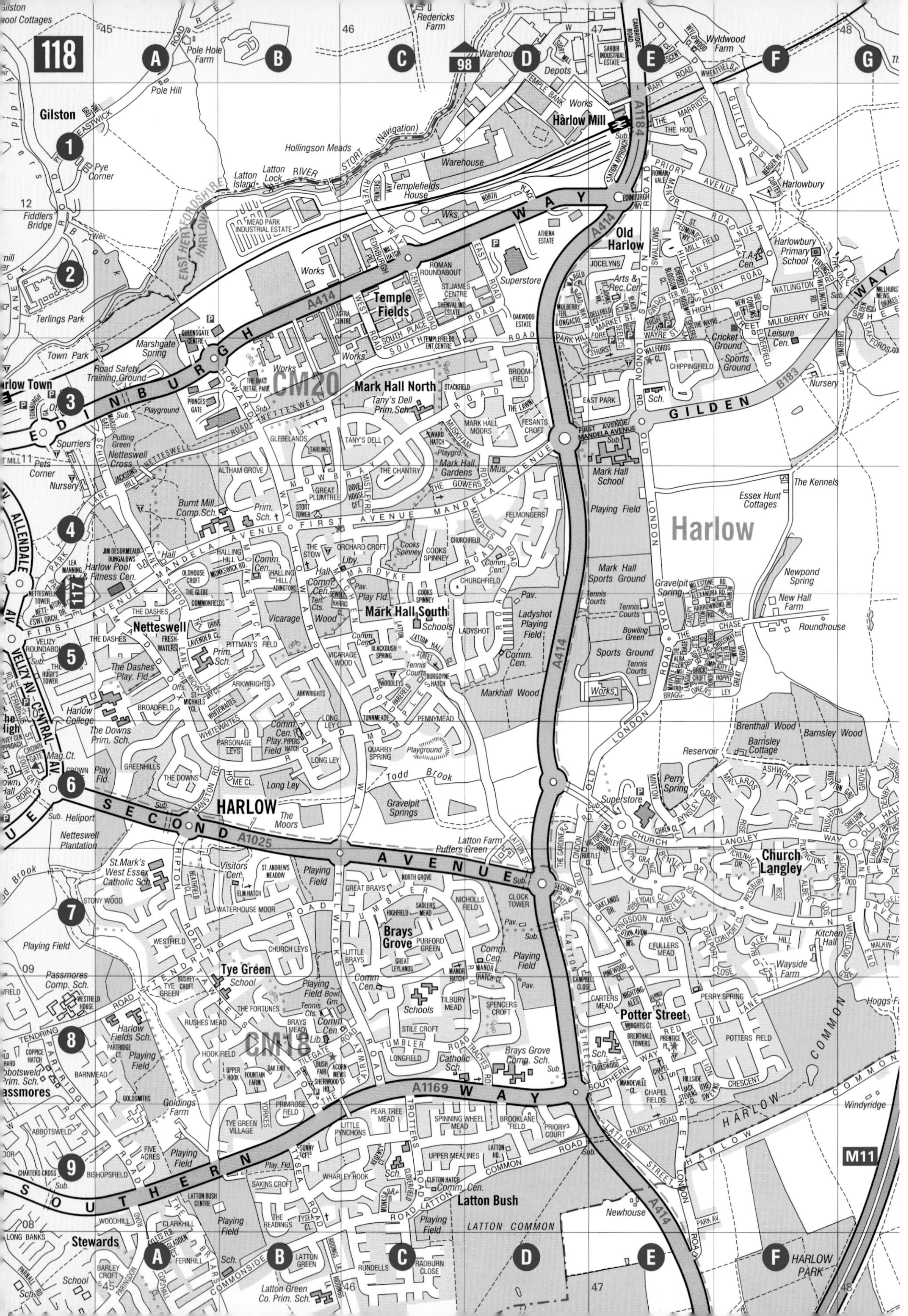
Gilston
Pole Hole Farm
Pole Hill
Redericks Farm
98
Warehouse
Depots
Works
Harlow Mill
Wyldwood Farm
Hollingson Meads
Pye Corner
Latton Island
Latton Lock
RIVER STORT (Navigation)
Templefields House
Warehouse
Fiddlers' Bridge
MEAD PARK INDUSTRIAL ESTATE
EDINBURGH WAY
Old Harlow
Harlowbury
Harlowbury Primary School
Terlings Park
Works
Temple Fields
Superstore
Town Park
Marshgate Spring
Road Safety Training Ground
CM20
Mark Hall North
Tany's Dell Prim. Sch.
Harlow Town
GILDEN WAY
Cricket Ground
Sports Ground
Leisure Cen.
Nursery
Netteswell Cross
Spurriers
Pets Corner
Mark Hall Gardens
Mark Hall School
Playing Field
The Kennels
Essex Hunt Cottages
Burnt Mill Comp. Sch.
Harlow
Harlow Pool & Fitness Cen.
Mark Hall Sports Ground
Newpond Spring
New Hall Farm
Roundhouse
Mark Hall South
Netteswell
Vicarage Wood
Ladyshot Playing Field
Sports Ground
The Dashes Play. Fld.
Harlow College
The Downs Prim. Sch.
Markhall Wood
Brenthall Wood
Barnsley Wood
Barnsley Cottage
Reservoir
Perry Spring
Todd Brook
Long Ley
Gravelpit Springs
HARLOW
SECOND AVENUE
A1025
Heliport
Netteswell Plantation
Latton Farm
Puffers Green
Church Langley
St.Mark's West Essex Catholic Sch.
Playing Field
Brays Grove
Tye Green
Passmores Comp. Sch.
Harlow Fields Sch.
Schools
CM18
Potter Street
Brays Grove Comp. Sch.
Catholic Sch.
Kitchen Hall
Wayside Farm
Hoggs Farm
HARLOW COMMON
Windyridge
Goldings Farm
A1169
SOUTHERN WAY
M11
Latton Bush
LATTON COMMON
Newhouse
Stewards
Latton Green Co. Prim. Sch.
HARLOW PARK
A414
A1184

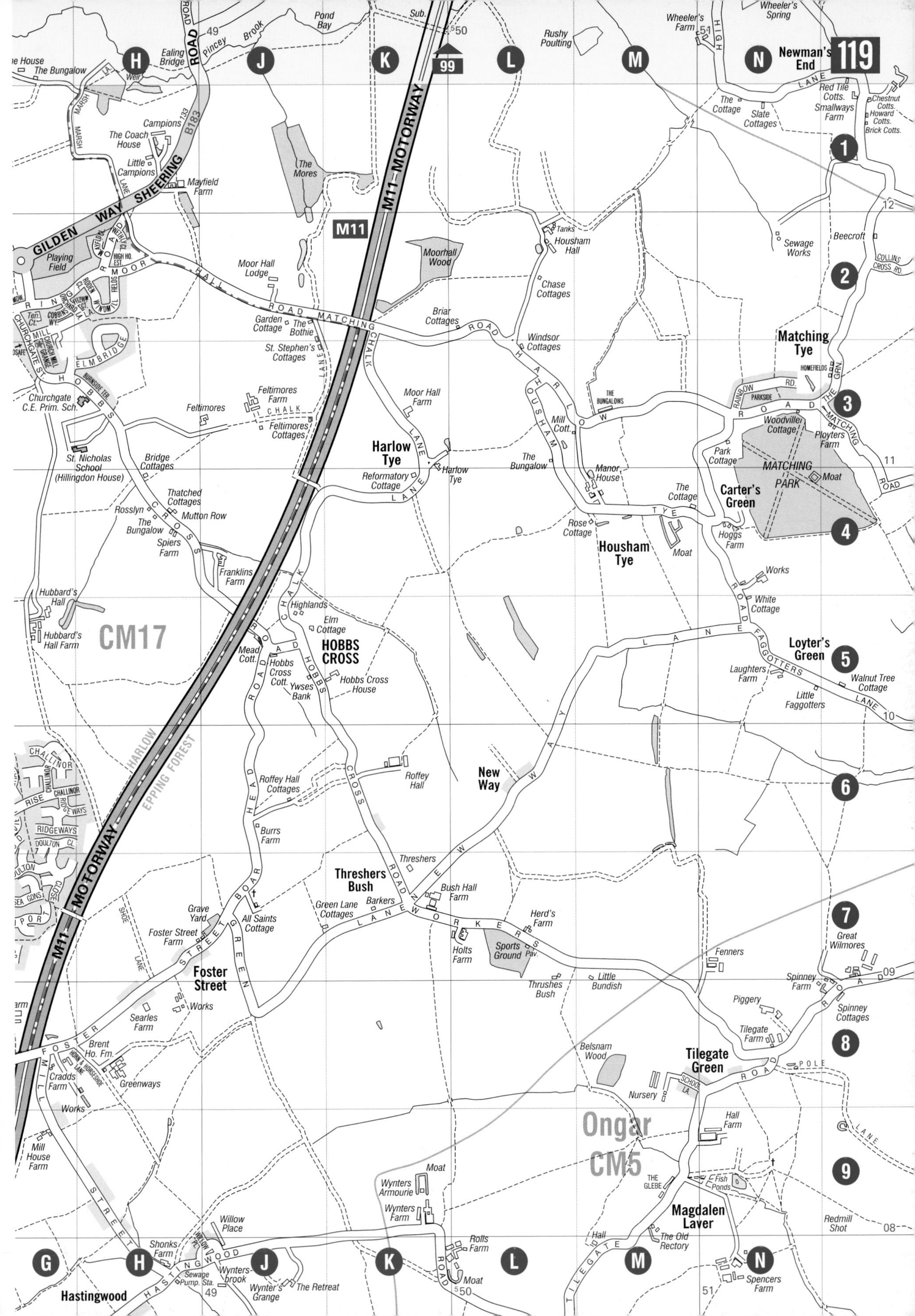
Newman's End
Wheeler's Farm
Wheeler's Spring
Rushy Poulting
Pond Bay
Ealing Bridge
Pincey Brook
The Bungalow
Campions
The Coach House
Little Campions
Mayfield Farm
The Mores
M11 MOTORWAY
Moorhall Wood
Housham Hall
Chase Cottages
Beecroft
Sewage Works
Red Tile Cotts.
Smallways Farm
Chestnut Cotts.
Howard Cotts.
Brick Cotts.
The Cottage
Slate Cottages
Playing Field
GILDEN WAY SHEERING
Moor Hall Lodge
Garden Cottage
The Bothie
St. Stephen's Cottages
Briar Cottages
Windsor Cottages
Matching Tye
Feltimores Farm
Feltimores
Feltimores Cottages
Churchgate C.E. Prim. Sch.
St. Nicholas School (Hillingdon House)
Bridge Cottages
Moor Hall Farm
Harlow Tye
Reformatory Cottage
Mill Cott.
The Bungalow
Manor House
Woodville Cottage
Ployters Farm
Park Cottage
MATCHING PARK
Moat
Carter's Green
The Cottage
Thatched Cottages
Mutton Row
Rosslyn
The Bungalow
Spiers Farm
Franklins Farm
Rose Cottage
Housham Tye
Moat
Hoggs Farm
Works
White Cottage
Hubbard's Hall
Hubbard's Hall Farm
CM17
Highlands
Elm Cottage
HOBBS CROSS
Hobbs Cross House
Mead Cott.
Hobbs Cross Cott.
Ywses Bank
Loyter's Green
Laughters Farm
Walnut Tree Cottage
Little Faggotters
Roffey Hall
Roffey Hall Cottages
New Way
Burrs Farm
Threshers
Threshers Bush
Bush Hall Farm
Grave Yard
All Saints Cottage
Foster Street Farm
Green Lane Cottages
Barkers
Herd's Farm
Holts Farm
Sports Ground
Thrushes Bush
Little Bundish
Fenners
Great Wilmores
Spinney Farm
Spinney Cottages
Piggery
Tilegate Farm
Foster Street
Searles Farm
Works
Brent Ho. Fm.
Cradds Farm
Greenways
Works
Belsnam Wood
Tilegate Green
Nursery
Hall Farm
Ongar CM5
Mill House Farm
Moat
Wynters Armourie
Wynters Farm
Fish Ponds
Magdalen Laver
The Old Rectory
Redmill Shot
Willow Place
Shonks Farm
Rolls Farm
Moat
Hastingwood
Sewage Pump. Sta.
Wyntersbrook
Wynter's Grange
The Retreat
Spencers Farm

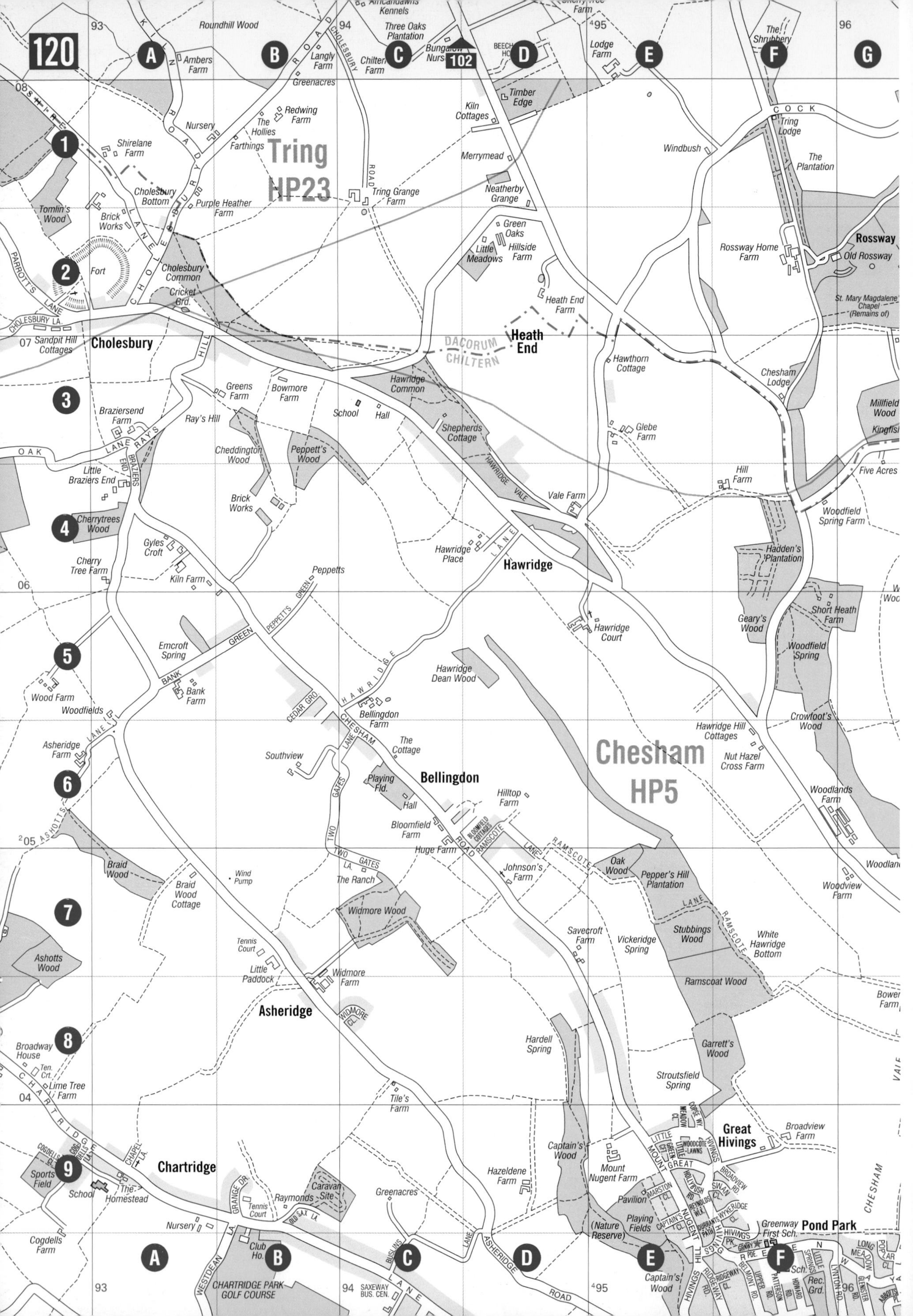

Roundhill Wood
Ambers Farm
Langly Farm
Greenacres
Three Oaks Plantation
Chiltern Farm
102
Lodge Farm
Timber Edge
Kiln Cottages
Redwing Farm
The Hollies
Farthings
Nursery
Shirelane Farm
Tring HP23
Tring Grange Farm
Merrymead
Neatherby Grange
Windbush
Tring Lodge
The Plantation
Cholesbury Bottom
Purple Heather Farm
Tomlin's Wood
Brick Works
Green Oaks
Little Meadows
Hillside Farm
Rossway Home Farm
Rossway
Old Rossway
Fort
Cholesbury Common
Cricket Grd.
Heath End Farm
St. Mary Magdalene Chapel (Remains of)
Cholesbury La.
Sandpit Hill Cottages
Cholesbury
Dacorum
Chiltern
Heath End
Hawthorn Cottage
Chesham Lodge
Greens Farm
Bowmore Farm
Hawridge Common
School
Hall
Braziersend Farm
Ray's Hill
Millfield Wood
Shepherds Cottage
Glebe Farm
Oak Lane
Cheddington Wood
Peppett's Wood
Little Braziers End
Hill Farm
Five Acres
Hawridge Vale
Vale Farm
Brick Works
Woodfield Spring Farm
Cherrytrees Wood
Gyles Croft
Hawridge Place
Hawridge
Hadden's Plantation
Cherry Tree Farm
Kiln Farm
Peppetts
Peppett's Green
Geary's Wood
Short Heath Farm
Hawridge Court
Emcroft Spring
Bank Green
Woodfield Spring
Hawridge Dean Wood
Wood Farm
Bank Farm
Woodfields
Cedar Gro.
Bellingdon Farm
Crowfoot's Wood
Hawridge Hill Cottages
Asheridge Farm
Chesham Lane
Southview
The Cottage
Chesham HP5
Nut Hazel Cross Farm
Playing Fld.
Bellingdon
Hilltop Farm
Hall
Woodlands Farm
Ashotts Lane
Bloomfield Farm
Bloomfield Cottages
Ramscote Lane
Braid Wood
Two Gates La.
Huge Farm
Oak Wood
Pepper's Hill Plantation
Wind Pump
The Ranch
Johnson's Farm
Woodview Farm
Braid Wood Cottage
Widmore Wood
Stubbings Wood
Savecroft Farm
Vickeridge Spring
White Hawridge Bottom
Ashotts Wood
Tennis Court
Little Paddock
Widmore Farm
Ramscoat Wood
Asheridge
Widmore Cl.
Bower Farm
Hardell Spring
Garrett's Wood
Broadway House
Ten. Crt.
Lime Tree Farm
Stroutsfield Spring
Tile's Farm
Meadow Cl.
Copse Wy.
Great Hivings
Broadview Farm
Captain's Wood
Little Green
Woodcote Lawns
Chartridge Lane
Cogdells Cl.
Chapel La.
Chartridge
Sports Field
School
The Homestead
Grange Dr.
Caravan Site
Raymonds
Mount Nugent Farm
Hazeldene Farm
Greenacres
Marston Cl.
Broadview Rd.
Pavilion
Playing Fields
Reynolds Wk.
Wykeridge Cl.
Tennis Court
Old Sax La.
Nursery
(Nature Reserve)
Captain's Cl.
Hivings Pk.
Greenway First Sch.
Pond Park
Cogdells Farm
Club Ho.
Westdean La.
Buslins Lane
Asheridge Road
Captain's Wood
Chartridge Park Golf Course
Saxeway Bus. Cen.
Ridgeway Cl.
Belmont Rd.
Upper Rd.
Paterson Rd.
Howard Rd.
Sch.
Little Spring
Rec. Grd.
Lynton Rd.
Long Meadow
Chesham

121
Berkhamsted
HP4
BERKHAMSTED
Shootersway
Ashley Green
Orchard Leigh
Lye Green
Hockeridge Wood
Haresfoot Park
Ashlyns School
Kingshill Way
Chesham Road
Berkhamsted Bypass
A41
A416
B4505
Rushmere Lane
Dacorum
Chiltern
122
103

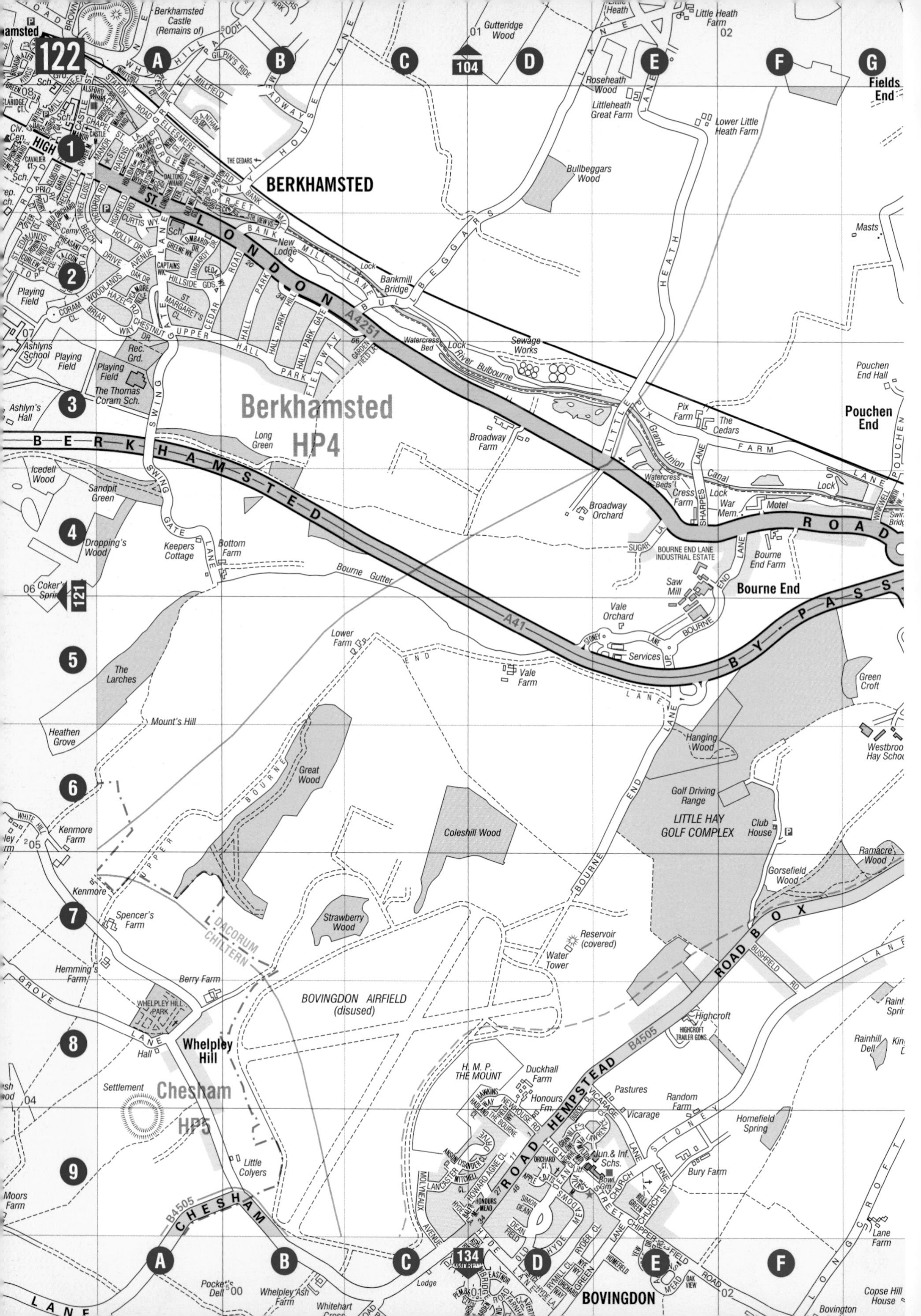

122
104
121
134
A
B
C
D
E
F
G
1
2
3
4
5
6
7
8
9
BERKHAMSTED
Berkhamsted HP4
Chesham HP5
Berkhamsted Castle (Remains of)
Gutteridge Wood
Little Heath Farm
Fields End
Roseheath Wood
Littleheath Great Farm
Lower Little Heath Farm
Bullbeggars Wood
Masts
THE CEDARS
New Lodge
Bankmill Bridge
Lock
Watercress Bed
Sewage Works
River Bulbourne
Playing Field
Ashlyns School
Rec. Grd.
The Thomas Coram Sch.
Ashlyn's Hall
Long Green
Broadway Farm
Pix Farm
The Cedars
Pouchen End Hall
Pouchen End
Grand Union Canal
Watercress Beds
Cress Farm
War Mem.
Motel
Broadway Orchard
Icedell Wood
Sandpit Green
Dropping's Wood
Keepers Cottage
Bottom Farm
Coker's Spring
Bourne Gutter
BOURNE END LANE INDUSTRIAL ESTATE
Saw Mill
Bourne End Farm
Bourne End
Vale Orchard
Services
Lower Farm
Vale Farm
The Larches
Heathen Grove
Mount's Hill
Green Croft
Westbrook Hay School
Hanging Wood
Great Wood
Golf Driving Range
LITTLE HAY GOLF COMPLEX
Club House
Coleshill Wood
Kenmore Farm
Kenmore
Ramacre Wood
Gorsefield Wood
Spencer's Farm
Strawberry Wood
DACORUM
CHILTERN
Reservoir (covered)
Water Tower
Hemming's Farm
Berry Farm
BOVINGDON AIRFIELD (disused)
WHELPLEY HILL PARK
Whelpley Hill
Hall
Highcroft
HIGHCROFT TRAILER GDNS.
Rainhill Dell
H. M. P. THE MOUNT
Duckhall Farm
Pastures
Random Farm
Honours Fm.
Vicarage
Homefield Spring
Settlement
Little Colyers
Jun.& Inf. Schs.
Bury Farm
Moors Farm
Lane Farm
Pocket's Dell
Whelpley Ash Farm
Whitehart Cross
Lodge
BOVINGDON
Copse Hill House
Bovington
BERKHAMSTED BY-PASS
A41
A4251
LONDON ROAD
HIGH ST.
B4505
BOX ROAD
HEMPSTEAD ROAD
CHESHAM ROAD
BULLBEGGARS LANE
HEATH LANE
SWING GATE LANE
UPPER HALL PARK
FIELDWAY
BOURNE END LANE
STONEY LANE
CHURCH LANE
CHIPPERFIELD ROAD
LONGCROFT LANE
GROVE LANE
UPPER BOURNE END LANE
MOLYNEAUX AVENUE
POUCHEN END LANE
PIX FARM LANE
SHARPES LANE
BUSHFIELD RD

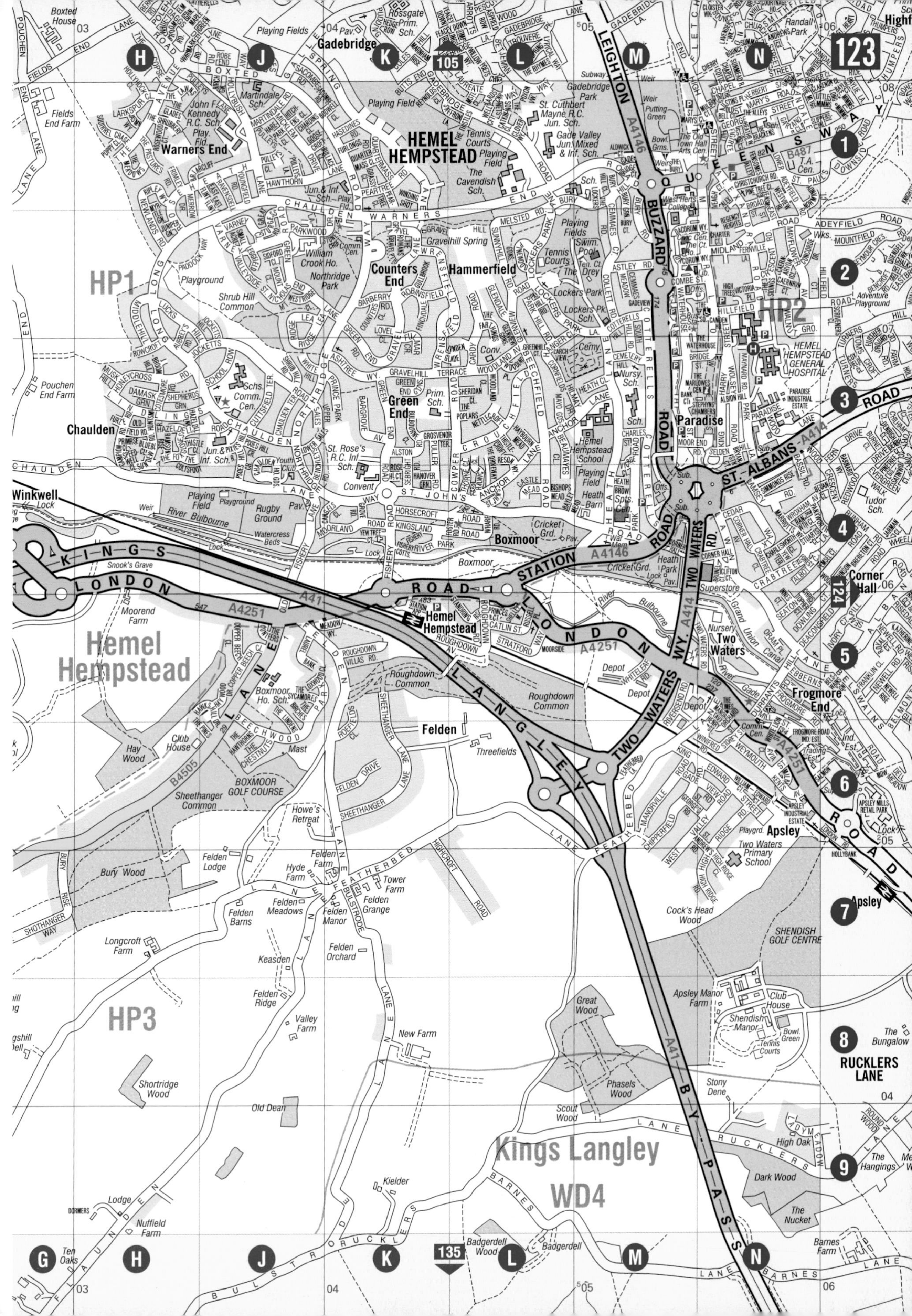
123
Boxted House
Playing Fields
Rossgate Prim. Sch.
Gadebridge
105
Gadebridge Park
Highfield
Martindale Sch.
John F. Kennedy R.C. Sch.
Fields End Farm
Warners End
HEMEL HEMPSTEAD
Tennis Courts
Playing Field
The Cavendish Sch.
St. Cuthbert Mayne R.C. Jun. Sch.
Gade Valley Jun. Mixed & Inf. Sch.
Putting Green
Bowl. Grns.
The Old Town Hall Arts Cen.
West Herts College
T.A. Cen.
Jun. & Inf. Sch.
Gravelhill Spring
William Crook Ho.
Northridge Park
Counters End
Hammerfield
Playing Fields
Swim. Pool
Tennis Courts
Lockers Park
Lockers Pk. Sch.
HP1
Playground
Shrub Hill Common
HP2
Adventure Playground
Hemel Hempstead General Hospital
Paradise Industrial Estate
Paradise
Pouchen End Farm
Schs. Comm. Cen.
Green End
Prim. Sch.
Conv.
Cemy.
Nursy. Sch.
Hemel Hempstead School
Playing Field
Heath Barn
Chaulden
Jun. & Inf. Sch.
Youth Club
St. Rose's R.C. Inf. Sch.
Convent
Winkwell
Lock
Playing Field
Rugby Ground
River Bulbourne
Watercress Beds
Boxmoor
Cricket Grd.
Tudor Sch.
Corner Hall
124
Snook's Grave
KINGS LONDON ROAD
STATION ROAD
Moorend Farm
Hemel Hempstead
Superstore
Grand Union Canal
Nursery
Two Waters
Frogmore End
Roughdown Common
Depot
Boxmoor Ho. Sch.
Felden
Threefields
Club House
Hay Wood
BOXMOOR GOLF COURSE
Sheethanger Common
Mast
Apsley Industrial Estate
Apsley Mills Retail Park
Apsley
Two Waters Primary School
Howe's Retreat
Felden Lodge
Felden Farm
Hyde Farm
Tower Farm
Bury Wood
Felden Meadows
Felden Manor
Felden Grange
Felden Barns
Cock's Head Wood
SHENDISH GOLF CENTRE
Longcroft Farm
Keasden
Felden Orchard
Felden Ridge
Apsley Manor Farm
Club House
Shendish Manor
Bowl. Green
Tennis Courts
HP3
Valley Farm
Great Wood
New Farm
The Bungalow
RUCKLERS LANE
Shortridge Wood
Phasels Wood
Stony Dene
Old Dean
Scout Wood
High Oak
Kings Langley
The Hangings
WD4
Dark Wood
Kielder
Lodge
Nuffield Farm
The Nucket
Ten Oaks
135
Badgerdell Wood
Badgerdell
Barnes Farm
A41 BY-PASS
A4146
A414
A4251
B4505
B487

A
B
C
D
E
F
G
1
2
3
4
5
6
7
8
9
106
123
136
Highfield
Adeyfield
HP2
Leverstock Green
HEMEL HEMPSTEAD
Hemel Hempstead
HP3
Corner Hall
Bennetts End
Frogmore End
Apsley
Nash Mills
RUCKLERS LANE
Kings Langley
WD4
MAYLANDS AVENUE
BREAKSPEAR WAY
ST. ALBANS ROAD
LEVERSTOCK GRN. WY.
LEVERSTOCK GREEN ROAD
LONDON ROAD
HEMPSTEAD ROAD
A414
A4147
A4251
B487
Maylands Wood
Sports Ground
Woodwells Cemetery
Day Nursery
Caravan Park
Running Track
Hotel
Hemel Hempstead General Hospital
Adeyfield School
Council Offices
Football Grd.
Broadfield Jun. & Inf. Schs.
Superstore
Athletics Track
Ski Centre
Tudor Sch.
Lime Walk Jun. Mixed & Inf. Sch.
Hobbs Hill Wood Prim. School
Longdean School
Chambersbury Prim. Sch.
Belswains Prim. Sch.
Belswains Playing Field
George Wood
Leverstock Green Jun. Mixed & Inf. Sch.
Westwick Farm
Westwick Cottage
Well Farm
Well Farm Cottages
Bunkers Farm
Longdean House
Highwood Hall Farm
High Herts Farm
Long Dean
Abbot's Hill School
Abbots Hill Junior School
The Lodge
Tennis Courts
Shafford Cottages
DACORUM
THREE RIVERS
ST. ALBANS
Wireless Station
Hyde Meadow Farm
Hydelane Spring
Hyde Springs
Hyde Farm
Hyde Lane Farm
Pimlico House
New Plantation
Little Abbots
Hart Hall
White House Farm
Harthall Cottages
Woodlands Poultry Farm
Old Farm
Leewood Farm
Hilltop Farm
Long Spring
SHENDISH GOLF CENTRE
Shendish Manor
Club House
Pavilion
The Bungalow
Rucklers Wood
The Hangings
Merceys Wood
Barnes Lodge
High Oak
Dark Wood
The Nucket
Barnes Farm
Grand Union Canal
Poultry Fm.
Coal Yard
Works

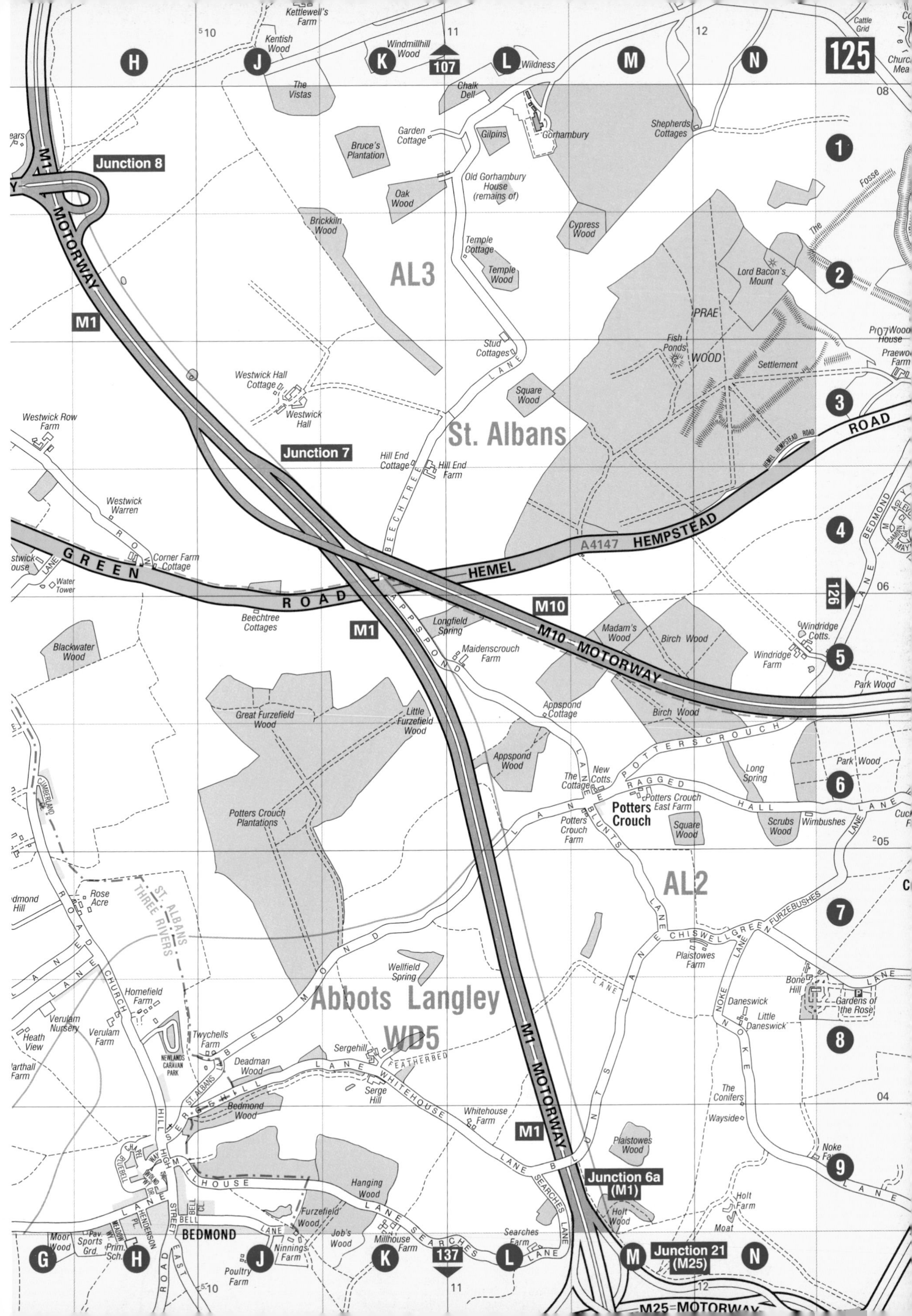

Kettlewell's Farm
Kentish Wood
Windmillhill Wood
107
Wildness
Cattle Grid
The Vistas
Chalk Dell
Garden Cottage
Bruce's Plantation
Gilpins
Gorhambury
Shepherds Cottages
Junction 8
M1
MOTORWAY
Old Gorhambury House (remains of)
Oak Wood
Brickkiln Wood
Cypress Wood
Temple Cottage
Temple Wood
AL3
The Fosse
Lord Bacon's Mount
PRAE WOOD
Fish Ponds
Settlement
Praewood House
Praewood Farm
Stud Cottages
LANE
Westwick Hall Cottage
Westwick Hall
Square Wood
Westwick Row Farm
St. Albans
Junction 7
Hill End Cottage
Hill End Farm
BEECHTREE
HEMEL HEMPSTEAD ROAD
ROAD
Westwick Warren
ROW
Corner Farm Cottage
A4147
HEMPSTEAD
HEMEL
GREEN
ROAD
LANE
Water Tower
BEDMOND
126
Beechtree Cottages
M10
M1
APPSPOND
Longfield Spring
Maidenscrouch Farm
M10 MOTORWAY
Madam's Wood
Birch Wood
Windridge Cotts.
Windridge Farm
Park Wood
Blackwater Wood
Great Furzefield Wood
Little Furzefield Wood
Appspond Cottage
Birch Wood
POTTERS CROUCH
Appspond Wood
The Cottage
New Cotts.
RAGGED HALL LANE
Long Spring
Park Wood
Potters Crouch East Farm
Potters Crouch
Potters Crouch Farm
Square Wood
Scrubs Wood
Wimbushes
Potters Crouch Plantations
BLUNTS
CUMBERLAND
AL2
Rose Acre
Bedmond Hill
ROAD
ST. ALBANS
THREE RIVERS
FURZEBUSHES
CHISWELL GREEN LANE
Plaistowes Farm
Wellfield Spring
BEDMOND
CHURCH
Homefield Farm
Abbots Langley
WD5
Bone Hill
Gardens of the Rose
Daneswick
Little Daneswick
NOKE
Verulam Nursery
Verulam Farm
Heath View
Twychells Farm
NEWLANDS CARAVAN PARK
Deadman Wood
Sergehill
FEATHERBED
WHITEHOUSE
Serge Hill
Bedmond Wood
Whitehouse Farm
M1 MOTORWAY
The Conifers
Wayside
Plaistowes Wood
Noke Farm
Junction 6a (M1)
Hanging Wood
MILLHOUSE
Furzefield Wood
Holt Wood
Holt Farm
Moat
HENDERSON
BEDMOND
HIGH STREET
EAST
Moor Wood
Sports Grd.
Prim. Sch.
Job's Wood
Millhouse Farm
SEARCHES LANE
Searches Farm
Ninnings Farm
137
Junction 21 (M25)
Poultry Farm
M25 MOTORWAY
G H J K L M N
1 2 3 4 5 6 7 8 9
10 11 12
08 07 06 05 04

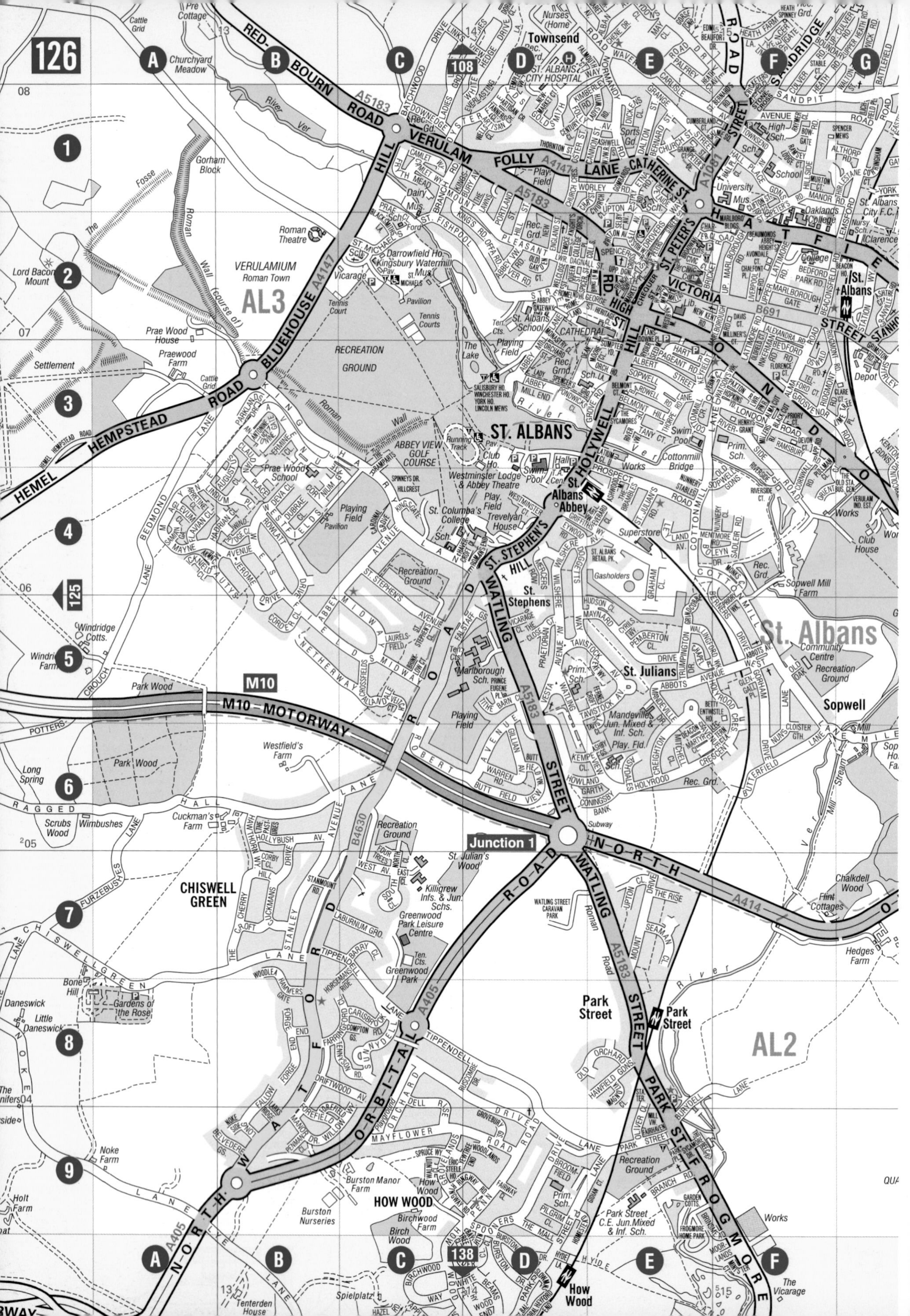
126
A
B
C
D
E
F
G
108
125
138
Townsend
ST. ALBANS CITY HOSPITAL
VERULAMIUM
Roman Town
AL3
Roman Theatre
Gorham Block
Lord Bacon Mount
Settlement
Prae Wood House
Praewood Farm
RECREATION GROUND
ABBEY VIEW GOLF COURSE
ST. ALBANS
St. Albans Abbey
CATHEDRAL
St. Albans School
VICTORIA
University
Oakland College
St. Albans City F.C.
St. Albans
St. Columba's College
Westminster Lodge & Abbey Theatre
Cottonmill Bridge
Superstore
Gasholders
St. Stephens
St. Julians
St. Albans
Community Centre
Recreation Ground
Sopwell
Sopwell Mill Farm
M10
M10 MOTORWAY
Junction 1
Park Wood
Long Spring
Scrubs Wood
Wimbushes
Cuckman's Farm
Westfield's Farm
CHISWELL GREEN
Windridge Cotts.
Windridge Farm
Bone Hill
Gardens of the Rose
Daneswick
Little Daneswick
Noke Farm
Holt Farm
Killigrew Infs. & Jun. Schs.
Greenwood Park Leisure Centre
Greenwood Park
St. Julian's Wood
Park Street
AL2
Chalkdell Wood
Flint Cottages
Hedges Farm
Burston Manor Farm
Burston Nurseries
HOW WOOD
Birchwood Farm
Birch Wood
How Wood
Park Street C.E. Jun. Mixed & Inf. Sch.
Recreation Ground
Works
The Vicarage
Tenterden House
Spielplatz
HEMEL HEMPSTEAD ROAD
BLUEHOUSE HILL
REDBOURN ROAD
VERULAM ROAD
FOLLY LANE
CATHERINE ST.
ST. PETER'S STREET
HOLYWELL HILL
ST. STEPHEN'S HILL
WATLING STREET
WATFORD ROAD
NORTH ORBITAL ROAD
NORTH ORBITAL ROAD
PARK STREET
FROGMORE
LONDON ROAD
HATFIELD ROAD
A5183
A4147
A1081
A414
A405
B4630
B691

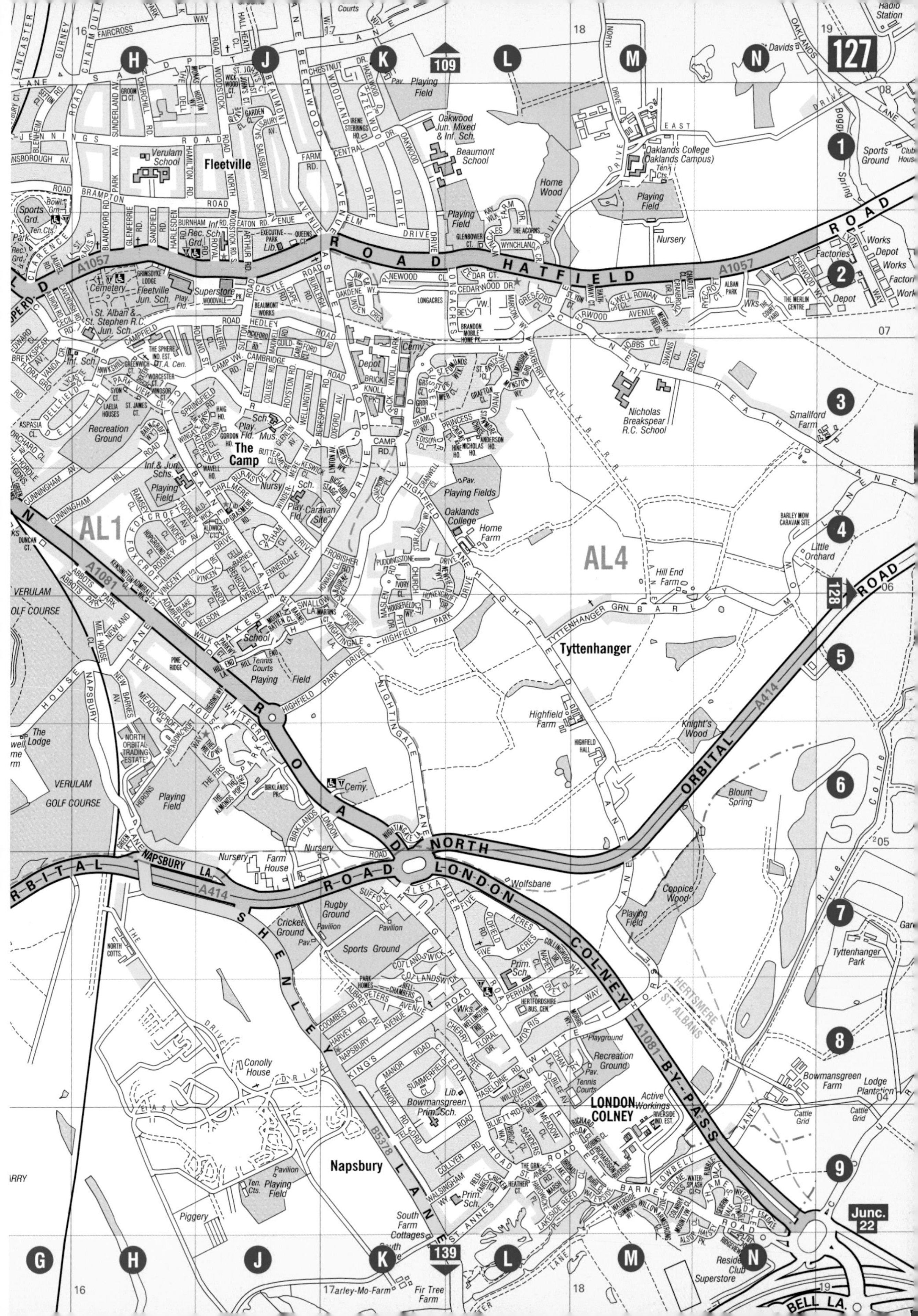
109
139
128
Fleetville
Verulam School
Oakwood Jun. Mixed & Inf. Sch.
Beaumont School
Oaklands College (Oaklands Campus)
Home Wood
Playing Field
Nursery
Sports Ground
Works
Depot
Factories
HATFIELD ROAD
A1057
Cemetery
Fleetville Jun. Sch.
Superstore
St. Alban & St. Stephen R.C. Jun. Sch.
Recreation Ground
The Camp
Nicholas Breakspear R.C. School
Smallford Farm
Oaklands College
Home Farm
Caravan Site
Playing Fields
AL1
AL4
Barley Mow Caravan Site
Little Orchard
Hill End Farm
Tyttenhanger
Highfield Farm
Highfield Hall
Knight's Wood
Blount Spring
VERULAM GOLF COURSE
The Lodge
North Orbital Trading Estate
NORTH ORBITAL ROAD
A414
A1081
Cemy.
Nursery
Farm House
Wolfsbane
Coppice Wood
Tyttenhanger Park
Rugby Ground
Cricket Ground
Sports Ground
Prim. Sch.
Recreation Ground
LONDON COLNEY
LONDON COLNEY BY-PASS
HERTSMERE
ST. ALBANS
Bowmansgreen Farm
Lodge Plantation
Cattle Grid
Connolly House
Napsbury
SHENLEY LANE
B5378
Bowmansgreen Prim. Sch.
Lib.
Active Workings
Riverside Ind. Est.
Pavilion
Piggery
South Farm Cottages
Farley-Mo-Farm
Fir Tree Farm
Residential Club
Superstore
Junc. 22
BELL LA.
River Colne
G H J K L M N
1 2 3 4 5 6 7 8 9
16 17 18 19
04 05 06 07 08

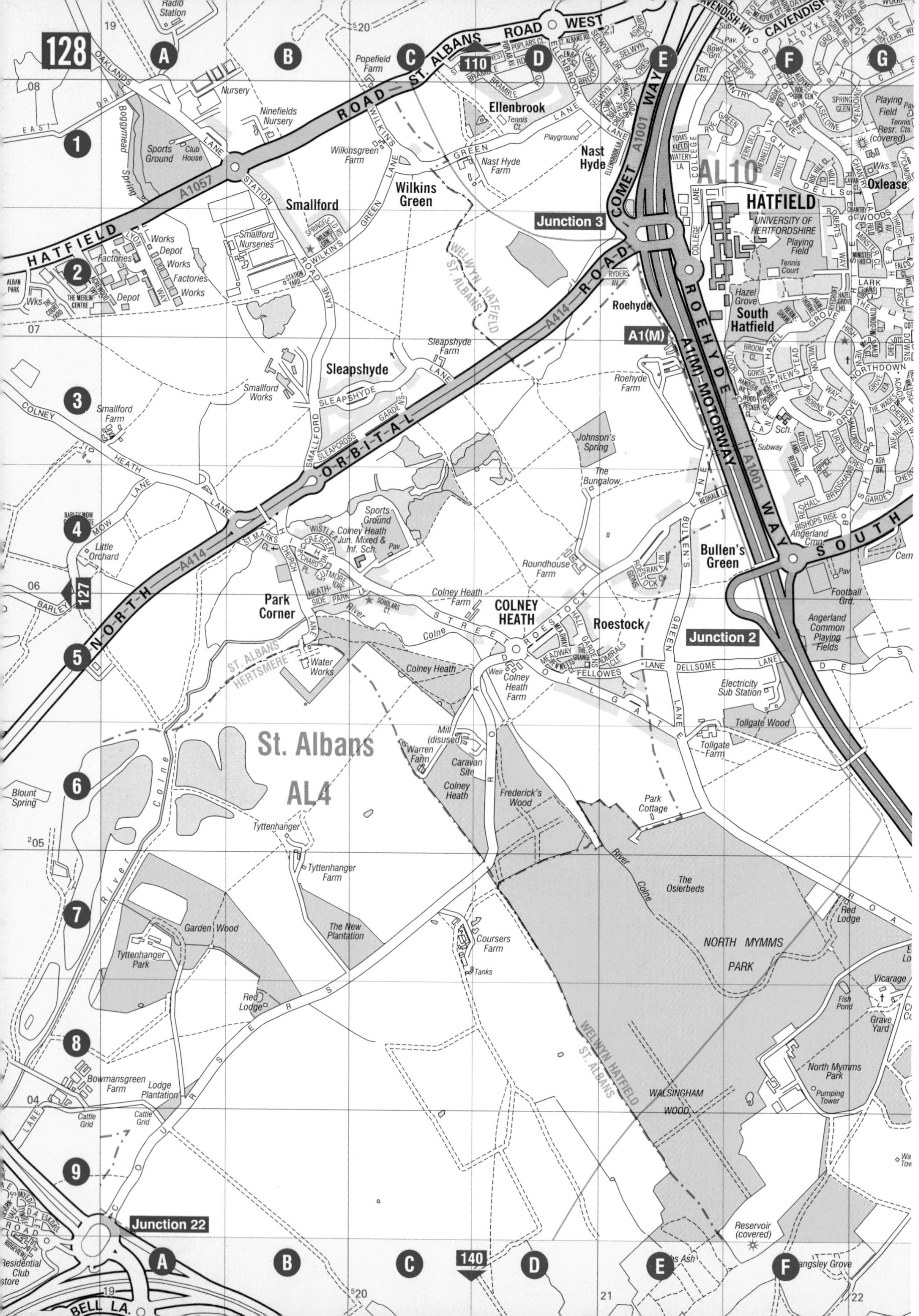
Radio Station
Oaklands
East Drive
Boggymead Spring
Sports Ground
Club House
Nursery
Ninefields Nursery
Popefield Farm
St. Albans Road
St. Albans Road West
110
Poplars Cl.
Bramble Rd.
Ellenbrook
Ellenbrook La.
Selwyn Dr.
Selwyn Av.
Selwyn Cres.
Ashbury Cl.
Tennis Ct.
Playground
Nast Hyde
Nast Hyde Farm
Green Lane
Wilkinsgreen Farm
Wilkins Green
Wilkins Green La.
Smallford
Station Rd.
A1057
Hatfield Road
Lyon Way
Works
Depot
Factories
The Merlin Centre
Alban Park
Smallford Nurseries
Station Yard
Springfield Rd.
Comet Way
A1001
Junction 3
Cavendish Way
Cavendish
Ten. Cts.
Bowl. Grn.
Pav.
Chantry
Toms Field
Watery La.
College Lane
Roe Green Cl.
AL10
HATFIELD
University of Hertfordshire
Playing Field
Tennis Court
Hazel Grove
South Hatfield
Oxlease
Playing Field
Tennis Resr. Cts. (covered)
Wks.
Roberts Way
Welwyn Hatfield
St. Albans
A414
Road
Ryders Av.
Roehyde
Roehyde Way
A1(M)
A1(M) Motorway
Roehyde Farm
Johnson's Spring
The Bungalow
Subway
Sleapshyde Farm
Sleapshyde
Sleapshyde Lane
Sleapcross Gardens
Smallford Lane
Smallford Works
Smallford Farm
Colney Heath Lane
Barley Mow Lane
Little Orchard
Orbital
North Orbital
Sports Ground
Colney Heath Jun. Mixed & Inf. Sch.
Pav.
Wistlea Crescent
St. Marks Cl.
Church La.
Park Corner
Heathside
Scholars Ct.
River Colne
Colney Heath Farm
Roundhouse Farm
COLNEY HEATH
High Street
Roestock Lane
Roestock
Bullen's Green
Bullen's Green Lane
Redhall La.
Bishops Rise
Angerland Cmn.
A1001 Way South
Football Grd.
Angerland Common Playing Fields
Junction 2
Dellsome Lane
Fellowes Lane
Meadway
Tollgate Road
Electricity Sub Station
Tollgate Wood
Tollgate Farm
Colney Heath
Colney Heath Farm
Weir
Water Works
St. Albans
Hertsmere
Mill (disused)
Warren Farm
Caravan Site
Colney Heath
Frederick's Wood
Park Cottage
St. Albans
AL4
Blount Spring
Tyttenhanger
Tyttenhanger Farm
River Colne
The Osierbeds
Red Lodge
NORTH MYMMS PARK
Garden Wood
The New Plantation
Coursers Farm
Tanks
Tyttenhanger Park
Red Lodge
Coursers Road
Vicarage
Fish Pond
Grave Yard
North Mymms Park
Pumping Tower
Walsingham Wood
Welwyn Hatfield
St. Albans
Bowmansgreen Farm
Lodge Plantation
Cattle Grid
Cattle Grid
Junction 22
Reservoir (covered)
Residential Club
Bell La.
140
Bangsley Grove
A B C D E F G
1 2 3 4 5 6 7 8 9
127
19 20 21 22
08 07 06 05 04

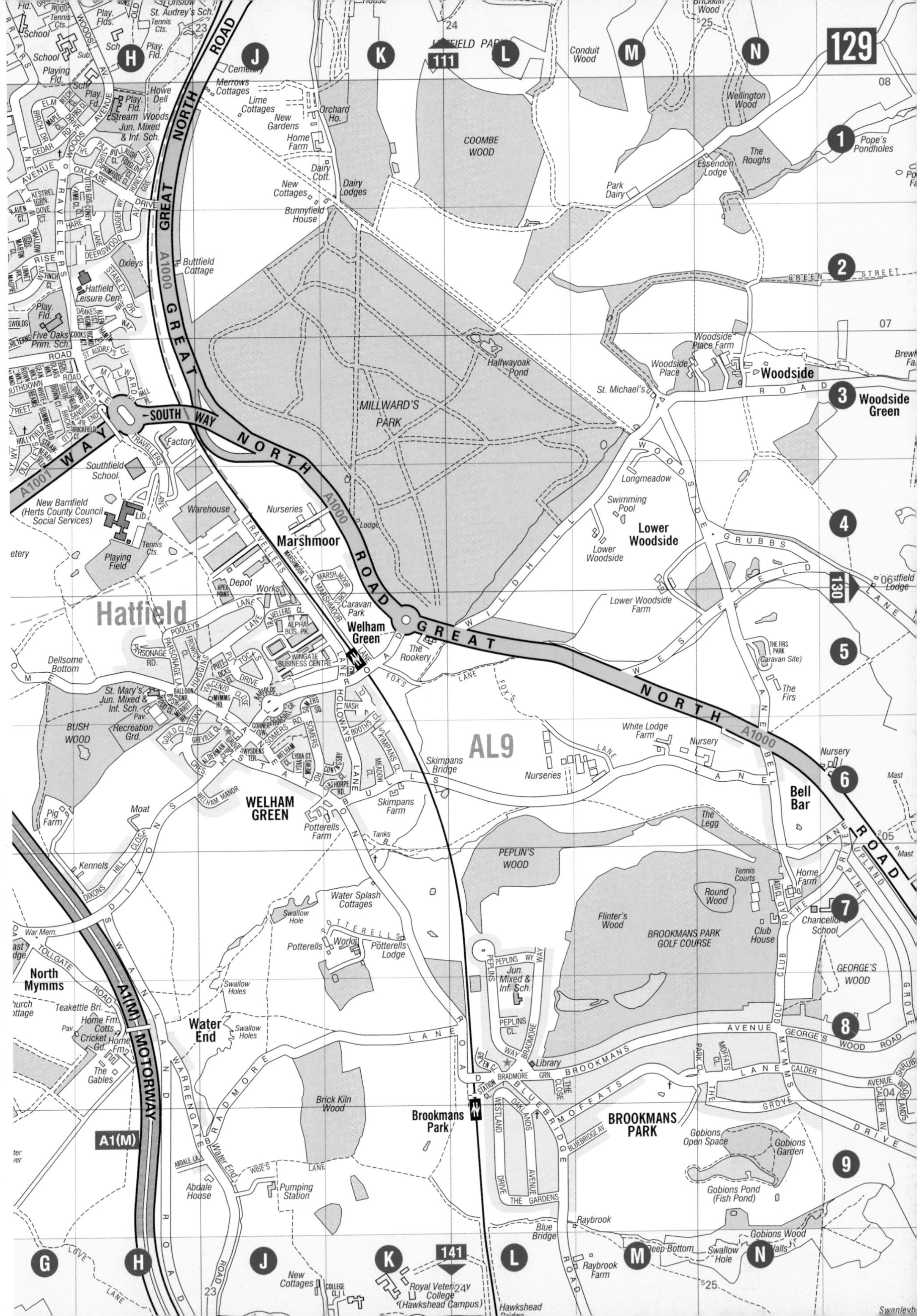

Hatfield
Marshmoor
Welham Green
WELHAM GREEN
AL9
Woodside
Woodside Green
Lower Woodside
Bell Bar
BROOKMANS PARK
Brookmans Park
North Mymms
Water End
GREAT NORTH ROAD
A1000
A1001
SOUTH WAY
A1(M) MOTORWAY
MILLWARD'S PARK
COOMBE WOOD
Halfwayoak Pond
BROOKMANS PARK GOLF COURSE
PEPLIN'S WOOD
Flinter's Wood
Round Wood
GEORGE'S WOOD
Brick Kiln Wood
BUSH WOOD
Gobions Open Space
Gobions Pond (Fish Pond)
Royal Veterinary College (Hawkshead Campus)
111
141
130

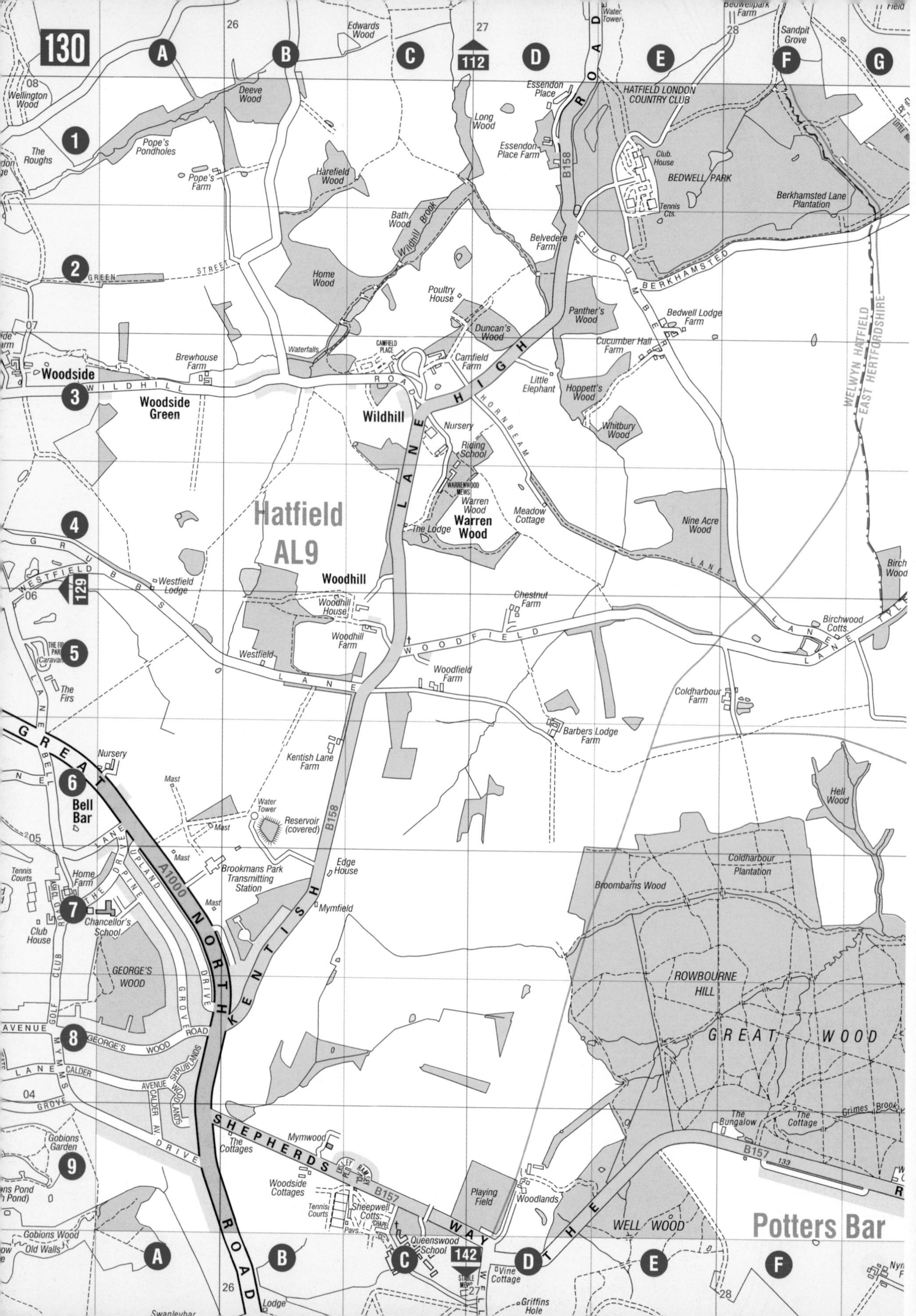

Hatfield
AL9
Woodside
Woodside Green
Wildhill
Woodhill
Warren Wood
Bell Bar
Potters Bar
HATFIELD LONDON COUNTRY CLUB
BEDWELL PARK
Deeve Wood
Wellington Wood
The Roughs
Pope's Pondholes
Pope's Farm
Harefield Wood
Bath Wood
Wildhill Brook
Home Wood
Long Wood
Essendon Place
Essendon Place Farm
Belvedere Farm
Poultry House
Duncan's Wood
Camfield Farm
Panther's Wood
Bedwell Lodge Farm
Cucumber Hall Farm
Little Elephant
Hoppett's Wood
Whitbury Wood
Berkhamsted Lane Plantation
Brewhouse Farm
Waterfalls
Nursery
Riding School
Meadow Cottage
Nine Acre Wood
Birch Wood
Chestnut Farm
Birchwood Cotts.
Woodhill House
Woodhill Farm
Westfield Lodge
Westfield
Woodfield Farm
Coldharbour Farm
Barbers Lodge Farm
Kentish Lane Farm
Hell Wood
Reservoir (covered)
Water Tower
Brookmans Park Transmitting Station
Edge House
Mymfield
Coldharbour Plantation
Broombarns Wood
ROWBOURNE HILL
GREAT WOOD
Chancellor's School
GEORGE'S WOOD
Club House
Home Farm
Tennis Courts
The Firs
Gobions Garden
Gobions Wood
Old Walls
The Cottages
Mymwood
Woodside Cottages
Sheepwell Cotts.
Queenswood School
Playing Field
Woodlands
WELL WOOD
The Bungalow
The Cottage
Grimes Brook
Vine Cottage
Griffins Hole
Lodge
WILDHILL ROAD
HIGH ROAD
LANE
KENTISH LANE
HORNBEAM
CUCUMBER
BERKHAMSTED
WOODFIELD LANE
TYLERS LANE
GREAT NORTH ROAD
A1000
B158
B157
SHEPHERDS WAY
THE RIDGE
GEORGE'S WOOD ROAD
GREEN STREET
WESTFIELD
GRUBBS
BELL LANE
UPLAND DRIVE
GROVE DRIVE
MYMMS DRIVE
CALDER AVENUE
SHRUBLANDS
WOODLANDS
GOLF CLUB ROAD
WELWYN HATFIELD
EAST HERTFORDSHIRE
112
129
142

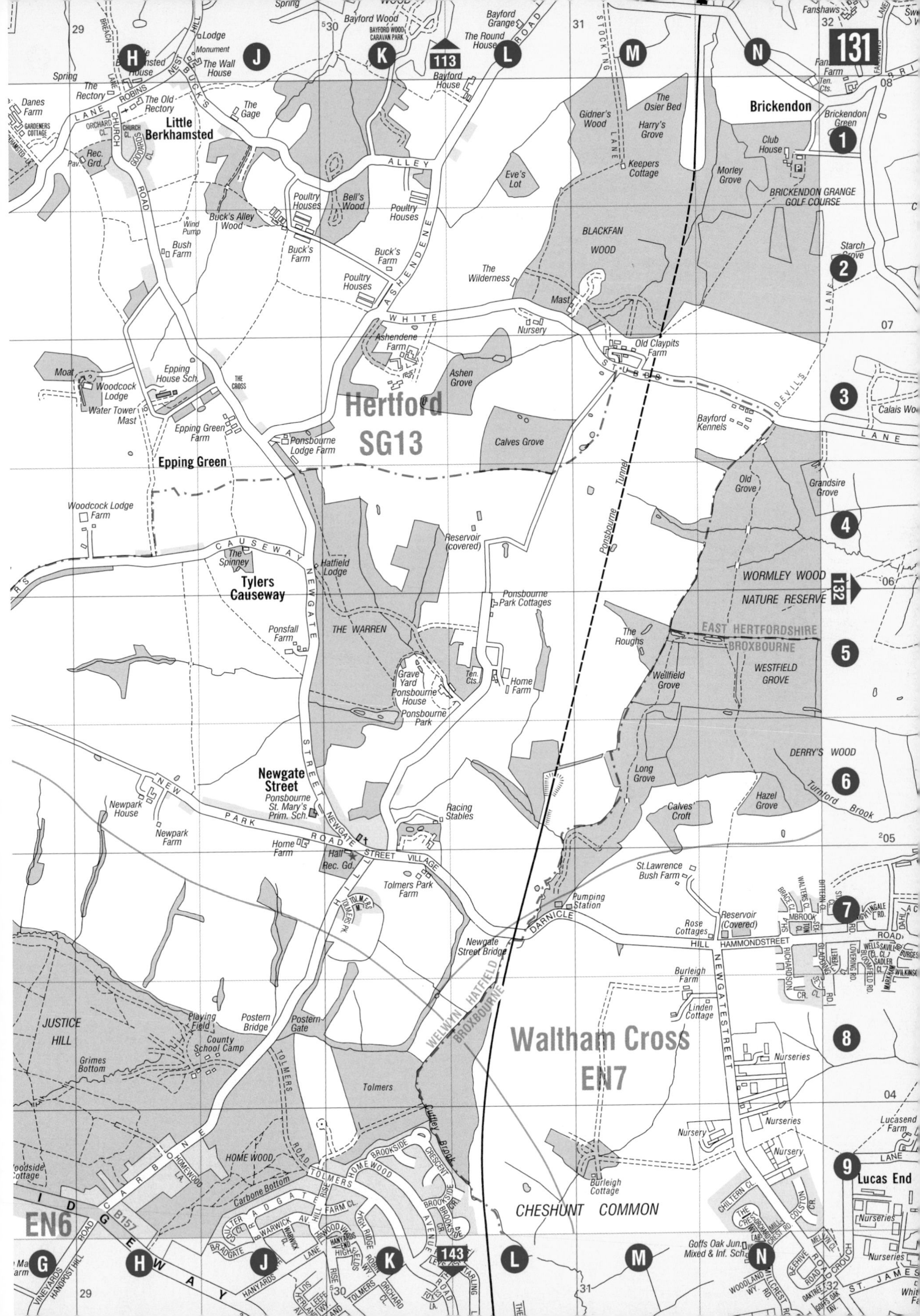
Little Berkhamsted
Brickendon
Brickendon Green
Brickendon Grange Golf Course
Blackfan Wood
The Wilderness
Old Claypits Farm
Ashendene Farm
Ashen Grove
Hertford SG13
Epping Green
Epping House Sch.
Woodcock Lodge
Calves Grove
Bayford Kennels
Old Grove
Grandsire Grove
Wormley Wood Nature Reserve
East Hertfordshire
Broxbourne
Tylers Causeway
Hatfield Lodge
The Warren
Ponsbourne Park Cottages
Ponsbourne Tunnel
Westfield Grove
Wellfield Grove
Derry's Wood
Long Grove
Hazel Grove
Calves' Croft
Newgate Street
Ponsbourne St. Mary's Prim. Sch.
Racing Stables
Tolmers Park Farm
St.Lawrence Bush Farm
Pumping Station
Reservoir (Covered)
Newgate Street Bridge
Justice Hill
County School Camp
Postern Bridge
Postern Gate
Tolmers
Home Wood
Waltham Cross EN7
Burleigh Farm
Linden Cottage
Nurseries
Lucasend Farm
Lucas End
Burleigh Cottage
Cheshunt Common
Goffs Oak Jun. Mixed & Inf. Sch.
EN6
Ridgeway
Carbone Bottom
113
132
143

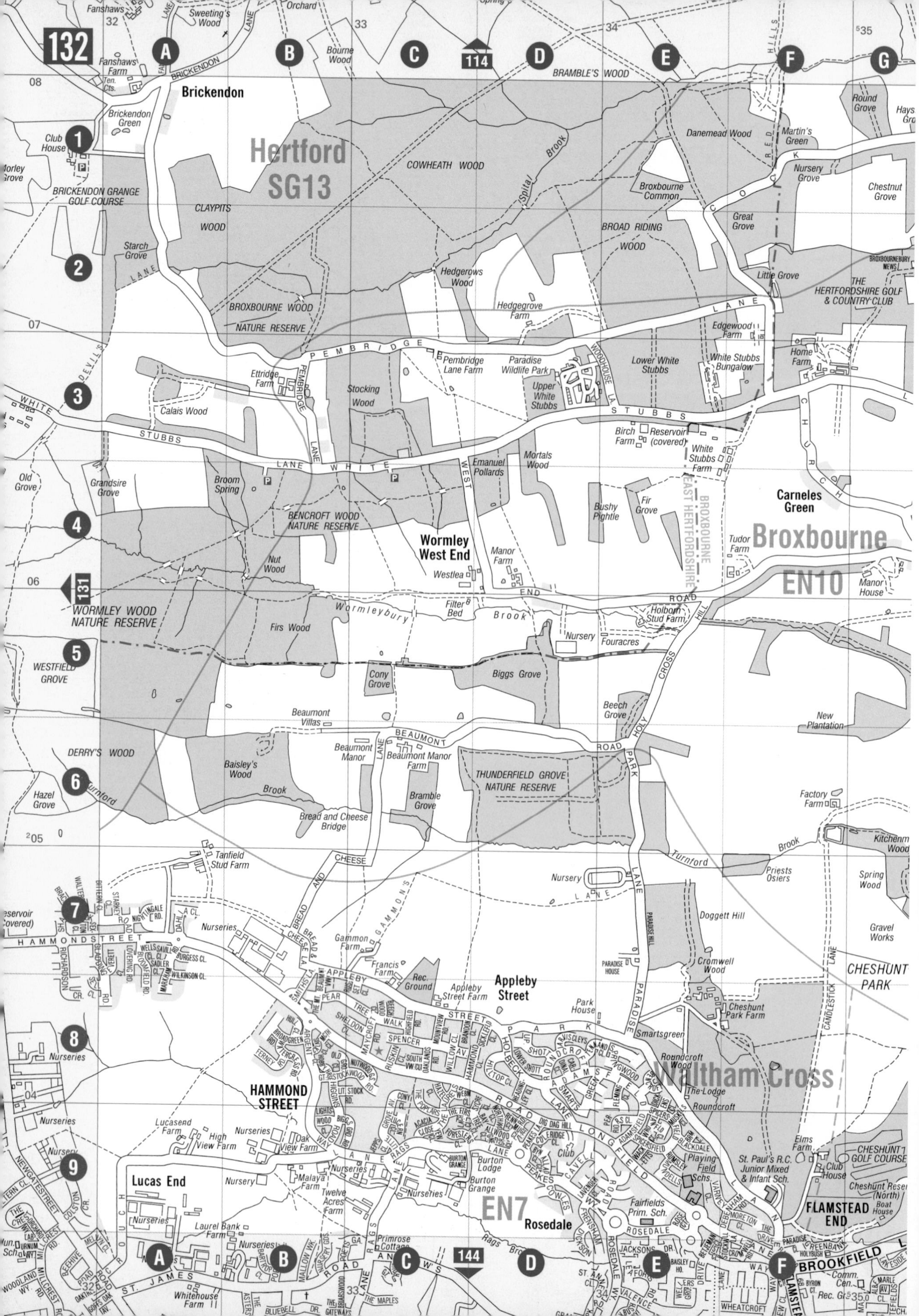
Brickendon
Brickendon Green
Club House
BRICKENDON GRANGE GOLF COURSE
Hertford SG13
COWHEATH WOOD
CLAYPITS WOOD
Starch Grove
BROXBOURNE WOOD NATURE RESERVE
Danemead Wood
Martin's Green
Round Grove
Broxbourne Common
Nursery Grove
Chestnut Grove
Great Grove
BROAD RIDING WOOD
Hedgerows Wood
Hedgegrove Farm
Little Grove
THE HERTFORDSHIRE GOLF & COUNTRY CLUB
Edgewood Farm
Ettridge Farm
Pembridge Lane Farm
Paradise Wildlife Park
Lower White Stubbs
White Stubbs Bungalow
Home Farm
Stocking Wood
Upper White Stubbs
Calais Wood
Birch Farm
Reservoir (covered)
White Stubbs Farm
Old Grove
Grandsire Grove
Broom Spring
Emanuel Pollards
Mortals Wood
Carneles Green
BENCROFT WOOD NATURE RESERVE
Bushy Pightle
Fir Grove
Wormley West End
Manor Farm
Tudor Farm
Broxbourne EN10
Nut Wood
Westlea
Manor House
WORMLEY WOOD NATURE RESERVE
Filter Bed
Holborn Stud Farm
Firs Wood
Nursery
Fouracres
WESTFIELD GROVE
Cony Grove
Biggs Grove
Beech Grove
Beaumont Villas
New Plantation
Beaumont Manor
Beaumont Manor Farm
DERRY'S WOOD
Baisley's Wood
THUNDERFIELD GROVE NATURE RESERVE
Factory Farm
Hazel Grove
Bramble Grove
Bread and Cheese Bridge
Tanfield Stud Farm
Kitchenm Wood
Priests Osiers
Spring Wood
Doggett Hill
Gravel Works
Gammon Farm
Francis Farm
Cromwell Wood
CHESHUNT PARK
Rec. Ground
Appleby Street Farm
Appleby Street
Park House
Cheshunt Park Farm
Smartsgreen
Roundcroft Wood
Waltham Cross
HAMMOND STREET
The Lodge
Roundcroft
Lucasend Farm
High View Farm
Oak View Farm
Elms Farm
CHESHUNT GOLF COURSE
Lucas End
Nursery
Malaya Farm
Twelve Acres Farm
Burton Lodge
Burton Grange
St. Paul's R.C. Junior Mixed & Infant Sch.
EN7
Rosedale
Fairfields Prim. Sch.
FLAMSTEAD END
Laurel Bank Farm
Primrose Cottage
Whitehouse Farm
Nurseries
114
131
144

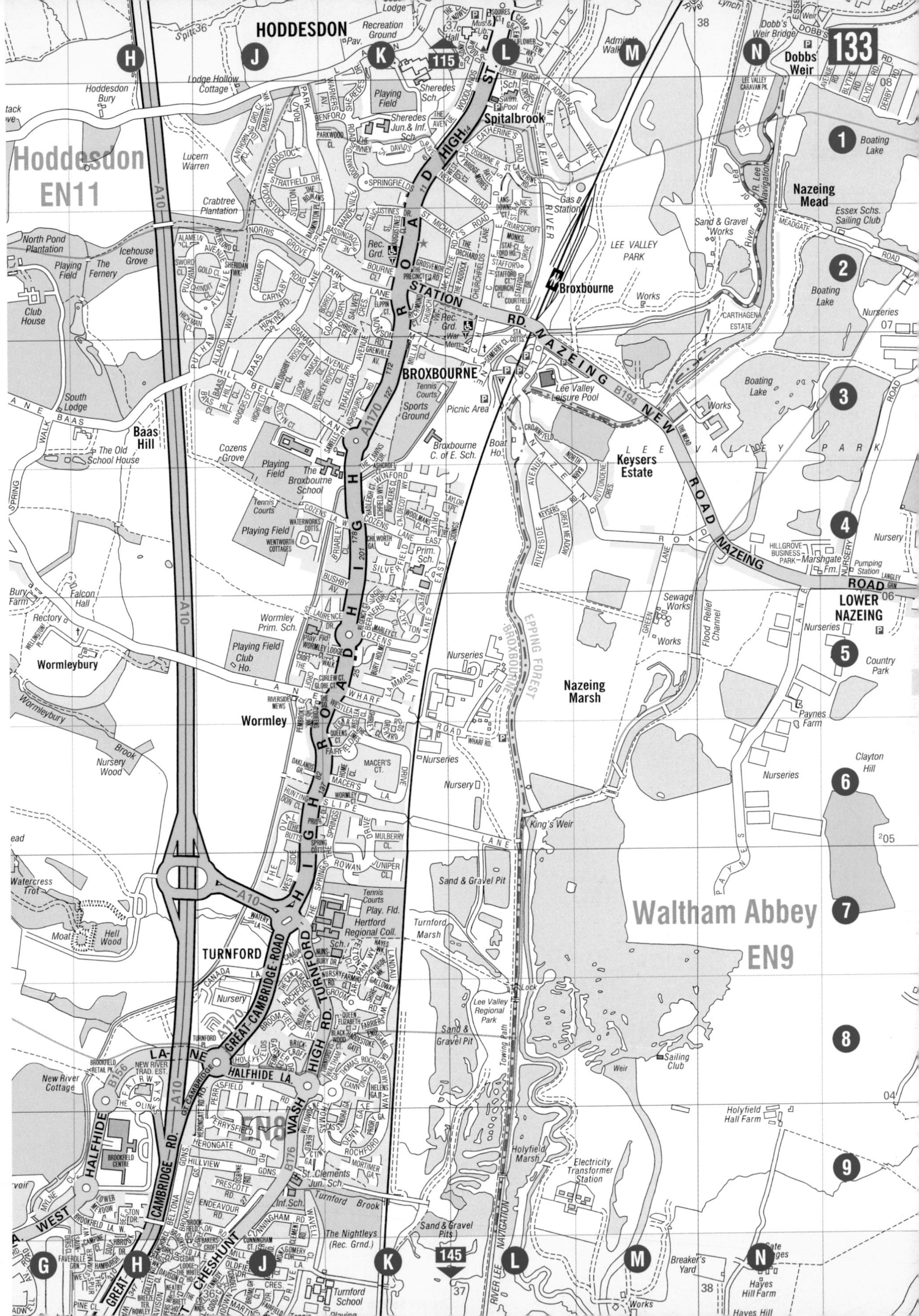

HODDESDON
Hoddesdon
EN11
Spitalbrook
BROXBOURNE
Broxbourne
Lee Valley Leisure Pool
Keysers Estate
Nazeing Mead
Dobbs Weir
LOWER NAZEING
Nazeing Marsh
Wormley
Wormleybury
Baas Hill
TURNFORD
EN8
Waltham Abbey
EN9
Hertford Regional Coll.
Turnford Marsh
Holyfield Marsh
King's Weir
Lee Valley Regional Park
Electricity Transformer Station
Sailing Club
Holyfield Hall Farm
Country Park
Paynes Farm
Clayton Hill
Sewage Works
Flood Relief Channel
EPPING FOREST
BROXBOURNE
HIGH ROAD
NAZEING NEW ROAD
GREAT CAMBRIDGE ROAD
A10
A1170
B194
B176
B156
115
145

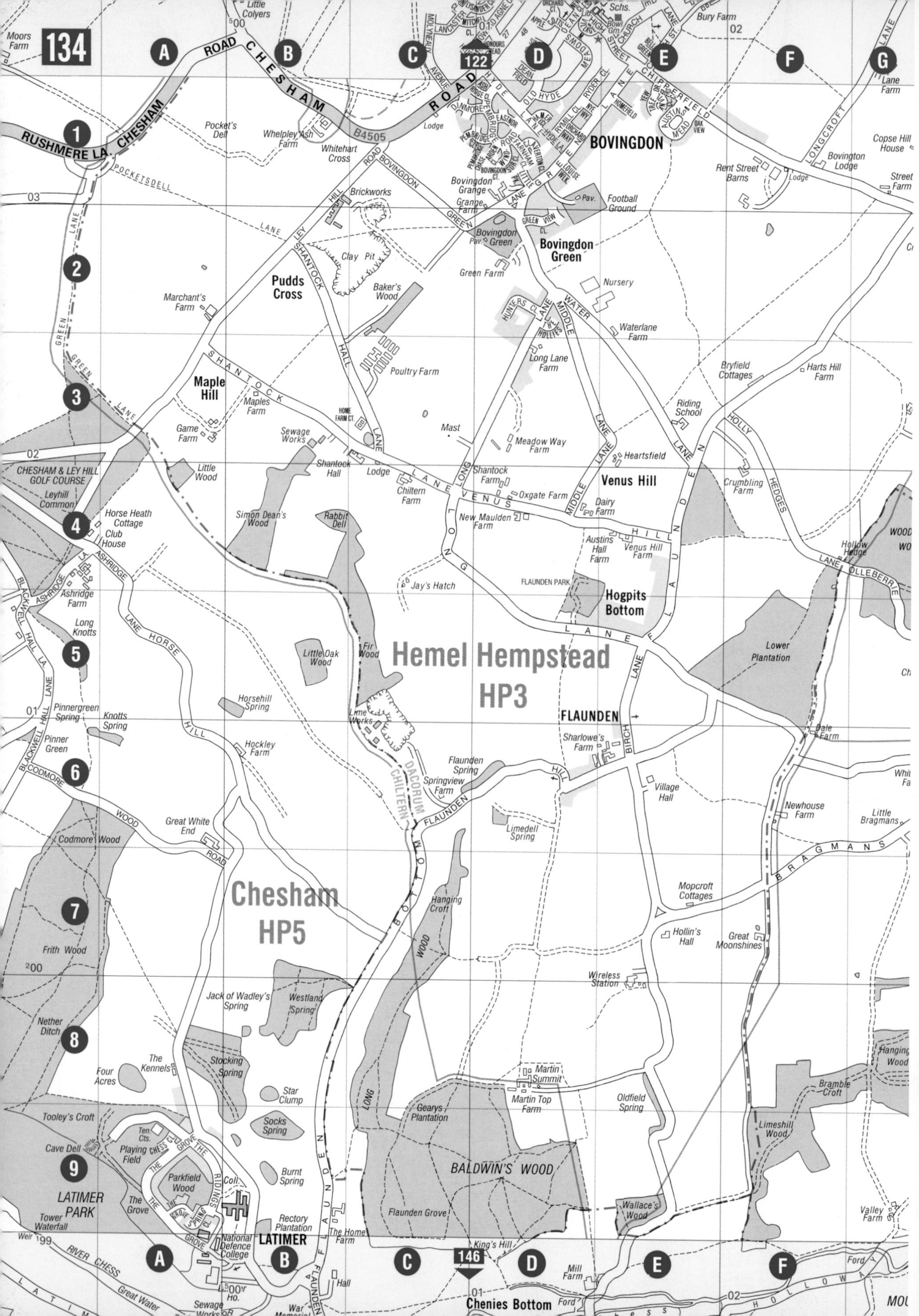

Moors Farm
Little Colyers
CHESHAM ROAD
Bury Farm
122
Lane Farm
RUSHMERE LA.
CHESHAM
Pocket's Dell
Whelpley Ash Farm
Whitehart Cross
B4505
Lodge
BOVINGDON
Copse Hill House
Bovington Lodge
Rent Street Barns
Street Farm
POCKETSDELL
LONGCROFT
Brickworks
Bovingdon Grange
Grange Farm
Football Ground
Pav.
Bovingdon Green
Green Farm
Clay Pit
Pudds Cross
Baker's Wood
Marchant's Farm
Nursery
Waterlane Farm
HUNTERS CL.
HOLLIES
Long Lane Farm
Poultry Farm
Bryfield Cottages
Harts Hill Farm
Maple Hill
Maples Farm
HOME FARM CT.
Riding School
Game Farm
Sewage Works
Mast
Meadow Way Farm
Heartsfield
CHESHAM & LEY HILL GOLF COURSE
Leyhill Common
Little Wood
Shantock Hall
Lodge
Chiltern Farm
Shantock Farm
Oxgate Farm
Venus Hill
Crumbling Farm
Horse Heath Cottage
Club House
Simon Dean's Wood
Rabbit Dell
New Maulden Farm
Dairy Farm
Austins Hall Farm
Venus Hill Farm
Hollow Hedge
Ashridge Farm
Jay's Hatch
FLAUNDEN PARK
Hogpits Bottom
Long Knotts
Lower Plantation
Little Oak Wood
Fir Wood
Hemel Hempstead HP3
Horsehill Spring
Pinnergreen Spring
Knotts Spring
Pinner Green
Hockley Farm
Lime Works
FLAUNDEN
Sharlowe's Farm
Dale Farm
Flaunden Spring
Springview Farm
Village Hall
Newhouse Farm
Little Bragmans
Great White End
Codmore Wood
Limedell Spring
DACORUM
CHILTERN
BRAGMANS
Chesham HP5
Hanging Croft
Mopcroft Cottages
Hollin's Hall
Great Moonshines
Frith Wood
Wireless Station
Jack of Wadley's Spring
Westland Spring
Nether Ditch
The Kennels
Stocking Spring
Four Acres
Star Clump
Martin Summit
Martin Top Farm
Oldfield Spring
Hanging Wood
Bramble Croft
Tooley's Croft
Gearys Plantation
Socks Spring
Limeshill Wood
Cave Dell
Playing Field
Parkfield Wood
Burnt Spring
BALDWIN'S WOOD
LATIMER PARK
The Grove
Tower Waterfall
Flaunden Grove
Wallace's Wood
Rectory Plantation
The Home Farm
National Defence College
LATIMER
King's Hill
Valley Farm
146
RIVER CHESS
Mill Farm
Ford
Hall
Chenies Bottom
Great Water
Sewage Works

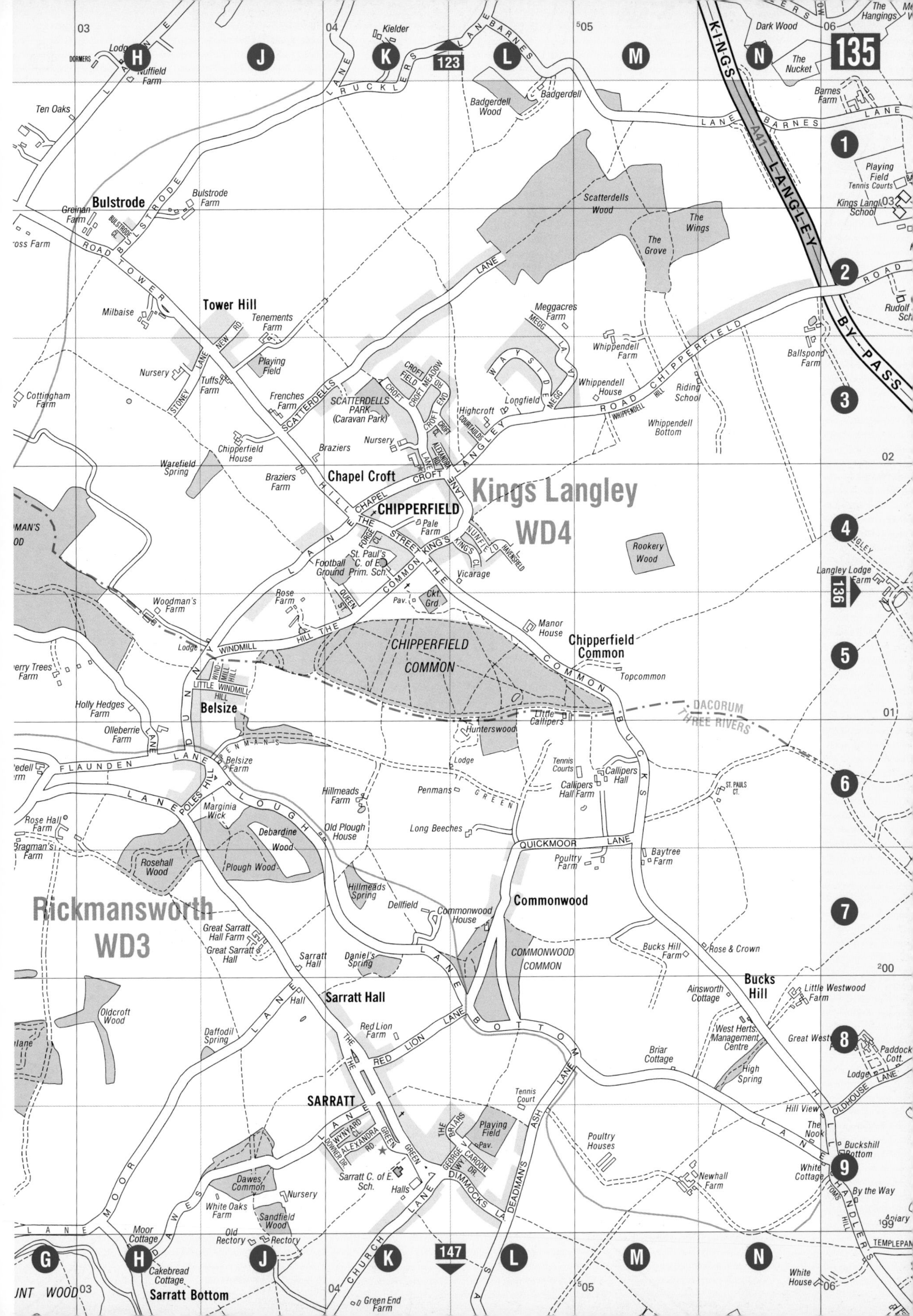

Kings Langley
WD4
Rickmansworth
WD3
CHIPPERFIELD
SARRATT
Bulstrode
Tower Hill
Chapel Croft
Chipperfield Common
Belsize
Commonwood
Sarratt Hall
Bucks Hill
Sarratt Bottom
CHIPPERFIELD COMMON
COMMONWOOD COMMON
DACORUM
THREE RIVERS
KINGS LANGLEY BY-PASS
A41
Kielder
Dark Wood
The Hangings
The Nucket
Barnes Farm
BARNES LANE
RUCKLERS LANE
Badgerdell Wood
Badgerdell
Lodge
DORMERS
Nuffield Farm
Ten Oaks
Greinan Farm
Bulstrode Farm
BULSTRODE CL.
TOWER ROAD
Milbaise
Tenements Farm
NEW RD.
Playing Field
Nursery
Tuffs Farm
STONEY LANE
Cottingham Farm
Frenches Farm
SCATTERDELLS LANE
SCATTERDELLS PARK (Caravan Park)
Scatterdells Wood
The Grove
The Wings
Playing Field
Tennis Courts
Kings Langley School
Rudolf Sch.
Ballspond Farm
Meggacres Farm
MEGG LANE
WAYSIDE
Whippendell Farm
Whippendell House
Longfield
Riding School
CHIPPERFIELD ROAD
WHIPPENDELL HILL
Whippendell Bottom
Highcroft
COURTAULDS
CROFT FIELD
CROFT MEADOW
CROFT END RD.
CROFT CL.
ALEXANDRA RD.
LANGLEY LANE
CROFT LANE
Chipperfield House
Braziers
Braziers Farm
Warefield Spring
Pale Farm
THE STREET
KING'S LANE
NUNFIELD
KING'S CL.
HAVENSFIELD
FORGE CL.
St. Paul's C. of E. Prim. Sch.
Football Ground
QUEEN ST.
Vicarage
Rookery Wood
Langley Lodge Farm
136
Rose Farm
Pav.
Ckt. Grd.
THE COMMON
THE HILL
Manor House
Woodman's Farm
WINDMILL HILL
LITTLE WINDMILL HILL
Topcommon
Cherry Trees Farm
Holly Hedges Farm
Olleberrie Farm
OLLEBERRIE LANE
Little Callipers
Hunterswood
DUNNY LANE
PENMANS GREEN
Belsize Farm
FLAUNDEN LANE
Tennis Courts
Callipers Hall
Callipers Hall Farm
ST. PAULS CT.
BUCKS HILL
Penmans
Hillmeads Farm
POLES HILL
PLOUGH LANE
Marginia Wick
Rose Hall Farm
Bragman's Farm
Old Plough House
Long Beeches
Debardine Wood
QUICKMOOR LANE
Baytree Farm
Poultry Farm
Rosehall Wood
Plough Wood
Hillmeads Spring
Dellfield
Commonwood House
Great Sarratt Hall Farm
Great Sarratt Hall
Sarratt Hall
Daniel's Spring
Bucks Hill Farm
Rose & Crown
Ainsworth Cottage
Little Westwood Farm
Oldcroft Wood
West Herts. Management Centre
Great Westwood
Paddock Cott.
Daffodil Spring
Hall
Red Lion Farm
RED LION LANE
BOTTOM LANE
Briar Cottage
High Spring
Lodge
OLDHOUSE LANE
THE GREEN
Tennis Court
ASH LANE
Hill View
The Nook
Buckshill Bottom
THE BRIARS
Playing Field
Poultry Houses
WYNYARD CL.
ALEXANDRA RD.
DOWNER DR.
GEORGE WY
CAROON DR.
DEADMAN'S ASH LANE
Newhall Farm
White Cottage
TOMS HILL
HANDLERS
By the Way
Apiary
Sarratt C. of E. Sch.
Halls
DIMMOCKS LANE
Dawes Common
Nursery
White Oaks Farm
Sandfield Wood
DAWES LANE
MOOR LANE
Moor Cottage
Old Rectory
Rectory
CHURCH LANE
147
123
TEMPLEPAN
White House
Cakebread Cottage
Green End Farm
HUNT WOOD
G
H
J
K
L
M
N
1
2
3
4
5
6
7
8
9
03
04
505
06
02
01
200
199

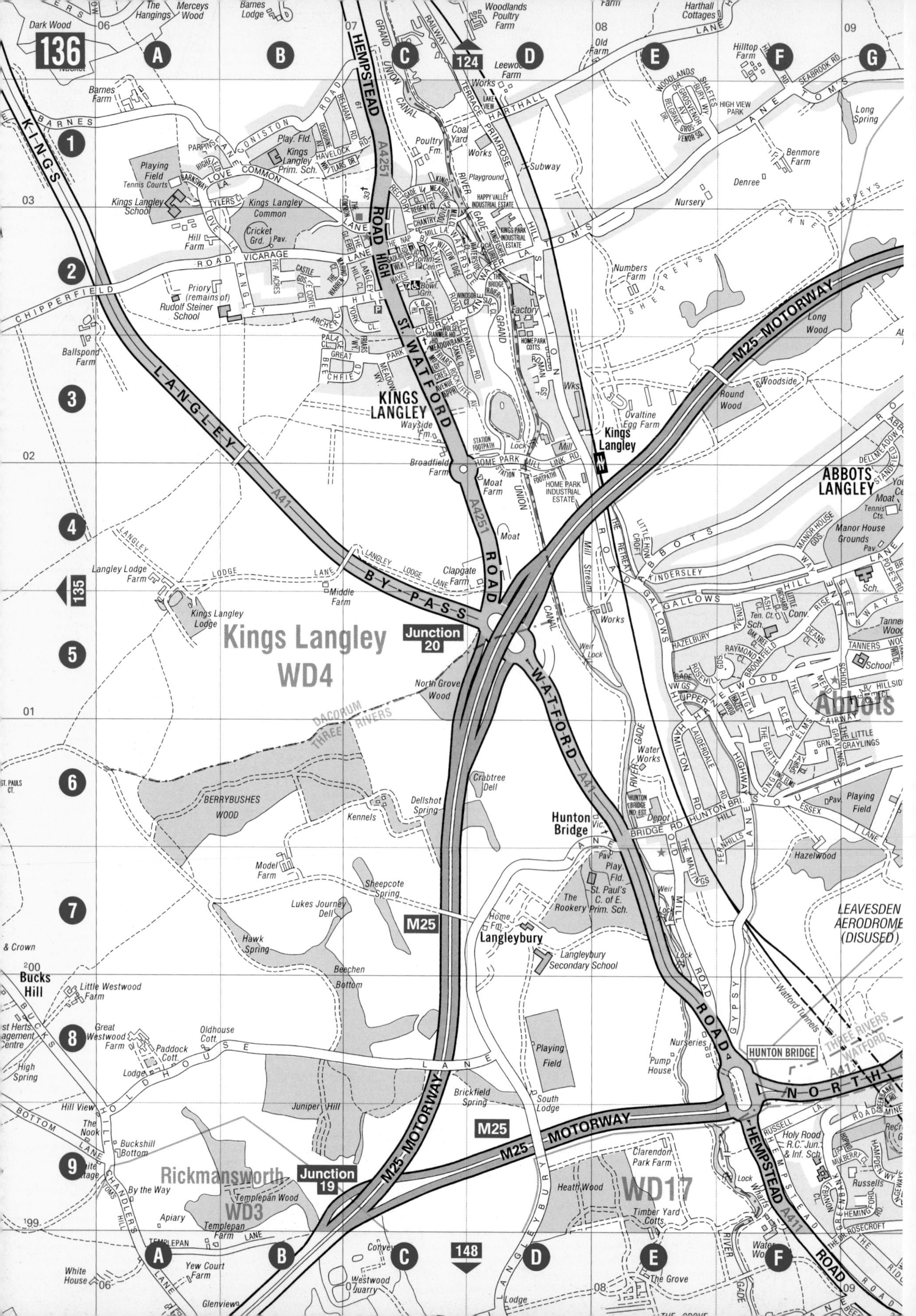

136
124
135
148
A
B
C
D
E
F
G
1
2
3
4
5
6
7
8
9
Dark Wood
The Hangings
Merceys Wood
Barnes Lodge
Woodlands Poultry Farm
Harthall Cottages
Old Farm
Hilltop Farm
Leewood Farm
Works
Barnes Farm
BARNES
KINGS
HEMPSTEAD
GRAND UNION CANAL
RAILWAY
HARTHALL
PRIMROSE
SEABROOK RD
HIGH VIEW PARK
Long Spring
Benmore Farm
Denree
Nursery
Playing Field
Tennis Courts
Kings Langley School
Play. Fld.
Kings Langley Prim. Sch.
Kings Langley Common
Cricket Grd.
Pav.
Hill Farm
LOVE LANE
COMMON
CONISTON ROAD
A4251
Poultry Fm.
Coal Yard
Subway
Playground
HAPPY VALLEY INDUSTRIAL ESTATE
KINGS PARK INDUSTRIAL ESTATE
TOMS
SHEPPEY'S LANE
VICARAGE ROAD
CHIPPERFIELD
Priory (remains of)
Rudolf Steiner School
Numbers Farm
Ballspond Farm
Factory
STATION
Long Wood
M25 MOTORWAY
Round Wood
Woodside
Ovaltine Egg Farm
LANGLEY
KINGS LANGLEY
Wayside Fm.
ST. WATFORD
Lock
Mill
Kings Langley
Broadfield Farm
HOME PARK MILL LINK RD
HOME PARK INDUSTRIAL ESTATE
Moat Farm
Moat
ABBOTS LANGLEY
Manor House Grounds
A41
LANGLEY LODGE LANE
Langley Lodge Farm
Kings Langley Lodge
Middle Farm
Clapgate Farm
BY-PASS
ROAD
KINDERSLEY
GALLOWS HILL
Works
Mill Stream
Kings Langley
WD4
Junction 20
Weir Lock
HAZELBURY
Sch.
Conv.
School
North Grove Wood
WATFORD
Abbots
DACORUM
THREE RIVERS
Water Works
BERRYBUSHES WOOD
Crabtree Dell
Dellshot Spring
Kennels
Hunton Bridge
HUNTON BRIDGE IND. EST.
Depot
BRIDGE RD.
Playing Field
Hazelwood
Model Farm
Sheepcote Spring
Play. Fld.
St. Paul's C. of E. Prim. Sch.
The Rookery
Lukes Journey Dell
M25
Home Fm.
Langleybury
LEAVESDEN AERODROME (DISUSED)
Hawk Spring
Langleybury Secondary School
Beechen Bottom
Bucks Hill
Little Westwood Farm
Great Westwood Farm
Oldhouse Cott.
Paddock Cott.
OLDHOUSE LANE
Playing Field
Nurseries
Pump House
Watford Tunnels
HUNTON BRIDGE
NORTH
High Spring
Lodge
Hill View
BOTTOM LANE
The Nook
Buckshill Bottom
Juniper Hill
Brickfield Spring
South Lodge
M25 MOTORWAY
Holy Rood R.C. Jun. & Inf. Sch.
Russells
Rickmansworth
WD3
Junction 19
By the Way
Templepan Wood
Apiary
Templepan Farm
TEMPLEPAN LANE
Clarendon Park Farm
Heath Wood
WD17
Timber Yard Cotts.
HEMPSTEAD ROAD
A411
Yew Court Farm
White House
Westwood Quarry
LANGLEYBURY
The Grove
Lodge
Glenview

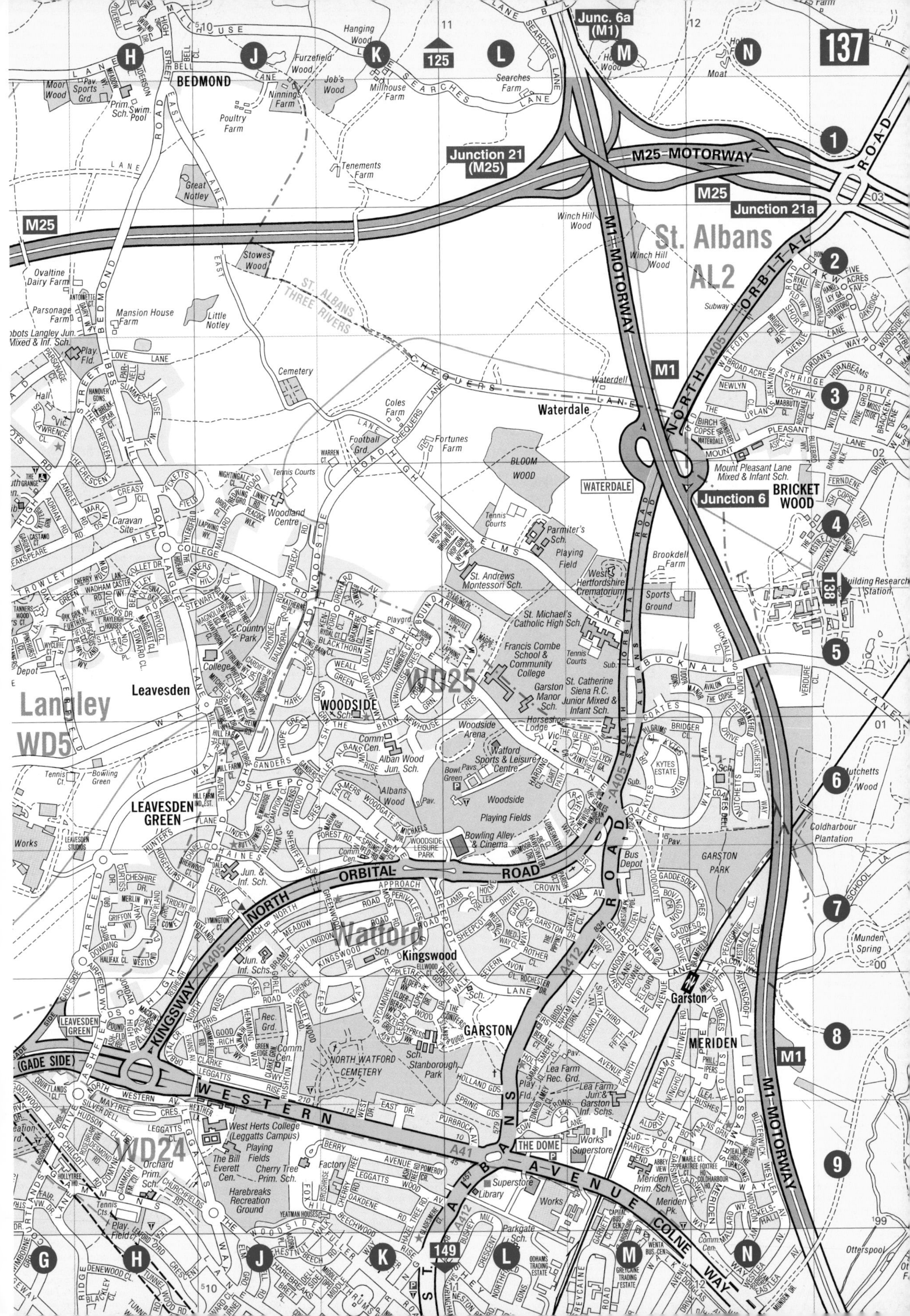

BEDMOND
Junction 21 (M25)
Junc. 6a (M1)
M25 MOTORWAY
Junction 21a
St. Albans AL2
M1 MOTORWAY
NORTH ORBITAL ROAD
Waterdale
Junction 6
BRICKET WOOD
Leavesden
Langley WD5
LEAVESDEN GREEN
WOODSIDE
WD25
Watford
Kingswood
GARSTON
Garston
MERIDEN
WD24
WESTERN AVENUE
ST. ALBANS ROAD
COLNE WAY
KINGSWAY

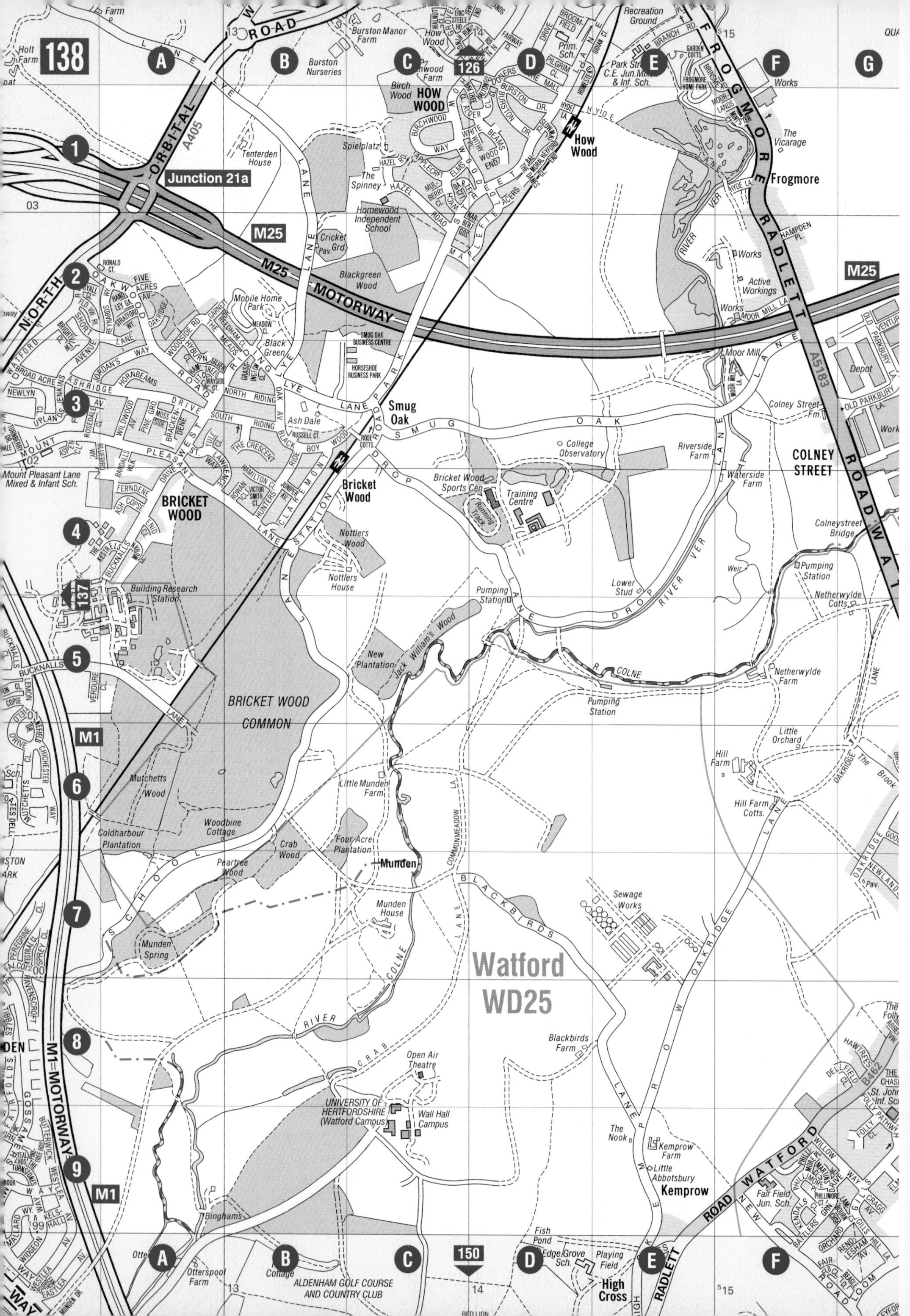

Junction 21a
M25
M25 MOTORWAY
NORTH ORBITAL ROAD
A405
HOW WOOD
How Wood
Burston Manor Farm
Burston Nurseries
Birch Wood
Tenterden House
Spielplatz
The Spinney
Homewood Independent School
Blackgreen Wood
Mobile Home Park
Black Green
SMUG OAK BUSINESS CENTRE
HORSESHOE BUSINESS PARK
Smug Oak
Ash Dale
Park Street C.E. Jun.Mix. & Inf. Sch.
Recreation Ground
Prim. Sch.
Works
The Vicarage
Frogmore
FROGMORE
RADLETT ROAD
Active Workings
Moor Mill
A5183
Depot
Colney Street Fm.
COLNEY STREET
College Observatory
Riverside Farm
Waterside Farm
Bricket Wood Sports Cen.
Training Centre
Running Track
Bricket Wood
BRICKET WOOD
Mount Pleasant Lane Mixed & Infant Sch.
Nottlers Wood
Nottlers House
Building Research Station
Lower Stud
Pumping Station
Colneystreet Bridge
Netherwylde Cotts.
Netherwylde Farm
R. COLNE
RIVER VER
Jack William's Wood
New Plantation
BRICKET WOOD COMMON
Mutchetts Wood
Woodbine Cottage
Coldharbour Plantation
Little Munden Farm
Crab Wood
Four Acre Plantation
Peartree Wood
Munden
Munden House
Munden Spring
Little Orchard
Hill Farm
Hill Farm Cotts.
Sewage Works
Watford WD25
RIVER COLNE
Blackbirds Farm
Open Air Theatre
UNIVERSITY OF HERTFORDSHIRE (Watford Campus)
Wall Hall Campus
The Nook
Kemprow Farm
Little Abbotsbury
Kemprow
Fair Field Jun. Sch.
St. John's Inf. Sch.
B462
M1
M1-MOTORWAY
Binghams
Otterspool Farm
Fish Pond
Edge Grove Sch.
Playing Field
High Cross
ALDENHAM GOLF COURSE AND COUNTRY CLUB

126
137
150

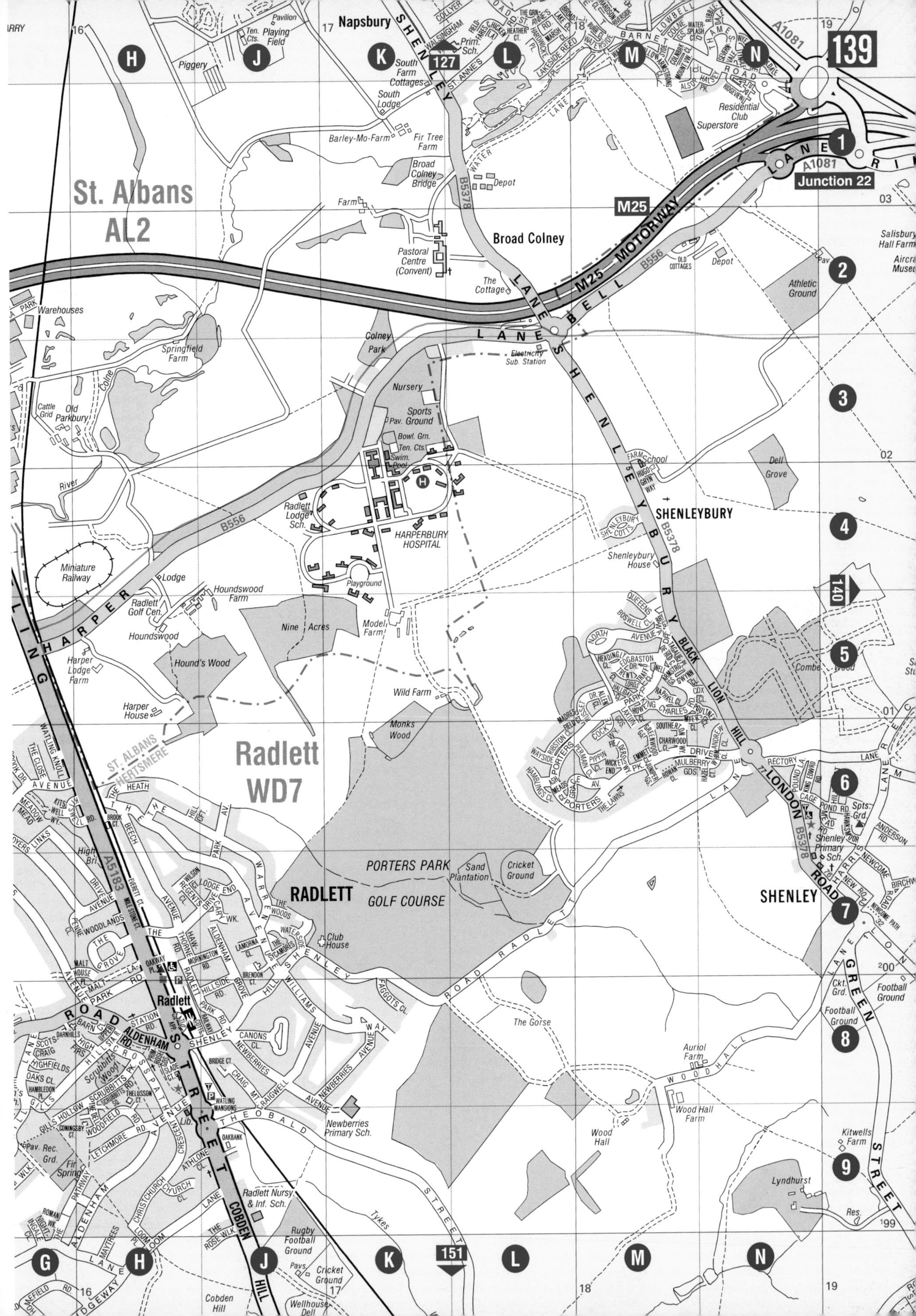

Napsbury
St. Albans
AL2
Broad Colney
M25 MOTORWAY
Junction 22
A1081
Colney Park
Springfield Farm
Old Parkbury
HARPERBURY HOSPITAL
Radlett Lodge Sch.
Miniature Railway
Houndswood Farm
Radlett Golf Cen.
Hound's Wood
Harper Lodge Farm
Harper House
Nine Acres
Model Farm
Wild Farm
Monks Wood
Radlett
WD7
SHENLEYBURY
Shenleybury House
Dell Grove
Athletic Ground
Combe Wood
PORTERS PARK
GOLF COURSE
RADLETT
Sand Plantation
Cricket Ground
Club House
SHENLEY
Shenley Primary Sch.
The Gorse
Auriol Farm
Wood Hall Farm
Wood Hall
Kitwells Farm
Lyndhurst
Newberries Primary Sch.
Radlett Nursy & Inf. Sch.
Rugby Football Ground
Cricket Ground
Cobden Hill
Wellhouse Dell
WATLING STREET
COBDEN HILL
LONDON ROAD
BLACK LION HILL
SHENLEY LANE
HARPER LANE
RADLETT ROAD
WOODHALL LANE
GREEN STREET
THEOBALD STREET
ALDENHAM ROAD
Superstore
Residential Club
Depot
Pastoral Centre (Convent)
Fir Tree Farm
Barley-Mo-Farm
South Lodge
South Farm Cottages
Piggery
Playing Field

127
140
151

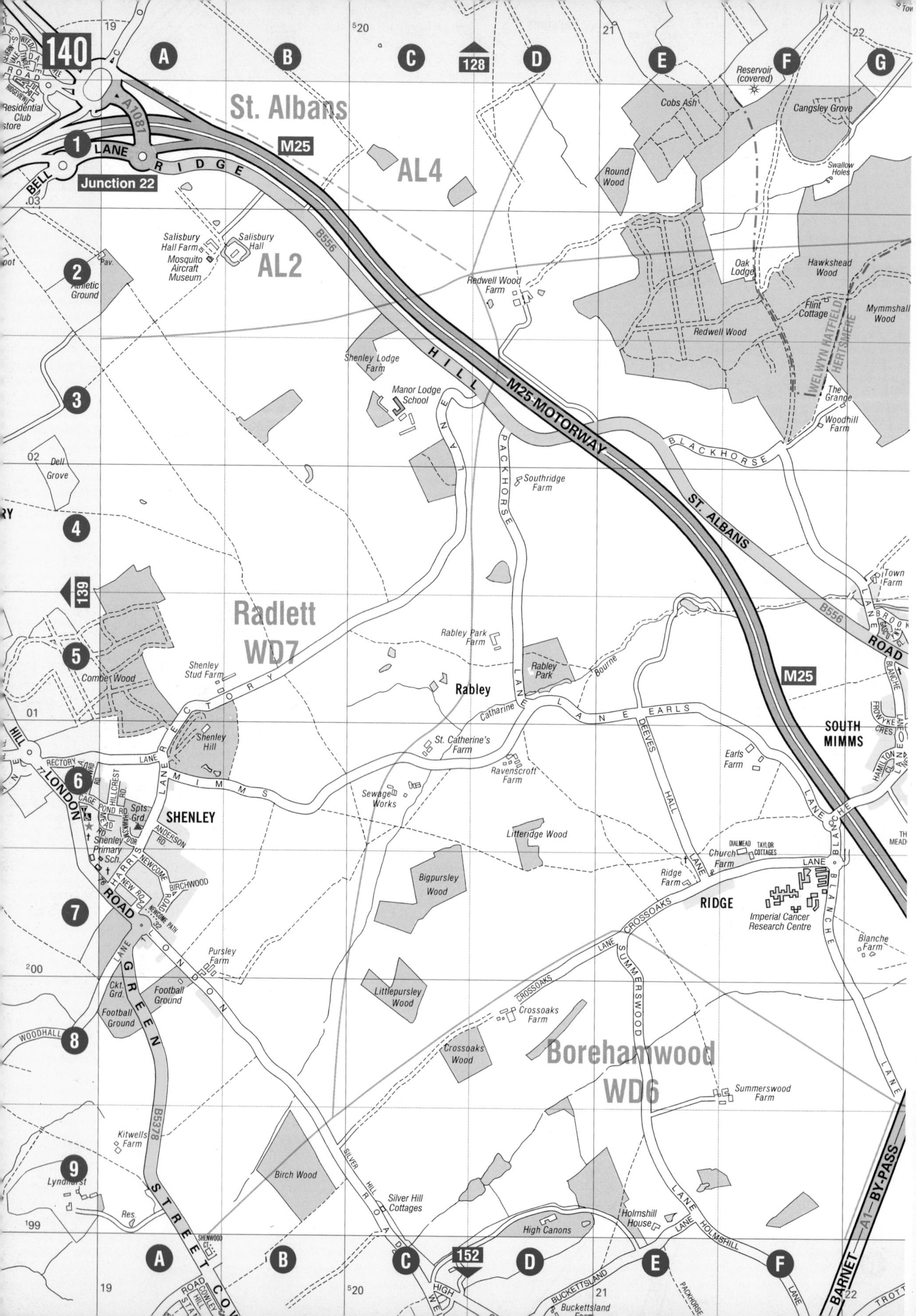

140

A   B   C   128   D   E   Reservoir (covered)   F   G

Residential Club store

1   Junction 22   St. Albans

M25   AL4

Cobs Ash

Round Wood   Swallow Holes

2   Athletic Ground   Salisbury Hall Farm   Salisbury Hall   Mosquito Aircraft Museum   AL2   B556

Redwell Wood Farm   Oak Lodge   Hawkshead Wood   Flint Cottage   Mymmshall Wood

Redwell Wood   The Grange

3   Shenley Lodge Farm   HILL   Woodhill Farm

Manor Lodge School   M25-MOTORWAY

02   Dell Grove   Southridge Farm   BLACKHORSE

4   ST. ALBANS   B556   Town Farm

139   Rabley Park Farm   Rabley Park   Bourne   M25   ROAD

Radlett WD7   Rabley   Catharine   EARLS   SOUTH MIMMS

5   Combe Wood   Shenley Stud Farm   St. Catherine's Farm   Earls Farm

01   Shenley Hill   Ravenscroft Farm   DEEVES   HALL

6   HILL   LONDON   RECTORY   SHENLEY   Shenley Primary Sch.   Sewage Works   Litteridge Wood   Church Farm   DIALMEAD TAYLOR COTTAGES   Imperial Cancer Research Centre   BLANCHE

Bigpursley Wood   Ridge Farm   RIDGE   Blanche Farm

7   ROAD   GREEN   Pursley Farm   CROSSOAKS   SUMMERSWOOD

200   Ckt. Grd.   Football Ground   Littlepursley Wood   Crossoaks Farm

8   WOODHALL   Football Ground   B5378   Crossoaks Wood   Borehamwood WD6   Summerswood Farm

9   Lyndhurst   Kitwells Farm   Birch Wood   SILVER HILL ROAD   Silver Hill Cottages   High Canons   Holmshill House   LANE   HOLMSHILL   BARNET A1-BY-PASS

199   Res.   SHENWOOD

A   19   B   520   C   152   D   E   F   Buckettsland   21   TROTT

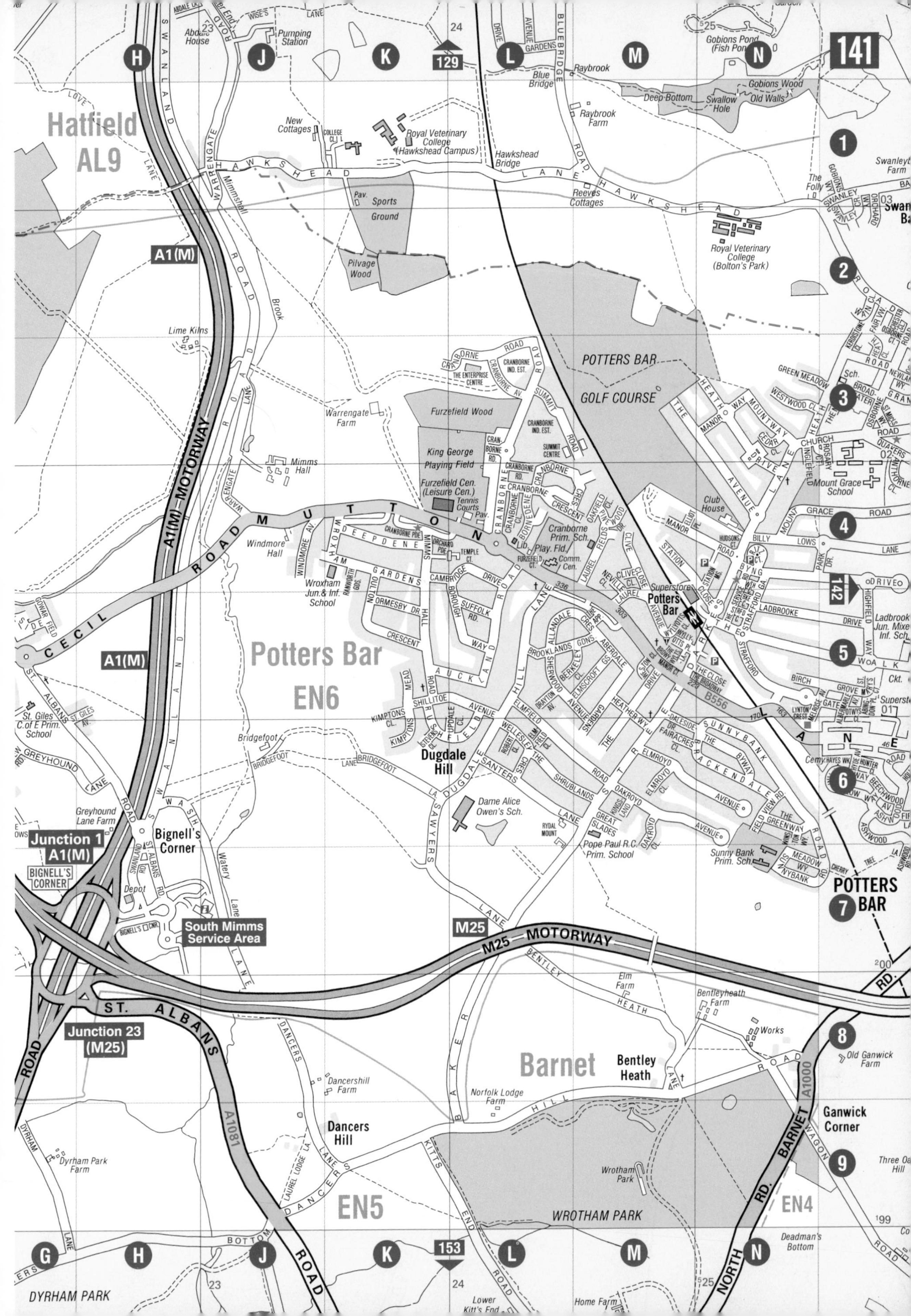

141

Hatfield
AL9

Potters Bar
EN6

Barnet

Bignell's
Corner

Junction 1
A1(M)

BIGNELL'S
CORNER

South Mimms
Service Area

Junction 23
(M25)

Dancers
Hill

POTTERS
BAR

Ganwick
Corner

Dyrham Park
Farm

EN5

WROTHAM PARK

EN4

DYRHAM PARK

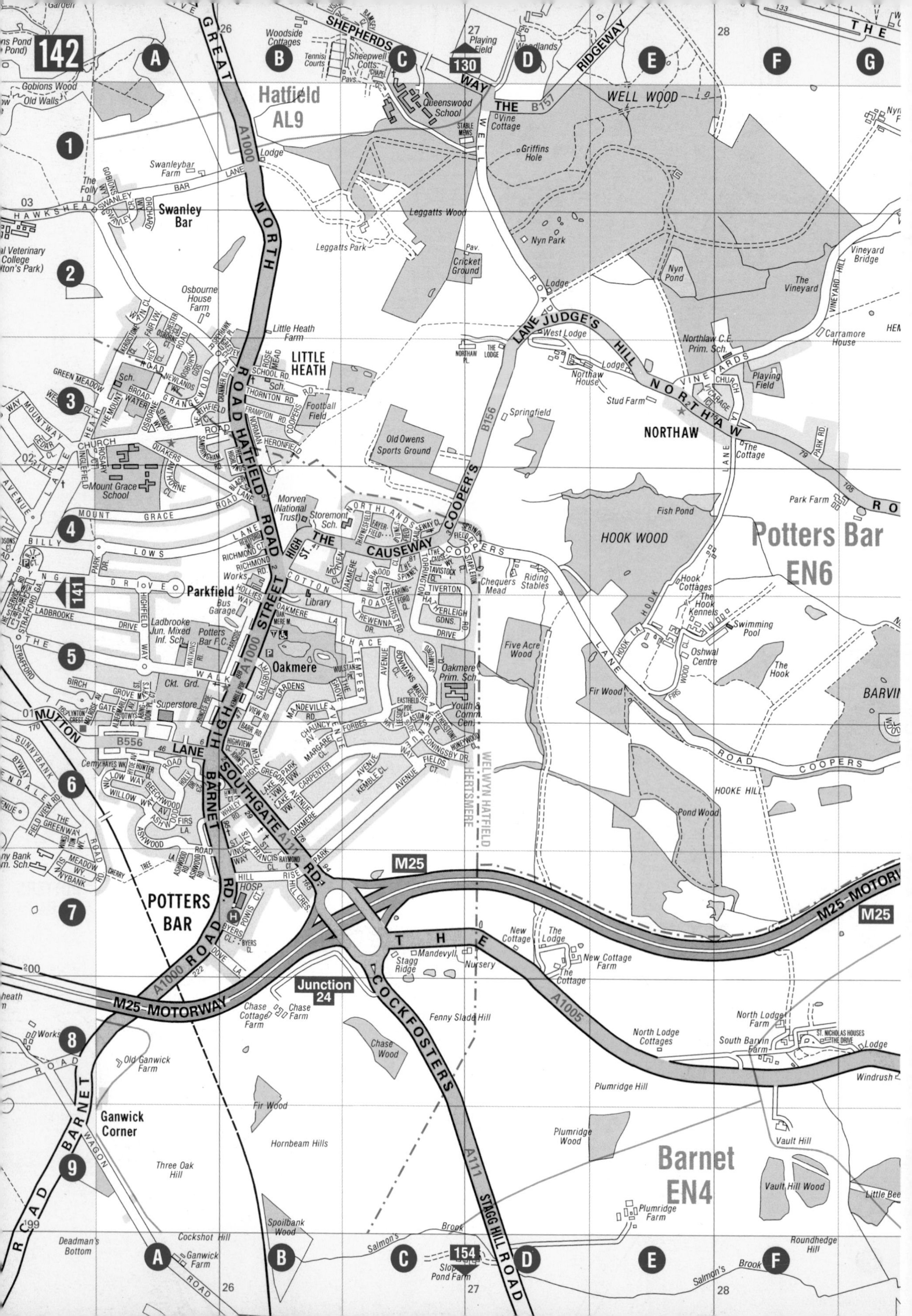
Hatfield AL9
Potters Bar EN6
Barnet EN4
POTTERS BAR
LITTLE HEATH
NORTHAW
Swanley Bar
Parkfield
Oakmere
Ganwick Corner
Queenswood School
Leggatts Wood
Leggatts Park
Cricket Ground
WELL WOOD
Griffins Hole
Nyn Park
Nyn Pond
The Vineyard
Vineyard Bridge
Northaw C.E. Prim. Sch.
Playing Field
Old Owens Sports Ground
Football Field
Little Heath Farm
Osbourne House Farm
Swanleybar Farm
Mount Grace School
Morven (National Trust)
Storemont Sch.
Library
Ladbrooke Jun. Mixed Inf. Sch.
Potters Bar F.C.
Bus Garage
Superstore
Oakmere Prim. Sch.
Youth & Comm. Cen.
HOOK WOOD
Fish Pond
Hook Cottages
The Hook Kennels
Swimming Pool
Oshwal Centre
The Hook
Five Acre Wood
Fir Wood
Pond Wood
HOOKE HILL
Riding Stables
Chequers Mead
Springfield
Stud Farm
Northaw House
West Lodge
Park Farm
Carramore House
M25
M25-MOTORWAY
Junction 24
Chase Cottage Farm
Chase Farm
Chase Wood
Mandevyll
Stagg Ridge
Nursery
New Cottage
The Lodge
New Cottage Farm
The Cottage
Fenny Slade Hill
North Lodge Cottages
North Lodge Farm
South Barvin Farm
Windrush
Plumridge Hill
Plumridge Wood
Plumridge Farm
Vault Hill
Vault Hill Wood
Roundhedge Hill
Hornbeam Hills
Three Oak Hill
Spoilbank Wood
Cockshot Hill
Ganwick Farm
Old Ganwick Farm
Deadman's Bottom
Salmon's Brook
Slope Pond Farm
GREAT NORTH ROAD
HATFIELD ROAD
HIGH STREET
BARNET ROAD
SOUTHGATE RD.
MUTTON LANE
THE CAUSEWAY
COOPER'S LANE
JUDGE'S HILL
NORTHAW ROAD
THE RIDGEWAY
THE WELL ROAD
SHEPHERDS WAY
COCKFOSTERS ROAD
STAGG HILL ROAD
COOPERS ROAD
HOOK LANE
MOUNT GRACE ROAD
BILLY LOWS LANE
DARKES LANE
WAGON ROAD
WELWYN HATFIELD
HERTSMERE
130
141
154
A B C D E F G
1 2 3 4 5 6 7 8 9
26 27 28

Lucas End
CHESHUNT
COMMON
Goffs Oak Jun. Mixed & Inf. Sch.
Nurseries
Burleigh Cottage
Carbone Bottom
BRADGATE
HOMEWOOD
TOLMERS
RIDGEWAY
B157
EAST RIDGEWAY
THE DRIVEWAY
Thornton's Farm
Cuffley Hills Farm
CUFFLEY
Cuffley
STATION RD
CUFFLEY HILL
B156
PLOUGH HILL
EAST RIDGEWAY
KINGSWELL RIDE
THEOBALDS RD
Cuffley School
Cuffley Brook
Brook Farm
Ford
Works
Nursery
PEMBROKE DR.
MOORHURST AV.
GOFF'S OAK
Woodside Primary Sch.
SILVER STREET
Dell View
Poyndon Farm
Burnt Farm Camp
JONES RIDE
Waltham Cross
EN7
BROXBOURNE
WELWYN HATFIELD
Pumping Station
Waterworks Cottages
Wells Farm
Tennis Courts
Sports Ground
Bowling Green
NORTHAW ROAD
COLES HILL
Colesdale Farm
WEST
Hill View Farm
CATTLEGATE
Soper's Viaduct
Northaw Brook
Burnt Farm
OLDPARK RIDE
(Private Road)
Nursery Plantation
Burnt Farm Cottage
Northaw Valley
Cattlegate Wood
Robin Hill
Woodhurst
LANE
Cattlegate Farm
Woodhurst Farm Cottages
Cattlegate
M25
M25 MOTORWAY
Tilekiln Osiers
BARVIN HILL
Woodhurst Farm
Turkey Brook
WELWYN HATFIELD
ENFIELD
Owls Hall
Crews Hill Paddocks
Cinder Ash
Crews Hill Piggeries
Glasgow Stud
Garden Centre
Stud Cottages
Sander's Corner
BURNTFARM RIDE
Crews Hill
SOUTH HILL
Holly Hill Farm
Enfield
EN2
Golf Cottages
Club House
CREWS HILL ROAD
Nursery
Sloeman's Farm
Sloeman's Cottage
Whitewebbs Cottage
Nurseries
WHITEWEBBS ROAD
CREWS HILL
The Whitewebbs Museum of Transport & Industry
WHITEWEBBS WOOD
CREWS HILL GOLF COURSE
Holyhill Brook
Riding Sch.
Nurseries
Water Garden Centre
Wildwoods
TINGEYS TOP LANE
Nurseries
THEOBALDS PARK ROAD
King's Oak Plain
Parting Hill
Cricket Ground
Cricket Ground
East Lodge
LODGE LANE
RIDGEWAY
A1005
BOTANY BAY
Botany Bay Farm
The Lodge
Works
Plant Farm
Prim. Sch.
Nursery
Cricket Grd.
Queenswood Farm
Kingswood
FLASH LANE
STRAYFIELD RD.
RECTORY FARM
The Red House
131
144
155
H J K L M N G
1 2 3 4 5 6 7 8 9
29 30 31 32
02 01 00 99

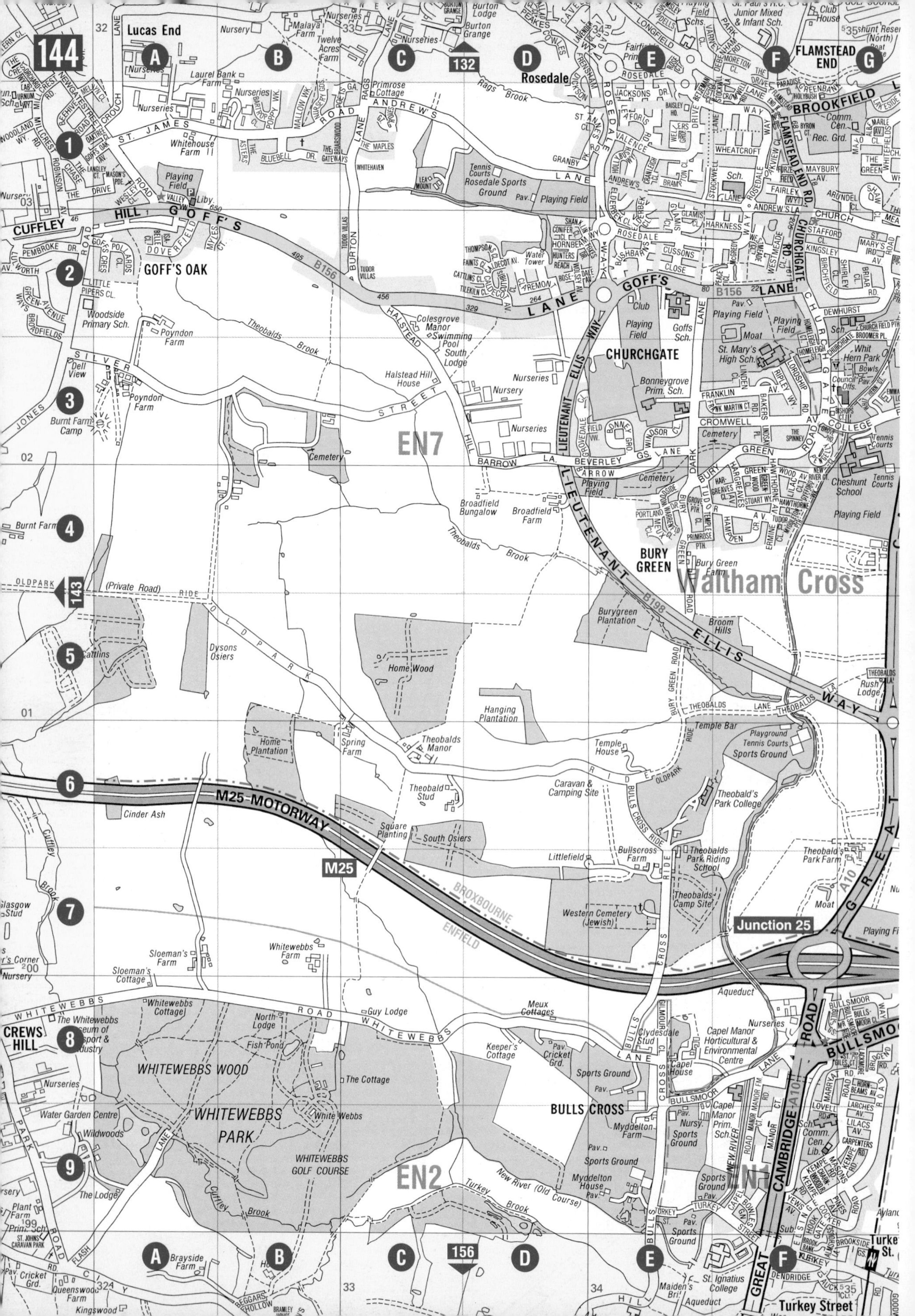
Lucas End
Rosedale
FLAMSTEAD END
CUFFLEY
GOFF'S OAK
CHURCHGATE
EN7
BURY GREEN
Waltham Cross
M25 MOTORWAY
Junction 25
WHITEWEBBS WOOD
WHITEWEBBS PARK
CREWS HILL
BULLS CROSS
EN2
EN1
Turkey Street

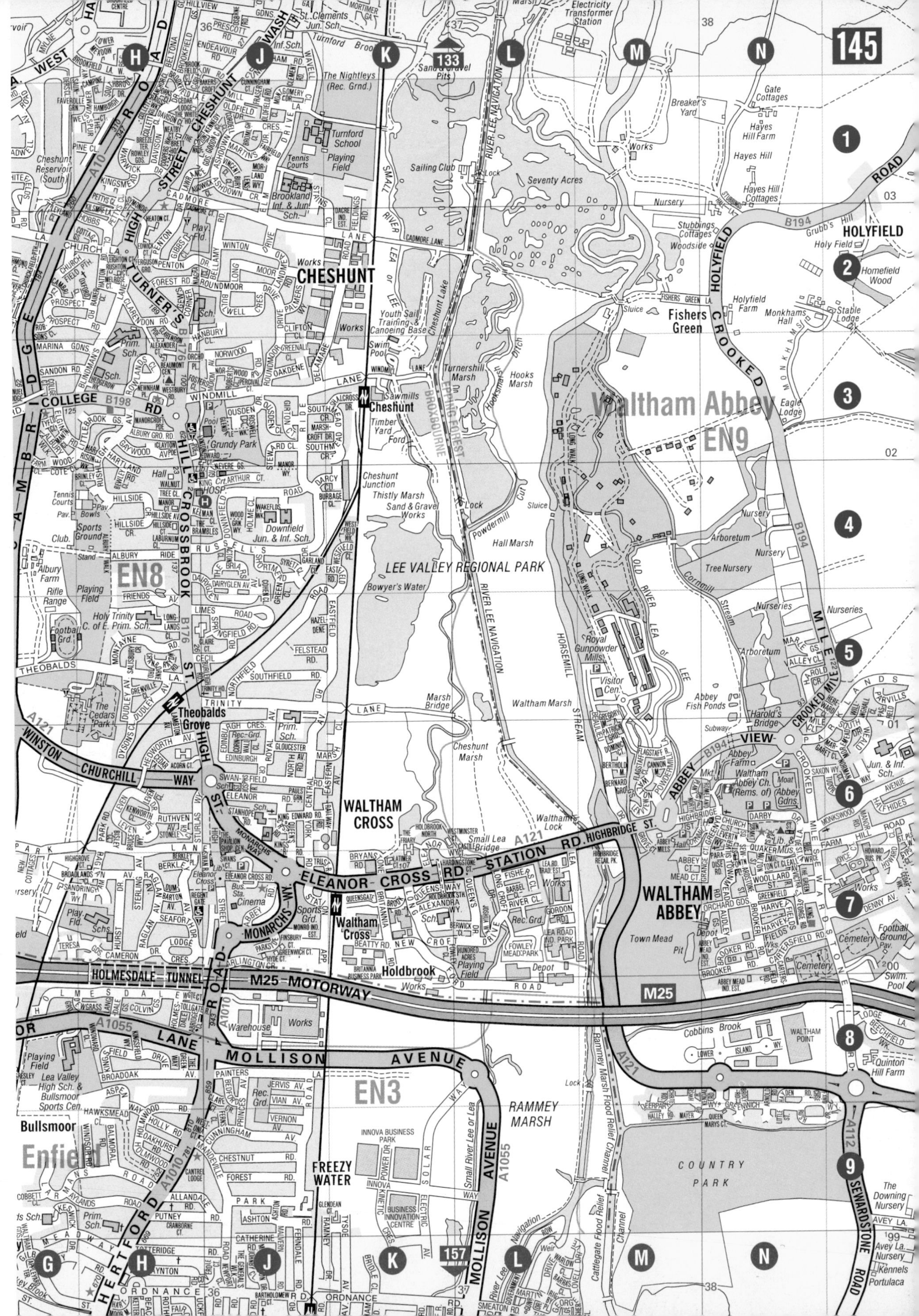

CHESHUNT
Cheshunt
Waltham Abbey
EN9
EN8
EN3
WALTHAM CROSS
WALTHAM ABBEY
HOLYFIELD
Holy Field
Homefield Wood
Fishers Green
Holyfield Farm
Monkhams Hall
Stable Lodge
Eagle Lodge
Gate Cottages
Hayes Hill Farm
Hayes Hill
Hayes Hill Cottages
Breaker's Yard
Stubbings Cottages
Woodside
Nursery
Seventy Acres
Sailing Club
Electricity Transformer Station
Sand & Gravel Pits
Works
Lock
Sluice
The Nightleys (Rec. Grnd.)
Turnford School
Playing Field
Tennis Courts
Brookland Inf. & Jun. Sch.
Cheshunt Reservoir (South)
Cheshunt Lake
Youth Sail Training & Canoeing Base
Swim. Pool
Turnershill Marsh
Hooks Marsh
Hooksmarsh Ditch
Sawmills
Timber Yard
Ford
Cheshunt Junction
Thistly Marsh
Sand & Gravel Works
Powdermill Cut
Hall Marsh
LEE VALLEY REGIONAL PARK
Bowyer's Water
RIVER LEE NAVIGATION
SMALL RIVER LEA or LEE
BROXBOURNE
EPPING FOREST
OLD RIVER LEA or LEE
LONG WALK
HORSEMILL STREAM
Royal Gunpowder Mills
Visitor Cen.
Waltham Marsh
Marsh Bridge
Cheshunt Marsh
Small Lea Bridge
Waltham Lock
Arboretum
Tree Nursery
Cornmill Stream
Nurseries
Abbey Fish Ponds
Harold's Bridge
Subway
Abbey Farm
Waltham Abbey Ch. (Rems. of)
Abbey Gdns.
Moat
Mkt.
Lib.
Mus.
Jun. & Inf. Sch.
Football Ground
Pav.
Cemetery
Swim. Pool
Town Mead
Pit
Depot
Grundy Park
Pool
Hall
King Crt. Arthur Ct.
HOSP.
Downfield Jun. & Inf. Sch.
Sports Ground
Tennis Courts
Bowls
Club
Stand
Albury Farm
Rifle Range
Playing Field
Football Grd.
Holy Trinity C. of E. Prim. Sch.
The Cedars Park
Theobalds Grove
Prim. Sch.
Sch.
Rec. Grd.
Bus Sta.
Cinema
Sports Grd.
Waltham Cross
Holdbrook
Playing Field
HOLMESDALE TUNNEL
M25 MOTORWAY
M25
Warehouse
Cobbins Brook
WALTHAM POINT
Quinton Hill Farm
COUNTRY PARK
RAMMEY MARSH
Rammey Marsh Flood Relief Channel
Cattlegate Flood Relief Channel
Small River Lee or Lea
River Lee Navigation
Weir
INNOVA BUSINESS PARK
BUSINESS INNOVATION CENTRE
FREEZY WATER
Enfield
Bullsmoor
Lea Valley High Sch. & Bullsmoor Sports Cen.
The Downing Nursery
Avey La. Nursery
Kennels
Portulaca
HERTFORD ROAD
MOLLISON AVENUE
MOLLISON AVENUE
A1055
ORDNANCE RD.
LANE
A1010
A121
A10
A112
B194
B198
B176
B176
HIGH STREET
CHESHUNT WASH
TURNER'S HILL
CROSSBROOK
HIGH ST.
WINSTON CHURCHILL WAY
ELEANOR CROSS RD.
MONARCHS WY.
STATION RD.
HIGHBRIDGE ST.
ABBEY VIEW
CROOKED MILE
HOLYFIELD
SEWARDSTONE ROAD
PARK LANE
COLLEGE RD
WINDMILL LANE
CAMBRIDGE ROAD
WEST
THEOBALDS LA.
HOLMESDALE
GALLEY LANE
CADMORE LANE
FISHERS GREEN LA.
RUSSELLS RIDE
133
157
36
37
38
03
02
01
00
99
H
J
K
L
M
N
G
1
2
3
4
5
6
7
8
9

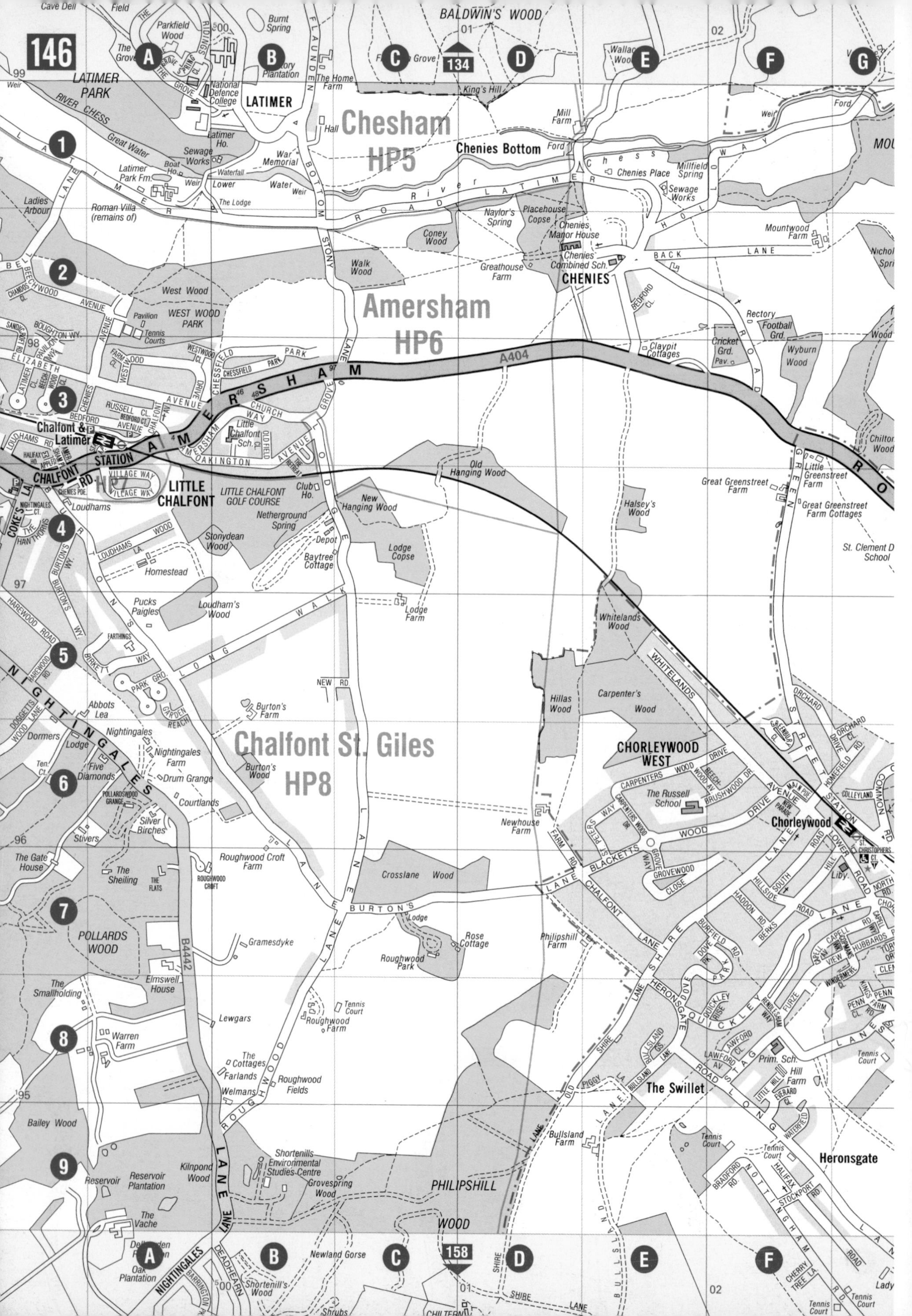

146
134
158
LATIMER PARK
River Chess
Great Water
LATIMER
National Defence College
Latimer Ho.
Sewage Works
Boat Ho.
Latimer Park Fm.
Waterfall
Lower
The Lodge
Ladies Arbour
Roman Villa (remains of)
Parkfield Wood
The Grove
Burnt Spring
Rectory Plantation
The Home Farm
BALDWIN'S WOOD
King's Hill
Hall
War Memorial
Water
Chesham HP5
Chenies Bottom
Mill Farm
Ford
Chenies Place
Millfield Spring
Sewage Works
Naylor's Spring
Placehouse Copse
Chenies Manor House
Chenies Combined Sch.
CHENIES
Coney Wood
Walk Wood
Greathouse Farm
BACK LANE
Mountwood Farm
Rectory
Football Grd.
Cricket Grd.
Wyburn Wood
Claypit Cottages
Amersham HP6
A404
AMERSHAM ROAD
West Wood
WEST WOOD PARK
Pavilion
Tennis Courts
Chalfont & Latimer
STATION
LITTLE CHALFONT
LITTLE CHALFONT GOLF COURSE
Club Ho.
Little Chalfont Sch.
HP7
Loudhams
Netherground Spring
Stonydean Wood
New Hanging Wood
Old Hanging Wood
Lodge Copse
Depot
Baytree Cottage
Homestead
Loudham's Wood
Pucks Paigles
Lodge Farm
LONG WALK
Halsey's Wood
Great Greenstreet Farm
Little Greenstreet Farm
Great Greenstreet Farm Cottages
St. Clement D School
Chilton Wood
Whitelands Wood
Hillas Wood
Carpenter's Wood
CHORLEYWOOD WEST
The Russell School
Chorleywood
Newhouse Farm
Abbots Lea
Dormers
Lodge
Nightingales
Nightingales Farm
Drum Grange
Five Diamonds
Courtlands
Silver Birches
Stivers
Burton's Farm
Burton's Wood
Chalfont St. Giles HP8
NIGHTINGALES LANE
The Gate House
The Sheiling
Roughwood Croft Farm
Crosslane Wood
BURTON'S LANE
POLLARDS WOOD
Gramesdyke
Rose Cottage
Roughwood Park
Philipshill Farm
Elmswell House
The Smallholding
Lewgars
Roughwood Farm
Warren Farm
The Cottages
Farlands
Welmans
Roughwood Fields
B4442
Bailey Wood
Reservoir
Reservoir Plantation
Kilnpond Wood
Shortenills Environmental Studies Centre
Grovespring Wood
PHILIPSHILL WOOD
The Vache
Oak Plantation
Newland Gorse
Shortenill's Wood
Bullsland Farm
The Swillet
Heronsgate
Prim. Sch.
Hill Farm
Tennis Court
Liby.

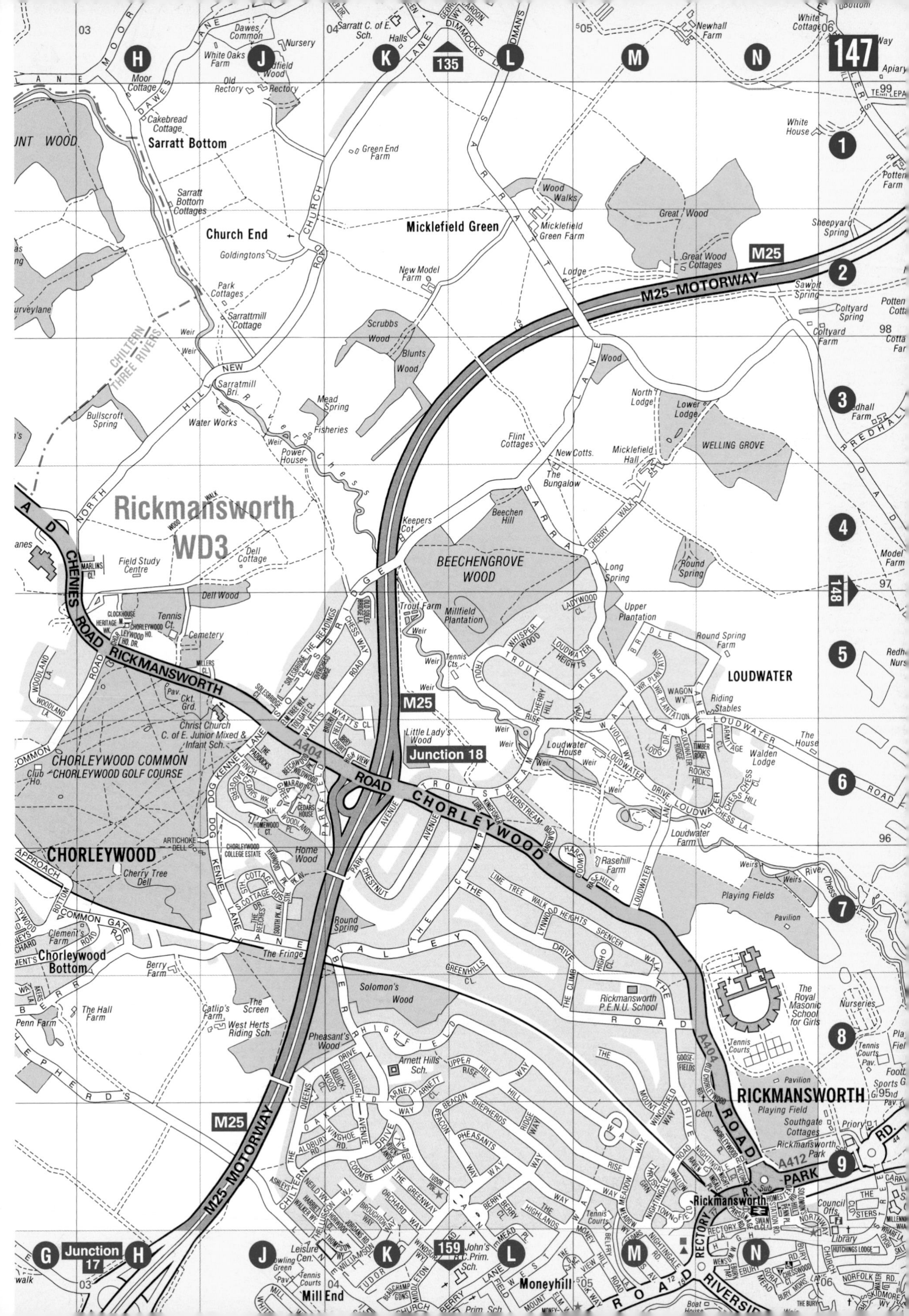

Rickmansworth
WD3
Sarratt Bottom
Church End
Micklefield Green
CHORLEYWOOD
Chorleywood Bottom
LOUDWATER
RICKMANSWORTH
Moneyhill
Mill End
Dawes Common
Nursery
White Oaks Farm
Moor Cottage
Old Rectory
Rectory
Sarratt C. of E. Sch.
Halls
Newhall Farm
White Cottage
Apiary
White House
Potten Farm
Cakebread Cottage
Green End Farm
Sarratt Bottom Cottages
Goldingtons
Wood Walks
Micklefield Green Farm
Great Wood
Sheepyard Spring
Great Wood Cottages
Lodge
New Model Farm
Park Cottages
Sarrattmill Cottage
Sawpit Spring
Coltyard Spring
Coltyard Farm
Scrubbs Wood
Blunts Wood
Weir
CHILTERN
THREE RIVERS
Sarratmill Bri.
River Chess
Mead Spring
Fisheries
Bullscroft Spring
Water Works
Power House
North Lodge
Lower Lodge
WELLING GROVE
Redhall Farm
Flint Cottages
New Cotts.
Micklefield Hall
The Bungalow
Keepers Cot.
Beechen Hill
BEECHENGROVE WOOD
Long Spring
Round Spring
Model Farm
Field Study Centre
Dell Cottage
Dell Wood
Tennis Ct.
Cemetery
Trout Farm
Millfield Plantation
Upper Plantation
Round Spring Farm
Riding Stables
Pav.
Ckt. Grd.
Christ Church C. of E. Junior Mixed & Infant Sch.
M25
A404
Little Lady's Wood
Junction 18
Loudwater House
The House
Walden Lodge
CHORLEYWOOD COMMON
CHORLEYWOOD GOLF COURSE
Club Ho.
Home Wood
Cherry Tree Dell
Loudwater Farm
Rasehill Farm
Playing Fields
Pavilion
Clement's Farm
Round Spring
The Fringe
Berry Farm
Solomon's Wood
Rickmansworth P.E.N.U. School
The Royal Masonic School for Girls
Nurseries
Tennis Courts
The Hall Farm
Penn Farm
Catlip's Farm
The Screen
West Herts Riding Sch.
Pheasant's Wood
Arnett Hills Sch.
Cem.
Pavilion
Playing Field
Southgate Cottages
Rickmansworth Park
Priory
A412
M25-MOTORWAY
Junction 17
Leisure Cen.
Bowling Green
Tennis Courts
St. John's R.C. Prim. Sch.
Tennis Courts
Rickmansworth
Council Offs.
Library
Boat House
CHORLEYWOOD ROAD
RICKMANSWORTH ROAD
CHENIES ROAD
SARRATT LANE
CHURCH LANE
NEW HILL
NORTH HILL
DOG KENNEL LANE
BERRY LANE
HIGHFIELD WAY
SHEPHERDS LANE
RECTORY ROAD
PARK RD.
LOUDWATER LANE
REDHALL LANE
TROUTSTREAM WAY
THE VALLEY
THE CLUMP
THE CHESTNUT
THE MOUNT

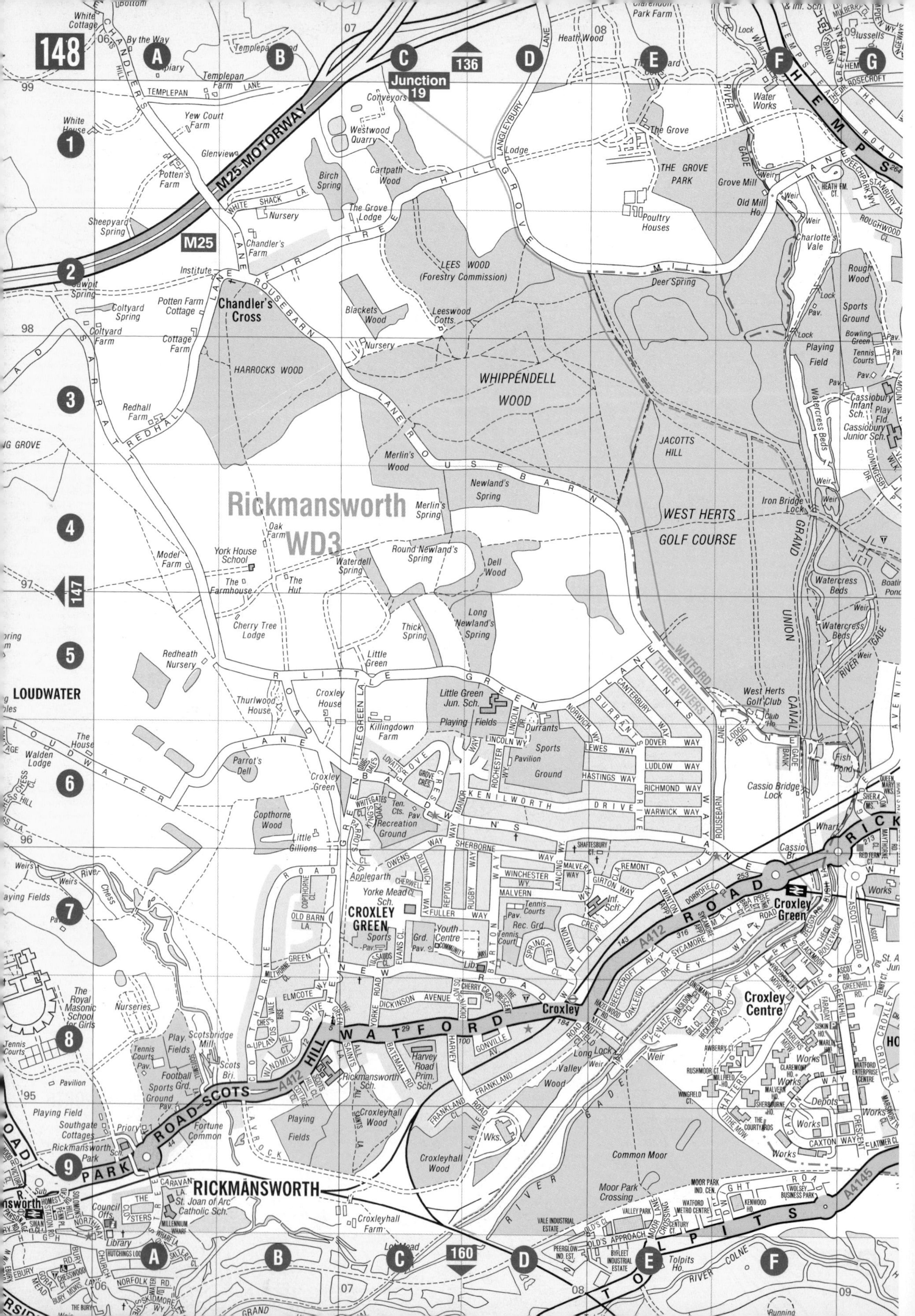
Junction 19
M25-MOTORWAY
M25
136
147
160
Chandler's Cross
Rickmansworth WD3
WHIPPENDELL WOOD
LEES WOOD (Forestry Commission)
HARROCKS WOOD
WEST HERTS GOLF COURSE
THE GROVE PARK
JACOTTS HILL
LOUDWATER
CROXLEY GREEN
Croxley
Croxley Green
Croxley Centre
RICKMANSWORTH
GRAND UNION CANAL
Common Moor
Croxleyhall Wood
Moor Park Crossing
The Royal Masonic School for Girls
Little Green Jun. Sch.
Rickmansworth Sch.
Harvey Road Prim. Sch.
Yorke Mead Sch.
St. Joan of Arc Catholic Sch.
West Herts Golf Club
Cassio Bridge Lock
Iron Bridge Lock
A412
A4145

NORTH WATFORD
Watford North
WD24
WD25
WD17
Watford
CASSIOBURY PUBLIC PARK
WATFORD
Watford Junction
Bushey
WD23
BUSHEY HALL GOLF COURSE
Scotts Wood
WD18
WEST WATFORD
Watford High St.
Watford West
Watford Stadium
THE ROOKERY
OXHEY
WD19
Bushey
Watford Heath
M1 MOTORWAY
NORTH WESTERN AV.
COLNE WAY
ST. ALBANS ROAD
RICKMANSWORTH ROAD
HAGDEN LANE
VICARAGE ROAD
WIGGENHALL ROAD
EASTBURY ROAD
HAMPERMILL LANE
LONDON ROAD
STEPHENSON WAY
WATERFIELDS WAY
PINNER ROAD
OXHEY LANE
Watford F.C. & Saracens R.U.F.C. (Vicarage Rd. Stadium)
Watford General Hosp.
137
150
161

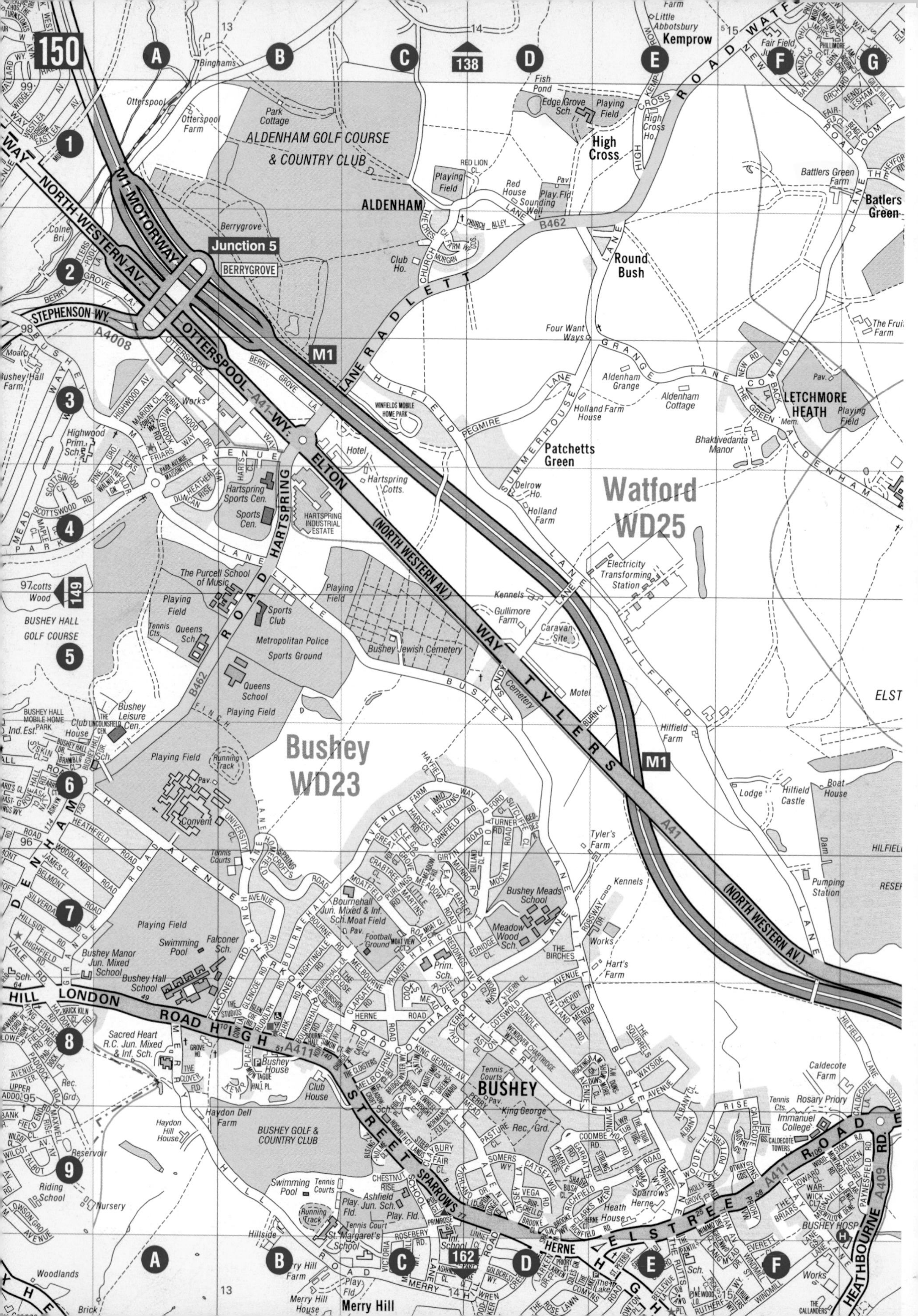

150
138
149
162
ALDENHAM GOLF COURSE & COUNTRY CLUB
ALDENHAM
Junction 5
BERRYGROVE
M1-MOTORWAY
NORTH-WESTERN-AV.
STEPHENSON WY.
A4008
OTTERSPOOL-A41-WY.
ELTON
(NORTH WESTERN AV.)
TYLERS WAY
M1
A41
High Cross
Kemprow
Little Abbotsbury
Round Bush
Four Want Ways
Aldenham Grange
Aldenham Cottage
Holland Farm House
Patchetts Green
LETCHMORE HEATH
Batlers Green
Battlers Green Farm
Bhaktivedanta Manor
Watford WD25
Electricity Transforming Station
Gullimore Farm
Caravan Site
Hilfield Farm
Hilfield Castle
Boat House
Pumping Station
Bushey WD23
Bushey Jewish Cemetery
Metropolitan Police Sports Ground
Queens School
The Purcell School of Music
Hartspring Sports Cen.
HARTSPRING INDUSTRIAL ESTATE
Highwood Prim. Sch.
BUSHEY HALL GOLF COURSE
Bushey Leisure Cen.
Bushey Meads School
Meadow Wood Sch.
Bournehall Jun. Mixed & Inf. Sch.
Bushey Manor Jun. Mixed School
Bushey Hall School
Falconer Sch.
Sacred Heart R.C. Jun. Mixed & Inf. Sch.
BUSHEY
King George Rec. Grd.
BUSHEY GOLF & COUNTRY CLUB
Haydon Dell Farm
Haydon Hill House
Ashfield Play. Jun. Sch.
St. Margaret's School
Merry Hill Farm
Merry Hill House
Merry Hill
Sparrows Herne
Heath House
Immanuel College
Rosary Priory
Caldecote Farm
BUSHEY HOSP.
LONDON ROAD
HIGH STREET
A411
ELSTREE ROAD
HEATHBOURNE RD.
A409
B462
HERNE
Woodlands

Radlett
WD7
Borehamwood
WD6
BOREHAMWOOD
ELSTREE
Stanmore
HA7
Caldecote Hill
ELSTREE GOLF COURSE
ALDENHAM PARK
ALDENHAM COUNTRY PARK
ALDENHAM RESERVOIR
WATLING STREET
A5183
M1 MOTORWAY
WATFORD BY-PASS
A41
WATFORD ROAD
A411
BARNET LANE
DEACONS HILL
ALLUM LANE
B5378
Junction 4
Elstree & Borehamwood
The Haberdashers Aske's School
Kendal Wood
Kendal Hall Farm
Little Kendals Farm
Little Kendals Wood
Moses Dell
Cobden Hill
Cobdenhill Dell
Wellhouse Dell
Rugby Football Ground
Cricket Ground
Medburn House
North Medburn Farm
South Medburn Farm
Medburn Bri.
Slades Farm
Letchmore Lodge
Aldenham School
Boydens Hill
Playing Field
Flying School
Flying Club
Ham Farm
Page's Farm
Sewage Works
Laboratories
Tykes Water Lake
Boathouse
Home Farm
Pumping Station
Sailing Club
Sports Ground
Elstree Hill Open Space
Elstree Open Space
Hill House
Edgwarebury Ho. Farm
Edgwarebury Country Club
Elstree Manor
The Leys
Penniwells Farm
Norwegian Barn
The Dower House
Deacons Hill Open Space
The Chantry
Cemetery
Parkfields Open Space
Club House
Organ Hall Farm
Meryfield First Sch.
Lyndhurst School
Parkside First Sch.
The Meadows E.M.I. Unit
Sports Ground
Lyndhurst
Brockleyhill Farm
Bury Farm
Berkeley Cottage
Lismirrane Industrial Park
Centennial Park
St. Nicholas C. of E. Jun. Mixed & Inf. Sch.
The Boulevard Centre
Research Station
139
152
163
M1
G
H
J
K
L
M
N
1
2
3
4
5
6
7
8
9
16
17
18
19
95
96
97
98
99

Radlett
WD7
Borehamwood
WD6
BOREHAMWOOD
Well End
Birch Wood
Silver Hill
140
High Canons
Holmshill Lane
Buckettsland Farm
Wheatsheaf Farm
Well End Farm
Cowleyhill Farm
The Meadows E.M.I. Unit
Electricity Sub. Station
Strangeways Farm
Rowley Farm
Valentine's Farm
Hawksmoor School
Sports Ground
Torworth Ho.
Lyndhurst School
Aberford Park
Cowley Hill First Sch.
Meadow Park
Holmshill School
Comm. Cen.
Boreham Wood F.C.
The Venue (Swim. Pool)
Civic Cen.
B.B.C. Centre
Elstree Studios
Superstore
The Boulevard Centre
Hillside Sch.
Playing Field
King George's Field
Kenilworth First Sch.
Ripon Park
Furzehill Sch.
Elstree & Borehamwood
Research Station
Fire Research Station
Borehamwood Ind. Park
Elstree Distribution Park
Works
Tennis Courts
WROTHAM PARK OPEN SPACE
Saffron Green
Shooting Ground
Golf Driving Range
ARKLEY LANE OPEN SPACE
Laing's Sports Club
Club House
Rowley Green Farm
Rowley Green
ARKLEY GOLF COURSE
Arkley Rise Estate Open Space
Arkley Manor
Laing Sports Club Golf Course
Rowley Bank Nurseries
Woodlands Farm
Memorial Sports Centre
STIRLING CORNER
BARNET GATE
Windmill
Woodcock Farm
Deacons Hill
The Chantry
Deacons Hill Open Space
Elstree Tunnel
Scratch Wood
Froghall Wood
Scratchwood Open Space
Boys Hill Wood
Thistle Wood
Caravan Park
Hyver Hall
Hyver Farm
Barnet Gate Wood
Gravel Pit Wood
Tanglewood
Moat Mount Open Space
NW7
MOAT MOUNT OPEN SPACE
Shrubbery
Target Wood
Clump of Trees Wood
Moat Mount Camp Site
Leg of Mutton
MILL HILL GOLF COURSE
164
Bury Farm
The Dower House
M1 MOTORWAY
M1
A1 BY PASS ROAD
BARNET WAY
A411
BARNET LANE
WOODCOCK HILL
DEACONS HILL
SHENLEY ROAD
ELSTREE WAY
A5135
B5378
ALLUM LANE
GREEN ST.
COWLEY HILL
ROWLEY LANE
HENDON WOOD LANE
151

WROTHAM PARK
DYRHAM PARK GOLF COURSE
DYRHAM PARK
Kitt's End
OLD FOLD MANOR GOLF COURSE
BRIDGEDOWN GOLF COURSE
EN4
MONKEN HADLEY COMMON
MONKEN HADLEY
HIGH BARNET
Barnet
HADLEY
BARNET
EN5
CHIPPING BARNET
ARKLEY
High Barnet
Underhill
WHITINGS HILL OPEN SPACE
Ducks Island
KING GEORGE PLAYING FIELDS
N20
TOTTERIDGE PARK OPEN SPACE
SOUTH HERTS GOLF COURSE
TOTTERIDGE
ST. ALBANS ROAD
GREAT NORTH ROAD
HIGH STREET
WOOD STREET
BARNET HILL
STATION

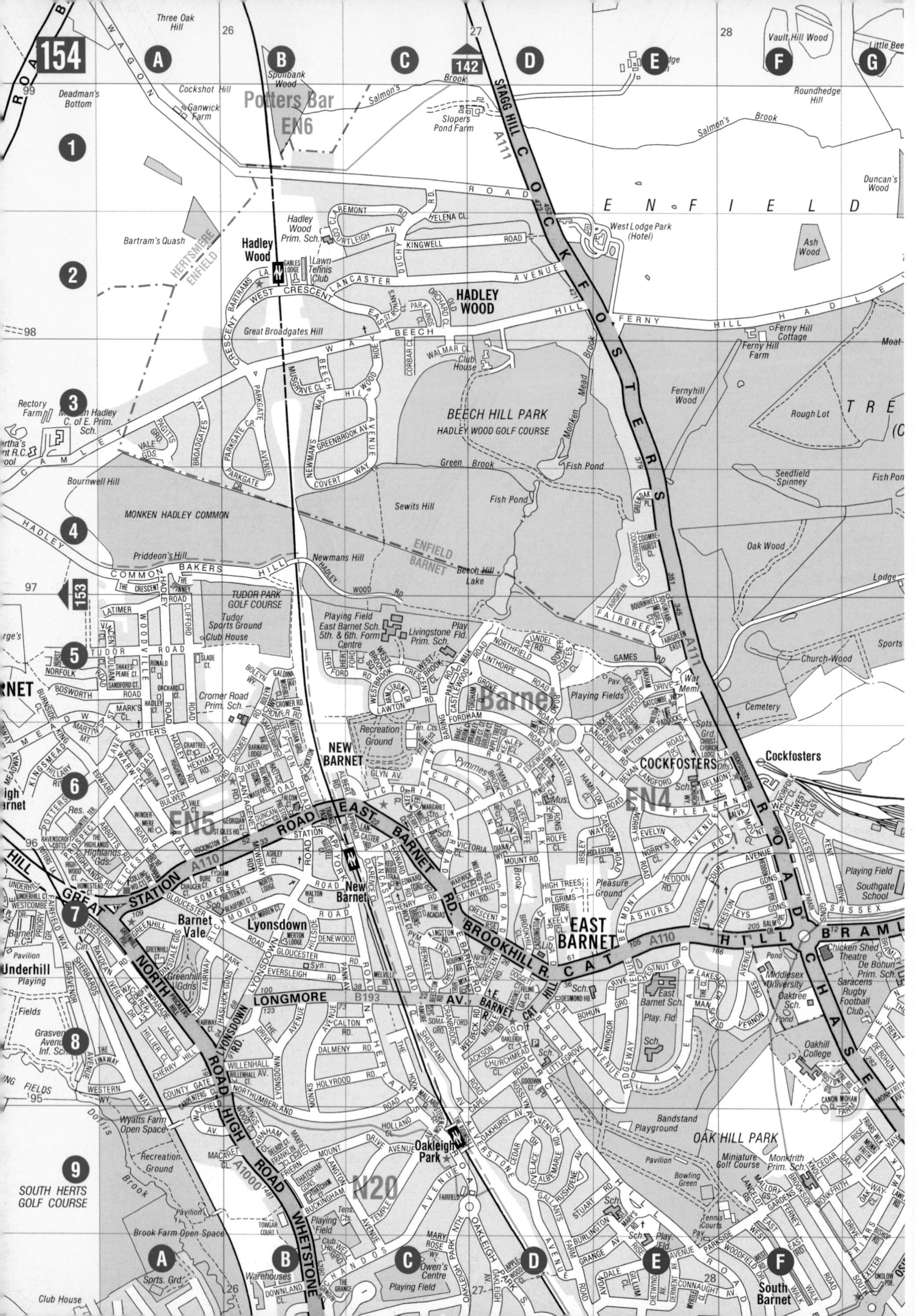

Three Oak Hill
Deadman's Bottom
Cockshot Hill
Ganwick Farm
Spoilbank Wood
Potters Bar
EN6
Salmon's Brook
Slopers Pond Farm
STAGG HILL
A111
Vault Hill Wood
Little Beech
Roundhedge Hill
Duncan's Wood
ENFIELD
West Lodge Park (Hotel)
Ash Wood
Bartram's Quash
HERTSMERE
ENFIELD
Hadley Wood
Hadley Wood Prim. Sch.
Lawn Tennis Club
HADLEY WOOD
COCKFOSTERS ROAD
Great Broadgates Hill
FERNY HILL
HADLEY ROAD
Ferny Hill Cottage
Ferny Hill Farm
Moat
Rectory Farm
Monken Hadley C. of E. Prim. Sch.
CAMLET WAY
Fernyhill Wood
Rough Lot
BEECH HILL PARK
HADLEY WOOD GOLF COURSE
Monken Mead Brook
Green Brook
Fish Pond
Bournwell Hill
Seedfield Spinney
Sewits Hill
MONKEN HADLEY COMMON
ENFIELD
BARNET
Oak Wood
Priddeon's Hill
Newmans Hill
Beech Hill Lake
COMMON
153
TUDOR PARK GOLF COURSE
Tudor Sports Ground Club House
Playing Field
East Barnet Sch. 5th. & 6th. Form Centre
Livingstone Prim. Sch.
Play. Fld.
Lodge
Sports
Church Wood
Cromer Road Prim. Sch.
Barnet
Playing Fields
Cemetery
Recreation Ground
NEW BARNET
COCKFOSTERS
Cockfosters
EN5
EN4
Highlands Gds.
EAST BARNET ROAD
New Barnet
Pleasure Ground
Playing Field
Southgate School
GREAT NORTH ROAD
STATION ROAD
A110
Barnet Vale
Lyonsdown
EAST BARNET
CAT HILL
BRAMLEY ROAD
Chicken Shed Theatre
De Bohun Prim. Sch.
Barnet F.C.
Underhill
Middlesex University
Saracens Rugby Football Club
East Barnet Sch.
LONGMORE AV.
B193
Oakhill College
Playing Fields
SOUTH HERTS GOLF COURSE
Wyatts Farm Open Space
Recreation Ground
HIGH ROAD
A1000
WHETSTONE
Oakleigh Park
N20
Bandstand Playground
OAK HILL PARK
Miniature Golf Course
Monkfrith Prim. Sch.
Pavilion
Bowling Green
Brook Farm Open Space
Playing Field
Owen's Centre
Tennis Courts
Warehouses
Sprts. Grd.
Club House
South Barnet

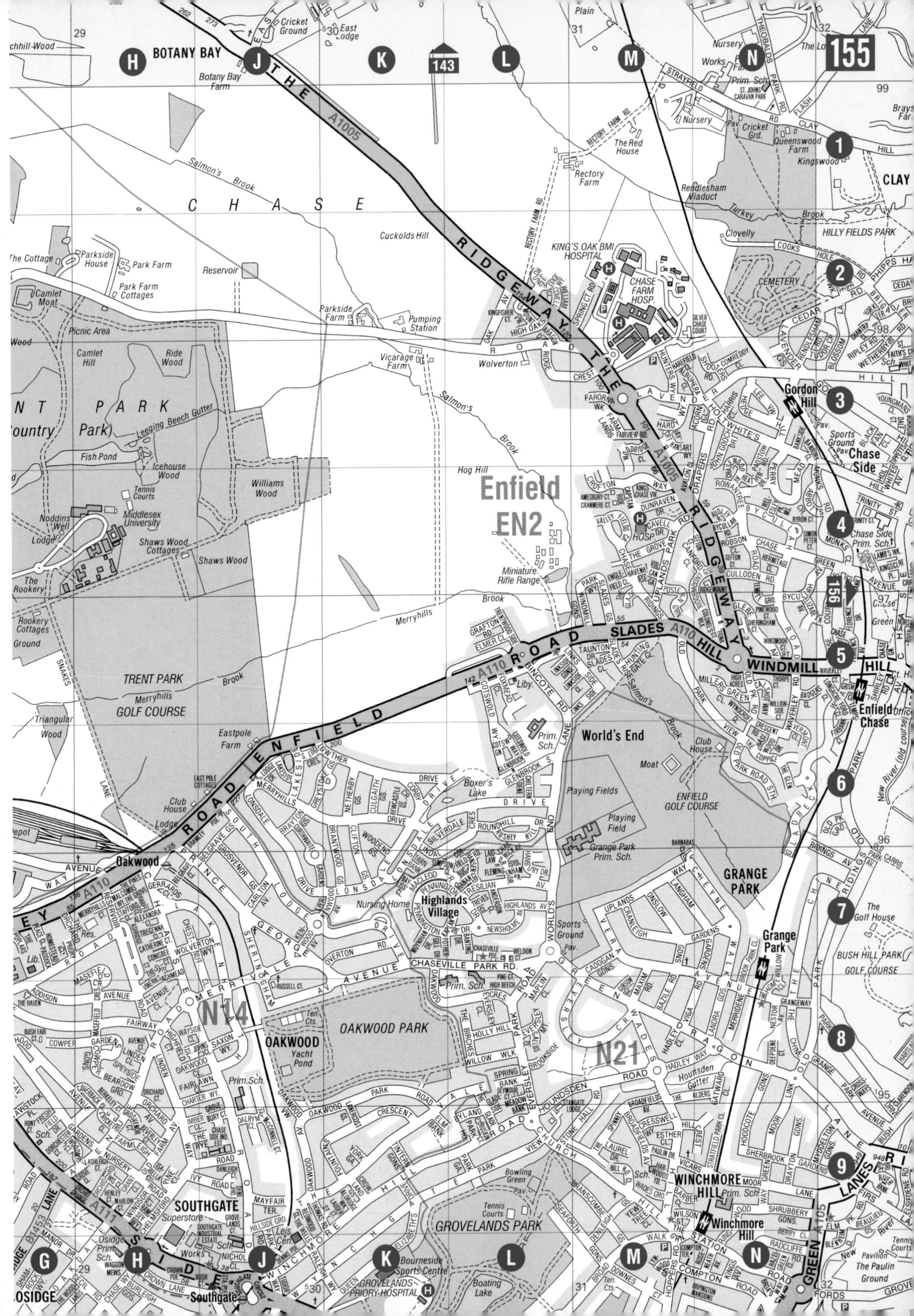

BOTANY BAY
Botany Bay Farm
Cricket Ground
East Lodge
143
THE RIDGEWAY
A1005
Salmon's Brook
CHASE
Cuckolds Hill
Rectory Farm
The Red House
Rendlesham Viaduct
Turkey Brook
Clovelly
HILLY FIELDS PARK
CLAY HILL
Queenswood Farm
Kingswood
Nursery
Works
STRAYFIELD
FLASH
Cricket Grd.
CEMETERY
KING'S OAK BMI HOSPITAL
CHASE FARM HOSP.
The Cottage
Parkside House
Park Farm
Park Farm Cottages
Reservoir
Camlet Moat
Picnic Area
Parkside Farm
Pumping Station
Camlet Hill
Ride Wood
Vicarage Farm
Wolverton
TRENT PARK (Country Park)
Leeging Beech Gutter
Fish Pond
Icehouse Wood
Tennis Courts
Williams Wood
Hog Hill
Enfield EN2
Noddins Well Lodge
Middlesex University
Shaws Wood Cottages
Shaws Wood
The Rookery
Rookery Cottages
Miniature Rifle Range
Merryhills Brook
Gordon Hill
Sports Ground
Chase Side
Chase Side Prim. Sch.
156
Enfield Chase
WINDMILL HILL
SLADES HILL
A110
ENFIELD ROAD
TRENT PARK
Merryhills GOLF COURSE
Triangular Wood
Eastpole Farm
Club House
Lodge
Oakwood
World's End
Club House
Moat
Playing Fields
ENFIELD GOLF COURSE
Playing Field
Grange Park Prim. Sch.
GRANGE PARK
Grange Park
The Golf House
BUSH HILL PARK GOLF COURSE
New River (old course)
Boxer's Lake
Highlands Village
Nursing Home
Sports Ground
N14
OAKWOOD
OAKWOOD PARK
Yacht Pond
N21
Hounsden Gutter
Prim. Sch.
SOUTHGATE
Superstore
Southgate
Bowling Green
Tennis Courts
GROVELANDS PARK
Boating Lake
Bourneside Sports Centre
GROVELANDS PRIORY HOSPITAL
WINCHMORE HILL
Winchmore Hill
The Paulin Ground
A105
GREEN LANES
A111
B1453
1 2 3 4 5 6 7 8 9
G H J K L M N
29 30 31 32
95 96 97 98 99

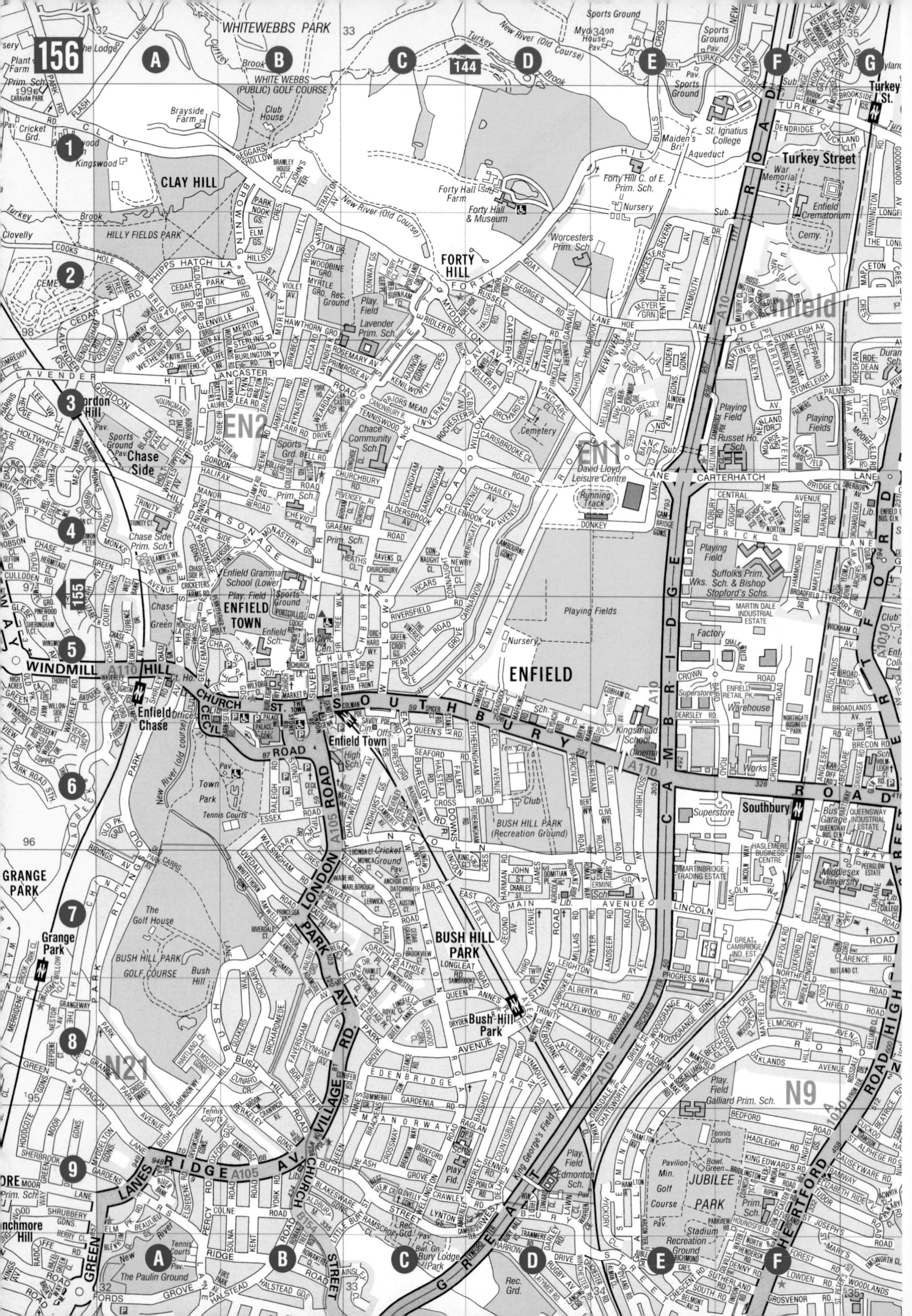

WHITEWEBBS PARK
WHITE WEBBS (PUBLIC) GOLF COURSE
Club House
Brayside Farm
Cricket Grd.
Kingswood
CLAY HILL
HILLY FIELDS PARK
Turkey Brook
New River (Old Course)
Forty Hall Farm
Forty Hall & Museum
FORTY HILL
Forty Hill C. of E. Prim. Sch.
Nursery
Maiden's Bri.
St. Ignatius College
Aqueduct
Sports Ground
Turkey Street
War Memorial
Enfield Crematorium
Cemy.
Enfield
Worcesters Prim. Sch.
Lavender Prim. Sch.
Play. Field
Rec. Ground
Chase Community Sch.
Sports Grd.
EN2
EN1
Cemetery
David Lloyd Leisure Centre
Running Track
Russet Ho. Sch.
Playing Field
Playing Fields
Gordon Hill
Sports Ground
Chase Side
Chase Side Prim. Sch.
Enfield Grammar School (Lower)
Play. Field
ENFIELD TOWN
Enfield Sch.
Civic Cen.
Chase Green
Suffolks Prim. Sch. & Bishop Stopford's Schs.
MARTIN DALE INDUSTRIAL ESTATE
Factory
Nursery
ENFIELD
Superstore
ENFIELD RETAIL PK.
Warehouse
Works
Kingsmead School
Cinema
Enfield Chase
Enfield Town
High Sch.
Town Park
Tennis Courts
BUSH HILL PARK (Recreation Ground)
Club
Superstore
Southbury
Bus Garage
QUEENSWAY INDUSTRIAL ESTATE
HASLEMERE BUSINESS CENTRE
MARTINBRIDGE TRADING ESTATE
Middlesex University
GREAT CAMBRIDGE IND. EST.
GRANGE PARK
Grange Park
The Golf House
BUSH HILL PARK GOLF COURSE
Bush Hill
Cricket Ground
BUSH HILL PARK
Bush Hill Park
N21
N9
Galliard Prim. Sch.
Play. Field
Tennis Courts
JUBILEE PARK
Min. Golf Course
Stadium
Recreation Ground
Play. Fld.
Edmonton Sch.
King George's Field
Bury Lodge Park
Bwl. Gn.
Rec. Grd.
The Paulin Ground
Tennis Courts
Winchmore Hill
WINDMILL HILL
CHURCH ST.
SOUTHBURY ROAD
CAMBRIDGE ROAD
HERTFORD ROAD
LONDON ROAD
GREAT CAMBRIDGE ROAD
A10
A110
A105
A1010
B154
144
155

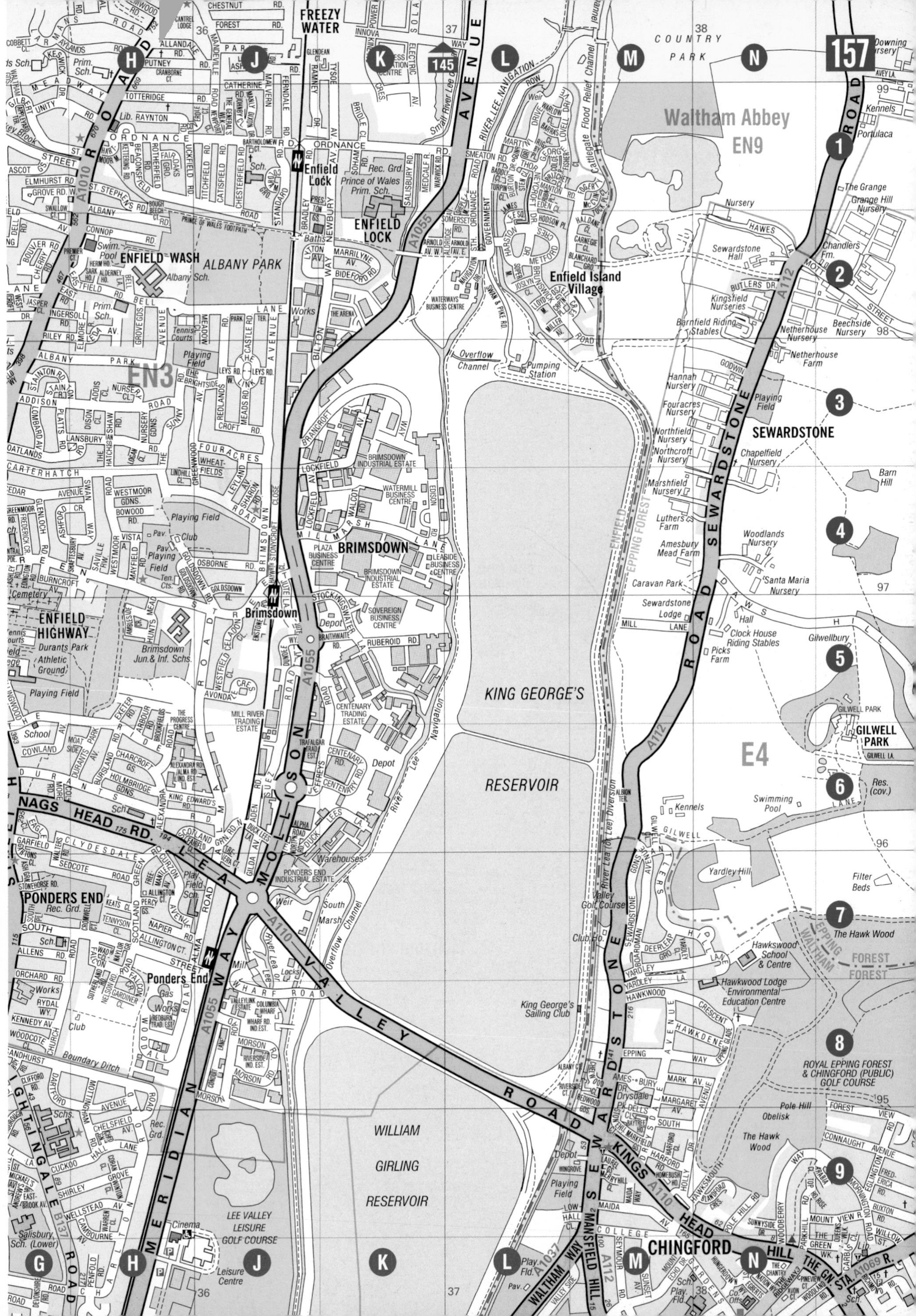
FREEZY WATER
145
COUNTRY PARK
Waltham Abbey
EN9
Enfield Lock
ENFIELD LOCK
ENFIELD WASH
ALBANY PARK
Enfield Island Village
SEWARDSTONE
EN3
BRIMSDOWN
Brimsdown
ENFIELD HIGHWAY
KING GEORGE'S
RESERVOIR
E4
GILWELL PARK
PONDERS END
Ponders End
WILLIAM
GIRLING
RESERVOIR
LEE VALLEY LEISURE GOLF COURSE
CHINGFORD
ROYAL EPPING FOREST & CHINGFORD (PUBLIC) GOLF COURSE
The Hawk Wood
Pole Hill
Obelisk
EPPING FOREST
WALTHAM FOREST
MERIDIAN WAY
MOLLISON AVENUE
NAGS HEAD RD.
LEA VALLEY ROAD
SEWARDSTONE ROAD
KINGS HEAD HILL
ORDNANCE RD.
HERTFORD ROAD
A1010
A1055
A110
A112
River Lee Navigation
Overflow Channel
Pumping Station
Brimsdown Industrial Estate
Watermill Business Centre
Plaza Business Centre
Leaside Business Centre
Sovereign Business Centre
Centenary Trading Estate
Mill River Trading Estate
Ponders End Industrial Estate
King George's Sailing Club
Hawkwood Lodge Environmental Education Centre
Hawkswood School & Centre
Yardley Hill
Barn Hill
Gilwellbury
Sewardstone Lodge
Clock House Riding Stables
Leisure Centre
Cinema
G H J K L M N
1 2 3 4 5 6 7 8 9
36 37 38
95 96 97 98 99

Chalfont St. Giles HP8
Gerrards Cross SL9
CHALFONT COMMON
CHALFONT ST. PETER
AUSTENWOOD
Horn Hill
Heronsgate
PHILIPSHILL WOOD
146
CHILTERN OPEN AIR MUSEUM
The Buckingham College
NEWLAND PARK
SHRUBS WOOD
BOTTOM WOOD
Pollardshill Wood
Hornhill Court
CHALFONT CENTRE FOR EPILEPSY
DEBENHAM HOUSE
Round Rocket Plantation
Robertswood Combined School
HOGTROUGH WOOD
GERRARDS CROSS GOLF COURSE
NOCKHILL WOOD
JUNIPER WOOD
M25 MOTORWAY
M25
AMERSHAM ROAD
GRAVEL HILL
CHALFONT-ST-PETER BY-PASS
RICKMANSWORTH LANE
HORNHILL LANE
CHALFONT LANE
SHIRE LANE
Chalfont Leisure Centre
Holy Cross Convent
Chalfont Heights Scout Camp
Goldhill Common
Windmill Farm
Bowstridge
Dibden Hill
THREE RIVERS
CHILTERN
SOUTH BUCKINGHAMSHIRE

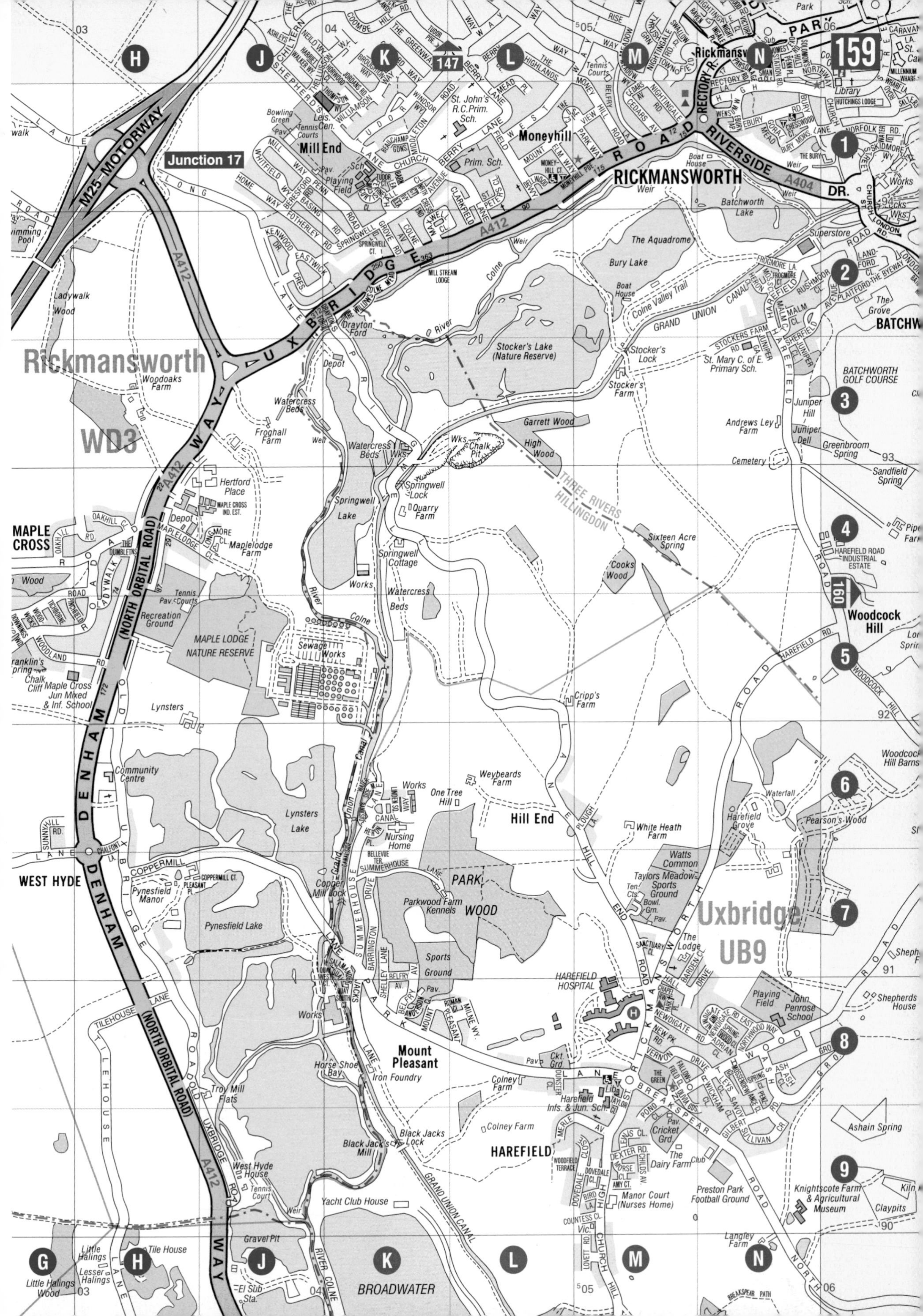

159
147
160
H
J
K
L
M
N
G
1
2
3
4
5
6
7
8
9
03
04
05
06
90
91
92
93
94
Junction 17
M25 MOTORWAY
Rickmansworth
WD3
Uxbridge
UB9
RICKMANSWORTH
Mill End
Moneyhill
MAPLE CROSS
WEST HYDE
Hill End
Mount Pleasant
HAREFIELD
BROADWATER
Woodcock Hill
BATCHWORTH GOLF COURSE
UXBRIDGE ROAD
A412
A404
DENHAM WAY
(NORTH ORBITAL ROAD)
RIVERSIDE DR.
GRAND UNION CANAL
Colne Valley Trail
River Colne
Batchworth Lake
The Aquadrome
Bury Lake
Stocker's Lake (Nature Reserve)
Stocker's Lock
Stocker's Farm
Garrett Wood
High Wood
Springwell Lake
Springwell Lock
Quarry Farm
Springwell Cottage
Watercress Beds
Froghall Farm
Woodoaks Farm
Hertford Place
Maplelodge Farm
MAPLE LODGE NATURE RESERVE
Sewage Works
Recreation Ground
Maple Cross Jun Mixed & Inf. School
Lynsters
Lynsters Lake
Community Centre
Pynesfield Manor
Pynesfield Lake
Copper Mill Lock
PARK WOOD
Parkwood Farm Kennels
Sports Ground
Nursing Home
One Tree Hill
Weybeards Farm
Cripp's Farm
Sixteen Acre Spring
Cooks Wood
THREE RIVERS
HILLINGDON
White Heath Farm
Watts Common
Taylors Meadow Sports Ground
HAREFIELD HOSPITAL
Harefield Grove
Pearson's Wood
Playing Field
John Penrose School
Shepherds House
Knightscote Farm & Agricultural Museum
Claypits
Ashain Spring
Preston Park Football Ground
The Dairy Farm
Manor Court (Nurses Home)
Harefield Infs. & Jun. Sch.
Colney Farm
Iron Foundry
Horse Shoe Bay
Black Jacks Lock
Black Jack's Mill
Yacht Club House
West Hyde House
Troy Mill Flats
Gravel Pit
Tile House
Little Halings
Lesser Halings
Little Halings Wood
Langley Farm
Ladywalk Wood
Juniper Hill
Juniper Dell
Andrews Ley Farm
Cemetery
Greenbroom Spring
Sandfield Spring
Woodcock Hill Barns
HAREFIELD ROAD INDUSTRIAL ESTATE
St. Mary C. of E. Primary Sch.
St. John's R.C. Prim. Sch.
Prim. Sch.
Leis. Cen.
Superstore
Library

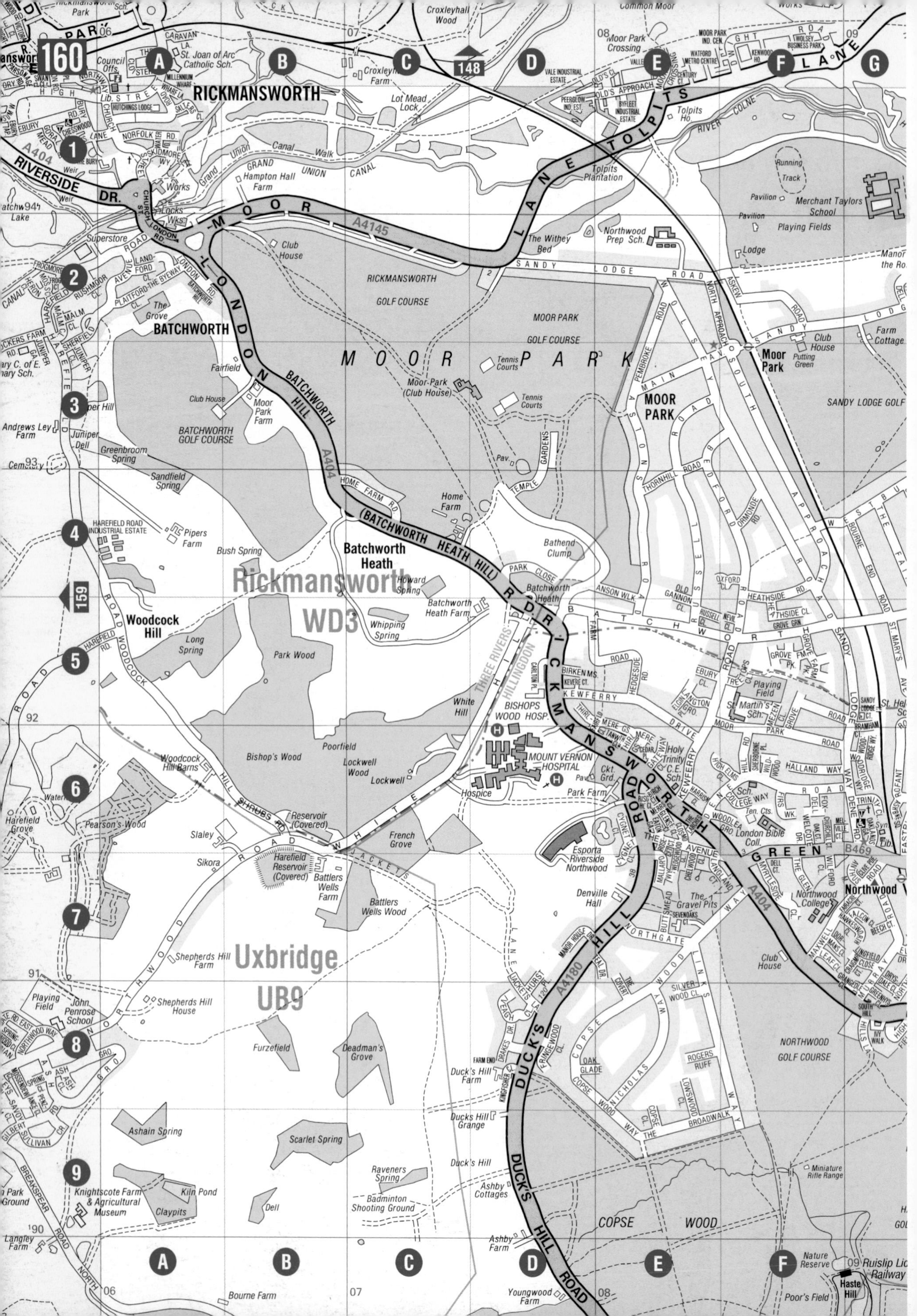
160
RICKMANSWORTH
BATCHWORTH
MOOR PARK
Moor Park
Batchworth Heath
Rickmansworth WD3
Uxbridge UB9
Woodcock Hill
Northwood
RICKMANSWORTH GOLF COURSE
MOOR PARK GOLF COURSE
BATCHWORTH GOLF COURSE
SANDY LODGE GOLF
NORTHWOOD GOLF COURSE
GRAND UNION CANAL
RIVER COLNE
RIVERSIDE DR.
MOOR LANE
TOLPITS LANE
LONDON RD.
BATCHWORTH HILL
(BATCHWORTH HEATH HILL)
RICKMANSWORTH ROAD
DUCK'S HILL
DUCK'S HILL ROAD
SANDY LODGE ROAD
HAREFIELD RD.
WOODCOCK HILL
WHITE HILL
JACKETS LANE
NORTHWOOD ROAD
BREAKSPEAR ROAD NORTH
GREEN LANE
A404
A4145
A4180
B469
MOUNT VERNON HOSPITAL
BISHOPS WOOD HOSP.
Merchant Taylors School
Northwood Prep Sch.
London Bible Coll.
Northwood College
Bishop's Wood
Park Wood
COPSE WOOD
Croxleyhall Wood
Croxley Farm
Lot Mead Lock
Tolpits Ho.
Tolpits Plantation
The Withey Bed
Hampton Hall Farm
Moor Park (Club House)
Moor Park Farm
Home Farm
Bathend Clump
Batchworth Heath Farm
Howard Spring
Whipping Spring
Long Spring
Pipers Farm
Bush Spring
Sandfield Spring
Greenbroom Spring
Andrews Ley Farm
Woodcock Hill Barns
Pearson's Wood
Harefield Grove
Slaley
Sikora
Harefield Reservoir (Covered)
Battlers Wells Farm
Battlers Wells Wood
French Grove
Shepherds Hill Farm
Shepherds Hill House
Furzefield
Deadman's Grove
Ashain Spring
Scarlet Spring
Kiln Pond
Claypits
Knightscote Farm & Agricultural Museum
Raveners Spring
Badminton Shooting Ground
Duck's Hill Farm
Ducks Hill Grange
Ashby Cottages
Ashby Farm
Youngwood Farm
Bourne Farm
Langley Farm
John Penrose School
Esporta Riverside Northwood
Denville Hall
The Gravel Pits
Holy Trinity C.E. Sch.
St Martin's Sch.
Nature Reserve
Ruislip Lido Railway
Haste Hill
Poor's Field
Miniature Rifle Range
Hospice
148
159
A B C D E F G
1 2 3 4 5 6 7 8 9

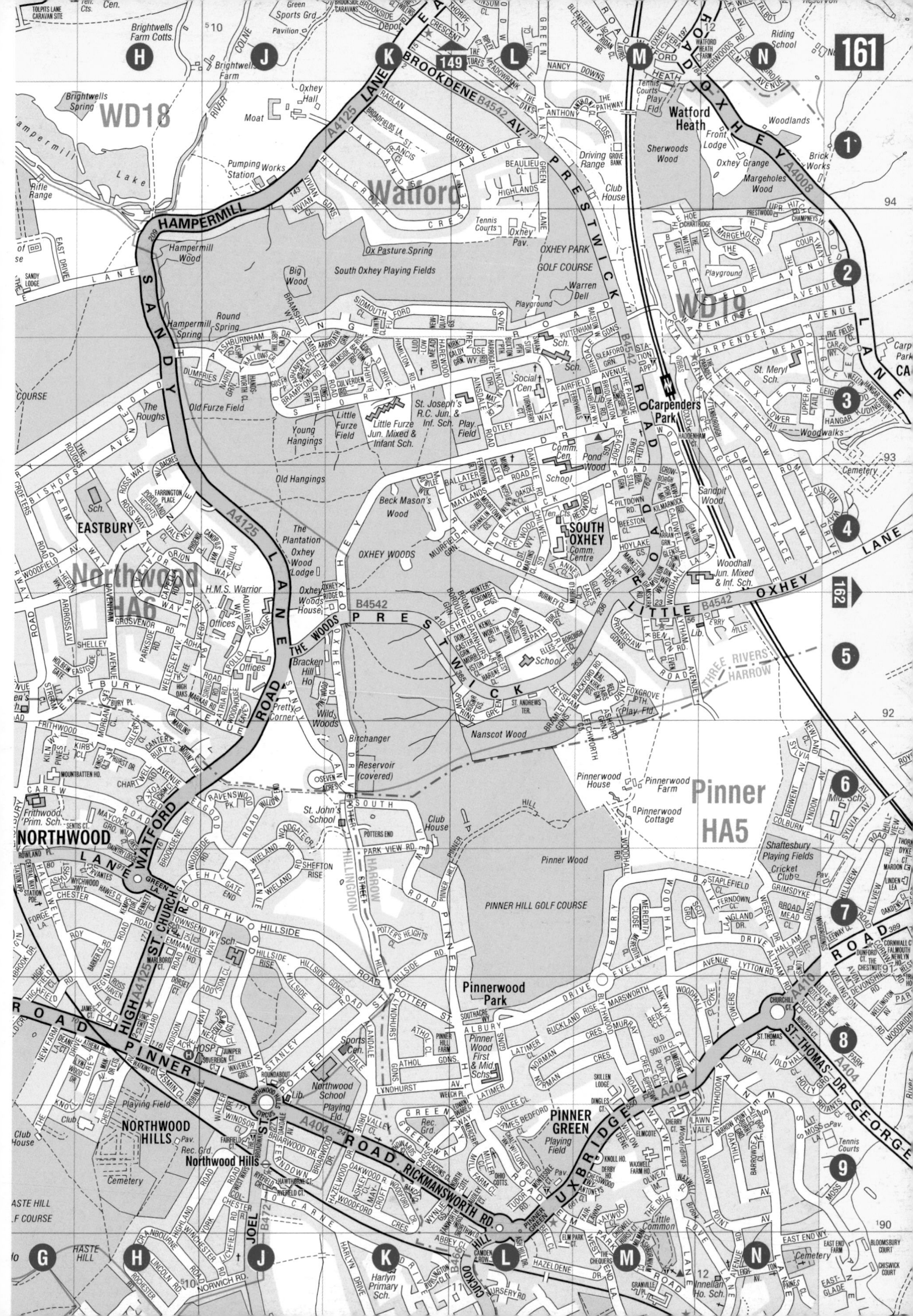
WD18
Watford
WD19
Watford Heath
Carpenders Park
SOUTH OXHEY
EASTBURY
Northwood HA6
NORTHWOOD
NORTHWOOD HILLS
Pinner HA5
PINNER GREEN
Pinnerwood Park
Oxhey Woods
Pinner Wood
PINNER HILL GOLF COURSE
OXHEY PARK GOLF COURSE
South Oxhey Playing Fields
Hampermill Lake
SANDY LANE
HAMPERMILL
PRESTWICK ROAD
LITTLE OXHEY LANE
OXHEY LANE
UXBRIDGE ROAD
RICKMANSWORTH RD.
PINNER ROAD
WATFORD ROAD
149
162

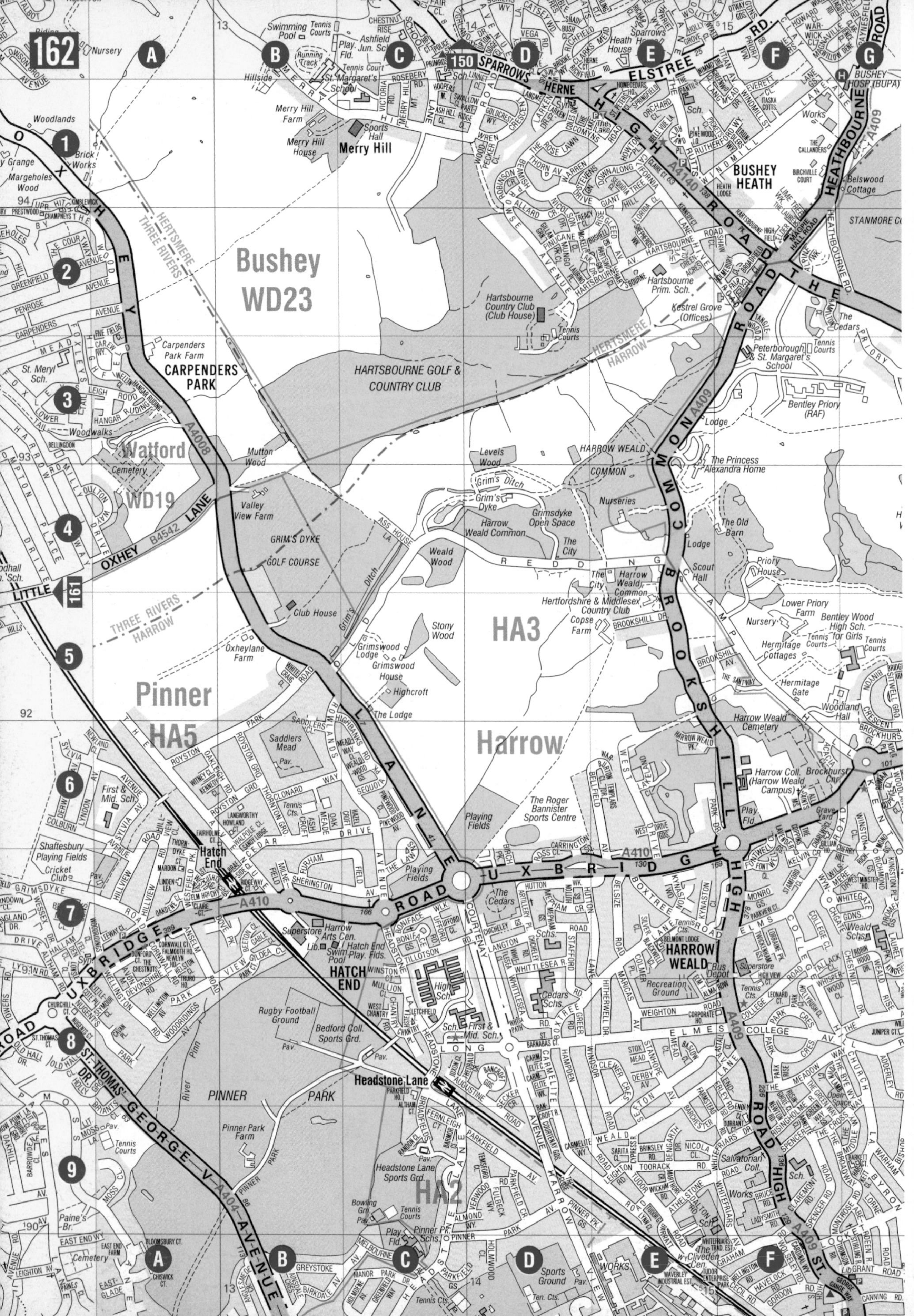
Bushey
WD23
Merry Hill
BUSHEY HEATH
CARPENDERS PARK
HARTSBOURNE GOLF & COUNTRY CLUB
Watford
WD19
HA3
Pinner
HA5
Harrow
HARROW WEALD
HATCH END
HA2
PINNER PARK
Hatch End
Headstone Lane
OXHEY LANE
UXBRIDGE ROAD
ELSTREE RD.
SPARROWS HERNE
HIGH ROAD
HEATHBOURNE ROAD
COMMON
BROOKSHILL
REDDING
OXHEY LANE
LITTLE OXHEY
ST. GEORGE V AVENUE
HERTSMERE
THREE RIVERS
HARROW
Hartsbourne Country Club (Club House)
Hartsbourne Prim. Sch.
Kestrel Grove (Offices)
Peterborough & St. Margaret's School
Bentley Priory (RAF)
The Princess Alexandra Home
Grim's Dyke
Grimsdyke Open Space
Harrow Weald Common
Weald Wood
Stony Wood
Levels Wood
Mutton Wood
Valley View Farm
GRIM'S DYKE GOLF COURSE
Club House
Oxheylane Farm
Grimswood Lodge
Grimswood House
Highcroft
The Lodge
Saddlers Mead
Hertfordshire & Middlesex Country Club
Copse Farm
Harrow Weald Cemetery
Harrow Coll. (Harrow Weald Campus)
The Roger Bannister Sports Centre
Playing Fields
Lower Priory Farm
Bentley Wood High Sch. for Girls
Hermitage Cottages
Hermitage Gate
Woodland Hall
Priory House
Scout Hall
The Old Barn
Nurseries
Shaftesbury Playing Fields
Cricket Club
Superstore
Harrow Arts Cen.
Hatch End Swim. Pool
Rugby Football Ground
Bedford Coll. Sports Grd.
Pinner Park Farm
Headstone Lane Sports Grd.
Pinner Pk. Schs.
Sports Ground
Recreation Ground
Salvatorian Coll.
Cedars Schs.
The Cedars
First & Mid. Sch.
St. Meryl Sch.
Carpenders Park Farm
Cemetery
Swimming Pool
Tennis Courts
Ashfield Jun. Sch.
St. Margaret's School
Merry Hill Farm
Merry Hill House
Sports Hall
Heath House
BUSHEY HOSP. (BUPA)
Belswood Cottage
STANMORE
Woodlands
Brick Works
Margeholes Wood
Nursery
A4008
A4140
A409
A410
A404
B4542
150
161
A B C D E F G
1 2 3 4 5 6 7 8 9

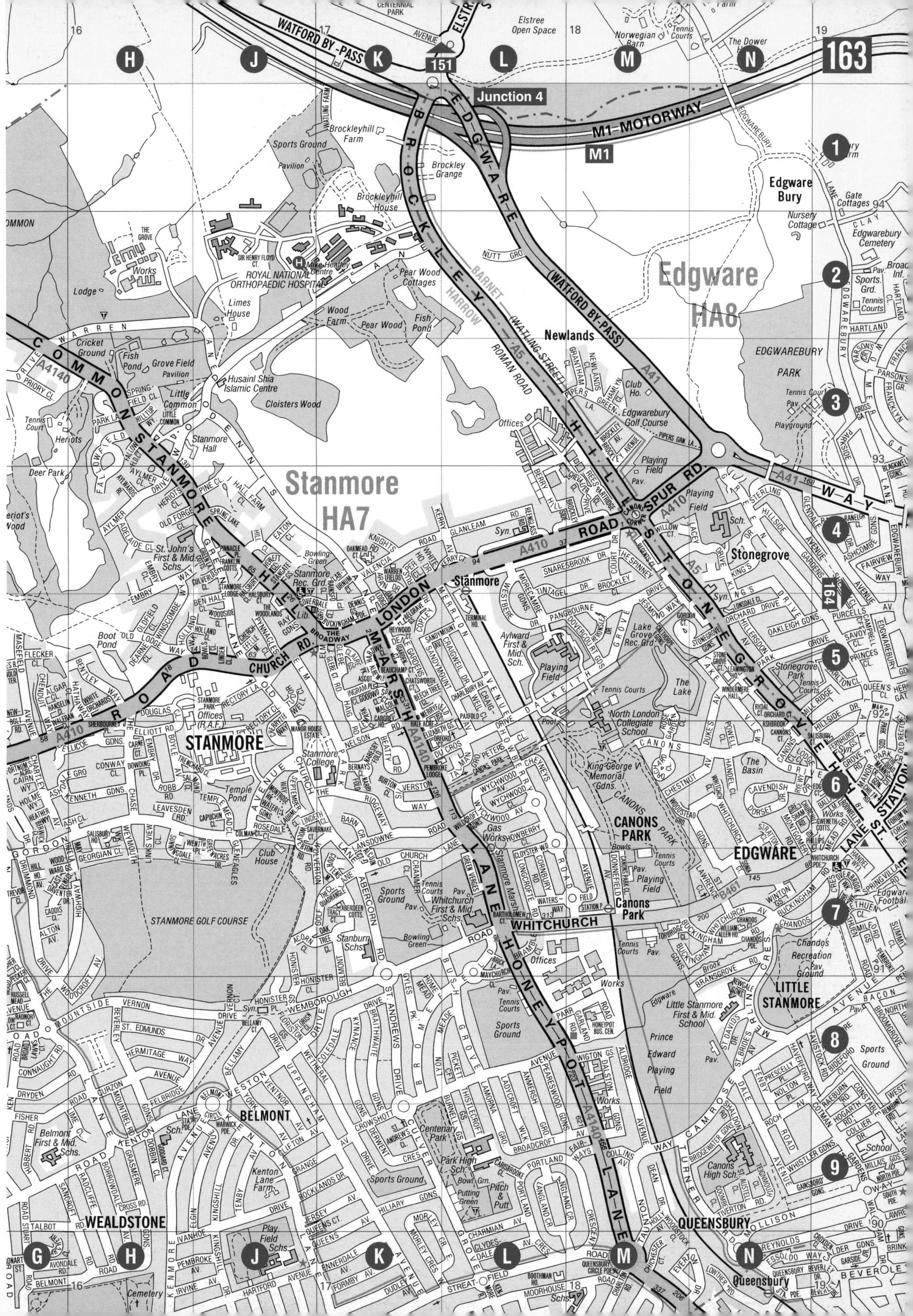
163
H
J
K
L
M
N
16
17
18
19
151
Junction 4
WATFORD BY-PASS
M1 MOTORWAY
M1
Elstree Open Space
Norwegian Barn
Tennis Courts
The Dower
Brockleyhill Farm
Sports Ground
Pavilion
Brockley Grange
Brockleyhill House
BROCKLEY HILL
EDGWARE
Edgware Bury
Gate Cottages
Nursery Cottage
Edgwarebury Cemetery
Edgware HA8
EDGWAREBURY PARK
Tennis Court
Playground
1
2
3
4
5
6
7
8
9
COMMON
THE GROVE
Works
SIR HENRY FLOYD CT.
ROYAL NATIONAL ORTHOPAEDIC HOSPITAL
Mike Heaffey Centre
Pear Wood Cottages
Lodge
Limes House
Wood Farm
Pear Wood
Fish Pond
Cricket Ground
Grove Field
Pavilion
Husaini Shia Islamic Centre
Little Common
Cloisters Wood
Heriots
Deer Park
Stanmore Hall
Newlands
Club Ho.
Edgwarebury Golf Course
Playing Field
Offices
(WATLING STREET)
ROMAN ROAD
A5
A41
A410
A4140
A4140
Stanmore HA7
St. John's First & Mid. Schs.
Boot Pond
Bowling Green
Stanmore Rec. Grd.
Stanmore
Stonegrove
Aylward First & Mid. Sch.
Playing Field
Lake Grove Rec. Grd.
The Lake
Stonegrove Park
Tennis Courts
North London Collegiate School
King George V Memorial Gdns.
The Basin
CANONS PARK
EDGWARE
STANMORE
Offices (R.A.F.)
Stanmore College
Temple Pond
Club House
STANMORE GOLF COURSE
Sports Ground
Whitchurch First & Mid. Schs.
Gas Works
Bowling Green
Stanburn Schs.
WHITCHURCH
Canons Park
Tennis Courts
Offices
Works
Chandos Recreation Ground
LITTLE STANMORE
Little Stanmore First & Mid. School
Prince Edward Playing Field
Sports Ground
HONEYPOT BUS. CEN.
Sports Ground
BELMONT
Belmont First & Mid. Schs.
Kenton Lane Farm
Centenary Park
Park High Sch.
Sports Ground
Pitch & Putt
Putting Green
Canons High Sch.
WEALDSTONE
Play Field Schs.
QUEENSBURY
Queensbury
Cemetery
School
Lib.
G
H
J
K
L
M
N
164

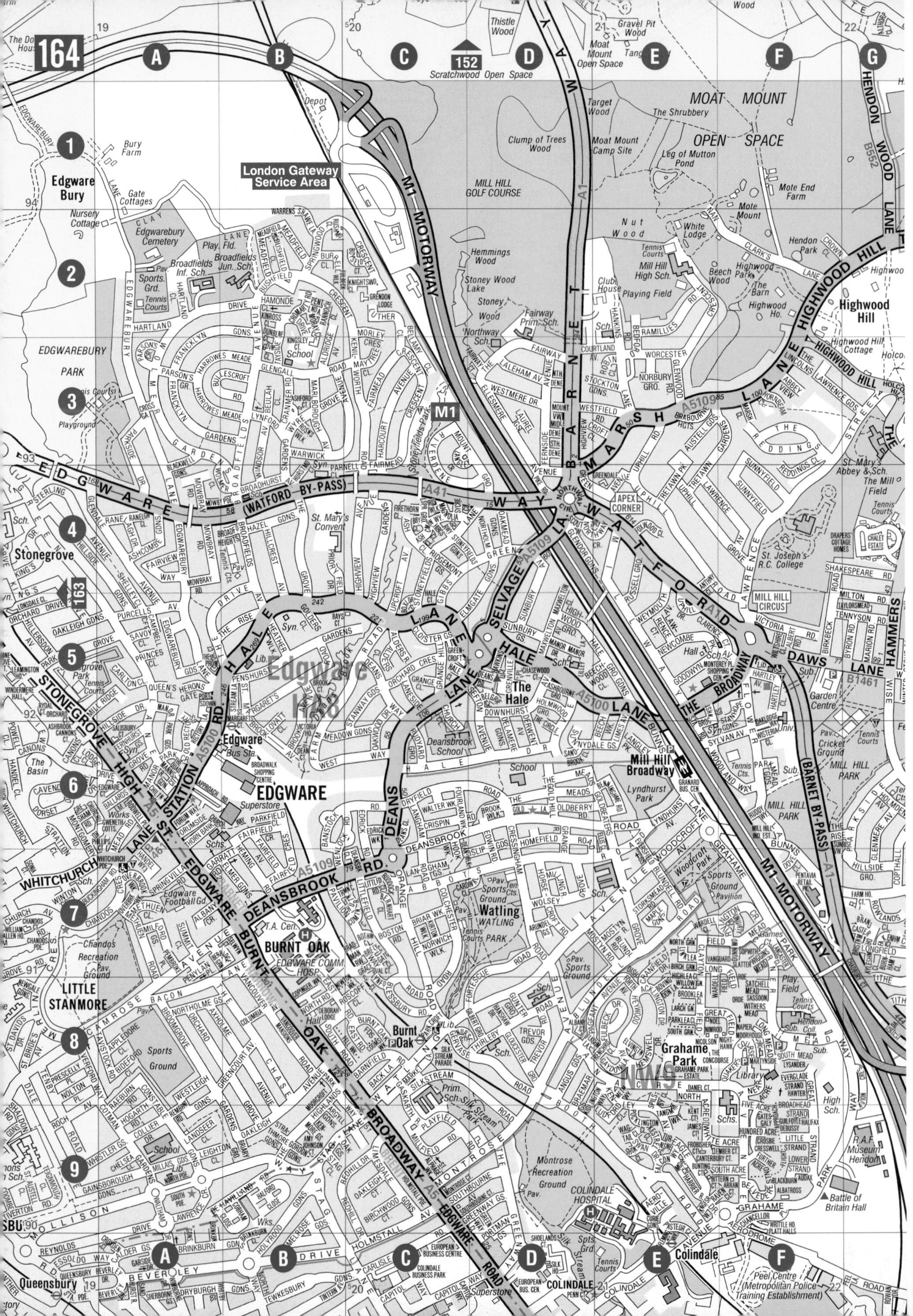
152
Scratchwood Open Space
Thistle Wood
Gravel Pit Wood
Moat Mount Open Space
MOAT MOUNT OPEN SPACE
The Shrubbery
Target Wood
Clump of Trees Wood
Moat Mount Camp Site
Leg of Mutton Pond
Mote End Farm
MILL HILL GOLF COURSE
London Gateway Service Area
M1 MOTORWAY
BARNET WAY
A1
HENDON WOOD LANE
B552
Bury Farm
Edgware Bury
Gate Cottages
Nursery Cottage
Edgwarebury Cemetery
Play. Fld.
Broadfields Inf. Sch.
Broadfields Jun. Sch.
Sports Grd.
Tennis Courts
EDGWAREBURY PARK
Playground
Nut Wood
White Lodge
Mote Mount
Hendon Park
Mill Hill High Sch.
Club House
Playing Field
Beech Wood
Highwood Park
The Barn
Highwood Ho.
Highwood Hill
Highwood Hill Cottage
HIGHWOOD HILL
Hemmings Wood
Stoney Wood Lake
Stoney Wood
Fairway Prim. Sch.
Northway Sch.
MARSH LANE
A5109
St. Mary's Abbey & Sch.
The Mill Field
EDGWARE WAY (WATFORD BY-PASS)
A41
St. Mary's Convent
WATFORD WAY
APEX CORNER
St. Joseph's R.C. College
MILL HILL CIRCUS
Stonegrove
163
HALE LANE
SELVAGE LA.
A5100
Edgware HA8
The Hale
Deansbrook School
Edgware Bus Sta.
BROADWALK SHOPPING CENTRE
EDGWARE
Superstore
Mill Hill Broadway
Lyndhurst Park
THE BROADWAY
DAWS LANE
B1461
HAMMERS
Garden Centre
Cricket Ground
MILL HILL PARK
(BARNET BY-PASS)
STONEGROVE
HIGH ST.
STATION RD.
A5
Canons Park
Tennis Courts
The Basin
WHITCHURCH LANE
Edgware Football Gd.
DEANSBROOK RD
T.A. Cen.
BURNT OAK
EDGWARE COMM. HOSP.
Watling Park
Sports Ground
Woodcroft Park
Sports Ground Pavilion
Chandos Recreation Ground
LITTLE STANMORE
Sports Ground
Burnt Oak
Grahame Park
NW9
Library
Hendon Coll.
Play. Field
High Sch.
R.A.F. Museum Hendon
Battle of Britain Hall
Montrose Recreation Ground
COLINDALE HOSPITAL
Silk Stream
BURNT OAK BROADWAY
EDGWARE ROAD
School
Queensbury
Colindale
COLINDALE
Peel Centre (Metropolitan Police Training Establishment)
European Business Centre
Colindale Business Park
Superstore

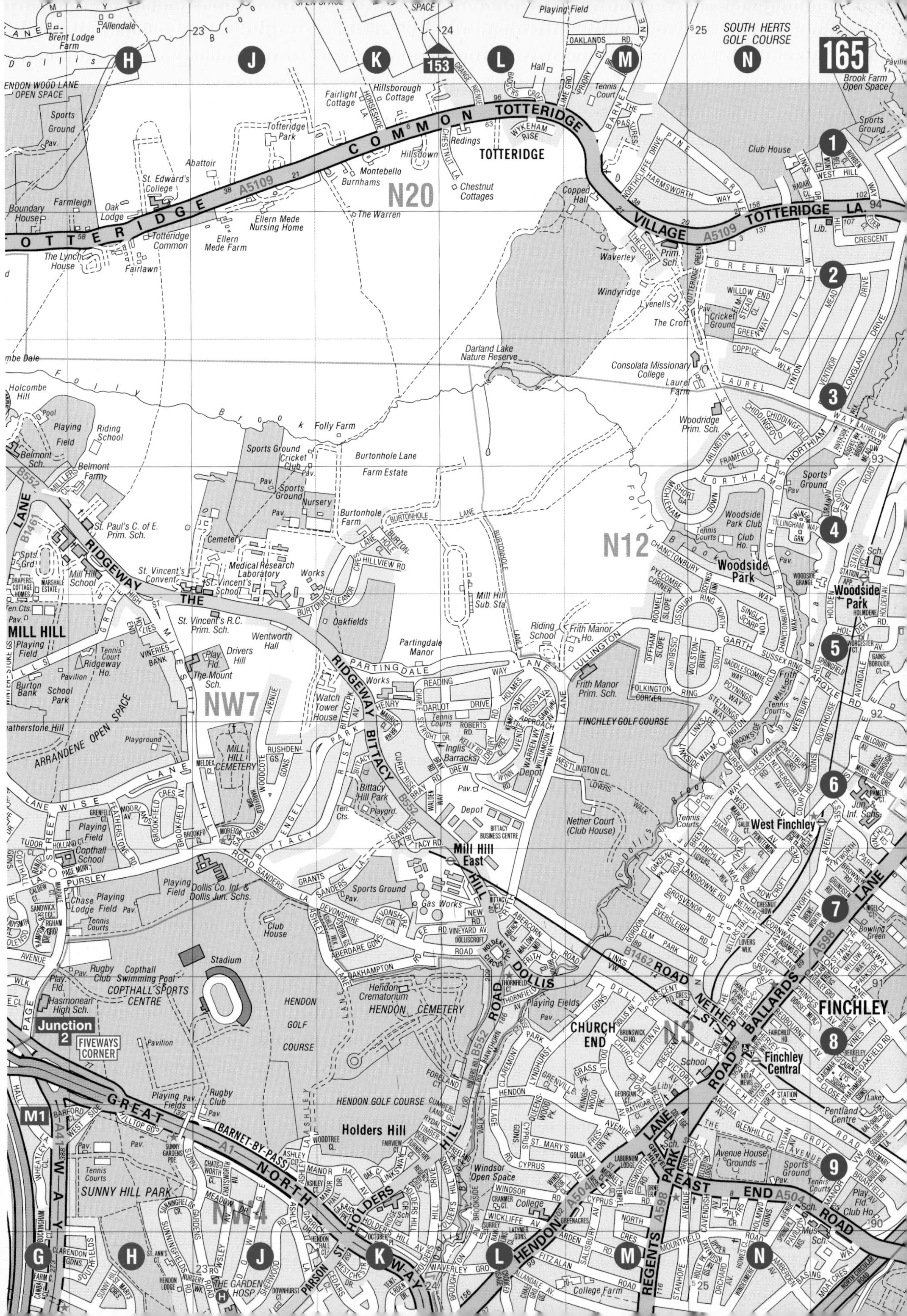
Allendale
Brent Lodge Farm
Dollis
H
J
K
153
L
M
N
Playing Field
SOUTH HERTS GOLF COURSE
Brook Farm Open Space
HENDON WOOD LANE OPEN SPACE
Sports Ground
Pav.
Fairlight Cottage
Hillsborough Cottage
TOTTERIDGE COMMON
Totteridge Park
Redings
WYKEHAM RISE
TOTTERIDGE
OAKLANDS RD.
Hall
Tennis Court
THE PASTURES
PINE
Club House
1
Abattoir
St. Edward's College
Montebello
Burnhams
N20
Chestnut Cottages
Copped Hall
HARMSWORTH WAY
NORTHCLIFFE DRIVE
WEST HILL
Boundary House
Farmleigh
Oak Lodge
Ellern Mede Nursing Home
The Warren
TOTTERIDGE VILLAGE
A5109
TOTTERIDGE LA.
Lib.
CRESCENT
The Lynch House
Totteridge Common
Ellern Mede Farm
Fairlawn
THE CLOSE
Prim. Sch.
Waverley
GREENWAY
2
WILLOW END
Windyridge
Lyenells
Cricket Ground
The Croft
COPPICE WLK.
Darland Lake Nature Reserve
Consolata Missionary College
Laurel Farm
LAUREL WAY
3
Holcombe Hill
Pool
Playing Field
Riding School
Folly Brook
Folly Farm
Woodridge Prim. Sch.
CHIDDINGFOLD
NORTHIAM
Belmont Sch.
Belmont Farm
Sports Ground Cricket Club
Burtonhole Lane Farm Estate
Sports Ground
Sports Ground
Woodside Park Club
LANE
B552
B1461
Nursery
Burtonhole Farm
BURTONHOLE LANE
4
St. Paul's C. of E. Prim. Sch.
RIDGEWAY
Cemetery
Medical Research Laboratory
Works
HILLVIEW RD.
N12
CHANTONBURY
Woodside Park
Mill Hill School
St. Vincent's Convent
St. Vincent's School
THE
Oakfields
Mill Hill Sub. Sta.
PYECOMBE CORNER
CISSBURY RING
Woodside Park
MILL HILL
St. Vincent's R.C. Prim. Sch.
Wentworth Hall
Partingdale Manor
Riding School
Frith Manor Ho.
LULLINGTON
GARTH
SUSSEX RING
5
Playing Field
Ridgeway Ho.
VINERIES BANK
Drivers Hill
Play. Fld.
The Mount Sch.
PARTINGDALE
WAY
LANE
Frith Manor Prim. Sch.
FOLKINGTON CORNER
ARGYLE RD
Burton Bank
School Park
Watch Tower House
RIDGEWAY
BITTACY
Works
READING
DARLOT DRIVE
NW7
FINCHLEY GOLF COURSE
AVONDALE
Featherstone Hill
ARRANDENE OPEN SPACE
Playground
MILL HILL CEMETERY
RUSHDEN GDNS.
Inglis Barracks
Depot
WESTLINGTON CL.
6
LANE
Bittacy Hill Park
Playgrd.
Depot
B552
Nether Court (Club House)
Dollis Brook
West Finchley
Playing Field
Copthall School
BITTACY BUSINESS CENTRE
Mill Hill East
PURSLEY
Playing Field
Dollis Co. Inf. & Dollis Jun. Schs.
SANDERS LA.
Sports Ground
Gas Works
7
Chase Lodge
Playing Field
Tennis Courts
Club House
DEVONSHIRE
ABERDARE GDNS
B1462
NETHER ST.
Bowling Green
AVENUE
Stadium
BAKHAMPTON
DOLLIS
FINCHLEY
Rugby Club
Copthall Swimming Pool
COPTHALL SPORTS CENTRE
Hendon Crematorium
HENDON CEMETERY
Playing Fields
CHURCH END
N3
Hasmonean High Sch.
Junction 2
FIVEWAYS CORNER
Pavilion
HENDON GOLF COURSE
BALLARDS
8
School
Finchley Central
Playing Fields
Rugby Club
HENDON GOLF COURSE
Pentland Centre
M1
GREAT NORTH WAY
A1
BARNET-BY-PASS
Holders Hill
Windsor Open Space
Avenue House Grounds
Sports Ground
9
A41
WATFORD WAY
Tennis Courts
SUNNY HILL PARK
NW4
EAST END ROAD
A504
College
REGENTS PARK
Play. Fld.
Club Ho.
G
H
J
K
L
M
N
THE GARDEN HOSP.
HENDON
College Farm
CHURCH
ROAD
Sch.

INDEX

Including Streets, Places & Areas, Industrial Estates, Selected Flats & Walkways
and Selected Places of Interest.

HOW TO USE THIS INDEX

1. Each street name is followed by its Posttown or Postal Locality and then by its map reference; e.g. Abbey Av. *St Alb* —5B **126** is in the St Albans Posttown and is to be found in square 5B on page **126**. The page number being shown in bold type.
   A strict alphabetical order is followed in which Av., Rd., St., etc. (though abbreviated) are read in full and as part of the street name; e.g. Abbeydale Clo. appears after Abbey Ct. but before Abbey Dri.

2. Streets and a selection of Subsidiary names not shown on the Maps, appear in the index in *Italics* with the thoroughfare to which it is connected shown in brackets; e.g. *Abbeygate Bus. Cen., The. Lut* —9H **47** (off Hartley Rd.)

3. Places and areas are shown in the index in blue type, the map reference to the actual map square in which the town or area is located and not to the place name; e.g. **Abbots Langley.** —3G 137

4. An example of a selected place of interest is Abbey Theatre. —4D 126

GENERAL ABBREVIATIONS

All : Alley	Cir : Circus	Gt : Great	M : Mews	Sq : Square
App : Approach	Clo : Close	Grn : Green	Mt : Mount	Sta : Station
Arc : Arcade	Comn : Common	Gro : Grove	Mus : Museum	St : Street
Av : Avenue	Cotts : Cottages	Ho : House	N : North	Ter : Terrace
Bk : Back	Ct : Court	Ind : Industrial	Pal : Palace	Trad : Trading
Boulevd : Boulevard	Cres : Crescent	Info : Information	Pde : Parade	Up : Upper
Bri : Bridge	Cft : Croft	Junct : Junction	Pk : Park	Va : Vale
B'way : Broadway	Dri : Drive	La : Lane	Pas : Passage	Vw : View
Bldgs : Buildings	E : East	Lit : Little	Pl : Place	Vs : Villas
Bus : Business	Embkmt : Embankment	Lwr : Lower	Quad : Quadrant	Vis : Visitors
Cvn : Caravan	Est : Estate	Mc : Mac	Res : Residential	Wlk : Walk
Cen : Centre	Fld : Field	Mnr : Manor	Ri : Rise	W : West
Chu : Church	Gdns : Gardens	Mans : Mansions	Rd : Road	Yd : Yard
Chyd : Churchyard	Gth : Garth	Mkt : Market	Shop : Shopping	
Circ : Circle	Ga : Gate	Mdw : Meadow	S : South	

POSTTOWN AND POSTAL LOCALITY ABBREVIATIONS

Ab L : Abbots Langley	*Buck C* : Buckland Common	*Ess* : Essendon	*H Cro* : High Cross	*Mars* : Marsworth
Abry : Albury	*Bul* : Bulbourne	*Farnh* : Farnham	*H Lav* : High Laver	*Mat T* : Matching Tye
Ald : Aldbury	*Bunt* : Buntingford	*Fel* : Felden	*H Wych* : High Wych	*Mee* : Meesden
A'ham : Aldenham	*Bush* : Bushey	*Flam* : Flamstead	*Hinx* : Hinxworth	*Mel* : Melbourn
Al G : Aley Green	*Bus H* : Bushey Heath	*Flau* : Flaunden	*Hit* : Hitchin	*Ment* : Mentmore
A Grn : Allens Green	*Byg* : Bygrave	*F'wck* : Flitwick	*Hod* : Hoddesdon	*Mil E* : Mill End
Amer : Amersham	*Cad* : Caddington	*Fox P* : Foxholes Bus. Pk.	*Hol* : Holwell	*M Hud* : Much Hadham
Ans : Anstey	*Chal G* : Chalfont St Giles	*F'den* : Frithsden	*Hort* : Horton	*Naps* : Napsbury
Ard : Ardeley	*Chal P* : Chalfont St Peter	*Frog* : Frogmore	*H Reg* : Houghton Regis	*Nash M* : Nash Mills
Ark : Arkley	*Chal* : Chalton	*Fur P* : Furneux Pelham	*Hun* : Hunsdon	*Naze* : Nazeing
Arl : Arlesey	*Chan X* : Chandlers Cross	*Gad R* : Gaddesden Row	*Ickl* : Ickleford	*Net* : Nettleden
Asher : Asheridge	*Chap E* : Chapmore End	*Ger X* : Gerrards Cross	*I'hoe* : Ivinghoe	*New Bar* : New Barnet
Ash G : Ashley Green	*Chart* : Chartridge	*Gil* : Gilston	*I Ast* : Ivinghoe Aston	*New S* : Newgate Street
A'wl : Ashwell	*Ched* : Cheddington	*G Oak* : Goffs Oak	*Kens* : Kensworth	*Newn* : Newnham
Ast : Aston	*Chen* : Chenies	*G'bry* : Gorhambury	*Kent* : Kenton	*N'all* : Northall
Ast C : Aston Clinton	*Che* : Chesham	*Gos* : Gosmore	*Kim* : Kimpton	*N'thaw* : Northaw
Ast E : Aston End	*Chesh* : Cheshunt	*G'ley* : Graveley	*K Lan* : Kings Langley	*N'chu* : Northchurch
Ay L : Ayot St Lawrence	*Childw* : Childwickbury	*Gt Amw* : Great Amwell	*K Wal* : Kings Walden	*N Har* : North Harrow
Bald : Baldock	*Chfd* : Chipperfield	*Gt Chi* : Great Chishill	*Kneb* : Knebworth	*N Mym* : North Mymms
B'wy : Barkway	*Chipp* : Chipping	*Gt Gad* : Great Gaddesden	*Lang* : Langford	*N'wd* : Northwood
Bar : Barley	*C'bry* : Cholesbury	*Gt Hal* : Great Hallingbury	*L'ly* : Langley	*Nuth* : Nuthampstead
Barn : Barnet	*Chor* : Chorleywood	*Gt Hor* : Great Hormead	*Lang L* : Langley Lower Green	*Oakl* : Oaklands
Bar C : Barton-le-Clay	*Chris* : Chrishall	*Gt Mun* : Great Munden	*Lang U* : Langley Upper Green	*Odsey* : Odsey
Bass : Bassingbourn	*Clav* : Clavering	*Gt Wym* : Great Wymondley	*Lat* : Latimer	*Offl* : Offley
B Hth : Batchworth Heath	*Clot* : Clothall	*Gub* : Gubblecote	*Leag* : Leagrave	*Old G* : Old Hall Green
B'frd : Bayford	*Clot C* : Clothall Common	*G Mor* : Guilden Morden	*Leav* : Leavesden	*Old K* : Old Knebworth
Bayf : Bayfordbury	*C'hoe* : Cockernhoe	*Hail* : Hailey	*L Buz* : Leighton Buzzard	*Ong* : Ongar
Bedm : Bedmond	*Cockf* : Cockfosters	*Hal* : Halton	*Lem* : Lemsford	*Orch* : Orchard Leigh
Bell : Bellingdon	*Cod* : Codicote	*Hal C* : Halton Camp	*Let H* : Letchmore Heath	*Oving* : Oving
Bend : Bendish	*Col G* : Cole Green	*Hal V* : Halton Village	*Let* : Letchworth	*Par I* : Paradise Ind. Est.
B'tn : Benington	*Col H* : Colney Heath	*Hare S* : Hare Street	*Let G* : Letty Green	*Park* : Park Street
Ber : Berden	*Col S* : Colney Street	*Hare* : Harefield	*Lil* : Lilley	*Penn S* : Penn Street
Berk : Berkhamsted	*Cot* : Cottered	*H'low* : Harlow	*Lit* : Litlington	*Pep* : Pepperstock
Bid : Bidwell	*Cro* : Cromer	*Hpdn* : Harpenden	*L Berk* : Little Berkhamsted	*P Grn* : Peters Green
Big : Biggleswade	*Crox G* : Croxley Green	*Harr* : Harrow	*L Chal* : Little Chalfont	*Pic E* : Piccotts End
Bchgr : Birchanger	*Cuff* : Cuffley	*Har W* : Harrow Weald	*L Gad* : Little Gaddesden	*Pim* : Pimlico
Bir G : Birch Green	*Dagn* : Dagnall	*H'wd* : Hastingwood	*L Had* : Little Hadham	*Pinn* : Pinner
Bis S : Bishop's Stortford	*D End* : Dane End	*Hast* : Hastoe	*L Hall* : Little Hallingbury	*Pir* : Pirton
Borwd : Borehamwood	*D'wth* : Datchworth	*H End* : Hatch End	*Lit H* : Little Heath	*Pit* : Pitstone
Bov : Bovingdon	*Deb* : Debden	*Hat* : Hatfield	*L Wym* : Little Wymondley	*Port W* : Porters Wood
B'fld : Bramfield	*Den* : Denham	*Hat H* : Hatfield Heath	*Lon C* : London Colney	*Pott E* : Potten End
Brau : Braughing	*Dig* : Digswell	*Haul* : Haultwick	*Lut A* : London Luton Airport	*Pot B* : Potters Bar
Braz E : Braziers End	*Dud* : Dudswell	*Hawr* : Hawridge	*Long M* : Long Marston	*Pres* : Preston
B Grn : Breachwood Green	*Dunst* : Dunstable	*Hem H* : Hemel Hempstead	*Loud* : Loudwater	*Puck* : Puckeridge
Bre P : Brent Pelham	*Dun* : Dunton	*Hem I* : Hemel Hempstead Ind. Est.	*Lou* : Loughton	*Pull* : Pulloxhill
Brick : Brickendon	*E Barn* : East Barnet	*Henl* : Henlow	*Lwr C* : Lower Caldecote	*P'ham* : Puttenham
Brick W : Bricket Wood	*E Hyde* : East Hyde	*Herons* : Heronsgate	*L Ston* : Lower Stondon	*Rad* : Radlett
Brim : Brimsdown	*Eat B* : Eaton Bray	*Hert* : Hertford	*Lut* : Luton	*Radw* : Radwell
Brk P : Brookmans Park	*Edgw* : Edgware	*Hert H* : Hertford Heath	*Mag L* : Magdalen Laver	*Redb* : Redbourn
Brox : Broxbourne	*Edl* : Edlesborough	*H'tn* : Hexton	*Man* : Manuden	*Reed* : Reed
B'Ind : Buckland (Aylesbury)	*Els* : Elstree	*H Gob* : Higham Gobian	*Map C* : Maple Cross	*Rick* : Rickmansworth
Bkld : Buckland (Buntingford)	*Enf* : Enfield	*High Bar* : High Barnet	*Mark* : Markyate	*Ridge* : Ridge

INDEX

Alfred St. *Dunst* —9F 44
Alfriston Clo. *Lut* —6L 47
Algar Clo. *Stan* —5G 163
Alice Clo. Barn —6B 154
(off Station App.)
Alington La. *Let* —8F 22
(in two parts)
Alison Ct. *Hem H* —1E 124
Allandale. *Hem H* —9N 105
Allandale. *St Alb* —5C 126
Allandale Av. *N3* —9L 165
Allandale Cres. *Pot B* —5L 141
Allandale Rd. *Enf* —9H 145
Allard Clo. *Chesh* —9D 132
Allard Cres. *Bus H* —1D 162
Allard Way. *Brox* —3J 133
Alldicks Rd. *Hem H* —4B 124
Allenby Av. *Dunst* —8K 45
Allen Clo. *Dunst* —9G 44
Allen Clo. *Shenl* —5M 139
Allen Clo. *Wheat* —8L 89
Allen Ct. *Hat* —2H 129
Allendale. *Lut* —9C 30
Allendale Av. *H'low* —3M 117
(in two parts)
Allen's Green. —1B 98
Allens Rd. *Enf* —7G 157
Allerton Clo. *Borwd* —2N 151
Allerton Rd. *Borwd* —2M 151
Alleyns Rd. *Stev* —2K 51
Alleys, The. *Hem H* —1N 123
Allied Bus. Cen. *Hpdn* —3D 88
Allington Ct. *Enf* —7H 157
(in two parts)
Allis M. H'low —5E 118
(off Tatton St.)
Allison. *Let* —6J 23
All Saints Clo. *Bis S* —9J 59
All Saints Cres. *Wat* —6M 137
All Saints La. *Crox G* —8C 148
All Saints M. *Harr* —6F 162
All Saints Rd. *H Reg* —4E 44
Allum La. *Els* —7M 151
Allwood Rd. *Chesh* —9D 132
Alma Ct. *Borwd* —2N 151
Alma Ct. *N'chu* —8J 103
Alma Cut. *St Alb* —3F 126
Alma Link. *Lut* —1F 66
(in two parts)
Alma Rd. *Enf* —7J 157
Alma Rd. *N'chu* —8J 103
Alma Rd. *St Alb* —3F 126
Alma Rd. Ind. Est. *Enf* —6H 157
Alma Row. *Harr* —8E 162
Alma St. *Lut* —1F 66
Alma St. Pas. Lut —1F 66
(off Alma St., in two parts)
Almond Clo. *Lut* —5D 46
(Britannia Av.)
Almond Clo. *Lut* —4C 46
(Trinity Rd.)
Almonds La. *Stev* —9L 35
Almonds, The. *St Alb* —6J 127
Almond Wlk. *Hat* —3G 129
Almond Way. *Borwd* —6B 152
Almond Way. *Harr* —9C 162
Almshouse La. *Enf* —1F 156
Almshouses. H'low —2G 118
(off Gilden Clo.)
Almshouses, The. Chesh —3H 145
(off Turner's Hill)
Alms La. *A'wl* —9M 5
Alnwick Dri. *Tring* —9D 60
Alpha Bus. Pk. *N Mym* —5J 129
Alpha Ct. *Hod* —7L 115
Alpha Pl. *Bis S* —9H 59
Alpha Rd. *Enf* —6J 157
Alpine Clo. *Hit* —5A 34
Alpine Wlk. *Stan* —2F 162
Alpine Way. *Lut* —1N 45
Alsa Bus. Pk. *Stans* —9N 43
Alsa St. *Stans* —9N 43
Alsford Wharf. *Berk* —1N 121
Alsop Clo. *H Reg* —4E 44
Alsop Clo. *Lon C* —1M 139
Alston Rd. *Barn* —5L 153
Alston Rd. *Hem H* —3K 123
Altair Way. *N'wd* —4H 161
Altham Ct. *Harr* —8C 162
Altham Gro. *H'low* —4B 118
Altham Rd. *Pinn* —7N 161
Althorp Clo. *Barn* —9G 152
Althorp Rd. *Lut* —8E 46
Althorp Rd. *St Alb* —1G 126
Alton Av. *Stan* —7G 163
Alton Retreat. Lut —3H 67
(off Alton Rd.)
Alton Rd. *Lut* —3H 67
Altwood. *Hpdn* —6E 88
Alva Way. *Wat* —2M 161
Alverstone Av. *Barn* —9D 154
Alverton. *St Alb* —8D 108
Alwin Pl. *Wat* —6G 149
Alwyn Clo. *Els* —8N 151
Alwyn Clo. *Lut* —7G 46
Alyngton. *N'chu* —7J 103
Alzey Gdns. *Hpdn* —7E 88
Amberden Av. *N3* —9N 165
Amberley Clo. *Hpdn* —5C 88
Amberley Clo. *Lut* —5M 47
Amberley Gdns. *Enf* —9C 156
Amberley Grn. *Ware* —3G 95
Amberley Rd. *Enf* —9D 156
Amberley Ter. Wat —8N 149
(off Villiers Rd.)
Amberry Ct. H'low —5N 117
(off Netteswell Dri.)
Ambleside. Hpdn —5E 88
(off Langdale Av.)
Ambleside. *Lut* —4B 46
Ambleside Cres. *Enf* —5H 157
Ambrose La. *Hpdn* —3A 88
Amenbury Ct. *Hpdn* —6B 88
Amenbury La. *Hpdn* —6A 88
Amersham Ho. Wat —9G 149
(off Chenies Way)
Amersham Pl. *Amer* —3A 146
Amersham Rd. *Chal G & Chal P*
(in two parts) —2A 158
Amersham Rd. *Penn S & Amer* —3A 146
Amersham Way. *Amer* —3A 146
Amesbury Ct. *Enf* —4M 155
Amesbury Dri. *E4* —8M 157
Ames Clo. *Lut* —9B 30
Amhurst Rd. *Lut* —6J 45
Amor Way. *Let* —5H 23
Amwell. —8J 89
Amwell Clo. *Enf* —7B 156
Amwell Clo. *Wat* —8N 137
Amwell Comn. *Wel G* —1A 112
Amwell Ct. *Hod* —7L 115
Amwell End. *Ware* —6H 95
Amwell Hill. *Gt Amw* —9K 95
Amwell La. *Gt Amw & Stan A* —9L 95
Amwell La. *Wheat* —8J 89
Amwell Pl. *Hert H* —2G 114
Amwell St. *Hod* —7L 115
(in two parts)
Amy Johnson Ct. *Edgw* —9B 164
Anchor Clo. *Chesh* —1H 145
Anchor Cotts. *Ware* —8H 75
Anchor Ct. *Enf* —7C 156
Anchor La. *Hem H* —4L 123
Anchor La. *Wad* —1D 94
Anchor Rd. *Bald* —4M 23
Anchor St. *Bis S* —2J 79
Ancient Almshouses. Wal X
(off Turner's Hill) —3H 145
Anderson Clo. *N21* —7L 155
Anderson Clo. *Hare* —8K 159
Anderson Clo. *Man* —8H 43
Anderson Ho. *St Alb* —3L 127
Anderson Rd. *Shenl* —6A 140
Anderson Rd. *Stev* —3C 52
Andersons Ho. *Hit* —2N 33
Anderson's La. *Gt Hor* —9D 28
Andover Clo. *Lut* —3M 45
Andrew Clo. *Shenl* —6N 139
Andrew Reed Ct. Wat —4L 149
(off Keele Clo.)
Andrews Clo. *Hem H* —9N 105
Andrewsfield. *Wel G* —9B 92
Andrew's La. *G Oak* —1C 144
(in two parts)
Anelle Ri. *Hem H* —6B 124
Anershall. *W'grv* —5A 60
Angel Clo. *Lut* —6N 45
Angel Cotts. *Offl* —8E 32
Angell's Mdw. *A'wl* —9M 5
Angel Pavement. R'ton —7D 8
(off High St.)
Angels La. *H Reg* —4E 44
Anglefield Rd. *Berk* —1L 121
Angle Pl. *Berk* —1L 121
Anglesey Clo. *Bis S* —1E 78
Anglesey Rd. *Enf* —6F 156
Anglesey Rd. *Wat* —5L 161
Anglesmede Cres. *Pinn* —9B 162
Angle Ways. *Stev* —7N 51
Anglian Bus. Pk. *R'ton* —6C 8
Anglian Clo. *Wat* —4L 149
Angotts Mead. *Stev* —3H 51
Angus Clo. *Lut* —6K 45
Angus Gdns. *NW9* —8D 164
Anmer Gdns. *Lut* —5L 45
Anmersh Gro. *Stan* —8L 163
Annables La. *Hpdn* —3H 87
Annette Clo. *Harr* —9F 162
Anns Clo. *Tring* —3K 101
Ansell Ct. *Stev* —9H 35
Ansells End. —6G 69
Anselm Rd. *Pinn* —7A 162
Anson Clo. *Bov* —9C 122
Anson Clo. *St Alb* —4J 127
Anson Clo. *Sandr* —5K 109
Anson Wlk. *N'wd* —4E 160
Anstee Rd. *Lut* —3L 45
Anstey. —5D 28
Anstey Brook. *W'ton T* —3A 100
Anstey Castle. —4D 28
Anthony Clo. *NW7* —4E 164
Anthony Clo. *Wat* —1L 161
Anthony Gdns. *Lut* —3F 66
Anthony Rd. *Borwd* —4N 151
Anthorne Clo. *Pot B* —4A 142
Anthus M. *N'wd* —7G 160
Antlers Hill. *E4* —7M 157
Antoinette Ct. *Ab L* —2H 137
Antoneys Clo. *Pinn* —9M 161
Antonine Ct. *St Alb* —3B 126
Antonine Ga. *St Alb* —3B 126
Anvil Av. *Lit* —3H 7
Anvil Clo. *Bov* —1E 134
Anvil Ct. *Bunt* —2J 39
Anvil Ct. *Lut* —4A 46
Anvil Ho. *Hpdn* —5B 88
Apex Bus. Cen. *Dunst* —7F 44
Apex Pde. NW7 —4D 164
(off Selvage La.)
Apex Point. *N Mym* —4J 129
Aplins Clo. *Hpdn* —5A 88
Apollo Av. *N'wd* —5J 161
Apollo Clo. *Dunst* —1G 65
Apollo Way. *Hem H* —9B 106
Apollo Way. *Stev* —1B 52
Appleby Gdns. *Dunst* —1E 64
Appleby Street. —8C 132
Appleby St. *Chesh* —7B 132
Apple Cotts. *Bov* —9D 122
Applecroft. *L Ston* —1J 21
Applecroft. *N'chu* —8J 103
Applecroft. *Park* —1C 138
Applecroft Rd. *Lut* —5L 47
Applecroft Rd. *Wel G* —9H 91
Appledore Clo. *Edgw* —8A 164
Applefield. *Amer* —3A 146
Appleford Clo. *Hod* —6K 115
Apple Glebe. *Bar C* —9E 18
Apple Gro. *Enf* —5C 156
Apple Gro. *Lut* —5J 45
Apple Orchard, The. *Hem H* —9B 106
Appleton Av. *W'side* —2B 96
Appleton Clo. *H'low* —7M 117
Appleton Fields. *Bis S* —4G 79
Appletree Gdns. *Barn* —6D 154
Apple Tree Gro. *Redb* —9K 87
Appletrees. Hit —4M 33
(off Wratten Rd. W.)
Appletree Wlk. *Wat* —7K 137
Applewood Clo. *N20* —9D 154
(in two parts)
Applewood Clo. *Hpdn* —4N 87
Appleyard Ter. *Enf* —1G 157
Approach Rd. *Barn* —6C 154
Approach Rd. *Edgw* —6A 164
Approach Rd. *St Alb* —3F 126
Approach, The. *Enf* —4F 156
Approach, The. *Pot B* —5M 141
Appspond La. *Hem H* —5K 125
April Pl. *Saw* —4H 99
Apsley. —6A 124
Apsley Clo. *Bis S* —4H 79
Apsley End. —4N 19
Apsley End Rd. *Shil* —6M 19
Apsley Grange. *Hem H* —7A 124
Apsley Ind. Est. *Hem H* —6N 123
Apsley Mills Retail Pk. *Hem H* —6A 124
Apton Ct. *Bis S* —1H 79
Apton Fields. *Bis S* —2H 79
Apton Rd. *Bis S* —2H 79
Aquarius Way. *N'wd* —5J 161
Aquila Clo. *N'wd* —4J 161
Arabia Clo. *E4* —9N 157
Aragon Clo. *Enf* —2L 155
Aragon Clo. *Hem H* —6E 106
Aran Clo. *Hpdn* —9E 88
Aran Dri. *Stan* —4K 163
Arbour Clo. *Lut* —9C 30
Arbour Rd. *Enf* —5H 157
Arbour, The. *Hert* —2B 114
Arbroath Grn. *Wat* —3J 161
Arbroath Rd. *Lut* —1N 45
Arcade, The. Hat —8H 111
(off Town Cen.)
Arcade, The. *Hit* —3M 33
Arcade, The. *Let* —5F 22
Arcade, The. *Lut* —8E 46
Arcade Wlk. *Hit* —3M 33
Arcadia Av. *N3* —9N 165
Arcadian Ct. *Hpdn* —5B 88
Archer Clo. *K Lan* —2B 136
Archer Rd. *Stev* —3M 51
Archers. *Bunt* —2K 39
Archers Clo. *Hert* —8A 94
Archers Clo. *Redb* —1K 107
Archers Dri. *Enf* —4G 156
Archers Fields. *St Alb* —9G 108
Archers Grn. *Hert* —7D 92
Archers Grn. La. *Tew* —6C 92
Archers Ride. *Wel G* —2A 112
Archers Way. *Let* —5D 22
Archery Clo. *Harr* —9G 163
Arches, The. *Let* —4G 23
Archfield. *Wel G* —6L 91
Archive Rd. *Ast C* —1C 100
Arch Rd. *Gt Wym* —6D 34
Archway Ct. Hem H —1N 123
(off Chapel St.)
Archway Ho. *Hat* —8J 111
Archway Pde. Lut —5B 46
(off Marsh Rd.)
Archway Rd. *Lut* —5A 46
Arcon Ter. *N9* —9E 156
Ardeley. —7L 37
Arden Clo. *Bov* —1D 134
Arden Clo. *Bus H* —9G 150
Arden Gro. *Hpdn* —6C 88
Arden Pl. *Lut* —8G 47
Arden Press Way. *Let* —5H 23
Arden Rd. *N3* —9M 165
Ardens Way. *St Alb* —8L 109
Ardentinny. St Alb —3F 126
(off Grosvenor Rd.)
Ardleigh Grn. *Lut* —8M 47
Ardley Clo. *Dunst* —3F 64
Ardross Av. *N'wd* —5G 161
Arena Pde. *Let* —5F 22
Arena, The. *Enf* —2K 157
Arenson Way. *H Reg* —7E 44
Argent Way. *Chesh* —8B 132
Argyle Ct. *Wat* —6H 149
Argyle Rd. *N12* —5N 165
Argyle Rd. *Barn* —6J 153
Argyle Way. *Stev* —4J 51
Argyle Way Trad. Est. *Stev* —4J 51
Argyll Av. *Lut* —7E 46
Argyll Gdns. *Edgw* —9B 164
Argyll Rd. *Hem H* —6A 106
Arkley. —7G 153
Arkley Ct. *Hem H* —6D 106
Arkley Dri. *Barn* —6G 153
Arkley Golf Course. —6F 152
Arkley La. *Barn* —2F 152
(in two parts)
Arkley Rd. *Hem H* —6D 106
Arkley Vw. *Barn* —6H 153
Arkwrights. *H'low* —5B 118
(in two parts)
Arlesey. —8A 10
Arlesey Rd. *Arl & Let* —5N 21
Arlesey Rd. *Arl & Stot* —5D 10
Arlesey Rd. *Ickl* —8M 21
Arlesey-Stotfold By-Pass. *Arl & Stot* —4A 10
Arlington. *N12* —3N 165
Arlington Cres. *Wal X* —7J 145
Arlington M. Wal A —6N 145
(off Sun St.)
Armand Clo. *Wat* —2H 149
Armfield Rd. *Enf* —3B 156
Armitage Clo. *Loud* —6N 147
Armitage Gdns. *Lut* —8N 45
Armourers Clo. *Bis S* —4D 78
Armour Ri. *Hit* —9B 22
Armstrong Clo. *Lon C* —9M 127
Armstrong Cres. *Cockf* —5C 154
Armstrong Gdns. *Shenl* —5M 139
Armstrong Pl. Hem H —1N 123
(off High St.)
Arnald Way. *H Reg* —5D 44
Arncliffe Cres. *Lut* —8G 46
Arndale Cen. —1G 66
Arndale Cen. *Lut* —1G 66
Arndale Ct. Lut —9H 47
(off Moulton Ri.)
Arnett Clo. *Rick* —8K 147
Arnett Way. *Rick* —8K 147
Arnold Av. E. *Enf* —2L 157
Arnold Av. W. *Enf* —2K 157
Arnold Clo. *Bar C* —9E 18
Arnold Clo. *Hit* —2B 34
Arnold Clo. *Lut* —6J 47
Arnold Clo. *Stev* —8K 35
Arnold Ct. *Dunst* —1D 64
Arnold Rd. *Wal A* —8N 145
Arnolds La. *Hinx* —7F 4
Arnold Ter. *Stan* —5G 162
Arran Clo. *Hem H* —4E 124
Arran Ct. *NW9* —9F 164
Arran Ct. *Lut* —1F 66
Arrandene Open Space. —6G 165
Arran Grn. *Wat* —4M 161
Arranmore Ct. *Bush* —6N 149
Arretine Clo. *St Alb* —4A 126
Arrow Clo. *Lut* —3A 46
Artesian Gro. *Barn* —6B 154
Arthur Gibbens Ct. *Stev* —9N 35
Arthur Rd. *St Alb* —2J 127
Arthurs Ct. *Stan A* —2N 115
Arthur St. *Bush* —5M 149
Arthur St. *Lut* —2G 66
Artificial Ski Slope. —4M 117
Artillery Pl. *Harr* —7D 162
Artisan Cres. *St Alb* —1D 126
(in two parts)
Art School Yd. St Alb —2E 126
(off Chequer St.)
Arundel Clo. *Ast* —6D 52
Arundel Clo. *Chesh* —1G 144
Arundel Clo. *Hem H* —1D 124
Arundel Dri. *Borwd* —6C 152
Arundel Gdns. *Edgw* —7D 164
Arundel Gro. *St Alb* —7E 108
Arundel Ho. Borwd —6C 152
(off Arundel Dri.)
Arundel Rd. *Ab L* —5J 137
Arundel Rd. *Cockf* —5D 154
Arundel Rd. *Lut* —6C 46
Arwood M. *Bald* —3M 23
Ascot Clo. *Bis S* —9L 59
Ascot Clo. *Els* —7A 152
Ascot Cres. *Stev* —9A 36
Ascot Gdns. *Enf* —1G 157
Ascot Ind. Est. *Let* —4H 23
Ascot Pl. *Stan* —5K 163
Ascot Rd. *Lut* —7D 46
Ascot Rd. *R'ton* —7F 8
Ascot Rd. *Wat* —7G 148
(in two parts)
Ascots La. *Hat & Wel G* —5L 111
Ascot Ter. *Gt Amw* —8K 95
Ashanger La. *Clot* —7C 24
Ashbourne Clo. *Let* —8H 23
Ashbourne Ct. *St Alb* —5K 127
Ashbourne Gro. *NW7* —5D 164
Ashbourne Rd. *Brox* —3K 133
Ashbourne Sq. *N'wd* —6G 160
Ashbrook. —6C 34
Ashbrook. *Edgw* —6N 163
Ashbrook La. *St I* —7B 34
Ashburnham Clo. *Wat* —3J 161
Ashburnham Ct. *Pinn* —9M 161
Ashburnham Dri. *Wat* —3J 161
Ashburnham Rd. *Lut* —1D 66
Ashburnham Wlk. *Stev* —8M 51
Ashbury Clo. *Hat* —9E 110
Ashby Ct. *Hem H* —5D 106
Ashby Dri. *Bar C* —8E 18
Ashby Gdns. *St Alb* —6E 126
Ashby Ri. *Bis S* —8K 59
Ashby Rd. *N'chu* —7H 103
Ashby Rd. *Wat* —2J 149
Ash Clo. *Ab L* —5F 136
Ash Clo. *Brk P* —7N 129
Ash Clo. *Edgw* —4C 164
Ash Clo. *Hare* —8N 159
Ash Clo. *Stan* —6H 163
Ash Clo. *Wat* —8K 137
Ashcombe. *Wel G* —5L 91
Ashcombe Gdns. *Edgw* —4A 164
Ash Copse. *Brick W* —4A 138

Ash Cotts.—Balmore Wood

Ash Cotts. L Had —7L 57
Ashcroft. Dunst —8C 44
Ash Cft. Pinn —6B 162
Ashcroft Clo. Hpdn —7F 88
Ashcroft Ct. Brox —3K 133
Ashcroft Rd. Lut —5K 47
Ashcroft Ter. Tring —1M 101
Ashdale. Bis S —4F 78
Ashdale Gdns. Lut —9C 30
Ashdale Gro. Stan —6G 163
Ashdales. St Alb —6E 126
Ashdon Rd. Bush —5M 149
Ashdown. Let —2E 22
Ashdown Cres. Chesh —1J 145
Ashdown Dri. Borwd —4N 151
Ashdown Rd. Enf —4G 156
Ashdown Rd. Stev —1A 72
Ash Dri. Hat —3G 128
Ash Dri. St I —6A 34
Ashendene Rd. B'frd —2K 131
Asheridge. —8B 120
Asheridge Rd. Che —9D 120
Ashfield Av. Bush —8C 150
Ashfields. Wat —8H 137
(in two parts)
Ashfield Way. Lut —3C 46
Ashford Ct. Edgw —3B 164
Ashford Cres. Enf —4G 157
Ashford Grn. Wat —5M 161
Ashfords. Bunt —2J 39
(off Church St.)
Ash Gro. Dunst —9G 44
Ash Gro. Enf —9C 156
Ash Gro. Hare —8N 159
Ash Gro. Hem H —6B 124
Ash Gro. Mel —1J 9
Ash Gro. Wheat —6K 89
Ashgrove M. B'wy —9N 15
Ash Groves. Saw —5J 99
Ash Hill Clo. Bush —1C 162
Ash Hill Dri. Pinn —9L 161
Ash Ind. Est. H'low —7J 117
Ashlea Rd. Chal P —9B 158
Ashleigh. Stev —5A 52
Ashleigh Cvn. Pk. Ware —4N 75
Ashleigh Ct. N14 —9H 155
Ashleigh Ct. Hod —9L 115
Ashley Clo. NW4 —9J 165
Ashley Clo. Ched —8M 61
Ashley Clo. Hem H —4B 124
Ashley Clo. Pinn —9K 161
Ashley Clo. Wel G —7J 91
Ashley Ct. NW4 —9J 165
Ashley Ct. NW9 —9F 164
(off Guilfoyle)
Ashley Ct. Barn —7B 154
Ashley Ct. Hat —8G 111
Ashley Dri. Borwd —7C 152
Ashley Gdns. Hpdn —4M 87
Ashley Green. —6K 121
Ashley Grn. Rd. Che —9H 121
Ashley La. NW4 —7J 165
(in three parts)
Ashley Rd. Enf —4G 157
Ashley Rd. Hert —1M 113
Ashley Rd. St Alb —2K 127
Ashleys. Rick —9J 147
Ashley Wlk. NW7 —7K 165
Ashlyn Clo. Bush —6N 149
Ashlyn Ct. Wat —6N 149
Ashlyns Ct. Berk —2M 121
Ashlyns Rd. Berk —2M 121
Ashmead. N14 —7H 155
Ash Mdw. M Hud —6J 77
Ashmeads Ct. Shenl —6L 139
Ash Mill. B'wy —9N 15
Ashmore Gdns. Hem H —3D 124
Ashotts La. Chart —6A 120
Ash Ride. Enf —8M 143
Ashridge. —9L 83
Ashridge Clo. Bov —1C 134
Ashridge Cotts. Berk —1B 104
Ashridge Ct. N14 —7H 155
Ashridge Dri. Brick W —3N 137
Ashridge Dri. Wat —5L 161
Ashridge Golf Course. —9M 83
Ashridge Ho. Wat —9G 149
(off Chenies Way)
Ashridge La. Che —5A 134
Ashridge Pk. —2L 103
Ashridge Ri. Berk —9K 103
Ash Rd. Lut —9D 46
Ash Rd. Tring —2L 101
Ash Rd. Ware —4L 95
Ashton Rd. Dunst —8E 44
Ashton Rd. Enf —9J 145
Ashton Rd. Lut —3G 66
Ashton's La. Bald —5M 23
Ashton Sq. Dunst —9E 44
Ashtree Ct. St Alb —2G 126
Ash Tree Fld. H'low —4K 117
Ash Tree Field Playing Field. —4K 117
Ash Tree Rd. H Reg —3E 44
Ash Tree Rd. Wat —9K 137
Ashtree Way. Hem H —3K 123
Ashurst Clo. N'wd —7G 161
Ashurst Rd. Barn —7E 154
Ash Va. Map C —5G 158
Ashville Trad. Est. Bald —2N 23
Ashville Way. Bald —2N 23
Ash Way. R'ton —7F 8
Ashwell. —9M 5
Ashwell. Stev —8J 35
(off Coreys Mill La.)
Ashwell Av. Lut —1M 45
Ashwell Clo. G'ley —6H 35
Ashwell Comn. G'ley —6H 35
Ashwell End. —8J 5
Ashwell Mus. —9M 5
Ashwell Pde. Lut —1M 45
(off Ashwell Av.)
Ashwell Pk. Hpdn —6E 88
Ashwell Rd. A'wl & Stpl M —6A 6
Ashwell Rd. Bald & Byg —1A 24
Ashwell Rd. Hinx —8F 4
Ashwell Rd. Newn —4M 11
Ashwell St. A'wl —1B 12
Ashwell St. St Alb —1E 126
Ashwells Way. Chal G —2A 158
Ashwell Wlk. H Reg —3H 45
Ashwood. Ware —6H 95
Ashwood Ho. H End —6B 162
(off Avenue, The)
Ashwood M. St Alb —4E 126
Ashwood Rd. Pot B —6A 142
Ashworth Pl. H'low —6F 118
Askew Rd. N'wd —2F 160
Aspasia Clo. St Alb —3G 127
Aspect One. Stev —5H 51
Aspen Clo. Brick W —3N 137
Aspen Clo. Stev —1A 72
Aspenden. —5H 39
Aspenden Rd. Bunt —5J 39
(in two parts)
Aspen Pk. Dri. Wat —8K 137
Aspens, The. Bis S —6K 59
Aspens, The. Hit —4A 34
Aspen Way. Enf —8H 145
Aspen Way. Wel G —1B 112
Aspfield Row. Hem H —9L 105
Aspley Clo. Lut —6H 45
Asquith Ct. Stev —1B 72
Asquith Ho. Hat —8G 111
Asquith Ho. Wel G —8K 91
Ass Ho. La. Harr —4C 162
Astall Clo. Harr —8F 162
Aster Clo. Bis S —2F 78
Asters, The. Chesh —1B 144
Astley Grn. Lut —7M 47
(off Kempsey Clo.)
Astley Rd. Hem H —2M 123
Aston. —7D 52
Aston Clinton. —1C 100
Aston Clinton By-Pass. Ast C —9A 80
Aston Clinton Pk. —2D 100
Aston Clo. Bush —8D 150
Aston Clo. Stev —8J 35
(off Coreys Mill La.)
Aston Clo. Wat —4L 149
Aston End. —4D 52
Aston End Rd. Ast —7D 52
Astonia Ho. Bald —4M 23
(off High St.)
Aston La. Ast —7D 52
Aston La. Stev —1C 72
Aston Ri. Hit —4B 34
Aston Rd. Stdn —7A 56
Astons Rd. N'wd —3E 160
Aston Vw. Hem H —5C 106
Aston Way. Pot B —5C 142
Astra Cen. H'low —2C 118
Astra Ct. Lut —7H 47
Astra Ct. Wat —7H 149
Astrope. —4F 80
Astrope La. Long M —4F 80
Astwick. —2E 10
Astwick Av. Hat —6F 110
Astwick Rd. Stot —3E 10
Athelstan Rd. Hem H —5B 124
Athelstan Wlk. N. Wel G —1L 111
Athelstan Wlk. S. Wel G —1K 111
Athelstone Rd. Harr —9E 162
Athena Clo. G Oak —2N 143
Athena Est. H'low —2D 118
Athena Pl. N'wd —8H 161
Atherstone Rd. Lut —8N 45
Atherton End. Saw —4G 98
Athletics Ground. —7B 52
Athlone Clo. Rad —9H 139
Athol Clo. Pinn —8K 161
Athole Gdns. Enf —7C 156
Athol Gdns. Pinn —8K 161
Atholl Clo. Lut —1N 45
Atria Rd. N'wd —5J 161
Attenborough Clo. Wat —3N 161
Attimore Clo. Wel G —1H 111
Attimore Rd. Wel G —1H 111
Aubretia Ho. Wel G —1A 112
Aubrey Av. Lon C —8K 127
Aubrey Gdns. Lut —3L 45
(off Toddington Rd.)
Aubrey La. Redb —4G 107
Aubreys. Let —9F 22
Aubrey's Rd. Hem H —3H 123
Aubreys, The. —3G 107
(Fort)
Aubries. Walk —9G 36
Auckland Clo. Enf —1F 156
Auckland Rd. Pot B —5L 141
Audax. NW9 —9F 164
Audley Clo. Borwd —5A 152
Audley Ct. Pinn —9L 161
Audley Gdns. Wal A —7N 145
Audley Pl. Lut —8J 47
Audley Rd. Enf —4N 155
Audrey Gdns. Bis S —4H 79
Audwick Clo. Chesh —1J 145
Augustine Clo., The. Hit —2N 33
Augustine Rd. Harr —8C 162
Augustus Clo. St Alb —4B 126
Augustus Ga. Stev —1C 52
Austage End. —2H 49
Austell Gdns. NW7 —3E 164
Austen Paths. Stev —3B 52
Austenway. Chal P —9B 158
Austenwood. —9A 158
Austenwood Clo. Chal P —9A 158
Austenwood La. Chal P —9A 158
Austin Ct. Enf —7C 156
Austin Rd. Lut —5D 46
Austins Mead. Bov —1E 134
Austins Pl. Hem H —1N 123
Autumn Clo. Enf —3E 156
Autumn Glades. Hem H —4E 124
Autumn Gro. Wel G —2A 112
Avalon Clo. Enf —4M 155
Avalon Clo. Wat —5N 137
Avebury Av. Lut —5F 46
Avebury Ct. Hem H —9C 106
Aveley La. Hit —4G 34
Avenue App. K Lan —3C 136
Avenue Clo. N14 —8H 155
Avenue Ct. N14 —8H 155
Avenue Ct. Welw —9L 71
(off Avenue, The)
Avenue Grimaldi. Lut —6C 46
Avenue One. Let —4J 23
Avenue Pde. N21 —9B 156
Avenue Ri. Bush —7B 150
Avenue Rd. N14 —9H 155
Avenue Rd. Bis S —2J 79
Avenue Rd. Hod —9A 116
Avenue Rd. Pinn —9N 161
Avenue Rd. St Alb —1F 126
Av. St Nicholas. Hpdn —6B 88
Avenue Ter. Wat —8N 149
Avenue, The. N3 —9N 165
Avenue, The. Barn —5L 153
Avenue, The. Bush —6A 150
Avenue, The. Dunst —1B 64
Avenue, The. Harr —8G 162
Avenue, The. H End —6A 162
Avenue, The. Hem H —1H 123
Avenue, The. Hert —7N 93
Avenue, The. Hit —3A 34
Avenue, The. Hod —1K 133
Avenue, The. Lut —4N 45
Avenue, The. N'wd —6E 160
Avenue, The. Pot B —3M 141
Avenue, The. Rad —6H 139
Avenue, The. Stev —1J 51
Avenue, The. Stot —6F 10
Avenue, The. Wat —4J 149
Avenue, The. Welw —8K 71
Avey La. Wal A & Lou —9N 145
Avia Clo. Hem H —6N 123
Avion Cres. NW9 —8G 164
Avior Dri. N'wd —4H 161
Avocet. Let —2E 22
Avon Clo. Wat —7L 137
Avon Ct. E4 —9N 157
Avon Ct. Hpdn —6C 88
Avon Ct. Lut —9E 46
Avon Ct. Pinn —7B 162
(off Avenue, The)
Avondale Av. N12 —5N 165
Avondale Av. Barn —9E 154
Avondale Ct. St Alb —2F 126
Avondale Cres. Enf —5J 157
Avondale Rd. Harr —9G 163
Avondale Rd. Lut —9E 46
Avon Dri. Stev —7M 35
Avon M. Pinn —7A 162
Avon Sq. Hem H —6B 106
Awberry Ct. Wat —8F 148
Axe Clo. Lut —3A 46
Axholme Av. Edgw —8A 164
Aycliffe Dri. Hem H —7A 106
Aycliffe Rd. Borwd —3M 151
Aydon Rd. Lut —3D 46
Aylands Rd. Enf —9G 145
Aylesbury Rd. Ast C —9A 80
Aylesbury Rd. Tring —3J 101
Aylesbury Rd. Wend —8A 100
Aylesbury Rd. Wing —3A 60
Aylesham Clo. NW7 —7G 164
Aylets Fld. H'low —9A 118
Ayley Cft. Enf —7E 156
Ayllott Ct. Wat S —4J 73
Aylmer Clo. Stan —4H 163
Aylmer Dri. Stan —4H 163
Aylotts Clo. Bunt —2H 39
Aylsham Rd. Hod —7N 115
Aylward Dri. Stev —5A 52
Aylwards Ri. Stan —4H 163
Aynho St. Wat —7K 149
Aynscombe Clo. Dunst —9C 44
Aynsley Gdns. H'low —6E 118
Aynsworth Av. Bis S —7J 59
Ayot Green. —6F 90
Ayot Grn. Wel G & Welw —8F 90
(in two parts)
Ayot Little Green. —6F 90
Ayot Lit. Grn. La. Welw —6F 90
Ayot Path. Borwd —1A 152
Ayot St Lawrence. —1A 90
Ayot St Peter. —4F 90
Ayot St Peter Rd. Welw —3D 90
Ayr Clo. Stev —1B 52
Ayres End. —1G 108
Ayres End La. Childw & Hpdn —2D 108
Ayres End La. Hpdn —8F 88
Aysgarth Clo. Hpdn —7C 88
Aysgarth Rd. Redb —9J 87

Baas Hill. —3H 133
Baas Hill. Brox —3G 133
Baas Hill Clo. Brox —3G 133
Baas La. Brox —3J 133
Babbage Rd. Stev —4G 51
Babbs Green. —2B 96
Babington Rd. Wend —8C 100
Back La. Bkld —3H 27
Back La. Chen —2E 146
Back La. Cot —7A 38
Back La. D'wth —7D 72
(in two parts)
Back La. Edgw —8C 164
Back La. Hert —8A 114
Back La. Let H —3F 150
Back La. Let —5K 23
Back La. L Hall —9K 79
Back La. Mel —1H 9
Back La. Pres —3K 49
Back La. Saw & Srng —6J 99
Back La. Srng —6L 99
Back La. Tew —5D 92
Back St. A'wl —1B 12
Back St. Lut —9G 47
Back St. Wend —9A 100
Back, The. Pott E —7E 104
Bacon La. Edgw —8A 164
Bacons Dri. Cuff —2K 143
Bacon's Yd. A'wl —9M 5
Baddeley Clo. Enf —1L 157
Baddeley Clo. Stev —7A 52
Bader Clo. Stev —9M 35
Bader Clo. Wel G —9B 92
Badger Clo. Kneb —2M 71
Badgers. Bis S —3G 78
Badgers Clo. Borwd —4N 151
Badgers Clo. Enf —5N 155
Badgers Clo. Hert —9F 94
Badgers Clo. Stev —5L 51
Badgers Cft. N20 —9L 153
Badgers Cft. Brox —3J 133
Badgers Cft. Hem H —3F 124
Badgers Ga. Dunst —1B 64
Badgers Wlk. Chor —6J 147
Badgers Wlk. Tew —2B 92
Badger Way. Hat —2H 129
Badingham Dri. Hpdn —7N 87
Badminton Clo. Borwd —4A 152
Badminton Clo. Stev —1A 72
Badminton Ho. Wat —4L 149
(off Anglian Clo.)
Badminton Pl. Brox —2J 133
Bagshot Rd. Enf —9D 156
Bagwicks Clo. Lut —2A 46
Bailey's Clo. Hit —9F 48
Baileys M. Hem H —9N 105
(off High St.)
Bailey St. Lut —2H 67
Baines La. D'wth —5B 72
Baird Clo. Bush —8C 150
Baird Rd. Enf —5F 156
Bairstow Clo. Borwd —3M 151
Baisley Ho. Chesh —1E 144
Baker Ct. Borwd —4B 152
Bakers Ct. Bis S —1J 79
(off Hockerill St.)
Bakerscroft. Chesh —1J 145
Baker's End. —9C 76
Bakers Gro. Wel G —8B 92
Bakers Hill. New Bar —4A 154
Bakers La. Bar —1C 16
Baker's La. Cod —7F 70
Bakers La. Kens —8H 65
Bakers Rd. Chesh —3F 144
Baker St. Enf —5B 156
Baker St. Hert —9C 94
Baker St. Lut —3G 66
(in two parts)
Baker St. Pot B —8L 141
Baker St. Stev —2J 51
Bakers Wlk. Saw —5G 98
Bakery Clo. Roy —6F 116
Bakery Ct. Stans —3M 59
Bakery Path. Edgw —6B 164
(off St Margaret's Rd.)
Bakewell Clo. Lut —8M 45
Balcary Gdns. Berk —2J 121
Balcombe Clo. Lut —5L 47
Balcon Way. Borwd —3C 152
Baldock. —3M 23
Baldock Clo. Lut —6J 45
Baldock Ind. Est. Bald —4M 23
Baldock La. W'ian —9H 23
Baldock Rd. Bunt —3E 38
Baldock Rd. Let —8F 22
Baldock Rd. Odsey —5H 13
Baldock Rd. Stot —7G 10
Baldock St. R'ton —7C 8
Baldock St. Ware —6H 95
Baldock Way. Borwd —3N 151
Baldways Clo. W'grv —5B 60
Baldwins. Wel G —9B 92
Baldwin's La. Crox G —6C 148
Balfour Ct. Hpdn —4D 88
(off Station Rd.)
Balfour M. Bov —9D 122
Balfour St. Hert —8A 94
Balfour Ter. N3 —9N 165
Baliol Rd. Hit —2N 33
Ballards La. N3 & N12 —8N 165
Ballards M. Edgw —6A 164
Ballater Clo. Wat —4L 161
Ballingdon Bottom. —7J 85
Ballinger Ct. Berk —2M 121
Ballinger Ct. Wat —5K 149
Balloon Corner. N Mym —5H 129
Ballslough Hill. Kim —7L 69
Balmoral Clo. Park —1D 138
Balmoral Clo. Stev —1B 72
Balmoral Dri. Borwd —7D 152
Balmoral Rd. Ab L —5J 137
Balmoral Rd. Enf —9H 145
Balmoral Rd. Hit —1M 33
Balmoral Rd. Wat —2L 149
Balmore Cres. Barn —7F 154
Balmore Wood. Lut —9D 30

Balsams Clo.—Beechwood Clo.

Balsams Clo. Hert —2B 114
Bampton Dri. NW7 —7G 165
Bampton Rd. Lut —8L 45
Banbury Clo. Enf —3N 155
Banbury Clo. Lut —5B 46
Banbury St. Wat —7J 149
Bancroft. Hit —3N 33
Bancroft Ct. Hit —2M 33
Bancroft Gdns. Harr —8D 162
Bancroft Rd. Harr —9D 162
Bancroft Rd. Lut —4D 46
Bandley Ri. Stev —6B 52
Bank Clo. Lut —5M 45
Bank Ct. Hem H —3M 123
Bank Grn. Bell —5A 120
Bank Mill. Berk —1B 122
Bank Mill La. Berk —2B 122
Bankside. Enf —3N 155
Bankside. Wend —9A 100
Bankside Clo. Hare —6K 159
Banks Rd. Borwd —4C 152
Banninster Gdns. R'ton —5E 8
Banstock Rd. Edgw —6B 164
Banting Dri. N21 —7L 155
Banton Clo. Enf —4F 156
Barbel Clo. Wal X —7L 145
Barber Clo. N21 —9M 155
Barberry Rd. Hem H —2K 123
Barbers La. Lut —1G 66
(off Guildford St.)
Barbers Wlk. Tring —3L 101
Barchester Rd. Harr —9E 162
Barclay Clo. Wat —8J 149
Barclay Ct. Hert H —2F 114
Barclay Ct. Hod —9L 115
Barclay Ct. Lut —9H 47
Barclay Cres. Stev —2L 51
Barclay Pk. —8K 115
Barden Clo. Hare —7M 159
Bards Corner. Hem H —1L 123
Bardwell Ct. St Alb —3E 126
(off Belmont Hill)
Bardwell Rd. St Alb —3E 126
Barfolds. N Mym —5J 129
Barford Clo. NW4 —9G 165
Barford Ri. Lut —8M 47
Bargrove Av. Hem H —3K 123
Barham Av. Els —5N 151
Barham Rd. Stev —4B 52
Baring Rd. Cockf —6C 154
Barker Clo. N'wd —7H 161
Barkers Mead. L Hall —7K 79
Barkham Clo. Ched —9L 61
Barking Clo. Lut —3L 45
Barkston Path. Borwd —2A 152
Barkway. —8N 15
Barkway Pk. Golf Course. —2B 28
Barkway Rd. R'ton —8D 8
Barkway St. R'ton —8D 8
Barley. —3C 16
Barley Brow. Dunst —6B 44
Barley Brow. Wat —4K 137
Barley Clo. Bush —7C 150
Barleycorn, The. Lut —9F 46
(off Brook St.)
Barley Cft. Bunt —4J 39
Barley Cft. H'low —9A 118
Barley Cft. Hem H —2E 124
Barleycroft. Hert —4M 93
Barleycroft. Stev —6B 52
Barleycroft. Ton —9D 74
Barley Cft. W'frd —7B 94
Barleycroft End. —6L 41
Barleycroft Grn. Wel G —9J 91
Barleycroft Rd. Wel G —1J 111
Barleyfield Way. H Reg —5D 44
Barley Hills. Bis S —4G 78
Barley La. Lut —4M 45
Barley Mow Cvn. Site. St Alb —4N 127
Barley Mow La. St Alb —5M 127
Barley Ponds Clo. Ware —6K 95
Barley Ponds Rd. Ware —6K 95
Barley Ri. Bald —3A 24
Barley Ri. Hpdn —3D 88
Barley Rd. Bar —1D 16
Barley Rd. Gt Chi —2E 16
Barleyvale. Lut —1C 46
Barlings Rd. Hpdn —1C 108
Barlow Rd. Wend —9B 100
Barmor Clo. Harr —9C 162
Barnabas Ct. N21 —6M 155
Barnacres Rd. Hem H —7B 124
Barnard Grn. Wel G —1M 111
Barnard Lodge. New Bar —6B 154
Barnard Rd. Enf —4F 156
Barnard Rd. Lut —1C 66
Barnard Rd. Saw —4G 99
Barnard Way. Hem H —3A 124
Barn Clo. Hem H —5B 124
Barn Clo. Rad —8H 139
Barn Clo. Wel G —9J 91
Barn Ct. Saw —4G 99
Barn Cres. Stan —6K 163
Barncroft. Ware —2M 57
Barncroft Rd. Berk —2K 121
Barncroft Way. St Alb —3H 127
Barndell Clo. Stot —6F 10
Barndicott. Wel G —9B 92
Barndicott Ho. Wel G —9B 92
Barnes La. K Lan —9L 123
Barnes Ri. K Lan —9B 124
Barnes Wood. —1A 92
Barnet. —5L 153
Barnet Bus. Cen. Barn —5L 153
Barnet By-Pass. NW7 —6F 164
Barnet By-Pass Rd. Borwd & Barn —8D 152
Barnet Gate. —7F 152
Barnet Ga. La. Barn —8F 152
Barnet Hill. Barn —6M 153
Barnet La. N20 & Barn —1M 165
Barnet La. Els & Borwd —8L 151
Barnet Rd. Ark —8E 152
Barnet Rd. Lon C —9M 127
Barnet Rd. Pot B —6A 142
Barnet Trad. Est. High Bar —5M 153
Barnet Vale. —7A 154
Barnet Way. NW7 & Borwd —3D 164
Barnfield. Hem H —5B 124
Barnfield Av. Lut —4F 46
Barnfield Clo. Hod —6L 115
Barnfield Ct. Hpdn —7D 88
Barnfield Rd. Edgw —8C 164
Barnfield Rd. Hpdn —7D 88
Barnfield Rd. St Alb —8K 109
Barnfield Rd. Wel G —2L 111
Barn Hill. Roy —9E 116
Barnhurst Path. Wat —5L 161
Barn Lea. Mil E —1K 159
Barnmead. H'low —8N 117
Barnsdale Clo. Borwd —3N 151
Barns Dene. Hpdn —5N 87
Barnside Ct. Wel G —9J 91
Barnston Clo. Lut —8M 47
Barnsway. K Lan —1A 136
Barn Theatre, The. —9J 91
Barnwell. Stev —6A 52
Baron Ct. Stev —9H 35
Barons Ct. Lut —8F 46
(off Earls Meade)
Barons Ga. Barn —8D 154
Baronsmere Ct. Barn —6L 153
Barons Row. Hpdn —8E 88
Barons, The. Bis S —3F 78
Barra Clo. Hem H —5E 124
Barras Clo. Enf —1L 157
Barratt Ind. Pk. Lut —2L 67
Barratt Way. Harr —9E 162
Barrells Down Rd. Bis S —8G 59
Barrett La. Bis S —1H 79
Barrie Av. Dunst —6B 44
Barrie Ct. New Bar —7B 154
(off Lyonsdown Rd.)
Barrington Dri. Hare —7K 159
Barrington Pk. Gdns. Chal G —1A 158
Barrington Rd. Let —7F 22
Barrowby Clo. Lut —8M 47
Barrowdene Clo. Pinn —9N 161
Barrow Field Golf Course. —8G 94
Barrow La. Chesh —3D 144
Barrow Point Av. Pinn —9N 161
Barrow Point La. Pinn —9N 161
Barrows Rd. H'low —6J 117
Barr Rd. Pot B —6B 142
Barry Clo. St Alb —7C 126
Barry Ct. Wat —7L 149
(off Cardiff Rd.)
Bartel Clo. Hem H —4F 124
Bartholomew Ct. Edgw —7L 163
Bartholomew Ct. Enf —1J 157
Bartholomew Rd. Bis S —2H 79
Bartletts. Chal P —7B 158
Bartletts Mead. Hert —6B 94
Barton Av. Dunst —9G 45
Barton Clo. Hpdn —4D 88
Barton Hill Rd. S'ley —4D 30
Barton Ind. Est. Bar C —7C 18
Barton-Le-Clay. —9E 18
Barton Rd. Hit —1J 31
Barton Rd. Pull —3B 18
Barton Rd. S'hoe —9A 18
Barton Rd. Sils —1E 18
Barton Rd. S'ley —4C 30
Barton Rd. Wheat —7K 89
Bartons, The. Els —8L 151
Barton Way. Borwd —4A 152
Barton Way. Crox G —7D 148
Bartrams La. Barn —2B 154
Bartrop Clo. G Oak —1B 144
Barvin Pk. —5G 142
Barwick. —4N 75
Barwick Ford. —6A 76
Barwick La. Ware —4M 75
Basbow La. Bis S —1H 79
Basildon Clo. Wat —8E 148
Basildon Sq. Hem H —7B 106
Basil M. H'low —5E 118
(off Chase, The)
Basils Rd. Stev —2J 51
Basing Rd. Mil E —1J 159
Basing Way. N3 —9N 165
Baslow Clo. Harr —8E 162
Bassett Clo. Redb —1K 107
Bassil Rd. Hem H —3N 123
Bassingbourn. —1M 7
Bassingbourne Clo. Brox —2K 133
Bassingbourn Rd. Lit —3J 7
Bassingburn Wlk. Wel G —1M 111
Bassus Green. —1K 53
Batchelors. Puck —7B 56
Batchwood Dri. St Alb —1C 126
Batchwood Gdns. St Alb —8E 108
Batchwood Hall. St Alb —8C 108
Batchwood Hall Golf Course. —8C 108
Batchwood Vw. St Alb —9D 108
Batchworth. —2A 160
Batchworth Golf Course. —3A 160
Batchworth Heath. —4C 160
Batchworth Heath Hill. Rick —4C 160
Batchworth Hill. Rick —2A 160
(in two parts)
Batchworth La. N'wd —5E 160
Bateman Rd. Crox G —8C 148
Bates Ho. Stev —3L 51
Batford. —4E 88
Batford Clo. Wel G —1A 112
Batford Mill Ind. Est. Hpdn —5E 88
Batford Rd. Hpdn —4E 88
Bath Pl. Barn —5M 153
Bath Rd. Lut —7F 46
Bathurst Rd. Hem H —8N 105
Batley Rd. Enf —3A 156
Batterdale. Hat —8J 111
Battlefield Rd. St Alb —9G 108
Battle of Britain Hall. —9F 164
Battlers Green. —9F 138
Battlers Grn. Dri. Rad —9F 138
Battleview. Wheat —7M 89
Baud Clo. L Had —7A 58
Baulk, The. Ched —9L 61
Baulk, The. I'hoe —2D 82
Baulk, The. Lut —8M 31
Bawdsey Clo. Stev —1H 51
Bay Clo. Lut —3L 45
Bay Ct. Berk —1M 121
Baycroft Clo. Pinn —9L 161
Bayford. —9L 113
Bayford Clo. Hem H —6E 106
Bayford Clo. Hert —2A 114
Bayford Grn. B'frd —8M 113
Bayford La. B'frd —6L 113
Bayford Wood Cvn. Pk. B'frd —9K 113
Bayhurst Dri. N'wd —6H 161
Baylam Dell. Lut —8N 47
Bayley Mead. Hem H —4L 123
Baylie Ct. Hem H —1A 124
Baylie La. Hem H —1A 124
Bayliss Clo. N21 —7K 155
Baynes Clo. Enf —3E 156
Bays Ct. Edgw —5B 164
Bay Tree Clo. Chesh —9D 132
Bay Tree Clo. Park —1D 138
Baytree Ho. E4 —9M 157
Bay Tree Wlk. Wat —2H 149
Bayworth. Let —6H 23
Bazile Rd. N21 —8M 155
Beacon Av. Dunst —1B 64
Beacon Clo. Chal P —7B 158
Beacon Ct. Hert H —3G 114
Beacon Ho. St Alb —2G 126
Beacon Rd. Ring —5H 83
Beacon Rd. Ware —5L 95
Beaconsfield. Lut —9K 47
Beaconsfield Clo. Hat —8J 111
Beaconsfield Ct. Hat —7J 111
(off Beaconsfield Rd.)
Beaconsfield Ct. Leav —5K 137
(off Horsehoe La.)
Beaconsfield Rd. Ast C —1D 100
Beaconsfield Rd. Enf —1H 157
Beaconsfield Rd. Hat —8J 111
Beaconsfield Rd. St Alb —2F 126
Beaconsfield Rd. Tring —3K 101
Beacons, The. Hat —8J 111
Beacon Way. Rick —9K 147
Beacon Way. Tring —1A 102
Beadles, The. L Hall —8K 79
Beadlow Rd. Lut —5J 45
Beagle Clo. Rad —1G 150
Beale Clo. Stev —3B 52
Beale St. Dunst —8D 44
Beamish Dri. Bus H —1D 162
Beane Av. Stev —3C 52
Beane River Vw. Hert —9A 94
Beane Rd. Hert —9N 93
Beane Rd. Wat S —4J 73
Beaneside, The. Wat S —4J 73
Beane Wlk. Stev —3C 52
Beanfield Rd. Saw —3C 98
Beanley Clo. Lut —7N 47
Beardow Gro. N14 —8H 155
Beard's La. Saf W —2N 29
Bear La. A'wl —9M 5
Bearton Av. Hit —2M 33
Bearton Ct. Hit —1M 33
Bearton Grn. Hit —1L 33
Bearton Rd. Hit —1L 33
Bearwood Clo. Pot B —4C 142
Beatrice Rd. N9 —9G 156
Beatty Rd. Stan —6K 163
Beatty Rd. Wal X —7K 145
Beauchamp Ct. Stan —5K 163
Beauchamp Gdns. Mil E —1K 159
Beaufort Ct. New Bar —7B 154
Beaulieu Clo. Wat —1L 161
Beaulieu Dri. Wal A —6M 145
Beaulieu Gdns. N21 —9A 156
Beaumayes Clo. Hem H —3L 123
Beaumonds Abbey Heights. St Alb —2F 126
Beaumont Av. St Alb —9J 109
Beaumont Cen. Chesh —3H 145
Beaumont Clo. Hit —2L 33
Beaumont Ct. Hpdn —6C 88
Beaumont Ga. Rad —8H 139
(off Shenley Hill)
Beaumont Hall La. St Alb —4K 107
Beaumont Pk. Dri. Roy —6E 116
Beaumont Pl. Barn —3M 153
Beaumont Rd. Brox —6C 132
Beaumont Rd. Lut —7D 46
Beaumont Vw. Chesh —8B 132
Beaumont Works. St Alb —2J 127
Beazley Clo. Ware —5J 95
Beckbury Clo. Lut —7N 47
Becket Gdns. Welw —3J 91
Beckets Sq. Berk —8L 103
Beckets Wlk. Ware —6H 95
Becketts. Hert —1M 113
Beckett's Av. St Alb —8D 108
Beckfield La. S'don —4A 26
Beckham Clo. Lut —2F 46
Becks Clo. Mark —2N 85
Bedale Rd. Enf —2A 156
Bede Clo. Pinn —8M 161
Bede Ct. L Gad —7N 83
Bedford Av. Amer —3A 146
Bedford Av. Barn —7M 153
Bedford Clo. Chen —2E 146
Bedford Clo. Shil —1N 19
Bedford Ct. H Reg —5E 44
Bedford Ct. L Chal —3A 146
Bedford Cres. Enf —8J 145
Bedford Gdns. Lut —9F 46
Bedford Ho. Stev —3H 51
Bedford Pk. Rd. St Alb —2F 126
Bedford Rd. N9 —9F 156
Bedford Rd. NW7 —2E 164
Bedford Rd. Bar C —8E 18
Bedford Rd. H Reg —1D 44
Bedford Rd. Let —4D 22
Bedford Rd. N'wd —3E 160
Bedford Rd. St Alb —3F 126
Bedford Sq. H Reg —5E 44
Bedford St. Berk —1A 122
Bedford St. Hit —3L 33
Bedford St. Wat —3K 149
Bedmond. —9H 125
Bedmond La. Bedm —8J 125
Bedmond La. St Alb —4A 126
Bedmond Rd. Ab L —2H 137
Bedmond Rd. Hem H —3E 124
Bedwell. —4M 51
Bedwell Av. Ess —6F 112
Bedwell Clo. Wel G —1L 111
Bedwell Cres. Stev —4L 51
Bedwell La. Stev —4L 51
Bedwell Pk. —1E 130
Bedwell Ri. Stev —4L 51
Beech Av. Enf —8M 143
Beech Av. Rad —6H 139
Beech Bottom. St Alb —8E 108
Beech Clo. N9 —8E 156
Beech Clo. Dunst —3H 65
Beech Clo. Hpdn —1D 108
Beech Clo. Hat —1G 129
Beech Ct. Hpdn —4A 88
Beech Ct. N'wd —7G 160
Beech Cres. Wheat —8L 89
Beechcroft. Berk —2N 121
Beechcroft. D'wth —7C 72
Beechcroft Av. Crox G —8E 148
Beechcroft Rd. Bush —7N 149
Beech Dri. Berk —2N 121
Beech Dri. Borwd —4N 151
Beech Dri. Saw —7E 98
Beech Dri. Stev —6A 52
Beechen Gro. Wat —5K 149
Beeches, The. B'wy —9N 15
(High Street)
Beeches, The. B'wy —7D 8
(Newmarket Rd.)
Beeches, The. Chor —7J 147
Beeches, The. Hit —4A 34
Beeches, The. Park —9E 126
Beeches, The. Tring —2A 102
Beeches, The. Wat —5K 149
(off Halsey Rd.)
Beeches, The. Welw —3J 91
Beeches, The. Wend —9B 100
Beech Farm Dri. St Alb —7N 109
Beechfield. Hod —4L 115
Beechfield. K Lan —3B 136
Beechfield. Saw —5H 99
Beechfield Clo. Borwd —4M 151
Beechfield Clo. Redb —1K 107
Beechfield Rd. Hem H —3L 123
Beechfield Rd. Ware —5K 95
Beechfield Rd. Wel G —2L 111
Beechfield Wlk. Wal A —8N 145
Beech Grn. Dunst —8C 44
Beech Gro. Tring —2A 102
Beech Hill. Barn —2C 154
Beech Hill. Let —4D 22
Beech Hill. Lut —2L 47
Beech Hill Av. Barn —3B 154
Beech Hill Ct. Berk —9A 104
Beech Hill Pk. —3C 154
Beech Hill Path. Lut —8D 46
Beech Hyde La. Wheat —8N 89
Beeching Clo. Hpdn —3C 88
Beechlands. Bis S —3H 79
Beech M. Ware —8H 95
Beecholm M. Chesh —1J 145
(off Lawrence Gdns.)
Beech Pk. Homes. Wig —9D 102
Beechpark Way. Wat —1G 148
Beech Pl. St Alb —8E 108
Beech Ridge. Bald —5M 23
Beech Rd. Dunst —4G 65
Beech Rd. Lut —9E 46
Beech Rd. St Alb —8F 108
Beech Rd. Wat —1J 149
Beech Tree Clo. Stan —5K 163
Beechtree La. G'bry —4K 125
Beech Tree Way. H Reg —4E 44
Beech Wlk. NW7 —6E 164
Beech Wlk. Hod —8K 115
Beech Wlk. Tring —2A 102
(off Mortimer Hill)
Beech Way. Wheat —1J 89
Beechwood Av. Amer —2A 146
Beechwood Av. Chor —6F 146
Beechwood Av. Mel —1J 9
Beechwood Av. Pot B —6A 142
Beechwood Av. St Alb —9J 109
Beechwood Clo. NW7 —5E 164

Beechwood Clo.—Bishops Wlk.

Beechwood Clo. Amer —3A 146
Beechwood Clo. Bald —6M 23
Beechwood Clo. Chesh —8C 132
Beechwood Clo. Hert —9D 94
Beechwood Clo. Hit —9L 21
Beechwood Ct. Dunst —1C 64
Beechwood Dri. Ald —1H 103
Beechwood La. Wend —9C 100
Beechwood Mobile Homes. Cad —4A 66
Beechwood Pk. Chor —6J 147
Beechwood Pk. Hem H —5J 123
Beechwood Ri. Wat —9K 137
Beechwood Rd. Lut —5N 45
Beechwood Way. Ast C —1E 100
Beecroft. —9C 44
Beecroft La. Walk —8G 37
Beecroft Way. Dunst —9C 44
Beehive Clo. Els —8L 151
Beehive Grn. Wel G —2N 111
Beehive La. Wel G —3N 111
Beehive Rd. G Oak —1N 143
Beesonend Cotts. Hpdn —2C 108
Beesonend La. St Alb & Hpdn —4N 107
Beeston Clo. Wat —4M 161
Beeston Dri. Chesh —9H 133
Beeston Rd. Barn —8C 154
Beetham Ct. Ware —3C 94
Beethoven Rd. Els —8L 151
Beeton Clo. Pinn —7B 162
Beggarman's La. Ware —9H 55
Beggars Bush La. Wat —7F 148
Beggars Hollow. Enf —1B 156
Beggars La. Tring —1D 102
Beken Ct. Wat —8L 137
Belcham's La. Saf W —2M 43
Belcher Rd. Hod —7L 115
Belcon Ind. Est. Hod —8N 115
Beldam Av. R'ton —8D 8
Beldams Ga. Bis S —2L 79
Beldams La. Bis S —3K 79
Belfairs Grn. Wat —5M 161
Belfield Gdns. H'low —7E 118
Belford Rd. Borwd —2N 151
Belfry Av. Hare —7K 159
Belfry La. Rick —1M 159
Belfry, The. Lut —3G 47
Belgrave Av. Wat —7H 149
Belgrave Clo. N14 —7H 155
Belgrave Clo. NW7 —5D 164
Belgrave Clo. St Alb —7K 109
Belgrave Dri. K Lan —1E 136
Belgrave Gdns. N14 —6J 155
Belgrave Gdns. Stan —5K 163
Belgrave Ho. Bis S —9K 59
Belgrave M. Stev —9N 51
Belgrave Rd. Lut —4N 45
Belgravia Clo. Barn —5M 153
Belham Rd. K Lan —1B 136
Belhaven Ct. Borwd —3N 151
Bell Acre. Let —7H 23
Bell Acre Gdns. Let —7H 23
Bellamy Clo. Edgw —2C 164
Bellamy Clo. Kneb —3M 71
Bellamy Clo. Wat —3J 149
Bellamy Ct. Stan —8J 163
Bellamy Dri. Stan —8J 163
Bellamy Rd. Chesh —2J 145
Bellamy Rd. Enf —4B 156
Bell Bar. —6N 129
Bellchambers Clo. Lon C —8K 127
Bell Clo. Bedm —9H 125
Bell Clo. Hit —4B 34
Bell Clo. Kneb —3N 71
Bell Clo. Pinn —9L 161
Bellerby Ri. Lut —3L 45
Bellevue La. Bus H —1E 162
Belle Vue Rd. Ware —6J 95
Bellevue Ter. Hare —7K 159
Bellfield Av. Harr —6E 162
Bellgate. —8A 106
Bellgate. Hem H —8A 106
Bell Grn. Bov —9E 122
Bellingdon. —6C 120
Bellis Ho. Wel G —2A 112
Bell La. Amer —2A 146
Bell La. Bedm —9H 125
Bell La. Berk —9J 103
Bell La. Brk P —6N 129
Bell La. Brox —3J 133
Bell La. Enf —2H 157
Bell La. Hert —9B 94
Bell La. Hod —8L 115
Bell La. Lon C —2M 139
Bell La. Nuth —1D 28
Bell La. Stev —2J 51
Bell La. Wid —3G 97
Bell Leys. W'grv —5A 60
Bell Mead. Saw —5G 98
Bellmount Wood Av. Wat —3G 149
Bell Rd. Enf —3B 156
Bell Row. Bald —3L 23
Bells Clo. Shil —2A 20
Bells Hill. Barn —7K 153
Bells Hill. Bis S —1G 79
Bells Mdw. G Mor —1B 6
Bell St. Saw —5G 98
Bell Ter. Ther —5C 14
Bell Vw. St Alb —2L 127
Bell Wlk. W'grv —5A 60
Belmers Rd. Wig —5B 102
Belmont. —9J 163
Belmont Av. N9 —9E 156
Belmont Av. Barn —7E 154
Belmont Circ. Harr —8J 163
Belmont Clo. N20 —1N 165
Belmont Clo. Cockf —6E 154
Belmont Ct. St Alb —3E 126
Belmont Hill. St Alb —3E 126
Belmont La. Stan —8K 163
Belmont Lodge. Har W —7E 162
Belmont Rd. Bush —7N 149
Belmont Rd. Harr —9G 163
Belmont Rd. Hem H —5A 124
Belmont Rd. Lut —1E 66
Belmor. Els —8A 152
Belper Rd. Lut —7N 45
Belsham Pl. Lut —7N 47
Belsize. —5J 135
Belsize Clo. Hem H —3C 124
Belsize Clo. St Alb —6K 109
Belsize Rd. Harr —7E 162
Belsize Rd. Hem H —3C 124
Belsize Rd. Lut —6H 45
Belswains Grn. Hem H —5A 124
Belswains La. Hem H —5A 124
Beltona Gdns. Chesh —9H 133
Belton Rd. Berk —9L 103
Belvedere Gdns. St Alb —9B 126
Belvedere Rd. Lut —4D 46
Belvedere Strand. NW9 —9F 164
Bembridge Gdns. Lut —2B 46
Bembridge Pl. Wat —6J 137
Ben Austins. Redb —2J 107
Benbow Clo. St Alb —4J 127
Benchley Hill. Hit —2C 34
Benchleys Rd. Hem H —4J 123
Bench Mnr. Cres. Chal P —9A 158
Bencroft. Chesh —8E 132
Bencroft Rd. Hem H —2A 124
Bencroft Wood Nature Reserve. —4B 132
Bendish. —9J 49
Bendish La. W'wll —9J 49
Bendysh Rd. Bush —5N 149
Benedictine Ga. Wal X —9J 133
Benford Rd. Hod —1K 133
Bengarth Dri. Harr —9E 162
Bengeo. —7A 94
Bengeo Meadows. Hert —6B 94
Bengeo M. Hert —6A 94
Bengeo St. Hert —7A 94
Ben Hale Clo. Stan —5J 163
Benhooks Av. Bis S —3G 78
Benhooks Pl. Bis S —3G 79
(off Merrill Pl.)
Benington. —5J 53
Benington Clo. Lut —4G 47
Benington Rd. Ast —7D 52
Benington Rd. Walk —2F 52
Benneck Ho. Wat —8G 149
Bennett Clo. N'wd —7H 161
Bennett Clo. Wel G —4M 111
Bennett Ct. Let —6G 23
Bennetts Clo. Col H —5D 128
Bennetts Clo. Dunst —1E 64
Bennetts End. —5C 124
Bennetts End Clo. Hem H —4B 124
Bennetts End Rd. Hem H —3B 124
Bennettsgate. Hem H —5C 124
Bennetts La. A'wl —6L 5
Bennetts La. Rush —8K 25
Benning Av. Dunst —9C 44
Benningfield Clo. Wid —2G 97
Benningfield Gdns. Pott E —8B 104
Benningfield Rd. Wid —3G 97
Benningholme Rd. Edgw —6E 164
Benskin Rd. Wat —7J 149
Benskins Clo. Ber —2C 42
Benslow La. Hit —3A 34
Benslow Ri. Hit —3A 34
Benson Clo. Lut —2B 46
Benstede. Stev —9B 52
Bentfield Bower. —1L 59
Bentfield Bury. —9K 43
Bentfield End. —2M 59
Bentfield End Causeway. Stans —2M 59
Bentfield Gdns. Stans —2M 59
Bentfield Green. —1M 59
Bentfield Grn. Stans —2L 59
Bentfield Rd. Stans —1M 59
Bentick Way. Cod —6F 70
Bentley Clo. Bis S —3H 79
Bentley Ct. Lut —9E 46
(off Moor St.)
Bentley Dri. H'low —7E 118
Bentley Heath. —8M 141
Bentley Heath La. Barn —7L 141
Bentley Rd. Hert —8K 93
Bentley Way. Stan —5H 163
Benton Rd. Wat —5M 161
Bentons, The. Berk —8K 103
Bentsley Clo. St Alb —7K 109
Berberry Clo. Edgw —4C 164
Berceau Wlk. Wat —3G 149
Berden. —2D 42
Berefield. Hem H —9N 105
Beresford Gdns. Enf —6C 156
Beresford Rd. Lut —8C 46
Beresford Rd. Mil E —1J 159
Beresford Rd. St Alb —3J 127
Bericot Green. —8D 92
Bericot Way. Wel G —9B 92
Berkeley. Let —7G 23
Berkeley Clo. Ab L —5H 137
Berkeley Clo. Els —7A 152
Berkeley Clo. Hit —2L 33
Berkeley Clo. Pot B —5L 141
Berkeley Clo. Stev —9N 51
Berkeley Clo. Ware —5G 95
Berkeley Ct. N3 —8N 165
Berkeley Ct. N14 —8H 155
Berkeley Ct. Crox G —7F 148
Berkeley Ct. Hpdn —5B 88
Berkeley Cres. Barn —7C 154
Berkeley Gdns. N21 —9B 156
Berkeley Path. Lut —9G 46
Berkeley Sq. Hem H —5E 106
Berkhamsted. —8J 103
Berkhamsted By-Pass. Tring —3C 102
Berkhamsted Castle. —9A 104
(Remains of)
Berkhamsted Common. —3L 103
Berkhamsted Common. —3N 103
Berkhamsted Golf Course. —6B 104
Berkhamsted Hill. Pott E —8B 104
Berkhamsted La. Ess —2E 130
Berkhamsted Pl. Berk —8M 103
Berkhamsted Rd. Hem H —8G 104
(in two parts)
Berkhamsted Sports Cen. —9L 103
Berkley Av. Wal X —7H 145
Berkley Clo. St Alb —7K 109
Berkley Ct. Berk —1N 121
(off Mill St.)
Berkley Pl. Wal X —7H 145
Berks Hill. Chor —7F 146
Bermer Rd. Wat —3L 149
Bernard Clo. Dunst —8F 44
Bernard Gro. Wal A —6M 145
Bernard's Heath. —8G 108
Bernard St. St Alb —1E 126
Bernays Clo. Stan —6K 163
Berners Dri. St Alb —5F 126
Berners Way. Brox —5K 133
Bernhardt Cres. Stev —3B 52
Bernhart Clo. Edgw —7C 164
Berridge Grn. Edgw —7A 164
Berries, The. Sandr —7H 109
Berrow Clo. Lut —7N 47
Berry Av. Wat —9K 137
Berry Clo. N21 —9N 155
Berry Clo. Rick —9L 147
Berryfield. Ched —9L 61
Berrygrove. (Junct.) —2B 150
Berry Gro. La. Wat —2N 149
(in two parts)
Berry Hill. Stan —4L 163
Berry La. Chor & Rick —8G 147
Berry La. Mil E —1L 159
Berry Leys. Lut —2A 46
Berrymead. Hem H —9B 106
Berry Way. Rick —9L 147
Bert Collins Ct. Lut —1E 66
(off Wolston Clo.)
Berthold M. Wal A —6M 145
Bertram Ho. Stev —3L 51
Bertram Rd. Enf —6E 156
Bert Way. Enf —6D 156
Berwick Clo. Stan —6G 163
Berwick Clo. Stev —1G 50
Berwick Clo. Wal X —7L 145
Berwick Rd. Borwd —2N 151
Besant Ho. Wat —4M 149
Besford Clo. Lut —7N 47
Bessemer Clo. Hit —9M 21
Bessemer Dri. Stev —5H 51
Bessemer Rd. Wel G —4L 91
Bethune Clo. Lut —2D 66
Bethune Ct. Lut —2D 66
Betjeman Clo. Chesh —1E 144
Betjeman Clo. Hpdn —6D 88
Betjeman Rd. R'ton —5D 8
Betjeman Way. Hem H —9L 105
Betony Va. R'ton —8E 8
Bettespol Meadows. Redb —9J 87
Betty Entwistle Ho. St Alb —5E 126
Betty's La. Tring —2M 101
Beulah Clo. Edgw —3B 164
Bevan Clo. Hem H —4N 123
Bevan Ho. Wat —4M 149
Bevan Rd. Barn —6E 154
Beverley Clo. Brox —3J 133
Beverley Clo. Enf —6C 156
Beverley Clo. R'ton —5B 8
Beverley Ct. N14 —9H 155
Beverley Dri. Edgw —9A 164
Beverley Gdns. Chesh —3E 144
Beverley Gdns. St Alb —7L 109
Beverley Gdns. Stan —8H 163
Beverley Gdns. Wel G —9B 92
Beverley Rd. Lut —8B 46
Beverley Rd. Stev —8A 36
Bevil Ct. Hod —5L 115
Bewcastle Gdns. Enf —6K 155
Bewdley Clo. Hpdn —9E 88
Bewley Clo. Chesh —4H 145
Bexhill Rd. Lut —7M 47
Beyers Gdns. Hod —5L 115
Beyers Prospect. Hod —4L 115
Beyers Ride. Hod —5L 115
Bibbs Hall La. Kim & Welw —1L 89
Bibshall Cres. Dunst —2F 64
Bibsworth Rd. N3 —9M 165
Bicknoller Rd. Enf —3C 156
Biddenham Turn. Wat —8L 137
Bideford Clo. Edgw —8A 164
Bideford Gdns. Enf —9C 156
Bideford Gdns. Lut —5F 46
Bideford Rd. Enf —2K 157
Bidwell. —3D 44
Bidwell Clo. H Reg —4E 44
Bidwell Clo. Let —6H 23
Bidwell Hill. H Reg —4D 44
Bidwell Path. H Reg —5E 44
Biggin Hill. Bunt —3A 28
Biggin La. Hit —4N 33
Biggleswade Rd. Dun —1C 4
Biggs Gro. Rd. Chesh —9B 132
Bignell's Corner. —6H 141
Bignell's Corner. (Junct.) —7G 141
Bignell's Corner. S Mim —7H 141
Bigthan Rd. Dunst —9F 44
Billet La. Berk —9L 103
(in two parts)
Billington Rd. L Buz —1C 62
Billy Lows La. Pot B —4N 141
Bilton Rd. Hit —9N 21
Bilton Way. Enf —3J 157
Bilton Way. Lut —9B 46
Bincote Rd. Enf —5L 155
Binder Clo. Lut —5H 45
Binder Ct. Lut —5H 45
(off Binder Clo.)
Bingen Rd. Hit —1K 33
Bingham Clo. Hem H —9J 105
Bingley Rd. Hod —8N 115
Binham Clo. Lut —2F 46
Binyon Cres. Stan —5G 162
Birchall La. Col G —2D 112
Birchalls. Stans —1N 59
Birchall Wood. Wel G —1B 112
Birchanger. —7M 59
Birchanger Ind. Est. Bis S —7K 59
Birchanger La. Bchgr —6L 59
Birch Copse. Brick W —3N 137
Birch Ct. N'wd —6E 160
Birch Dri. Hat —1G 129
Birch Dri. Map C —5G 158
Birchen Gro. Lut —6H 47
Bircherley Ct. Hert —9B 94
(off Priory St.)
Bircherley Grn. Cen., The. Hert —9B 94
Bircherley St. Hert —9B 94
Birches, The. N21 —8L 155
Birches, The. Bush —7D 150
Birches, The. Cod —8G 70
Birches, The. Hem H —5J 123
Birches, The. Let —3E 22
Birchfield Rd. Chesh —2F 144
Birch Green. —2H 113
Birch Grn. NW9 —7E 164
Birch Grn. Hem H —1J 123
Birch Gro. Pot B —5N 141
Birch Gro. Welw —8L 71
Birch La. Flau —6E 134
Birch Leys. Hem H —6E 106
Birch Link. Lut —8E 46
Birchmead. Wat —2H 149
Birchmead Clo. St Alb —8D 108
Birch Pk. Harr —7D 162
Birch Rd. N'chu —7H 103
Birch Rd. Wool G —7A 72
Birch Side. Dunst —2G 65
(in two parts)
Birchside Path. Dunst —2G 65
Birch Tree Wlk. Wat —1H 149
Birchville Ct. Bus H —1F 162
Birch Wlk. Borwd —3A 152
Birch Way. Hpdn —7D 88
Birchway. Hat —7H 111
Birch Way. Lon C —9L 127
Birchwood. —7H 111
Birchwood. Bchgr —7M 59
Birchwood. Shenl —7A 140
Birchwood Av. Hat —7G 110
Birchwood Clo. Hat —7G 111
Birchwood Ct. Edgw —9C 164
Birchwood Ho. Wel G —9A 92
Birchwood Way. Park —1C 138
Birdcroft Rd. Wel G —1K 111
Bird Green. —3N 29
Birdie Way. Hert —8F 94
Bird La. Hare —9M 159
Birds Clo. Wel G —2A 112
Birdsfoot La. Lut —4D 46
Birds Hill. Let —5G 22
Birkbeck Rd. NW7 —5F 164
Birkbeck Rd. Enf —3B 156
Birkdale Av. Pinn —9B 162
Birkdale Gdns. Wat —3M 161
Birken M. N'wd —5D 160
Birkett Way. Chal G —5A 146
Birklands La. St Alb —6J 127
Birklands Pk. St Alb —6J 127
Birling Dri. Lut —4L 47
Birnbeck Ct. Barn —6K 153
Birstall Grn. Wat —4M 161
Birtley Cft. Lut —8N 47
Biscot. —7E 46
Biscot Rd. Lut —6D 46
Bishop Ken Rd. Harr —9G 162
Bishop Rd. N14 —9G 154
Bishop's Av. Bis S —5H 79
Bishops Av. Els —7N 151
Bishops Av. N'wd —4G 161
Bishops Clo. Barn —8K 153
Bishops Clo. Enf —4F 156
Bishops Clo. Hat —9F 110
Bishop's Clo. St Alb —7H 109
Bishopscote Rd. Lut —6D 46
Bishops Ct. Chesh —3F 144
Bishops Ct. Lut —8F 46
(off Earls Meade)
Bishops Fld. Ast C —2F 100
Bishopsfield. H'low —9N 117
Bishop's Gth. St Alb —7H 109
Bishops Mead. Hem H —4L 123
Bishop's Palace. —9K 111
(Remains of)
Bishops Pk. Cen. Bis S —9E 58
Bishops Pk. Way. Bis S —2D 78
Bishop Sq. Hat —8E 110
Bishops Ri. Hat —9F 110
Bishops Rd. Tew —1C 92
Bishop's Stortford. —9H 59
Bishop's Stortford Golf Course. —1M 79
Bishops Wlk. Pinn —9N 161

A-Z Hertfordshire 171

Biskra—Brampton Rd.

Biskra. Wat —3J 149
Bisley Clo. Wal X —6H 145
Bittacy Bus. Cen. NW7 —6L 165
Bittacy Clo. NW7 —6K 165
Bittacy Ct. NW7 —7L 165
Bittacy Hill. NW7 —6K 165
Bittacy Pk. Av. NW7 —5K 165
Bittacy Ri. NW7 —6J 165
Bittacy Rd. NW7 —6K 165
Bittern Clo. Chesh —7A 132
Bittern Clo. Hem H —7B 124
Bittern Clo. Stev —7C 52
Bittern Ct. NW9 —9E 164
Bittern Way. Let —2E 22
Bit, The. Wig —5B 102
Blackberry Mead. Stev —6C 52
Blackbirds La. A'ham —7D 138
Black Boy Wood. Brick W —3B 138
Blackburn. NW9 —9F 164
Blackburn Rd. H Reg —6E 44
Blackbury Clo. Pot B —4B 142
Blackbushe. Bis S —8K 59
Blackbush Spring. H'low —5C 118
Black Cut. St Alb —3F 126
Blackdale. Chesh —9E 132
Blackdown Clo. Stev —7A 36
Blackett Ct. R'ton —6D 8
Blacketts Wood Dri. Chor —7E 146
Black Fan Clo. Enf —3A 156
Black Fan Rd. Wel G —8M 91
(in two parts)
Blackford Rd. Wat —5M 161
Blackhall. —7L 29
Blackhill La. Pull —3A 18
Blackhorse Clo. Hit —5A 34
Blackhorse La. Hit —6N 33
Blackhorse La. Redb —9J 87
Blackhorse La. S Mim —3E 140
Blackhorse Rd. Let —3J 23
Black La. Stpl M —4C 6
Blackley Clo. Wat —1H 149
Black Lion Ct. H'low —2E 118
Black Lion Hill. Shenl —5M 139
Black Lion St. H'low —2E 118
(off Market St.)
Blackmoor La. Wat —7F 148
Blackmore. Let —8H 23
Blackmore End. —1J 89
Blackmore Mnr. Wheat —1J 89
Blackmore Way. Wheat —1J 89
Blacksmith Clo. Bis S —3D 78
Blacksmith Clo. Stot —5F 10
Blacksmith Row. Hem H —3E 124
Blacksmiths Clo. Gt Amw —8L 95
Blacksmiths Ct. Dunst —9E 44
(off Matthew St.)
Blacksmiths Hill. B'tn —5K 53
Blacksmith's La. Reed —7H 15
Blacksmiths La. St Alb —2C 126
Blacksmiths Row. Mark —2A 86
(off High St.)
Blacksmiths Way. Saw —6C 98
Black Swan Ct. Ware —6H 95
(off Priory St.)
Black Swan La. Lut —4C 46
Blackthorn Clo. St Alb —8K 109
Blackthorn Clo. Wat —5K 137
Blackthorn Dri. Lut —5L 47
Blackthorne Clo. Hat —3F 128
Black Thorn Rd. H Reg —3F 44
Blackthorn Rd. Wel G —1N 111
Blackwater La. Hem H —5G 124
Blackwell Clo. Harr —7E 162
Blackwell Dri. Wat —8L 149
Blackwell Gdns. Edgw —4A 164
Blackwell Hall La. Che —5A 134
Blackwell Rd. K Lan —2C 136
Blackwood Ct. Turn —8K 133
Bladon Clo. L Wym —7F 34
Blaine Clo. Tring —9M 81
Blair Clo. Bis S —1E 78
Blair Clo. Hem H —5D 106
Blair Clo. Stev —8M 51
Blairhead Dri. Wat —3K 161
Blake Clo. R'ton —4D 8
Blake Clo. St Alb —5H 127
Blakelands. Bar C —9F 18
Blakemere Rd. Wel G —7K 91
Blakemore End Rd. Hit —8D 34
Blakeney Dri. Lut —2E 46
Blakeney Ho. Stev —2G 50
Blakeney Rd. Stev —2G 50
Blakes Ct. Saw —5G 99
Blakesware Gdns. N9 —9B 156
Blakes Way. Welw —1J 91
Blaking's La. Bis S —4E 42
Blanchard Gro. Enf —2M 157
Blanche La. S Mim —5G 140
Blandford Av. Lut —3F 46
Blandford Cres. E4 —9N 157
Blandford Rd. St Alb —2H 127
Blanes, The. Ware —4G 94
Blattner Clo. Els —6M 151
Blaxland Ter. Chesh —1H 145
(off Davison Dri.)
Blaydon Rd. Lut —9J 47
Blenheim Clo. N21 —9A 156
Blenheim Clo. Ched —8L 61
Blenheim Clo. Saw —7E 98
Blenheim Clo. Wat —9L 149
Blenheim Ct. Bis S —1E 78
Blenheim Ct. Wel G —8M 91
Blenheim Cres. Lut —7E 46
Blenheim Rd. Ab L —5J 137
Blenheim Rd. Barn —5K 153
Blenheim Rd. St Alb —1G 127
Blenheim Way. Stev —1B 72
Blenkin Clo. St Alb —7D 108
Bleriot. NW9 —9F 164
(off Belvedere Strand)
Blessbury Rd. Edgw —8C 164
Blind La. Cot —5L 37
Blindman's La. Chesh —3H 145
Blind Tom's La. Bis S —3J 59
Bloomfield Av. Lut —8J 47
Bloomfield Cotts. Bell —6D 120
Bloomfield Ho. Stev —3L 51
Bloomfield Rd. Chesh —7A 132
Bloomfield Rd. Hpdn —4A 88
Bloomsbury Ct. Pinn —9A 162
Bloomsbury Gdns. H Reg —4G 44
Blossom La. Enf —3A 156
Blows Rd. Dunst —1G 64
Bluebell Clo. Hem H —3H 123
Bluebell Clo. Hert —9E 94
Bluebell Dri. Bedm —9H 125
Bluebell Dri. Chesh —1B 144
Bluebells. Welw —9L 71
Bluebell Way. Hat —5F 110
Bluebell Wood Clo. Lut —1B 66
Blueberry Clo. St Alb —7E 108
Bluebird Way. Brick W —3A 138
Bluebridge Av. Brk P —9L 129
Bluebridge Rd. Brk P —8L 129
Bluecoats Av. Hert —9B 94
Bluecoats Ct. Hert —9B 94
Bluecoat Yd. Ware —6H 95
(off East St.)
Blue Hill. —2H 73
Bluehouse Hill. St Alb —3B 126
Bluett Rd. Lon C —9L 127
Blundell Clo. St Alb —7E 108
Blundell Rd. Edgw —8D 164
Blundell Rd. Lut —6C 46
Blunesfield. Pot B —4C 142
Blunts La. St Alb —6M 125
Blydon Ct. N21 —7L 155
(off Chaseville Pk. Rd.)
Blyth Clo. Borwd —3N 151
Blyth Clo. Stev —2G 51
Blythe Rd. Hod —9A 116
Blyth Pl. Lut —2F 66
(off Russell St.)
Blythway. Wel G —5M 91
Blythway Houses. Wel G —6M 91
Blythwood Gdns. Stans —3M 59
Blythwood Rd. Pinn —8M 161
Boardman Av. E4 —7M 157
Boardman Clo. Barn —7L 153
Boar Head Rd. H'low —7J 119
Boarhound. NW9 —9F 164
(off Further Acre)
Bockings. Stev —9H 37
Boddington Rd. Wend —9B 100
Bodiam Clo. Enf —4C 156
Bodmin. NW9 —9F 164
(off Further Acre)
Bodmin Rd. Lut —5B 46
Bodnor Ga. Bald —3M 23
Bodwell Clo. Hem H —1K 123
Bogmoor Rd. R'ton —6B 16
Bognor Gdns. Wat —5L 161
Bogs Gap. Stpl M —2C 6
Bohemia. Hem H —1A 124
Bohun Gro. Barn —8D 154
Boissy Clo. St Alb —3M 127
Boleyn Av. Enf —3F 156
Boleyn Clo. Hem H —6E 106
Boleyn Ct. Brox —3J 133
Boleyn Dri. St Alb —4E 126
Boleyn Way. Barn —5B 154
Bolingbroke Rd. Lut —2D 66
Bolingbrook. St Alb —7H 109
Bolney Grn. Lut —6M 47
Bolton Rd. Lut —1H 67
Bond Ct. Hpdn —4A 88
Bondor Ind. Est. Bald —4M 23
Bonham Carter Rd. Hal —7C 100
Boniface Gdns. Harr —7C 162
Boniface Wlk. Harr —7C 162
Bonks Hill. Saw —6F 98
Bonner Ct. Chesh —1H 145
(off Coopers Wlk.)
Bonnetting La. Ber —2D 42
Bonney Gro. G Oak —3E 144
Bonnick Clo. Lut —2E 66
Boot All. St Alb —2E 126
(off Chequer St.)
Boothman Ho. Kent —9L 163
Booth Pl. Eat B —2J 63
Booth Rd. NW9 —9D 164
Booths Clo. N Mym —6K 129
Boot Pde. Edgw —6A 164
(off High St.)
Borden Av. Enf —8B 156
Borders Way. H Reg —3F 44
(off Black Thorn Rd.)
Boreham Holt. Els —6N 151
Borehamwood. —5A 152
Borehamwood Enterprise Cen. Borwd —5N 151
Boreham Wood F.C. —4B 152
Borehamwood Ind. Pk. Borwd —4D 152
Bornedene. Pot B —4L 141
Borodale. Hpdn —6B 88
Borough Rd. Dunst —1G 64
Borough Way. Pot B —5L 141
Borrell Clo. Brox —2K 133
Borrowdale Av. Dunst —2F 64
Borrowdale Av. Harr —9H 163
Borrowdale Ct. Enf —3A 156
Borrowdale Ct. Hem H —8A 106
Bosanquet Rd. Hod —6N 115
Boscombe Ct. Let —5H 23
Boscombe Rd. Dunst —7F 44
Bose Clo. N3 —8L 165
Bosmore Rd. Lut —3B 46
Boston Rd. Edgw —7C 164
Boswell Clo. Shenl —5M 139
Boswell Dri. Ickl —7M 21
Boswell Gdns. Stev —9K 35
Boswick La. Dud —6H 103
Bosworth Rd. Barn —5N 153
Botany Bay. —9J 143
Botany Clo. Barn —6D 154
Botham Clo. Edgw —7C 164
Botley Rd. Hem H —6C 106
Bottom Dri. Eat B —3A 64
Bottom Ho. La. Tring —4E 102
Bottom La. K Lan —8L 135
Bough Beech Ct. Enf —1H 157
Boughton Way. Amer —2A 146
Boulevard Cen., The. Borwd —5A 152
Boulevard, The. Wat —7F 148
Boulevard, The. Wel G —7M 91
Boulevard 25. Borwd —5A 152
Boulton Rd. Stev —8B 36
Bounce, The. Hem H —9N 105
Boundary Clo. Barn —3M 153
Boundary Ct. Wel G —4M 111
Boundary Dri. Hert —7B 94
Boundary Ho. Wel G —3K 111
Boundary La. Wel G —3L 111
Boundary Rd. N9 —8G 157
Boundary Rd. Bis S —3J 79
Boundary Rd. Chal P —7A 158
Boundary Rd. St Alb —9F 108
Boundary Way. Hem H —8E 106
Boundary Way. Wat —5K 137
Bounds Fld. L Had —9B 58
Bourne Av. Barn —7C 154
Bourne Clo. Brox —2K 133
Bourne Clo. Ware —5H 95
Bourne End. —4F 122
Bourne End La. Hem H —7D 122
Bourne End La. Ind. Est. Hem H —4E 122
Bourne End Rd. N'wd —4G 160
Bournehall. Bush —8B 150
Bournehall Av. Bush —7B 150
Bournehall La. Bush —8B 150
Bournehall Rd. Bush —8B 150
Bourne Honour. Ton —9C 74
Bournemouth Rd. Stev —1H 51
Bourne Rd. Berk —9K 103
Bourne Rd. Bush —7B 150
Bourne, The. Abry —3M 57
Bourne, The. Bis S —9J 59
Bourne, The. Bov —9D 122
Bourne, The. Bunt —5J 39
Bourne, The. Ware —5H 95
Bournwell Clo. Barn —5E 154
Bouvier Rd. Enf —2G 157
Bovingdon. —9D 122
Bovingdon Ct. Bov —1D 134
Bovingdon Cres. Wat —7M 137
Bovingdon Green. —2D 134
Bovingdon Grn. La. Bov —1C 134
Bovingdon La. NW9 —8E 164
Bowbrook Va. Lut —8A 48
Bowcock Wlk. Stev —6L 51
Bower Clo. Eat B —3K 63
Bower Ct. E4 —9N 157
(off Ridgeway, The)
Bower Heath. —1D 88
Bower Heath La. Hpdn —2D 88
Bower La. Eat B —3K 63
Bowershott. Let —7G 23
Bower's Pde. Hpdn —6B 88
Bowes Lyon M. St Alb —2E 126
Bowgate. St Alb —1F 126
Bowland Cres. Dunst —2D 64
Bowlers Mead. Bunt —3H 39
Bowles Grn. Enf —9F 144
Bowles Way. Dunst —3G 65
Bowling Clo. Bis S —2H 79
Bowling Clo. Hpdn —8C 88
Bowling Ct. Wat —6J 149
Bowling Grn. Stev —1J 51
Bowling Grn. La. Bunt —2H 39
Bowling Grn. La. Lut —7G 46
Bowling Rd. Ware —6J 95
Bowls Clo. Stan —5J 163
Bowmans Av. Hit —3B 34
Bowmans Clo. Dunst —1F 64
Bowmans Clo. Pot B —5C 142
Bowmans Clo. Welw —1J 91
Bowmans Ct. Hem H —9A 106
Bowmans Grn. Wat —9N 137
Bowmans Way. Dunst —1F 64
Bowman Trad. Est. Stev —4H 51
Bowood Rd. Enf —4H 157
Bowring Grn. Wat —5L 161
Bowstridge La. Chal G —4A 158
Bowyers. Hem H —9N 105
Bowyer's Clo. Hit —1L 33
Bowyers Way. Hpdn —5B 88
Boxberry Clo. Stev —3L 51
Boxelder Clo. Edgw —5C 164
Boxfield. Wel G —3A 112
Boxfield Grn. Stev —1C 52
Boxgrove Clo. Lut —4L 47
Boxhill. Hem H —9N 105
Box La. Hem H —7F 122
Box La. Hod —7H 115
(in two parts)
Boxmoor. —4L 123
Boxmoor Golf Course. —6J 123
Boxted Clo. Lut —4M 45
Boxted Rd. Hem H —9J 105
Boxtree La. Harr —8D 162
Boxtree Rd. Harr —7E 162
Boxwell Rd. Berk —1M 121
Box Wood (Nature Reserves). —9C 36
Boyce Clo. Borwd —3M 151
Boyd Clo. Bis S —9K 59
Boyd Ho. Wel G —9B 92
Boyle Av. Stan —6H 163
Boyle Clo. Lut —9G 46
Boyseland Ct. Edgw —2C 164
Brabourne Heights. NW7 —3E 164
Braceby Clo. Lut —3B 46
Brace Clo. Chesh —7N 131
Braceys. B'tn —7L 53
Brache Clo. Redb —1J 107
Brache Ct. Lut —2H 67
Bracken Clo. Borwd —3B 152
Brackendale. Pot B —6N 141
Brackendale Gro. Hpdn —4M 87
Brackendale Gro. Lut —4C 46
Brackendene. Brick W —3A 138
Brackenhill. Berk —9B 104
Bracken La. Welw —9M 71
Brackens, The. Enf —9C 156
Brackens, The. Hem H —1N 123
Brackenwood Lodge. Barn (off Prospect Rd.) —6N 153
Bracklesham Gdns. Lut —6M 47
Bracknell Clo. Lut —6J 45
Bracknell Pl. Hem H —7B 106
Bradbery. Map C —5G 158
Bradbury Clo. Borwd —3B 152
Bradden Cotts. Hem H —7J 85
Bradden La. Gad R —1G 104
Braddon Ct. Barn —5L 153
Bradford Rd. Herons —9F 146
Bradgate. Cuff —9J 131
Bradgate Clo. Cuff —1J 143
Bradgers Hill Rd. Lut —5G 46
Bradley Comn. Bchgr —6L 59
Bradley Ct. Enf —2J 157
(off Bradley Rd.)
Bradley Rd. Enf —2J 157
Bradley Rd. Lut —8M 45
Bradley Rd. Wal A —8N 145
Bradleys Corner. Hit —1C 34
Bradman Row. Edgw —7C 164
Bradman Way. Stev —9N 35
Bradmore Grn. Brk P —8L 129
Bradmore La. N Mym —9J 129
Bradmore Way. Brk P —8L 129
Bradshaw Ct. Stev —6A 52
Bradshaw Rd. Wat —3L 149
Bradshaws. Hat —4F 128
Bradshaws Clo. Bar C —8E 18
Bradway. W'wll —2M 69
Braeburn Ct. Barn —6C 154
Braemar Clo. Stev —1A 72
Braemar Gdns. NW9 —8D 164
Braemar Turn. Hem H —5D 106
Braeside Clo. Pinn —7B 162
Bragbury Clo. Stev —1C 72
Bragbury End. —1C 72
Bragbury La. D'wth & Stev —3B 72
Braggowens Ley. H'low —5E 118
Bragmans La. Sarr —7F 134
Braham Ct. Hit —3M 33
(off Nun's Clo.)
Brain Clo. Hat —8H 111
Braintree Clo. Lut —6J 45
Braithwaite Ct. Lut —8F 46
(off Malzeard Rd.)
Braithwaite Gdns. Stan —8K 163
Braithwaite Rd. Enf —5K 157
Brakynbery. N'chu —7J 103
Bramble Clo. Chal P —6B 158
Bramble Clo. Hpdn —4A 88
Bramble Clo. Lut —5M 45
Bramble Clo. Stan —7L 163
Bramble Clo. Wat —7J 137
Bramble La. Hod —7J 115
Bramble Ri. H'low —5M 117
Bramble Rd. Hat —9D 110
Bramble Rd. Lut —5M 45
Brambles, The. Bis S —2E 78
Brambles, The. Chesh —4H 145
Brambles, The. R'ton —8E 8
Brambles, The. St Alb —4E 126
Brambles, The. Stev —8K 35
Brambles, The. Ware —4G 95
Brambles, The. Welw —8L 71
Brambling Clo. Bush —6N 149
Brambling Rd. Hem H —7A 106
Bramfield. —3H 93
Bramfield. Hit —4B 34
Bramfield. Wat —7N 137
Bramfield Ct. Hert —8M 93
Bramfield La. W'frd —5K 93
Bramfield Pl. Hem H —5C 106
Bramfield Rd. D'wth —7C 72
Bramfield Rd. Stap —6K 93
Bramham Ct. N'wd —5G 160
Bramhanger Acre. Lut —2N 45
Bramingham Bus. Pk. Lut —1D 46
Bramingham La. Lut —8C 30
Bramingham Rd. Lut —4A 46
Bramleas. Wat —7H 149
Bramley Clo. N14 —7G 154
Bramley Clo. Bald —2M 23
Bramley Ct. Barn —6D 154
Bramley Ct. Wat —5K 137
Bramley Gdns. Wat —5L 161
Bramley Ho. Ct. Enf —1B 156
Bramley Pde. N14 —6H 155
Bramley Rd. N14 —7G 154
Bramley Way. St Alb —3K 127
Brampton Clo. Chesh —1E 144
Brampton Clo. Hpdn —6E 88
Brampton Pk. Rd. Hit —1M 33
Brampton Ri. Dunst —2F 64
Brampton Rd. R'ton —7F 8
Brampton Rd. St Alb —1H 127

Brampton Rd.—Brooksfield

Brampton Rd. Wat —3J 161
Brampton Ter. Borwd —2A 152 (off Stapleton Rd.)
Bramshaw Gdns. Wat —5M 161
Bramshott Clo. Hit —6N 33
Bramshot Way. Wat —2J 161
Brancaster Dri. NW7 —7G 164
Branch Clo. Hat —7J 111
Branch Rd. Park —9E 126
Branch Rd. St Alb —1C 126
Brancroft Way. Enf —3J 157
Brandles Rd. Let —8G 23
Brandon. NW9 —9F 164 (off Further Acre)
Brandon Clo. Chesh —8C 132
Brandon Ct. Tring —9C 60
Brandon Mobile Home Pk. St Alb —2L 127
Brandreth Av. Dunst —8H 45
Brand St. Hit —3M 33
Brandt Ct. Borwd —4D 152 (off Elstree Way)
Branksome Clo. Hem H —1C 124
Branscombe Gdns. N21 —9M 155
Bransgrove Rd. Edgw —8N 163
Branton Clo. Lut —7N 47
Brantwood Gdns. Enf —6K 155
Brantwood Rd. Lut —1E 66
Braughing. —2C 56
Braughing Friars. —3G 56
Brawlings La. Chal P —4D 158
Bray Clo. Borwd —3C 152
Bray Dri. Stev —7N 35
Brayes Mnr. Stot —6F 10
Bray Lodge. Chesh —1J 145 (off High St.)
Bray Rd. NW7 —6K 165
Bray's Ct. Lut —6K 47
Brays Grove. —7C 118
Brays Mead. H'low —8B 118
Brays Rd. Lut —6K 47
Brayton Gdns. Enf —6J 155
Brazier Clo. Bar C —8D 18
Braziers End. Braz E —3A 120
Braziers Fld. Hert —9D 94 (in two parts)
Braziers Quay. Bis S —2J 79
Breach La. Hert —9H 113
Breachwell Pl. Ched —7M 61
Breachwood Green. —8F 48
Bread & Cheese La. Chesh —7B 132
Breadcroft La. Hpdn —5C 88
Breakmead. Wel G —2A 112
Breakspear. Stev —6B 52
Breakspear Av. St Alb —3G 127
Breakspear Ct. Ab L —3H 137
Breakspeare Clo. Wat —2K 149
Breakspeare Rd. Ab L —4G 136
Breakspear Rd. N. Hare —8M 159
Breakspear Way. Hem H —2E 124
Breaks Rd. Hat —8H 111
Brearley Clo. Edgw —7C 164
Brecken Clo. St Alb —7H 109
Brecon Clo. Lut —2F 66
Brecon Rd. Enf —6G 156
Breeze Ter. Chesh —1H 145
Brendon Av. Lut —8L 47
Brendon Ct. Rad —7J 139
Brendon Way. Enf —9C 156
Brent Ct. Stev —4L 51
Brenthall Towers. H'low —8E 118
Brent Pelham. —9K 29
Brent Pl. Barn —7M 153
Brent Way. N3 —6N 165
Brentwood Clo. H Reg —3G 44
Brereton Ct. Hem H —4A 124
Bressey Av. Enf —3E 156
Brett Ho. Chesh —1H 145
Brett Pl. Wat —1J 149
Brett Rd. Barn —7J 153
Bretts Mead. Lut —3E 66
Bretts Mead Ct. Lut —2E 66
Brewers Clo. Bis S —3E 78
Brewers Hill Rd. Dunst —8B 44
Brewery La. Bald —2L 23
Brewery La. Stans —2N 59
Brewery Rd. Hod —8L 115 (in two parts)
Brewery Yd. Stans —2N 59
Brewhouse Hill. Wheat —7K 89
Brewhouse La. Hert —9A 94
Briants Clo. Pinn —9A 162
Briarcliff. Hem H —1H 123
Briar Clo. Chesh —2G 144
Briar Clo. Lut —5L 47
Briar Clo. Pott E —7D 104
Briardale. Stev —5L 51
Briardale. Ware —4G 94
Briarfield Av. N3 —9N 165
Briarley Clo. Brox —4K 133
Briar Patch La. Let —8D 22
Briar Rd. St Alb —8L 109
Briar Rd. Wat —7J 137
Briars Clo. Hat —9G 110
Briars La. Hat —9G 110
Briars, The. Bush —9F 150
Briars, The. Chesh —4J 145
Briars, The. H'low —9A 118
Briars, The. Hert —9E 94
Briars, The. Sarr —9L 135
Briarswood. G Oak —1B 144
Briars Wood. Hat —9F 110
Briar Wlk. Edgw —7C 164
Briar Way. Berk —2N 121
Briarwood Dri. N'wd —9J 161
Briary Gro. Edgw —9B 164
Briary La. R'ton —8C 8
Briary Wood End. Welw —8M 71
Briary Wood La. Welw —8M 71
Brickcroft. Brox —8J 133
Brickcroft Hoppit. H'low —5E 118
Brickendon. —1A 132
Brickendon Ct. Hod —9L 115
Brickendon Grange Golf Course. —1N 131
Brickendon La. Brick —3A 114 (in two parts)
Bricket Rd. St Alb —2E 126
Bricket Wood. —3A 138
Bricket Wood Common. —5B 138
Brickfield. Hat —3G 129
Brickfield Av. Hem H —3D 124
Brickfield Ct. Hat —3H 129
Brickfield La. Ark —8F 152
Brickfields Cotts. Borwd —5N 151
Brickfields Ind. Est. Hem H —7D 106
Brickfields, The. Ware —5F 94
Brickhill Farm Pk. Homes. Lut —8E 66
Brick House End. —5D 42
Brick Kiln Clo. Wat —8N 149
Brick Kiln La. C'hoe —5A 48
Brick Kiln La. Hit —5L 33
Brick Kiln Rd. R Grn —1L 43
Brickkiln Rd. Stev —3J 51
Brick Knoll Pk. St Alb —3K 127
Brick La. Enf —4F 156
Brick La. Stan —7L 163
Brickly Rd. Lut —4L 45
Brickmakers La. Hem H —3D 124
Brick Row. R'ton —1N 17
Brickwall Clo. Welw —7G 90
Brickyard La. Reed —7J 15
Bride Hall La. Ay L —4A 90
Bridewell Clo. Bunt —2J 39
Bridge Clo. Enf —4F 156
Bridge Ct. Berk —1A 122
Bridge Ct. Hpdn —4A 88
Bridge Ct. Rad —8J 139
Bridgedown Golf Course. —3J 153
Bridge End. Bunt —2J 39
Bridgefields. Wel G —8M 91
Bridgefoot. —3N 9
Bridgefoot. Bunt —3J 39
Bridgefoot. Ware —6H 95
Bridgefoot La. Pot B —6J 141 (in two parts)
Bridgeford Ho. Bis S —2H 79 (off South St.)
Bridgeford Ho. Wat —5K 149
Bridge Ga. N21 —9A 156
Bridgegate Bus. Cen. Wel G —9M 91
Bridgeman Dri. H Reg —4G 45
Bridgend Rd. Enf —8G 144
Bridgenhall Rd. Enf —3D 156
Bridge Pde. N21 —9A 156 (off Ridge Av.)
Bridge Pl. Wat —7M 149
Bridger Clo. Wat —6M 137
Bridge Rd. K Lan —6E 136
Bridge Rd. Let —5F 22
Bridge Rd. Wel G —8J 91
Bridge Rd. Wool G —6N 71
Bridge Rd. E. Wel G —9L 91
Bridge Rd. W. Stev —3H 51
Bridges Ct. Hert —9A 94
Bridges Rd. Stan —5G 162
Bridge St. Berk —1A 122
Bridge St. Bis S —1H 79
Bridge St. Hem H —3N 123
Bridge St. Hit —4M 33
Bridge St. Lut —1G 66
Bridge, The. K Lan —2D 136
Bridgewater Ct. L Gad —7N 83
Bridgewater Gdns. Edgw —9N 163
Bridgewater Hill. N'chu —7K 103
Bridgewater Rd. Berk —8L 103
Bridgewater Way. Bush —8C 150
Bridle Clo. Enf —1K 157
Bridle Clo. Hod —4L 115
Bridle Clo. St Alb —9F 108
Bridle La. Loud —5M 147
Bridle Path. Wat —4K 149
Bridle Way. Berk —8L 103
Bridle Way. Gt Amw —9L 95
Bridle Way. Hod —5L 115
Bridle Way (North). Hod —4L 115
Bridle Way (South). Hod —5L 115
Bridlington Rd. N9 —9F 156
Bridlington Rd. Wat —3M 161
Brierley Clo. Dunst —3F 64
Brierley Clo. Lut —7M 47
Briery Ct. Chor —6K 147
Briery Fld. Chor —6K 147
Briery Way. Hem H —9C 106
Brigadier Av. Enf —2A 156
Brigadier Hill. Enf —2A 156
Briggens House Hotel Golf Course. —3F 116
Brighton Rd. Wat —2J 149
Brighton Way. Stev —1G 50
Brightside, The. Enf —3H 157
Brightview Clo. Brick W —2N 137
Brightwell Av. Tot —1N 63
Brightwell Rd. Wat —7J 149
Brill Clo. Lut —7M 47
Brimfield Clo. Lut —7M 47 (off Kempsey Clo.)
Brimsdown. —4J 157
Brimsdown Av. Enf —4J 157
Brimsdown Ind. Est. Brim —4K 157
Brimsdown Ind. Est. Enf —3K 157
Brimstone Wlk. Berk —8K 103
Brindley Way. Hem H —7B 124
Brinkburn Clo. Edgw —9B 164
Brinkburn Gdns. Edgw —9A 164
Brinklow Ct. St Alb —5C 126
Brinley Clo. Chesh —4H 145
Brinsley Rd. Harr —9E 162
Brinsmead. Frog —9E 126
Briscoe Clo. Hod —6K 115
Briscoe Rd. Hod —6K 115
Bristol Ho. Borwd —4A 152 (off Eldon Av.)
Bristol Rd. Lut —5C 46
Briston M. NW7 —7G 164
Britain St. Dunst —9F 44
Britannia. Puck —7B 56
Britannia Av. Lut —4D 46
Britannia Bus. Pk. Wal X —7K 145
Britannia Pl. Bis S —3G 78
Britannia Rd. Wal X —7K 145
Brittains Ri. L Ston —1F 20
Brittain Way. Stev —5A 52
Brittany Ct. Dunst —9F 44 (off High St. S.)
Britten Clo. Els —8L 151
Britton Av. St Alb —2E 126
Britwell Dri. Pott E —8B 104
Brive Rd. Dunst —1H 65
Brixham Clo. Stev —2H 51
Brixton La. Bis S —6J 43
Brixton Rd. Wat —3K 149
Broad Acre. Brick W —3N 137
Broad Acres. Hat —6F 110
Broadacres. Lut —3F 46
Broad Colney. —2L 139
Broad Ct. Wel G —9L 91
Broadcroft. Hem H —9N 105
Broadcroft. Let —9F 22
Broadcroft Av. Stan —9L 163
Broadfield. Bis S —7H 59
Broadfield. H'low —5A 118
Broadfield Clo. M Hud —7J 77
Broadfield Ct. Bus H —2F 162
Broadfield Ct. N Har —8C 162 (off Broadfields)
Broadfield Heights. NW7 —4B 164
Broadfield Pde. Edgw —3B 164 (off Glengall Rd.)
Broadfield Pl. Wel G —1H 111
Broadfield Rd. Hem H —2B 124
Broadfield Rd. Wool G —7A 72
Broadfields. G Oak —2N 143
Broadfields. Hpdn —5A 88
Broadfields. Harr —9C 162
Broadfields. H Wych —6D 98
Broadfields Av. N21 —8M 155
Broadfields Av. Edgw —4B 164
Broadfields La. Wat —1K 161
Broadfield Sq. Enf —4F 156
Broadfield Way. M Hud —7J 77
Broadgates Av. Barn —3A 154
Broad Green. —1M 17
Broad Grn. B'frd —5L 113
Broadgreen Rd. Chesh —8B 132
Broadgreen Wood. —6L 113
Broad Grn. Wood. B'frd —6L 113
Broadhall Way. Stev —7K 51
Broadhead Strand. NW9 —9F 164
Broadhurst Av. Edgw —4B 164
Broadlake Clo. Lon C —9L 127
Broadlands Av. Enf —5F 156
Broadlands Clo. Enf —5G 156
Broadlands Clo. Wal X —7G 145
Broadlawns Ct. Harr —8G 163
Broadleaf Av. Bis S —4F 78
Broadleaf Gro. Wel G —6H 91
Broadley Gdns. Shenl —5M 139
Broadley Rd. H'low —9J 117
Broadmead. Hit —5A 34
Broad Mead. Lut —6C 46
Broadmead Clo. Pinn —7N 161
Broadmeadow Ride. St I —6A 34
Broadmeads. Ware —6H 95
Broadoak Av. Enf —8H 145
Broad Oak Ct. Lut —6M 47 (off Handcross Rd.)
Broadoak End. —7L 93
Broad Oak Way. Stev —7M 51
Broadstone Rd. Hpdn —9D 88
Broad St. Hem H —1N 123
Broadview. Stev —3L 51
Broadview Rd. Che —9F 120
Broad Wlk. N21 —9M 155
Broad Wlk. Dunst —8E 44
Broad Wlk. H'low —5N 117
Broadwalk Shop. Cen. Edgw —6B 164
Broadwalk, The. N'wd —9E 160
Broadwater. —8M 51
Broadwater. Berk —9N 103
Broadwater. Pot B —3A 142
Broadwater. Stev —8A 52
Broadwater Av. Let —6E 22
Broadwater Cres. Stev —7M 51
Broadwater Cres. Wel G —1K 111
Broadwater Dale. Let —6E 22
Broadwater La. Ast —8B 52
Broadwater Rd. Wel G —1K 111
Broadway. Let —7E 22
Broadway Av. H'low —2D 118
Broadway M. N21 —9N 155
Broadway, The. N14 —9J 155 (off Southgate Cir.)
Broadway, The. NW7 —7G 165 (off Colenso Dri.)
Broadway, The. NW7 —5E 164 (Watford Way)
Broadway, The. Hat —9J 111
Broadway, The. N'wd —9J 161
Broadway, The. Pot B —5M 141 (in two parts)
Broadway, The. St Alb —2E 126
Broadway, The. Stan —5K 163
Broadway, The. Wat —5L 149
Broadway, The. W'stone —9F 162
Broadway, The. Wheat —2J 89
Brocas Way. Hort —5M 61
Brockenhurst Gdns. NW7 —5E 164
Brocket Ct. Lut —3N 45
Brocket Hall Golf Course. —9E 90
Brocket Pk. —9E 90
Brocket Rd. Hod —8L 115
Brocket Rd. Lem —2F 110
Brockett Clo. Wel G —9H 91
Brocket Vw. Wheat —6L 89
Brockhurst Clo. Stan —6G 162
Brocklesbury Clo. Wat —4M 149
Brockles Mead. H'low —9M 117
Brockley Av. Stan —3M 163
Brockley Clo. Stan —4M 163
Brockley Hill. Stan —1K 163
Brockley Side. Stan —4M 163
Brockswood La. Wel G —8G 91
Brockwell Shott. Walk —9G 37
Brodewater Rd. Borwd —4B 152
Brodie Rd. Enf —2A 156
Bromborough Grn. Wat —5L 161
Bromefield. Stan —8K 163
Bromet Clo. Wat —2H 149 (in two parts)
Bromleigh Clo. Chesh —1J 145
Bromley. —1F 76
Bromley. Long M —3F 80
Bromley Gdns. H Reg —4G 44 (in two parts)
Brompton Clo. Lut —1B 46
Bronte Cres. Hem H —5D 106
Bronte Paths. Stev —3B 52
Brook Av. Edgw —6B 164
Brook Bank. Enf —1F 156
Brookbridge La. D'wth —6C 72
Brook Clo. NW7 —7L 165
Brook Clo. Borwd —4B 152
Brook Cotts. Stans —4N 59
Brook Ct. Edgw —5B 164
Brook Ct. Lut —8F 46
Brook Ct. Rad —6H 139
Brookdene Av. Wat —9K 149
Brookdene Dri. N'wd —7H 161
Brook Dri. Rad —6G 138
Brook Dri. Stev —9A 52
Brooke Clo. Bush —9D 150
Brooke End. Redb —2J 107
Brooke Gdns. Bis S —1L 79
Brook End. —3A 100 (Aston Clinton)
Brook End. —3A 38 (Cottered)
Brook End. —3C 82 (Pitstone)
Brook End. —7E 10 (Stotfold)
Brook End. Saw —5F 98
Brook End. Stpl M —2D 6
Brook End. W'side —3B 96
Brookend Dri. Bar C —8D 18
Brooke Rd. R'ton —5D 8
Brooker Rd. Wal A —7N 145 (in two parts)
Brooke Way. Bush —9D 150
Brook Fld. Ast —7D 52
Brookfield Av. NW7 —6H 165
Brookfield Av. H Reg —4F 44
Brookfield Cen. Chesh —9H 133
Brookfield Clo. NW7 —6H 165
Brookfield Clo. Tring —2N 101
Brookfield Ct. Chesh —9H 133
Brookfield Cres. NW7 —6H 165
Brookfield Gdns. Chesh —9H 133
Brookfield La. Ast —5E 52
Brookfield La. E. Chesh —9H 133
Brookfield La. W. Chesh —1F 144 (in two parts)
Brookfield Pk. H Reg —4F 44
Brookfield Retail Pk. Chesh —8H 133
Brookfields. Enf —6H 157
Brookfields. Saw —5F 98
Brookfield Wlk. H Reg —5G 44
Brookhill. Stev —9M 51
Brookhill Clo. E Barn —7D 154
Brookhill Rd. Barn —7D 154
Brookhouse Pl. Bis S —9H 59
Brooklands Clo. Lut —3M 45
Brooklands Ct. N21 —7B 156
Brooklands Ct. St Alb —2F 126 (off Hatfield Rd.)
Brooklands Gdns. Pot B —5L 141
Brook La. Berk —9M 103
Brook La. M Hud —8N 77 (in two parts)
Brook La. Saw —5F 98
Brooklane Fld. H'low —9D 118
Brooklea Clo. NW9 —8E 164
Brookmans Av. Brk P —8M 129
Brookmans Park. —8L 129
Brookmans Pk. Golf Course. —7M 129
Brook Mdw. N12 —3N 165
Brookmill Clo. Wat —9K 149
Brook Pk. Clo. N21 —7N 155
Brook Pl. Barn —7N 153
Brook Rd. Bass —2K 7
Brook Rd. Borwd —3A 152
Brook Rd. Saw —6F 98
Brook Rd. Stans —3N 59
Brook Rd. Wal X —7K 145
Brooks Ct. Hert —8L 93
Brooksfield. Wel G —8A 92

Brookshill—Bycullah Av.

Brookshill. Harr —5E 162
Brookshill Av. Harr —5E 162
Brookshill Dri. Harr —5E 162
Brookside. N21 —8L 155
Brookside. E Barn —8D 154
Brookside. Hal —5B 100
Brookside. H'low —9J 117
Brookside. Hat —9D 110
Brookside. Hert —9C 94
Brookside. Hod —8L 115
Brookside. Let —6F 22
Brookside. Shil —2N 19
Brookside. S Mim —5G 140
Brookside. Wat —1M 149
Brookside Caravans. Wat —9K 149
Brookside Clo. Barn —8L 153
Brookside Cres. Cuff —9K 131
Brookside Gdns. Enf —1G 156
Brookside Rd. Wat —9K 149
Brookside S. E Barn —9F 154
Brookside Wlk. N12 —6N 165
Brook St. Ast C —1C 100
Brook St. Edl —4K 63
Brook St. Lut —9F 46
Brook St. Stot —6E 10
Brook St. Tring —2N 101
Brook Vw. Hit —4C 34
Brookview Ct. Enf —7C 156
Brook Wlk. Edgw —6D 164
Broom Clo. Chesh —9E 132
Broom Clo. Hat —3F 128
Broom Corner. Hpdn —7D 88 (off Barnfield Rd.)
Broomer Pl. Chesh —2G 144
Broomfield. H'low —3D 118
Broomfield. Park —9D 126
Broomfield Av. Brox —8J 133
Broomfield Clo. Welw —3J 91
Broomfield Ct. Hat —8G 111
Broomfield Ho. Stan —3H 163 (off Stanmore Hill)
Broomfield Ri. Ab L —5F 136
Broomfield Rd. Welw —3J 91
Broom Gro. Kneb —3M 71
Broom Gro. Wat —2J 149
Broomgrove Gdns. Edgw —8A 164
Broom Hill. Hem H —3H 123
Broom Hill. Welw —9N 71
Broomhills. Wel G —8N 91
Broomleys. St Alb —8L 109
Brooms Clo. Wel G —6K 91
Brooms Rd. Lut —9J 47
Broom Wlk. Stev —4L 51
Broughinge Rd. Borwd —4B 152
Broughton Av. N3 —9L 165
Broughton Av. Lut —4E 46
Broughton Hill. Let —5G 23
Broughton Way. Rick —9K 147
Browneymead La. Gt Hor —1E 40
Brownfield. St Alb —1J 89
Brownfields. Wel G —8M 91
Brownfields Ct. Wel G —8N 91
Browning Dri. Hit —2B 34
Browning Rd. Enf —1B 156
Browning Rd. Hpdn —5D 88
Browning Rd. Lut —7K 45
Brownings La. B Grn —8E 48
Brownlow Av. Edl —5K 63
Brownlow La. Ched —9M 61
Brownlow Rd. N3 —7N 165
Brownlow Rd. Berk —9N 103
Brownlow Rd. Borwd —6A 152
Brown's Clo. Lut —4N 45
Browns Hedge. Pit —4A 82
Brown's La. Hast —7L 101
Browns Spring. Pott E —7F 104
Brow, The. Chal G —3A 158
Brow, The. Wat —6K 137
Broxbourne. —1K 133
Broxbournebury M. Brox —2G 132
Broxbourne Wood Nature Reserve. —2B 132
Brox Dell. Stev —3L 51
Broxley Mead. Lut —4M 45
Bruce Gro. Wat —2L 149
Bruce Rd. Barn —5L 153
Bruce Rd. Harr —9F 162
Bruce Way. Wal X —6H 145
Brunel Ct. Hem H —4N 123
Brunel Ct. Lut —6H 45
Brunel Rd. Lut —6H 45
Brunel Rd. Stev —2N 51
Brunswick Ct. Barn —7C 154
Brunswick Ct. Hod —9L 115 (off Rawdon Dri.)
Brunswick Ho. N3 —8M 165
Brunswick Rd. Enf —2L 157
Brunswick St. Lut —9G 47
Brushrise. Wat —9K 137
Brushwood Dri. Chor —6F 146
Brussels Way. Lut —9A 30
Bryan Rd. Bis S —9H 59
Bryanston Ct. Hem H —3N 123
Bryanstone Rd. Wal X —7K 145
Bryant Clo. Barn —7M 153
Bryant Ct. Hpdn —4B 88
Bryants Acre. Wend —9A 100
Bryants Clo. Shil —1A 20
Bryce Clo. Ware —4H 95
Brynmawr Rd. Enf —6D 156
Bryony Way. Dunst —8B 44
Buchanan Clo. N21 —7L 155
Buchanan Clo. Borwd —4C 152
Buchanan Ct. Lut —9K 47
Buchanan Dri. Lut —9K 47
Buckettsland La. Borwd —2D 152
Buckingham Av. N20 —9B 154
Buckingham Clo. Enf —4C 156
Buckingham Ct. NW4 —9G 165
Buckingham Dri. Lut —7M 47
Buckingham Gdns. Edgw —7M 163
Buckingham Gro. Borwd —6D 152
Buckingham Pde. Stan —5K 163
Buckingham Rd. Borwd —6D 152
Buckingham Rd. Edgw —7N 163
Buckingham Rd. Tring —3K 101
Buckingham Rd. Wat —1L 149
Buckland. —1E 100 (Aston Clinton)
Buckland. —3H 27 (Buntingford)
Buckland Ri. Pinn —8L 161
Buckland Rd. B'wy —2L 27
Buckland Rd. B'lnd —1F 100
Bucklands, The. Rick —9K 147
Buckle Clo. Lut —2B 46
Bucklersbury. Hit —4M 33
Bucklers Clo. Brox —4K 133
Bucknalls Clo. Wat —5N 137
Bucknalls Dri. Brick W —4A 138
Bucknalls La. Wat —5M 137
Buck's All. L Berk —9H 113
Buck's Av. Wat —9N 149
Bucks Hill. —8N 135
Bucks Hill. K Lan —6M 135
Buckthorn Av. Stev —5L 51
Buckton Rd. Borwd —2N 151
Buckwood Av. Dunst —8H 45
Buckwood La. Stud —8E 64
Buckwood Rd. Kens & Mark —9J 65
Budd Clo. N12 —4N 165
Buddcroft. Wel G —8A 92
Bude Cres. Stev —2G 51
Building End. —5L 17
Building End Rd. R'ton —5L 17
Bulbourne. —7A 82
Bulbourne Clo. Berk —8K 103
Bulbourne Clo. Hem H —3K 123
Bulbourne Ct. Tring —8M 81
Bulbourne Rd. Tring —8N 81
Bullace Clo. Hem H —1K 123
Bullbeggars La. Berk —2C 122
Bullen's Green. —4E 128
Bullen's Grn. La. Col H —4E 128
Bullescroft Rd. Edgw —3A 164
Bullfields. Saw —3G 99
Bullhead Rd. Borwd —5C 152
Bull La. N18 —9A 158
Bull La. Bkld —3G 27
Bull La. Cot —2A 38
Bull La. Lang U —1L 29
Bull La. Wheat —9H 89
Bullock's Hill. St Pau —8A 50
Bullock's La. Hert —2A 114
Bull Plain. Hert —9B 94
Bull Pond La. Dunst —9E 44
Bull Rd. Hpdn —7C 88
Bullrush Clo. Hat —1H 129
Bulls Cross. —8E 144
Bull's Cross. Enf —8E 144
Bulls Cross Ride. Wal X —6E 144
Bull's Green. —9D 72
Bullsland Gdns. Chor —8E 146
Bullsland La. Chor —1E 158 (in two parts)
Bulls La. N Mym —6K 129
Bullsmill. —3M 93
Bullsmill La. W'frd —3M 93
Bullsmoor. —8G 145
Bullsmoor Clo. Wal X —8G 144
Bullsmoor Gdns. Wal X —8F 144
Bullsmoor La. Enf —8E 144
Bullsmoor Ride. Wal X —8G 144
Bullsmoor Way. Wal X —8G 144
Bull Stag Grn. Hat —7J 111
Bullwell Cres. Chesh —2J 145
Bulstrode. —2H 135
Bulstrode Clo. Chfd —2H 135
Bulstrode La. Fel & Chfd —7K 123
Bulwer Gdns. Barn —6B 154
Bulwer Link. Stev —6L 51
Bulwer Rd. Barn —6A 154
Buncefield La. Hem H —8E 106 (in three parts)
Buncefield Terminal. Hem H —9F 106
Bungalows, The. Berk —4H 103
Bungalows, The. H'low —3M 119
Bungalows, The. Hpdn —4D 88
Bunhill Clo. Dunst —9C 44
Bunkers La. Hem H —7C 124
Bunns La. NW7 —6E 164 (in two parts)
Bunsfield. Wel G —8B 92
Bunstrux. Tring —2L 101
Bunting Ct. NW9 —9E 164
Buntingford. —3J 39
Buntingford Rd. Puck —5A 56
Bunting Rd. Lut —4K 45
Bunyan Clo. Pir —7E 20
Bunyan Clo. Tring —1N 101
Bunyan Rd. Hit —2M 33
Bunyans Clo. Lut —4C 46
Burbage Clo. Chesh —4K 145
Burchell Ct. Bush —9D 150
Bure Ct. New Bar —7A 154
Burfield Clo. Hat —7G 111
Burfield Ct. Lut —6M 47
Burfield Rd. Chor —7F 146
Burford Clo. Lut —9B 30
Burford Gdns. Hod —7M 115
Burford M. Hod —7L 115
Burford Pl. Hod —7L 115
Burford St. Hod —8L 115
Burford Wlk. H Reg —4H 45
Burford Way. Hit —9K 21
Burgage La. Ware —6H 95
Burge End. —6D 20
Burge End La. Pir —6D 20
Burges Clo. Dunst —3G 65
Burgess Clo. Chesh —7A 132
Burgess Ct. Borwd —2N 151
Burgess La. Bunt —7C 26
Burghley Av. Bis S —9E 58
Burghley Av. Borwd —7C 152
Burghley Clo. Stev —9N 51
Burgoyne Hatch. H'low —5C 118
Burgundy Cft. Wel G —2M 111
Burhill Gro. Pinn —9N 161
Burleigh Gdns. N14 —9H 155
Burleigh Mead. Hat —7J 111
Burleigh Rd. Chesh —5J 145
Burleigh Rd. Enf —6C 156
Burleigh Rd. Hem H —3E 124
Burleigh Rd. Hert —8E 94
Burleigh Rd. St Alb —2J 127
Burleigh Way. Cuff —3K 143
Burleigh Way. Enf —5B 156
Burley. Let —2F 22
Burley Hill. H'low —7F 118
Burley Rd. Bis S —4J 79
Burlington Clo. Pinn —9K 161
Burlington Ri. E Barn —9D 154
Burlington Rd. Enf —3B 156
Burn Clo. Bush —5E 150
Burncroft Av. Enf —4G 157
Burnell Gdns. Stan —9L 163
Burnell Ri. Let —6D 22
Burnells Way. Stans —2N 59
Burnell Wlk. Let —6E 22
Burnet Clo. Hem H —3A 124
Burnett Sq. Hert —8L 93
Burnham Clo. NW7 —7G 164
Burnham Clo. Enf —2C 156
Burnham Clo. Welw —1B 92
Burnham Green. —1B 92
Burnham Grn. Rd. Welw —1B 92
Burnham Rd. Lut —7K 47
Burnham Rd. St Alb —2H 127
Burnley Clo. Wat —5L 161
Burnsall Pl. Hpdn —9D 88
Burns Clo. Hit —2B 34
Burns Clo. Stev —1B 52
Burns Dri. Hem H —5D 106
Burn's Green. —7L 53
Burnside. Hert —1M 113
Burnside. Hod —8K 115
Burnside. St Alb —4J 127
Burnside. Saw —5F 98
Burnside Clo. Barn —5N 153
Burnside Clo. Hat —6H 111
Burnside Ter. H'low —3H 119
Burns Rd. R'ton —5C 8
Burnt Clo. Lut —2B 46
Burntfarm Ride. Enf & Wal X —7M 143
Burntfarm Ride. Wal X —6N 143
Burnthouse La. Bald —8E 24
Burnt Mill. H'low —3N 117 (Edinburgh Way)
Burnt Mill. H'low —4M 117 (Elizabeth Way)
Burnt Mill Clo. H'low —3M 117
Burnt Mill Ind. Est. H'low —3M 117
Burnt Mill La. H'low —3M 117
Burnt Oak. —9C 164
Burnt Oak B'way. Edgw —7B 164
Burnt Oak Fields. Edgw —8C 164
Burr Clo. Bar C —7E 18
Burr Clo. Lon C —9M 127
Burrell Clo. Edgw —2B 164
Burrowfield. Wel G —2K 111
Burrs La. B'wy —9N 15
Burrs La. Lit —3H 7
Burrs Pl. Lut —2G 67
Burr St. Dunst —9E 44
Burr St. Lut —9G 47
Bursland. Let —5D 22
Bursland Rd. Enf —6H 157
Burston Dri. Park —1D 138
Burton Av. Wat —6J 149
Burton Clo. Wheat —2K 89
Burton Dri. Enf —1L 157
Burton Grange. Chesh —9C 132
Burtonhole Clo. NW7 —4K 165
Burtonhole La. NW7 —5J 165 (in two parts)
Burton La. Chesh —2C 144
Burton's La. Chal G & Chor —4A 146
Burtons Mill. Saw —4H 99 (in two parts)
Burton's Way. Chal G —4A 146
Burvale Ct. Wat —5K 149
Burwell Rd. Stev —5A 52
Bury Ct. Hem H —2M 123
Burycroft. Wel G —6L 91
Burydale. Stev —8A 52
Burydell La. Park —9E 126
Bury End. —1N 19 (Bedford)
Bury End. —1D 28 (Royston)
Bury End. Pir —7E 20
Bury Farm Clo. Slap —2A 62
Buryfield Ter. Ware —6G 95
Buryfield Way. Ware —6G 94
Bury Green. —1A 78 (Bishop's Stortford)
Bury Green. —4E 144 (Waltham Cross)
Bury Grn. Hem H —1M 123
Bury Grn. Wheat —7K 89
Bury Grn. Rd. Chesh —4E 144 (in two parts)
Bury Hall Vs. N9 —9D 156
Bury Hill. Hem H —1L 123
Bury Hill Clo. Hem H —1M 123
Bury Holme. Brox —5K 133
Bury La. B'fld —4G 92
Bury La. Chris —3N 17
Bury La. Cod —7F 70
Bury La. D'wth —4C 72
Bury La. Mel —1G 9
Bury La. Rick —1N 159
Bury La. S'ley —5C 30
Bury Mead. Arl —5A 10
Burymead. Stev —9J 35
Burymead La. Cot —3B 38
Bury Meadows. Rick —1N 159
Bury Mead Rd. Hit —9N 21
Bury Park. —9E 46
Bury Pk. Rd. Lut —8E 46
Bury Ri. Hem H —7G 123
Bury Rd. H'low —2E 118
Bury Rd. Hat —8J 111
Bury Rd. Hem H —1M 123
Bury Rd. Shil —2N 19
Bury St. N9 —9D 156
Bury St. W. N9 —9B 156
Bury, The. Cod —6F 70
Bury, The. Hem H —1M 123
Bury, The. Rick —1N 159
Burywick. Hpdn —1C 108
Bushbarns. Chesh —2E 144
Bushby Av. Brox —4K 133
Bush Ct. N14 —9J 155
Bushell Grn. Bus H —2E 162
Bushells Wharf. Tring —9M 81
Bushey. —8C 150
Bushey Clo. Wel G —1A 112
Bushey Clo. Whip —7C 64
Bushey Cft. H'low —8A 118
Bushey Golf & Country Club. —9B 150
Bushey Grn. Wel G —1A 112
Bushey Gro. Rd. Bush —6M 149
Bushey Hall Dri. Bush —6N 149
Bushey Hall Golf Course. —5N 149
Bushey Hall Mobile Home Pk. Bush —5N 149
Bushey Hall Rd. Bush —6M 149
Bushey Heath. —1E 162
Bushey Leisure Cen. —5A 150
Bushey Ley. Wel G —1A 112
Bushey Mill Cres. Wat —1L 149
Bushey Mill La. Wat —1L 149
Bushey Vw. Wlk. Wat —4M 149
Bush Fair. H'low —8B 118
Bush Fair Ct. N14 —8G 155
Bushfield Clo. Edgw —2B 164
Bushfield Cres. Edgw —2B 164
Bushfield Rd. Bov —7F 122
Bush Gro. Stan —8L 163
Bush Hall La. Hat —6K 111
Bush Hill. N21 —9A 156
Bush Hill Pde. N9 —9B 156
Bush Hill Park. —8D 156
Bush Hill Pk. —6D 156
Bush Hill Pk. Golf Course. —7A 156
Bush Hill Rd. N21 —8B 156
Bushmead Rd. Lut —4G 46
Bush Spring. Bald —2N 23
Bushwood Clo. N Mym —5H 129
Business Cen. E. Let —5J 23
Business Cen. W. Let —5J 23
Business Innovation Cen. Enf —9K 145
Buslins La. Che —9C 120
Butchers La. Hit —5N 33
Butchers La. Pres —3L 49
Butely Rd. Lut —3L 45
Bute Sq. Lut —1G 66 (off Arndale Cen.)
Bute St. Lut —1G 66 (in two parts)
Bute St. Mall. Lut —1G 66 (off Arndale Cen.)
Butlers Dri. E4 —2N 157
Butlers Hall La. Bis S —5D 78
Butlin Rd. Lut —1D 66
Butlin's Path. Lut —9D 46
Buttercup Clo. Dunst —1D 64
Buttercup Clo. Hat —5F 110
Buttercup La. Dunst —2D 64
Butterfield Ct. Bald —3L 23
Butterfield Grn. Rd. Lut —3J 47
Butterfield La. St Alb —6F 126
Butterfield Rd. Wheat —7K 89
Butterfly La. Els —5H 151
Buttermere Av. Dunst —2F 64
Buttermere Clo. St Alb —3J 127
Buttermere Pl. Wat —6J 137
Buttersweet Ri. Saw —6G 98
Butterwick. Wat —9N 137
Butterworth Path. Lut —9G 46
Butt Fld. Vw. St Alb —6D 126
Butt La. Man —8F 42
Buttlehide. Map C —5G 158
Buttondene Cres. Brox —4M 133
Buttons La. W'wll —1M 69
Butts End. Hem H —1K 123
Butts Grn. W'ton —1B 36
Buttsmead. N'wd —7E 160
Butts, The. Brox —6J 133
Buxton Clo. St Alb —8L 109
Buxton Path. Wat —3L 161
Buxton Rd. E4 —9N 157
Buxton Rd. Lut —1F 66
Buxtons La. G Mor —2A 6
Buzzard Rd. Lut —5K 45
Bycullah Av. Enf —5N 155

174 A-Z Hertfordshire

Bycullah Rd.—Catkin Clo.

Bycullah Rd. Enf —4N 155
Byde St. Hert —8A 94
Bye Green. —3A 100
Bye Grn. W'ton T —3A 100
Byers Clo. Pot B —7B 142
Byewaters. Wat —8E 148
Bye Way, The. Harr —8F 162
Byeway, The. Rick —2A 160
Byfield. Wel G —6L 91
Byfield Clo. Lut —8L 45
Byfleet Ind. Est. Crox G —1E 160
Byford Ho. Barn —6K 153
Bygrave. —7B 12
Bygrave. Stev —8J 35
(off Coreys Mill La.)
Bygrave Rd. A'wl —1C 12
Bygrave Rd. Bald —2M 23
Byland Clo. N21 —9L 155
Bylands Clo. Bis S —2F 78
Byng Dri. Pot B —4N 141
Bynghams. H'low —8J 117
Byng Rd. Barn —4K 153
Byrd Wlk. Bald —4M 23
Byre Rd. N14 —8G 154
Byron Av. Borwd —7A 152
Byron Av. Wat —3M 149
Byron Clo. Hit —2B 34
Byron Clo. Stev —2B 52
Byron Clo. Wal X —9D 132
Byron Ct. Chesh —1F 144
Byron Ct. Enf —4N 155
Byron Pl. Hem H —5D 106
Byron Rd. NW7 —5G 164
Byron Rd. Hpdn —5B 88
Byron Rd. Lut —7L 45
Byron Rd. R'ton —5E 8
Byron Rd. W'stone —9G 162
Byron Ter. N9 —8G 156
Byslips Rd. Stud —1H 85
By The Mount. Wel G —1K 111
By the Wood. Wat —2M 161
Byways. Berk —9B 104
Byway, The. Pot B —6N 141
By-Wood End. Chal P —5C 158

Cabot Clo. Stev —2N 51
Caddington. —4A 66
Caddington Clo. Barn —7D 154
Caddington Comn. Mark —8A 66
Caddington Pk. Lut —8L 45
(off Skimpot La.)
Caddis Clo. Stan —7G 163
Cade Clo. Let —2J 23
Cades Clo. Lut —2C 66
Cades La. Lut —2C 66
Cadia Clo. Cad —4A 66
Cadmore Ct. Chesh —1H 145
Cadmore Ct. Hert —7L 93
Cadmore La. Chesh —1H 145
Cadogan Gdns. N3 —8N 165
Cadogan Gdns. N21 —7M 155
Cadwell. —6A 22
Cadwell Ct. Hit —9A 22
Cadwell La. Hit —9N 21
Caernarvon Clo. Hem H —2N 123
Caernarvon Clo. Stev —1A 72
Caernarvon Ct. Hem H —2N 123
Caesars Rd. Wheat —7L 89
Cage Pond Rd. Shenl —6N 139
Cairns Clo. St Alb —3L 127
Cairn Way. Stan —6G 163
Caishowe Rd. Borwd —3B 152
Caister Clo. Hem H —3A 124
Caister Clo. Stev —9G 35
Cakebread's La. Saf W —7N 29
Calais Clo. Chesh —8B 132
Calcutt Clo. Dunst —7J 45
Caldecot Av. Chesh —2D 144
Caldecote. —3K 11
Caldecote Gdns. Bush —9F 150
Caldecote Hill. —9G 151
Caldecote La. Bush —8G 150
Caldecote Rd. Newn —3K 11
Caldecote Towers. Bush —9F 150
Caldecot Way. Brox —4K 133
Calder Av. Brk P —8N 129
Calder Clo. Enf —5C 156
Calder Gdns. Edgw —9A 164
Calder Way. Stev —7N 35
Caldew Ct. NW7 —7G 165
Caldwell Rd. Wat —4M 161
Caleb Clo. Lut —7B 46
Caledonian Ct. Wat —4K 149
Caledon Rd. Lon C —8K 127
California. —2D 64
California. Bald —2M 23
California La. Bus H —1E 162
California Pl. Bush —1E 162
(off High Rd.)
Callanders, The. Bush —1F 162
Callisto Ct. Hem H —8B 106
Callowland Clo. Wat —2K 149
Calnwood Rd. Lut —7L 45
Calshot Way. Enf —5N 155
Calthorpe Gdns. Edgw —5M 163
Calton Av. Hert —8L 93
Calton Ct. Hert —9L 93
Calton Ho. Hert —9L 93
Calton Rd. New Bar —8B 154
Calverley Clo. Bis S —4G 78
Calverton Rd. Lut —3B 46
Calvert Rd. Barn —4K 153
Camberley Av. Enf —6C 156
Camberley Pl. Hpdn —9E 88
Camborne Dri. Hem H —7A 106
Cambourne Av. N9 —9H 157
Cambrian Way. Hem H —8A 106
Cambridge Clo. Chesh —2G 145
Cambridge Cotts. Ware —6J 75
Cambridge Dri. Pot B —4K 141
Cambridge Gdns. N21 —9B 156
Cambridge Gdns. Enf —4E 156
Cambridge Pde. Enf —3E 156
Cambridge Rd. B'wy —7A 16
Cambridge Rd. Bar —1D 16
Cambridge Rd. H'low —9E 98
Cambridge Rd. Puck —7N 55
Cambridge Rd. St Alb —3J 127
Cambridge Rd. Saw —4G 98
Cambridge Rd. Stans —2N 59
Cambridge Rd. Ugley & Saf W —4N 43
Cambridge Rd. Wat —6L 149
Cambridge St. Lut —3G 67
Cambridge Ter. N9 —9C 156
Cambridge Ter. Berk —1A 122
Cam Cen. Hit —8A 22
Camden Ho. Hem H —2N 123
Camden Row. Pinn —9L 161
Cameron Ct. Ware —5H 95
Cameron Dri. Wal X —7H 145
Camfield. Wel G —4M 111
Camfield Pl. Ess —3C 130
Camford Way. Lut —1K 45
Camlet Way. Barn —4N 153
Camlet Way. St Alb —1C 126
Campania Gro. Lut —1C 46
Campbell Clo. Bunt —3H 39
Campbell Clo. H'low —8D 118
Campbell Clo. Hit —2B 34
Campbell Cft. Edgw —5A 164
Camp Dri. H Reg —4E 44
Campers Av. Let —6E 22
Campers Rd. Let —6D 22
Campers Wlk. Let —6E 22
Campfield Rd. Hert —9N 93
Campfield Rd. St Alb —3H 127
Campfield Way. Let —6D 22
Campian Clo. Dunst —8B 44
Campine Clo. Chesh —1H 145
Campion Clo. Wat —6J 137
Campion Ct. Stev —1J 51
Campion Rd. Hat —5F 110
Campion Rd. Hem H —3H 123
Campions Clo. Borwd —1A 152
Campions Ct. Berk —1M 121
Campions, The. Borwd —2N 151
Campions, The. Stans —2N 59
Campion Way. Edgw —4C 164
Campion Way. R'ton —8E 8
Campkin Mead. Stev —6C 52
Camp Rd. St Alb —2G 127
Campshill La. Stev —3N 51
Camp, The. —4J 127
Campus E. Wel G —8K 91
Campus Five. Let —4J 23
Campus, The. —9E 106
Campus, The. Wel G —8K 91
Campus W. Wel G —8K 91
Campus West Theatre. —8K 91
Camp Vw. Rd. St Alb —3J 127
Camrose Av. Edgw —9N 163
Cam Sq. Hit —8A 22
Canada La. Brox —7J 133
(in two parts)
Canadas, The. Brox —8J 133
Canal Ct. Berk —1B 122
Canalside. Hare —7K 159
Canal Way. Hare —6K 159
Canberra Clo. NW4 —9G 165
Canberra Clo. St Alb —7G 109
Canberra Gdns. Lut —3D 46
Candale Clo. Dunst —2F 64
Candlefield Clo. Hem H —5C 124
Candlefield Rd. Hem H —5C 124
Candlefield Wlk. Hem H —5C 124
Candlestick La. Chesh —8F 132
Canesworde Rd. Dunst —1D 64
Canfield. Bis S —9G 59
Canford Clo. Enf —4M 155
Cangels Clo. Hem H —4K 123
Canham Clo. Kim —7L 69
Canning Rd. Harr —9G 162
Cannix Clo. Stev —7N 51
Cannon Cinema. —1G 66
Cannon Ho. Hit —4N 33
(off Queen St.)
Cannon La. Lut —4K 47
Cannon M. Wal A —6M 145
Cannon Rd. Wat —7L 149
Cannons Clo. Bis S —8J 59
Cannons Ct. Stdn —6A 56
Cannons Ga. Chesh —8K 133
Cannons Mead. Stans —2M 59
Cannons Mdw. Tew —5D 92
Cannons Mill La. Bis S —7J 59
(in two parts)
Cannons Roundabout. H'low —6J 117
Cannon St. St Alb —1E 126
Canonbury Rd. Enf —3C 156
Canon Mohan Clo. N14 —8F 154
Canons Brook. H'low —6K 117
Canons Brook Golf Course. —5J 117
Canons Clo. Edgw —6N 163
Canons Clo. Rad —8J 139
Canons Corner. Edgw —4M 163
Canons Ct. Edgw —6N 163
Canons Dri. Edgw —6M 163
Canons Fld. Welw —8L 71
Canons Fld. Wheat —6L 89
Canonsfield Ct. Welw —8L 71
Canonsfield Rd. Welw —8L 71
Canons Ga. H'low —5K 117
Canons Park. —7L 163
Canons Pk. —6M 163
Canons Pk. Stan —6L 163
Canons Pk. Clo. Edgw —7M 163
Canons Rd. Ware —5G 95
Canopus Way. N'wd —4J 161
Canopy La. H'low —5E 118
Canterbury Clo. Lut —5B 46
Canterbury Clo. N'wd —6H 161
Canterbury Ct. NW9 —9E 164
Canterbury Ct. St Alb —9G 108
(off Battlefield Rd.)
Canterbury Ho. Borwd —4A 152
(off Stratfield Rd.)
Canterbury Ho. Wat —4L 149
(off Anglian Clo.)
Canterbury Pk. —8M 35
Canterbury Rd. Borwd —4A 152
Canterbury Rd. Wat —4K 149
Canterbury Way. Crox G —5E 148
Canterbury Way. Stev —9L 35
Cantilupe Clo. Eat B —2H 63
Cantrel Lodge. Enf —9H 145
Capability Grn. Lut —4H 67
Capel Ct. L Had —7A 58
Capella Rd. N'wd —4H 161
Capell Av. Chor —7F 146
Capell Rd. Chor —7G 146
Capell Way. Chor —7G 146
Capel Rd. Barn —8D 154
Capel Rd. Enf —9F 144
Capel Rd. Wat —8N 149
Capelvere Wlk. Wat —3G 148
Cape Rd. St Alb —2J 127
Capital Bus. Cen. Wat —9M 137
Capital Pl. H'low —7K 117
(off Lovet Rd.)
Capitol Way. NW9 —9C 164
Caponfield. Wel G —2A 112
Cappell La. Stan A —9N 95
Capron Rd. Dunst —7D 44
Capron Rd. Lut —5A 46
Capstan Ride. Enf —4M 155
Captain's Clo. Che —9E 120
Captains Wlk. Berk —2A 122
Capuchin Clo. Stan —6J 163
Caractacus Cottage Vw. Wat —9J 149
Caractacus Grn. Wat —8H 149
Caravan La. Rick —9A 148
Carbis Clo. E4 —9N 157
Carbone Hill. N'thaw & New S —9H 131
Carde Clo. Hert —8L 93
Cardiff Clo. Stev —1A 72
Cardiff Gro. Lut —1F 66
Cardiff Rd. Enf —6F 156
Cardiff Rd. Lut —1F 66
Cardiff Rd. Wat —8K 149
(in two parts)
Cardiff Rd. Ind. Est. Wat —8K 149
Cardiff Way. Ab L —5J 137
Cardigan Ct. Lut —9F 46
(off Cardigan St.)
Cardigan Ct. Lut —9F 46
(Telford Way)
Cardigan Gdns. Lut —9F 46
(off Cardigan St.)
Cardigan St. Lut —1F 66
Cardinal Av. Borwd —5B 152
Cardinal Clo. Chesh —8D 132
Cardinal Clo. Edgw —7D 164
Cardinal Ct. Lut —8F 46
(off Earls Meade)
Cardinal Gro. St Alb —4C 126
Cardinals Ga. R'ton —7C 8
Cardinal Way. Harr —9F 162
Cardy Rd. Hem H —3L 123
Carew Rd. N'wd —6G 161
Carew Way. Wat —3A 162
Carey Pl. Wat —6L 149
Careys Cft. Berk —7L 103
Carfax Clo. Lut —6H 45
Cargrey Ho. Stan —5K 163
Carisbrooke Av. Wat —3M 149
Carisbrooke Clo. Enf —3D 156
Carisbrooke Clo. Stan —9L 163
Carisbrooke Rd. Hpdn —5D 88
Carisbrooke Rd. Lut —8A 46
Carisbrook Rd. Park —8C 126
Carlbury Clo. St Alb —3J 127
Carleton Ri. Welw —1J 91
Carleton Rd. Chesh —1H 145
Carlisle Av. St Alb —9E 108
Carlisle Clo. Dunst —2E 64
Carlisle Ho. Borwd —4A 152
Carlisle Rd. NW9 —9C 164
Carlow Ct. Dunst —9D 44
Carlton Av. N14 —7J 155
Carlton Bank. Hpdn —6C 88
Carlton Clo. Borwd —6D 152
Carlton Clo. Edgw —5A 164
Carlton Clo. Lut —7E 46
Carlton Ct. Hpdn —6C 88
Carlton Ct. Wat —8M 149
Carlton Cres. Lut —6E 46
Carlton Pl. N'wd —5D 160
Carlton Ri. Mel —1K 9
Carlton Rd. Hpdn —5B 88
Carman Ct. Tring —3L 101
Carmelite Clo. Harr —8D 162
Carmelite Rd. Harr —8D 162
Carmelite Rd. Lut —6K 45
Carmelite Wlk. Harr —8D 162
Carmelite Way. Harr —9D 162
Carmen Ct. Borwd —3N 151
(off Aycliffe Rd.)
Carnaby Rd. Brox —2J 133
Carnarvon Av. Enf —5D 156
Carnarvon Rd. Barn —5L 153
Carnegie Clo. Enf —2M 157
Carnegie Gdns. Lut —1C 46
Carnegie Rd. St Alb —7E 108
Carneles Green. —4F 132
Caro La. Hem H —4D 124
Carol Clo. Lut —5D 46
Caroline Ct. Stan —6H 163
Caroline Pl. Wat —8N 149
Caroline Sharp Ho. St Alb —7K 109
Carolyn Ct. Lut —5D 46
Caroon Dri. Sarr —9L 135
Carpenders Av. Wat —3N 161
Carpenders Clo. Hpdn —3M 87
Carpenders Park. —3M 161
Carpenters Clo. Barn —8A 154
Carpenters Rd. Enf —9G 144
Carpenters, The. Bis S —4E 78
Carpenters Wood Dri. Chor —6E 146
Carpenters Yd. Tring —3N 101
Carpenter Way. Pot B —6B 142
Carriden Ct. Hert —7L 93
Carrigans. Bis S —9G 59
Carrington Av. Borwd —7B 152
Carrington Clo. Ark —7G 153
Carrington Clo. Borwd —7C 152
Carrington Cres. Wend —7A 100
Carrington Pl. Tring —1N 101
Carrington Sq. Harr —6D 162
Carrs La. N21 —7A 156
Carsdale Clo. Lut —3C 46
Carson Rd. Cockf —6E 154
Carteret Rd. Lut —8L 47
Carterhatch La. Enf —2D 156
Carterhatch Rd. Enf —3G 157
Carters Clo. Arl —5A 10
Carters Clo. Stev —5C 52
Cartersfield Rd. Wal A —7N 145
Carter's Green. —4N 119
Carters Hill. Man —9J 43
Carters La. Hit —3H 33
Carters Leys. Bis S —9F 58
Carters Mead. H'low —8E 118
Carters Wlk. Arl —5A 10
Carters Way. Arl —5A 10
Carterweys. Dunst —7H 45
Carthagena Est. Brox —2N 133
Cartmel Dri. Dunst —2E 64
Cart Path. Wat —6L 137
Cart Track, The. Hem H —7B 124
Cartwright Rd. R'ton —8D 8
Cartwright Rd. Stev —8B 36
Carve Ley. Wel G —1A 112
Carvers Cft. Wool G —6A 72
Cary Wlk. Rad —7J 139
Cashio La. Let —2G 23
Caslon Way. Let —2F 22
Cassandra Ga. Chesh —9K 133
Cassiobridge Rd. Wat —6G 149
Cassiobury Ct. Wat —4G 149
Cassiobury Dri. Wat —2G 149
Cassiobury Pk. Av. Wat —5G 149
Cassiobury Public Pk. —5G 149
Cassio Rd. Wat —5K 149
Castano Ct. Ab L —4G 137
Castellane Clo. Stan —7G 163
Castile Ct. Wal X —6L 145
Castings Ho. Let —4G 23
Castle Bridges. Hert —9A 94
Castle Clo. Bush —8C 150
Castle Clo. Hod —5N 115
Castle Ct. Hit —1L 33
Castle Cft. Rd. Lut —1C 66
Castleford Clo. Borwd —2N 151
Castle Gdns. K Lan —2B 136
Castle Ga. Hert —1A 114
(off Castle St.)
Castle Gateway. Berk —8N 103
Castle Hill. Berk —8N 103
Castle Hill Av. Berk —9N 103
Castle Hill Clo. Berk —9N 103
Castle Hill Ct. Berk —8N 103
Castle Hill Rd. Tot —1L 63
Castleleigh Ct. Enf —7B 156
Castle Mead. Hem H —4L 123
Castle Mead Gdns. Hert —9A 94
Castle M. Berk —1A 122
Castle Pk. Rd. Wend —8A 100
Castle Ri. Wheat —5G 89
Castle Rd. Enf —3J 157
Castle Rd. Hod —5N 115
Castle Rd. St Alb —2J 127
Castle Row. Tring —3M 101
(off Albert St.)
Castles Clo. Stot —4F 10
Castle St. Berk —1N 121
Castle St. Bis S —2H 79
Castle St. Hert —1A 114
Castle St. Lut —2G 66
(in two parts)
Castle St. W'grv —6A 60
Castle Vw. Bis S —1J 79
Castle Village. Pott E —8B 104
Castle Wlk. Stans —3N 59
Castlewood Rd. Cockf —5C 154
Catalin Ct. Wal A —6N 145
(off Howard Clo.)
Catchacre. Dunst —1D 64
Catesby Grn. Lut —9C 30
Catham Clo. St Alb —4J 127
Catherall Rd. Lut —3D 46
Catherine Clo. Hem H —6D 106
Catherine Cotts. Tring —6C 102
Catherine Ct. N14 —7H 155
Catherine Rd. Enf —1J 157
Catherine St. St Alb —1E 126
Cat Hill. Barn —8D 154
Catisfield Rd. Enf —1J 157
Catkin Clo. Hem H —1L 123

Catlin St.—Chelsfield Grn.

Catlin St. Hem H —5L 123
Catsbrook Rd. Lut —3D 46
Catsdell Bottom. Hem H —5D 124
Catsey La. Bush —9D 150
Catsey Wood. Bush —9D 150
Catterick Way. Borwd —3N 151
Cattlegate. —6K 143
Cattlegate Cotts. Cuff —4J 143
Cattlegate Hill. Cuff —5J 143
Cattlegate Rd. N'thaw & Enf —4J 143
Cattley Clo. Barn —6L 153
Cattlins Clo. Chesh —2D 144
Cattsdell. Hem H —1A 124
Causeway Bus. Cen., The. Bis S (off Causeway, The) —1H 79
Causeway Clo. Pot B —4C 142
Causeway, The. Bass —1N 7
Causeway, The. Bis S —1H 79
Causeway, The. Brau —1D 56
Causeway, The. Bre P —1L 41
Causeway, The. Bunt —2J 39
Causeway, The. Fur P & Ware —6K 41
Causeway, The. Pot B —4B 142 (in two parts)
Causeway, The. Saf W —9M 17
Causeway, The. Ther —4D 14
Causeway, The. Ware —7N 57
Causeyware Rd. N9 —9G 156
Cautherly La. Gt Amw —1K 115
Cavalier Clo. Lut —3C 46
Cavalier Ct. Berk —1N 121
Cavalier Ct. Stev —9H 35 (off Ingleside Dri.)
Cavan Ct. Hat —1G 128
Cavan Dri. St Alb —6E 108
Cavan Pl. Pinn —8A 162
Cavan Rd. Redb —9J 87
Cavell Dri. Enf —4M 155
Cavell Rd. Chesh —9D 132
Cavell Wlk. Stev —4B 52
Cavendish Av. N3 —9N 165
Cavendish Clo. Wend —8A 100
Cavendish Cres. Els —6A 152
Cavendish Dri. Edgw —6N 163
Cavendish Rd. Barn —5J 153
Cavendish Rd. Lut —7D 46
Cavendish Rd. Mark —1N 85
Cavendish Rd. St Alb —2G 127
Cavendish Rd. Stev —4G 51
Cavendish Way. Hat —9E 110
Cawkell Clo. Stans —2M 59
Cawley Hatch. H'low —6J 117
Caxton Cen. Port W —6G 108
Caxton Ct. Lut —5B 46
Caxton Ga. Stev —5H 51
Caxton Hill. Hert —9C 94
Caxton Rd. Hod —4M 115
Caxton Way. Stev —5H 51
Caxton Way. Wat —9F 148
Cecil Av. Enf —6D 156
Cecil Clo. Bis S —1M 79
Cecil Ct. Barn —5K 153
Cecil Ct. Enf —6B 156
Cecil Ct. H'low —9M 117
Cecil Cres. Hat —7H 111
Cecil Rd. N14 —9H 155
Cecil Rd. Chesh —5J 145
Cecil Rd. Enf —5A 156
Cecil Rd. Harr —9F 162
Cecil Rd. Hert —3A 114
Cecil Rd. Hod —6N 115
Cecil Rd. St Alb —2G 127
Cecil Rd. S Mim —5G 141
Cecil St. Wat —2K 149
Cedar Av. Barn —9D 154
Cedar Av. Enf —4G 156
Cedar Av. Ickl —7M 21
Cedar Av. Wal X —6H 145
Cedar Clo. Hert —9N 93
Cedar Clo. Lut —6H 45
Cedar Clo. Mel —1J 9
Cedar Clo. Pot B —3N 141
Cedar Clo. Saw —6G 99
Cedar Clo. Ware —7H 95
Cedar Ct. Bis S —8H 59
Cedar Ct. St Alb —2L 127
Cedar Cres. R'ton —7B 8
Cedar Dri. Pinn —6B 162
Cedar Grange. Enf —7C 156
Cedar Grn. Hod —9L 115
Cedar Gro. Bell —5B 120
Cedar Lawn Av. Barn —7L 153
Cedar Lodge. Chesh —1H 145
Cedar Pk. Bis S —4F 78
Cedar Pk. Rd. Enf —2A 156
Cedar Pl. N'wd —6E 160
Cedar Ri. N14 —9F 154
Cedar Rd. Berk —2A 122
Cedar Rd. Enf —2N 155
Cedar Rd. Hat —1G 129
Cedar Rd. Wat —8L 149
Cedars Av. Rick —1M 159
Cedars Clo. NW4 —9K 165
Cedars Clo. Borwd —6B 152
Cedars Clo. Chal P —5B 158
Cedars Ho. Chor —6J 147
Cedars, The. Berk —1B 122
Cedars, The. Dunst —1F 64
Cedars, The. Hpdn —6C 88
Cedars, The. Wend —9A 100
Cedars Wlk. Chor —6J 147
Cedar Wlk. Hem H —4N 123
Cedar Wlk. Wal A —7N 145
Cedar Wlk. Wel G —1A 112
Cedar Way. Berk —2A 122
Cedarwood Dri. St Alb —2L 127
Cedar Wood Dri. Wat —8K 137
Celadon Clo. Enf —5J 157
Celandine Dri. Lut —1C 46
Celia Johnson Ct. Borwd —3C 152
Cell Barnes Clo. St Alb —4J 127
Cell Barnes La. St Alb —3H 127 (in two parts)
Cemetery Hill. Hem H —3M 123
Cemetery Rd. Bis S —3H 79
Cemetery Rd. Hit —4N 33
Cemetery Rd. H Reg —5E 44
Cemmaes Ct. Rd. Hem H —2M 123
Cemmaes Mdw. Hem H —2M 123
Centenary Ct. Lut —5J 45
Centenary Rd. Enf —6K 157
Centenary Trad. Est. Enf —5K 157
Centennial Av. Els —9K 151
Centennial Pk. Els —9K 151
Central Av. Enf —4F 156
Central Av. H'low —5N 117
Central Av. Henl —1J 21
Central Av. Wal X —6J 145
Central Dri. St Alb —1K 127
Central Dri. Wel G —7M 91
Central Pde. Enf —4G 156
Central Rd. H'low —2C 118
Central Way. N'wd —7G 161
Centro. Hem H —9E 106
Century Clo. St Alb —1D 126
Century Ct. Wat —9E 148
Century Pk. Ind. Est. Wat —7L 149 (off Local Board Rd.)
Century Pk. W. Wat —7L 149
Century Rd. Hod —7L 115
Century Rd. Ware —5H 95
Cervantes Ct. N'wd —7H 161
Chace Av. Pot B —5C 142
Chace, The. Stev —8M 51
Chadbury Ct. NW7 —7G 164
Chad La. Flam & Pep —4E 86
Chadwell. Ware —7G 94
Chadwell Av. Chesh —1G 144
Chadwell Clo. Lut —8H 47
Chadwell Ri. Ware —7G 95
Chadwell Rd. Stev —5H 51
Chadwick Av. N21 —7L 155
Chadwick Ct. Dunst —8D 44
Chaffinch Clo. N9 —9H 157
Chaffinches Grn. Hem H —6C 124
Chaffinch La. Wat —9H 149
Chagney Clo. Let —5E 22
Chailey Av. Enf —4D 156
Chalet Clo. Berk —1K 121
Chalet Est. NW7 —4G 164
Chalfont Av. Amer —3A 146
Chalfont Clo. Hem H —6D 106
Chalfont Common. —5C 158
Chalfont Ho. Wat —8G 149
Chalfont La. Chor —7E 146
Chalfont La. Ger X & W Hyd —7F 158
Chalfont Leisure Cen. —8A 158
Chalfont Pl. St Alb —2F 126
Chalfont Rd. Map C —2E 158
Chalfont St Peter By-Pass. Chal P & Ger X —8B 158
Chalfont Sta. Rd. Amer —4A 146
Chalfont Wlk. Pinn —9L 161
Chalfont Way. Lut —7L 47
Chalgrove. Wel G —8C 92
Chalgrove Gdns. N3 —9L 165
Chalk Dale. Wel G —8A 92
Chalkdell Fields. St Alb —8H 109
Chalkdell Hill. Hem H —2A 124
Chalkden Path. Hit —2L 33
Chalkdown. Lut —3G 46
Chalkdown. Stev —2C 52
Chalk Fld. Let —8J 23
Chalk Hill. —5B 44
Chalk Hill. Lut —5A 48
Chalk Hill. Wat —8M 149
Chalk Hills. Bald —6M 23
Chalk La. Barn —5E 154
Chalk La. H'low —2K 119 (Matching Rd.)
Chalk La. H'low —3J 119 (Moor Hall Rd.)
Chalkmill Dri. Enf —5F 156
Chalks Av. Saw —4F 98
Chalkwell Pk. Av. Enf —6C 156
Chalky La. R'ton —2N 17
Challinor. H'low —6G 119
Challney Clo. Lut —7N 45
Chalton Heights. Chal —1H 45
Chalton Rd. Lut —4M 45
Chamberlain Clo. H'low —6E 118
Chamberlaines. Hpdn —2J 87
Chambersbury La. Hem H (in two parts) —6C 124
Chambers Ga. Stev —2K 51
Chambers La. Ickl —7M 21
Chambers St. Hert —9A 94
Champions Grn. Hod —5L 115
Champions Way. Hod —5L 115
Champneys. Wat —2N 161
Champneys. Wig —8D 102
Chancellor Pl. NW9 —9F 164
Chancellors Rd. Stev —9J 35
Chancery Clo. St Alb —6L 109
Chanctonbury Way. N12 —4M 165
Chandlers Clo. Bis S —3E 78
Chandler's Cross. —2B 148
Chandler's La. Chan X —9A 136
Chandlers La. H Wych —2A 98 (in two parts)
Chandlers Rd. St Alb —8K 109
Chandlers Way. Hert —9M 93
Chandos Av. N20 —9B 154
Chandos Clo. Amer —2A 146
Chandos Ct. Edgw —7N 163
Chandos Cres. Edgw —7N 163
Chandos Pde. Edgw —7N 163
Chandos Rd. Borwd —4N 151
Chandos Rd. Lut —8B 46
Chanfield Clo. Lut —6J 45
Chantry Clo. NW7 —8F 152
Chantry Clo. Bis S —9G 59
Chantry Clo. Enf —2A 156
Chantry Clo. K Lan —2C 136
Chantry Ct. Hat —1G 128
Chantry La. Hat —1F 128 (in two parts)
Chantry La. Hit —8F 34
Chantry La. Lon C —8L 127
Chantry Mt. Bis S —9G 59
Chantry Pl. Harr —8C 162
Chantry Rd. Bis S —9G 59
Chantry Rd. Harr —8C 162
Chantry, The. E4 —9N 157
Chantry, The. Bis S —9H 59
Chantry, The. H'low —4C 118
Chaomans. Let —8F 22
Chapel Clo. Brk P —9C 130
Chapel Clo. Lit —3H 7
Chapel Clo. L Gad —9A 84
Chapel Clo. Lut —1E 46
Chapel Clo. Wat —7H 137
Chapel Cotts. Hem H —9N 105
Chapel Croft. —4K 135
Chapel Cft. Chfd —4K 135
Chapel Crofts. N'chu —8J 103
Chapel Dri. Ast C —1D 100
Chapel End. —7H 81
Chapel End. Bunt —3J 39
Chapel End. Chal P —9A 158
Chapel End. Hod —9L 115
Chapel End La. Wils —7H 81
Chapel Fields. H'low —8E 118
Chapelfields. Stan A —1A 116
Chapel Fields. Wils —7H 81
Chapel Green. —9E 14
Chapel Hill. Stans —2N 59
Chapel La. Chart —9A 120
Chapel La. Dunst —3E 62
Chapel La. H'low —8E 118
Chapel La. I Ast —7E 62
Chapel La. Let G —4G 112
Chapel La. L Had —9K 57
Chapel La. Long M —3G 80
Chapel La. Tot —1K 63
Chapel Mdw. Tring —9M 81
Chapel Path. H Reg —5E 44
Chapel Pl. St Alb —5E 126
Chapel Pl. Stot —7F 10
Chapel Rd. B Grn —9F 48
Chapel Rd. Flam —5D 86
Chapel Row. Bis S —2H 79 (off South St.)
Chapel Row. Hare —8M 159
Chapel Row. Hit —2N 33 (off Whinbush Rd.)
Chapel St. Berk —1A 122
Chapel St. Dun —1F 4
Chapel St. Enf —5A 156
Chapel St. Hem H —1N 123
Chapel St. Hinx —7E 4
Chapel St. Lut —2G 66 (in two parts)
Chapel St. Tring —3L 101
Chapel Viaduct. Lut —1G 66
Chapel Way. Bedm —9H 125
Chapman Rd. Stev —9H 35
Chapmans End. Puck —6A 56
Chapmans, The. Hit —4M 33
Chapmans Yd. Wat —6M 149
Chapmore End. —2B 94
Chappell Ct. Ware —9D 74
Chapter Ho. Rd. Lut —7K 45
Charcroft Gdns. Enf —6H 157
Chard Dri. Lut —9D 30
Chardins Clo. Hem H —1J 123
Charlbury Av. Stan —5L 163
Charle Sevright Dri. NW7 —5K 165
Charles St. Berk —1M 121
Charles St. Enf —7D 156
Charles St. Hem H —3M 123
Charles St. Lut —8H 47
Charles St. Tring —3M 101
Charlesworth Clo. Hem H —4N 123
Charlock Way. Wat —8H 149
Charlotte Clo. St Alb —2M 127
Charlottes Ct. Lut —1F 66 (off Cardigan St.)
Charlton. —6L 33
Charlton Clo. Hod —8L 115
Charlton Mead La. Hod —9A 116
Charlton Rd. N9 —9H 157
Charlton Rd. Harr —9M 163
Charlton Rd. Hit —6L 33
Charlton Way. Hod —8L 115
Charlwood Clo. Harr —6F 162
Charlwood Rd. Lut —8L 45
Charmbury Ri. Lut —5J 47
Charmian Av. Stan —9L 163
Charmouth Ct. St Alb —8H 109
Charmouth Rd. St Alb —9H 109
Charndon Clo. Lut —9D 30
Charnwood Rd. Enf —9F 144
Charter Clo. St Alb —2E 126
Charter Ct. Hem H —2N 123
Charter Pl. Wat —5L 149
Charters Cross. H'low —9N 117
Charter Way. N14 —8H 155
Chartley Av. Stan —6G 163
Chartridge. —9A 120
Chartridge. Wat —2M 161
Chartridge Clo. Barn —7G 153
Chartridge Clo. Bush —8D 150
Chartridge La. Che —8A 120
Chartridge Pk. Golf Course. —9B 120
Chartridge Way. Hem H —2E 124
Chartwell Ct. Barn —6L 153
Chartwell Dri. Lut —6G 47
Chartwell Rd. N'wd —6H 161
Charwood Clo. Shenl —6M 139
Chasden Rd. Hem H —8J 105
Chase Bank Ct. N14 —8H 155 (off Avenue Rd.)
Chase Clo. Arl —4A 10
Chase Ct. Gdns. Enf —5A 156
Chase Grn. Enf —5A 156
Chase Grn. Av. Enf —4N 155
Chase Hill. Enf —5A 156
Chase Hill Rd. Arl —6A 10
Chase Ridings. Enf —4M 155
Chase Rd. N14 —7H 155
Chase Side. —4A 156
Chase Side. N14 —8F 154
Chase Side. Enf —5A 156
Chase Side Av. Enf —4A 156
Chaseside Clo. Ched —9M 61
Chase Side Cres. Enf —3A 156
Chase Side Pl. Enf —4A 156
Chase Side Works Ind. Est. N14 —9J 155
Chase St. Lut —3G 67
Chase, The. Arl —6A 10
Chase, The. Bis S —2H 79
Chase, The. Edgw —8B 164
Chase, The. G Oak —1N 143
Chase, The. Gt Amw —9L 95
Chase, The. H'low —5E 118
Chase, The. Hem H —3A 124
Chase, The. Hert —9D 94
Chase, The. Rad —8G 138
Chase, The. Stan —6H 163
Chase, The. Wat —6G 149
Chase, The. Welw —9M 71
Chaseville Pde. N21 —7L 155
Chaseville Pk. Rd. N21 —7K 155
Chase Way. N14 —9H 155
Chaseways. Saw —7E 98
Chasewood Av. Enf —4N 155
Chasewood Ct. NW7 —5D 164
Chasten Hill. Let —4D 22
Chatsworth Av. NW4 —9J 165
Chatsworth Clo. NW4 —9J 165
Chatsworth Clo. Bis S —1E 78
Chatsworth Clo. Borwd —5A 152
Chatsworth Ct. St Alb —2G 126 (off Granville Rd.)
Chatsworth Ct. Stan —5K 163
Chatsworth Ct. Stev —8M 51
Chatsworth Dri. Enf —9E 156
Chatsworth Rd. Lut —8D 46
Chatter End. —2E 58
Chatteris Clo. Lut —5N 45
Chatterton. Let —6H 23
Chatton Clo. Lut —7N 47
Chaucer Clo. Berk —9K 103
Chaucer Ct. New Bar —7A 154
Chaucer Ho. Barn —6K 153
Chaucer Rd. Lut —7E 46
Chaucer Rd. R'ton —5C 8
Chaucer Wlk. Hem H —5D 106
Chaucer Way. Hit —2C 34
Chaucer Way. Hod —4L 115
Chaulden. —3J 123
Chaulden Ho. Gdns. Hem H —4J 123
Chaulden La. Hem H —4G 123
Chaulden Ter. Hem H —3J 123
Chaul End. —9M 45
Chaul End La. Lut —8A 46
Chaul End Rd. Cad —9M 45
Chaul End Rd. Lut —8L 45
Chauncey Ho. Wat —8G 148
Chauncy Av. Pot B —6B 142
Chauncy Clo. Ware —4H 95
Chauncy Ct. Hert —9B 94
Chauncy Gdns. Bald —2A 24
Chauncy Ho. Stev —3L 51
Chauncy Rd. Stev —3L 51
Chaworth Grn. Lut —4M 45
Cheapside. —4E 28
Cheapside. Lut —1G 66 (off Arndale Cen.)
Cheapside. Lut —1G 67 (Silver St.)
Cheapside Sq. Lut —1G 66 (off Arndale Cen.)
Chedburgh. Wel G —8C 92
Cheddington. —9M 61
Cheddington La. Long M —3G 81
Cheddington Rd. Pit —2N 81
Cheena Ho. Ger X —7C 158
Cheffins Rd. Hod —5K 115
Chells. —3A 52
Chells Enterprise Village. Stev —3B 52
Chells La. Stev —2B 52 (in two parts)
Chells Manor. —2C 52
Chells Recreation Ground. —3C 52
Chells Way. Stev —2N 51
Chelmsford Ct. N14 —9J 155 (off Chelmsford Rd.)
Chelmsford Rd. N14 —9H 155
Chelmsford Rd. Hert —1M 113
Chelsea Clo. Edgw —9A 164
Chelsea Fields. Hod —4M 115
Chelsea Gdns. H'low —7G 118
Chelsea Gdns. H Reg —4G 44
Chelsfield Av. N9 —9H 157
Chelsfield Grn. N9 —9H 157

Chelsing Ri.—Church La.

Chelsing Ri. Hem H —3E 124
Chelsworth Clo. Lut —8M 47
Cheltenham Ct. St Alb —3H 127 (off Dexter Clo.)
Cheltenham Ct. Stan —5K 163 (off Marsh La.)
Cheltenham Ho. Wat —4L 149 (off Exeter Clo.)
Chelveston. Wel G —8C 92
Chelwood Av. Hat —7G 110
Chelwood Clo. E4 —8M 157
Chelwood Clo. N'wd —7E 160
Chenduit Way. Stan —5G 163
Chene Dri. St Alb —9E 108
Cheney Rd. Lut —4M 45
Chenies. —2E 146
Chenies Av. Amer —3A 146
Chenies Bottom. —1D 146
Chenies Ct. Hem H —6D 106
Chenies Grn. Bis S —2F 78
Chenies Pde. L Chal —4A 146
Chenies Rd. Chor —4G 147
Chenies, The. Hpdn —8D 88
Chenies Way. Wat —9G 149
Chennells. Hat —1F 128
Chennells Clo. Hit —9B 22
Chepstow. Hpdn —5A 88
Chepstow Clo. Stev —1A 52
Chequer Ct. Lut —2H 67
Chequer La. Redb —2J 107
Chequers. Bis S —9E 58
Chequers. Hat —6K 111
Chequers. Wel G —4K 111
Chequers Bri. Rd. Stev —3J 51
Chequers Clo. Bunt —2H 39
Chequers Clo. Pit —3A 82
Chequers Clo. Puck —5A 56
Chequers Clo. Stot —6G 10
Chequers Cotts. Pres —3L 49
Chequers Fld. Wel G —3K 111
Chequers Hill. Mark —5E 86
Chequers La. Pit —3A 82
Chequers La. Pres —2L 49
Chequers La. Wat —3K 137
Chequers, The. Eat B —3K 63
Chequers, The. Pinn —9M 161
Chequer St. Lut —2H 67
Chequer St. St Alb —2E 126
Cherchefelle M. Stan —5J 163
Cheriton Clo. Barn —5E 154
Cheriton Clo. St Alb —7L 109
Cherry Acre. Chal P —4A 158
Cherry Bank. Hem H —1N 123 (off Chapel St.)
Cherry Blossom Clo. H'low —2E 118
Cherry Bounce. Hem H —9N 105
Cherry Clo. Kneb —4M 71
Cherry Ct. Pinn —9M 161
Cherry Cft. Crox G —8D 148
Cherry Cft. Wel G —5K 91
Cherrycroft Gdns. Pinn —7A 162
Cherrydale. Wat —6H 149
Cherry Dri. R'ton —6E 8
Cherry Gdns. Bis S —9J 59
Cherry Gdns. Saw —3G 99
Cherry Gdns. Tring —3L 101
Cherry Green. —9H 39
Cherry Hill. Harr —6G 162
Cherry Hill. Loud —5L 147
Cherry Hill. New Bar —8A 154
Cherry Hill. St Alb —7B 126
Cherry Hills. Wat —5N 161
Cherry Hollow. Ab L —4H 137
Cherry Orchard. Hem H —9K 105
Cherry Orchard La. Wyd —8L 27
Cherry Ri. Chal G —2A 158
Cherry Rd. Enf —2G 157
Cherry Tree Av. Lon C —8L 127
Cherry Tree Clo. Arl —8A 10
Cherry Tree Clo. Lit —4H 7
Cherry Tree Clo. Lut —8J 47
Cherry Tree Grn. Hert —7L 93
Cherrytree La. Chal P —9A 158
Cherry Tree La. Hem H —6E 106
Cherry Tree La. Herons —1F 158
Cherry Tree La. Pot B —7A 142
Cherry Tree La. Wheat —6H 89
Cherry Tree Ri. Walk —1G 53
Cherry Tree Rd. Hod —7L 115
Cherry Tree Rd. Wat —9K 137
Cherry Trees. L Ston —1J 21
Cherry Tree Wlk. H Reg —3E 44
Cherrytree Way. Stan —6J 163
Cherry Wlk. Loud —4M 147
Cherry Way. Hat —3G 128
Chertsey Clo. Lut —9L 47
Chertsey Ri. Stev —5B 52
Cherwell Clo. Crox G —7C 148
Cherwell Dri. Stev —7N 35
Chesfield Clo. Bis S —3H 79
Chesfield Downs Family Golf Cen. —2K 35
Chesfield Pk. —6M 35
Chesford Rd. Lut —5L 47
Chesham & Ley Hill Golf Course. —4A 134
Chesham Ct. N'wd —6H 161
Chesham La. Chal P & Chal G —4B 158
Chesham Rd. Ash G —6C 120
Chesham Rd. Berk —3M 121
Chesham Rd. Bov —1A 134
Chesham Rd. Che —7J 121
Chesham Rd. Wig —6B 102
Chesham Way. Wat —8G 149
Cheshire Dri. Leav —7H 137
Cheshunt. —1H 145
Cheshunt Golf Course. —9G 132
Cheshunt Wash. Chesh —9J 133
Cheslyn Clo. Lut —7N 47
Chesnut Row. N3 —7N 165
Chess Clo. Lat —9A 134
Chess Clo. Loud —6N 147
Chessfield Pk. Amer —3B 146
Chess Hill. Loud —6N 147
Chess La. Loud —6N 147
Chess Va. Ri. Crox G —8B 148
Chess Way. Chor —5K 147
Chesswood Ct. Rick —1N 159
Chesswood Way. Pinn —9M 161
Chestbrook Ct. Enf —7C 156 (off Forsyth Pl.)
Chester Av. Lut —6A 46
Chester Clo. Lut —7B 46
Chester Clo. Pot B —2A 142
Chesterfield Flats. Barn —7K 153 (off Bells Hill)
Chesterfield Lodge. N21 —9L 155 (off Church Hill)
Chesterfield Rd. N3 —6N 165
Chesterfield Rd. Barn —7K 153
Chesterfield Rd. Enf —1J 157
Chester Gdns. Enf —8F 156
Chester Pl. N'wd —7G 161 (off Green La.)
Chester Rd. Borwd —5C 152
Chester Rd. N'wd —7G 161
Chester Rd. Stev —9N 35
Chester Rd. Wat —7J 149
Chesterton Av. Hpdn —6D 88
Chestnut Av. Edgw —6M 163
Chestnut Av. Hal —6B 100
Chestnut Av. Henl —1K 21
Chestnut Av. Lut —1L 45
Chestnut Av. N'wd —9H 161
Chestnut Av. Rick —7K 147
Chestnut Av. Ware —4K 95
Chestnut Clo. N14 —7H 155
Chestnut Clo. Ast C —1E 100
Chestnut Clo. Bis S —2G 79
Chestnut Clo. Chal P —8C 158
Chestnut Clo. Dagn —2N 83
Chestnut Clo. Pott E —8E 104
Chestnut Clo. Ware —6G 96
Chestnut Ct. Dunst —1F 64 (off High St. S.)
Chestnut Ct. Hit —2L 33
Chestnut Dri. Berk —2A 122
Chestnut Dri. Harr —7G 162
Chestnut Dri. Hat H —4N 99
Chestnut Dri. St Alb —9J 109
Chestnut End. Hal —5B 100
Chestnut Gro. Barn —7E 154
Chestnut La. N20 —1L 165
Chestnut Ri. Bush —9C 150
Chestnut Rd. Enf —9J 145
Chestnuts, The. Cod —6F 70
Chestnuts, The. Hem H —6J 123
Chestnuts, The. Hert —1B 114
Chestnuts, The. Pinn —7A 162
Chestnut Wlk. Chal P —7B 158
Chestnut Wlk. R'ton —8E 8
Chestnut Wlk. St I —6A 34
Chestnut Wlk. Stev —9K 35
Chestnut Wlk. Wat —1J 149
Chestnut Wlk. Welw —8M 71
Chetwynd Av. E Barn —9E 154
Chevalier Clo. Stan —4M 163
Cheveralls, The. Dunst —2F 64
Cheverells Clo. Mark —2N 85
Cheverell's Green. —3M 85
Cheviot Clo. Bush —8D 150
Cheviot Clo. Enf —4B 156
Cheviot Clo. Lut —2N 45
Cheviot Rd. Lut —2N 45
Cheviots. Hat —3G 128
Cheviots. Hem H —8B 106
Cheyne Clo. Dunst —6C 44
Cheyne Clo. Pit —3B 82
Cheyne Clo. Ware —5H 95
Cheyne Ct. Bush —6N 149
Cheyne Wlk. N21 —7N 155
Cheyney Clo. Stpl M —3C 6
Cheyneys Av. Edgw —6L 163
Cheyney St. Stpl M —3C 6
Chicheley Gdns. Harr —7D 162 (in two parts)
Chicheley Rd. Harr —7D 162
Chichester Clo. Dunst —1H 65
Chichester Ct. Edgw —6A 164 (off Whitchurch La.)
Chichester Ct. Stan —9M 163
Chichester Rd. N9 —9E 156
Chichester Way. Wat —6N 137
Chicken La. Lon C —9L 127
Chicken Shed Theatre. —7F 154
Chidbrook Ho. Wat —8G 149
Chiddingfold. N12 —3N 165
Chigwell Hurst Ct. Pinn —9M 161
Chilcott Rd. Wat —9G 137
Chilcourt. R'ton —7C 8
Childs Av. Hare —9M 159
Childwick Ct. Hem H —5D 124
Childwick Green. —3C 108
Chilham Clo. Hem H —3A 124
Chiltern Av. Bush —8D 150
Chiltern Av. Edl —5J 63
Chiltern Clo. Berk —9K 103
Chiltern Clo. Borwd —4N 151
Chiltern Clo. Bush —8C 150
Chiltern Clo. G Oak —9N 131
Chiltern Clo. Ware —4H 95
Chiltern Clo. Wend —9A 100
Chiltern Corner. Berk —9K 103
Chiltern Ct. Dunst —8D 44
Chiltern Ct. Hpdn —6D 88
Chiltern Ct. New Bar —7B 154
Chiltern Ct. St Alb —7L 109 (off Twyford Rd.)
Chiltern Ct. Wend —9A 100
Chiltern Dene. Enf —6L 155
Chiltern Dri. Mil E —9J 147
Chiltern Forest Golf Course. —4F 100
Chiltern Gdns. Lut —6B 46
Chiltern Green. —5B 68
Chiltern Hill. Chal P —8B 158
Chiltern Open Air Mus. —1C 158
Chiltern Pk. Dunst —7G 44
Chiltern Pk. Av. Berk —8L 103
Chiltern Pk. Ind. Est. Dunst —7G 44
Chiltern Ri. Lut —2F 66
Chiltern Rd. Bald —5M 23
Chiltern Rd. Bar C —9E 18
Chiltern Rd. Dunst —9D 44
Chiltern Rd. Hit —3A 34
Chiltern Rd. St Alb —6K 109
Chiltern Rd. Wend —9A 100
Chiltern Rd. W'grv —5A 60
Chilterns. Hat —3G 129
Chilterns. Hem H —9A 106
Chilterns, The. Hit —4A 34
Chilterns, The. Kens —8J 65
Chilterns, The. Stev —7A 36
Chiltern Vw. Let —6D 22
Chiltern Vw. Cvn. Pk. Eat B —3G 63
Chiltern Vs. Tring —3K 101
Chiltern Way. Ast C —4E 100
Chiltern Way. Tring —1A 102
Chilters, The. Berk —9K 103
Chilton Ct. Hert —7L 93
Chilton Grn. Wel G —9B 92
Chilton Rd. Edgw —6A 164
Chilvers Bank. Bald —4L 23
Chilwell Gdns. Wat —4L 161
Chilworth Ga. Brox —4K 133
Chime Sq. St Alb —1F 126
Chindit Clo. Brox —2J 133
Chine, The. N21 —8N 155
Chinnery Clo. Enf —3D 156
Chinnery Hill. Bis S —3H 79
Chipperfield. —4K 135
Chipperfield Common. —5L 135
Chipperfield Common. —5K 135
Chipperfield Rd. Bov —9E 122
Chipperfield Rd. Hem H —7M 123
Chipperfield Rd. K Lan —3M 135
Chipping. —6H 27
Chipping Barnet. —6L 153
Chipping Clo. Barn —5L 153
Chippingfield. H'low —3E 118
Chirdland Ho. Wat —8G 149
Chishill Rd. Bar —2D 16
Chishill Rd. Gt Chi —1J 17
Chiswell Ct. Wat —2L 149
Chiswell Green. —7B 126
Chiswell Grn. La. St Alb —7M 125
Chiswick Ct. Pinn —9A 162
Chittenden Clo. Hod —5M 115
Chivenor Pl. St Alb —4K 127
Chivery. —9H 101
Chobham St. Lut —2H 67
Chobham Wlk. Lut —2G 67
Cholesbury. —2A 120
Cholesbury La. C'bry —2A 120
Cholesbury Rd. C'bry —2A 120
Cholwell Rd. Stev —6B 52
Chorleywood. —7G 146
Chorleywood Bottom. —7G 147
Chorleywood Bottom. Chor —7G 146
Chorleywood Clo. Rick —9N 147
Chorleywood College Est. Chor —7J 147
Chorleywood Golf Course. —6G 147
Chorleywood Ho. Chor —5H 147
Chorleywood Ho. Dri. Chor —5H 147
Chorleywood Rd. Rick —6K 147
Chorleywood West. —6E 146
Chouler Gdns. Stev —8J 35
Chowns, The. Hpdn —1B 108
Chrishall. —1N 17
Christchurch Clo. St Alb —1E 126
Christchurch Ct. Dunst —8D 44 (off High St. N.)
Christchurch Cres. Rad —9H 139
Christchurch Ho. Tring —3M 101
Christchurch La. Barn —4L 153
Christchurch Lodge. Barn —6E 154
Christchurch Pas. High Bar —4L 153
Christchurch Rd. Hem H —1N 123
Christchurch Rd. Tring —2L 101
Christie Clo. Brox —2K 133
Christie Rd. Stev —4B 52
Christie Rd. Wal A —8M 145
Christopher Ct. Hem H —5N 123
Christopher Ct. Ware —6H 95
Christopher Pl. St Alb —2E 126 (off Verulam Rd.)
Christy's Yd. Hinx —7F 4
Church All. A'ham —2D 150
Churchbury Clo. Enf —4C 156
Churchbury La. Enf —5B 156
Churchbury Rd. Enf —4C 156
Church Clo. Ast C —1C 100
Church Clo. Bass —1M 7
Church Clo. Cod —6F 70
Church Clo. Cuff —2K 143
Church Clo. Dunst —9F 44
Church Clo. Edgw —5C 164
Church Clo. L Berk —1H 131
Church Clo. N'wd —7H 161
Church Clo. Rad —9H 139
Church Clo. Stud —3E 84
Church Cotts. Hem H —3G 105
Church Ct. Brox —2L 133
Church Cres. N3 —8M 165
Church Cres. St Alb —1D 126
Church Cres. Saw —5H 99
Church Cft. Edl —5J 63
Church Cft. St Alb —4K 127
Church Dri. Bis S —2D 42
Church End. —5A 10 (Arlesey)
Church End. —2C 56 (Braughing)
Church End. —5J 63 (Edlesborough)
Church End. —8M 165 (Finchley)
Church End. —5H 65 (Kensworth)
Church End. —7N 57 (Little Hadham)
Church End. —4C 82 (Pitstone)
Church End. —2J 107 (Redbourn)
Church End. —2J 147 (Rickmansworth)
Church End. —1M 63 (Totternhoe)
Church End. —1C 36 (Weston)
Church End. Arl —4A 10
Church End. Bar —3D 16
Church End. Brau —2C 56
Church End. Edl —5J 63
Church End. Flam —6E 86
Church End. H'low —8K 117
Church End. H Reg —4D 44
Church End. Mark —1N 85
Church End. Redb —2J 107
Church End. Sandr —4K 109
Church End. Walk —8H 37
Church Farm La. Mars —4L 81
Church Farm La. Stpl M —4C 6
Church Farm Way. A'ham —2C 150
Churchfield. Bar —3D 16
Churchfield. H'low —4C 118 (in two parts)
Churchfield. Hpdn —7D 88
Church Fld. Ware —4F 94
Churchfield Ho. Wel G —9J 91
Church Fld. Path. Chesh —2G 144 (in two parts)
Churchfield Rd. Chal P —8A 158
Churchfield Rd. H Reg —4E 44
Churchfield Rd. Tew —6B 92
Churchfields. Brox —2L 133
Churchfields. Stdn —7B 56
Churchfields. Stans —3N 59
Churchfields La. Brox —2L 133
Churchfields Rd. Wat —9H 137
Churchgate. —3F 144 (Cheshunt)
Church Gate. —5J 63 (Edlesborough)
Church Ga. Berk —1N 121
Churchgate. Chesh —2F 144
Churchgate. Hit —4M 33
Churchgate Rd. Chesh —2F 144
Churchgate St. H'low —2G 119
Church Grn. Gt Wym —4E 34
Church Grn. Hpdn —6B 88
Church Grn. Tot —1M 63
Church Grn. Row. Hpdn —6B 88
Church Gro. Amer —3B 146
Church Hill. N21 —9L 155
Church Hill. Bedm —7H 125
Church Hill. Ched —8L 61
Church Hill. Hare —9M 159
Church Hill. Hert H —2F 114
Chu. Hill Corner. Stans —4N 59
Churchhill Cres. N Mym —6J 129
Church Hill Rd. Barn & E Barn —8D 154
Churchill Clo. S'ley —4B 30
Churchill Ct. N'wd —6F 160
Churchill Ct. Pinn —8N 161
Churchill Rd. Bar C —8E 18
Churchill Rd. Dunst —3G 65
Churchill Rd. Edgw —6N 163
Churchill Rd. Lut —8C 46
Churchill Rd. St Alb —1H 127
Church La. A'ham —2C 150
Church La. Arl —4A 10
Church La. A'wl —9M 5
Church La. Ast C —2C 100
Church La. B'wy —8N 15
Church La. Bend —9K 49
Church La. Berk —1N 121
Church La. Bis S —6F 78
Church La. Bov —9E 122
Church La. Brox —3F 132
Church La. Chal P —8A 158
Church La. Ched —9M 61
Church La. Chesh —2F 144
Church La. Col H —4B 128
Church La. D End —9D 54
Church La. Eat B —2J 63
Church La. Enf —5B 156
Church La. G'ley —6J 35
Church La. G Mor —1A 6 (Church St.)
Church La. G Mor —1A 6 (High St.)
Church La. Harr —8G 162
Church La. Hast —7L 101

Church La. Hat —9J 111
Church La. Kim —6L 69
Church La. K Lan —2C 136
Church La. L Hall —7M 99
Church La. Mars —6L 81
Church La. Mil E —1K 159
Church La. M Hud —4J 77
Church La. N'thaw —3F 142
Church La. Pres —3L 49
Church La. Reed —7J 15
Church La. R'ton —7D 8
Church La. Sarr —2J 147
Church La. Stap —1M 93
Church La. Stev —2J 51
Church La. Ther —5D 14
Church La. W'ton —2C 36
Church La. W'ian —2J 23
Church Langley. —7F 118
Chu. Langley Way. H'low —6E 118
Church Leys. H'low —7B 118
Church Mnr. Bis S —9K 59
Church Mead. Roy —5E 116
Church Mead. Stud —3E 84
Churchmead Clo. E Barn —8D 154
Church Mdw. Cotts. Hem H —3G 105
Church Mill Grange. H'low —3G 119
Church Pas. Barn —5L 153
Church Path. Barn —6L 153
Church Path. Gt Amw —9K 95
Church Path. Hert —1B 114
Church Path. Ickl —7M 21
Church Path. L Wym —7F 34
Church Pl. Welw —2J 91
Church Rd. Bar C —1F 30
Church Rd. Chris —1N 17
Church Rd. Enf —8G 157
Church Rd. Flam —5D 86
Church Rd. Gt Hal —6K 79
Church Rd. H'low —9E 118
Church Rd. Hem H —4E 124
Church Rd. Hert —8N 93
(in two parts)
Church Rd. I'hoe —2D 82
Church Rd. K Wal —6F 48
Church Rd. L Berk —1H 131
Church Rd. L Gad —8N 83
Church Rd. N'wd —7H 161
Church Rd. Pit —4C 82
Church Rd. Pott E —8E 104
Church Rd. Pot B —3N 141
Church Rd. Pull —3A 18
Church Rd. P'ham —5E 80
Church Rd. Slap —2A 62
Church Rd. S End —6E 66
Church Rd. Stan —5J 163
Church Rd. Stans —3N 59
Church Rd. Stot —6F 10
Church Rd. S'ley —4C 30
Church Rd. Stud —3E 84
Church Rd. Tot —2M 63
Church Rd. Wat —3J 149
Church Rd. Wel G —9K 91
(in two parts)
Church Row M. Ware —6H 95
(off Church St.)
Church Sq. Tring —2M 101
(off Church Yd.)
Church St. N9 —9B 156
Church St. Bald —2L 23
Church St. Bis S —1H 79
Church St. Bov —9E 122
Church St. Bunt —2J 39
Church St. Dunst —9E 44
Church St. Dun —1F 4
Church St. Enf —5A 156
Church St. Ess —8D 112
Church St. G Mor —1A 6
Church St. Hat —9J 111
Church St. Hem H —9N 105
Church St. Hert —9B 94
Church St. Lit —3H 7
Church St. Lut —1G 67
Church St. Rick —1A 160
Church St. St Alb —1E 126
Church St. Saw —5G 99
Church St. Shil —3N 19
Church St. Stpl M —4C 6
Church St. Wal A —6N 145
Church St. Ware —6H 95
Church St. Wat —6L 149
Church St. Welw —2J 91
Church St. Wheat —7L 89
Church St. W'grv —6A 60
Church St. Ind. Est. Ware —6H 95
(off Church St.)
Church Vw. Brox —2K 133
Church Vw. Hal —5B 100
Church Vw. Long M —3F 80
Church Vw. Av. Shil —2N 19
Church Wlk. Bush —8B 150
Church Wlk. Dunst —9E 44
Church Wlk. Enf —5B 156
Church Wlk. Saw —5H 99
Church Wlk. Wat S —5K 73
Church Way. Barn —6E 154
Church Way. Edgw —6A 164
Church Yd. Hit —3M 33
Church Yd. Tring —2M 101
(in two parts)
Churchyard Wlk. Hit —3M 33
Cicero Dri. Lut —1C 46
Cillocks Clo. Hod —7L 115
Cino UK Cinema. —9G 46
Circle, The. NW7 —6D 164
Cissbury Ring N. N12 —5M 165
Cissbury Ring S. N12 —5M 165
City Pk. Wel G —8M 91
Civic Clo. St Alb —2E 126
Civic Sq. H'low —6N 117
Claggy Rd. Kim —6J 69
Claggy Rd. Enterprise Pk. Kim —6K 69
Claigmar Gdns. N3 —8N 165
Claire Ct. Bush —1E 162
Claire Ct. Chesh —5J 145
Claire Ct. Pinn —7A 162
Claire Gdns. Stan —5K 163
Claire Ho. Edgw —9C 164
(off Burnt Oak B'way.)
Clamp Hill. Stan —4E 162
Clapgate. —3M 57
Clapgate Rd. Bush —8C 150
Clare Clo. Els —8N 151
Clare Ct. Enf —8J 145
Clare Ct. Lut —6B 46
Clare Ct. St Alb —3G 126
Clare Cres. Bald —5L 23
Claremont. Brick W —4B 138
Claremont. Chesh —2D 144
Claremont Cres. Crox G —7E 148
Claremont Ho. Wat —8F 148
Claremont Pk. N3 —8L 165
Claremont Rd. Barn —2B 154
Claremont Rd. Harr —9F 162
Claremont Rd. Lut —8D 46
Clarence Clo. Barn —7C 154
Clarence Clo. Bus H —9G 150
Clarence Ct. NW7 —5E 164
Clarence Pk. —2G 126
Clarence Rd. Berk —1N 121
Clarence Rd. Enf —7G 156
Clarence Rd. Hpdn —4B 88
Clarence Rd. St Alb —2G 127
Clarence Rd. Stans —2N 59
Clarendon Clo. Hem H —1N 123
Clarendon Ct. Lut —8F 46
Clarendon Gdns. NW4 —9G 165
Clarendon M. Borwd —5A 152
Clarendon Pde. Chesh —2H 145
Clarendon Rd. Borwd —5A 152
Clarendon Rd. Chesh —2H 145
Clarendon Rd. Hpdn —4C 88
Clarendon Rd. Lut —8F 46
Clarendon Rd. Wat —4K 149
Clarendon Way. N21 —8A 156
Claridge Ct. Berk —1N 121
Clarion Clo. Offl —8D 32
Clarke Grn. Wat —8J 137
Clarke's Rd. Hat —8H 111
Clarke's Spring. Tring —1D 102
Clarkes Way. Bass —1N 7
Clarkes Way. H Reg —5F 44
Clarke Way. Wat —8J 137
Clarkfield. Mil E —1L 159
Clarkhill. H'low —9A 118
Clarklands Ind. Est. Saw —2G 99
Clark Rd. R'ton —6D 8
Clarks Clo. Ware —4H 95
Clarks Mead. Bush —9D 150
Clark's Pightle. Bar C —9E 18
(off Bedford Rd.)
Claudian Pl. St Alb —3B 126
Clavering Rd. Man —7H 43
Claverley Grn. Lut —7N 47
Claverley Gro. N3 —8N 165
Claverley Vs. N3 —7N 165
Claverton Clo. Bov —1D 134
Claybury. Bush —9C 150
Claycroft. Wel G —8A 92
Claydon Clo. Lut —2E 46
Claydon End. Chal P —9B 158
Claydon Ho. NW4 —9K 165
(off Holders Hill Rd.)
Claydon La. Chal P —9B 158
Claydown Way. S End —7D 66
Clay End. —2K 53
Clayfield Rd. Hal —6B 100
Claygate Av. Hpdn —5N 87
Clay Hall Rd. Kens —9H 65
Clay Hill. —1A 156
(Enfield)
Clayhill. —7C 102
(Wigginton)
Clay Hill. Enf —1A 156
Clay La. Bus H —9F 150
Clay La. Edgw —2A 164
Clay La. Wend —9B 100
Claymore. Hem H —7A 106
Claymore Dri. Ickl —6N 21
Claymores. Stev —3L 51
Claypoнds. Bis S —1J 79
Clayton Fld. NW9 —7E 164
Clayton Pde. Chesh —3H 145
Cleall Av. Wal A —7N 145
Cleave, The. Hpdn —6E 88
Cleland Rd. Chal P —9A 158
Clement Pl. Tring —3M 101
Clement Rd. Chesh —9J 133
Clement's End. —4G 84
Clements End Rd. Stud & Hem H —4G 84
Clement's Rd. Chor —7G 146
Clements St. Ware —6J 95
Clevedon Rd. Lut —7K 47
Cleveland Cres. Borwd —7C 152
Cleveland La. N9 —9F 156
Cleveland Rd. Hem I —9D 106
Cleveland Rd. Mark —2A 86
Cleveland Way. Hem I —9D 106
Cleves Rd. Hem H —6D 106
Cleviscroft. Stev —5L 51
Clewer Cres. Harr —8E 162
Clifford Ct. Bis S —1J 79
Clifford Cres. Lut —4N 45
Clifford Rd. N9 —8G 157
Clifford Rd. Barn —5A 154
Clifton Av. N3 —8M 165
Clifton Av. Stan —9J 163
Clifton Clo. Chesh —2J 145
Clifton Ct. Hem H —4N 123
Clifton Gdns. Enf —6K 155
Clifton Hatch. H'low —9C 118
Clifton Rd. Dunst —8D 44
Clifton Rd. Lut —9D 46
Clifton Rd. Wat —7K 149
Clifton St. St Alb —1F 126
Clifton Way. Borwd —3A 152
Clifton Way. Ware —4H 95
Climb, The. Rick —8L 147
Clinton Av. Lut —5H 47
Clinton End. Hem H —2E 124
Clitheroe Gdns. Wat —3M 161
Clive Clo. Pot B —4M 141
Clive Ct. Lut —8G 47
Clive Pde. N'wd —7G 160
Clive Rd. Enf —6E 156
Clive Way. Enf —6E 156
Clive Way. Wat —3L 149
Clockhouse M. Chor —5H 147
Clock Pde. Enf —7B 156
Clock Tower. H'low —7D 118
Cloister Gdns. Edgw —5C 164
Cloister Gth. Berk —1N 121
Cloister Gth. St Alb —6F 126
Cloister Lawn. Let —7F 22
Cloisters Rd. Let —7F 22
Cloisters Rd. Lut —6L 45
Cloisters, The. Bush —8C 150
Cloisters, The. Hem H —5C 124
Cloisters, The. H Reg —3F 44
(off Sycamore Rd.)
Cloisters, The. Rick —9A 148
Cloisters, The. Wat —6L 149
Cloisters, The. Wel G —9K 91
Cloister Wlk. Hem H —9N 105
Clonard Way. Pinn —6B 162
Closemead Clo. N'wd —6E 160
Close, The. N20 —2M 165
Close, The. Ard —7M 37
Close, The. Bald —4L 23
Close, The. Brk P —8L 129
Close, The. Bush —8C 150
Close, The. Cod —7F 70
Close, The. E Barn —8E 154
Close, The. Hpdn —3L 87
Close, The. Harr —9D 162
Close, The. Hinx —7F 4
Close, The. Lut —4C 46
Close, The. Mark —2A 86
Close, The. Pot B —5N 141
Close, The. Rad —6G 139
Close, The. Rick —1L 159
Close, The. R'ton —6F 8
Close, The. Rush —5K 25
Close, The. St Alb —5D 126
Close, The. Stev —9J 35
Close, The. Ware —6J 95
Clothall. —7D 24
Clothall Rd. Bald —3M 23
Clovelly Clo. Pinn —9K 161
Clovelly Gdns. Enf —9C 156
Clovelly Way. Stev —1G 50
Clover Av. Bis S —2D 78
Clover Clo. Lut —6K 45
Cloverfield. H'low —9C 118
Cloverfield. Wel G —6M 91
Clover Fld., The. Bush —8A 150
Cloverland. Hat —3F 128
Clover Way. Hem H —1L 123
Cloyster Wood. Edgw —7L 163
Clump, The. Rick —7K 147
Clusterbolts. Stap —1M 93
Clydach Rd. Enf —6D 156
Clyde Rd. Hod —9A 116
Clydesdale. Enf —6H 157
Clydesdale Av. Stan —9L 163
Clydesdale Clo. Borwd —7D 152
Clydesdale Ct. Lut —6K 45
Clydesdale Path. Borwd —7D 152
(off Clydesdale Clo.)
Clydesdale Rd. Lut —6K 45
Clydesdale Rd. R'ton —7E 8
Clydesdale Wlk. Brox —7K 133
Clyde Sq. Hem H —6B 106
Clyde St. Hert —9E 94
Clyfton Clo. Brox —5K 133
Clyston Rd. Wat —8H 149
Coach Dri. Hit —5N 33
Coach Ho. Cloisters. Bald —3L 23
Coach La. Hpdn —7B 88
Coachman's La. Bald —3K 23
Coalport Clo. H'low —7E 118
Coanwood Cotts. Ware —3B 96
Coates Dell. Wat —6N 137
Coates Rd. Els —9L 151
Coates Way. Wat —6M 137
Cobbett Clo. Enf —9G 145
Cobbetts Ride. Tring —3L 101
Cobb Grn. Wat —5K 137
Cobbins Way. H'low —2G 119
Cobblers Wick. W'grv —5A 60
Cobb Rd. Berk —1K 121
Cob Clo. Borwd —7D 152
Cobden Hill. Rad —9J 139
Cobden St. Lut —8G 47
Cobham Clo. Edgw —9B 164
Cobham Clo. Enf —5E 156
Cobham Rd. Ware —5K 95
Cob La. Clo. Welw —3M 91
Cobmead. Hat —7H 111
Cockbush Av. Hert —8F 94
Cockernhoe. —6N 47
Cocker Rd. Enf —9F 144
Cockfosters. —6F 154
Cockfosters Pde. Barn —6F 154
Cockfosters Rd. Pot B & Barn —8C 142
Cock Grn. H'low —8L 117
Cock Gro. Berk —1F 120
Cockhall Clo. Lit —4H 7
Cockhall La. Lit —4H 7
Cock La. Hod —1F 132
Cockle Way. Shenl —6M 139
Cockrobin La. H'low —7K 97
Codicote. —7F 70
Codicote Bottom. —7D 70
Codicote Dri. Wat —7M 137
Codicote Heights. Welw —7H 71
Codicote Ho. Stev —9J 35
(off Coreys Mill La.)
Codicote Rd. Welw —8G 70
Codicote Rd. Wheat & Welw —6L 89
Codicote Rd. W'wll —2N 69
Codicote Row. Hem H —5D 106
Codmore Wood Rd. Lat —6A 134
Coe's All. Barn —6L 153
Cogdells Clo. Chart —9A 120
Cogdells La. Chart —9A 120
Cohen Clo. Chesh —4J 145
Coke's La. Chal G —4A 146
Colborne Ho. Wat —8G 149
Colbron Clo. A'wl —9L 5
Colburn Av. Pinn —6N 161
Colchester Rd. Edgw —7C 164
Colchester Rd. N'wd —9J 161
Cold Christmas. —9N 75
Cold Christmas La. Thun —1H 95
Coldham Gro. Enf —1J 157
Cold Harbour. —3D 88
Coldharbour Ho. Wat —9N 137
Coldharbour La. Bush —8C 150
Coldharbour La. Hpdn —3C 88
Coldharbour Rd. H'low —7J 117
Colebrook Av. Lut —2M 45
Coledale Dri. Stan —8K 163
Cole Green. —2F 112
(Hertford)
Cole Green. —8K 29
(Stocking Pelham)
Cole Grn. By-Pass. Hert —3E 112
Cole Grn. Ho. Wel G —2M 111
Cole Grn. La. Wel G —2M 111
Cole Green La. Wel G —2C 112
Cole Grn. Way. Hert —2M 113
Coleman Bus. Cen. Kim —6K 69
Coleman Green. —1N 109
Coleman Grn. La. Wheat —3K 109
Colemans Clo. Pir —7E 20
Colemans Green. —8E 48
Colemans Rd. B Grn —8E 48
Colenso Dri. NW7 —7G 164
Coleridge Clo. Hit —2B 34
Coleridge Clo. Wal X —9D 132
Coleridge Ct. Hpdn —6C 88
Coleridge Ct. New Bar —7A 154
(off Station Rd.)
Coleridge Cres. Hem H —5D 106
Cole Rd. Wat —3K 149
Colesdale. Cuff —3K 143
Coles Grn. Bus H —1D 162
Coles Hill. Hem H —9K 105
Coles La. Pep & Hpdn —2F 86
Coles Pk. —9L 39
Colestrete. Stev —5M 51
Colestrete Clo. Stev —4N 51
Coleswood Rd. Hpdn —8D 88
Colesworth Ho. Edgw —9C 164
(off Burnt Oak B'way.)
Colet Rd. Wend —9B 100
Colgate Pl. Enf —1L 157
Colgrove. Wel G —1J 111
Colhurst Gdns. Hod —6A 116
Colindale. —9D 164
Colindale Av. NW9 —9E 164
Colindale Av. St Alb —4G 126
Colindale Bus. Pk. NW9 —9C 164
Colin Rd. Lut —7H 47
Colin Rd. Footpath. Lut —8H 47
(off Colin Rd.)
College Av. Harr —8F 162
College Clo. Bis S —1F 78
College Clo. Flam —6D 86
College Clo. Harr —7F 162
College Clo. N Mym —1K 141
College Clo. Ware —7H 95
College Ct. Chesh —3G 145
College Ct. Enf —7G 156
College Gdns. E4 —9M 157
College Gdns. Enf —3B 156
College Hill Rd. Harr —7F 162
College Ho. Lut —1H 67
(off Vicarage St.)
College La. Hat —2E 128
(in two parts)
College Pl. St Alb —2D 126
College Rd. Ab L —4H 137
College Rd. Ast C —6B 80
College Rd. Chesh —3G 144
College Rd. Enf —4B 156
College Rd. Har W —8F 162
College Rd. Hert H —4G 115
College Rd. Hit —2N 33
College Rd. Hod —6K 115
College Rd. St Alb —3J 127
College Sq. H'low —6N 117
College St. St Alb —2E 126
College Ter. N3 —9M 165
College Way. N'wd —6F 160
College Way. Wel G —8K 91
Collens Rd. Hpdn —1C 108
Collenswood Rd. Stev —5A 52

Dalroad Ind. Est.—Dorchester Ct.

Dalroad Ind. Est. Lut —9D 46
Dalrymple Clo. N14 —9J 155
Dalston Gdns. Stan —8M 163
Dalton Clo. Lut —9D 30
Dalton Gdns. Bis S —4G 79
Dalton Rd. W'stone —9E 162
Dalton St. St Alb —1E 126
Daltons Wharf. Berk —1A 122
Dalton Way. W'wll —1M 69
Daltry Clo. Stev —8J 35
Daltry Rd. Stev —8J 35
Damask Clo. Tring —2A 102
Damask Clo. W'ton —2A 36
Damask Green. —2A 36
Damask Grn. Hem H —3H 123
Damask Grn. Rd. W'ton —2A 36
Dammersey Clo. Mark —3B 86
Damson Wlk. A'wl —1F 12
Damson Way. St Alb —9K 109
Danby Ct. Enf —5A 156 (off Horseshoe La.)
Dancersend. —5H 101
Dancers End La. Tring —3G 101
Dancers Hill. —9K 141
Dancers Hill Rd. Barn —9J 141
Dancers La. Barn —8J 141
Dancote. Kneb —3M 71
Dane Acres. Bis S —9F 58
Dane Bri. La. M Hud —6L 77
Danebridge Rd. M Hud —6K 77
Dane Clo. Hpdn —3D 88
Dane Clo. Stot —4F 10
Dane Ct. Hert —9C 94
Dane End. —8F 14 (Therfield)
Dane End. —1C 74 (Watton at Stone)
Dane End Ho. Stev —9J 35 (off Coreys Mill La.)
Dane End La. Hit —6D 36
Dane End Rd. H Cro —4H 75
Danefield Rd. Pir —7D 20
Dane Ho. N14 —9J 155
Dane Ho. Bis S —9F 58
Daneland. Barn —8E 154
Danemead. Hod —5L 115
Dane O'Coys Rd. Bis S —8F 58
Dane Pk. Bis S —9F 58
Dane Rd. Bar C —8F 18
Dane Rd. Lut —7D 46
Danesbury. —9J 71
Danesbury Pk. Hert —8B 94
Danesbury Pk. Welw —9J 71
Danesbury Pk. Cvn. Site. Welw —8K 71
Danesbury Park Golf Course. —9G 70
Danesbury Pk. Rd. Welw —9H 71
Danescroft. Let —2F 22
Danesgate. Stev —5K 51
Daneshill Ho. Stev —4K 51 (off Danestrete)
Danes, The. Park —1D 138
Dane St. Bis S —1J 79 (in two parts)
Danestrete. Stev —4K 51
Daniel Ct. NW9 —8E 164
Daniells. Wel G —8N 91
Danleigh Ct. N14 —9J 155
Danraven Av. Lut —9C 46
Dansbury La. Welw —8J 71
Danvers Cft. Tring —1A 102
Danvers Dri. Lut —9E 30
Danziger Way. Borwd —3C 152
Darblay Clo. Sandr —1N 109
Darby Dri. Wal A —6N 145
Darby Dri. Welw —5L 71
Darcy Clo. Chesh —4J 145
Darkes La. Pot B —5N 141
Dark La. Chesh —3E 144
Dark La. Cod —8E 70
Dark La. Hpdn —8E 88
Dark La. Haul —4C 54
Dark La. Oving —5A 60
Dark La. S'don —2N 25
Dark La. Ware —4K 95
Darland Lake Nature Reserve. —3L 165
Darlands Dri. Barn —7K 153
Darley Cft. Park —1C 138
Darleyhall. —8D 48
Darley Rd. N9 —9D 156
Darley Rd. B Grn —8C 48
Darnhills. Rad —8G 139
Darnicle Hill. Chesh —7L 131
Darrington Rd. Borwd —3M 151
Darr's La. N'chu —9H 103
Dartford Av. N9 —8G 157
Dartmouth M. Lut —6N 45
Dart, The. Hem H —6B 106
Darwin Clo. Hem H —5D 106
Darwin Clo. St Alb —7F 108
Darwin Gdns. Wat —5L 161
Darwin Rd. Stev —3A 52
Dashes, The. H'low —5A 118 (in two parts)
Dassels. —7B 40
Datchet Clo. Hem H —6D 106
Datchworth. —5C 72
Datchworth Ct. Enf —7C 156
Datchworth Green. —7C 72
Datchworth Mus. —7C 72
Datchworth Turn. Hem H —2E 124
Dauphin Ct. Lut —8F 46 (off Earls Meade)
Davenham Av. N'wd —5H 161
Davenport. H'low —7G 118
Daventer Dri. Stan —7G 163
David Evans Ct. Let —4D 22
David Lloyd Leisure Cen. (Enfield) —4D 156
Davies St. Hert —9C 94
Davis Ct. St Alb —2F 126
Davis Cres. Pir —6E 20
Davison Clo. Chesh —1H 145
Davison Dri. Chesh —1H 145
Davis Row. Arl —8A 10
Davys Clo. Wheat —8M 89
Dawes La. Sarr —1H 147
Dawley. Wel G —6M 91 (in three parts)
Dawley Ct. Hem H —7C 106
Dawlish Clo. Stev —1B 72
Dawlish Rd. Lut —6B 46
Daw's End. —6E 28
Daws Hill. E4 —5N 157
Daws La. NW7 —5F 164
Daw's La. Bkld —3J 27
Dawson Ter. N9 —9G 156
Dayemead. Wel G —3A 112
Days Clo. Hat —9F 110
Day's Clo. R'ton —8C 8
Days Mead. Hat —9F 110
Deacon Clo. St Alb —6E 126
Deacons Clo. Els —6A 152
Deacons Clo. Pinn —9K 161
Deacons Ct. Lut —9F 46
Deaconsfield Rd. Hem H —5N 123
Deacons Heights. Els —8A 152
Deacons Hill. Borwd —8N 151
Deacons Hill. Wat —8L 149
Deacon's Hill Rd. Els —6N 151
Deacons Way. Hit —1L 33
Deadfield La. Hert —4E 112
Deadhearn La. Chal G —1B 158
Deadman's Ash La. Sarr —9L 135
Dead Woman's La. Hit —2K 49
Deakin Clo. Wat —9G 149
Deamer Ho. Ger X —4B 158
Deanacre Clo. Chal P —6B 158
Dean Ct. Edgw —6B 164
Dean Ct. Wat —6M 137
Deancroft Rd. Chal P —6B 158
Dean Dri. Stan —9M 163
Deane Ct. N'wd —8G 161
Dean Fld. Bov —9D 122
Dean La. Hem H & Mark —6J 85
Dean Moore Clo. St Alb —3D 126
Deansbrook Clo. Edgw —7C 164
Deansbrook Rd. Edgw —7B 164
Deans Clo. Ab L —5F 136
Deans Clo. Edgw —6C 164
Deans Clo. Tring —2M 101
Deanscroft. Kneb —3M 71
Deans Dri. Edgw —5D 164
Deans Furlong. Tring —2M 101
Dean's Gdns. St Alb —7H 109
Deans La. Edgw —6C 164
Deans Mdw. Dagn —2N 83
Deans Way. Edgw —5C 164
Deansway. Hem H —5B 124
Dean, The. W'grv —5A 60
Dean Wlk. Edgw —6C 164
Dean Way. Ast C —2E 100
Deard's End La. Kneb —3M 71
Deards Wood. Kneb —3M 71
Dearne Clo. Stan —5H 163
Dearsley Rd. Enf —5E 156
Debenham Ct. Barn —7J 153
Debenham Rd. Chesh —9F 132
De Bohun Av. N14 —8G 154
Deborah Lodge. Edgw —8B 164
Debussy. NW9 —9F 164
Deepdene. Pot B —4K 141
Deepdene Ct. N21 —8N 155
Deep Denes. Lut —7J 47
Deeping Clo. Kneb —4M 71
Deer Clo. Hert —9D 94
Deerfield Clo. Ware —5H 95
Deerings, The. Hpdn —1B 108
Deerleap Gro. E4 —7M 157
Deer Pk. H'low —9K 117
Deer Pk. Wlk. Che —9J 121
Deerpark Way. Wal A —9M 145
Deerswood Av. Hat —2H 129
Dee, The. Hem H —6B 106
Deeves Hall La. Ridge —6E 140
Defiant. NW9 —9F 164 (off Further Acre)
De Havilland Clo. Hat —8F 110
De Havilland Ct. Shenl —5M 139
De Havilland Rd. Edgw —9B 164
De Havilland Way. Ab L —5H 137
Deimos Dri. Hem H —8C 106
Delahay Ri. Berk —8M 103
Delamare Rd. Chesh —3J 145
Delamere Gdns. NW7 —6D 164
Delamere Rd. Borwd —3B 152
Delfcroft. Ware —4G 94
Delfield Gdns. Cad —4A 66
Delhi Rd. Enf —9D 156
Delius Clo. Els —8K 151
Dell Clo. Hpdn —4C 88
Dellcot Clo. Lut —4K 47
Dellcott Clo. Wel G —8J 91
Dell Ct. N'wd —7F 160
Dellcroft Way. Hpdn —9B 88
Dell Cut Rd. Hem H —9C 106
Dellfield. St Alb —3G 127
Dellfield. Wad —8H 75
Dellfield Av. Berk —8M 103
Dellfield Clo. Berk —8L 103
Dellfield Clo. Rad —8G 138
Dellfield Clo. Wat —4J 149
Dellfield Ct. H'low —2E 118
Dellfield Ct. Lut —7M 47
Dellfield Rd. Hat —9G 110
Dell La. Bis S —1J 79
Dell La. L Hall —8J 79
Dellmeadow. Ab L —3G 136
Dell Mdw. Hem H —6A 124
Dellmont Rd. H Reg —4E 44
Dellors Clo. Barn —7K 153
Dell Ri. Park —8C 126
Dell Rd. Enf —2G 157
Dell Rd. H Reg —4E 44
Dell Rd. N'chu —7H 103
Dell Rd. Wat —1J 149
Dells Clo. E4 —9M 157
Dellside. Wat —1J 149
Dellsome La. Col H —5E 128 (in two parts)
Dellsprings. Bunt —2J 39
Dells, The. Bis S —1H 79 (off South St.)
Dells, The. Hem H —3D 124
Dellswood Clo. Hert —1C 114
Dellswood Clo. Hod —5K 115
Dell, The. Bald —5L 23
Dell, The. Cad —5A 66
Dell, The. Chal P —6B 158
Dell, The. Hert —3A 114
Dell, The. Lut —8A 48
Dell, The. Mark —2N 85
Dell, The. N'wd —2G 160
Dell, The. Pinn —9M 161
Dell, The. Rad —9H 139
Dell, The. R'ton —8C 8
Dell, The. St Alb —9H 109
Dell, The. Stev —4L 51
Dell, The. Welw —3N 91
Dellwood. Rick —1L 159
Delmar Av. Hem H —3F 124
Delmer Ct. Borwd —2N 151 (off Aycliffe Rd.)
Delmerend La. Flam —5E 86
Delphine Clo. Lut —2C 66
Delroy Ct. N20 —9B 154
Delta Gain. Wat —2M 161
Demontfort Ri. Ware —4G 94
Denbigh Clo. Hem H —3A 124
Denbigh Rd. Lut —7D 46
Denby. Let —7H 23
Denby Grange. H'low —6G 118
Dencora Way. Lut —1L 45
Dendridge Clo. Enf —1F 156
Dene Gdns. Stan —5K 163
Dene La. Ast —7C 52
Dene Rd. N'wd —6E 160
Denes, The. Hem H —7B 124
Denewood. New Bar —7B 154
Denewood Clo. Wat —1H 149
Denham Clo. Hem H —6C 106
Denham Clo. Lut —1A 46 (in three parts)
Denham La. Chal P —6C 158
Denham Wlk. Chal P —6C 158
Denham Way. Borwd —3C 152
Denham Way. Map C & Den —6H 159
Denleigh Gdns. N21 —9M 155
Denmark Clo. Lut —9A 30
Denmark St. Wat —4K 149
Dennis Clo. Ast C —2F 100
Dennis Gdns. Stan —5K 163
Dennis La. Stan —3J 163
Dennis Pde. N14 —9J 155
Denny Av. Wal A —7N 145
Denny Ct. Bis S —7K 59
Denny Ga. Chesh —9K 133
Denny Rd. N9 —9F 156
Denny's La. Berk —3K 121
Densley Clo. Wel G —7K 91
Denton Clo. Barn —7J 153
Denton Clo. Lut —5L 45
Denton Rd. Stev —5L 51
Dents Clo. Let —8J 23
Denvers Yd. Ware —5A 76
Derby Av. Harr —8E 162
Derby Ho. Pinn —9M 161
Derby Lodge. N3 —9M 165
Derby Rd. Enf —7F 156
Derby Rd. Hod —9A 116
Derby Rd. Lut —7M 45
Derby Rd. Wat —5L 149 (in two parts)
Derby Way. Stev —1A 52
Derwent Av. NW7 —6D 164
Derwent Av. Barn —9E 154
Derwent Av. Lut —2D 46
Derwent Av. Pinn —6N 161
Derwent Cres. Stan —9K 163
Derwent Dri. Dunst —3F 64
Derwent Rd. Hpdn —3L 87
Derwent Rd. Hem H —3E 124
Derwent Rd. Lut —9J 47
Desborough Clo. Hert —6A 94
Desborough Dri. Tew —2B 92
Desborough Rd. Hit —2C 34
Des Fuller Ct. Lut —2H 67 (off Chequer St.)
Desmond Ho. Barn —8D 154
Desmond Rd. Wat —9H 137
De Tany Ct. St Alb —3E 126
Deva Clo. St Alb —4B 126
Devereux Dri. Wat —2G 149
De Vere Wlk. Wat —4G 149
Devil's La. Hert —3N 131
Devoils La. Bis S —1H 79
Devon Ct. St Alb —3F 126
Devon Rd. Lut —1K 67
Devon Rd. Wat —3M 149
Devonshire Clo. Stev —9N 51
Devonshire Ct. Pinn —8A 162 (off Devonshire Rd.)
Devonshire Cres. NW7 —7K 165
Devonshire Gdns. N21 —9A 156
Devonshire Rd. N9 —9G 157
Devonshire Rd. NW7 —7K 165
Devonshire Rd. Hpdn —5C 88
Devonshire Rd. Pinn —8A 162
Dewars Clo. Welw —1J 91
Dewes Green. —1B 42
Dewes Grn. Rd. Ber —1B 42
Dewgrass Gro. Wal X —8H 145
Dewhurst Rd. Chesh —2F 144
Dewpond Clo. Stev —1J 51
Dewsbury Rd. Lut —3D 46
Dexter Clo. Lut —9D 30
Dexter Clo. St Alb —3H 127
Dexter Rd. Barn —8K 153
Dexter Rd. Hare —9M 159
Dialmead. Ridge —6F 140
Diamond End. —2D 68
Diamond Ind. Cen. Let —4J 23
Diamond Rd. Wat —2J 149
Dianne Way. Barn —6D 154
Dickens Clo. Chesh —8E 132
Dickens Clo. St Alb —1E 126
Dickens Ct. Hem H —5D 106
Dicker Mill. Hert —8B 94
Dicket Mead. Welw —2J 91
Dickinson Av. Crox G —8C 148
Dickinson Sq. Crox G —8D 148
Dick Smiths Wlk. A'wl —8L 5
Dickson. Chesh —9D 132
Dig Dag Hill. Chesh —9D 132
Digswell. —4L 91
Digswell Clo. Borwd —2A 152
Digswell Ct. Wel G —7L 91
Digswell Hill. Welw —6G 91
Digswell Ho. Wel G —5K 91
Digswell Ho. M. Wel G —5K 91
Digswell La. Wel G —5M 91
Digswell Park. —5K 91
Digswell Pk. Rd. Wel G —4K 91 (in two parts)
Digswell Pl. Wel G —6H 91
Digswell Ri. Wel G —7K 91
Digswell Rd. Wel G —8K 91
Digswell Water. —5M 91
Dimmocks La. Sarr —9L 135
Dimsdale Cres. Bis S —3K 79
Dimsdale Dri. Enf —9E 156
Dimsdale St. Hert —9A 94
Dinant Link Rd. Hod —7L 115
Dingle Clo. Barn —8F 152
Dingles Ct. Pinn —8M 161
Dinmore. Bov —1C 134
Dinsdale Gdns. New Bar —7A 154
Dione Rd. Hem H —8B 106
Dishforth La. NW9 —7E 164
Dison Clo. Enf —3H 157
Ditchfield Rd. Hod —5L 115
Ditchling Clo. Lut —6L 47
Ditchmore La. Stev —3K 51
Ditton Grn. Lut —6N 47
Divot Pl. Hert —8F 94
Dixies Clo. A'wl —1C 12
Dixon Pl. Bunt —3J 39
Dixons Hill Clo. N Mym —7H 129
Dixons Hill Rd. N Mym —7H 129
Dobbin Clo. Harr —9H 163
Dobbins La. Wend —9A 100
Dobbs Weir. —9A 116
Dobb's Weir Rd. Hod —9N 115
Docklands. Pir —7E 20
Doctor's Commons Rd. Berk —1M 121
Dodds La. Pic E —7M 105
Dodgen La. Bis S —8G 43
Dodwood. Wel G —1A 112
Doggetts Courts. Barn —7D 154
Doggetts Way. St Alb —4D 126
Doggetts Wood La. Chal G —6A 146
Dog Kennel La. Chor —6J 147
Dog Kennel La. Hat —8G 111
Dog Kennel La. R'ton —7D 8
Dognell Grn. Wel G —8H 91
Dolesbury Dri. Welw —8L 71
Dollis Av. N3 —8M 165
Dollis Brook Wlk. Barn —8L 153
Dolliscroft. NW7 —7L 165
Dollis M. N3 —8N 165
Dollis Pk. N3 —8M 165
Dollis Rd. NW7 & N3 —7L 165
Dollis Valley Dri. Barn —8M 153
Dollis Valley Way. Barn —8M 153
Dolphin Dri. H Reg —4H 45
Dolphin Sq. Tring —3M 101 (off Church Yd.)
Dolphin Way. Bis S —9J 59
Dolphin Yd. Hert —9B 94
Dolphin Yd. St Alb —3E 126 (off Holywell Hill)
Dolphin Yd. Ware —6H 95
Dome, The. (Junct.)—9L 137
Dominic Ct. Wal A —6M 145
Domitian Pl. Enf —7D 156
Doncaster Clo. Stev —1B 52
Doncaster Grn. Wat —5L 161
Doncaster Rd. N9 —9F 156
Donkey La. Enf —4E 156
Donkey La. Tring —3K 101 (in two parts)
Donnefield Av. Edgw —7M 163
Doo Lit. La. Tot —3M 63
Doolittle Meadows. Hem H —7A 124
Dorant Ho. St Alb —7E 108
Dorchester Av. Hod —6L 115
Dorchester Clo. Dunst —8E 44
Dorchester Ct. N14 —9G 155

A-Z Hertfordshire 181

Dorchester Ct.—Eatongate Clo.

Dorchester Ct. St Alb —3H 127
(off Dexter Clo.)
Dorchester Ct. Wat —8N 149
(off Chalk Hill)
Dordans Rd. Lut —5A 46
Dorel Clo. Lut —7H 47
Dormans Clo. N'wd —7F 160
Dormer Clo. Barn —7K 153
Dormers. Bov —9H 123
Dormie Clo. St Alb —9D 108
Dorriens Cft. Berk —7K 103
Dorrington Clo. Lut —8E 46
Dorrofield Clo. Crox G —7E 148
Dorset Clo. Berk —9K 103
Dorset Ct. Lut —2H 67
(off Kingsland Rd.)
Dorset Ct. N'wd —8H 161
Dorset Dri. Edgw —6N 163
Dorset Ho. Bis S —1H 79
(off Portland Rd.)
Dorset M. N3 —8N 165
Douglas Av. Wat —1M 149
Douglas Clo. Stan —5H 163
Douglas Cres. H Reg —6D 44
Douglas Dri. Stev —1N 51
Douglas Gdns. Berk —9K 103
Douglas Rd. Hpdn —5A 88
Douglas Rd. Lut —7C 46
Douglas Way. Wel G —9B 92
Doulton Clo. H'low —7G 118
Dove Clo. NW7 —7F 164
Dove Clo. Bis S —5G 78
Dove Clo. Stans —2N 59
Dovecotes. A'wl —9M 5
Dovecott, The. Pir —7D 20
Dove Ct. Hat —1G 129
Dovedale. Lut —3G 46
Dovedale. Stev —5A 52
Dovedale. Ware —4G 94
Dovedale Clo. Hare —9M 159
Dovehouse Clo. Edl —4K 63
Dovehouse Cft. H'low —4C 118
Dovehouse Hill. Lut —7K 47
Dovehouse La. Kens —9F 64
Dovehouse La. Stev —8F 36
Dove La. Pot B —7B 142
Dove Pk. Chor —8E 146
Dove Pk. Pinn —7B 162
Dover Clo. Lut —6C 46
Dovercourt Gdns. Stan —5M 163
Doverfield. G Oak —2A 144
Dove Rd. Stev —7M 35
Dover Way. Crox G —6E 148
Dowding Pl. Stan —6H 163
Dowding Way. Leav —7H 137
Dower Ct. Hit —5N 33
(off London Rd.)
Dower M. Berk —1N 121
Dowling Ct. Hem H —5N 123
Downage. NW4 —9J 165
Downalong. Bus H —1E 162
Downe Clo. R'ton —5C 8
Down Edge. Redb —1H 107
Downedge. St Alb —1C 126
Downer Dri. Sarr —9K 135
Downes Ct. N21 —9M 155
Downes Rd. St Alb —7J 109
Downfield Clo. Hert H —2G 114
Downfield Ct. Thun —2F 94
Downfield Rd. Chesh —4J 145
Downfield Rd. Hert H —2G 114
Downfields. Wel G —2H 111
Down Grn. La. Wheat —7J 89
Downhall Ley. Bunt —3J 39
Downhurst Av. NW7 —5D 164
Downhurst Ct. NW4 —9J 165
Downings Wood. Map C —5G 159
Downland Clo. N20 —9B 154
Downlands. Bald —2N 23
Downlands. Lut —2M 45
Downlands. R'ton —7C 8
Downlands. Stev —2C 52
Downlands Ct. Lut —7K 45
Downlands Pk. Homes. Pep —8E 66
Downsfield. Hat —3H 129
Downside. —1H 65
Downside. Hem H —1A 124
Downs La. Hat —2G 128
Downs Rd. Dunst —9G 44
Downs Rd. Enf —6C 156
Downs Rd. Lut —1E 66
Downs, The. H'low —6A 118
Downs, The. Hat —2G 128
Downs Vw. Dunst —1G 65
Downs Vw. Lut —5N 45
Downswat Ct. R'ton —7C 8
Downton Ct. Lut —9F 46
Downview. Lut —7L 45
Dowry Wlk. Wat —2H 149
Drakes Clo. Chesh —1H 145
Drakes Dri. N'wd —8D 160
Drakes Dri. St Alb —5J 127
Drakes Dri. Stev —2A 52
Drakes Mdw. H'low —2G 118
Drake St. Enf —3B 156
Drakes Way. Hat —2H 129
Drapers' Cottage Homes. NW7 (in two parts) —4G 164
Drapers M. Lut —8E 46
Drapers Rd. Enf —4N 155
Drapers Way. Stev —2J 51
Draymans Clo. Bis S —3D 78
Drayton Av. Pot B —5L 141
Drayton Beauchamp. —1H 101
Drayton Ford. Rick —2K 159
Drayton Gdns. N21 —9N 155
Drayton Hollow. Tring —6K 101
(in two parts)
Drayton Rd. Borwd —6A 152
Drayton Rd. Lut —6J 45
Drew Av. NW7 —6L 165
Drey, The. Chal P —5B 158
Driffield Ct. NW9 —8E 164
(off Pageant Av.)
Drift Way. Bunt —9M 13
(in two parts)
Driftway. Reed —8J 15
Driftway, The. Hem H —2B 124
Driftwood Av. St Alb —8B 126
Drive Ct. Edgw —5A 164
Driver's End. —4G 70
Driver's End La. Cod —4F 70
Drive, The. N3 —7N 165
Drive, The. Brk P —7N 129
Drive, The. Chal P —7B 158
Drive, The. Chesh —9F 132
Drive, The. Edgw —5A 164
Drive, The. Enf —3B 156
Drive, The. G Oak —1N 143
Drive, The. H'low —5A 118
Drive, The. Hpdn —6B 88
Drive, The. Hert —7A 94
Drive, The. High Bar —5L 153
Drive, The. Hod —6L 115
Drive, The. L Buz —7E 62
Drive, The. Naps —7H 127
Drive, The. New Bar —8B 154
Drive, The. N'wd —9G 161
Drive, The. Pot B —6M 141
Drive, The. Rad —7H 139
Drive, The. Rick —7L 147
Drive, The. Ridg —8G 142
Drive, The. Saw —5G 98
Drive, The. Wat —1F 148
Drive, The. Welw —7N 71
Drive, The. Wheat —9J 69
Driveway, The. Cuff —1K 143
Driveway, The. Hem H —3L 123
Dromey Gdns. Harr —7G 162
Drop La. Brick W —3C 138
Drover La. Bis S & Saf W —2G 42
Drovers La. Wheat —1L 109
Drovers Way. Bis S —3E 78
Drovers Way. Dunst —9C 44
Drovers Way. Hat —6H 111
Drovers Way. St Alb —2E 126
Drummond Dri. Stan —7G 163
Drummond Ride. Tring —1M 101
Drummonds, The. Lut —7M 45
Drury Clo. H Reg —4F 44
Drury La. H Reg —4F 44
Drury La. Hun —6G 97
Dryburgh Gdns. NW9 —9A 164
Drycroft. Wel G —4L 111
Dryden Cres. Stev —1A 52
Dryden Rd. Enf —8C 156
Dryden Rd. Harr —8G 163
Dryfield Rd. Edgw —6C 164
Drysdale Av. E4 —9M 157
Drysdale Clo. N'wd —7G 160
Dubbs Knoll Rd. G Mor —1A 6
Dubrae Clo. St Alb —4B 126
Duchess Clo. Bis S —1D 78
Duchess Ct. Dunst —8F 44
Duchy Rd. Barn —2C 154
Duck End. —8N 59
Ducketts La. M Hud —7N 77
Ducketts Mead. Roy —5E 116
Ducketts Wharf. Bis S —2H 79
Ducketts Wood. Thun —9H 75
Duck La. B'tn —5J 53
Duck Lees La. Enf —6J 157
Duckling La. Saw —5G 99
Duckmore La. Tring —5K 101
Ducks' Grn. Ther —7D 14
Duck's Hill Rd. N'wd & Ruis —8D 160
Ducks Island. —8K 153
Duck St. Fur P —5H 41
Du Cros Dri. Stan —6L 163
Dudley Av. Harr —9K 163
Dudley Av. Wal X —5H 145
Dudley Clo. Bov —9D 122
Dudley Hill Clo. Welw —8L 71
Dudley Rd. N3 —9N 165
Dudley St. Lut —9G 46
Dudswell. —6H 103
Dudswell Corner. Dud —6G 103
Dudswell La. Dud —6H 103
Dudswell Mill. Dud —6G 103
Dugdale Ct. Hit —1K 33
Dugdale Hill. —6L 141
Dugdale Hill La. Pot B —6L 141
Dugdales. Crox G —6C 148
Dukeminster Trad. Est. Dunst —8F 44
Dukes Av. N3 —8N 165
Duke's Av. Edgw —6N 163
Dukes Av. Kens —8A 64
Dukes Ct. Dunst —8F 44
(off Mall, The)
Duke's La. Hit —2N 33
Dukes Ride. Bis S —9E 58
Dukes Ride. Lut —8F 46
(off Knights Fld.)
Duke St. Hod —7L 115
Duke St. Lut —9G 47
Duke St. Wat —5L 149
Dukes Way. Berk —8L 103
Dulwich Way. Crox G —7C 148
Dumbarton Av. Wal X —7H 145
Dumbletons, The. Map C —4H 159
Dumfries Clo. Wat —3H 161
Dumfries Ct. Lut —2F 66
(off Dumfries St.)
Dumfries St. Lut —2F 66
(in two parts)
Dunblane Clo. Edgw —2B 164
Duncan Clo. Barn —6B 154
Duncan Clo. Wel G —1L 111
Duncan Ct. St Alb —4G 127
Duncan Way. Bush —4A 150
Duncombe Clo. Hert —7A 94
Duncombe Clo. Lut —3E 46
Duncombe Ct. Dunst —7H 45
Duncombe Dri. Dunst —7H 45
Duncombe Rd. Hert —8A 94
Duncombe Rd. N'chu —8J 103
Duncots Clo. Ickl —8M 21
Dundale Rd. Tring —1L 101
Dundee Way. Enf —5J 157
Dunford Ct. Pinn —7A 162
Dunham's La. Let —4H 23
Dunkirks M. Hert —2B 114
Dunlin. Let —2E 22
Dunlin Rd. Hem H —6A 106
Dunmow Ct. Lut —7F 46
Dunmow Rd. Bis S —1J 79
Dunmow Rd. L Hall —1N 79
Dunn Clo. Stev —6L 51
Dunn Mead. NW9 —7F 164
Dunnock Clo. Borwd —6A 152
Dunny La. Chfd —6H 135
Dunraven Dri. Enf —4M 155
Dunsby Rd. Lut —3C 46
Dunsley Pl. Tring —3N 101
Dunsmore Clo. Bush —8E 150
Dunsmore Rd. Lut —2D 66
Dunsmore Way. Bush —8E 150
Dunstable. —9E 44
Dunstable Clo. Lut —8C 46
Dunstable Ct. Lut —8B 46
Dunstable Downs Golf Course. —3D 64
Dunstable Leisure Cen. —8E 44
Dunstable Pk. Recreational Cen. —7E 44
Dunstable Pl. Lut —1F 66
Dunstable Rd. Dagn —2N 83
Dunstable Rd. Dunst & Cad —3K 65
Dunstable Rd. Eat B —3L 63
Dunstable Rd. Flam —5G 87
Dunstable Rd. H Reg —6E 44
Dunstable Rd. Kens —4C 64
Dunstable Rd. Lut —7L 45
Dunstable Rd. Redb —8J 87
Dunstable Rd. Tod —1C 44
Dunstable Rd. Tot —1N 63
Dunstable St. Mark —8M 65
Dunstable Town F.C. —7C 44
Dunstall Rd. Bar C —9E 18
Dunstalls. H'low —9J 117
Dunster Clo. Barn —6K 153
Dunster Clo. Hare —8L 159
Dunster Ct. Borwd —5D 152
Dunster Rd. Hem H —5D 106
Dunsters Mead. Wel G —2N 111
Dunston Hill. Tring —2M 101
Dunton. —1F 4
Dunton La. Big —1A 4
Durants Pk. Av. Enf —6H 157
Durants Rd. Enf —6G 157
Durban Rd. E. Wat —6J 149
Durban Rd. W. Wat —6J 149
Durbar Rd. Lut —8C 46
Durham Clo. Saw —6E 98
Durham Clo. Stan A —1M 115
Durham Ho. Borwd —4A 152
(off Canterbury Rd.)
Durham Rd. Borwd —5C 152
Durham Rd. Lut —9J 47
Durham Rd. Stev —9N 35
Durler Gdns. Lut —3F 66
Durrant Ct. Har W —9F 162
Durrants Dri. Crox G —5E 148
Durrants Hill Rd. Hem H —5N 123
Durrants La. Berk —1J 121
Durrants Path. Che —9E 120
Durrants Rd. Berk —9K 103
Dury Rd. Barn —3M 153
Duxford Clo. Lut —2D 46
Duxons Turn. Hem H —1D 124
Dwight Rd. Wat —9F 148
Dyers Rd. Eat B —1J 63
Dyes La. Hit —5E 50
Dyke La. Wheat —9L 89
Dylan Clo. Els —9L 151
Dylan Ct. H Reg —4F 44
Dymoke Grn. St Alb —7H 109
Dymoke M. Stev —1J 51
Dymokes Way. Hod —5L 115
Dyrham La. Barn —9G 141
Dyrham Pk. —2H 153
Dyrham Pk. Golf Course. —1G 153
Dyson Ct. Wat —7L 149
Dysons Clo. Wal X —6H 145

Eagle Cen. Way. Lut —2L 45
Eagle Clo. Enf —6G 157
Eagle Clo. Lut —5K 45
Eagle Ct. Bald —2L 23
Eagle Ct. Hert —8F 94
Eagle Dri. NW9 —9E 164
Eagle Way. Hat —2G 128
Ealing Clo. Borwd —3D 152
Earls Clo. Bis S —2F 78
Earls Ct. Dunst —8F 44
Earls Hill Gdns. R'ton —7C 8
Earls La. S Mim —5E 140
Earlsmead. Let —8F 22
Earls Meade. Lut —8F 46
Earl St. Wat —5L 149
Easedale Clo. Dunst —2F 64
Easington Rd. D End —1C 74
Easingwold Gdns. Lut —9B 46
Easneye. —8N 95
East Barnet. —8D 154
E. Barnet Rd. Barn —6C 154
Eastbourne Av. Stev —3G 50
Eastbrook Av. N9 —9G 157
Eastbrook Way. Hem H —2A 124
East Burrowfield. Wel G —2K 111
Eastbury. —4H 161
Eastbury Av. Enf —3D 156
Eastbury Av. N'wd —5H 161
Eastbury Ct. New Bar —7B 154
(off Lyonsdown Rd.)
Eastbury Ct. St Alb —1G 126
Eastbury Ct. Wat —9L 149
Eastbury Pl. N'wd —5H 161
Eastbury Rd. N'wd —6G 160
Eastbury Rd. Wat —9K 149
Eastcheap. Let —5F 22
East Clo. Barn —6F 154
East Clo. Hit —1B 34
East Clo. St Alb —7C 126
East Clo. Stev —4M 51
East Comn. Redb —2J 107
Eastcote Dri. Hpdn —9E 88
Eastcott Clo. Lut —8M 47
East Cres. Enf —7D 156
East Dri. Naps —9H 127
East Dri. N'wd —2G 161
East Dri. Oakl —1M 127
East Dri. Saw —6G 98
East Dri. Wat —9K 137
E. Duck Lees La. Enf —6J 157
Eastend. —5H 117
East End. H Reg —4F 44
E. End Farm. Pinn —9A 162
East End Green. —4J 113
E. End Rd. N3 & N2 —9N 165
E. End Way. Pinn —9N 161
Eastern Av. Dunst —9G 44
Eastern Av. Henl —1K 21
Eastern Av. Wal X —6J 145
Eastern Av. Ind. Est. Dunst —9G 45
Eastern Way. Let —3G 22
Eastfield Av. Wat —3M 149
Eastfield Clo. Lut —5L 47
Eastfield Ct. St Alb —8L 109
Eastfield Pde. Pot B —5C 142
Eastfield Rd. Enf —2H 157
Eastfield Rd. R'ton —7E 8
Eastfield Rd. Wal X —4K 145
East Flint. Hem H —1J 123
(in two parts)
East Ga. H'low —5N 117
Eastgate. Stev —5K 51
Eastglade. N'wd —5H 161
Eastglade. Pinn —9A 162
East Grn. Hem H —7B 124
Easthall. —7B 50
Easthall Ho. Stev —8J 35
(off Coreys Mill La.)
Eastham Clo. Barn —7M 153
East Herts Golf Course. —4M 55
East Hill. Lut —3D 46
Easthill Rd. H Reg —4F 44
Eastholm. Let —3G 22
Eastholm Grn. Let —3G 22
East Hyde. —9A 68
East Hyde Pk. —9B 68
East La. Bedm & Wat —1H 137
(in two parts)
East La. Wheat —6L 89
Eastlea Av. Wat —1N 149
E. Lodge La. Enf —9J 143
Eastman Way. Hem I —8C 106
Eastman Way. Stev —8B 36
East Mead. Wel G —3A 112
East Mimms. Hem H —1A 124
Eastmoor Ct. Hpdn —9D 88
Eastmoor Pk. Hpdn —8D 88
East Mt. Wheat —6L 89
Eastnor. Bov —1D 134
Easton Gdns. Borwd —6E 152
Eastor. Wel G —6N 91
East Pk. H'low —3E 118
East Pk. Saw —6G 98
East Reach. Stev —7N 51
East Ridgeway. Cuff —1K 143
East Riding. Tew —2C 92
East Rd. Barn —9F 154
East Rd. Bis S —1K 79
East Rd. Edgw —8B 164
East Rd. Enf —2G 157
East Rd. H'low —2D 118
East St. Hem H —2N 123
East St. Lil —8M 31
East St. Ware —6H 95
East Vw. Barn —4M 153
East Vw. Ess —8E 112
East Vw. St I —8C 34
East Wlk. E Barn —9F 154
East Wlk. H'low —5N 117
Eastwick. —2L 117
Eastwick Cres. Mil E —2J 159
Eastwick Hall La. H'low —9K 97
Eastwick Rd. Gil —1N 117
Eastwick Rd. H'low —2L 117
Eastwick Rd. Hun —8G 96
Eastwick Row. Hem H —3C 124
East Wing. N'chu —7H 103
Eastwood Ct. Hem H —1C 124
Easy Way. Lut A —2M 67
Eaton Bray. —2J 63
Eaton Bray Rd. N'all —4G 62
Eaton Clo. Stan —4J 163
Eaton Ga. N'wd —6E 160
Eatongate Clo. Eat B —4J 63

Goldcrest Way—Green Oaks

Goldcrest Way. Bush —1D 162
Goldcroft. Hem H —4C 124
Golden Ct. Barn —6D 154
Golden Dell. Wel G —4M 111
Golden Willows Site. Ickl —5M 21
Golders Clo. Edgw —5B 164
Goldfield Rd. Tring —3L 101
Goldfinch Way. Borwd —6A 152
Gold Hill. Edgw —6D 164
Gold Hill E. Chal P —9A 158
Gold Hill N. Chal P —8A 158
Gold Hill W. Chal P —8A 158
Goldings. Bis S —9K 59
Goldings Cres. Hat —8H 111
Goldings Ho. Hat —8H 111
Goldings La. W'frd —6M 93
Goldington Clo. Hod —5K 115
Gold La. Edgw —6D 164
Goldon. Let —7J 23
Goldsdown Clo. Enf —4J 157
Goldsdown Rd. Enf —4H 157
Goldsmiths. H'low —8A 118
Goldsmith Way. St Alb —1D 126
Goldstone Clo. Ware —5H 95
Goldstone Cres. Dunst —7G 45
Golf Clo. Bush —5M 149
Golf Clo. Stan —7K 163
Golf Club Rd. Brk P —8N 129
Golf Club Rd. L Gad —7L 83
Golf Driving Range. —2J 111 (Welwyn Garden City)
Golf Ride. Enf —8M 143
Gombards. St Alb —1E 126
Gomer Clo. Cod —6E 70
Gonville Av. Crox G —8D 148
Gonville Cres. Stev —7B 52
Goodey Meade. B'tn —7L 53
Good Intent. Edl —4J 63
Goodliffe Pk. Bis S —7K 59
Goodrich Clo. Wat —8J 137
Goodwin Ct. Barn —8D 154
Goodwin Ct. Chesh —1J 145
Goodwin Ho. Wat —8G 149
Goodwins Mead. Ched —9M 61
Goodwin Stile. Bis S —3F 78
Goodwood Av. Enf —1G 156
Goodwood Av. Wat —8G 137
Goodwood Clo. Hod —7L 115
Goodwood Clo. Stan —5K 163
Goodwood Pde. Wat —9G 137
Goodwood Path. Borwd —4A 152
Goodwood Rd. R'ton —7F 8
Goodwyn Av. NW7 —5E 164
Goodyers Av. Rad —6G 138
Goose Acre. Ched —9L 61
Gooseacre. Wel G —2M 111
Gooseberry Hill. Lut —3D 46
Goosecroft. Hem H —1J 123
Goosefields. Rick —8M 147
Goose Green. —7G 115
Goose La. L Hall —9M 79
Goral Mead. Rick —1N 159
Gordian Way. Stev —9B 36
Gordon Av. Stan —7G 163
Gordon Clo. St Alb —3J 127
Gordon Ct. Edgw —5M 163
Gordon Ct. Kneb —3N 71
Gordon Gdns. Edgw —9B 164
Gordon Hill. Enf —3A 156
Gordon Ho. St Alb —3J 127
Gordon Rd. N3 —7M 165
Gordon Rd. Enf —3A 156
Gordon Rd. Harr —9F 162
Gordon Rd. Wal A —7L 145
Gordon St. Lut —1F 66
Gordons Wlk. Hpdn —7D 88
Gordon Way. Barn —6M 153
Gorelands La. Chal G —1A 158
Gore La. Ware —5N 75
Gorhambury. —1L 125
Gorham Dri. St Alb —5F 126
Gorham Way. Dunst —7J 45
Gorle Clo. Wat —8J 137
Gorleston Clo. Stev —9G 35
Gorse Clo. Hat —3F 128
Gorse Corner. Hpdn —7D 88 (off Barnfield Rd.)
Gorse Corner. St Alb —9E 108
Gorselands. Hpdn —8D 88
Gorst Clo. Let —6E 22
Gosford Ho. Wat —8G 149
Gosforth La. Wat —3J 161
Gosforth Path. Wat —3J 161
Goshawk Clo. Lut —5K 45
Gosling Av. Offl —8D 32
Gosling Stadium, The. —2K 111
Gosmore. —7N 33
Gosmore. Stev —8J 35 (off Coreys Mill La.)
Gosmore Ley Clo. Gos —7N 33
Gosmore Rd. Hit —5N 33
Gossamers, The. Wat —7N 137
Gosselin Rd. Hert —7A 94
Gossom's End. Berk —9L 103
Gossoms Ryde. Berk —9L 103
Gothic Cotts. Enf —4A 156 (off Chase Grn. Av.)
Gothic Way. Arl —7A 10
Gough Rd. Enf —4F 156
Gould Clo. N Mym —6H 129
Government Row. Enf —2L 157
Gover's Green. —8C 72
Gowar Fld. S Mim —5G 141
Gower Rd. R'ton —6C 8
Gowers, The. H'low —4C 118
Grace Av. Shenl —6L 139
Grace Clo. Borwd —3D 152
Grace Clo. Edgw —7C 164
Grace Gdns. Bis S —4H 79
Grace's Maltings. Tring —3M 101
Grace Way. Stev —9L 35
Graeme Rd. Enf —4B 156
Graemesdyke Rd. Berk —2L 121
Grafton Clo. St Alb —3L 127
Grafton Rd. Enf —5L 155
Graham Av. Brox —2J 133
Graham Clo. St Alb —4E 126
Grahame Park. —8F 164
Grahame Pk. Est. NW9 —8E 164
Grahame Pk. Way. NW7 & NW9 —7F 164
Graham Gdns. Lut —5E 46
Graham Rd. Dunst —1H 65
Graham Rd. Harr —9F 162
Grailands. Bis S —9F 58
Grammar Sch. Wlk. Hit —3M 33
Grampian Way. Lut —1M 45
Granard Bus. Cen. NW7 —6E 164
Granary Clo. N9 —9G 156
Granary Clo. Wheat —7L 89
Granary Ct. Saw —5G 99
Granary La. Hpdn —6C 88
Granary, The. Roy —5E 116
Granary, The. Stan A —3N 115
Granby Av. Hpdn —5D 88
Granby Pk. Rd. Chesh —1D 144
Granby Rd. Lut —6N 45
Granby Rd. Stev —8J 35
Grandfield Av. Wat —3H 149
Grange Av. N20 —9L 153
Grange Av. E Barn —9D 154
Grange Av. Lut —5N 45
Grange Av. Stan —9J 163
Grange Bottom. R'ton —8E 8
Grange Clo. Chal P —8B 158
Grange Clo. Edgw —5C 164
Grange Clo. Hem H —3C 124
Grange Clo. Hert —9N 93
Grange Clo. Hit —6A 34
Grange Clo. Mark —1N 85
Grange Clo. Wat —3J 149
Grange Ct. Hert —8A 94
Grange Ct. Let —2G 22
Grange Ct. St Alb —1E 126
Grange Ct. Wal A —7N 145
Grange Ct. Rd. Hpdn —9D 88
Grangedale Clo. N'wd —8G 160
Grange Dri. Chart —9B 120
Grange Dri. Stot —7F 10
Grange Fields. Ger X —8B 158
Grange Gdns. Ware —7J 95
Grange Gdns. Wend —9A 100
Grange Hill. Edgw —5C 164
Grange Hill. Welw —1J 91
Grange La. Let H —3E 150
Grange La. Roy —6F 116
Grange Park. —8N 155
Grange Pk. Bis S —8H 59
Grange Pk. Av. N21 —8A 156
Grange Ri. Cod —7F 70
Grange Rd. Bar C —8D 18
Grange Rd. Bis S —1J 79
Grange Rd. Bush —7N 149
Grange Rd. Chal P —8B 158
Grange Rd. Edgw —6D 164
Grange Rd. Els —7N 151
Grange Rd. Let —3F 22
Grange Rd. Pit —2B 82
Grange Rd. Tring —2A 102
Grange Rd. Wils —6H 81
Grangeside. Bis S —7J 59
Grange St. St Alb —1E 126
Grange, The. N20 —9B 154
Grange, The. Ab L —4G 137
Grange, The. Bis S —8H 59
Grange, The. Col H —5D 128
Grange, The. Hod —9L 115
Grange, The. Stev —1J 51
Grange, The. Ther —6D 14
Grangeview Rd. N20 —9B 154
Grange Wlk. Bis S —1J 79
Grange Way. H Reg —3H 45
Grangeway, The. N21 —8N 155
Grangewood. Pot B —3A 142
Gransden Clo. Lut —2C 46
Grant Clo. N14 —9H 155
Grant Ct. E4 —9N 157 (off Ridgeway, The)
Grant Gdns. Hpdn —5C 88
Grantham Clo. Edgw —3M 163
Grantham Clo. R'ton —5B 8
Grantham Gdns. Ware —5J 95
Grantham Grn. Borwd —7C 152
Grantham M. Berk —1A 122
Grantham Rd. Lut —8C 46
Grant Rd. Harr —9G 162
Grants Clo. NW7 —7J 165
Granville Ct. St Alb —2G 126 (off Granville Rd.)
Granville Dene. Bov —9D 122
Granville Gdns. Hod —4L 115
Granville Pl. Pinn —9M 161
Granville Rd. Barn —6J 153
Granville Rd. Hit —1C 34
Granville Rd. Lut —9D 46
Granville Rd. N'chu —8J 103
Granville Rd. St Alb —2G 126
Granville Rd. Wat —6L 149
Graphic Clo. Dunst —2G 64
Grasmere. Stev —7B 36
Grasmere Av. Hpdn —5D 88
Grasmere Av. Lut —2D 46
Grasmere Clo. Dunst —1E 64
Grasmere Clo. Hem H —4D 124
Grasmere Clo. Wat —5K 137
Grasmere Gdns. Harr —9H 163
Grasmere Rd. Lut —2D 46
Grasmere Rd. St Alb —4J 127
Grasmere Rd. Ware —4J 95
Grasmere Wlk. H Reg —3F 44 (off Sycamore Rd.)
Grassingham End. Chal P —7B 158
Grassingham Rd. Chal P —7B 158
Grassington Clo. Brick W —3B 138
Grass Meadows. Stev —2C 52
Grass Pk. N3 —8M 165
Grass Warren. Tew —6D 92
Grassy Clo. Hem H —1K 123
Grasvenor Av. Barn —7N 153
Graveley. —6J 35
Graveley Av. Borwd —7C 152
Graveley Clo. Stev —8J 35 (off Coreys Mill La.)
Graveley Dell. Wel G —1A 112
Graveley La. Gt Wym —5F 34
Graveley Rd. Gt Wym —4E 34
Graveley Rd. Stev & G'ley —7H 35
Gravel Hill. N3 —9M 165
Gravel Hill. Chal P —6B 158
Gravel Hill. Hem H —2K 123
Gravelhill Ter. Hem H —3K 123
Gravel La. Hem H —3K 123
Gravelly La. Ware —2B 56
Gravel Path. Berk —1A 122
Gravel Path. Hem H —2K 123
Gravely Ct. Hem H —3E 124
Gravesend. —1L 57
Grayling Ct. Berk —8K 103
Graylings, The. Ab L —6F 136
Grays Clo. Bar C —8E 18
Grays Clo. R'ton —5C 8
Grays Ct. Bis S —9G 59
Graysfield. Wel G —3N 111
Gray's La. Hit —3L 33
Grazings, The. Hem H —9B 106
Great Amwell. —1K 115
Gt. Ashby Way. Stev —8L 35 (SG1)
Gt. Ashby Way. Stev —7A 36 (SG4)
Gt. Augur St. H'low —5F 118
Gt. Braitch La. Hat —4E 110
Great Brays. H'low —7C 118
Great Break. Wel G —1A 112
Gt. Cambridge Ind. Est. Enf —7F 156
Gt. Cambridge Rd. N18 & N9 —9C 156
Gt. Cambridge Rd. Chesh —7G 144
Great Chishill. —2H 17
Gt. Conduit. Wel G —8B 92
Great Cutts. —9C 68
Gt. Dell. Wel G —7K 91
Gt. Eastern Clo. Bis S —2J 79
Gt. Elms Rd. Hem H —6B 124
Great Fld. NW9 —8E 164
Greatfield Clo. Hpdn —3L 87
Great Gaddesden. —3G 105
Gt. Ganett. Wel G —2A 112
Great Gap. —1C 82
Great Grn. Pir —7E 20
Great Gro. Bush —6C 150
Gt. Groves. G Oak —1C 144
Great Hadham Golf Course. —4M 77
Gt. Hadham Rd. M Hud & Bis S —4A 78
Great Hallingbury. —4N 79
Greatham Rd. Bush —5M 149
Great Heart. Hem H —9A 106
Gt. Heath. Hat —6H 111
Great Hivings. —9E 120
Gt. Hivings. Che —9E 120
Great Hormead. —2D 40
Gt. Innings N. Wat S —5J 73
Gt. Innings S. Wat S —5J 73
Great Lawne. D'wth —6C 72
Great Ley. Wel G —2L 111
Great Leylands. H'low —7C 118
Great Mdw. Brox —4L 133
Great Molewood. Hert —6N 93
Great Munden. —4H 55
Gt. Northern Rd. Dunst —1F 64
Gt. North Rd. Barn —4M 153
Gt. North Rd. Hat —5H 111
Gt. North Rd. Hinx —9L 11
Gt. North Rd. Lwr C & Stot —8B 4
Gt. North Rd. New Bar —7N 153
Gt. North Rd. Stev —8J 35
Gt. North Rd. Wel G —7G 91 (in two parts)
Gt. North Way. NW4 —9H 165
Great Offley. —7D 32
Gt. Palmers. Hem H —6B 106
Great Pk. K Lan —3B 136
Great Parndon. —8L 117
Gt. Plumtree. H'low —4B 118
Great Rd. Hem H —1B 124
Great Seabrook. —1N 81
Great Slades. Pot B —6M 141
Gt. Stockwood Rd. Chesh —8B 132
Great Strand. NW9 —8F 164
Gt. Sturgess Rd. Hem H —2J 123
Gt. Whites Rd. Hem H —4B 124
Great Wymondley. —4E 34
Greenacre Clo. Barn —2M 153
Greenacres. N3 —9M 165
Greenacres. Bus H —2E 162
Greenacres. Hem H —3F 124
Greenacres. L Buz —3A 82
Green Acres. Lil —8M 31
Green Acres. Stev —8B 52
Green Acres. Wel G —3M 111
Greenacres Cvn. Site. Kens —8J 65
Greenacres Dri. Stan —6J 163
Greenall Clo. Chesh —3J 145
Green Av. NW7 —4D 164
Greenbank. Chesh —1F 144
Greenbank Rd. Wat —9F 136
Greenbanks. Mel —1J 9
Greenbanks. St Alb —4G 127
Greenbrook Av. Barn —3B 154
Greenbury Clo. Bar —3C 16
Greenbury Clo. Chor —6F 146
Green Bushes. Lut —3N 45
Green Clo. Brk P —8L 129
Green Clo. Chesh —4J 145
Green Clo. Lut —4M 45
Green Clo. Stev —7N 51
Greencoates. Hert —1C 114
Green Ct. Lut —4L 45
Greencourt Av. Edgw —8B 164
Greencroft. Edgw —5C 164
Green Cft. Hat —6G 111
Greencroft Gdns. Enf —5C 156
Greendale. NW7 —4E 164
Grn. Dell Way. Hem H —3E 124
Grn. Dragon La. N21 —8M 155
Green Drift. R'ton —7B 8
Green Edge. Wat —8J 137
Greene Fld. Rd. Berk —1N 121
Green End. —2B 56 (Braughing)
Green End. —8B 54 (Dane End)
Green End. —3K 123 (Hemel Hempstead)
Green End. —4B 26 (Sandon)
Green End. —9B 24 (Weston)
Green End. Welw —3H 91
Grn. End Gdns. Hem H —3K 123
Grn. End La. Hem H —2J 123
Grn. End Rd. Hem H —2K 123 (in two parts)
Grn. End St. Ast C —1C 100
Greenes Ct. Berk —9N 103
Greene Wlk. Berk —2A 122
Greenfield. R'ton —6B 8
Greenfield. Wel G —6K 91
Greenfield Av. Ickl —7L 21
Greenfield Av. Wat —2M 161
Greenfield Clo. Dunst —8B 44
Greenfield Cotts. Thro —1D 38
Greenfield End. Chal P —7C 158
Greenfield La. Ickl —7M 21
Greenfield Rd. Pull —1A 18 (in two parts)
Greenfield Rd. Stev —2L 51
Greenfields. Cuff —3K 143
Greenfields. Hat —6K 111
Greenfields. Shil —2N 19
Greenfields. Stans —2N 59
Greenfield St. Wal A —7N 145
Greenfield Way. Harr —9C 162
Greengage Ri. Mel —1J 9
Greengate. Lut —1M 45
Greenheys Clo. N'wd —8G 160
Greenhill Av. Lut —6F 46
Green Hill Clo. Brau —2C 56
Greenhill Ct. Hem H —3L 123
Greenhill Ct. New Bar —7A 154
Greenhill Cres. Wat —8F 148
Greenhill Pde. New Bar —7A 154
Greenhill Pk. Bis S —3F 78
Greenhill Pk. New Bar —7A 154
Greenhill Rd. Wat —8G 148
Greenhills. H'low —6A 118
Greenhills. Ware —4G 95
Greenhills Clo. Rick —7L 147
Green Ho. Ger X —4B 158
Greenland Rd. Barn —8J 153
Green La. A'wl —8N 5
Green La. Bov —3A 134
Green La. Brau —2C 56
Green La. Brox —5M 133
Green La. Cod —7C 70
Green La. Crox G —7B 148
Green La. D'wth & Wat S —4E 72
Green La. Dunst —8A 44
Green La. Dun & Hinx —4D 4
Green La. Eat B —1H 63
Green La. Edgw —4N 163
Green La. Flam —9B 86
Green La. Hpdn —8E 88
Green La. Hem H —3E 124
Green La. Hit —1B 34
Green La. I'hoe —2C 82
Green La. Kens —8H 65
Green La. Lut —5K 47
Green La. Mark —3B 86 (in two parts)
Green La. N'wd —6F 160
Green La. Rush —7M 25
Green La. St Alb —6H 127 (AL1)
Green La. St Alb —8D 108 (AL3)
Green La. Stan —4J 163
Green La. Thr B —7J 119
Green La. Wat —9L 149
Green La. Wel G —1C 112
Green La. Clo. Hpdn —7F 88
Green La. Cotts. Stan —4J 163
Green La. Ct. Hit —1B 34
Greenlane Ind. Est. Let —4J 23
Green Lanes. Lem & Hat —2F 110
Green Mdw. Pot B —3N 141
Green Moor Link. N21 —9N 155
Greenmoor Rd. Enf —4G 157
Greenoak Pl. Cockf —4E 154
Green Oaks. Lut —6H 47

Greenriggs—Halls Clo.

Greenriggs. Lut —7A 48
Green Rd. N14 —8G 154
Green Rd. Bis S —9F 42
Greenside. Borwd —2A 152
Greenside Dri. Hit —2L 33
Greenside Pk. Lut —6G 46
Greensleeves Clo. St Alb —3K 127
Greenstead. Saw —6G 99
Green Street. —8A 58
Green St. Chen & Chor —3F 146
Green St. Enf —4G 156
Green St. H'low —5E 118
Green St. Hat —2N 129
Green St. R'ton —5D 8
Green St. Shenl & Borwd —8A 140
Green St. Stev —2J 51
Greensward. Bush —8C 150
Green, The. E4 —9N 157
Green, The. N21 —9M 155
Green, The. Ald —1G 103
Green, The. Ard —7L 37
Green, The. Bis S —4H 79
Green, The. Cad —4A 66
Green, The. Ched —9M 61
Green, The. Chesh —1G 144
Green, The. Chris —1N 17
Green, The. Cod —7E 70
Green, The. Crox G —8B 148
Green, The. Edl —4K 63
Green, The. Hare —8M 159
Green, The. H Reg —5F 44
Green, The. Kim —7L 69
Green, The. Let H —3F 150
Green, The. Lon C —9L 127
Green, The. Lut —4M 45
Green, The. Mat T —3N 119
Green, The. Newn —5L 11
Green, The. Old K —3H 71
Green, The. P Grn —5D 68
Green, The. Pit —3B 82
Green, The. Pott E —8E 104
Green, The. R'ton —7D 8
Green, The. Sarr —8K 135
(in two parts)
Green, The. Stpl M —4D 6
Green, The. Stot —5F 10
Green, The. Wal A —7N 145
Green, The. Ware —4H 95
Green, The. Welw —2H 91
Green, The. Wel G —2N 111
Green, The. Widd —2M 43
Green, The. Wils G —7J 81
Green Tye. —7M 77
Green. Va. Wel G —1N 111
Green Verges. Stan —7L 163
Green Vw. Clo. Bov —2D 134
Green Wlk. R'ton —9D 8
Green Wlk., The. E4 —9N 157
Greenway. N20 —2N 165
Greenway. Berk —1K 121
Greenway. Bis S —2L 79
Greenway. Che —9F 120
Greenway. H'low —6H 117
Greenway. Hpdn —7E 88
Greenway. Hem H —2D 124
Greenway. Let —9G 22
Greenway. Pinn —9K 161
Greenway. Walk —1G 53
Greenway Clo. N20 —2N 165
Greenway Clo. NW9 —9D 164
Greenway Gdns. NW9 —9D 164
Greenway Gdns. Harr —9F 162
Greenway Pde. Che —9F 120
Greenways. Ab L —5G 136
Greenways. Bunt —2H 39
Greenways. Eat B —1H 63
Greenways. G Oak —2N 143
Greenways. Hert —9N 93
Greenways. Lut —4K 47
Greenways. Stev —3L 51
Greenways. Welw —4L 91
Greenway, The. NW9 —9D 164
Greenway, The. Enf —8H 145
Greenway, The. Pot B —6N 141
Greenway, The. Rick —9K 147
Greenway, The. Tring —1L 101
Green Way, The. W'stone —8F 162
Greenwich Ct. St Alb —3H 127
Greenwich Ct. Wal X —7J 145
Greenwich Way. Wal A —9N 145
Greenwood Av. Chesh —4F 144
Greenwood Av. Enf —4J 157
Greenwood Clo. Bus H —9F 150
Greenwood Clo. Chesh —4F 144
Greenwood Dri. Wat —7K 137
Greenwood Gdns. Shenl —6M 139
Greenwood Pk. Leisure Cen. —7C 126
Greenyard. Wal A —6N 145
Greer Rd. Harr —8D 162
Gregories Clo. Lut —8F 46
Gregory Av. Pot B —6B 142
Gregory M. Wal A —5M 145
Gregson Clo. Borwd —3C 152
Grenadier Clo. St Alb —3K 127
Grenadine Clo. Chesh —9D 132
Grenadine Way. Tring —1M 101
Grendon Lodge. Edgw —2C 164
Grenfell Clo. Borwd —3C 152
Grenfell Ct. NW7 —6H 165
Grenville Av. Brox —3K 133
Grenville Av. Wend —8A 100
Grenville Clo. N3 —8L 165
Grenville Clo. Wal X —5H 145
Grenville Pl. NW7 —5D 164
Grenville Way. Stev —8N 51
Gresford Clo. St Alb —2L 127
Gresham Clo. Enf —5A 156
Gresham Clo. Lut —9M 47
Gresham Ct. Berk —2M 121
Gresham Rd. Edgw —6N 163
Gresley Clo. Wel G —8L 91
Gresley Ct. Enf —8G 144
Gresley Ct. Pot B —3B 142
Gresley Lodge. R'ton —6C 8
Gresley Way. Ast —8B 52
(in two parts)
Gresley Way. Stev —9B 36
Greville Clo. N Mym —6J 129
Greville Lodge. Edgw —4B 164
(off Broadhurst Av.)
Greycaine Rd. Wat —1M 149
Greycaine Trad. Est. Wat —1M 149
Greydells Rd. Stev —2L 51
Greyfell Clo. Stan —5K 163
Greyfriars. Ware —4F 94
Greyfriars La. Hpdn —8B 88
Greygoose Pk. H'low —9K 117
Greyhound La. S Mim —6G 141
Grey Ho., The. Wat —4J 149
Greys Hollow. R Grn —2M 43
Greystoke Av. Pinn —9B 162
Greystoke Clo. Berk —2L 121
Greystoke Gdns. Enf —6J 155
Griffin Golf Course. —1M 65
Griffiths Way. St Alb —4D 126
Griffon Way. Leav —7H 137
Grimsdyke Cres. Barn —5J 153
Grim's Dyke Golf Course. —4B 162
Grimsdyke Lodge. St Alb —2H 127
Grimsdyke Rd. Pinn —7N 161
Grimsdyke Rd. Wig —5B 102
Grimstone Rd. L Wym —6E 34
Grimston Rd. St Alb —3G 126
Grimthorpe Clo. St Alb —8E 108
Grindcobbe. St Alb —5E 126
Grinders End. G'ley —6H 35
Grinstead La. L Hall —1L 99
Groom Ct. St Alb —1H 127
Groom Rd. Brox —8K 133
Groomsby Dri. I'hoe —2C 82
Grosvenor Av. K Lan —1E 136
Grosvenor Clo. Bis S —4F 78
Grosvenor Ct. N14 —9H 155
Grosvenor Ct. NW7 —5D 164
(off Hale La.)
Grosvenor Ct. Crox G —7F 148
Grosvenor Ct. Stev —2G 51
Grosvenor Gdns. N14 —7J 155
Grosvenor Ho. Bis S —9K 59
Grosvenor Rd. N3 —7M 165
Grosvenor Rd. N9 —9F 156
Grosvenor Rd. Bald —2M 23
Grosvenor Rd. Borwd —5A 152
Grosvenor Rd. Brox —2K 133
Grosvenor Rd. Lut —4D 46
Grosvenor Rd. N'wd —5H 161
Grosvenor Rd. St Alb —3F 126
Grosvenor Rd. Wat —6L 149
Grosvenor Rd. W. Bald —2M 23
Grosvenor Sq. K Lan —1E 136
Grosvenor Ter. Hem H —3K 123
Grotto, The. Ware —7H 95
Ground La. Hat —7H 111
Grove Av. N3 —7N 165
Grove Av. Hpdn —8E 88
Grove Bank. Wat —1M 161
Grovebury Clo. Dunst —2G 64
Grovebury Ct. N14 —9J 155
Grovebury Gdns. Park —9D 126
Grove Cvn. Site. Wood —5D 66
Grove Clo. N14 —9H 155
Grove Ct. Arl —5A 10
Grove Ct. Wal A —6M 145
Grove Cres. Crox G —6C 148
Grovedale Clo. Chesh —3D 144
Grove End. Chal P —8A 158
Grove End. Lut —3D 66
Grove Farm Pk. N'wd —5F 160
Grove Gdns. Enf —2H 157
Grove Gdns. Tring —1N 101
Grove Grn. N'wd —5F 160
Grove Hall Rd. Bush —6N 149
Grovehill. —7B 106
Grove Hill. Chal P —7A 158
Grove Hill. Stans —2N 59
Grove Ho. Bush —8A 150
Grove Ho. Chesh —3F 144
Grove Ho. Hit —9A 22
Grovelands. Hem H —9E 106
Grovelands. Park —9C 126
Grovelands Av. Hit —9B 22
Grovelands Bus. Cen. Hem H —9E 106
Grovelands Ct. N14 —9J 155
Grovelands Pk. —9L 155
Groveland Way. Stot —7G 10
Grove La. Chal P —8A 158
Grove La. Che —9L 121
Grove Lea. Hat —3G 128
Grovells, The. L Gad —8C 84
Grove Mead. Hat —9F 110
Grove Mdw. Wel G —9B 92
Grove Mill La. Wat —1D 148
Grove Pk. Tring —1A 102
Grove Pk. Rd. Wood —5D 66
Grove Path. Chesh —4E 144
Grove Pl. Bis S —1H 79
Grove Pl. Kens —7H 65
Grove Pl. N Mym —6J 129
Grover Clo. Hem H —9N 105
Grove Rd. Borwd —3A 152
Grove Rd. Cockf —5D 154
Grove Rd. Dunst —1G 64
Grove Rd. Edgw —6A 164
Grove Rd. Hpdn —8D 88
Grove Rd. Hem H —4K 123
Grove Rd. Hit —2N 33
Grove Rd. H Reg —2F 44
Grove Rd. Lut —1F 66
Grove Rd. Mil E —2K 159
Grove Rd. N'wd —5F 160
Grove Rd. St Alb —3E 126
Grove Rd. S End —6D 66
Grove Rd. Stev —2J 51
Grove Rd. Tring —9N 81
Grove Rd. Ware —5K 95
Grove Rd. W. Enf —1G 157
Grover Rd. Wat —9M 149
Groves Rd. Hal —7D 100
Grove, The. N3 —8N 165
Grove, The. N14 —7H 155
Grove, The. Brk P —8N 129
Grove, The. Crox G —6C 148
(off Dugdales)
Grove, The. Edgw —4B 164
Grove, The. Enf —4M 155
Grove, The. Lat —9A 134
Grove, The. L Had —1A 78
Grove, The. Lut —3D 66
Grove, The. Pot B —5B 142
Grove, The. Rad —7H 139
Grove, The. Stan —2H 163
Grove, The. Tring —1A 102
Grove Wlk. Hert —7A 94
Grove Way. Chor —7E 146
Grovewood Clo. Chor —7E 146
Grubbs La. Hat —4N 129
Gruneisen Rd. N3 —7N 165
Gryphon Ind. Pk., The. Port W —7G 108
Guardian Ind. Est. Lut —9E 46
Gubblecote. —5J 81
Guernsey Clo. Lut —6J 45
Guernsey Ho. Enf —2H 157
(off Eastfield Rd.)
Guessens Ct. Wel G —9J 91
Guessens Gro. Wel G —9J 91
Guessens Wlk. Wel G —8J 91
Guilden Morden. —1A 6
Guildford Clo. Stev —8M 35
Guildford Rd. St Alb —3J 127
Guildford St. Lut —9G 46
Guildown Av. N12 —4N 165
Guilfords. H'low —1F 118
Guilfoyle. NW9 —9F 164
Guinery Gro. Hem H —6B 124
Guinevere Gdns. Wal X —4J 145
Guinness Ho. Wel G —8B 92
Gulland Clo. Bush —7D 150
Gullbrook. Hem H —2K 123
Gullet Wood Rd. Wat —8J 137
Gulphs, The. Hert —9B 94
Gun La. Kneb —3M 71
Gun Mdw. Av. Kneb —4N 71
Gunnels Wood Pk. Stev —6K 51
Gunnels Wood Rd. Stev —2H 51
Gunner Dri. Enf —1L 157
Gun Rd. Kneb —4N 71
Gun Rd. Gdns. Kneb —4M 71
Gunter Gro. Edgw —8D 164
Gurney Ct. Eat B —2K 63
Gurney Ct. Rd. St Alb —9G 109
Gurney's La. Hol —4J 21
Gustard Wood. —2K 89
Gweneth Cotts. Edgw —6A 164
Gwent Clo. Wat —7M 137
Gwynfa Clo. Welw —9K 71
Gwynne Clo. Tring —1M 101
Gwynn's Wlk. Hert —1C 114
Gyfford Wlk. Chesh —4F 144
Gyhll Gdns. N'chu —7H 103
(off Meadowcroft)
Gyles Pk. Stan —8K 163
Gypsy Clo. Gt Amw —2K 115
Gypsy La. Gt Amw —2K 115
Gypsy La. K Lan —8F 136
Gypsy La. Wel G & Hat —4M 111

Hackforth Clo. Barn —7H 153
Hackney Clo. Borwd —7D 152
Hadar Clo. N20 —1N 165
Haddenham Ct. Wat —3M 161
Haddestoke Ga. Chesh —8K 133
Haddington Clo. Hal C —9C 100
Haddon Clo. Borwd —4A 152
Haddon Clo. Enf —8E 156
Haddon Clo. Hem H —3C 124
Haddon Clo. Stev —1B 72
Haddon Ct. Hpdn —6C 88
Haddon Rd. Chor —7F 146
Haddon Rd. Lut —9H 47
Hadham Ct. Bis S —9F 58
Hadham Cross. —6J 77
Hadham Ford. —9L 57
Hadham Gro. Bis S —9E 58
Hadham Pk. Cotts. Ware —9B 58
Hadham Rd. Bis S —8C 58
Hadham Rd. Stdn —8C 56
Hadland Clo. Bov —8D 122
Hadleigh. Let —7H 23
Hadleigh Ct. Brox —4K 133
Hadleigh Ct. Hpdn —8F 88
Hadleigh Rd. N9 —9F 156
Hadley. —5M 153
Hadley Clo. N21 —8M 155
Hadley Clo. Els —8N 151
Hadley Comn. Barn —4N 153
Hadley Ct. Lut —8F 46
(off Malzeard Rd.)
Hadley Ct. New Bar —5A 154
Hadley Grange. H'low —6E 118
Hadley Grn. Rd. Barn —4M 153
Hadley Grn. W. Barn —4M 153
Hadley Gro. Barn —4L 153
Hadley Highstone. Barn —3M 153
Hadley Mnr. Trad. Est. Barn —5M 153
Hadley M. Barn —5M 153
Hadley Pde. Barn —5L 153
(off High St.)
Hadley Ridge. Barn —5M 153
Hadley Rd. Barn —4A 154
Hadley Rd. Barn & Enf —2F 154
Hadley Way. N21 —8M 155
Hadley Wood. —2B 154
Hadley Wood Golf Course. —3C 154
Hadley Wood Rd. Barn —4B 154
Hadlow Down Clo. Lut —4C 46
Hadrian Av. Dunst —7H 45
Hadrian Clo. St Alb —4A 126
Hadrians Ride. Enf —7D 156
Hadrians Wlk. Stev —1B 52
Hadrian Way. Let —4K 23
Hadwell Clo. Stev —6N 51
Hagdell Rd. Lut —3E 66
Hagden La. Wat —6H 149
Haggerston Rd. Borwd —2M 151
Haglis Dri. Wend —8A 100
Hagsdell La. Hert —1B 114
Hagsdell Rd. Hert —1B 114
Haig Clo. St Alb —3J 127
Haig Ho. St Alb —3J 127
Haig Rd. Stan —5K 163
Hailey. —4L 115
Hailey Av. Hod —4L 115
Haileybury Av. Enf —8D 156
Haileybury College. —4H 115
Hailey Clo. Hail —4J 115
Hailey La. Hail —5H 115
Hailmores. Brox —1L 133
Hailsham Dri. Harr —9E 162
Haines Way. Wat —7J 137
Halcyon. Enf —7C 156
(off Private Rd.)
Haldane Clo. Enf —2M 157
Haldens. —6M 91
Haldens Houses. Wel G —6M 91
Hale Clo. Edgw —5C 164
Hale Ct. Edgw —5C 164
Hale Ct. Hert —1B 114
(off Hale Rd.)
Hale Dri. NW7 —6C 164
Hale Gro. Gdns. NW7 —5E 164
Hale La. NW7 —5D 164
Hale La. Edgw —5B 164
Hale Rd. Hert —1B 114
Hale Rd. Wend —9B 100
Hales Mdw. Hpdn —5B 88
Hales Pk. Hem H —1E 124
Hales Pk. Clo. Hem H —1E 124
Haleswood Rd. Hem H —1D 124
Hale, The. —5C 164
Half Acre. Hit —4L 33
Half Acre. Stan —6K 163
Half Acre Hill. Chal P —8C 158
Half Acre La. Gt Hor —1D 40
Half Acres. Bis S —9H 59
Halfhide La. Chesh —9H 133
Halfhides. Wal A —6N 145
Half Moon La. Dunst —1G 64
Half Moon La. Mark & Pep —1B 86
Half Moon La. Pep —8E 66
Half Moon Mdw. Hem H —6E 106
Half Moon M. St Alb —2E 126
Half Moon Pl. Dunst —1G 64
Halford Clo. Edgw —9B 164
Halfway Av. Lut —8N 45
Halifax. NW9 —9F 164
Halifax Clo. Leav —7H 137
Halifax Ho. L Chal —3A 146
Halifax Rd. Enf —4A 156
Halifax Rd. Herons —9F 146
Halifax Way. Wel G —9D 92
Hallam Clo. Wat —4L 149
Hallam Gdns. Pinn —7N 161
Halland Way. N'wd —6F 160
Hall Barns, The. Fur P —6J 41
Hall Clo. Mil E —1K 159
Hall Ct. A'wl —1B 12
Hall Dri. Hare —8M 159
Halley Rd. Wal A —9M 145
Halleys Ridge. Hert —1M 113
Halley's Way. H Reg —5G 44
Hall Farm Clo. Stan —4J 163
Hall Gdns. Col H —5D 128
Hall Grn. L Hall —2M 99
Hall Grove. —2A 112
Hall Gro. Wel G —2A 112
Hall Heath Clo. St Alb —9J 109
Halliday Clo. Shenl —5M 139
Hallingbury Clo. L Hall —7K 79
Hallingbury Rd. Bis S —2J 79
Hallingbury Rd. Saw —3J 99
Halling Hill. H'low —4B 118
(in two parts)
Hall La. NW4 —8G 165
Hall La. Gt Chi —2H 17
Hall La. Gt Hor —1D 40
Hall La. Kim —8K 69
Hall La. Wool G —6N 71
Hall Mead. Let —5C 22
Hallowell Rd. N'wd —7G 161
Hallowes Cres. Wat —3J 161
Hall Pk. Berk —2B 122
Hall Pk. Ga. Berk —3B 122
Hall Pk. Hill. Berk —3B 122
Hall Pl. Clo. St Alb —1F 126
Hall Pl. Gdns. St Alb —1F 126
Hall Rd. Hem I —9D 106
Halls Clo. Welw —3J 91

Halls Green. —9F 116 (Roydon)
Hall's Green. —4D 36 (Weston)
Hallsgreen La. *W'ton* —5C 36
Hallside. *Dun* —1E 4
Hallside Rd. *Enf* —2D 156
Hallwicks Rd. *Lut* —6K 47
Hallworth Dri. *Stot* —6E 10
Halsbury Clo. *Stan* —4J 163
Halsbury Ct. *Stan* —5J 163
Halsey Dri. *Hem H* —9J 105
Halsey Dri. *Hit* —3B 34
Halsey Pk. *Lon C* —1N 139
Halsey Pl. *Wat* —2K 149
Halsey Rd. *Wat* —5K 149
Halstead Gdns. *N21* —9B 156
Halstead Hill. *G Oak* —2C 144
Halstead Rd. *N21* —9B 156
Halstead Rd. *Enf* —6C 156
Halter Clo. *Borwd* —7D 152
Halton. —7C 100
Halton Clo. *Park* —1D 138
Halton La. *Wend* —7A 100
Halton Wood Rd. *Hal C* —9D 100
Haltside. *Hat* —1E 128
Halwick Clo. *Hem H* —4L 123
Halyard Clo. *Lut* —3D 46
Hamberlins La. *N'chu* —8F 102
Hamble Ct. *Wat* —6J 149
Hambledon Pl. *Rad* —8G 139
Hambling Pl. *Dunst* —9C 44
Hamblings Clo. *Shenl* —6L 139
Hambridge Way. *Pir* —7E 20 (in two parts)
Hambro Clo. *E Hyde* —9A 68
Hamburgh Ct. *Chesh* —1H 145
Hamels Dri. *Hert* —8F 94
Hamels La. *W'mll* —1K 55
Hamels Pk. —4L 55
Hamer Clo. *Bov* —1D 134
Hamer Ct. *Lut* —1F 46
Hamilton Av. *N9* —9E 156
Hamilton Av. *Hod* —6L 115
Hamilton Clo. *Brick W* —4B 138
Hamilton Clo. *Cockf* —6D 154
Hamilton Clo. *Dagn* —2N 83
Hamilton Clo. *S Mim* —6G 140
Hamilton Clo. *Stan* —2F 162
Hamilton Ct. *Hat* —2H 129
Hamilton Mead. *Bov* —9D 122
Hamilton Rd. *N9* —9E 156
Hamilton Rd. *Berk* —1M 121
Hamilton Rd. *Cockf* —6D 154
Hamilton Rd. *K Lan* —6E 136
Hamilton Rd. *St Alb* —1H 127
Hamilton Rd. *Wat* —3K 161
Hamilton St. *Wat* —7L 149
Hamilton Way. *N3* —6N 165
Hamlet Clo. *Brick W* —3A 138
Hamlet Ct. *Enf* —7C 156
Hamlet Hill. *Roy* —9D 116
Hamlet, The. *Pott E* —7D 104
Hamlyn Clo. *Edgw* —3M 163
Hammarskjold Rd. *H'low* —4N 117
Hammerdell. *Let* —4D 22
Hammerfield. —2L 123
Hammer La. *Hem H* —1B 124
Hammers Ga. *St Alb* —8B 126
Hammers La. *NW7* —5G 164
Hammersmith Clo. *H Reg* —4F 44
Hammersmith Gdns. *H Reg* —3F 44
Hammond Clo. *Barn* —7L 153
Hammond Clo. *Chesh* —8C 132
Hammond Clo. *Stev* —3K 51
Hammond Ct. *S End* —7E 66
Hammond Rd. *Enf* —4F 156
Hammonds End La. *Hpdn* —1N 107
Hammond's La. *Sandr & Hat* —3L 109
Hammond Street. —8C 132
Hammondstreet Rd. *Chesh* —7N 131
Hammondswick. *Hpdn* —2A 108
Hamonde Clo. *Edgw* —2B 164
Hamonte. *Let* —7J 23
Hampden. *Kim* —7K 69
Hampden Clo. *Let* —3H 23
Hampden Cres. *Chesh* —4F 144
Hampden Hill. *Ware* —5K 95
Hampden Hill Clo. *Ware* —5K 95
Hampden Pl. *Frog* —2F 138
Hampden Ri. *R'ton* —9D 8
Hampden Rd. *Chal P* —8A 158
Hampden Rd. *Harr* —8D 162
Hampden Rd. *Hit* —1C 34
Hampden Rd. *Let* —3H 23
Hampden Rd. *Wend* —9B 100
Hampden Way. *Wat* —9G 136
Hampermill La. *Wat* —2H 161
Hampshire Ho. *Ger X* —5B 158
Hampshire Way. *Lut* —9A 30
Hampson Pk. —1M 51
Hampton Clo. *Stev* —1B 72
Hampton Gdns. *Saw* —8D 98
Hampton Rd. *Lut* —8D 46
Hamstel Rd. *H'low* —5L 117
Hamsworth Ct. *Hert* —8L 93
Hanaper Dri. *Bar* —2C 16
Hanbury Clo. *Chesh* —2J 145
Hanbury Clo. *Ware* —6J 95
Hanbury Cotts. *Ess* —8D 112
Hanbury Dri. *N21* —7L 155
Hanbury Dri. *Thun* —2G 94
Hanbury La. *Ess* —8D 112
Hanbury Manor Golf Course. —2G 94
Hanbury M. *Thun* —2G 94
Hancock Ct. *Borwd* —3C 152
Hancock Dri. *Lut* —3G 46
Hancroft Rd. *Hem H* —4B 124
Handa Clo. *Hem H* —5D 124
Handcross Rd. *Lut* —6M 47
Handel Clo. *Edgw* —6N 163
Handel Pde. Edgw —7A 164 (off Whitchurch La.)
Handel Way. *Edgw* —7A 164
Hand La. *Saw* —6E 98
Handley Ga. *Brick W* —2A 138
Handpost Hill. *N'thaw* —1G 143
Handside. —9J 91
Handside Clo. *Wel G* —9J 91
Handside Grn. *Wel G* —8J 91
Handside La. *Wel G* —2H 111
Handsworth Clo. *Wat* —3J 161
Hangar Ruding. *Wat* —3A 162
Hanger Clo. *Hem H* —3L 123
Hanghill. —6J 101
Hangmans La. *Welw* —8M 71
Hankins La. *NW7* —2E 164
Hanover Clo. *Stev* —8M 51
Hanover Ct. *Hod* —8L 115
Hanover Ct. *Lut* —4N 45
Hanover Ct. Wal A —6N 145 (off Quakers La.)
Hanover Gdns. *Ab L* —3H 137
Hanover Grn. *Hem H* —4K 123
Hanover Ho. *Wel G* —2M 111
Hanover Pl. *Bar C* —7E 18
Hanover Wlk. *Hat* —3F 128
Hansart Way. *Enf* —3M 155
Hanscombe End. —3M 19
Hanscombe End Rd. *Shil* —3M 19
Hanselin Clo. *Stan* —5G 163
Hansells Mead. *Roy* —6E 116
Hansen Dri. *N21* —7L 155
Hanshaw Dri. *Edgw* —8D 164
Hanswick Clo. *Lut* —7K 47
Hanworth Clo. *Lut* —2F 46
Hanyards End. *Cuff* —1K 143
Hanyards La. *Cuff* —1J 143
Happy Valley Ind. Est. *K Lan* —1D 136
Harbert Gdns. *Park* —2C 138
Harberts Rd. *H'low* —6L 117
Harborne Clo. *Wat* —5L 161
Harbury Dell. *Lut* —2D 46
Harcourt Av. *Edgw* —3C 164
Harcourt Rd. *Bush* —7C 150
Harcourt Rd. *Tring* —2A 102
Harcourt St. *Lut* —3G 66
Harding Clo. *Lut* —2A 46
Harding Clo. *Redb* —1K 107
Harding Clo. *Wat* —6L 137
Harding Pde. Hpdn —6C 88 (off Station Rd.)
Hardings. *Wel G* —8B 92
Hardingstone Ct. *Wal X* —7K 145
Hardwick Clo. *Stan* —5K 163
Hardwick Clo. *Stev* —1B 72
Hardwicke Pl. *Lon C* —9L 127
Hardwick Grn. *Lut* —2C 46
Hardy Clo. *Barn* —8L 153
Hardy Clo. *Hit* —3C 34
Hardy Dri. *R'ton* —5D 8
Hardy Rd. *Hem H* —1B 124
Hardy Way. *Enf* —3M 155
Harebell. *Wel G* —3L 111
Harebell Clo. *Hert* —9F 94
Harebreaks, The. *Wat* —1J 149
Hare Cres. *Wat* —5J 137
Harefield. —8M 159
Harefield. *H'low* —5C 118
Harefield. *Stev* —6B 52
Harefield Clo. *Enf* —3M 155
Harefield Grn. *NW7* —6J 165
Harefield Pl. *St Alb* —8L 109
Harefield Rd. *Lut* —9B 46
Harefield Rd. *Rick* —2N 159
Harefield Rd. Ind. Est. *Rick* —4A 160
Hare La. *Hat* —2H 129
Harepark Clo. *Hem H* —1J 123
Harepark Ter. *Up Ston* —1F 20
Haresfoot Park. —4M 121
Hare Street. —2A 40 (Buntingford)
Hare Street. —4L 37 (Cottered)
Hare Street. —6L 117 (Harlow)
Hare St. *H'low* —6L 117
Hare St. Rd. *Bunt* —3K 39
Hare St. Springs. *H'low* —6M 117
Harewood. *Rick* —6L 147 (in two parts)
Harewood Rd. *Chal G* —5A 146
Harewood Rd. *Wat* —3K 161
Harford Clo. *E4* —9M 157
Harford Dri. *Wat* —2G 149
Harforde Ct. *Hert* —9E 94
Harford Rd. *E4* —9M 157
Hargrave Clo. *Stans* —1N 59
Hargreaves Av. *Chesh* —4F 144
Hargreaves Clo. *Chesh* —4F 144
Hargreaves Rd. *R'ton* —8D 8
Harkett Clo. *Harr* —9G 162
Harkett Ct. *W'stone* —9G 162
Harkness. *Chesh* —2F 144
Harkness Ct. Hit —1B 34 (off Franklin Gdns.)
Harkness Ind. Est. *Borwd* —7A 152
Harkness Way. *Hit* —9C 22
Harlech Rd. *Ab L* —4J 137
Harlequin, The. *Wat* —6L 149
Harlesden Rd. *St Alb* —2H 127
Harlestone Clo. *Lut* —9C 30
Harley Ct. *St Alb* —7L 109
Harley Ho. Borwd —4B 152 (off Brook Clo.)
Harling Rd. *Eat B* —4L 63
Harlings, The. *Hert H* —4G 115
Harlington Rd. *S'hoe* —8A 18
Harlow. —5N 117
Harlow Bus. Pk. *H'low* —6H 117
Harlow Common. —9F 118
Harlow Comn. *H'low* —9E 118
Harlow Ct. *Hem H* —7C 106
Harlow Greyhound Stadium. —5H 117
Harlow Mus. —7M 117
Harlow Outdoor Pursuits Cen. —3M 117
Harlow Pk. —9F 118
Harlow Pool & Fitness Cen. —4A 118
Harlow Rd. *Mat T* —3L 119
Harlow Rd. *Roy* —6F 116
Harlow Rd. *Saw* —8E 98
Harlow Rd. *Srng* —8K 99
Harlow Seedbed Cen. H'low (off Lovet Rd.) —7K 117
Harlow Sports Cen. —4M 117
Harlow Study & Vis. Cen. —7B 118
Harlow Tye. —3K 119
Harlyn Dri. *Pinn* —9K 161
Harman Rd. *Enf* —7D 156
Harmer Dell. *Welw* —3M 91
Harmer Green. —2N 91
Harmer Grn. La. *Welw* —4M 91
Harmony Clo. *Hat* —7G 110
Harmsworth Way. *N20* —1M 165
Harness Way. *St Alb* —8L 109
Harold Clo. *H'low* —7J 117
Harold Cres. *Wal A* —5N 145
Harold Rd. *Bar C* —8E 18
Harolds Rd. *H'low* —7J 117
Harpenden. —6B 88
Harpendenbury. —7J 87
Harpenden Common. —8C 88
Harpenden Common Golf Course. —1C 108
Harpenden Golf Course. —1N 107
Harpenden La. *Redb* —9K 87
Harpenden Ri. *Hpdn* —4N 87
Harpenden Rd. *Childw* —2C 108
Harpenden Rd. *Wheat* —7H 89
Harpenden Rugby Club. —9N 87
Harper Clo. *N14* —7H 155
Harper Ct. *Stev* —4M 51
Harper La. *Rad & Shenl* —5G 139
Harpsfield B'way. *Hat* —8F 110
Harps Hill. *Mark* —2A 86
Harptree Way. *St Alb* —9H 109
Harrier Rd. *NW9* —9E 164
Harriet Walker Way. *Rick* —9J 147
Harriet Way. *Bush* —9E 150
Harrington Clo. *Bis S* —1J 79
Harrington Ct. *Hert H* —3G 115
Harrington Heights. *H Reg* —4D 44
Harris Clo. *Enf* —3N 155
Harris Ct. *Bar C* —7D 18
Harris La. *Lut* —5J 47
Harris La. *Offl* —8E 32
Harris La. *Shenl* —7A 140
Harrison Clo. *Hit* —3N 33
Harrison Clo. *N'wd* —6E 160
Harrisons. *Bchgr* —7M 59
Harrison Wlk. *Chesh* —3H 145
Harris Rd. *Wat* —8J 137
Harris's La. *Ware* —5G 94
Harrogate Rd. *Wat* —3L 161
Harrow Av. *Enf* —8D 156
Harrowbond Rd. *H'low* —5E 118
Harrow Ct. *Stev* —4L 51
Harrowden Ct. *Lut* —9K 47
Harrowdene. *Stev* —5B 52
Harrowden Rd. *Lut* —9K 47
Harrow Dri. *N9* —9D 156
Harrowes Meade. *Edgw* —3A 164
Harrow Vw. *Harr* —9D 162
Harrow Way. *Wat* —3N 161
Harrow Weald. —8F 162
Harrow Weald Pk. *Harr* —6E 162
Harrow Yd. *Tring* —3M 101
Harry Scott Ct. *Lut* —3M 45
Harston Dri. *Enf* —2L 157
Hartfield Av. *Els* —6A 152
Hartfield Clo. *Els* —7A 152
Hartfield Ct. *Ware* —5H 95
Hartford Av. *Harr* —9J 163
Hartforde Rd. *Borwd* —4A 152
Harthall La. *K Lan* —1D 136
Hartham. —8B 94
Hartham La. *Hert* —9A 94
Hart Hill. —9H 47
Hart Hill Dri. *Lut* —9H 47
Hart Hill La. *Lut* —9H 47
Hart Hill Path. *Lut* —9H 47
Hartland Clo. *N21* —8A 156
Hartland Clo. *Edgw* —2A 164
Hartland Ct. *Hit* —3L 33
Hartland Dri. *Edgw* —2A 164
Hartland Rd. *Chesh* —3H 145
Hart La. *Lut* —8J 47
Hartley Av. *NW7* —5F 164
Hartley Clo. *NW7* —5F 164
Hartley Rd. *Lut* —9H 47
Hart Lodge. *High Bar* —5L 153
Hartmoor M. *Enf* —1H 157
Hartop Ct. *Lut* —9M 47
Hart Rd. *H'low* —1E 118
Hart Rd. *St Alb* —3E 126
Hartsbourne Av. *Bus H* —2D 162
Hartsbourne Clo. *Bus H* —2E 162
Hartsbourne Country Club Golf Courses. —2B 162
Hartsbourne Pk. *Bush* —2F 162
Hartsbourne Rd. *Bus H* —2E 162
Hartsbourne Way. *Hem H* —3E 124
Harts Clo. *Bush* —4B 150
Hartsfield Rd. *Lut* —7J 47
Hartspring Ind. Est. *Wat* —4B 150
Hartspring La. *Bush & Wat* —4B 150
Hartsway. *Enf* —6G 156
Hart Wlk. *Lut* —8J 47
Hartwell Gdns. *Hpdn* —6N 87
Hartwood. Lut —9H 47 (off Hart Hill Dri.)
Hartwood Grn. *Bush* —2E 162
Harvest Clo. *Lut* —6K 45
Harvest Ct. *St Alb* —7L 109
Harvest Ct. *Welw* —9L 71
Harvest End. *Wat* —9M 137
Harvesters. St Alb —7K 109 (off Harvest Ct.)
Harvest La. *Stev* —2C 52
Harvest Mead. *Hat* —8H 111
Harvest Rd. *Bush* —6C 150
Harvey Cen. App. *H'low* —6N 117
Harvey Cen. (Shop. Cen.) *H'low* —6M 117
Harveyfields. *Wal A* —7N 145
Harvey Rd. *Crox G* —8C 148
Harvey Rd. *Dunst* —1A 64
Harvey Rd. *Lon C* —8K 127
Harvey Rd. *Stev* —3A 52
Harveys Cotts. *Ware* —9B 58
Harvey's Hill. *Lut* —4H 47
Harvingwell Pl. *Hem H* —9D 106
Harwood Clo. *Tew* —5D 92
Harwood Clo. *Wel G* —5L 91
Harwood Hill. *Wel G* —5L 91
Harwood Pk. Crematorium. *Kneb* —1B 72
Harwoods Rd. *Wat* —6J 149
Harwoods Yd. *N21* —9M 155
Hasedines Rd. *Hem H* —1K 123
Haseldine Meadows. *Hat* —1F 128
Haseldine Rd. *Lon C* —8L 127
Haselfoot. *Let* —5E 22
Haselwood Dri. *Enf* —6N 155
Hasketon Dri. *Lut* —1L 45
Haslemere. *Bis S* —4J 79
Haslemere Bus. Cen. *Enf* —6F 156
Haslemere Est., The. *Hod* —8A 116
Haslemere Ind. Est. *Bis S* —4J 79
Haslemere Ind. Est. *Wel G* —8M 91
Haslemere Pinnacles Est., The. *H'low* —7K 117
Haslewood Av. *Hod* —8L 115
Haslingden Clo. *Hpdn* —4M 87
Hasluck Gdns. *New Bar* —8A 154
Haste Hill Golf Course. —9G 161
Hastings Clo. *Barn* —6B 154
Hastings Clo. *Stev* —1G 50
Hastings Rd. *Bar C* —8E 18
Hastings St. *Lut* —2F 66
Hastings Way. *Bush* —6N 149
Hastings Way. *Crox G* —6E 148
Hastingwood. —9H 119
Hastingwood Rd. *H'wd* —9H 119
Hastoe. —7L 101
Hastoe Hill. *Tring* —6L 101
Hastoe La. *Tring* —4M 101
Hastoe Row. *Tring* —7M 101
Hatch End. —7A 162
Hatch Grn. *L Hall* —8K 79
Hatching Green. —9B 88
Hatching Grn. Clo. *Hpdn* —9B 88
Hatch La. *W'ton* —6M 23
Hatch, The. *Enf* —3H 157
Hatfield. —8H 111
Hatfield Aerodrome. —8E 110
Hatfield Av. *Hat* —5D 110
Hatfield Bus. Pk. *Hat* —6D 110
Hatfield Cres. *Hem H* —7B 106
Hatfield Garden Village. —6E 110
Hatfield Heath Rd. *Saw* —4J 99
Hatfield House. —9K 111
Hatfield Hyde. —3M 111
Hatfield Leisure Cen. —2H 129
Hatfield London Country Club. —9E 112
Hatfield Pk. —9L 111
Hatfield Rd. *Ess* —5D 112
Hatfield Rd. *Pot B* —3B 142
Hatfield Rd. *St Alb & Smal* —2F 126
Hatfield Rd. *Wat* —3K 149
Hatfield Swimming Pool. —8G 110
Hathaway Clo. *Lut* —7L 45
Hathaway Clo. *Stan* —5H 163
Hathaway Ct. *St Alb* —2M 127
Hatherleigh Gdns. *Pot B* —5C 142
Hatters La. *Wat* —8F 148
Hatters Way. *Lut* —8L 45
Hatton Rd. *Chesh* —2H 145
Haultwick. —6D 54
Havelock Ri. *Lut* —8G 47
Havelock Rd. *Harr* —9F 162
Havelock Rd. *K Lan* —1B 136
Havelock Rd. *Lut* —8G 46
Haven Clo. *Hat* —8F 110
Havenhurst Ri. *Enf* —4M 155
Haven Lodge. Enf —8C 156 (off Village Rd.)
Havensfield. *Chfd* —4L 135
Haven, The. *N14* —8G 155
Haven, The. *Flam* —7D 86

Havercroft Clo.—Highbarns

Havercroft Clo. St Alb —4C 126
Haverdale. Lut —5M 45
Haverford Way. Edgw —8N 163
Havers La. Bis S —3H 79
Havers Pde. Bis S —3H 79
(off Thorley Hill)
Hawbush Clo. Welw —3H 91
Hawbush Ri. Welw —2G 91
Hawes Clo. N'wd —7H 161
Hawes La. E4 —2N 157
Haweswater Dri. Wat —6L 137
Hawfield Gdns. Park —8E 126
Hawkdene. E4 —8M 157
Hawkenbury. H'low —8L 117
Hawkesworth Clo. N'wd —7G 160
Hawkfield. Let —3E 22
Hawkfields. Lut —3G 47
Hawkins Clo. NW7 —5D 164
Hawkins Clo. Borwd —4C 152
Hawkins Hall La. D'wth —6D 72
Hawkins Way. Bov —8D 122
Hawkshead La. N Mym —1J 141
Hawkshead Rd. Pot B —1M 141
Hawkshill. St Alb —3H 127
Hawkshill Dri. Fel —5J 123
Hawksmead Clo. Enf —9H 145
Hawksmoor. Shenl —6A 140
Hawksmouth. E4 —9N 157
Hawkwell Dri. Tring —2A 102
Hawkwood Cres. E4 —8M 157
Hawridge. —4D 120
Hawridge La. Bell —5C 120
Hawridge Va. Hawr —4D 120
Hawsley Rd. Hpdn —2B 108
Hawter. NW9 —8F 164
Hawthorn Av. Lut —5K 47
Hawthorn Clo. Ab L —5J 137
Hawthorn Clo. Dunst —1F 64
Hawthorn Clo. Hpdn —8E 88
Hawthorn Clo. Hert —8M 93
Hawthorn Clo. Hit —4L 33
Hawthorn Clo. R'ton —6F 8
Hawthorn Clo. Wat —2H 149
Hawthorn Ct. Pinn —9L 161
(off Rickmansworth Rd.)
Hawthorn Cres. Cad —5A 66
Hawthorne Av. Chesh —4F 144
Hawthorne Clo. Chesh —4F 144
Hawthorne Ct. N'wd —9J 161
Hawthorne Rd. Rad —7H 139
Hawthornes. Hat —2F 128
Hawthorn Gro. Barn —8F 152
Hawthorn Gro. Enf —2B 156
Hawthorn Hill. Let —4E 22
Hawthorn La. Hem H —1J 123
Hawthorn M. NW7 —8L 165
Hawthorn Ri. Thor —5H 79
Hawthorn Rd. Hod —6M 115
Hawthorns. Wel G —7K 91
Hawthorns, The. Berk —9L 103
Hawthorns, The. Chal G —4A 146
Hawthorns, The. Hem H —6J 123
Hawthorns, The. Rick —5G 158
Hawthorns, The. Stev —5N 51
Hawthorns, The. Ware —4F 94
Hawthorn Way. L Ston —1F 20
Hawthorn Way. R'ton —6F 8
Hawthorn Way. St Alb —6B 126
Hawtrees. Rad —8G 138
Haybourn Mead. Hem H —3L 123
Hay Clo. Borwd —4C 152
Haycroft. Bis S —1L 79
Haycroft. Lut —3G 46
Haycroft Rd. Stev —2K 51
Hayden Rd. Wal A —8N 145
Haydens Rd. H'low —6M 117
Haydock Rd. R'ton —7F 8
Haydon Clo. Enf —8C 156
Haydon Rd. Wat —8N 149
Hayes. K Lan —2C 136
Hayes Clo. Lut —4K 47
Hayes Wlk. Brox —7K 133
Hayes Wlk. Pot B —6A 142
Hayfield. Stev —2C 52
Hayfield Clo. Bush —6C 150
Haygarth. Kneb —4N 71
Hay Green. —6E 14
Hayhurst Rd. Lut —7L 45
Hay La. Hpdn —6B 88
Hayley Bell Gdns. Bis S —5H 79
Hayley Comn. Stev —6B 52
Hayley Ct. H Reg —3F 44
Hayling Dri. Lut —6M 47
Hayling Rd. Wat —3J 161
Hayllar Ct. Hod —8L 115
Haymarket Rd. Lut —5H 45
Haymeads. Wel G —6L 91
Haymeads La. Bis S —1L 79
Haymoor. Let —4E 22
Haynes Clo. Wel G —1N 111
Haynes Mead. Berk —8L 103
Haysman Clo. Let —4H 23
Hay Street. —9B 40
Hay St. Stpl M —3C 6
Hayton Clo. Lut —8D 30
Hayward Rd. Hod —6N 115
Haywood Clo. Pinn —9M 161
Haywood Dri. Hem H —5J 123
Haywood La. Ther —6E 14
Haywood Pk. Chor —7J 147
Haywoods La. R'ton —6E 8
Hayworth Clo. Enf —4J 157
Hazelbury Av. Ab L —5E 136
Hazelbury Ct. Lut —9E 46
(off Hazelbury Cres.)
Hazelbury Cres. Lut —9E 46
Hazel Clo. Wal X —8C 132
Hazel Clo. Welw —4L 91
Hazel Ct. Hit —3A 34
Hazel Ct. Shenl —6N 139
Hazel Cft. Pinn —6C 162
Hazeldell. Wat S —5J 73
Hazeldell Link. Hem H —3H 123
Hazeldell Rd. Hem H —3H 123
Hazeldene. Wal X —5J 145
Hazeldene Dri. Pinn —9L 161
Hazel End. —4K 59
Hazelend Rd. Bis S —4K 59
Hazel Gdns. Edgw —4B 164
Hazel Gdns. Saw —6H 99
Hazelgreen Clo. N21 —9N 155
Hazel Gro. Hat —3F 128
Hazel Gro. Stot —7E 10
Hazel Gro. Wat —8K 137
Hazel Gro. Wel G —8A 92
Hazel Gro. Ho. Hat —2F 128
Hazel Mead. Barn —7H 153
Hazelmere Rd. St Alb —8K 109
Hazelmere Rd. Stev —9N 51
Hazel Rd. Berk —2A 122
Hazel Rd. Park —1C 138
Hazels, The. Tew —5D 92
Hazel Tree Rd. Wat —1K 149
Hazelwood Clo. Hit —2N 33
Hazelwood Clo. Lut —5K 47
Hazelwood Dri. Pinn —9K 161
Hazelwood Dri. St Alb —9K 109
Hazelwood La. Ab L —5E 136
Hazelwood Rd. Crox G —8E 148
Hazelwood Rd. Enf —8D 156
Hazely. Tring —2A 102
Heacham Clo. Lut —5L 45
Headingley Clo. Chesh —8D 132
Headingley Clo. Shenl —5M 139
Headingley Clo. Stev —1L 51
Headstone La. Harr —7C 162
Healey Rd. Wat —8H 149
Heath Av. R'ton —7C 8
Heath Av. St Alb —9E 108
Heathbourne Rd. Bus H —1F 162
Heath Brow. Hem H —4M 123
Heathbrow Rd. Welw —8L 71
Heath Clo. Hpdn —8D 88
Heath Clo. Hem H —3M 123
Heath Clo. Lut —2D 66
Heath Clo. Pot B —3A 142
Heathcote Av. Hat —7G 111
Heathcote Gdns. H'low —6G 118
Heath Ct. Hert —8L 93
(off Ridgeway, The)
Heathcroft. Wel G —9B 92
Heathdene Mnr. Wat —3H 149
Heath Dri. Pot B —3N 141
Heath Dri. Ware —4H 95
Heath End. —2D 120
Heather Clo. Ab L —5J 137
Heather Clo. Bis S —2F 78
Heather Ct. Lon C —9L 127
Heather Dri. Enf —4N 155
Heather La. Wat —9H 137
Heather Mead. Eat B —3J 63
Heather Ri. Bush —4A 150
Heather Rd. Wel G —2J 111
Heathers, The. Hert —9C 94
Heather Wlk. Edgw —5B 164
Heather Way. Hem H —1N 123
Heather Way. Pot B —5M 141
Heather Way. Stan —6G 163
Heath Farm Ct. Wat —1F 148
Heath Farm La. St Alb —9F 108
Heathfield. R'ton —7B 8
Heathfield Clo. Cad —4B 66
Heathfield Clo. Pot B —3A 142
Heathfield Ct. St Alb —1F 126
(off Avenue Rd.)
Heathfield Path. Lut —4B 66
Heathfield Rd. Bush —6N 149
Heathfield Rd. Hit —1M 33
Heathfield Rd. Lut —5E 46
Heathgate. Hert H —4F 114
Heath Hall. Bald —4M 23
Heath Hill. Cod —7D 70
Heathlands. Welw —7M 71
Heathlands Dri. St Alb —9F 108
Heath La. Cod —7E 70
Heath La. Hem H —4M 123
Heath La. Hert H —4G 114
Heath Lodge. Bush —1F 162
Heathmere. Let —2F 22
Heath Rd. B Grn —8E 48
Heath Rd. Pot B —3N 141
Heath Rd. St Alb —1F 126
Heath Rd. Wat —9M 149
Heath Rd. Welw & Wool G —7L 71
Heath Row. Bis S —8K 59
Heaths Clo. Enf —4C 156
Heathside. Col H —5B 128
Heathside. St Alb —9F 108
Heathside Clo. N'wd —5F 160
Heathside Rd. N'wd —4F 160
Heath, The. —7E 48
Heath, The. B Grn —7E 48
Heath, The. Rad —6H 139
Heathview. Hpdn —6C 88
(off Milton Rd.)
Heaton Ct. Chesh —2H 145
Heaton Dell. Lut —8N 47
Heay Fields. Wel G —8B 92
Hebden Clo. Lut —5L 45
Hebing End. —7M 53
Heckford Clo. Wat —8E 148
Hector. NW9 —8F 164
(off Five Acre)
Heddon Ct. Av. Barn —7E 154
Heddon Ct. Pde. Barn —7F 154
Heddon Rd. Cockf —7E 154
Hedgebrooms. Wel G —8B 92
Hedge Hill. Enf —3N 155
Hedgerow. Chal P —6B 158
Hedge Row. Hem H —9K 105
Hedgerow Clo. Stev —1B 52
Hedgerow La. Ark —7H 153
Hedgerows. Saw —5H 99
Hedgerows, The. Bis S —2K 79
Hedgerows, The. Stev —1C 52
Hedgerow, The. Lut —4N 45
Hedgerow Wlk. Chesh —3H 145
Hedges Clo. Hat —8H 111
Hedgeside. Pott E —7D 104
Hedgeside Rd. N'wd —5E 160
Hedley Ri. Lut —7N 47
Hedley Rd. St Alb —2J 127
Hedworth Av. Wal X —6H 145
Heene Rd. Enf —3B 156
Heighams. H'low —9J 117
Heights, The. Hem H —9B 106
(off Jupiter Dri.)
Heights, The. Lut —4A 46
(off Marsh Rd.)
Helena Clo. Barn —2C 154
Helena Pl. Hem H —9N 105
Helens Ga. Chesh —8K 133
Helham Green. —3C 96
Helions Rd. H'low —6L 117
Hellards Rd. Stev —2K 51
Hellebore Ct. Stev —1A 52
Helmsley Clo. Lut —4M 45
Helston Clo. Pinn —7A 162
Helston Gro. Hem H —6N 105
Helston Pl. Ab L —5H 137
Hemel Hempstead. —1N 123
Hemel Hempstead Ind. Est.
(Maylands Av.) Hem H —1D 124
Hemel Hempstead Ind. Est.
Hem H —7D 106
(Swallowdale La.)
Hemel Hempstead Ind. Est.
Hem I —8D 106
Hemel Hempstead Leisure Cen. —3B 124
Hemel Hempstead Rd. Berk —4A 84
Hemel Hempstead Rd. Hem H & Redb —6E 106
Hemel Hempstead Rd. Redb —3H 107
Hemel Hempstead Rd. St Alb —4L 125
Hemingford Dri. Lut —3F 46
Hemingford Rd. Wat —9G 136
Heming Rd. Edgw —7B 164
Hemmings, The. Berk —2K 121
Hemming Way. Wat —8J 137
Hemp La. Wig —5C 102
Hempstall. Wel G —2A 112
Hempstead La. Pott E —8E 104
Hempstead Rd. Bov —9D 122
Hempstead Rd. Wat —9F 136
Hemstead Rd. K Lan —8B 124
Hemswell Dri. NW9 —8E 164
Henbury Way. Wat —3M 161
Henderson Clo. St Alb —7D 108
Henderson Pl. Bedm —9H 125
Henderson Rd. N9 —9F 156
Hendon Av. N3 —8L 165
Hendon Crematorium. NW4 —8K 165
Hendon Golf Course. —8J 165
Hendon Hall Ct. NW4 —9K 165
Hendon La. N3 —9L 165
Hendon Lodge. NW4 —9H 165
Hendon Wood La. NW7 —8F 152
Henge Way. Lut —2N 45
Henley Clo. H Reg —4H 45
Henley Ct. N14 —9H 155
Henry Clo. Enf —2C 156
Henry Darlot Dri. NW7 —5K 165
Henry Rd. Barn —7C 154
Henrys Grant. St Alb —3F 126
Henry St. Hem H —6N 123
Henry St. Tring —3M 101
Henry Wells Sq. Hem H —7B 106
Hensley Clo. Hit —4B 34
Hensley Clo. Welw —1J 91
Henstead Pl. Lut —8M 47
Heracles. NW9 —8F 164
(off Five Acre)
Herald Clo. Bis S —2F 78
Herbert St. Hem H —1N 123
Hereford Rd. Lut —6K 45
Hereward Clo. Wal A —5N 145
Herga Ct. Wat —4J 149
Heriots Clo. Stan —4H 163
Heritage Clo. St Alb —2E 126
Heritage Wlk. Chor —5H 147
Herkomer Clo. Bush —8C 150
Herkomer Rd. Bush —7B 150
Herm Ho. Enf —2H 157
Hermitage Clo. Enf —4N 155
Hermitage Ct. Pot B —6B 142
Hermitage Rd. Hit —3N 33
Hermitage Way. Stan —8H 163
Herne Ct. Bush —9D 150
Herne Rd. Bush —8C 150
Herne Rd. Stev —9H 35
Herneshaw. Hat —2F 128
Herns La. Wel G —8A 92
Herns Way. Wel G —7N 91
Heron Clo. Hem H —7B 124
Heron Clo. Rick —2N 159
Heron Clo. Saw —6F 98
Heron Ct. Bis S —1J 79
Heron Dri. Lut —3G 47
Heron Dri. Stan A —3N 115
Heronfield. Pot B —3B 142
Herongate Clo. Enf —4D 156
Herongate Rd. Chesh —9J 133
Heron Path. Wend —9A 100
Heron Pl. Hare —6K 159
Herons Elm. N'chu —7J 103
Heronsgate. —9F 146
Herons Ga. Edgw —5A 164
Heronsgate Rd. Chor —8E 146
Herons Lea. Wat —9L 137
Heronslea Dri. Stan —5M 163
Herons Ri. New Bar —6D 154
Herons Way. St Alb —6H 127
(in two parts)
Herons Wood. H'low —4L 117
Heronswood Pl. Wel G —1N 111
Heronswood Rd. Wel G —9N 91
Heron Trad. Est., The. Lut —2M 45
Heron Wlk. N'wd —4G 161
Heron Way. Hat —2G 128
Heron Way. Roy M —5D 116
Herringworth Hall. —6G 55
Hertford. —9A 94
Hertford Castle. —9A 94
(Site of)
Hertford Clo. Barn —5C 154
Hertford Heath. —2G 114
Hertford Ho. Stev —3H 51
Hertford M. Pot B —4B 142
Hertford Museum. —9B 94
Hertford Rd. N9 —9F 156
Hertford Rd. Barn —5B 154
Hertford Rd. Dig —2J 91
Hertford Rd. Gt Amw —2K 115
Hertford Rd. Hat —5J 111
Hertford Rd. Hod —5H 115
Hertford Rd. Stev —8M 51
Hertford Rd. Tew —5D 92
(School La.)
Hertford Rd. Tew —6A 92
(Waterside)
Hertford Rd. Ware —7G 95
Hertfordshire & Middlesex Country Club. —5D 162
Hertfordshire Bus. Cen. Lon C —8L 127
Hertfordshire Golf & Country Club, The. —2F 132
Hertfordshire Showground. —6H 87
Hertingfordbury. —1L 113
Hertingfordbury Hill. Hert —2J 113
Hertingfordbury Rd. Hert —1L 113
(Hertford)
Hertingfordbury Rd. Hert —2K 113
(Hertingfordbury)
Herts Country Club. —3J 111
Hertsmere Ind. Pk. Borwd —5D 152
Hertswood Ct. Barn —6L 153
Hervey Clo. N3 —8N 165
Hervey Way. N3 —8N 165
Hester Ho. H'low —4M 117
Heswall Ct. Lut —2H 67
(off Bailey St.)
Heswell Grn. Wat —3J 161
Hetchleys. Hem H —8K 105
Hewett Clo. Stan —4J 163
Hewitt Clo. Wheat —8L 89
Hewlett Rd. Lut —4A 46
Hexham Rd. Barn —6A 154
Hexton. —9K 19
Hexton Rd. Bar C —9E 18
Hexton Rd. Hit —2E 32
Hexton Rd. Lil —6K 31
Heybridge Clo. Redb —1J 107
Heybridge Ct. Hert —8L 93
Heydon Rd. Gt Chi —2H 17
Heydons Clo. St Alb —9E 108
Heyford End. Park —1D 138
Heyford Rd. Rad —1G 150
Heyford Way. Hat —7J 111
(Birchwood)
Heyford Way. Hat —8G 111
(Roe Green)
Heysham Dri. Wat —5L 161
Heywood Av. NW9 —8E 164
Heywood Ct. Stan —5K 163
Heywood Dri. Lut —7H 47
Hibbert Av. Wat —2M 149
Hibbert Rd. Harr —9G 163
Hibberts Ct. Let —4E 22
Hibbert St. Lut —2G 66
Hibbert St. Almshouses. Lut
(off Hibbert St.) —2G 66
Hibbert St. Pas. Lut —2G 66
(off Hibbert St.)
Hibiscus Clo. Edgw —4C 164
Hickling Clo. Lut —8M 47
Hickling Way. Hpdn —4D 88
Hickman Clo. Brox —2H 133
Hickman Ct. Lut —1N 45
Hickory Clo. N9 —9E 156
Hicks Rd. Mark —2A 86
Hidalgo Ct. Hem H —9B 106
Hideaway, The. Ab L —4H 137
Hides, The. H'low —5N 117
Higgins Rd. Chesh —8B 132
High Acres. Ab L —5F 136
High Acres. Enf —5N 155
Higham Dri. Lut —8M 47
Higham Gobion. —5J 19
Higham Gobion Rd. Bar C & H Gob —7E 18
Higham Rd. H Gob —5J 19
High Ash Rd. Wheat —8K 89
High Av. Let —6D 22
Highbanks Rd. Pinn —6C 162
High Barnet. —4K 153
Highbarns. Hem H —7C 124

190 A-Z Hertfordshire

High Beech—Hitherway

High Beech. *N21* —8L **155**
High Beech Rd. *Lut* —2N **45**
High Birch Ct. New Bar —6D ***154***
(off Park Rd.)
Highbridge Retail Pk. *Wal A* —7M **145**
Highbridge St. *Wal A* —6M **145**
(in two parts)
Highbury Av. *Hod* —6L **115**
Highbury Rd. *Hit* —4A **34**
Highbury Rd. *Lut* —8E **46**
Highbush Rd. *Stot* —7E **10**
High Canons. *Borwd* —1C **152**
Highclere Ct. St Alb —1F ***126***
(off Avenue Rd.)
Highclere Dri. *Hem H* —6C **124**
High Clo. *Rick* —7M **147**
Highcroft. *Stev* —8M **51**
Highcroft Rd. *Fel* —6K **123**
Highcroft Trailer Gdns. *Hem H* —8E **122**
High Cross. —6J 75
(Ware)
High Cross. —1E 150
(Watford)
High Cross. *A'ham* —1E **150**
High Dane. *Hit* —1A **34**
High Dells. *Hat* —1F **128**
High Elms. *Hpdn* —9B **88**
High Elms Clo. *N'wd* —6E **160**
High Elms La. *Wat* —4K **137**
High Elms La. *Wat S & B'tn* —9K **53**
Highfield. —9B 106
Highfield. *Bus H* —2F **162**
Highfield. *Chal G* —1A **158**
Highfield. *H'low* —7C **118**
Highfield. *K Lan* —1A **136**
Highfield. *Let* —7D **22**
Highfield. *Saw* —4G **98**
Highfield. *Wat* —3A **162**
Highfield Av. *Bis S* —2L **79**
Highfield Av. *Hpdn* —7D **88**
Highfield Clo. *N'wd* —7G **161**
Highfield Ct. *N14* —8H **155**
Highfield Ct. *Ger X* —5C **158**
Highfield Ct. *Stev* —2L **51**
Highfield Cres. *N'wd* —8G **160**
Highfield Dri. *Brox* —3J **133**
Highfield Hall. *St Alb* —6M **127**
Highfield La. *Hem H* —9B **106**
Highfield La. *Tyngr* —4K **127**
Highfield Oval. *Hpdn* —4B **88**
Highfield Pk. Dri. *St Alb* —5J **127**
Highfield Rd. *Berk* —2A **122**
Highfield Rd. *Bush* —7N **149**
Highfield Rd. *Chesh* —8C **132**
Highfield Rd. *Hert* —2B **114**
Highfield Rd. *Lut* —8D **46**
Highfield Rd. *N'wd* —8G **161**
Highfield Rd. *Sandr* —5J **109**
Highfield Rd. *Tring* —3K **101**
Highfield Rd. *Wig* —5A **102**
Highfields. *Cuff* —1K **143**
Highfields. *Deb* —2N **29**
Highfields. *Rad* —8G **139**
Highfields Clo. *Dunst* —7K **45**
Highfield Way. *Pot B* —5A **142**
Highfield Way. *Rick* —8K **147**
High Firs. *Rad* —8H **139**
High Firs Cres. *Hpdn* —7E **88**
Highgate Gro. *Saw* —5F **98**
High Gro. *St Alb* —9E **108**
High Gro. *Wel G* —8J **91**
Highgrove Ct. *Wal X* —7G **145**
High Ho. Est. *H'low* —2H **119**
Highland Dri. *Bush* —9C **150**
Highland Dri. *Hem H* —2D **124**
Highland Rd. *N'wd* —9H **161**
Highland Rd. *Thor* —5H **79**
Highlands. *Hat* —6J **111**
Highlands. *R'ton* —7E **8**
Highlands. *Wat* —1L **161**
Highlands Av. *N21* —7L **155**
Highlands Clo. *Chal P* —7C **158**
Highlands End. *Chal P* —7C **158**
Highlands La. *Chal P* —7C **158**
Highlands Rd. *Barn* —7N **153**
Highlands, The. *Barn* —6N **153**
Highlands, The. *Edgw* —9B **164**
Highlands, The. *Pot B* —3B **142**
Highlands, The. *Rick* —9L **147**
Highlands Village. —7L 155
High La. *Srng* —9N **99**
High La. *Stans* —9N **43**
Highlea Clo. *NW9* —7E **164**
High Leigh (Conference Cen.) —8J 115
High Mead. *Lut* —6C **46**
Highmead. *Stans* —1N **59**
High Meads. *Wheat* —7K **89**
Highmill. *Ware* —4H **95**
Highmoor. *Hpdn* —3B **88**
High Moors. *Hal* —6A **100**
High Oak Rd. *Ware* —5H **95**
High Oaks. *Enf* —2L **155**
High Oaks. *N'wd* —5H **161**
High Oaks. *St Alb* —6D **108**
High Oaks Rd. *Wel G* —8H **91**
Highover Clo. *Lut* —8K **47**
Highover Rd. *Let* —6D **22**
Highover Way. *Hit* —1B **34**
High Pastures. *Srng* —6M **99**
High Plash. *Stev* —4L **51**
High Point. Lut —2F ***66***
(off Ruthin Clo.)
High Ridge. *Cuff* —9K **131**
High Ridge. *Hpdn* —4N **87**
High Ridge. *Lut* —8L **47**
High Ridge Clo. *Hem H* —7N **123**
High Ridge Pl. Enf —2L ***155***
(off Oak Av.)
High Ridge Rd. *Hem H* —7N **123**
High Rd. *Brox* —7J **133**
High Rd. *Bus H* —1E **162**
High Rd. *Ess* —3D **130**
High Rd. *Harr* —7F **162**
High Rd. *H Cro* —7J **75**
High Rd. *Leav* —8H **137**
High Rd. *Shil* —4N **19**
High Rd. *Stap* —9M **73**
High Rd. Turnford. *Turn* —8J **133**
High Rd. Whetstone. *N20* —9B **154**
High St. *NW7* —5H **165**
High St. *Ab L* —4G **137**
High St. *Arl* —6A **10**
High St. *A'wl* —9M **5**
High St. *Bald* —3M **23**
High St. *B'wy* —9N **15**
High St. *Bar* —3C **16**
High St. *Barn* —5L **153**
High St. *Bass* —1M **7**
High St. *Bedm* —9H **125**
High St. *Berk* —7J **103**
High St. *Bis S* —1H **79**
High St. *Bov* —9D **122**
High St. *Bunt* —2J **39**
High St. *Bush* —8B **150**
High St. *Chal P* —8B **158**
High St. *Ched* —9M **61**
High St. *Chesh* —2H **145**
High St. *Chris* —1N **17**
High St. *Cod* —6E **70**
High St. *Col H* —4B **128**
High St. *Dun* —1F **4**
High St. *Eat B* —2H **63**
High St. *Edgw* —6A **164**
High St. *Edl* —5J **63**
High St. *Els* —8L **151**
High St. *Enf* —8G **156**
High St. *Flam* —5D **86**
High St. *Gos* —7N **33**
High St. *G'ley* —5J **35**
High St. *G Mor* —1A **6**
High St. *Hare* —9M **159**
High St. *H'low* —2E **118**
(in two parts)
High St. *Hpdn* —5B **88**
High St. *Harr* —9F **162**
High St. *Hem H* —1M **123**
High St. *Hinx* —7E **4**
High St. *Hit* —3M **33**
High St. *Hod* —8L **115**
High St. *H Reg* —5E **44**
High St. *Hun* —7G **96**
High St. *I'hoe* —2C **82**
High St. *Kim* —7J **69**
High St. *K Lan* —2C **136**
High St. *Lon C* —7K **127**
High St. *Lut* —6M **45**
High St. *Mark* —1N **85**
High St. *M Hud* —5J **77**
High St. *N'wd* —8H **161**
High St. *Offl* —7D **32**
High St. *Pir* —7E **20**
High St. *Pot B* —6A **142**
High St. *Puck* —6N **55**
High St. *Pull* —3A **18**
High St. *Redb* —1K **107**
High St. *Reed* —7J **15**
High St. *Rick* —1N **159**
High St. *Roy* —5E **116**
High St. *R'ton* —7D **8**
High St. *St Alb* —2E **126**
High St. *Sandr* —5J **109**
High St. *Stdn* —8C **56**
High St. *Stan A* —2N **115**
High St. *Stev* —2J **51**
High St. *Stot* —6E **10**
High St. *Tring* —3M **101**
High St. *Walk* —1G **52**
High St. *Wal X* —6J **145**
(in two parts)
High St. *Ware* —6H **95**
High St. *Wat* —5K **149**
(in four parts)
High St. *Wat S* —4J **73**
High St. *Welw* —2J **91**
High St. *Wend* —9A **100**
High St. *Wheat* —7L **89**
High St. *W'wll* —1M **69**
High St. *Wid* —3H **97**
High St. Grn. *Hem H* —9C **106**
High St. N. *Dunst* —7C **44**
High St. S. *Dunst* —9E **44**
High, The. —5N 117
High Town. —8G 46
High Town Enterprise Cen. Lut
(off York St.) —9H ***47***
Hightown Recreation Cen. —9G 46
High Town Rd. *Lut* —9G **47**
High Trees. *Barn* —7D **154**
High Trees. *Hem H* —2N **123**
Highview. *NW7* —3D **164**
High Vw. *Bchgr* —6L **59**
High Vw. *Chal G* —2A **158**
High Vw. *Chor* —6K **147**
High Vw. *Hat* —2F **128**
High Vw. *Hit* —4L **33**
High Vw. *Mark* —3A **86**
High Vw. *Wat* —8H **149**
Highview Av. *Edgw* —4C **164**
Highview Clo. *Pot B* —6B **142**
High Vw. Ct. *Har W* —7F **162**
Highview Gdns. *Edgw* —4C **164**
Highview Gdns. *Pot B* —6B **142**
Highview Gdns. *St Alb* —6K **109**
Highview Lodge. Enf —5N ***155***
(off Ridgeway, The)
High Vw. Pk. *K Lan* —1F **136**
Highway, The. *Stan* —8G **163**
High Wickfield. *Wel G* —1B **112**
Highwood Av. *Bush* —3A **150**
High Wood Clo. *Lut* —1B **66**
Highwood Ct. *Barn* —7N **153**
Highwood Gro. *NW7* —5D **164**
Highwoodhall La. *Hem H* —7C **124**
Highwood Hill. —3F 164
Highwood Hill. *NW7* —2F **164**
High Wood Rd. *Hod* —5K **115**
High Wych. —6C 98
High Wych La. *H Wych* —6C **98**
High Wych Rd. *Saw* —9A **98**
High Wych Way. *Hem H* —5C **106**
Hilary Ri. *Arl* —7B **10**
Hilbury. *Hat* —1F **128**
Hilfield La. *A'ham* —3C **150**
Hilfield La. S. *Bush* —8G **150**
Hiliary Gdns. *Stan* —9K **163**
Hiljon Cres. *Chal P* —8B **158**
Hillary Clo. *Lut* —2N **45**
Hillary Cres. *Lut* —2E **66**
Hillary Ho. Borwd —5B ***152***
(off Eldon Av.)
Hillary Ri. *Barn* —6N **153**
Hillary Rd. *Hem H* —1C **124**
Hillborough Cres. *H Reg* —2F **44**
Hillborough Rd. *Lut* —2F **66**
Hillbrow. *Let* —6D **22**
Hill Clo. *Barn* —7J **153**
Hill Clo. *Hpdn* —3D **88**
Hill Clo. *Lut* —2E **46**
Hill Clo. *Stan* —4J **163**
Hill Clo. *W'fld* —1B **44**
Hill Comn. *Hem H* —6C **124**
Hill Ct. *Barn* —6D **154**
Hillcourt Av. *N12* —6N **165**
Hill Cres. *N20* —2N **165**
Hill Cres. *Pot B* —7B **142**
Hillcrest. *N21* —9M **155**
Hillcrest. *Bald* —4M **23**
Hillcrest. *Hat* —9G **110**
Hillcrest. *St Alb* —4C **126**
Hillcrest. *Stev* —4L **51**
Hill Crest. *W'wll* —2M **69**
Hillcrest Av. *Edgw* —4B **164**
Hillcrest Av. *Lut* —1E **46**
Hillcrest Cvn. Site. *Wood* —6B **66**
Hillcrest Pk. *Let* —5B **22**
Hillcrest Rd. *Shenl* —6A **140**
Hillcroft. *Dunst* —8B **44**
Hill Cft. *Rad* —6H **139**
Hillcroft Clo. *Lut* —3M **45**
Hillcroft Cres. *Wat* —1K **161**
Hilldown Rd. *Hem H* —9K **105**
Hill Dyke Rd. *Wheat* —8L **89**
Hille Bus. Cen. *Wat* —3K **149**
Hill End. —8N 111
(Hatfield)
Hill End. —6L 159
(Uxbridge)
Hill End La. *St Alb* —5J **127**
Hill End Rd. *Hare* —7M **159**
Hillersdon Av. *Edgw* —5N **163**
Hill Farm Av. *Wat* —5J **137**
Hill Farm Clo. *Wat* —6J **137**
Hill Farm Ind. Est. *Wat* —6J **137**
Hill Farm La. *St Alb* —6K **107**
Hill Farm La. *Welw* —1B **90**
Hill Farm Rd. *Chal P* —7B **158**
Hillfield. *Hat* —6H **111**
Hillfield Av. *Hit* —9A **22**
Hillfield Ct. *Hem H* —2A **124**
Hillfield Rd. *Chal P* —7B **158**
Hillfield Rd. *Hem H* —2N **123**
Hillfield Sq. *Chal P* —7B **158**
Hillfoot End. —2N 19
Hillfoot Rd. *Shil* —2N **19**
Hillgate. *Hit* —8A **22**
Hill Grn. La. *Wig* —5D **102**
Hillgrove. *Chal P* —8B **158**
Hillgrove Bus. Pk. *Naze* —4N **133**
Hill Ho. *Hert* —1A **114**
Hillhouse Av. *Stan* —7G **163**
Hill Ho. Clo. *N21* —9M **155**
Hill Ho. Clo. *Chal P* —7B **158**
Hilliard Rd. *N'wd* —8H **161**
Hillier Clo. *New Bar* —8A **154**
Hillingdon Rd. *Wat* —7J **137**
Hill Ley. *Hat* —9F **110**
Hill Leys. *Cuff* —1K **143**
Hill Mead. *Berk* —2L **121**
Hillmead. *Stev* —3N **51**
Hillpath. *Let* —5H **23**
Hill Ri. *N9* —8F **156**
Hill Ri. *Chal P* —9A **158**
Hill Ri. *Cuff* —9J **131**
Hill Ri. *Lut* —2M **45**
Hill Ri. *Pot B* —7B **142**
Hill Ri. *Rick* —8L **147**
Hillrise Av. *Wat* —2M **149**
Hill Ri. Cres. *Chal P* —9B **158**
Hill Rd. *Cod* —7E **70**
Hill Rd. *N'wd* —6F **160**
Hillsborough Grn. *Wat* —3J **161**
Hillshott. *Let* —5G **22**
Hill Side. *Ched* —9L **61**
Hillside. *Cod* —7F **70**
Hillside. *H'low* —8E **118**
Hillside. *Hat* —9G **110**
Hillside. *Hod* —7K **115**
Hill Side. *H Reg* —4E **44**
Hillside. *New Bar* —7B **154**
Hillside. *R'ton* —8D **8**
Hillside. *Stev* —4M **51**
Hillside. *Ware* —7H **95**
Hillside. *Wel G* —3A **112**
Hillside Av. *Bis S* —1J **79**
Hillside Av. *Borwd* —6B **152**
Hillside Av. *Chesh* —4H **145**
Hillside Clo. *Ab L* —5G **136**
Hillside Clo. *Chal P* —6B **158**
Hillside Clo. *Shil* —2N **19**
Hillside Cotts. *Bis S* —6L **59**
Hillside Cotts. *Hem H* —3E **124**
Hillside Cotts. *W'side* —3C **96**
Hillside Ct. *Chesh* —4H **145**
Hillside Cres. *Chesh* —4H **145**
Hillside Cres. *Enf* —2B **156**
Hillside Cres. *N'wd* —8J **161**
Hillside Cres. *Stan A* —2M **115**
Hillside Cres. *Wat* —8N **149**
Hillside Dri. *Edgw* —6A **164**
Hillside End. *Bis S* —6L **59**
Hillside Gdns. *Barn* —6L **153**
Hillside Gdns. *Berk* —2A **122**
Hillside Gdns. *Edgw* —4N **163**
Hillside Gdns. *N'wd* —7J **161**
Hillside Gro. *N14* —9J **155**
Hillside Gro. *NW7* —7G **164**
Hillside Ho. *Stev* —4M **51**
Hillside La. *Gt Amw* —1L **115**
Hillside Mans. *Barn* —6M **153**
Hillside Pk. *Bald* —4N **23**
Hillside Ri. *N'wd* —7J **161**
Hillside Rd. *Bush* —7N **149**
Hillside Rd. *Chor* —7F **146**
Hillside Rd. *Dunst* —1G **65**
Hillside Rd. *Hpdn* —4A **88**
Hillside Rd. *Lut* —8F **46**
Hillside Rd. *N'wd* —7J **161**
Hillside Rd. *Pinn* —7K **161**
Hillside Rd. *Rad* —8J **139**
Hillside Rd. *St Alb* —1F **126**
Hillside Rd. *Shil* —2N **19**
Hillside Rd. *Up Ston* —1F **20**
Hillside Ter. *Hert* —2A **114**
Hillside Way. *Welw* —8N **71**
Hills La. *N'wd* —8G **160**
Hill St. *St Alb* —2D **126**
Hill, The. *H'low* —2E **118**
Hill, The. *Wheat* —7L **89**
Hill Top. *Bald* —4L **23**
Hilltop. *Redb* —9H **87**
Hilltop Clo. *Chesh* —8D **132**
Hilltop Cotts. *Offl* —7D **32**
Hilltop Cotts. *Ware* —5H **55**
Hilltop Ct. *Lut* —1E **66**
Hilltop Gdns. *NW4* —9H **165**
Hilltop Rd. *Berk* —2N **121**
Hilltop Rd. *K Lan* —9F **124**
Hill Top Vw. *Wheat* —8K **89**
Hilltop Way. *Stan* —3H **163**
Hill Tree Clo. *Saw* —6F **98**
Hill Vw. *Berk* —7L **103**
Hill Vw. *Bkld* —3H **27**
Hill Vw. *W'wll* —2M **69**
Hillview Clo. *Pinn* —6A **162**
Hillview Cres. *Lut* —2E **46**
Hillview Gdns. *Chesh* —9H **133**
Hillview Rd. *NW7* —4K **165**
Hillview Rd. *Pinn* —7A **162**
Hillyfields. *Dunst* —2F **64**
Hilly Fields. *Wel G* —8B **92**
Hilly Fields Pk. —2A 156
Hilmay Dri. *Hem H* —3L **123**
Hilton Av. *Dunst* —2E **64**
Hilton Clo. *Stev* —2H **51**
Himalayan Way. *Wat* —8H **149**
Hindhead Grn. *Wat* —5L **161**
Hine Ho. *St Alb* —3L **127**
Hine Way. *Hit* —1K **33**
Hintons. *H'low* —9K **117**
Hinton Wlk. *H Reg* —3H **45**
Hinxworth. —7E 4
Hinxworth Rd. *A'wl* —9H **5**
(Ashwell)
Hinxworth Rd. *A'wl* —2H **11**
(Hinxworth)
Hipkins. *Bis S* —4G **78**
Hipkins Pl. *Brox* —2J **133**
Hitchens Clo. *Hem H* —1J **123**
Hitchin. —3M 33
Hitchin Bus. Cen., The. *Hit* —8A **22**
Hitchin Hill. —5N 33
Hitchin Hill. *Hit* —4N **33**
Hitchin Hill Path. *Hit* —5N **33**
Hitchin La. *Hit* —2F **70**
Hitchin Mus. & Art Gallery. —3M 33
Hitchin Rd. *Arl* —1A **22**
Hitchin Rd. *Gos* —6N **33**
Hitchin Rd. *Hit* —4D **34**
(SG4)
Hitchin Rd. *Hit* —1K **31**
(SG5)
Hitchin Rd. *Kim* —5L **69**
Hitchin Rd. *Let* —8E **22**
Hitchin Rd. *Lut* —6J **47**
Hitchin Rd. *Pir* —8E **20**
Hitchin Rd. *Stev* —8H **35**
Hitchin Rd. *Stot* —9D **10**
Hitchin Rd. *W'ton* —9L **23**
Hitchin St. *Bald* —3L **23**
Hitchin Town F.C. —2M 33
Hitchwood La. *Pres* —4N **49**
Hitherbaulk. *Wel G* —2L **111**
Hither Fld. *Ware* —4J **95**
Hitherfield La. *Hpdn* —5B **88**
Hither Mdw. *Chal P* —8B **158**
Hitherway. *Wel G* —5K **91**

A-Z Hertfordshire 191

Leas, The—Little Rivers

Leas, The. Bald —4L 23
Leas, The. Bush —3A 150
Leas, The. Hem H —6C 124
Leat Clo. Saw —4H 99
Leathersellers Clo. Barn —5L 153
Leathwaite Clo. Lut —3B 46
Lea Valley. —5G 88
Lea Valley Rd. Enf & E4 —7J 157
Leavesden. —5H 137
Leavesden Green. —6J 137
Leavesden Green. (Junct.)—8G 137
Leavesden Rd. Stan —6H 163
Leavesden Rd. Wat —2K 149
Leavesden Studios. Leav —6H 137
Leaves Spring. Stev —7M 51
Lea Vw. Wal A —6M 145
Lea Wlk. Hpdn —3D 88
Lebanon Clo. Wat —9F 136
Le Corte Clo. K Lan —2B 136
Lectern La. St Alb —6F 126
Leda Av. Enf —2H 157
Ledburn. —1H 61
Ledgemore La. Gt Gad —3H 105
Ledwell Rd. Cad —5B 66
Leeches Way. Ched —9M 61
Lee Clo. Barn —6B 154
Lee Clo. Hert —2A 114
Lee Clo. Stan A —2N 115
Leecroft Rd. Barn —7L 153
Leefe Way. Pot B —1J 143
Leeming Rd. Borwd —3N 151
Lee Rd. NW7 —7K 165
Lee Rd. Enf —8E 156
Lees Av. N'wd —8H 161
Leeside. Barn —7L 153
Leeside. Pot B —5C 142
Leete Pl. R'ton —6C 8
Lee, The. N'wd —5H 161
Lee Valley Cvn. Pk. Hod —1N 133
Lee Valley Leisure Golf Course. —9J 157
Lee Valley Leisure Pool. —3L 133
Lee Valley Pk. —9L 95
Lee Vw. Enf —3N 155
Leeway Clo. H End —7A 162
Leggatts Clo. Wat —9H 137
Leggatts Ri. Wat —8J 137
Leggatts Way. Wat —9H 137
Leggatts Wood Av. Wat —9K 137
Leggett Gro. Stev —1L 51
Leggfield Ter. Hem H —2J 123
Leghorn Cres. Lut —6K 45
Legions Way. Bis S —9J 59
Leicester Rd. Barn —7A 154
Leicester Rd. Lut —8A 46
Leigh Comn. Wel G —2L 111
Leigh Ct. Borwd —4D 152
Leigh Rodd. Wat —3A 162
Leighton Av. Pinn —9N 161
Leighton Buzzard Rd. Wat E —3H 105
Leighton Clo. Edgw —9A 164
Leighton Ct. Chesh —2H 145
Leighton Ct. Dunst —9D 44
Leighton Rd. Dunst —1D 62
Leighton Rd. Enf —7D 156
Leighton Rd. Har W —9E 162
Leighton Rd. W'grv —5A 60
Lemark Clo. Stan —6K 163
Lemon Fld. Dri. Wat —5N 137
Lemsford. —1F 110
Lemsford Ct. Borwd —6C 152
Lemsford La. Wel G —1H 111
Lemsford Rd. Hat —8F 110
Lemsford Rd. St Alb —2G 126
Lemsford Village. Lem —1F 110
(in two parts)
Lennon Ct. Lut —1F 66
Lennox Grn. Lut —7A 48
Lensbury Clo. Chesh —1J 145
Leonard Ct. Har W —8F 162
Leonard Pulham Ho. Hal —7C 100
Leonard's Clo. Welw —8L 71
Lerwick Ct. Enf —7C 156
Lesbury Clo. Lut —8N 47
Leslie Clo. Stev —7B 52
Lester Ct. Wat —1L 149
Leston Clo. Dunst —3G 64
Letchford Ter. Harr —8C 162
Letchmore Clo. Stev —3K 51
Letchmore Heath. —3F 150
Letchmore Rd. Rad —9H 139
Letchmore Rd. Stev —3K 51
(in two parts)
Letchworth. —5F 22
Letchworth Bus. & Retail Pk. Let —4J 23
Letchworth Clo. Wat —5M 161
Letchworth Ga. Let —6H 23
Letchworth Golf Course. —9E 22
Letchworth La. Let —8F 22
Letchworth Mus. & Art Gallery. —6F 22
Letchworth Rd. Bald —3K 23
Letchworth Rd. Lut —5C 46
Letchworth Shop. Cen. Let —5F 22
Letchworth Swimming Pool. —4G 22
Letter Box Row. Gos —7N 33
Letty Green. —4F 112
Level's Green. —4F 58
Levenage La. Wid —4H 97
Leven Clo. Wal X —6H 145
Leven Clo. Wat —5M 161
Levendale. Lut —4M 45
Leven Dri. Wal X —6H 145
Levens Green. —8H 55
Leven Way. Hem H —7N 105
Leveret Clo. Wat —7J 137
Leverstock Green. —3E 124
Leverstock Grn. Rd. Hem H
(in two parts) —1C 124
Leverstock Grn Rd. Hem H —3E 124
Leverstock Grn Way. Hem H —2E 124
Leverton Way. Wal A —6N 145
Lewes Way. Crox G —6E 148
Lewins Rd. Chal P —9A 158
Lewis Clo. N14 —9H 155
Lewis Clo. Hare —9M 159
Lewis La. Chal P —8B 158
Lewsey Farm. —5J 45
Lewsey Pk. Ct. Lut —5K 45
Lewsey Pk. Pool. —6K 45
Lewsey Rd. Lut —6L 45
Lexden Ter. Wal A —7N 145
(off Sewardstone Rd.)
Lexington Clo. Borwd —5N 151
Lexington Way. Barn —6K 153
Leyburne Rd. Lut —3D 46
Leycroft Way. Hpdn —8F 88
Leyden Rd. Stev —6K 51
Ley Green. —3G 49
Leygreen Clo. Lut —9J 47
Leyhill Dri. Lut —4D 66
Ley Hill Rd. Bov —2B 134
Ley Ho. Wel G —9B 92
Leyland Av. Enf —4J 157
Leyland Av. St Alb —4E 126
Leyland Clo. Chesh —1G 145
Leys Av. Let —5F 22
Leys Clo. Hare —8N 159
Leysdown. Wel G —9C 92
Leys Gdns. Barn —7F 154
Leys Rd. Hem H —4A 124
Leys Rd. E. Enf —3J 157
Leys Rd. W. Enf —3J 157
Leys Sq. N3 —8N 165
Leys, The. Hal V —5B 100
Leys, The. St Alb —8L 109
Leys, The. Tring —2N 101
Leyton Grn. Hpdn —6B 88
Leyton Rd. Hpdn —6B 88
Ley Wlk. Wel G —9B 92
Liberty Clo. Hert —3A 114
Liberty Wlk. St Alb —3K 127
Library Rd. Lut —1G 66
Lichfield Clo. Barn —5E 154
Lichfield Gro. N3 —8N 165
Lichfield Pl. St Alb —1G 126
Lichfield Rd. N'wd —9J 161
Lichfield Way. Brox —4K 133
Lidbury Rd. NW7 —6L 165
Liddel Clo. Lut —6C 46
Lidgate Clo. Lut —3L 45
Lieutenant Ellis Way. Chesh & Wal X —3D 144
Life Clo. Lut —5J 45
Liffre Dri. Wend —8A 100
Lighthorne Ri. Lut —1C 46
Lightswood Clo. Chesh —9B 132
Lilac Clo. Chesh —4F 144
Lilac Gro. Lut —1M 45
Lilac Rd. Hod —6M 115
Lilacs Av. Enf —9G 144
Lilac Way. Hpdn —9E 88
Lilley. —9M 31
Lilley Bottom. Lil & K Wal —9N 31
Lilley Bottom Rd. W'wll —6F 48
Lilleyhoo La. Lil —8A 32
Lilley La. NW7 —5D 164
Lilley Pk. —9L 31
Lilley Rd. Lil & H'tn —1K 31
Lilliard Clo. Hod —5M 115
Lilly La. Hem H —7F 106
Limberlost, The. Welw —9H 71
Limbrick Rd. Hpdn —9D 88
Limbury. —5B 46
Limbury Mead. Lut —3B 46
Limbury Rd. Lut —5B 46
Lime Av. Lut —6L 45
Lime Av. Wheat —9J 69
Lime Clo. Bar C —8E 18
Lime Clo. Harr —9H 163
Lime Clo. Stev —5C 52
Lime Clo. Ware —5J 95
Lime Clo. Wat —9M 149
Limedene Clo. Pinn —8M 161
Lime Gro. N20 —1M 165
Lime Gro. R'ton —5E 8
Limekiln Clo. R'ton —8E 8
Limekiln La. Bald —4M 23
Limekiln La. Stans —3L 59
Limes Av. NW7 —6E 164
Limes Clo. Bass —1M 7
Limes Ct. Hod —8L 115
Limes Cres. Bis S —1J 79
Limesdale Gdns. Edgw —9C 164
Limes Rd. Chesh —5J 145
Limes, The. Arl —4A 10
Limes, The. Bass —1M 7
Limes, The. Brox —6K 133
Limes, The. Bkld —4G 27
Limes, The. Hem H —5N 123
Limes, The. Hit —4L 33
Limes, The. St Alb —9F 108
Limes, The. Wel G —2N 111
Limetree Av. Lut —9J 67
Lime Tree Clo. Lut —1M 45
Limetree Ct. Pinn —7B 162
(off Avenue, The)
Lime Tree Dri. Dun —1F 4
Lime Tree Pl. St Alb —3G 126
Lime Tree Wlk. Bush —1F 162
Lime Tree Wlk. Enf —2A 156
Lime Tree Wlk. Rick —7L 147
Lime Wlk. Dunst —9G 44
Lime Wlk. Hem H —4B 124
Limit Home Pk. N'chu —7H 103
Linacres. Lut —5N 45
Linbridge Way. Lut —7N 47
Linces Way. Wel G —2A 112
Lincoln Clo. Bis S —3F 78
Lincoln Clo. Dunst —2H 65
Lincoln Clo. Wel G —8C 92
Lincoln Ct. Berk —1M 121
Lincoln Ct. Borwd —7D 152
Lincoln Cres. Enf —7C 156
Lincoln Dri. Crox G —6D 148
Lincoln Dri. Wat —3L 161
Lincoln M. St Alb —3D 126
Lincoln Rd. Chal P —8B 158
Lincoln Rd. Enf —6C 156
Lincoln Rd. Lut —8D 46
Lincoln Rd. N'wd —9H 161
Lincoln Rd. Stev —8A 36
Lincoln's Clo. St Alb —6K 109
Lincolnsfield Cen., The. Bush —6A 150
Lincolns, The. NW7 —3F 164
Lincoln Way. Crox G —6D 148
Lincoln Way. Enf —7F 156
Lincot La. Hit —9C 50
Lindal Cres. Enf —6K 155
Lindbergh. Wel G —9B 92
Linden Av. Enf —3E 156
Linden Clo. N14 —8H 155
Linden Clo. Dunst —8J 45
Linden Clo. Stan —5J 163
Linden Clo. Wal X —3F 144
Linden Ct. Hpdn —7C 88
Linden Ct. Lut —9H 47
(off Crescent Rd.)
Linden Cres. St Alb —2K 127
Lindencroft. Let —2G 22
Linden Dri. Chal P —8B 158
Linden Gdns. Enf —3E 156
Linden Glade. Hem H —3L 123
Linden Lea. Pinn —7A 162
Linden Lea. Wat —6J 137
Linden Lea. Wend —8A 100
Linden Rd. Dunst —7J 45
Linden Rd. Lut —5N 45
(in two parts)
Linden Rd. Redb —9J 87
Linden Sq. Hare —6K 159
Lindens, The. Bis S —2H 79
Lindens, The. Hat —4L 127
Lindens, The. Hem H —5J 123
Lindens, The. H Reg —5E 44
Lindens, The. Stev —5L 51
Linden Way. N14 —8H 155
Lindeth Clo. Stan —6J 163
Lindhill Clo. Enf —4H 157
Lindholme Ct. NW9 —8E 164
(off Pageant Av.)
Lindley Clo. Hpdn —3B 88
Lindley Ct. Hpdn —3B 88
Lindlings. Hem H —3H 123
Lindsay Av. Hit —5B 34
Lindsay Clo. R'ton —4C 8
Lindsay Pl. Chesh —3F 144
Lindsey Clo. Bis S —8H 59
Lindsey Rd. Bis S —8H 59
Lindsey Rd. Lut —8M 47
Lindum Pl. St Alb —4A 126
Linfield Ct. Hert —8L 93
Linford Clo. H'low —8L 117
Linford End. H'low —8M 117
Lingfield Clo. Enf —8C 156
Lingfield Clo. N'wd —7G 160
Lingfield Gdns. N9 —9F 156
Lingfield Rd. R'ton —7E 8
Lingfield Rd. Stev —9B 36
Lingfield Way. Wat —2H 149
Lingholm Way. Barn —7K 153
Lingmoor Dri. Wat —6L 137
Link Clo. Hat —9H 111
Link Dri. Hat —9H 111
Linkfield. Wel G —4L 111
Linklea Clo. NW9 —7E 164
Link Rd. Bis S —9H 59
Link Rd. Wat & Bush —4M 149
Link Rd. Welw —9M 71
Links Av. Hert —8F 94
Links Bus. Cen., The. Bis S —1L 79
Links Dri. N20 —1N 165
Links Dri. Els —5N 151
Links Dri. Rad —6G 139
Linkside. N12 —6N 165
Linkside Clo. Enf —5L 155
Linkside Gdns. Enf —5L 155
Links Side. Enf —5L 155
Links, The. Chesh —8H 133
Links, The. Wel G —9H 91
Links Vw. N3 —7M 165
Links Vw. St Alb —9C 108
Links Vw. Clo. Stan —7H 163
Linksway. NW4 —9K 165
Links Way. Crox G —5E 148
Links Way. Lut —1F 46
Links Way. N'wd —7E 160
Link, The. Enf —3J 157
Link, The. H Reg —4E 44
Link, The. Let —2G 22
Link Wlk. Hat —8H 111
Link Way. Bis S —2G 78
Linkway. H'low —6M 117
(off Kitson Way)
Link Way. Pinn —8M 161
Linkways E. Stev —4M 51
Linkways W. Stev —4M 51
Linkway, The. Barn —8A 154
Linley Ct. St Alb —8G 108
Linley Dell. Lut —7M 47
Linmere Wlk. H Reg —3H 45
Linnet Clo. Bush —9D 150
Linnet Clo. Let —3E 22
Linnet Clo. Lut —5K 45
Linnet Rd. Ab L —4J 137
Linnet Wlk. Hat —2G 129
Linney Head. Stud —1E 84
Linnins Pond. Flam —6D 86
Linsey Clo. Hem H —6C 124
Linster Gro. Borwd —7C 152
Lintern Clo. Hit —4C 34
Linthorpe Rd. Cockf —5D 154
Linton Av. Borwd —3N 151
Lintott Clo. Stev —3K 51
Linwood. Saw —5G 99
Linwood Cres. Enf —3E 156
Linwood Rd. Hpdn —8D 88
Linwood Rd. Ware —4K 95
Lion Ct. Borwd —3C 152
Lionel Av. Wend —9A 100
Lionel Clo. Wend —9A 100
Lion Yd. Kim —7L 69
Liphook Rd. Wat —4M 161
Lippitts Hill. Lut —4G 47
Liscombe Rd. Dunst —8H 45
Lismirrane Ind. Pk. Els —8J 151
Lismore. Hem H —4E 124
Lismore. Stev —8B 52
Lister Av. Hit —5N 33
Lister Clo. Stev —8J 35
(off Coreys Mill La.)
Lister Cotts. Els —7H 151
Liston Clo. Lut —4L 45
Litlington. —3H 7
Litlington Rd. Stpl M —3D 6
Little Acre. St Alb —9E 108
Little Acres. Ware —7H 95
Little Almshoe. —1B 50
Little Berkhamsted. —1H 131
Little Berries. Lut —2A 46
Lit. Birkhamsted La. Hert —1G 130
Little Brays. H'low —7C 118
Lit. Bridge Rd. Berk —1A 122
Littlebrook Gdns. Chesh —3H 145
Lit. Brook Rd. Roy —6F 116
Little Burrow. Wel G —2K 111
Littlebury Clo. Stot —7G 11
Littlebury Ct. Wat —6J 149
Lit. Bury St. N9 —9B 156
Lit. Bushey La. Bush —4B 150
Little Catherells. Hem H —9J 105
Little Chalfont. —3A 146
Little Chalfont Golf Course. —4B 146
Little Chishill. —5G 17
Lit. Chishill Rd. Bar —4F 16
Lit. Church Rd. Lut —6K 47
Little Common. Stan —3H 163
Littlecote Pl. Pinn —8N 161
Little Ct. Berk —9L 103
Little Cutts. —8D 68
Little Dell. Wel G —7K 91
Littlefield Rd. Edgw —7C 164
Littlefield Rd. Lut —6K 47
Little Gaddesden. —9A 84
Little Ganett. Wel G —2A 112
Little Graylings. Ab L —6G 136
Little Greencroft. Che —9E 120
Littlegreen La. Cad —6A 66
Lit. Green La. Crox G —5B 148
Little Gro. Bush —6C 150
Littlegrove. E Barn —8D 154
Lit. Grove Av. Chesh —9C 132
Lit. Grove Fld. H'low —6M 117
Little Hadham. —7M 57
Little Hallingbury. —9L 79
Little Hardings. Wel G —8B 92
Little Hay Golf Complex. —6E 122
Little Heath. —9E 104
(Berkhamsted)
Little Heath. —3B 142
(Potters Bar)
Lit. Heath La. Lit H —3E 122
Lit. Heath Spinney. St Alb —9F 108
Little Henleys. Hun —6G 96
Little Hill. Herons —8F 146
Little Hivings. Che —9E 120
Little Hoo. Tring —2L 101
Little Hormead. —4D 40
Lit. Horse La. Ware —5H 95
Lit. How Cft. Ab L —4E 136
Little Hyde. Stev —5A 52
Little Lake. Wel G —3A 112
Little La. Hpdn —9D 88
Little La. Pir —6E 20
(in two parts)
Little Larkins. Barn —8L 153
Little Ley. Wel G —3L 111
Little London. —3F 42
Little Martins. Bush —7C 150
Little Mead. Hat —6H 111
Lit. Meadow Cvn. Pk. Wood —5C 66
Little Mimms. Hem H —1N 123
Little Mollards. W'grv —5A 60
Lit. Moss La. Pinn —9N 161
Little Mundells. Wel G —8M 91
Little Orchard. Hem H —9C 106
Lit. Orchard Clo. Ab L —5F 136
Lit. Orchard Clo. Pinn —9N 161
Lit. Oxhey La. Wat —5M 161
Little Pk. Bov —1D 134
Lit. Park Gdns. Enf —5A 156
Little Parndon. —5L 117
Lit. Pipers Clo. G Oak —2N 143
Little Potters. Bush —9E 150
Little Pynchons. H'low —9C 118
Little Ridge. Wel G —9N 91
Little Rivers. Wel G —8N 91

Little Rd.—Lyndhurst Ct.

Little Rd. Hem H —1A 124
Little Springs. Che —9F 120
Little Stanmore. —7N 163
Lit. Stock Rd. Chesh —8B 132
Little Strand. NW9 —9F 164
Lit. Stream Clo. N'wd —5G 161
Little St. Wal A —9N 145
Little Thistle. Wel G —3B 112
Little Tring. —9K 81
Lit. Tring Rd. Tring —8K 81
Little Wade. Wel G —3M 111
Little Wlk. H'low —5N 117
Little Widbury. Ware —6K 95
(in two parts)
Lit. Widbury La. Ware —6K 95
Lit. Windmill Hill. Chfd —5H 135
Lit. Wood Cft. Lut —2A 46
Little Woodend. Mark —7M 85
Little Wymondley. —7F 34
Lit. Wymondley By-Pass. Hit & Stev —6C 34
Little Youngs. Wel G —9J 91
Liverpool Rd. Lut —1F 66
Liverpool Rd. St Alb —2F 126
Liverpool Rd. Wat —7K 149
Livingstone Link. Stev —1A 52
Livingstone Wlk. Hem H —7B 106
Llanbury Clo. Chal P —7B 158
Lloyd M. Enf —2L 157
Lloyd Taylor Clo. L Had —7L 57
Lloyd Way. Kim —7K 69
Loates La. Wat —5L 149
Loates Pasture. Stans —1M 59
Local Board Rd. Wat —7L 149
Locarno Av. Lut —3M 45
Lochnell Rd. Berk —8K 103
Lockers Pk. La. Hem H —2L 123
Lockers, The. Hem H —1L 123 (off Lockers Pk. La.)
Lockers, The. Hem H —1M 123
(Bury Hill)
Locket Rd. Harr —9F 162
Lockfield Av. Brim —4J 157
Lockhart Clo. Dunst —2H 65
Lockhart Clo. Enf —7F 156
Lockington Cres. Dunst —7H 45
Lockley Cres. Hat —7H 111
Lockleys. —2L 91
Lockleys Dri. Welw —2J 91
Lockswood Clo. Barn —6E 154
Lock Vw. Saw —5H 99
Lodge Av. Els —7N 151
Lodge Clo. Edgw —6N 163
Lodge Clo. Hert —7A 94
Lodge Ct. Ickl —8M 21
Lodge Cres. Wal X —7H 145
Lodge Dri. Hat —6K 111
Lodge Dri. Loud —6M 147
Lodge End. Crox G —6F 148
Lodge End. Rad —7J 139
Lodge Fld. Wel G —6L 91
Lodge Gdns. Hpdn —5B 88
Lodge La. Chal G —3B 146
Lodge La. Wal A —8N 145
Lodge, The. N'thaw —3D 142
Lodge, The. Wat —4L 149 (off Orphanage Rd.)
Lodge Way. Stev —8N 51
Loftus Clo. Lut —6L 45
Logan Clo. Enf —3H 157
Lollard Clo. Lut —6H 45
Lolleywood La. Hit —2E 36
Lombard Av. Enf —3G 157
Lombardy Clo. Hem H —3F 124
Lombardy Dri. Berk —2A 122
Lombardy Way. Borwd —3M 151
Lomond Rd. Hem H —7N 105
Lomond Way. Stev —8B 36
London Colney. —8L 127
London Colney By-Pass. Lon C —7L 127
London Luton Airport. —1N 67
London Rd. Ast C —1C 100
London Rd. Bald —5M 23
(in two parts)
London Rd. B'wy —1N 27
London Rd. Bar —3C 16
London Rd. Berk —2B 122
London Rd. Big —4A 4
London Rd. Bis S —4J 79
London Rd. Bunt —4K 39
London Rd. Bush —8N 149
London Rd. Chal G —2A 158
London Rd. Cod —5E 70
London Rd. Dunst —1G 64
(in two parts)
London Rd. Enf —5B 156
London Rd. Flam —2A 86
London Rd. Gos —5N 33
London Rd. H'low —3E 118
(Old Harlow)
London Rd. H'low —9E 118
(Potter Street)
London Rd. Hert —9C 94
(in two parts)
London Rd. Kneb —3N 71
London Rd. Lut & Hpdn —3F 66
London Rd. Rick —2A 160
London Rd. R'ton —8D 8
London Rd. St Alb —3F 126
London Rd. Saw —6F 98
London Rd. Shenl & Borwd —6N 139
London Rd. Spel —1J 79
London Rd. Stan —5K 163
London Rd. Stev —5K 51
London Rd. Tring —2N 101
London Rd. Ware —7H 95
London Rd. Welw —2J 91
London Row. Arl —9A 10
London Way. Mel —1H 9
Londrina Ct. Berk —1A 122 (off Londrina Ter.)
Londrina Ter. Berk —1A 122
Longacre. H'low —2D 118
Longacre Clo. Enf —5A 156
Longacres. St Alb —2L 127
(in two parts)
Long Arrotts. Hem H —9L 105
Long Banks. H'low —9N 117
Long Barn Clo. Wat —5J 137
Longbridge Clo. Tring —9M 81
Longbrooke. H Reg —5G 44
Long Buftlers. Hpdn —7G 88
Long Chaulden. Hem H —2H 123
Long Cliffe Path. Wat —3J 161
Long Clo. L Ston —1F 20
Long Clo. Lut —6L 47
Longcroft. Ast C —1E 100
Long Cft. Stans —1M 59
Longcroft. Wat —9K 149
Longcroft Av. Hal C —8C 100
Longcroft Av. Hpdn —6A 88
Longcroft Dri. Bar C —9D 18
Long Cft. Dri. Wal X —7K 145
Longcrofte Rd. Edgw —7L 163
Longcroft Gdns. Wel G —1K 111
Longcroft Grn. Wel G —2K 111
Longcroft Ho. Wel G —9K 91
Longcroft La. Bov —1F 134
Longcroft La. Wel G —1K 111
Long Cft. Rd. Lut —1C 66
Longcroft Rd. Map C —5G 158
Longcroft Rd. Stev —2L 51
Long Cutt. Redb —9J 87
Longdean Pk. Hem H —6C 124
Long Elmes. Harr —8C 162
Long Elms. Ab L —6F 136
Long Elms Clo. Ab L —6F 136
Long Fallow. St Alb —9B 126
Long Fld. NW9 —7E 164
Longfield. H'low —8C 118
Longfield. Hem H —4D 124
Longfield. Stev —1H 51
Longfield Av. NW7 —7G 164
Longfield Av. Enf —1G 156
Longfield Ct. Let —4D 22
Longfield Dri. Lut —8N 45
Longfield Gdns. Tring —3K 101
Longfield La. Chesh —9E 132
Longfield Rd. Hpdn —8D 88
Longfield Rd. Tring —3K 101
Longfields. Stev —8B 52
Longford Children's Farm. —3F 104
Long Gro. Clo. Brox —1J 133
Long Hale. Pit —4A 82
Long Hedge. Dunst —9G 44
Long Hyde. Stev —5A 52
Long John. Hem H —4B 124
Longland Dri. N20 —3N 165
Longlands. Hem H —2B 124
Longlands Clo. Chesh —5H 145
Longlands Rd. Wel G —1M 111
Long La. N3 & N2 —8N 165
Long La. Ast E —4C 52
Long La. Bov —4C 134
Long La. Herons —8F 146
Long La. Hit —1H 69
Long La. Mil E —1H 159
Long La. Ware —2A 96
Longleat Rd. Enf —7C 156
Long Leaves. Stev —7N 51
Longlees. Map C —5G 158
Long Ley. Ched —9M 61
Long Ley. H'low —6B 118
(in two parts)
Long Ley. Lang U —1N 29
Long Ley. Wel G —9B 92
Longmans. Brau —2C 56
Longmans Clo. Wat —8E 148
Long Marston. —3G 80
Long Marston Rd. Ched —9K 61
Long Marston Rd. Mars —4J 81
Long Mead. NW9 —8F 164
Longmead. Bunt —3H 39
Longmead. Hat —6H 111
Long Mead. H Reg —3E 44
Longmead. Let —4E 22
Longmead. Wool G —6N 71
Long Mdw. Bis S —2F 78
Long Mdw. Che —9G 120
Long Mdw. Dunst —9D 44
Longmeadow. H Reg —4H 45
Long Mdw. Mark —2A 86
Longmeadow Dri. Ickl —6M 21
Longmeadow Grn. Stev —8B 52
Long Mimms. Hem H —1A 124
Long Moor. Chesh —2J 145
Longmore Av. Barn —8B 154
Longmore Clo. Map C —4J 159
Longmore Gdns. Wel G —9M 91
Long Plough. Ast C —1C 100
Long Ride, The. Hat —7N 111
Long Ridge. Ast —8C 52
Long Spring. Port W —7G 108
Longspring. Wat —2K 149
Long Vw. Berk —8L 103
Long Wlk. Chal G —5A 146
Long Wlk. Wal A —3L 145
Longwood Rd. Hert —7L 93
Loning, The. Enf —2G 156
Lonsdale. Hem H —8A 106
Lonsdale Clo. Edgw —5N 163
Lonsdale Clo. Lut —4C 46
Lonsdale Clo. Pinn —7N 161
Lonsdale Ct. Stev —2M 51
Lonsdale Dri. Enf —6J 155
Lonsdale Rd. Stev —1M 51
Loom La. Rad —1G 150
Loom Pl. Rad —9H 139
Loraine Clo. Enf —7G 156
Lorane Ct. Wat —4J 149
Lord Mead La. Welw —1B 90
Lords Av. Bis S —1D 78
Lords Clo. Shenl —5M 139
Lordship La. Let —7H 23
Lordship Rd. Chesh —3F 144
Lords Mead. Eat B —2J 63
Lords Mdw. Redb —1J 107
Lords Ter. E Hyde —9A 68 (off Southern Ri.)
Lord St. Hod —8F 114
Lord St. Wat —5L 149
Lord's Vw. B Grn —8F 48
Lords Wood. Wel G —9B 92
Lorian Clo. N12 —4N 165
Lorimer Clo. Lut —3G 47
Loriners Link. Hem H —9A 106
Loring Rd. Berk —2N 121
Loring Rd. Dunst —8C 44
Lorne Rd. Harr —9G 162
Lorne Ter. N3 —9M 165
Lorraine Pk. Harr —7F 162
Lothair Ct. Hat —8G 111
Lothair Rd. Lut —5J 47
Loudhams Rd. Amer —3A 146
Loudhams Wood La. Chal G —4A 146
Loudwater. —5M 147
Loudwater Dri. Loud —6M 147
Loudwater Heights. Loud —5L 147
Loudwater La. Rick & Loud —7M 147
Loudwater Ridge. Loud —6M 147
Louisa Cotts. Tring —3M 101
Louise Wlk. Bov —1D 134
Lousada Lodge. N14 —8H 155 (off Avenue Rd.)
Louvain Way. Wat —5K 137
Lovatt Clo. Edgw —6B 164
Lovatts. Crox G —6C 148
Loveday Clo. R'ton —1N 17
Lovelace Rd. Barn —9D 154
Love La. Ab L —3H 137
Love La. A'wl —8J 5
Love La. Hat —1H 141
Love La. K Lan —2A 136
Love La. Pinn —9M 161
Lovel Clo. Hem H —2K 123
Lovel End. Chal P —7A 158
Lovell Clo. Hit —4A 34
Lovell Rd. Enf —8F 144
Lovel Mead. Chal P —7A 158
Lovel Rd. Chal P —7A 158
Lovering Rd. Chesh —7A 132
Lovers Wlk. N3 —7N 165
Lovers Wlk. NW7 & N3 —6M 165
Lovers Wlk. Dunst —9F 44
Lovet Rd. H'low —7K 117
Lovett Rd. Hare —9M 159
Lovett Way. Wood E —6G 44
Lowbell La. Lon C —9M 127
Lowden Rd. N9 —9F 156
Lwr. Adeyfield Rd. Hem H —1N 123
Lower Barn. Hem H —5B 124
Lwr. Bourne Gdns. Ware —4G 95
Lower Clabdens. Ware —6K 95
Lower Cotts. Bre P —9K 29
Lwr. Dagnall St. St Alb —2D 126
Lwr. Derby Rd. Wat —6L 149
Lower East End. —6A 42
Lower Emms. Hem H —6E 106
Lower End. —5L 81
Lower End. W'grv —6A 60
Lowerfield. Wel G —1N 111
Lwr. Gower Rd. R'ton —5D 8
Lower Gravenhurst. —1L 19
Lower Green. —4H 29 (Buntingford)
Lower Green. —6N 21 (Hitchin)
Lower Green. —2L 29 (Saffron Walden)
Lower Grn. Saf W —2L 29
Lower Grn. Tew —5D 92
Lower Gustard Wood. —3L 89
Lwr. Harpenden Rd. Lut —3K 67
Lwr. Hatfield Rd. Hert —6J 113
Lwr. High St. Wat —6L 149
Lwr. Icknield Way. Ast C & Mars —2E 100
Lwr. Icknield Way. Mars —8G 81
Lower Innings. Hit —2L 33
Lwr. Island Way. Wal A —8N 145
Lwr. Kenwood Av. Enf —7K 155
Lwr. Kings Rd. Berk —1N 121
Lwr. King St. R'ton —7D 8
Lwr. Luton Rd. E Hyde & Hpdn —1B 88
Lwr. Luton Rd. Hpdn & Wheat —4E 88
Lwr. Mardley Hill. Welw —8M 71
Lower Mdw. Chesh —9H 133
Lower Nazeing. —5N 133
Lower Nazeing. —5N 133
Lwr. Paddock Rd. Wat —8N 149
Lwr. Park. Cres. Bis S —3H 79
Lwr. Paxton Rd. St Alb —3F 126
Lower Plantation. Loud —5M 147
Lower Rd. B Grn —8F 48
Lower Rd. Chal P —8B 158
Lower Rd. Chor —6F 146
Lower Rd. Gt Amw —8K 95
Lower Rd. L Hall —8K 79
Lower Sales. Hem H —3J 123
Lower Sean. Stev —6N 51
Lower Sheering. —5J 99
Lower Shott. Chesh —8D 132
Lower Stondon. —1H 21
Lower Strand. NW9 —9F 164
Lower St. Stans —3N 59
Lower Tail. Wat —3N 161
Lower Titmore Green. —9E 34
Lower Tub. Bush —9E 150
Lower Woodside. —4M 129
Lower Yott. Hem H —3B 124
Lowes Clo. Stev —8B 36
Lowestoft Rd. Wat —3K 149
Loweswater Clo. Wat —6L 137
Lowewood Mus. —9L 115
Lowfield La. Hod —8L 115
Lowgate La. Ware —4E 74
(in two parts)
Low Hall Clo. E4 —9M 157
Low Hill Rd. Roy —8C 116
Lowlands. Hat —6J 111
Lowry Dri. H Reg —4G 44
Lowson Gro. Wat —9N 149
Lowswood Clo. N'wd —8E 160
Lowther Clo. Els —7N 151
Lowther Dri. Enf —6K 155
Lowther Rd. Dunst —2F 64
Lowther Rd. Stan —9N 163
Loxley Rd. Berk —8J 103
Loxwood Clo. Hem H —5J 123
Loyter's Green. —5N 119
Lucan Rd. Barn —5L 153
Lucas End. —9A 132
Lucas Gdns. Lut —1D 46
Lucas La. A'wl —9N 5
Lucas La. Hit —2L 33
Lucern Clo. Chesh —9C 132
Lucerne Way. Lut —5E 46
Lucinda Ct. Enf —7C 156
Lucks Hill. Hem H —2H 123
Ludford Clo. NW9 —9E 164
Ludgate. Tring —2L 101
Ludlow Av. Lut —4G 66
Ludlow Mead. Wat —3K 161
Ludlow Way. Crox G —6E 148
Ludun Clo. Dunst —9H 45
Ludwick Clo. Wel G —2M 111
Ludwick Grn. Wel G —1M 111
Ludwick Way. Wel G —9M 91
Luffenhall. —3H 37
Lukes La. Gub —4J 81
Lukes Lea. Mars —6M 81
Lullington Clo. Lut —6L 47
Lullington Gth. N12 —5M 165
Lullington Gth. Borwd —7B 152
Lulworth Av. G Oak —2N 143
Lumbards. Wel G —6N 91
Lumden Rd. R'ton —6D 8
Lunardi Ct. Puck —6N 55
Lundin Wlk. Wat —4M 161
Luther Clo. Edgw —2C 164
Luther King Rd. H'low —6N 117
Luton. —1G 67
Luton Airport. —1N 67
Luton Dri., The. Lut —4K 67
Luton Hoo. —6K 67
Luton Hoo Estate. —8J 67
Luton Hoo Pk. —6J 67
Luton La. Redb —8J 87
Luton Mus. & Art Gallery. —7F 46
Luton Regional Sports Cen. —4H 47
Luton Rd. Cad —4A 66
Luton Rd. C'hoe —6N 47
Luton Rd. Dunst —8G 44
Luton Rd. Hpdn —2M 87
Luton Rd. Kim —6H 69
Luton Rd. Lut —4C 30
Luton Rd. Mark —1A 86
Luton Rd. Offl —8B 32
Luton Rd. Tod —1J 45
Luton Town F.C. —9E 46
Luton White Hill. Lut & Offl —1B 48
Luxembourg Clo. Lut —1N 45
Luxford Pl. Saw —6H 99
Luynes Ri. Bunt —4H 39
Lybury La. Redb —7F 86
Lycastle Clo. St Alb —3G 127
Lych Ga. Wat —6M 137
Lycrome La. Che —9H 121
Lycrome Rd. Che —9H 121
Lydekker M. Hpdn —5B 88
Lydia Ct. N Mym —6J 129
Lydia M. N Mym —6J 129
Lye Green. —9K 121
Lye Grn. Rd. Che —9K 121
Lye Hill. Lut & B Grn —1E 68
Lye La. Brick W —1B 138
Lye La. Stev —2B 54
Lye, The. L Gad —9A 84
Lygean Av. Ware —6J 95
Lygetun Dri. Lut —3A 46
Lygrave. Stev —9B 52
Lyles La. Wel G —7L 91
Lyle's Row. Hit —4N 33
Lymans Rd. Arl —6A 10
Lyme Av. N'chu —7H 103
Lymington Ct. Wat —7J 137
Lymington Rd. Stev —1H 51
Lynbury Ct. Wat —5J 149
Lynch Hill. Kens —8K 65
Lynch, The. Hod —8M 115
Lynch, The. Kens —6J 65
Lyndale. Stev —5L 51
Lyndhurst Av. NW7 —6E 164
Lyndhurst Av. Pinn —8K 161
Lyndhurst Clo. Hpdn —5D 88
Lyndhurst Ct. Hpdn —5D 88

Lyndhurst Dri.—Mark Rd.

Lyndhurst Dri. Hpdn —5D 88
Lyndhurst Gdns. N3 —8L 165
Lyndhurst Gdns. Enf —6C 156
Lyndhurst Gdns. Pinn —8K 161
Lyndhurst Rd. Lut —1E 66
Lyndon Av. Pinn —6N 161
Lyndon Mead. Sandr —4K 109
Lyneham Rd. Lut —8L 47
Lyne Way. Hem H —9J 105
Lynford Clo. Barn —7F 152
Lynford Clo. Edgw —8C 164
Lynford Gdns. Edgw —3B 164
Lynford Ter. N9 —9D 156
Lynmouth Av. Enf —8D 156
Lynmouth Rd. Wel G —9M 91
Lynn Clo. Harr —9E 162
Lynn St. Enf —3B 156
Lynsey Clo. Redb —9J 87
Lynton Av. Arl —7A 10
Lynton Av. St Alb —3K 127
Lynton Ct. Bis S —4G 79
Lynton Crest. Pot B —5N 141
Lynton Gdns. Enf —9C 156
Lynton Mead. N20 —3N 165
Lynton Pde. Chesh —3J 145
Lynton Rd. Che —9F 120
Lynwood Av. Lut —6H 47
Lynwood Dri. N'wd —8H 161
Lynwood Gro. N21 —9M 155
Lynwood Heights. Rick —7L 147
Lynwood Lodge. Dunst —8D 44
Lyon Meade. Stan —8K 163
Lyonsdown. —7B 154
Lyonsdown Av. New Bar —8B 154
Lyonsdown Rd. Barn —8B 154
Lyon Way. St Alb —2A 128
Lyrical Way. Hem H —9L 105
Lysander. NW9 —8F 164
Lysander Clo. Bov —9C 122
Lysander Way. Ab L —5J 137
Lysander Way. Wel G —8C 92
Lys Hill Gdns. Hert —7N 93
Lysley Pl. Brk P —9B 130
Lytchet Way. Enf —3G 156
Lytham Av. Wat —5M 161
Lytton Av. Enf —2J 157
Lytton Av. Let —6F 22
Lytton Fields. Kneb —3M 71
Lytton Gdns. Wel G —9K 91
Lytton Rd. Barn —6B 154
Lytton Rd. Pinn —7N 161
Lyttons Way. Hod —5L 115
Lytton Way. Stev —2J 51

Mabbutt Clo. Brick W —3N 137
Mabey's Wlk. H Wych —6D 98
McAdam Clo. Hod —6L 115
Macaret Clo. N20 —9A 154
Macaulay Rd. Lut —7K 45
McClintock Pl. Enf —1M 157
McDonald Ct. Hat —2G 128
(in two parts)
Macdonnell Gdns. Wat —8H 137
McDougall Rd. Berk —1A 122
Macer's Ct. Brox —6K 133
Macer's La. Brox —6K 133
McEwen Ride. Hal —6B 100
Macfadyen Webb Ho. Let —4G 22
McGredy. Chesh —2F 144
Macintosh Clo. Chesh —8B 132
McKellar Clo. Bus H —2D 162
McKenzie Rd. Brox —2L 133
Mackenzie Sq. Stev —6A 52
Mackerel Hall. R'ton —7B 8
Mackerye End. —3G 88
Macleod Rd. N21 —7K 155
Maddles. Let —7K 23
Maddox Rd. H'low —5A 118
Maddox Rd. Hem H —2D 124
Made Feld. Stev —4M 51
Madgeways Clo. Gt Amw —9K 95
Madgeways La. Gt Amw —1K 115
Madresfield Ct. Shenl —5L 139
Mafeking Rd. Enf —5D 156
Magdalen Laver. —9M 119
Magellan Clo. Stev —4C 52
Maggots End. —6F 42
Magna Clo. Hpdn —9E 88
Magnaville Rd. Bis S —4G 79
Magnaville Rd. Bus H —9F 150
Magnolia Av. Ab L —5J 137
Magnolia Clo. Hert —9E 94
Magnolia Clo. Park —8E 126
Magnolia Gdns. Edgw —4C 164
Magpie Clo. NW9 —9E 164
Magpie Clo. Enf —3E 156
Magpie Cres. Stev —5C 52
Magpie Hall Rd. Bus H —2F 162
Magpie Pl. Wat —5L 137
Magpies, The. Lut —3G 46
Magpie Wlk. Hat —2G 129
Mahon Clo. Enf —3D 156
Maida Av. E4 —9M 157
Maida Way. E4 —9M 157
Maidenbower Av. Dunst —8C 44
Maidenhall Rd. Lut —7C 46
Maidenhead St. Hert —9B 94
Maidenhead Yd. Hert —9B 94
(off Wash, The)
Maiden St. W'ton —1A 36
Mailers La. Man —8H 43
Main Av. Enf —7D 156
Main Av. N'wd —3E 160
Main Ho., The. Saw —4K 99
Main Pde. Chor —6F 146
Main Rd. B'fld —3H 93
Main Rd. N. Dagn —9L 63
Main Rd. S. Dagn —2N 83
Maitland Rd. Hal C —7C 100
Maitland Rd. Stans —3N 59
Malcolm Ct. Stan —5K 163
Malcombs Way. N14 —7H 155
Malden Fields. Bush —7M 149
Malden Rd. Borwd —5A 152
Malden Rd. Wat —4K 149
Maldon Ct. Hpdn —5C 88
Malham Clo. Lut —6B 46
Malins Clo. Barn —7H 153
Malkin Dri. H'low —7G 118
Mallard Clo. New Bar —8C 154
Mallard Ct. Rick —9N 147
(off Swan Clo.)
Mallard Gdns. Lut —4C 46
Mallard Rd. Ab L —4J 137
Mallard Rd. R'ton —7C 8
Mallard Rd. Stev —7C 52
Mallards Ct. Wat —3A 162
(off Hangar Ruding)
Mallards Ri. H'low —6F 118
Mallards, The. Hem H —7B 124
Mallard Way. N'wd —7E 160
Mallard Way. Roy M —5D 116
(off Swan Way)
Mallard Way. Wat —1N 149
Mallory Gdns. E Barn —9F 154
Mallow Mead. NW7 —7L 165
Mallows Green. —8E 42
Mallows Grn. Rd. Man —8D 42
Mallow, The. Lut —6B 46
Mallow Wlk. G Oak —1B 144
Mallow Wlk. R'ton —8E 8
Mall, The. Dunst —8F 44
Mall, The. Park —9D 126
Malm Clo. Rick —2N 159
Malmes Cft. Hem H —4E 124
Malms Clo. Hens —7G 65
Malmsdale. Wel G —5K 91
Maltby Dri. Enf —2F 156
Malthouse Ct. St Alb —3E 126
(off Sopwell La.)
Malthouse Grn. Lut —8A 48
Malthouse La. Stot —5G 10
Malt Ho. Pl. Rad —7H 139
Malthouse, The. Hert —9B 94
(off Priory St.)
Malting La. Ald —1H 103
Malting La. Brau —2B 56
Malting La. Dagn —2N 83
Malting La. Lit —3H 7
Malting La. M Hud —6J 77
Malting Mead. Hat —8J 111
Maltings Clo. Bald —2N 23
Maltings Clo. R'ton —6C 8
Maltings Ct. Ware —7H 95
Maltings Dri. Wheat —7K 89
Maltings Ind. Est., The.
Stan A —2A 116
Maltings La. Gt Chi —2H 17
Maltings M. Hert —1A 114
(off Westall M.)
Maltings Orchard. Pir —8E 20
Maltings, The. Dunst —8D 44
Maltings, The. Hem H —1N 123
Maltings, The. K Lan —7E 136
Maltings, The. Let —2J 23
Maltings, The. R'ton —6C 8
Maltings, The. St Alb —2E 126
Maltings, The. Stev —1G 52
Malt La. Rad —8H 139
Malus Clo. Hem H —1C 124
Malvern Clo. Bush —8D 150
Malvern Clo. Hat —8F 110
Malvern Clo. St Alb —7J 109
Malvern Clo. Stev —1A 72
Malvern Ho. Wat —8F 148
Malvern Rd. Enf —1J 157
Malvern Rd. Lut —1D 66
Malvern Way. Crox G —7D 148
Malvern Way. Hem H —9B 106
Malzeard Ct. Lut —8F 46
(off Malzeard Rd.)
Malzeard Rd. Lut —8E 46
Manan Clo. Hem H —4E 124
Manchester Clo. Stev —7M 35
Manchester Pl. Dunst —8E 44
Manchester St. Lut —1G 66
Mancroft Rd. Cad —5N 65
Mandela Av. H'low —4A 118
(in two parts)
Mandela Pl. Wat —4M 149
Mandelyns. N'chu —7J 103
Mandeville. Stev —9B 52
Mandeville Clo. Brox —2K 133
Mandeville Clo. H'low —8E 118
Mandeville Clo. Hert —3A 114
Mandeville Clo. Wat —2H 149
Mandeville Dri. St Alb —5E 126
Mandeville Ri. Wel G —7K 91
Mandeville Rd. Enf —9H 145
Mandeville Rd. Hert —3A 114
Mandeville Rd. Pot B —5B 142
Manesty Ct. N14 —9J 155
(off Ivy Rd.)
Mangrove Dri. Hert —2C 114
Mangrove Green. —5N 47
Mangrove La. Hert —2C 114
Mangrove Rd. C'hoe —5N 47
Mangrove Rd. Hert —1C 114
Mangrove Rd. Lut —6L 47
Manland Av. Hpdn —5D 88
Manland Way. Hpdn —5D 88
Manley Rd. Hem H —1A 124
Manly Dixon Dri. Enf —1J 157
Mannicotts. Wel G —9H 91
Manning Ct. H Reg —4F 44
Manning Ct. Wat —8M 149
Manning Pl. Lut —7N 47
Manns Rd. Edgw —6A 164
Manor Av. Hem H —5N 123
Manor Clo. NW7 —5D 164
Manor Clo. Barn —6L 153
Manor Clo. Berk —1N 121
Manor Clo. Hat —6F 110
Manor Clo. Hert —7B 94
Manor Clo. H Reg —5E 44
Manor Clo. Ickl —8M 21
Manor Clo. Let —8F 22
Manor Cotts. N'wd —8H 161
Manor Ct. Big —1A 4
Manor Ct. Cad —4B 66
Manor Ct. Chesh —4H 145
Manor Ct. Enf —9F 144
Manor Ct. Pot B —5M 141
Manor Cres. Hit —4B 34
Manor Cres. Wend —9B 100
Manorcroft Pde. Chesh —3H 145
Manor Dri. N14 —9G 155
Manor Dri. NW7 —5D 164
Manor Dri. St Alb —9B 126
Mnr. Farm Bus. Pk. Shin W —5J 19
Mnr. Farm Clo. Bar C —8E 18
Mnr. Farm Clo. Lut —6M 45
Mnr. Farm Rd. Enf —8F 144
Mnr. Hall Av. NW4 —9K 165
Mnr. Hall Dri. NW4 —9K 165
Manor Hatch. H'low —7C 118
Mnr. Hatch Clo. H'low —7D 118
Manor House. —2D 146
Manor Ho. Dri. N'wd —7D 160
Manor Ho. Dri. Stev —2C 52
Manor Ho. Est. Stan —6J 163
Manor Ho. Gdns. Ab L —4F 136
Manor Links. Bis S —1L 79
**Manor of Groves Golf &
Country Club. —5C 98**
Manor Pde. Hat —6F 110
Manor Pk. H Reg —5E 44
Mnr. Park Cres. Edgw —6A 164
Mnr. Park Dri. Harr —9C 162
Mnr. Park Gdns. Edgw —5A 164
Mnr. Pound Rd. Ched —9M 61
Manor Rd. Barn —6L 153
Manor Rd. Bar C —8E 18
Manor Rd. Bis S —1J 79
Manor Rd. Cad —4A 66
Manor Rd. Ched —9L 61
Manor Rd. Enf —4A 156
Manor Rd. H'low —1E 118
Manor Rd. Hat —6F 110
Manor Rd. Hod —7L 115
Manor Rd. Lon C —8K 127
Manor Rd. Lut —2H 67
Manor Rd. Pot B —4M 141
Manor Rd. St Alb —1F 126
Manor Rd. Stans —4N 59
Manor Rd. Tring —1M 101
Manor Rd. Wal A —6N 145
Manor Rd. Wat —3K 149
Manor Rd. Wend —9B 100
Manor Rd. Wheat —5F 88
Manorside. Barn —6L 153
Manor St. Berk —1A 122
Manor Vw. N3 —9N 165
Manor Vw. Stev —8A 52
Manorville Rd. Hem H —6M 123
Manor Way. Borwd —5C 152
Manor Way. Chesh —3J 145
Manor Way. Crox G —6C 148
Manorway. Enf —9C 156
Manor Way. Let —8F 22
Manor Way. Old K —3J 71
Manor Way. Pot B —3N 141
Mansard Clo. Tring —3M 101
Manscroft Rd. Hem H —9L 105
Mansdale Rd. Redb —2H 107
Manse Ct. Mark —2A 86
Mansells La. Cod —5F 70
Mansfield. H Wych —6C 98
Mansfield Av. Barn —8E 154
Mansfield Clo. N9 —8E 156
Mansfield Ct. Hert —7A 94
Mansfield Gdns. Hert —7A 94
Mansfield Hill. E4 —9M 157
Mansfield Rd. Bald —4L 23
Mansfield Rd. Lut —8D 46
Manshead Ct. Dunst —2G 65
Mansion Dri. Tring —3N 101
Mansion Hill. Hal —6D 100
Manston Clo. Chesh —3G 145
Manston Dri. Bis S —8K 59
Manston Rd. H'low —6A 118
Manston Way. St Alb —3L 127
Manton Dri. Lut —5F 46
Manton Rd. Eat B —3A 64
Manton Rd. Enf —1L 157
Manton Rd. Hit —4B 34
Manuden. —8J 43
Manx Clo. Lut —7C 46
Maple Av. Bis S —9F 58
Maple Av. St Alb —7D 108
Maple Clo. N3 —6N 165
Maple Clo. Bis S —9F 58
Maple Clo. Bush —4N 149
Maple Clo. Hat —1G 129
Maple Clo. Pull —1A 18
Maple Cotts. Hpdn —1C 108
Maple Ct. Borwd —6A 152
(off Drayton Rd.)
Maple Ct. Lut —2F 66
(off Stockwood Cres.)
Maple Ct. Stan A —2A 116
Maple Ct. Wat —9M 137
Maple Cross. —5G 159
Maple Cross Ind. Est. Map C
—4J 159
Maplefield. Park —2C 138
Maple Gdns. Edgw —7E 164
Maple Grn. Hem H —9H 105
Maple Gro. Bis S —9F 58
Maple Gro. Wat —3J 149
Maple Gro. Wel G —6M 91
Maple Hill. —3A 134
Maple Leaf Clo. Ab L —5J 137
Maplelodge Clo. Map C —4H 159
**Maple Lodge Nature
Reserve. —5J 159**
Maple Rd. Hpdn —6A 88
Maple Rd. E. Lut —9D 46
Maple Rd. W. Lut —9D 46
Maples. Hpdn —4B 88
Maples Ct. Hit —3M 33
Maple Side. Stoc P —3A 42
Maple Spring. Bis S —9F 58
Maples, The. Borwd —3A 152
Maples, The. G Oak —1C 144
Maples, The. Hit —5N 33
Maples, The. Stev —8A 52
Maplethorpe Ct. Ware —6G 95
(off Priory St.)
Mapleton Cres. Enf —2G 156
Mapleton Rd. Enf —4F 156
Maple Way. H Reg —3H 45
Maple Way. Kens —8H 65
Maple Way. Mel —1J 9
Maple Way. R'ton —5E 8
Maplewood. Ware —4G 95
Maplin Clo. N21 —8L 155
Maran Av. Welw —3J 91
Marbury Pl. Lut —4B 46
March. NW9 —8F 164
(off Concourse, The)
Marchmont Grn. Hem H —9N 105
Marconi Way. St Alb —2L 127
Marcus Clo. Stev —1B 52
Mardale Av. Dunst —2F 64
Mardale Ct. NW7 —7G 165
Mardle Clo. Cad —6A 66
Mardley Av. Welw —8M 71
Mardleybury. —7A 72
Mardleybury Ct. Wool G —7N 71
Mardleybury Rd. Wool G —7N 71
Mardley Dell. Welw —7M 71
Mardley Heath. —7M 71
Mardley Heights. Welw —8N 71
Mardley Hill. Welw —8M 71
Mardley Wood. Welw —7M 71
Mardon. Pinn —7A 162
Mardyke Rd. H'low —4C 118
Marford Rd. Wheat & Lem —7L 89
Margaret Av. E4 —8M 157
Margaret Av. St Alb —9E 108
Margaret Clo. Ab L —5H 137
Margaret Clo. Pot B —6B 142
Margaret Clo. Wal A —6N 145
Margaret Ct. Barn —6C 154
Margaret Rd. Barn —6C 154
Margeholes. Wat —2N 161
Margery La. Tew —5C 92
Margery Wood. Wel G —6N 91
Margrave Gdns. Bis S —3G 78
Marguerite Way. Bis S —2E 78
Marian Gdns. Leav —6K 137
Maricas Av. Harr —8E 162
Marigold Pl. H'low —2D 118
Marina Dri. Dunst —1B 64
Marina Gdns. Chesh —3G 145
Mariner Way. Hem H —3C 124
Marion Clo. Bush —3A 150
Marion Rd. NW7 —5G 164
Marion Wlk. Hem H —6B 106
Markab Rd. N'wd —5H 161
Mark Av. E4 —8M 157
Mark Dri. Chal P —4A 158
Markeston Grn. Wat —4M 161
Market Chambers. Enf —5B 156
(off Church St.)
Market Hall. Lut —1G 67
Market Hill. Bunt —3J 39
Market Hill. R'ton —7D 8
Market Ho. H'low —5N 117
(off Post Office Rd.)
Market La. Edgw —8C 164
Market Oak La. Hem H —6C 124
Market Pl. Chal P —8A 158
Market Pl. Eat B —2H 63
Market Pl. Enf —5B 156
Market Pl. Hat —8H 111
Market Pl. Hert —9B 94
Market Pl. Hit —3M 33
Market Pl. St Alb —2E 126
Market Pl. Stev —4K 51
Market Sq. Bis S —1H 79
Market Sq. Lut —2D 66
Market Sq. Stev —4K 51
Market Sq. Wal A —6N 145
Market St. Bis S —1H 79
Market St. H'low —2E 118
Market St. Hert —9B 94
Market St. Wat —6K 149
Markfield Clo. Lut —3E 46
Markfield Gdns. E4 —9M 157
Mark Hall Cycle Mus. —4D 118
Mark Hall Gardens. —3C 118
Mark Hall Moors. H'low —3D 118
Mark Hall North. —3C 118
Mark Hall South. —5C 118
Mark Hall Sports Ground. —4E 118
Markham Clo. Borwd —4N 151
Markham Cres. Dunst —7H 45
Markham Rd. Chesh —8A 132
Markham Rd. Lut —1E 46
Mark Lodge. Cockf —6D 154
(off Edgeworth Rd.)
Mark Rd. Hem I —9C 106

Merlin Way—Moor Vw.

Merlin Way. Leav —7H 137
Mermaid Clo. Hit —3B 34
Merridene. N21 —8N 155
Merrill Pl. Bis S —3G 79
Merrion Av. Stan —5L 163
Merritt Wlk. N Mym —5H 129
Merrivale. N14 —8J 155
Merrow Dri. Hem H —1H 123
Merrows Clo. N'wd —6E 160
Merryfield Gdns. Stan —5K 163
Merryfields. St Alb —2M 127
Merry Hill. —1B 162
Merryhill Clo. E4 —9M 157
Merry Hill Mt. Bush —1C 162
Merry Hill Rd. Bush —8A 150
Merryhills Ct. N14 —7H 155
Merryhills Dri. Enf —6J 155
Mersey Pl. Hem H —6B 106
Mersey Pl. Lut —1F 66
Merton Lodge. New Bar —7B 154
Merton Rd. Enf —2B 156
Merton Rd. Wat —6K 149
Meryfield Clo. Borwd —4N 151
Metford Cres. Enf —2L 157
Metheringham Way. NW9 —8E 164
Methuen Clo. Edgw —7A 164
Methuen Rd. Edgw —7A 164
Metro Cen. St Alb —7G 109
Metropolitan Sta. App. Wat —5H 149
Meux Clo. Chesh —4E 144
Mews, The. Hpdn —6C 88
Mews, The. Let —2J 23
Mews, The. L Hall —5J 79
Mews, The. Saw —4G 99
Mews, The. Stans —2N 59
Mews, The. Wat —6L 149 (off Smith St.)
Meyer Grn. Enf —2E 156
Meyrick Av. Lut —2E 66
Meyrick Ct. Lut —2E 66
Mezen Clo. N'wd —5F 160
Michael Muir Ho. Hit —1L 33
Michaels Rd. Bis S —7J 59
Michen Rd. H'low —4B 118
Michleham Down. N12 —4M 165
Micholls Av. Ger X —4B 158
Micklefield Green. —2L 147
Micklefield Rd. Hem H —2E 124
Micklefield Way. Borwd —2M 151
Micklem Dri. Hem H —1J 123
Midcot Way. Berk —8K 103
Mid Cross La. Chal P —5C 158
Middle Dene. NW7 —3D 164
Middle Drift. R'ton —7C 8
Middle End. —1L 63
Middlefield. Hat —8G 110
Middlefield. Wel G —4L 111
Middlefield Av. Hod —6L 115
Middlefield Clo. St Alb —8K 109
Middlefield Rd. Hod —6L 115
Middlefields. Let —2F 22
Middlefields Ct. Let —2F 22 (off Middlefields)
Middle Furlong. Bush —6C 150
Middlehill. Hem H —2H 123
Middleknights Hill. Hem H —8K 105
Middle La. Bov —2D 134
Middle Ope. Wat —1K 149
Middle Rd. Berk —1M 121
Middle Rd. E Barn —8D 154
Middle Row. Bis S —2H 79
Middle Row. Stev —2J 51
Middlesborough Clo. Stev —8M 35
Middlesex Ho. Stev —3H 51
Middle St. Lit —3H 7
Middleton Rd. Lut —5M 47
Middleton Rd. Mil E —1K 159
Middle Way. Wat —1J 149
Middle Way, The. Harr —9G 162
Mid Herts Golf Course. —3K 89
Midhurst. Let —3F 22
Midhurst Gdns. Lut —5E 46
Midland Rd. Hem H —2N 123
Midland Rd. Lut —9G 46
Midway. St Alb —5C 126
Milbourne Ct. Wat —4J 149
Milburn Clo. Lut —9D 30
Milby Ct. Borwd —3N 151
Mildmay Rd. Stev —1A 52
Mildred Av. Borwd —6A 152
Mildred Av. Wat —6H 149
Mile Clo. Wal A —6N 145
Mile Ho. Clo. St Alb —5H 127
Mile Ho. La. St Alb —6G 126
Miles Clo. H'low —7L 117
Milespit Hill. NW7 —5H 165
Milestone Clo. Stev —5C 52
Mile Stone Ct. Rad —7H 139
Milestone Rd. H'low —4E 118
Milestone Rd. Hit —1L 33
Milestone Rd. Kneb —3N 71
Miletree Cres. Dunst —2G 64
Milford Clo. St Alb —7L 109
Milford Gdns. Edgw —7A 164
Milford Hill. Hpdn —3E 88
Milksey La. Hit —5J 35
Millacres. Ware —6H 95
Millais Gdns. Edgw —9A 164
Millais Rd. Enf —7D 156
Milland Ct. Borwd —3D 152
Millard Way. Hit —9C 22
Millbank. Hem H —6N 123
Mill Bri. Barn —8M 153
Mill Bri. Hert —9A 94
Millbridge M. Hert —9A 94
Millbrook. Ware —5H 95
Millbrook Rd. Bush —3A 150
Mill Clo. Bunt —3J 39
Mill Clo. Hem H —7C 124
Mill Clo. Hit —2C 34
Mill Clo. Lem —1G 110
Mill Clo. M Hud —7H 77
Mill Clo. Pic E —7L 105
Mill Clo. Stot —6G 10
Mill Clo. Ware —6H 95
Mill Clo. W'grv —5A 60
Mill Corner. Barn —3M 153
Millcrest Rd. G Oak —1N 143
Millcroft. Bis S —8J 59
Mill End. —7K 25 (Cumberlow Green)
Mill End. —1J 159 (Rickmansworth)
Mill End. —5C 26 (Royston)
Mill End. Stdn —7C 56
Mill End Clo. Eat B —4K 63
Millennium Wharf. Rick —9A 148
Miller Av. Enf —2L 157
Miller Clo. Pinn —9L 161
Millers Clo. NW7 —4G 165
Millers Clo. Bar —2D 16
Millers Clo. Bis S —3E 78
Millers Clo. Chor —5J 147
Millers Ct. Hert —1B 114
Millersdale. H'low —9L 117
Millers Grn. Clo. Enf —5N 155
Millers La. Stan A —2N 115
Millers Lay. Dunst —7J 45
Millers Ri. St Alb —3F 126
Millers Vw. M Hud —7H 77
Millers Way. H Reg —5D 44
Millers Yd. Hert —9B 94
Mill Farm Clo. Pinn —9L 161
Millfield. Berk —9A 104
Mill Fld. H'low —2E 118
Millfield. Wad —8J 75
Millfield. Wel G —8B 92
Millfield Ho. Wat —8F 148
Millfield La. Cad & Mark —5M 65
Millfield La. L Hall —9N 57
Millfield La. St I —6N 33
Millfield M. Cad —6N 65
Millfield Rd. Edgw —9C 164
Millfield Rd. Lut —6C 46
Millfields. Saw —4G 99
Millfields. Stans —3N 59
Millfield Wlk. Hem H —5C 124
Millfield Way. Cad —5N 65
Mill Gdns. Tring —2M 101
Mill Green. —6K 111
Mill Grn. Ess —6E 112
Mill Green Golf Course. —5L 111
Mill Grn. La. Wel G —4K 111
Mill Green Mus. —6K 111
Mill Grn. Rd. Wel G —1L 111
Mill Hatch. H'low —2C 118
Mill Hill. —5E 164
Mill Hill. Bis S —2F 58
Mill Hill. R'ton —9E 8
Mill Hill. Stans —3N 59
Mill Hill Circus. (Junct.) —5F 164
Mill Hill Golf Course. —1D 164
Mill Hill Ind. Est. NW7 —6F 164
Mill Hill Pk. —6F 164
Millhouse La. Bedm —9H 125
Millhurst M. H'low —2G 118
Milliner's Ct. St Alb —2F 126
Milliners Way. Bis S —4E 78
Milliners Way. Lut —8E 46
Milling Rd. Edgw —7D 164
Mill La. E4 —5M 157
Mill La. Abry —3M 57
Mill La. Arl —8A 10
Mill La. Bar C —8D 18
Mill La. Bass —1L 7
Mill La. Brox —3K 133
Mill La. Chesh —1J 145
Mill La. Crox G —8E 148
Mill La. Flam —6C 86
Mill La. Gos —7N 33
Mill La. H'low —2G 119
Mill La. Hit —9K 19
Mill La. K Lan —2C 136
Mill La. L Hall —1K 99
Mill La. Mee —6K 29
Mill La. Saw —4H 99
Mill La. Stot —3F 10 (Astwick)
Mill La. Stot —6G 10 (Stotfield)
Mill La. Ther —4D 14
Mill La. Wat S & Ware —5K 73
Mill La. W'ton —1B 36
Mill La. W'grv —6B 60
Mill La. Clo. Brox —3K 133
Millmarsh La. Brim —4J 157
Mill Mead. Wend —9A 100
Millmead Way. Hert —9N 93
Millow. —2D 4
Mill Pl. Welw —2J 91
Mill Race. Stan A —2A 116
Mill Ridge. Edgw —5N 163
Mill River Trad. Est. Enf —5J 157
Mill Rd. Hert —8B 94
Mill Rd. H Reg —5D 44
Mill Rd. R'ton —6D 8
Mill Rd. St I —7N 33
Mill Rd. Slap —2A 62
Millside. Bis S —3J 79
Millside. Stans —3M 59
Millstream Clo. Hert —9N 93
Millstream Clo. Hit —9N 21
Mill Stream Lodge. Mil E —2K 159
Mill St. A'wl —9M 5
Mill St. Berk —1N 121
Mill St. Bis S —3J 79
Mill St. H'low —8G 119
Mill St. Hem H —5N 123
Mill St. Lut —9F 46
Mill Tower. Eat B —2J 63
Mill Vw. Park —9E 126
Mill Vw. Rd. Tring —2L 101
Mill Wlk. Wheat —6L 89 (off High St.)
Millwards. Hat —3H 129
Millward's Pk. —3K 129
Millway. NW7 —4E 164
Millway. B Grn —7E 48
Mill Way. Bush —4N 149
Mill Way. Hit —8J 21
Mill Way. Mil E —1J 159
Milman Clo. Pinn —9M 161
Milne Clo. Let —8H 23
Milne Fld. Pinn —7B 162
Milner Clo. Wat —7K 137
Milner Ct. Bush —8C 150
Milner Ct. Lut —9G 47
Milne Way. Hare —8L 159
Milthorne Clo. Crox G —7B 148
Milton Av. Barn —7M 153
Milton Clo. R'ton —4C 8
Milton Ct. Hpdn —6C 88
Milton Ct. Hem H —6D 106
Milton Ct. Wal A —7N 145
Milton Dene. Hem H —6D 106
Milton Dri. Borwd —7B 152
Milton Ho. Ger X —4B 158
Milton Rd. NW7 —5G 164
Milton Rd. Ast C —1E 100
Milton Rd. Hpdn —6C 88
Milton Rd. Lut —2E 66
Milton Rd. Ware —5H 95
Milton St. Wal A —7N 145
Milton St. Wat —2K 149
Milton Vw. Hit —3C 34
Milton Wlk. H Reg —5G 45
Milton Way. H Reg —5G 45
Milverton Grn. Lut —2C 46
Milwards. H'low —9L 117
Mimas Rd. Hem H —8B 106
Mimms Hall Rd. Pot B —4K 141
Mimms La. Shenl & Ridge —6A 140
Mimram Clo. W'wll —1M 69
Mimram Pl. Welw —2J 91
Mimram Rd. Hert —1N 113
Mimram Rd. Welw —2J 91
Mimram Wlk. Welw —2J 91
Mindenhall Ct. Stev —2J 51 (off High St.)
Minehead Way. Stev —2G 50
Minerva Clo. Stev —9B 36
Minerva Dri. Wat —9G 136
Minims, The. Hat —8G 110
Minister Ct. Frog —1F 138
Minister Ho. Hat —2G 128
Minorca Way. Lut —6K 45
Minsden Rd. Stev —6C 52
Minster Clo. Hat —2G 128
Minster Rd. R'ton —5C 8
Minstrel Clo. Hem H —1L 123
Minton La. H'low —6E 118
Misbourne Av. Chal P —5A 158
Misbourne Clo. Chal P —5B 158
Misbourne Va. Chal P —5A 158
Missden Dri. Hem H —4E 124
Missenden Ho. Wat —9G 149 (off Chenies Way)
Miss Joans Ride. Kens —9B 64
Mistletoe Hill. Lut —9L 47
Mistley Rd. H'low —4C 118
Miswell La. Tring —2K 101
Mitchell. NW9 —8F 164 (off Concourse, The)
Mitchell Clo. Ab L —5J 137
Mitchell Clo. Bov —9C 122
Mitchell Clo. St Alb —6E 126
Mitchell Clo. Wel G —9B 92
Mitre Ct. Hert —9B 94
Mitre Gdns. Bis S —4J 79
Mixes Hill Ct. Lut —5H 47
Mixes Hill Rd. Lut —6H 47
Mixies, The. Stot —6E 10
Moakes, The. Lut —1A 46
Moat Clo. Bush —7C 150
Moat Clo. Wend —8A 100
Moat Cres. N3 —9N 165
Moatfield Rd. Bush —7C 150
Moat La. Lut —5D 46
Moat La. W'grv —6A 60
Moat Mount Open Space. —1E 164
Moatside. Ans —4E 28
Moat Side. Enf —6H 157
Moat, The. Puck —6A 56
Moat Vw. Ct. Bush —7C 150
Moatwood Grn. Wel G —1L 111
Mobbsbury Way. Stev —2A 52
Mobley Grn. Lut —6K 47
Moffats Clo. Brk P —8N 129
Moffats La. Brk P —9L 129
Moineau. NW9 —8F 164 (off Concourse, The)
Moira Clo. Lut —2N 45
Molescroft Ridge Av. Hpdn —3M 87
Moles La. Wyd —8L 27
Molesworth. Hod —4L 115
Molewood Rd. Hert —7N 93
Mollison Av. Enf —8J 145
Mollison Way. Edgw —9N 163
Molteno Rd. Wat —2J 149
Molyneaux Av. Bov —9C 122
Momples Rd. H'low —6C 118
Monarchs Way. Wal X —7J 145
Monastery Clo. St Alb —2D 126
Monastery Gdns. Enf —4B 156
Moneybury Hill. —8H 83
Moneyhill. —1M 159
Moneyhill Ct. Rick —1L 159
Moneyhill Pde. Rick —1L 159
Money Hill Rd. Rick —1M 159
Money Hole La. Welw —8D 92
Moneyhole Lane Pk. —9C 92
Monica Clo. Wat —4L 149
Monica Ct. Enf —7C 156
Monken Hadley. —4M 153
Monken Hadley Common. —4A 154
Monkfrith Av. N14 —8G 154
Monkfrith Clo. N14 —9G 154
Monkfrith Way. N14 —9F 154
Monkhams. Wal A —3N 145
Monklands. Let —5D 22
Monks Av. Barn —8B 154
Monksbury. H'low —9C 118
Monks Clo. Brox —2L 133
Monks Clo. Dunst —8H 45
Monks Clo. Enf —4A 156
Monks Clo. Let —5C 22
Monks Clo. Redb —1K 107
Monks Clo. St Alb —4F 126
Monks Horton Way. St Alb —9H 109
Monksmead. Borwd —6C 152
Monks Ri. Wel G —5K 91
Monks Rd. Enf —4N 155
Monks Row. Ware —5H 95
Monks Vw. Stev —7M 51
Monks Wlk. Bunt —3H 39
Monks Wlk. Wel G —5J 91
Monkswick Rd. H'low —4B 118
Monkswood. Wel G —5J 91
Monkswood Av. Wal A —6N 145
Monkswood Dri. Bis S —2F 78
Monkswood Gdns. Borwd —7D 152
Monkswood Retail Pk. Stev —6L 51
Monkswood Way. Stev —5L 51
Monmouth Rd. Wat —5K 149
Monroe Cres. Enf —3F 156
Monro Gdns. Harr —7F 162
Monro Ind. Est. Wal X —7J 145
Mons Clo. Hpdn —9E 88
Monson Rd. Brox —2K 133
Montacute Rd. Bus H —9F 150
Montague Av. Lut —3M 45
Montague Hall Pl. Bush —8B 150
Montague Rd. Berk —1M 121
Montayne Rd. Chesh —5H 145
Monterey Pl. Shop. Cen. NW7 —5E 164
Montesole Ct. Pinn —9L 161
Montfitchet Wlk. Stev —1C 52
Montgomerie Clo. Berk —8L 103
Montgomery Av. Hem H —1C 124
Montgomery Dri. Chesh —1J 145
Montgomery Rd. Edgw —6N 163
Montgomery Way. Big —2A 4
Monton Clo. Lut —3B 46
Montrose Av. Edgw —9C 164
Montrose Av. Lut —6D 46
Montrose Ct. NW9 —9C 164
Montrose Path. Lut —6E 46
Montrose Rd. Harr —9F 162
Montrose Wlk. Stan —6J 163
Monument La. Chal P —6B 158
Moon La. Barn —5M 153
Moorcroft. Edgw —8B 164
Moore Cres. H Reg —5F 44
Moor End. —3K 63
Moor End. Eat B —4K 63
Moorend. Wel G —3N 111
Moor End Clo. Eat B —4K 63
Moor End La. Eat B —3K 63
Moor End Rd. Hem H —3M 123
Moore Rd. Berk —8K 103
Moorfield Rd. Enf —3G 156
Moor Green. —8A 38
Moor Hall La. Thor —5D 78
Moor Hall Rd. H'low —2H 119
Moorhen Way. Roy M —5D 116 (off Holy Acre)
Moorhouse. NW9 —8F 164
Moorhouse Rd. Harr —9L 163
Moorhurst Av. G Oak —2M 143
Moorings, The. Bis S —3J 79
Moorland Gdns. Lut —9F 46
Moorland Rd. Hpdn —3C 88
Moorland Rd. Hem H —4K 123
Moorlands. Frog —1F 138
Moorlands. Wel G —3N 111
Moorlands Av. NW7 —6H 165
Moorlands Reach. Saw —6H 99
Moor La. Rick —1B 160
Moor La. Sarr —9H 135
Moor La. Crossing. Wat —9E 148
Moormead Clo. Hit —4L 33
Moormead Hill. Hit —4L 33
Moor Mill La. Col S —2F 138 (in two parts)
Moor Park. —3E 160
Moor Pk. —3C 160
Moor Pk. Wend —7A 100
Moor Pk. Golf Course. —2D 160
Moor Pk. Ind. Cen. Wat —9E 148
Moor Pk. Rd. N'wd —6F 160
Moor Path. Lut —9F 46
Moorside. Hem H —5L 123
Moorside. Wel G —3N 111
Moors La. Orch —9M 121
Moors Ley. Walk —9F 36
Moors, The. Wel G —8N 91
Moor St. Lut —9E 46
Moors Wlk. Wel G —9B 92
Moortown Rd. Wat —4L 161
Moor Vw. Wat —9J 149

New Pk. La.—Oak Dri.

New Pk. La. Ast —7E 52
New Pk. Rd. Hare —8M 159
New Pk. Rd. New S —6H 131
New Path. Bis S —2H 79
New Pl. Welw —3H 91
Newpond St. H'low —5F 118
Newport Clo. Enf —1J 157
Newport Lodge. Enf —7C 156
(off Village Rd.)
Newport Mead. Wat —4M 161
Newports. Saw —6E 98
New Provident Pl. Berk —1A 122
Newquay Gdns. Wat —2K 161
New River Av. Stan A —2M 115
New River Clo. Hod —7M 115
New River Ct. Chesh —4F 144
New River Trad. Est. Chesh —8H 133
New Rd. NW7 —9F 152
(Highwood Hill)
New Rd. NW7 —7L 165
(Mill Hill)
New Rd. Ast C —1D 100
New Rd. Berk —9A 104
New Rd. Brox —1L 133
New Rd. Chal G —5B 146
New Rd. Chfd —3J 135
New Rd. Crox G —7C 148
New Rd. Els —8L 151
New Rd. Gt Chi —1H 17
New Rd. H'low —2F 118
New Rd. Hert —7A 94
New Rd. Let H —3F 150
New Rd. L Had —1K 77
New Rd. Mel —1K 9
New Rd. N'chu —8J 103
New Rd. Rad —9F 138
New Rd. R'ton —4N 9
New Rd. Sarr —3J 147
New Rd. Shenl —7A 140
New Rd. S Mim —6G 140
New Rd. Tring —9M 81
New Rd. Ware —6H 95
New Rd. Wat —6L 149
New Rd. Welw —4M 91
New Rd. Wel G —3G 111
New Rd. Wils —7J 81
(in two parts)
New Rd. Wool G —6N 71
Newsells. —5A 16
Newsells Pk. —6A 16
Newsholme Av. N21 —7L 155
Newstead. Hat —3F 128
New St. Berk —1A 122
New St. Ched —9L 61
New St. Lut —2F 66
New St. Saw —4G 99
New St. S End —7E 66
New St. Wat —6L 149
Newton. Dun —1D 4
Newton Clo. Hpdn —9E 88
Newton Clo. Hod —4M 115
Newton Cres. Borwd —6C 152
Newtondale. Lut —4M 45
Newton Dri. Saw —6F 98
Newton Ho. Borwd —5D 152
(off Chester Rd.)
Newton Rd. Harr —9F 162
Newton Rd. Stev —3A 52
Newtons Way. Hit —4N 33
Newton Wlk. Edgw —8B 164
New Town. —2H 79
(Bishop's Stortford)
Newtown. —2K 39
(Buntingford)
New Town. —2G 67
(Luton)
New Town. Cod —7F 70
New Town Rd. Bis S —2H 79
New Town Rd. Lut —2G 67
New Town St. Lut —2G 67
New Villas. Tring —1D 102
New Wlk. Shil —2A 20
New Way. —6L 119
New Way La. Thr B —7K 119
New Wood. Wel G —8B 92
New Woodfield Grn. Dunst —2H 65
Niagara Clo. Chesh —2H 145
Nicholas Clo. St Alb —8E 108
Nicholas Clo. Wat —1K 149
Nicholas Ho. St Alb —3L 127
Nicholas La. Hert —9A 94
Nicholas Pl. Stev —9K 35
Nicholas Rd. Els —8N 151
Nicholas Way. Dunst —9E 44
Nicholas Way. Hem H —9B 106
Nicholas Way. N'wd —8E 160
Nichol Clo. N14 —9J 155
Nicholls Clo. Bar C —8E 18
Nicholls Clo. Redb —1H 107
Nicholls Fld. H'low —7C 118
Nichols Clo. Lut —7L 47
Nicholson Ct. Hod —8M 115
Nicholson Dri. Bush —1D 162
Nicola Clo. Harr —9E 162
Nicol Clo. Chal P —8A 158
Nicol End. Chal P —8A 158
Nicoll Way. Borwd —7D 152
Nicol Rd. Chal P —8A 158
Nicolson. NW9 —8E 164
Nidderdale. Hem H —8B 106
Nigel Ct. N3 —7N 165
Nighthawk. NW9 —8F 164
Nightingale Clo. Ab L —4J 137
Nightingale Clo. Lut —3L 47
Nightingale Clo. Rad —9G 139
Nightingale Ct. Hert —9A 94
Nightingale Ct. Hit —2A 34
Nightingale Ct. Lut —9E 46
(off Waldeck Rd.)
Nightingale La. St Alb —5K 127
(in two parts)
Nightingale Lodge. Berk —1M 121
Nightingale Pl. Rick —9N 147
Nightingale Rd. N9 —8G 156
Nightingale Rd. Bush —7B 150
Nightingale Rd. Chesh —7A 132
Nightingale Rd. Hit —2N 33
Nightingale Rd. Rick —9M 147
Nightingale Rd. Wend —9A 100
Nightingales. H'low —8E 118
Nightingales Corner. Amer —4A 146
(off Coke's La.)
Nightingales Ct. Chal G —4A 146
Nightingales La. Chal G —5A 146
Nightingale Ter. Arl —9A 10
Nightingale Wlk. Hem H —5E 106
Nightingale Wlk. Stev —4B 52
Nightingale Way. Bald —5L 23
Nimbus Way. Hit —3C 34
Nimmo Dri. Bus H —9E 150
Nimrod. NW9 —8E 164
Nimrod Clo. St Alb —9K 109
Nine Ashes. Hun —8G 96
Ninefield Ct. Lut —6M 45
(off Lime Av.)
Ninesprings Way. Hit —4B 34
Ninfield Ct. Lut —6L 47
(off Telscombe Way)
Ninian Rd. Hem H —6A 106
Ninnings Cotts. Hpdn —7B 88
Ninning's La. Welw —6L 71
Ninnings Rd. Chal P —7C 158
Ninnings Way. Chal P —7C 158
Ninth Av. Lut —2N 45
Niton Clo. Barn —8K 153
Niven Clo. Borwd —3C 152
Nobland Green. —8D 76
Nobles, The. Bis S —2F 78
Nodes Dri. Stev —8N 51
Noel. NW9 —8E 164
Noke La. St Alb —8N 125
Noke Shot. Hpdn —3D 88
Noke Side. St Alb —9B 126
Nokeside. Stev —9A 52
Nokes, The. Hem H —9K 105
Noke, The. Stev —9A 52
Nolton Pl. Edgw —8N 163
Nomansland. —9L 89
Nomansland Common. —9J 89
Nook, The. Stan A —2M 115
Norbury Av. Wat —3L 149
Norbury Gro. NW7 —3E 164
Norcott Clo. Dunst —1G 65
Norcott Ct. Berk —5H 103
Norcott Hill. —4H 103
Norfolk Av. Wat —2L 149
Norfolk Clo. Barn —6F 154
Norfolk Ct. Barn —6L 153
Norfolk Gdns. Borwd —6D 152
Norfolk Rd. Barn —5N 153
Norfolk Rd. Bunt —2J 39
Norfolk Rd. Dunst —2H 65
Norfolk Rd. Enf —8F 156
Norfolk Rd. Lut —1J 67
Norfolk Rd. Rick —1A 160
Norfolk Way. Bis S —4G 79
Norman Av. Bis S —2F 78
Norman Booth Leisure Cen. —2F 118
Norman Clo. Wal A —6N 145
Norman Ct. Pot B —3B 142
Norman Ct. Stans —2N 59
Norman Cres. Pinn —8L 161
Normandy Av. Barn —7M 153
Normandy Ct. Hem H —1N 123
Normandy Dri. Berk —8M 103
Normandy Rd. St Alb —9E 108
Normandy Way. Hod —7N 115
Norman Rd. Bar C —7E 18
Norman Rd. Lut —7D 46
Norman Rd. Welw —4H 91
Normans Clo. Let —2F 22
Normans Fld. Clo. Bush —9C 150
Norman's La. R'ton —8D 8
Normans La. Welw —6L 71
Norman's Way. Stans —2N 59
Norman Way. Dunst —9B 44
Normill Ter. Ast C —9A 80
Norris. NW9 —8F 164
(off Concourse, The)
Norris Clo. Bis S —1L 79
Norris Gro. Brox —2J 133
Norris La. Hod —7L 115
Norris Ri. Hod —7K 115
Norris Rd. Hod —8L 115
Norry's Clo. Cockf —6E 154
Norry's Rd. Cockf —6E 154
North Acre. NW9 —8E 164
Northall. —3E 62
Northall Clo. Eat B —2H 63
Northall Rd. Eat B —3H 63
Northampton Rd. Enf —6J 157
North & West Essex Adult Education Cen. —4M 117
North App. N'wd —2E 160
North App. Wat —8H 137
North Av. Let —3H 23
North Av. Shenl —5M 139
Northaw. —3E 142
Northaw Clo. Hem H —6D 106
Northaw Pl. N'thaw —3C 142
Northaw Rd. E. Cuff —4J 143
Northaw Rd. W. N'thaw —3E 142
North Barn. Brox —3L 133
N. Barnes Av. St Alb —5H 127
Northbridge Rd. Berk —8K 103
Northbrook Dri. N'wd —8G 160
N. Brook End. Stpl M —2C 6
Northbrook Rd. Barn —8L 153
Northbrooks. H'low —7M 117
Northchurch. —8J 103
Northchurch Common. —5K 103
Northchurch Common. —4J 103
Northchurch Comn. Berk —7K 103
N. Circular Rd. N3 —9N 165
Northcliffe. Eat B —2J 63
Northcliffe Dri. N20 —1M 165
North Clo. Barn —7J 153
North Clo. R'ton —6C 8
North Clo. St Alb —7C 126
North Comn. Redb —2J 107
(in two parts)
Northcote. Pinn —9L 161
North Cotts. Naps —7H 127
Northcotts. Ab L —6F 136
(off Long Elms Clo.)
Northcotts. Hat —8J 111
North Ct. Mark —2A 86
North Ct. Mil E —1K 159
North Cres. N3 —9M 165
North Dene. NW7 —3D 164
N. Down Rd. Chal P —6B 158
Northdown Rd. Hat —3G 128
N. Drift Way. Lut —2D 66
North Dri. H Cro —6J 75
North Dri. Oakl —9M 109
North End. —6B 14
North End. Bass —1L 7
Northend. Hem H —4D 124
Northern Av. Henl —1J 21
Northfield. Brau —2C 56
Northfield. Hat —6H 111
Northfield. Puck —7A 56
Northfield Gdns. Wat —1L 149
Northfield Rd. A'wl —1K 5
Northfield Rd. Barn —5D 154
Northfield Rd. Borwd —3B 152
Northfield Rd. Enf —7F 156
Northfield Rd. Hpdn —3D 88
Northfield Rd. Saw —3G 99
Northfield Rd. Tring —9B 82
Northfield Rd. Wal X —5J 145
Northfields. Dunst —6D 44
Northfields. Let —2F 22
North Ga. H'low —5M 117
Northgate. N'wd —7E 160
Northgate. Stev —4K 51
Northgate Bus. Pk. Enf —5F 156
Northgate End. Bis S —9H 59
Northgate Path. Borwd —2N 151
Northgate Pl. Bis S —9H 59
(off Northgate End)
North Grn. NW9 —7E 164
North Gro. H'low —7C 118
North Herts Leisure Cen. —5J 23
North Hill. Chor —4H 147
Northiam. N12 —4N 165
(in two parts)
Northlands. Pot B —4C 142
North Lodge. New Bar —7B 154
N. Luton Ind. Est. Lut —2L 45
North Mymms. —7G 129
North Mymms Pk. —7E 128
Northolm. Edgw —4D 164
Northolme Gdns. Edgw —8A 164
Northolt Av. Bis S —8K 59
N. Orbital Rd. Rick —8H 159
N. Orbital Rd. Wat & Brick W —6M 137
N. Orbital Trad. Est. St Alb —6H 127
North Pde. Edgw —9A 164
North Pk. Chal P —9B 158
North Pl. H'low —1D 118
North Pl. Hit —1L 33
North Pl. Wal A —6M 145
North Ride. Welw —1J 91
Northridge Way. Hem H —3J 123
North Riding. Brick W —3B 138
North Rd. N9 —9F 156
North Rd. Berk —1M 121
North Rd. Chor —7G 146
North Rd. Edgw —8B 164
North Rd. G'ley & Stev —7J 35
North Rd. Hert —6M 93
North Rd. Hod —7L 115
North Rd. Wal X —6J 145
North Rd. Av. Hert —8M 93
North Rd. Gdns. Hert —9N 93
Northside. Sandr —5J 109
N. Station Way. Dunst —8C 44
North St. Bis S —9H 59
North St. Lut —9G 46
(in three parts)
North Ter. Bis S —9H 59
Northumberland Av. Enf —3F 156
Northumberland Rd. New Bar —8B 154
North Vw. Cotts. Ware —3G 97
Northview Rd. H Reg —7D 44
Northview Rd. Lut —7H 47
North Watford. —1K 149
North Way. NW9 —9B 164
Northway. Rick —9N 147
Northway. Wel G —5M 91
Northway Cir. NW7 —4D 164
Northway Cres. NW7 —4D 164
Northwell Dri. Lut —9A 30
N. Western Av. A'ham —4C 150
N. Western Av. Wat —8F 136
(in two parts)
Northwick Rd. Wat —4L 161
Northwold Dri. Pinn —9L 161
Northwood. —6G 160
Northwood. Wel G —9C 92
Northwood Clo. Chesh —9D 132
Northwood Golf Course. —8F 160
Northwood Hills. —9J 161
Northwood Hills Cir. N'wd —8J 161
Northwood Rd. Hare —8M 159
Northwood Way. Hare —8N 159
Northwood Way. N'wd —7H 161
Nortoft Rd. Chal P —6C 158
Norton. —2J 23
Norton Almshouses. Chesh —3H 145
(off Turner's Hill)
Norton Bury La. Let —1J 23
Norton Clo. Borwd —3A 152
Norton Clo. Enf —4F 156
Norton Common. —3F 22
Norton Ct. Dunst —9E 44
(off High St. S.)
Norton Cres. Bald —3L 23
Norton Green. —6H 51
Norton Grn. Rd. Stev —5J 51
Norton Mill La. Let & Hinx —9K 11
Norton Rd. Let & Bald —3G 22
Norton Rd. Lut —5B 46
Norton Rd. Stev —5K 51
Norton Rd. Stot & Let —7G 10
Nortonstreet La. W'ton —2A 70
Norton Way N. Let —5G 22
Norton Way S. Let —5G 22
Norvic Rd. Mars —6M 81
Norwich Clo. Stev —9A 36
Norwich Ho. Borwd —4A 152
(off Stratfield Rd.)
Norwich Rd. N'wd —9J 161
Norwich Wlk. Edgw —7C 164
Norwich Way. Crox G —5D 148
Norwood Clo. Hert —8L 93
Norwood Rd. Chesh —3J 145
Notley La. R'ton —2C 26
Nottingham Clo. Wat —6J 137
Nottingham Rd. Herons —9F 146
Novello Way. Borwd —3D 152
Nugents Ct. Pinn —8N 161
Nugent's Pk. Pinn —8N 161
Nunfield. Chfd —4L 135
Nunnery Clo. St Alb —4F 126
Nunnery La. Lut —4D 46
Nunnery Stables. St Alb —4E 126
Nunns Rd. Enf —4A 156
Nunsbury Dri. Brox —7J 133
Nun's Clo. Hit —3M 33
Nuns La. St Alb —6F 126
Nup End. —4H 71
(Knebworth)
Nup End. —5A 60
(Wingrave)
Nup End Clo. W'grv —5A 60
Nup End Green. —4H 71
Nup End Ind. Est. Old K —4H 71
Nup End La. W'grv —5A 60
Nupton Dri. Barn —8J 153
Nurse Clo. Edgw —8C 164
Nurseries Rd. Wheat —8M 89
Nurseries, The. Eat B —2J 63
Nursery Clo. Bis S —2H 79
Nursery Clo. Dunst —9D 44
Nursery Clo. Enf —3H 157
Nursery Clo. Stev —9N 51
Nursery Fields. Saw —5F 98
Nursery Gdns. Enf —3H 157
Nursery Gdns. G Oak —1B 144
Nursery Gdns. Tring —2N 101
Nursery Gdns. Ware —6J 95
Nursery Gdns. Wel G —6L 91
Nursery Hill. Wel G —6L 91
Nursery Pde. Lut —4A 46
Nursery Rd. N14 —9H 155
Nursery Rd. Bis S —2H 79
Nursery Rd. Brox —7K 133
Nursery Rd. Hod —5M 115
Nursery Rd. Lut —4B 46
Nursery Rd. Naze —4N 133
Nursery Rd. Pinn —9L 161
Nursery Row. Barn —5L 153
Nursery Ter. Pott E —7E 104
Nursery Wlk. NW4 —9J 165
Nutcroft. D'wth —6C 72
Nutfield. Wel G —6N 91
Nut Gro. Wel G —6K 91
Nuthampstead. —1F 28
Nuthampstead Rd. B'wy —1A 28
Nutleigh Gro. Hit —1L 33
Nut Slip. Bunt —4J 39
Nuttfield Clo. Crox G —8E 148
Nutt Gro. Edgw —2L 163
Nutwood Gdns. Chesh —8C 132
Nye Way. Bov —1D 134
Nymans Clo. Lut —6M 47

Oak Av. Brick W —3B 138
Oak Av. Enf —2L 155
Oakbank. Rad —9J 139
Oak Clo. N14 —9G 154
Oak Clo. Dunst —9G 44
Oak Clo. Hem H —6B 124
Oak Ct. N'wd —6F 160
Oakcroft Clo. Pinn —9K 161
Oakdale. N14 —9G 155
Oakdale. Wel G —6K 91
Oakdale Av. N'wd —9J 161
Oakdale Clo. Wat —4L 161
Oakdale Rd. Wat —3L 161
Oakdene. Chesh —3J 145
Oakdene Clo. Pinn —7A 162
Oakdene Pk. N3 —7M 165
Oakdene Rd. Hem H —6B 124
Oakdene Rd. Wat —9K 137
Oakdene Way. St Alb —2K 127
Oak Dri. Berk —2A 122
Oak Dri. Saw —7E 98

Parsonage La. Abry —3J 57
Parsonage La. Ber —1D 42
Parsonage La. Bis S —9K 59
Parsonage La. Enf —4A 156
Parsonage La. N Mym —5H 129
Parsonage La. Saw —1F 98
Parsonage La. Stans —6N 59
Parsonage Leys. H'low —6B 118
Parsonage Pl. Tring —3M 101
Parsonage Rd. N Mym —5H 129
Parsonage Rd. Rick —9N 147
Parson's Clo. Flam —6D 86
Parson's Cres. Edgw —3A 164
Parsons Grn. Ind. Est. Stev —8B 36
Parson's Gro. Edgw —3A 164
Parson St. NW4 —9J 165
Parthia Clo. R'ton —7E 8
Partingdale La. NW7 —5K 165
Parton Clo. Wend —9A 100
Partridge Clo. Barn —8J 153
Partridge Clo. Bush —1D 162
Partridge Clo. Che —9J 121
Partridge Clo. Lut —4K 45
Partridge Clo. Stan —4M 163
Partridge Ct. H'low —8A 118
Partridge Hill. A'wl —1B 12
Partridge Rd. H'low —8N 117
Partridge Rd. St Alb —7E 108
Parva Clo. Hpdn —9E 88
Parvills. Wal A —5N 145
Parys Rd. Lut —3D 46
Pascal Way. Let —3H 23
Pascomb Rd. Dunst —9C 44
Pasfield. Wal A —5N 145
Passfield Cotts. Ware —7K 75
Passingham Av. Hit —4A 34
Passmore Edwards Ho. Ger X —5B 158
Passmores. —8N 117
Pasteur Clo. NW9 —9E 164
Paston Rd. Hem H —9N 105
Pasture Clo. Bush —9D 150
Pasture La. B Grn —9F 48
Pasture Rd. Let —8E 22
Pastures, The. N20 —1M 165
Pastures, The. Edl —5K 63
Pastures, The. Hat —1H 129
Pastures, The. Hem H —1H 123
Pastures, The. St Alb —6B 126
Pastures, The. Stev —1C 52
Pastures, The. Up Ston —1F 20
Pastures, The. Ware —4G 94
Pastures, The. Wat —9L 149
Pastures, The. Wel G —2N 111
Pastures Way. Lut —4J 45
Patchetts Green. —3D 150
Pathway, The. Rad —9G 139
(in two parts)
Pathway, The. Wat —1M 161
Patient End. —7J 41
Pat Larner Ho. St Alb —3E 126
(off Belmont Hill)
Patmore Clo. Bis S —9E 58
Patmore End. Ugley —4N 43
Patmore Fields. Ugley —4N 43
Patmore Heath Nature Reserve. —1M 57
Patmore Link Rd. Hem H —2E 124
Patricia Gdns. Bis S —3G 79
Patrick Gro. Wal A —6M 145
Patterdale Clo. Dunst —1E 64
Patterson Rd. Che —9F 120
Paulin Dri. N21 —9M 155
Pauls Ct. Hod —8L 115
Pauls Grn. Wal X —6J 145
Pauls La. Hod —8L 115
Pavilion M. N3 —9N 165
Pavilion Shop. Cen., The. Wal X —6J 145
Pavilion Way. Amer —3A 146
Pavilion Way. Edgw —7B 164
Paxfold. Stan —5L 163
Paxton Ct. Borwd —6C 152
Paxton Rd. Berk —1A 122
Paxton Rd. St Alb —3F 126
Paycock Rd. H'low —8K 117
Payne End. S'don —1N 25
Paynes Clo. Let —2G 23
Paynes Fld. Clo. N'chu —8H 103
Paynesfield Rd. Bus H —9G 150
Paynes La. Naze —7N 133
Payne's Pk. Hit —3M 33
Peace Clo. N14 —7G 155
Peace Clo. Chesh —2F 144
Peace Dri. Wat —5J 149
Peace Gro. Welw —9N 71
Peace Prospect. Wat —5J 149
Peach Ct. Lut —2H 67
Peacocks. H'low —8J 117
Peacocks Clo. Berk —8K 103
Peacock Wlk. Ab L —4J 137
Peakes La. Chesh —9D 132
Peakes Pl. St Alb —2G 126
(off Granville Rd.)
Peakes Way. Chesh —9D 132
Pea La. N'chu —9G 103
(in two parts)
Pearces Wlk. St Alb —3E 126
(off Albert St.)
Peareswood Gdns. Stan —8L 163
Pearl Ct. Bald —3M 23
Pearman Dri. D End —1C 74
Pearsall Clo. Let —6H 23
Pearson Av. Hert —2A 114
Pearson Clo. Hert —2A 114
Peartree. —1L 111
Peartree Clo. Hem H —1K 123
Pear Tree Clo. L Ston —1J 21
Peartree Clo. Wel G —9L 91
Peartree Ct. Wat —9M 137
Peartree Ct. Wel G —1L 111
Pear Tree Dell. Let —8H 23
Peartree La. Wel G —1L 111
(Holwell Rd.)
Peartree La. Wel G —9M 91
(Ludwick Way)
Pear Tree Mead. H'low —9C 118
Peartree Rd. Enf —5C 156
Peartree Rd. Hem H —1K 123
Peartree Rd. Lut —5L 47
Pear Tree Wlk. Chesh —8B 132
Peartree Way. Stev —6N 51
Peascroft Rd. Hem H —5C 124
Peasecroft. Cot —3A 38
Peasmead. Bunt —4J 39
Pebblemoor. Edl —5J 63
Pebbles, The. Radw —8J 11
Peck Ct. Bar C —7D 18
Pedlars La. Ther —5C 14
Pedley Hill. Hem H —8E 84
Peel Cres. Hert —6N 93
Peel La. NW9 —9G 164
Peel Pl. Lut —1F 66
Peel St. H Reg —4E 44
Peel St. Lut —1F 66
Peerglow Cen. Ware —7J 95
Peerglow Est. Enf —7G 156
Peerglow Ind. Est. Wat —1D 160
Pegasus Ct. Ab L —5H 137
Pegasus Dri. Big —2A 4
Peggs La. B'lnd —1E 100
Pegmire La. A'ham —3D 150
Pegrams Rd. H'low —9M 117
Pegsdon. —1M 31
Pegsdon Clo. Lut —2D 46
Pegsdon Way. Hit —1M 31
Pegs La. Hert —1B 114
Pegs La. Wid —2G 97
Peitley Cotts. Flam —6C 86
Peitley Hill. Flam —5C 86
Peldon Rd. H'low —6K 117
(Fourth Av.)
Peldon Rd. H'low —8K 117
(Katherine's Way)
Pelham Ct. Hem H —2E 124
Pelham Ct. Wel G —1B 112
Pelham Gro. Stoc P —3A 42
Pelham Rd. Brau —2C 56
Pelhams, The. Wat —8M 137
Pelican Way. Let —2F 22
Pemberton Clo. St Alb —5E 126
Pembridge Chase. Bov —1C 134
Pembridge Clo. Bov —1C 134
Pembridge La. Brox —3B 132
Pembridge Rd. Bov —1D 134
Pembroke Av. Enf —2F 156
Pembroke Av. Harr —9H 163
Pembroke Av. Lut —6A 46
Pembroke Clo. Brox —5J 133
Pembroke Dri. G Oak —2N 143
Pembroke Ho. Borwd —6A 152
(off Station Rd.)
Pembroke Lodge. Stan —6K 163
Pembroke Pl. Edgw —7A 164
Pembroke Rd. Bald —3M 23
Pembroke Rd. N'wd —3E 160
Pemsel Ct. Hem H —4A 124
Penda Clo. Lut —3B 46
Pendall Clo. Barn —6D 154
Pendennis Ct. Hpdn —8E 88
Pendley Beeches. Tring —3C 102
Penfold Clo. Bald —4N 23
Penfold Rd. N9 —9H 157
Penfold Trad. Est. Wat —3L 149
Pengelly Clo. Chesh —3F 144
Penhill. Lut —3A 46
Penhill Ct. Lut —3A 46
Penlow Rd. H'low —9N 117
Penman Clo. St Alb —9B 126
Penman's Grn. K Lan —6J 135
Penn Clo. Chor —8G 146
Penn Ct. NW9 —9D 164
Penne Clo. Rad —7G 139
Penn Gaskell La. Chal P —5C 158
Penn Ho. Ger X —5B 158
Pennine Av. Lut —1M 45
Pennine Way. Hem H —8B 106
Pennington Dri. N21 —7K 155
Pennington La. Stans —1M 59
Pennington Rd. Chal P —7A 158
Penningtons. Bis S —3E 78
Penn Pl. Rick —9N 147
Penn Rd. Chal P —8A 158
Penn Rd. Mil E —1J 159
Penn Rd. Park —9D 126
Penn Rd. Stev —4L 51
Penn Rd. Wat —3K 149
Penn Way. Chor —8G 146
Penn Way. Let —8H 23
Penny Ct. Wat —4K 149
(off Westland Rd.)
Penny Cft. Hpdn —2B 108
Pennyfarther Clo. D'wth —6D 72
Pennyfather La. Enf —5A 156
Pennyfathers La. Welw —3N 91
Pennymead. H'low —5C 118
Penrith Av. Dunst —1E 64
Penrose Av. Wat —2N 161
Penrose Ct. Hem H —7A 106
Penscroft Gdns. Borwd —6D 152
Penshurst. H'low —3D 118
Penshurst Clo. Chal P —9A 158
Penshurst Clo. Hpdn —3M 87
Penshurst Gdns. Edgw —5B 164
Penshurst Rd. Pot B —4C 142
Pensilver Clo. Barn —6D 154
Penstemon Clo. N3 —6N 165
Penta Ct. Borwd —6A 152
(off Station Rd.)
Pentagon Pk. Hem I —9E 106
Pentavia Retail Pk. NW7 —7F 164
Pentland. Hem H —8B 106
Pentland Av. Edgw —2B 164
Pentland Rd. Bush —8D 150
Pentley Clo. Wel G —6K 91
Pentley Pk. Wel G —6K 91
Penton Dri. Chesh —2H 145
Pentrich Av. Enf —2E 156
Penylan Pl. Edgw —7A 164
Penzance Clo. Hare —8N 159
Peplins Clo. Brk P —8L 129
Peplins Way. Brk P —7L 129
Peppard Clo. Redb —9J 87
Pepper All. Bald —3M 23
Pepper Clo. Bass —1N 7
Peppercorn Wlk. Hit —3B 34
Pepper Ct. Bald —3L 23
Pepper Hill. Gt Amw —1K 115
Pepperstock. —7E 66
Peppett's Grn. Che —5B 120
Peppiates, The. Dunst —3G 62
Pepsal End. Stev —9A 52
Pepsal End Rd. Pep —1E 86
Pepys Cres. Barn —7J 153
Pepys Way. Bald —3L 23
Percheron Dri. Lut —6K 45
Percheron Rd. Borwd —8D 152
Perch Mdw. Hal —6A 100
Percival Ct. Bis S —1J 79
(off London Rd.)
Percival Ct. Chesh —3J 145
Percival Rd. Enf —6D 156
Percival Way. Lut A —1L 67
Percy Gdns. Enf —7H 157
Percy Rd. N21 —9A 156
Percy Rd. Wat —6K 149
Peregrine Clo. Bis S —2F 78
Peregrine Clo. Wat —7N 137
Peregrine Ho. Ware —4G 94
Peregrine Rd. Lut —5K 45
Perham Way. Lon C —8L 127
Perivale Gdns. Wat —7K 137
Periwinkle Clo. B'wy —7N 15
Periwinkle La. Dunst —1F 64
Periwinkle La. Hit —1N 33
Periwinkle Ter. Dunst —1F 64
(off Periwinkle La.)
Permain Clo. Shenl —6M 139
Perowne Way. Puck —6B 56
Perram Clo. Brox —8J 133
Perriors Clo. Chesh —9E 132
Perry Dri. R'ton —6E 8
Perry Green. —8L 77
Perry Grn. Hem H —6C 106
Perry Mead. Bush —8D 150
Perry Mead. Eat B —3J 63
Perry Mead. Enf —4N 155
Perrymead. Lut —7A 48
Perry Rd. H'low —9M 117
Perrysfield Rd. Chesh —8J 133
Perry Spring. H'low —8E 118
Perry St. Wend —9A 100
Perrywood. Wel G —8K 91
Perrywood La. Wat S —9F 72
Pescot Hill. Hem H —9L 105
Petard Clo. Lut —7K 45
Peterborough Ho. Borwd —4A 152
(off Stratfield Rd.)
Peterhill Clo. Chal P —5B 158
Peterlee Ct. Hem H —7B 106
Peters Av. Lon C —8K 127
Peters Clo. Stan —6L 163
Petersfield. St Alb —7F 108
Petersfield Gdns. Lut —9A 30
Peters Green. —5D 68
Peter's Pl. N'chu —8J 103
Peters Way. Kneb —2M 71
Peters Wood Hill. Ware —7H 95
Petropolis Ho. Dunst —9E 44
Pettys Clo. Chesh —1H 145
Petunia Ct. Lut —8E 46
Petworth Clo. Stev —1B 72
Pevensey Av. Enf —4C 156
Pevensey Clo. Lut —5M 47
Pewterers Av. Bis S —4E 78
Pheasant Clo. Berk —2N 121
Pheasant Clo. Tring —9N 81
Pheasant Hill. Chal G —2A 158
Pheasants Way. Rick —9L 147
Pheasant Wlk. Chal P —4A 158
Phillimore Ct. Rad —9F 138
Phillimore Pl. Rad —9F 138
Phillipers. Wat —9M 137
Phillips Av. R'ton —5C 8
Phillips Ct. Edgw —6A 164
Phipps Hatch La. Enf —2A 156
Phoebe Rd. Hem H —8B 106
Phoenix Clo. N'wd —4H 161
Phygtle, The. Chal P —6B 158
Phyllis Courtnage Ho. Hem H —9N 105
Piccotts End. —7M 105
Piccotts End. Hem H —7M 105
Piccotts End La. Hem H —8M 105
(in two parts)
Piccotts End Rd. Hem H —7L 105
Pickets Clo. Bus H —1E 162
Pickett Cft. Stan —8L 163
Picketts. Wel G —6L 91
Pickford Hill. Hpdn —4D 88
Pickford Rd. Mark —6M 85
Pickford Rd. St Alb —2J 127
Picknage Rd. Bar —2D 16
Pie Corner. Flam —5D 86
Pie Garden. Flam —6E 86
Pierian Spring. Hem H —9L 105
Pigeonwick. Hpdn —4C 88
Piggottshill La. Hpdn —8D 88
Piggotts La. Lut —5N 45
Piggotts Way. Bis S —2G 78
Piggy La. Chor —8E 146
Pightle Clo. R'ton —6D 8
Pightle, The. Pit —4B 82
Pig La. Bis S —4J 79
Pike End. Stev —3K 51
Pike Rd. NW7 —4D 164
Pikes Clo. Lut —1G 66
(off Chapel St.)
Pikes Cotts. Barn —6J 153
Pilgrim Clo. Park —9D 126
Pilgrims Clo. Wat —6M 137
Pilgrims Clo. W'mll —7K 39
Pilgrims Ri. Barn —7D 154
Pilgrims Row. W'mll —7K 39
Pilgrims Way. Stev —9N 35
Pilkingtons. H'low —6F 118
Piltdown Rd. Wat —4M 161
Pinceybrook Rd. H'low —9M 117
Pinchfield. Map C —5G 159
Pinchpools Rd. Man —7J 43
Pindar Rd. Hod —7N 115
Pine Clo. N14 —9H 155
Pine Clo. Berk —1M 121
Pine Clo. Chesh —1H 145
Pine Clo. Stan —4J 163
Pine Ct. N21 —7L 155
Pine Crest. Welw —8L 71
Pinecroft. Hem H —6B 124
Pinecroft Ct. Hem H —6B 124
Pinecroft Cres. Barn —6L 153
Pine Gro. N20 —1M 165
Pine Gro. Bis S —2K 79
Pine Gro. Brick W —3A 138
Pine Gro. Brk P —7A 130
Pine Gro. Bush —4A 150
Pine Hurst. —8F 94
Pinehurst Clo. Ab L —5G 137
Pinelands. Bis S —8H 59
Pine Ridge. St Alb —5H 127
Pineridge Ct. Barn —6K 153
Pine Rd. Edl —8K 63
Pines Av. Enf —9G 144
Pines Clo. N'wd —6G 161
Pines Hill. Stans —4M 59
Pines, The. N14 —7H 155
Pines, The. Borwd —4N 151
Pines, The. Hem H —6J 123
Pine Tree Clo. Hem H —1N 123
Pinetree Gdns. Hem H —4A 124
Pinetree Ho. Wat —9N 137
Pineview Ct. E4 —9N 157
Pine Wlk. N'chu —7H 103
Pinewood. Wel G —2L 111
Pinewood Av. Pinn —6C 162
Pinewood Clo. Borwd —3D 152
Pinewood Clo. H'low —7E 118
Pinewood Clo. Lut —1M 45
Pinewood Clo. N'wd —5J 161
Pinewood Clo. Pinn —6C 162
Pinewood Clo. St Alb —2K 127
Pinewood Clo. Wat —3J 149
Pinewood Ct. Enf —5N 155
Pinewood Dri. Pot B —4M 141
Pinewood Gdns. Hem H —2L 123
Pinewood Lodge. Bush —1E 162
Pinewoods. Stev —8M 51
Pinfold Rd. Bush —4A 150
Pinford Dell. Lut —8M 47
Pin Green. —9N 35
Pin Green Ind. Est. Stev —8B 36
(Cartwright Rd.)
Pin Grn. Ind. Est. Stev —8A 36
(Wedgwood Way)
Pinnacle Pl. Stan —4J 163
Pinnacles. —6J 117
Pinnate Pl. Wel G —4L 111
Pinner Green. —9L 161
Pinner Grn. Pinn —9L 161
Pinner Hill. Pinn —7K 161
Pinner Hill Farm. Pinn —8K 161
Pinner Hill Golf Course. —7L 161
Pinner Hill Rd. Pinn —7K 161
Pinner Pk. —8B 162
Pinner Pk. Pinn —9B 162
Pinner Pk. Av. Harr —9C 162
Pinner Pk. Gdns. Harr —9D 162
Pinner Rd. N'wd & Pinn —8H 161
Pinner Rd. Wat —8M 149
Pinnerwood Park. —8L 161
Pinnocks Clo. Bald —4M 23
Pinnocks La. Bald —4M 23
Pinto Clo. Borwd —8D 152
Pioneer Way. Wat —8H 149
Pipers Av. Hpdn —8E 88
Pipers Clo. Redb —9J 87
Pipers Cft. Dunst —1C 64
Piper's End. —5G 113
Pipers Grn. La. Edgw —3M 163
(in two parts)
Piper's Hill. Gt Gad —4F 104
Pipers La. Al G & Cad —8A 66
Pipers La. Hpdn & Wheat —8F 88
Pippens. Wel G —6L 91
Pippin Clo. Shenl —6M 139
Pippins, The. Wat —7L 137
Pirton. —7E 20
Pirton Clo. Hit —3L 33
Pirton Clo. St Alb —6K 109
Pirton Ct. Hem H —1B 124
Pirton Rd. Hit —3H 33
Pirton Rd. Hol —5H 21
Pirton Rd. Lut —4M 45
Pishiobury Dri. Saw —7E 98
Pishiobury M. Saw —8F 98
Pishiobury Pk. —7F 98

Pitch and Putt Course. —8G 22 (Letchworth)
Pitch and Putt Course. —2M 51 (Stevenage)
Pitchway. H'low —5F 118
Pitfield Way. Enf —3G 156
Pitsfield. Wel G —6K 91
Pitstone. —3B 82
Pitstone Clo. St Alb —6K 109
Pitstone Green Farm Mus. —3B 82
Pitt Ct. Stev —8A 52
Pitt Dri. St Alb —5K 127
Pitteway Wlk. Hert —9N 93
Pittman's Fld. H'low —5B 118
Pix Farm La. Hem H —3E 122
Pixies Hill Cres. Hem H —4J 123
Pixies Hill Rd. Hem H —3J 123
Pixmore Av. Let —5H 23
Pixmore Cen. Let —5G 23
Pixmore Ind. Est. Let —5G 23
Pixmore Way. Let —6F 22
Pix Rd. Let —5G 23
Pix Rd. Stot —7E 10
Place Farm. Wheat —6L 89
Plaistow Way. Gt Chi —2H 17
Plaiters Clo. Tring —2M 101
Plaiters Way. Bid —4D 44
Plaitford Clo. Rick —2A 160
Plantaganet Pl. Wal A —6M 145
Plantagenet Rd. Barn —6B 154
Plantation Rd. Lut —2N 45
Plantation Wlk. Hem H —8K 105
Plash Dri. Stev —4L 51
Plashes Clo. Stdn —7A 56
Plashets. L Hall —6L 99
Platt Clo. Leag —5N 45
Platt Halls. NW9 —9F 164
Platts Rd. Enf —3G 157
Platz Ho. H Reg —4G 44
Plaw Hatch Clo. Bis S —9K 59
Playfield Rd. Edgw —9C 164
Playford Sq. Lut —4N 45
Playhouse Sq. H'low —6M 117
Plaza Bus. Cen. Enf —4J 157
Pleasance, The. Hpdn —3M 87
Pleasant Pl. Rick —7H 159
Pleasant Ri. Hat —6J 111
Pleasant Rd. Bis S —9G 59
Pleasaunce, The. Ast C —1D 100
Plewes Clo. Kens —8H 65
Plough Clo. Lut —5H 45
Plough Clo. Stpl M —5C 6
Plough Cotts. Hem H —7J 85
Plough Ct. Lut —5H 45
(off Plough Clo.)
Plough Hill. Cuff —1K 143
Plough La. Hare —6M 159
Plough La. K Wal —4H 49
Plough La. Pott E —7E 104
Plough La. Sarr —6J 135
Ploughmans Clo. Bis S —3E 78
Ploughmans End. Wel G —1B 112
Plover Clo. Berk —2N 121
Ployters Rd. H'low —9M 117
Plummers La. Lut & Hpdn —6D 68
Plumpton Clo. Lut —6M 47
Plumpton Rd. Hod —6N 115
Plum Tree Rd. L Ston —1J 21
Pluto Ri. Hem H —9A 106
Plymouth Clo. Lut —8K 47
Pocketsdell La. Bov —1A 134
Pocklington Clo. NW9 —9E 164
Poets Chase. Hem H —9L 105
Poets Ct. Hpdn —6C 88
Poets Ga. Chesh —1C 144
Poets Grn. Lut —7K 45
Polayn Gth. Wel G —8J 91
Polegate. Lut —7M 47
Polehanger La. Hem H —9H 105
Pole Hill Rd. E4 —9N 157
Pole La. H Lav —8N 119
Poles Hill. Sarr —6H 135
Poles La. Thun —2F 94
(in three parts)
Police Row. Ther —5D 14
Police Sta. La. Bush —9C 150
Polish Av. Hal —6D 100
Pollard Gdns. Stev —1M 51
Pollard Hatch. H'low —9L 117
Pollards. Map C —5G 158
Pollards Clo. G Oak —2A 144
Pollards Way. Pir —7D 20
Pollardswood Grange. Chal G —6A 146
Pollicott Clo. St Alb —6K 109
Pollywick Rd. Wig —5B 102
Polzeath Clo. Lut —9L 47
Pomeroy Cres. Wat —9K 137
Pomeroy Gro. Lut —4G 46
Pomfret Av. Lut —9H 47
Pond Clo. Hare —9M 159
Pond Clo. Lut —4L 45
Pond Clo. Stev —2J 51
Pond Clo. Tring —2M 101
Pond Ct. Cod —7F 70
Pond Cft. Hat —9F 110
Pond Cft. Wel G —1L 111
Pondcroft Rd. Kneb —3N 71
Ponders End. —7G 157
Ponders End Ind. Est. Enf —7J 157
Pond Fld. Wel G —6N 91
Pondfield Cres. St Alb —7J 109
Pond La. Bald —3L 23
Pond La. L Gad —8B 84
Pond Park. —9F 120
Pond Rd. Hem H —7C 124
Pondside. G'ley —6J 35
Pondsmeade. Redb —1K 107
Pondwick Rd. Hpdn —5N 87
Pondwicks Clo. St Alb —3D 126
Pondwicks Path. Lut —1H 67
(off Power Ct., in two parts)
Pondwicks Rd. Lut —1H 67
Pooleys La. N Mym —5H 129
Popes Ct. Lut —8F 46
(off Old Bedford Rd.)
Popes Dri. N3 —8N 165
Popes La. Wat —1K 149
Pope's Rd. Ab L —4G 136
Popes Row. Ware —4H 95
Popis Gdns. Ware —5J 95
Poplar Av. Hat —9D 110
Poplar Av. Lut —1E 46
Poplar Cvn. Site. Tot —1L 63
Poplar Clo. Che —9G 120
Poplar Clo. H Cro —6K 75
Poplar Clo. Hit —4A 34
Poplar Clo. Pinn —8M 161
Poplar Clo. R'ton —6E 8
Poplar Dri. R'ton —6E 8
Poplar Farm Clo. Bass —1L 7
Poplar Rd. Kens —8H 65
Poplars. —6C 52
Poplars. Wel G —8A 92
Poplars Clo. Hat —9D 110
Poplars Clo. Lut —6K 47
Poplars Clo. Wat —5K 137
Poplars, The. N14 —7G 155
Poplars, The. Arl —4A 10
Poplars, The. Borwd —3A 152
Poplars, The. Chesh —8C 132
Poplars, The. Gt Hal —4N 79
Poplars, The. Hem H —3L 123
Poplars, The. Ickl —5N 21
Poplars, The. St Alb —6J 127
Poplars, The. Wend —9B 100
Poplar Vw. Ware —3C 94
Popple Way. Stev —3L 51
Poppy Clo. Hem H —1H 123
Poppyfields Dri. Wel G —9B 92
Poppy Mead. Stev —5M 51
Poppy Wlk. Wal X —1B 144
Porlock Dri. Lut —8L 47
Porlock Rd. Enf —9D 156
Portal Rd. Hal C —8C 100
Portcullis Lodge Rd. Enf —5B 156
Porters Clo. Bunt —2J 39
Porter's End. —9H 69
Porters Hill. Hpdn —3D 88
Porters Pk. Dri. Shenl —6L 139
Porters Pk. Golf Course. —7K 139
Porters Wood. St Alb —7G 108
Port Hill. Hert —9A 94
(in two parts)
Portland Clo. H Reg —6E 44
Portland Ct. Lut —8C 46
Portland Cres. Stan —9L 163
Portland Dri. Chesh —4E 144
Portland Dri. Enf —2C 156
Portland Heights. N'wd —4H 161
Portland Ind. Est. Arl —1N 21
Portland Pl. Bis S —1H 79
Portland Pl. Hert H —2G 114
Portland Ride. H Reg —7D 44
Portland Rd. Bis S —1H 79
Portland Rd. Lut —8C 46
Portland St. St Alb —2D 126
Port La. L Hall —6K 79
Portman Clo. Hit —9L 21
Portman Clo. St Alb —6K 109
Portman Gdns. NW9 —9D 164
Portman Ho. St Alb —8E 108
Portmill La. Hit —3N 33
Portobello Clo. Bar C —9D 18
Portsdown. Edgw —5A 164
Port Va. Hert —8N 93
Porz Av. H Reg —6F 44
Postern Grn. Enf —4M 155
Post Fld. Wel G —6N 91
Post Office Rd. H'low —5N 117
Post Office Row. W'ton —1A 36
Post Office Wlk. H'low —5N 117
(off Post Office Rd.)
Post Office Wlk. Hert —9B 94
(off Fore St.)
Postwood Grn. Hert H —3G 114
Post Wood Rd. Ware —8J 95
Potash La. Tring —3E 80
Potten End. —8E 104
Potten End Hill. Wat E —6H 105
Potterells. N Mym —7K 129
Potteries, The. Barn —7N 153
Potters Bar. —4N 141
Potters Bar Golf Course. —3M 141
Potters Crouch. —6M 125
Potterscrouch La. St Alb —6M 125
Potters End. Pinn —6K 161
Potters Fld. Enf —6C 156
(off Lincoln Rd.)
Potters Fld. H'low —8F 118
Potters Fld. St Alb —7F 108
Potter's Green. —2G 74
Pottersheath. —7K 71
Pottersheath Rd. Welw —6K 71
Potters Heights Clo. Pinn —7K 161
Potters La. Barn —6N 153
(in two parts)
Potters La. Borwd —3C 152
Potters La. Stev —5H 51
Potters M. Els —8L 151
Potter's Rd. Barn —6A 154
Potter Street. —8E 118
Potter St. Bis S —1H 79
Potter St. H'low —7E 118
Potter St. N'wd —8J 161
Potter St. Pinn —8K 161
Potter St. Hill. Pinn —6K 161
Pottery Clo. Lut —2B 46
Pouchen End. —3G 122
Pouchen End La. Hem H —9G 104
Poulteney Rd. Stans —1N 59
Poultney Clo. Shenl —5N 139
Pound Av. Stev —3K 51
Pound Clo. Sandr —4K 109
Pound Ct. Stev —3K 51
Poundfield. Wat —8H 137
Pound Grn. G Mor —1A 6
Pound La. Shenl —6N 139
Poundwell. Wel G —1N 111
Powdermill La. Wal A —6M 145
Powdermill M. Wal A —6M 145
(off Powdermill La.)
Powell Clo. Edgw —6N 163
Power Ct. Lut —1H 67
Power Dri. Enf —9K 145
Powis Ct. Bus H —1E 162
(off Rutherford Way)
Powis Ct. Pot B —7B 142
Powys Ct. Borwd —5D 152
Poynders Hill. Hem H —3E 124
Poynders Mdw. Cod —7F 70
Poynings Clo. Hpdn —7G 89
Poynings Way. N12 —5N 165
Poynter Rd. Enf —7D 156
Poynters Rd. Dunst —6H 45
Prae Clo. St Alb —1C 126
Praetorian Ct. St Alb —5D 126
Prebendal Dri. S End —6D 66
Precinct, The. Brox —2K 133
Premier Ct. Enf —2H 157
Prentice Pl. H'low —8E 118
Prentice Way. Lut —1M 67
Prescelly Pl. Edgw —8N 163
Prescott Rd. Chesh —9J 133
Presdales. —7H 95
Presdales Ct. Ware —7J 95
(off Presdales Dri.)
Presdales Dri. Ware —7H 95
Presentation Ct. Lut —2H 67
President Way. Lut —9M 47
Preslent Clo. Shil —2A 20
Prestatyn Clo. Stev —2H 51
Preston. —3L 49
Preston Ct. New Bar —6B 154
Preston Gdns. Enf —1J 157
Preston Gdns. Lut —7H 47
Preston Pk. Football Ground. —9N 159
Preston Path. Lut —7H 47
Preston Rd. Gos —3M 49
Prestwick Clo. Lut —4G 47
Prestwick Dri. Bis S —8K 59
Prestwick Rd. Wat —5K 161
Prestwood. Wat —2N 161
Pretoria Rd. Wat —6J 149
Price Clo. NW7 —6L 165
Pricklers Hill. Barn —8A 154
Priestleys. Lut —1C 66
Primary Way. Arl —8A 10
Primett Rd. Stev —2J 51
Primley La. Srng —6L 99
Primrose Av. Enf —3B 156
Primrose Clo. Arl —8A 10
Primrose Clo. Bis S —2E 78
Primrose Clo. Hat —1H 129
Primrose Clo. Hem H —3H 123
Primrose Ct. Dunst —9D 44
Primrose Ct. Stev —2K 51
Primrose Dri. Hert —9F 94
Primrose Fld. H'low —8B 118
Primrose Gdns. Bush —9C 150
Primrose Gdns. Rad —8H 139
Primrose Hill. K Lan —1D 136
Primrose Hill Rd. Stev —2K 51
Primrose La. Arl —8A 10
Primrose Path. Chesh —4E 144
Primrose Vw. R'ton —8F 8
Prince Andrew's Clo. R'ton —8D 8
Prince Edward St. Berk —1N 121
Prince Eugene Pl. St Alb —5D 126
Prince George Av. N14 —7H 155
Prince of Wales Footpath. Enf —2H 157
Prince Pk. Hem H —3K 123
Prince Pl. Lut —8F 46
Princes Av. N3 —8N 165
Princes Av. Enf —9J 145
Prince's Av. Wat —7H 149
Prince's Clo. Berk —8L 103
Princes Clo. Edgw —5A 164
Princes Ct. Bis S —1E 78
Princes Ct. Hem H —5L 123
Princes Ga. Bis S —1E 78
Princes Ga. H'low —3A 118
Princes M. R'ton —7D 8
Princes Pde. Pot B —5A 142
Princes' Riding. Berk —9K 83
Princessa Ct. Enf —7B 156
Princess Ct. Dunst —8F 44
Princess Diana Dri. St Alb —3L 127
Princess of Wales Ho. Ger X —5C 158
Princess St. Lut —1F 66
Princes St. Dunst —9D 44
Prince's St. Stot —5F 10
Princes St. Ware —5H 95
Prince St. Wat —5L 149
Prince Way. Lut —9M 47
Printers Way. Dunst —7E 44
Printers Way. H'low —1C 118
Priors. Bis S —1J 79
(off Grange Rd.)
Priors Clo. Hert H —3F 114
Priors Ct. Saw —5J 99
Priors Hill. Pir —7D 20
Priors Mead. Enf —3C 156
Priorswood Rd. Hert H —3G 114
Priory Av. H'low —1E 118
Priory Clo. N3 —8M 165
Priory Clo. N14 —7G 155
Priory Clo. N20 —9M 153
Priory Clo. Brox —6J 133
Priory Clo. Hod —9L 115
Priory Clo. R'ton —7E 8
Priory Clo. Stan —3G 163
Priory Ct. Berk —1N 121
Priory Ct. Bis S —1H 79
Priory Ct. Bush —1D 162
Priory Ct. H'low —9D 118
Priory Ct. Hert —9B 94
(off Priory St.)
Priory Ct. Hit —5N 33
Priory Ct. St Alb —3F 126
Priory Dell. Stev —4L 51
Priory Dri. Stan —3G 162
Priory Dri. Stans —4N 59
Priory End. Hit —4N 33
Priory Field Dri. Edgw —4B 164
Priory Gdns. Berk —1N 121
Priory Gdns. Dunst —9F 44
Priory Gdns. Lut —5F 46
Priory Ga. Chesh —9K 133
Priory Gro. Barn —7N 153
Priory La. L Wym —6F 34
Priory La. R'ton —7D 8
Priory Orchard. Flam —5D 86
Priory Pk. —5M 33
Priory Rd. Chal P —9A 158
Priory Rd. Dunst —9F 44
Priory St. Hert —9B 94
Priory St. Ware —6G 94
Priory, The. Redb —1K 107
(off High St.)
Priory Vw. Bus H —9F 150
Priory Vw. L Wym —6E 34
Priory Wlk. St Alb —5F 126
Priory Way. Chal P —9A 158
Priory Way. Hit —6M 33
Priory Wharf. Hert —9B 94
(off Priory St.)
Pritchett Clo. Enf —1L 157
Private Rd. Enf —7B 156
Probyn Ho. Kim —7K 69
Proctors Way. Bis S —4J 79
Proctor Way. Lut —1L 67
Progress Cen., The. Enf —5H 157
Progression Cen., The. Hem I —8C 106
Progress Way. Enf —7E 156
Progress Way. Lut —3L 45
Promenade, The. Edgw —5A 164
Prospect La. Hpdn —2A 108
Prospect Pl. Welw —2J 91
Prospect Rd. Barn —6N 153
Prospect Rd. Chesh —2G 145
Prospect Rd. St Alb —4E 126
Prospect Way. Lut A —1L 67
Protea Ind. Est. Let —5H 23
Protea Way. Let —5H 23
Providence Gro. Stev —1L 51
Providence Pl. Bald —4M 23
Providence Way. Bald —4M 23
Provost Way. Lut —9L 47
Prowse Av. Bus H —1D 162
Pryor Clo. Ab L —5H 137
Pryor Rd. Bald —4M 23
Pryors Clo. Bis S —2J 79
Pryors Ct. Bald —2M 23
Pryor Way. Let —7K 23
Puckeridge. —6A 56
Puddephat's La. St Alb —7M 85
Pudding La. Bar —3D 16
Pudding La. Hem H —9K 105
Pudding La. St Alb —2E 126
(off Chequer St.)
Puddingstone Dri. St Alb —4K 127
Pudds Cross. —2B 134
Pudgell, The. Gt Chi —2H 17
Pulham Av. Brox —2H 133
Puller Rd. Barn —4L 153
Puller Rd. Hem H —3K 123
Pulleys Clo. Hem H —1J 123
Pulleys La. Hem H —9H 105
(in three parts)
Pullman Clo. St Alb —4F 126
Pullman Dri. Hit —3B 34
Pulloxhill. —2A 18
Pulloxhill Bus. Pk. Pull —1A 18
Pulter's Way. Hit —4A 34
Pump Hill. Bre P —9K 29
Punch Bowl La. Hem H & St Alb —8F 106
Punchbowl Pk. Hem H —8F 106
Purbrock Av. Wat —9L 137
Purcell Clo. Borwd —3L 151
Purcell Clo. Tew —1D 92
Purcell Ct. Stev —1J 51
Purcell Rd. Lut —5J 45
Purcells Av. Edgw —5A 164
Purford Grn. H'low —7C 118
Purkiss Rd. Hert —3A 114
Purley Cen. Lut —2A 46
Purlings Rd. Bush —7C 150
Pursley Gdns. Borwd —2A 152
Pursley Rd. NW7 —7H 165
Purway Clo. Lut —2A 46
Purwell. —2C 34
Purwell La. Hit —2C 34
Putnams Dri. Ast C —1C 100
Putney Rd. Enf —9H 145
Puttenham. —5E 80
Puttenham Clo. Wat —2L 161
Putteridge Pde. Lut —5K 47
Putteridge Pk. —3N 47

Putteridge Recreation Cen. —4L 47
Putteridge Rd. Lut —5K 47
Putterills, The. Hpdn —5B 88
Putters Cft. Hem H —6B 106
Puttocks Clo. N Mym —5J 129
Puttocks Dri. N Mym —5J 129
Pyecombe Corner. N12 —4M 165
Pye Corner. Gil —1N 117
Pyenest Rd. H'low —9L 117
Pyghtle Ct. Lut —1C 66
Pyghtle, The. Bunt —2H 39
Pyghtle, The. Lut —1C 66
Pym Clo. E Barn —7C 154
Pymms Brook Dri. Barn —6D 154
Pyms Clo. Let —3H 23
Pynchbek. Bis S —5G 79
Pynchon Paddocks. L Hall —9M 79
Pynders La. Dunst —7H 45
Pynnacles Clo. Stan —5J 163
Pypers Hatch. H'low —6B 118
Pytchley Clo. Lut —4G 47
Pytt Fld. H'low —7D 118

Quadrangle, The. Stan —7K 163
Quadrangle, The. Wel G —8J 91
Quadrant, The. Edgw —6A 164
Quadrant, The. H Reg —4F 44
Quadrant, The. Let —5F 22
Quadrant, The. R'ton —5C 8
Quadrant, The. St Alb —8J 109
Quadrant, The. Stev —5K 51
Quail Wlk. R'ton —5E 8
Quaker La. Wal A —7N 145
Quaker Rd. Ware —5J 95
Quakers Course. NW9 —8F 164
Quakers La. Pot B —3A 142
Quakers Wlk. N21 —8B 156
Quantock Clo. Lut —1D 46
Quantock Clo. St Alb —7K 109
Quantock Ct. Lut —1D 46
Quantock Ri. Lut —1D 46
Quantocks. Hem H —8B 106
Quarry Spring. H'low —6C 118
Quartermass Clo. Hem H —1K 123
Quartermass Rd. Hem H —1K 123
Quay S. Ct. Hare —8K 159
Quay W. Ct. Hare —7K 159
Queen Anne's Clo. Stot —7F 10
Queen Anne's Gdns. Enf —8C 156
Queen Anne's Gro. Enf —9B 156
Queen Anne's Pl. Enf —8C 156
Queen Elizabeth Ct. High Bar —5M 153
Queen Elizabeth Ct. Turn —8K 133
Queen Elizabeth's Dri. N14 —9K 155
Queen Hoo La. Tew —1E 92
Queen Mary's Av. Wat —6G 148
Queen Marys Ct. Wal A —9N 145
Queen Mary Works. Wat —6G 148
Queens Av. Stan —9K 163
Queen's Av. Wat —6H 149
Queensbury. —9M 163
Queensbury Circ. Pde. Harr —9M 163
Queensbury Sta. Pde. Edgw —9N 163
Queens Clo. Edgw —5A 164
Queens Clo. Lut —2G 67
Queens Clo. Saw —3H 99
Queens Clo. Stans —1N 59
Queens Ct. Brox —6K 133
Queen's Ct. Bunt —5H 39
Queens Ct. Dunst —8F 44 (LU5)
Queens Ct. Dunst —8E 44 (LU6)
Queens Ct. Hert —1B 114 (off Queen's Rd.)
Queen's Ct. Lut —8F 46
Queens Ct. St Alb —2J 127
Queen's Ct. Wat —5L 149 (off Queen's Rd.)
Queens Ct. W'stone —9J 163
Queens Cres. Bis S —3G 79
Queens Cres. St Alb —8J 109
Queens Dri. Ab L —5H 137
Queen's Dri. Wal X —7L 145
Queens Dri., The. Rick —9J 147
Queensgate. Wal X —7K 145
Queensgate Cen. H'low —2A 118
Queens Head Wlk. Brox —5J 133
Queens Pl. Wat —5L 149
Queens Rd. Barn —5K 153
Queens Rd. Berk —9L 103
Queen's Rd. Enf —6C 156
Queen's Rd. Hpdn —8C 88
Queen's Rd. Hert —2B 114 (in two parts)
Queens Rd. R'ton —6C 8
Queen's Rd. Wal X —6J 145
Queens Rd. Ware —5K 95
Queen's Rd. Wat —5L 149 (in three parts)
Queen's Sq., The. Hem H —2B 124
Queen St. Chfd —5K 135
Queen St. Hit —4N 33
Queen St. H Reg —5E 44
Queen St. Pit —3B 82
Queen St. St Alb —2D 126
Queen St. Stot —6G 10
Queen St. Tring —3M 101
Queens Wlk. E4 —9N 157
Queens Way. Dunst —8E 44
Queensway. Enf —6F 156
Queensway. Hat —8G 111
Queensway. Hem H —1M 123
Queensway. R'ton —6D 8
Queens Way. Shenl —5M 139
Queensway. Stev —4K 51
Queens Way. Wal X —7K 145
Queensway Bus. Cen. Enf —6F 156
Queensway Houses. Hat —8G 111 (off Queensway)
Queensway Ind. Est. Enf —6G 156
Queens Way Pde. Dunst —8E 44
Queenswood Cres. Wat —6J 137
Queenswood Dri. Hit —1C 34
Queenswood Pk. N3 —9L 165
Quendell Wlk. Hem H —2A 124
Quendon. —1N 43
Quickbeams. Wel G —6N 91
Quickley La. Chor —8E 146
Quickley Ri. Chor —8F 146
Quickmoor La. K Lan —6L 135
Quickswood. Lut —2C 46
Quickwood Clo. Rick —8K 147
Quills. Let —7K 23
Quilter Clo. Lut —5B 46
Quinces Cft. Hem H —9K 105
Quincey Rd. Ware —4G 94
Quin Ct. Brau —2C 56
Quinn Webb Clo. Let —6J 23
Quinta Dri. Barn —7H 153
Quinton Way. Wal A —8N 145

Raban Clo. Stev —8B 52
Raban Ct. Bald —2M 23
Rabley. —5D 140
Rableyheath. —6K 71
Rabley Heath Rd. Welw —8G 70
Rackman Dri. Lut —4E 46
Radburn Clo. H'low —9C 118
Radburn Corner. Let —6J 23
Radburn Ct. Dunst —8D 44
Radburn Way. Let —7H 23
Radcliffe Av. Enf —3A 156
Radcliffe Rd. N21 —9N 155
Radcliffe Rd. Harr —9H 163
Radcliffe Rd. Hit —2A 34
Radlett. —8H 139
Radlett La. Shenl —7L 139
Radlett Pk. Rd. Rad —7H 139
Radlett Rd. A'ham —2C 150
Radlett Rd. Frog —2F 138
Radlett Rd. Wat —5L 149
Radnor Ct. Har W —8G 163
Radnor Gdns. Enf —3C 156
Radnor Hall Mobile Homes. Borwd —7M 151
Radnor Rd. Lut —5J 45
Radstone Pl. Lut —8A 48
Radwell. —8J 11
Radwell La. Radw —8J 11
Raebarn Gdns. Barn —7H 153
Raeburn Rd. Edgw —8A 164
Raffin Clo. D'wth —5C 72
Raffin Grn. La. D'wth —5C 72
Raffin Pk. D'wth —5D 72
R.A.F. Mus. Hendon. —9G 164
Ragged Hall La. St Alb —6M 125
Raglan Av. Wal X —7H 145
Raglan Clo. Lut —6J 45
Raglan Gdns. Wat —1K 161
Raglan Ho. Berk —1L 121
Raglan Rd. Enf —9D 156
Rags La. Chesh —9C 132
Railway Cotts. Borwd —6A 152 (off Station Rd.)
Railway Cotts. Rad —8J 139
Railway Cotts. Tring —1E 102
Railway Cotts. Wat —3K 149
Railway Pl. Hert —9C 94
Railway Rd. Wal X —6K 145
Railway St. Hert —9B 94
Railway Ter. K Lan —9C 124
Rainbow Clo. Redb —9H 87
Rainbow Ct. Wat —8L 149
Rainbow Rd. Mat T —3N 119
Rainer Clo. Chesh —2H 145
Rainsford Clo. Stan —4K 163
Rainsford Rd. Stans —1M 59
Raleigh Cres. Stev —1N 51
Raleigh Gro. Lut —8N 45
Raleigh Rd. Enf —6B 156
Raleigh Way. N14 —9J 155
Rally, The. Arl —5A 10 (in two parts)
Ralston Way. Wat —2M 161
Ramblers La. H'low —5F 118
Ramblers Way. Wel G —1A 112
Rambling Way. Pott E —8E 104
Ramerick Gdns. Arl —1N 21
Ram Gorse. H'low —4L 117
Ramillies Rd. NW7 —2E 164
Ramney Dri. Enf —9J 145
Ramparts, The. St Alb —3C 126
Ramridge Rd. Lut —7J 47
Ramsay Clo. Brox —3J 133
Ramsbury Rd. St Alb —3F 126
Ramscote La. Bell —6D 120
Ramscroft Clo. N9 —9C 156
Ramsdell. Stev —4M 51
Ramsey Clo. Brk P —9C 130
Ramsey Clo. Lut —6J 45
Ramsey Clo. St Alb —4H 127
Ramsey Ct. Lut —6J 45
Ramsey Lodge Ct. St Alb —1F 126
Ramsey Rd. Bar C —8E 18
Ramsey Way. N14 —9H 155
Ramson Ri. Hem H —3H 123
Randall Ct. NW7 —7G 165
Randall Pk. —9N 105
Randalls Hill. Stev —6A 52
Randalls Ride. Hem H —9N 105
Randalls Wlk. Brick W —3A 138
Randolph Ct. H End —7B 162 (off Avenue, The)
Randon Clo. Harr —9C 162
Rand's Clo. Hol —4J 21
Rand's Mdw. Hol —4J 21
Ranelagh Clo. Edgw —4A 164
Ranelagh Dri. Edgw —4A 164
Ranelagh Rd. Hem H —2D 124
Ranleigh Wlk. Hpdn —9E 88
Ranoch Clo. Edgw —2B 164
Rannoch Wlk. Hem H —7N 105
Ranock Clo. Lut —1N 45
Ranskill Ct. Borwd —3A 152
Ranskill Rd. Borwd —3A 152
Ransom Clo. Hit —6N 33
Ransom Clo. Wat —9L 149
Rant Mdw. Hem H —4C 124
Ranulf Clo. H'low —9E 98
Ranworth Av. Hod —4M 115
Ranworth Av. Stev —1B 72
Ranworth Clo. Hem H —4N 123
Ranworth Gdns. Pot B —4K 141
Raphael Clo. Shenl —5M 139
Raphael Dri. Wat —4M 149
Rapper Ct. Lut —9E 46
Rase Hill Clo. Rick —7M 147
Rathgar Clo. N3 —9M 165
Rathlin. Hem H —5D 124
Ratty's La. Hod —8A 116
Ravenbank Rd. Lut —4L 47
Raven Clo. NW9 —9E 164
Raven Clo. Rick —9M 147
Raven Ct. Hat —1G 129
Ravenfield Rd. Wel G —9M 91
Ravenhill Way. Lut —4K 45
Ravensburgh Castle. —2H 31 (Fort)
Ravensburgh Clo. Bar C —8D 18
Ravens Clo. Enf —4C 156
Ravenscourt. Dunst —6C 44
Ravenscourt Pk. Barn —6K 153
Ravenscroft. Brox —2K 133 (off Station Rd.)
Ravenscroft. Hpdn —9E 88
Ravenscroft. Wat —8N 137
Ravenscroft Cotts. Barn —6N 153
Ravenscroft Pk. Barn —5K 153
Ravensdell. Hem H —1J 123
Ravens La. Berk —1A 122
Ravensmead. Chal P —5C 158
Ravensthorpe. Lut —5K 47
Ravens Wharf. Berk —1A 122
Ravenswood Pk. N'wd —6J 161
Rawdon Dri. Hod —9L 115
Rawlins Clo. N3 —9L 165
Raybarn Rd. Hem H —9K 105
Raydean Rd. New Bar —7A 154
Raydon Rd. Chesh —5H 145
Rayfield. Wel G —6K 91
Ray Gdns. Stan —5J 163
Rayleigh Houses. Ab L —5H 137
Raymer Clo. St Alb —1F 126
Raymond Clo. Ab L —5F 136
Raymond Ct. Pot B —7B 142
Raymonds Clo. Wel G —2L 111
Raymonds Plain. Wel G —2L 111
Raynham Clo. Bis S —1L 79
Raynham Rd. Bis S —9K 59
Raynham St. Hert —8C 94
Raynham Way. Lut —8M 47
Raynsford Rd. Ware —6J 95
Raynton Rd. Enf —1H 157
Ray's Hill. Braz E —3A 120
Readers Clo. Dunst —7D 44
Readings, The. Chor —5J 147
Readings, The. H'low —9B 118
Reading Way. NW7 —5K 165
Reaper Clo. Lut —5H 45
Recreation Ground. Stans —3N 59
Recreation Rd. H Reg —3F 44
Rectory Clo. N3 —8M 165
Rectory Clo. Bkld —3H 27
Rectory Clo. Ess —8E 112
Rectory Clo. Hun —7G 96
Rectory Clo. Slap —2B 62
Rectory Clo. Stan —6J 163
Rectory Clo. Thor —5F 78
Rectory Ct. Wyd —8L 27
Rectory Cft. Stev —9K 35
Rectory Dri. Farnh —3F 58
Rectory Farm Rd. Enf —2L 155
Rectory Fld. H'low —8L 117
Rectory Gdns. Hat —9H 111
Rectory La. Berk —1N 121
Rectory La. D'wth —5B 72
Rectory La. Edgw —6A 164
Rectory La. Farnh —3E 58
Rectory La. K Lan —1C 136
Rectory La. Lil —8M 31
Rectory La. Rick —1N 159
Rectory La. Shenl —6N 139
Rectory La. Stan —5J 163
Rectory La. Stev —9J 35
Rectory La. Wat S —5J 73
Rectory Rd. Rick —1N 159
Rectory Rd. Wel G —6H 91
Rectory Wood. H'low —5M 117
Redan Rd. Ware —4J 95
Redbourn. —1K 107
Redbournbury La. St Alb —4M 107
Redbourne Av. N3 —8N 165
Redbourn Golf Course. —6L 87
Redbourn Ind. Est. Redb —1K 107
Redbourn La. Redb & Hpdn —9L 87
Redbourn Rd. Hem H —7C 106
Redbourn Rd. St Alb —4M 107
Redbrick Row. L Hall —8K 79
Redburn Trad. Est. Enf —8H 157
Redcar Dri. Stev —3G 51
Redcoats. —8D 34
Redding Ho. Wat —8G 149
Redding La. Redb —6G 86
Reddings. Hem H —4C 124
Reddings. Wel G —7J 91
Reddings Av. Bush —7C 150
Reddings Clo. NW7 —4F 164
Reddings Clo. Wend —8A 100
Reddings, The. NW7 —3F 164
Reddings, The. Borwd —5N 151
Redditch Ct. Hem H —7B 106
Redfern Ct. Wat —7G 148
Redferns Clo. Lut —2C 66
Redferns Ct. Lut —2C 66
Redfield Clo. Dunst —9B 44
Redgrave Gdns. Lut —1B 46
Redhall Clo. Hat —3F 128
Redhall Dri. Hat —4F 128
Redhall La. Chan X —3A 148
Redhall La. Col H —4E 128
Redheath Clo. Wat —8H 137
Redhill. —5K 25
Redhill Dri. Edgw —9B 164
Redhill Rd. Hit —2K 33
Red Hills. Hod —1F 132
Redhoods Way E. Let —4E 22
Redhoods Way W. Let —5E 22
Red Ho. Ware —7J 95
Red Ho. Ct. H Reg —5F 44
Redlands Rd. Enf —3J 157
Red Lion Clo. A'ham —1D 150
Red Lion Cotts. Offl —8E 32
Red Lion Ct. Bis S —1J 79
Red Lion Cres. H'low —8E 118
Red Lion La. H'low —8E 118
Red Lion La. Hem H —8C 124
Red Lion La. Sarr —8K 135
Red Lion Yd. W'side —3C 96
Red Lion Yd. Wat —6L 149
Red Lodge Gdns. Berk —2L 121
Redmire Clo. Lut —3L 45
Redoubt Clo. Hit —1A 34
Red Rails. Lut —3E 66
Red Rails Ct. Lut —3E 66
Redricks La. Saw —9B 98
Red Rd. Borwd —5N 151
Redrose Trad. Cen. Barn —7C 154
Redvers Clo. Bis S —7J 59
Red White and Blue Rd. Bis S —7K 59
Red Willow. H'low —9J 117
Redwing Clo. Stev —5B 52
Redwing Gro. Ab L —4J 137
Redwing Ri. R'ton —5E 8
Redwood Clo. N14 —9J 155
Redwood Clo. Wat —4M 161
Redwood Dri. Hem H —4A 124
Redwood Dri. Lut —1M 45
Redwood Gdns. E4 —8M 157
Redwood Ri. Borwd —1A 152
Redwoods. Hert —8A 94
Redwoods. Welw —8L 71
Redwoods. Wel G —4K 91
Redwood Way. Barn —7K 153
Reed. —7J 15
Reed Clo. Lon C —9L 127
Reed End. —6G 15
Reedham Clo. Brick W —2B 138
Reedings Way. Saw —3H 99
Reeds Cres. Wat —4L 149
Reeds Dale. Lut —7A 48
Reeds, The. Wel G —1K 111
Reeds Wlk. Wat —4L 149 (in two parts)
Reenglass Rd. Stan —4L 163
Rees Dri. Stan —4M 163
Reeves Av. Lut —5D 46
Reeves La. Roy —9F 116
Reeves Pightle. Gt Chi —1J 17
Regal Clo. Stdn —7B 56
Regal Ct. Hit —2N 33
Regal Ct. Tring —3M 101
Regal Way. Wat —2L 149
Regency Clo. Bis S —1G 79
Regency Ct. Brox —5K 133
Regency Ct. Dunst —1F 64
Regency Ct. Enf —7B 156
Regency Ct. H'low —9C 118
Regency Cres. NW4 —9K 165
Regency Heights. Hem H —2N 123
Regent Clo. K Lan —2C 136
Regent Clo. St Alb —7K 109
Regent Clo. Wel G —1L 111
Regent Ct. Stot —5F 10
Regent Ct. Wel G —9L 91
Regent Ga. Wal X —7H 145
Regents Clo. Rad —7H 139
Regents Clo. Stan —4M 163
Regents Pk. Rd. N3 —9M 165
Regent St. Dunst —8E 44
Regent St. Lut —1F 66
Regent St. Stot —6F 10
Regent St. Wat —2K 149
Regina Clo. Barn —5K 153
Reginald M. H'low —5E 118 (off Green St.)
Reginald Rd. N'wd —8H 161
Reginald St. Lut —8F 46
Regis Rd. Lut —5H 45
Rembrandt Rd. Edgw —9A 164
Rendlesham Av. Rad —1G 150
Rendlesham Clo. Ware —5F 94
Rendlesham Rd. Enf —3N 155
Rendlesham Way. Chor —8F 146
Rennison Clo. Chesh —9D 132
Renshaw Clo. Lut —7N 47

Repton Clo.—Rosehill

Repton Clo. Lut —3A 46
Repton Grn. St Alb —7E 108
Repton Way. Crox G —7C 148
Reservoir Rd. N14 —7H 155
Reson Way. Hem H —3L 123
Reston Clo. Borwd —2A 152
Reston Path. Borwd —2A 152
Reston Path. Lut —7N 47
Retford Clo. Borwd —2A 152
Retreat, The. Amer —3B 146
Retreat, The. Dunst —8J 45
Retreat, The. K Lan —4E 136
Revels Clo. Hert —7B 94
Revels Rd. Hert —7B 94
Reynard Copse. Bis S —8H 59
Reynards Rd. Welw —9H 71
Reynards Way. Brick W —2A 138
Reynard Way. Hert —9F 94
Reynolds. Let —2F 22
Reynolds Clo. Hem H —1K 123
Reynolds Cres. Sandr —6J 109
Reynolds Dri. Edgw —9N 163
Reynolds Wlk. Che —9E 120
Rhee Spring. Bald —2A 24
Rhodes Av. Bis S —3H 79
Rhodes Way. Wat —4M 149
Rhubarb M. H'low —5F 118
(off Chase, The)
Rhymes, The. Hem H —9L 105
Ribbledale. Lon C —9N 127
Ribblesdale. Hem H —8A 106
Rib Clo. Stdn —7B 56
Ribocon Way. Lut —2L 45
Ribston Clo. Shenl —6L 139
Rib Va. Hert —6B 94
Riccall Ct. NW9 —8E 164
(off Pageant Av.)
Riccat La. Stev —7M 35
Rice Clo. Hem H —1B 124
Richards Clo. Bush —9E 150
Richards Clo. Lut —2D 66
Richards Ct. Lut —2D 66
Richardson Clo. Lon C —9M 127
(in two parts)
Richardson Cres. Chesh —7N 131
Richardson Pl. Col H —4B 128
Richard Stagg Clo. St Alb —4K 127
Richard St. Dunst —9F 44
Richfield Rd. Bush —9D 150
Richmond Clo. Bis S —1E 78
Richmond Clo. Borwd —7D 152
Richmond Clo. Chesh —2G 144
Richmond Clo. Ware —4F 94
Richmond Ct. Brox —2K 133
Richmond Ct. Lut —8H 47
Richmond Ct. Pot B —4B 142
Richmond Cres. N9 —9E 156
Richmond Dri. Wat —4G 149
Richmond Gdns. Harr —7G 162
Richmond Hill. Lut —7H 47
Richmond Hill Path. Lut —7H 47
Richmond Rd. E4 —9N 157
Richmond Rd. New Bar —7A 154
Richmond Rd. Pot B —4B 142
Richmond Wlk. St Alb —7L 109
Richmond Way. Crox G —6E 148
Rickfield Clo. Hat —2G 128
Rickling Green. —2M 43
Rickling Grn. Rd. Saf W —2N 43
Rickmansworth. —1N 159
Rickmansworth Golf Course. —2C 160
Rickmansworth La. Chal P —7B 158
Rickmansworth Rd. Chor —5H 147
Rickmansworth Rd. Hare —8M 159
Rickmansworth Rd. N'wd —5D 160
Rickmansworth Rd. Pinn —9K 161
Rickmansworth Rd. Wat —6G 148
Rickyard Clo. Lut —6K 47
Rickyard Mdw. Redb —1J 107
Rickyard, The. A'wl —1C 12
Rickyard, The. Let —2J 23
Riddell Gdns. Bald —3M 23
Riddings La. H'low —9B 118
(in two parts)
Riddy Hill Clo. Hit —4A 34
Riddy La. Hit —4A 34
Riddy La. Lut —4D 46
Riddy, The. Cod —8F 70
Ride, The. Enf —5G 157
Ride, The. Tot —2M 63
Ridge. —7E 140
Ridge Av. N21 —9A 156
Ridge Av. Let —5G 23
Ridge Clo. NW4 —9K 165
Ridge Ct. Lut —8J 47
Ridge Crest. Enf —3L 155
Ridgedown. Redb —1H 107
Ridgefield. Wat —1G 149
Ridge Hill. Lon C & Shenl —1A 140
Ridgehurst Av. Wat —7H 137
Ridge La. Wat —1H 149
Ridge Lea. Hem H —2J 123
Ridgemont End. Ger X —5B 158
Ridgemont Gdns. Edgw —4C 164
Ridgemount. Enf —4N 155
Ridgemount Gdns. Enf —5N 155
Ridge Rd. N21 —9A 156
Ridge Rd. Let —5G 22
Ridge St. Wat —2K 149
Ridge, The. Barn —7M 153
Ridge, The. Let —5G 23
Ridgeview. Lon C —1N 139
Ridge Vw. Tring —1A 102
Ridgeview Clo. Barn —8K 153
Ridgeway. Berk —1K 121
Ridgeway. Hpdn —3N 87
Ridge Way. Hinx —8G 4
Ridgeway. Kens —8H 65
Ridgeway. L Had —8L 57
Ridge Way. Rick —9L 147
Ridgeway. Stev —4M 51
Ridgeway. Wel G —9N 91
Ridgeway Av. Barn —8E 154
Ridgeway Av. Dunst —7G 45
Ridgeway Clo. Che —9F 120
Ridgeway Clo. Hem H —7B 124
Ridgeway Ct. Pinn —7B 162
Ridgeway Dri. Dunst —8H 45
Ridgeway Rd. Che —9E 120
Ridgeways. H'low —6G 119
Ridgeway, The. E4 —9N 157
Ridgeway, The. N3 —7N 165
Ridgeway, The. NW7 —3G 164
Ridgeway, The. Chal P —9A 158
Ridgeway, The. Cod —7F 70
Ridgeway, The. Cuff —1D 142
Ridgeway, The. Hert —8L 93
Ridgeway, The. Hit —4L 33
Ridgeway, The. Pot B & Enf —7C 142
Ridgeway, The. Rad —1G 150
Ridgeway, The. St Alb —8H 109
Ridgeway, The. Stan —6K 163
Ridgeway, The. Ware —4G 95
Ridgeway, The. Wat —1G 148
Ridgewood Dri. Hpdn —4N 87
Ridgewood Gdns. Hpdn —3N 87
Ridgmont Rd. St Alb —2F 126
Ridgway Rd. Lut —8H 47
Ridings Av. N21 —6N 155
Ridings, The. Barn —9C 154
Ridings, The. Bis S —4F 78
Ridings, The. Hert —1M 113
Ridings, The. Lat —9A 134
Ridings, The. Lut —8E 46
Ridings, The. Mark —1A 86
Ridings, The. Stev —6A 52
Ridler Rd. Enf —2C 156
Ridlins End. Stev —7B 52
Rigby Pl. Enf —1L 157
Rigery Rd. Ware —2K 75
Riley Rd. Enf —2G 157
Ringlewell Clo. Enf —4F 156
Ringmere Ct. Lut —6L 47
(off Telscombe Way)
Ringmer Pl. N21 —7B 156
Ringshall. —5L 83
Ringshall Dri. Berk —7M 83
Ringshall Rd. Dagn —5L 83
Ringshall Rd. Dunst —4M 83
Ringtale Pl. Bald —2A 24
Ringway Rd. Park —9C 126
Ringwood Rd. Lut —2F 46
Ringwood Way. N21 —9N 155
Ripley Rd. Enf —3A 156
Ripley Rd. Lut —8M 45
Ripley Way. Chesh —3F 144
Ripley Way. Hem H —1H 123
Ripon Rd. N9 —9F 156
Ripon Rd. Stev —8M 35
Ripon Way. Borwd —7D 152
Ripon Way. St Alb —7L 109
Risdens. H'low —9M 117
Rise Cotts. Ware —5G 97
Risedale Clo. Hem H —5A 124
Risedale Hill. Hem H —5A 124
Risedale Rd. Hem H —5A 124
Rise, The. NW7 —6F 164
Rise, The. Bald —4L 23
Rise, The. Edgw —5B 164
Rise, The. Els —7N 151
Rise, The. Park —7E 126
Rising Hill Clo. N'wd —6E 160
Risingholme Clo. Bush —9C 150
Risingholme Clo. Harr —8F 162
Risingholme Rd. Harr —9F 162
Ritcroft Clo. Hem H —3D 124
Ritcroft Dri. Hem H —3D 124
Ritcroft St. Hem H —3D 124
Ritz Ct. Pot B —4N 141
Rivenhall End. Wel G —9B 92
River Av. Hod —7M 115
River Bank. N21 —9A 156
Riverbank. Pic E —7M 105
Riverbanks Clo. Hpdn —3D 88
River Clo. Wal X —7L 145
River Ct. Chap E —3C 94
River Ct. Ickl —7N 21
River Ct. Saw —4H 99
Riverdale Ct. N21 —7B 156
Riverdene. Edgw —3C 164
Riverfield La. Saw —4G 99
Riverford Clo. Hpdn —3C 88
River Front. Enf —5C 156
River Grn. Bunt —2J 39
(off Church St.)
River Hill. Flam —5D 86
River Mead. Hit —9K 21
River Meads. Stan A —2N 115
Rivermill. H'low —4M 117
Rivermill Ct. R'ton —6C 8
(off Kneesworth St.)
River Pk. Hem H —4K 123
River Pk. Ind. Est. Berk —8L 103
Riversend Rd. Hem H —5M 123
Riversfield Rd. Enf —5C 156
Rivershill. Wat S —5K 73
Riverside. Bis S —1H 79
Riverside. Bunt —3J 39
Riverside. Lon C —9M 127
Riverside. Stans —4N 59
Riverside. Welw —2H 91
Riverside Av. Brox —4L 133
Riverside Bus. Pk. Stans —3N 59
Riverside Clo. K Lan —2D 136
Riverside Clo. St Alb —3F 126
Riverside Cotts. Stan A —2N 115
Riverside Ct. E4 —8L 157
Riverside Ct. H'low —9E 98
Riverside Ct. St Alb —4F 126
Riverside Dri. Rick —1N 159
Riverside Gdns. Berk —9L 103
Riverside Gdns. Enf —4A 156
Riverside Ind. Est. Enf —8J 157
Riverside Ind. Est. Lon C —9M 127
Riverside M. Brox —5J 133
Riverside M. Ware —6H 95
Riverside Path. Chesh —2G 144
Riverside Rd. Lut —4C 46
Riverside Rd. St Alb —3F 126
Riverside Rd. Wat —8K 149
Riverside Wlk. N12 & N20 —3N 165
Riverside Wlk. Barn —8K 153
(in two parts)
Riverside Wlk. Bis S —1H 79
(off Riverside)
Riversmead. Hod —9L 115
Riversmeet. Hert —1N 113
River St. Ware —6J 95
River Vw. Enf —5A 156
River Vw. Wal A —6M 145
(off Powdermill La.)
River Vw. Wel G —5M 91
River Way. H'low —1C 118
River Way. Lut —4A 46
Rivett Clo. Bald —2N 23
Rivington Cres. NW7 —7F 164
Roan Wlk. R'ton —7E 8
Roaring Meg Retail & Leisure Pk. Stev —6L 51
Robbery Bottom La. Welw —8M 71
Robb Rd. Stan —6H 163
Robbs Clo. Hem H —9K 105
Robe End. Hem H —9J 105
Robert Allen Ct. Lut —2G 67
(off Langley St.)
Robert Av. St Alb —6C 126
Robert Clo. Pot B —6L 141
Robert Humbert Ho. Let —6G 22
Robert Saunders Ct. Let —7E 22
Roberts Clo. Chesh —3J 145
Roberts La. Chal P —5D 158
Robertson Clo. Brox —8J 133
Robertson Rd. Berk —1A 122
Roberts Rd. NW7 —6L 165
Roberts Rd. Wat —7L 149
Roberts Way. Hat —2F 128
Roberts Wood Dri. Chal P —5C 158
Robertswood Lodge. Ger X —6C 158
Robert Tebbutt Ct. Hit —3M 33
Robert Wallace Clo. Bis S —8H 59
Robeson Way. Borwd —3C 152
Robina Clo. N'wd —8H 161
Robin Clo. NW7 —3E 164
Robin Clo. Stan A —3N 115
Robin Ct. Hpdn —3C 88
Robin Hill. Berk —2N 121
Robin Hood Dri. Bush —3A 150
Robin Hood Dri. Harr —7G 162
Robin Hood La. Hat —8G 111
Robin Hood Mdw. Hem H —6B 106
Robin Mead. Wel G —6N 91
Robin Pl. Wat —5K 137
Robins Clo. Lon C —9M 127
Robinsfield. Hem H —2K 123
Robins Nest Hill. L Berk —1H 131
Robinson Av. G Oak —1N 143
Robinson Clo. Bis S —3H 79
Robinson Cres. Bus H —1D 162
Robins Orchard. Chal P —6B 158
Robins Rd. Hem H —4C 124
Robins Way. Hat —3F 128
Robinswood. Lut —4G 46
Robin Wlk. Let —2E 22
Robin Way. Cuff —1K 143
Robson Clo. Chal P —5B 158
Robson Clo. Enf —4N 155
Robsons Clo. Chesh —2G 145
Roch Av. Edgw —9N 163
Rochdale Ct. Lut —2G 67
(off Albert Rd.)
Rochester Av. Lut —5L 47
Rochester Clo. Enf —3C 156
Rochester Dri. Wat —8L 137
Rochester Rd. N'wd —9H 161
Rochester Way. Crox G —6D 148
Rochester Way. R'ton —5D 8
Rochford Clo. Brox —8J 133
Rochford Clo. Stans —4N 59
Rochford Dri. Lut —7N 47
Rochford Rd. Bis S —8K 59
Rockcliffe Av. K Lan —3C 136
Rockfield Av. Ware —4H 95
Rockingham Ga. Bush —8D 150
Rockingham Way. Stev —6L 51
Rocklands Dri. Stan —9J 163
Rockleigh. Hert —9N 93
Rockley Rd. Lut —2C 66
Rock Rd. R'ton —5C 8
Rockways. Barn —8F 152
Rodeheath. Lut —6N 45
Roden Clo. H'low —2H 119
Rodgers Clo. Els —8L 151
Rodings Row. Barn —6L 153
(off Leecroft Rd.)
Rodmell Slope. N12 —5M 165
Rodney Av. St Alb —4H 127
Rodney Clo. Lut —6J 45
Rodney Ct. Barn —5M 153
Rodney Cres. Hod —6L 115
Rodwell Pl. Edgw —6A 164
Rodwell Yd. Tring —3M 101
Roe. NW9 —7F 164
Roebuck Clo. Hert —9E 94
Roebuck Clo. Lut —2C 66
Roebuck Ct. Stev —8M 51
Roebuck Ga. Stev —8M 51
Roebuck Retail Pk. Stev —7L 51
Roe Clo. Stot —7E 10
Roedean Av. Enf —3G 156
Roedean Clo. Enf —3G 156
Roedean Clo. Lut —6M 47
Roe End. —3L 85
Roe End La. Mark —3H 85
Roefields Clo. Fel —6K 123
Roe Green. —3N 25
Roe Grn. Cen. Hat —1F 128
Roe Grn. Clo. Hat —1E 128
Roe Grn. La. Hat —9F 110
Roe Hill Clo. Hat —1F 128
Roehyde. —2E 128
Roehyde Way. Hat —2E 128
Roestock. —5D 128
Roestock Gdns. Col H —4E 128
Roestock La. Col H —5D 128
Rofant Rd. N'wd —6G 160
Rogate Rd. Lut —4L 47
Roger Bannister Sports Cen., The. —6D 162
Roger's La. Ans —6D 28
Rogers Ruff. N'wd —8E 160
Rogers Wlk. N12 —3N 165
Rokewood M. Ware —5H 95
Roland St. St Alb —2H 127
Rolfe Clo. Barn —6D 154
Rolleston Clo. Ware —4G 94
Rollswood. Wel G —3L 111
Rollswood Rd. Welw —9G 71
Rollys La. A'wl —9M 5
Roman Clo. Hare —8L 159
Roman Ct. H Reg —5E 44
Roman Gdns. H Reg —5E 44
Roman Gdns. K Lan —3D 136
Roman La. Bald —3M 23
Roman M. Hod —7L 115
Roman Ri. Saw —5F 98
Roman Rd. Bar C —8F 18
Roman Rd. Lut —6A 46
Roman Rd. Welw —1J 91
Roman Roundabout. H'low —2C 118
Romans End. St Alb —4D 126
Roman St. Hod —7L 115
Roman Theatre. —2B 126
Roman Va. H'low —1E 118
Roman Wlk. Rad —9G 139
Roman Way. Enf —7D 156
Roman Way. Mark —1A 86
Roman Way. Puck —6A 56
Roman Way. Welw —1J 91
Romany Clo. Let —5C 22
Romany Ct. Hem H —1E 124
Romeland. Els —8L 151
Romeland. St Alb —2D 126
Romeland. Wal A —6N 145
Romeland Hill. St Alb —2D 126
Romilly Dri. Wat —4N 161
Ronald Ct. Brick W —2A 138
Ronald Ct. New Bar —5A 154
Ronart St. W'stone —9G 163
Rondini Av. Lut —6D 46
Ronsons Way. St Alb —7G 109
Rookery Dri. Lut —3F 46
Rookery, The. —9K 149
Rookery, The. Stans —1N 59
Rookery, The. W'mll —7K 39
Rooke's All. Hert —1C 114
Rookes Clo. Let —8H 23
Rooks Clo. Wel G —1K 111
Rooks Hill. Loud —6N 147
Rooks Hill. Wel G —1J 111
Rooks Nest La. Ther —6E 14
Rook Tree Clo. Stot —6F 10
Rook Tree La. Stot —5F 10
Rookwood Dri. Stev —8A 52
Rooky Yd. Stev —2J 51
Roper's La. Saf W —2K 29
Rosabell Rd. H'low —5E 118
Rosary Ct. Pot B —3A 142
Rosary Gdns. Bush —9F 150
Roscoff Clo. Edgw —8C 164
Rose Acre. Redb —9H 87
Roseacre Gdns. Wel G —9C 92
Roseacres. Saw —4F 98
Roseberry Ct. Wat —3J 149
(in two parts)
Rosebery. Bis S —2L 79
Rosebery Av. Hpdn —5A 88
Rosebery M. Ment —4J 61
Rosebery Rd. Ast C —1D 100
Rosebery Rd. Bush —9C 150
Rosebery Way. Tring —1N 101
Rosebriar Wlk. Wat —9H 137
Rose Cotts. Brick —3C 138
Rose Ct. Chesh —9E 132
Rose Ct. Eat B —2H 63
Rose Ct. St Alb —9J 109
Rosecroft Ct. N'wd —6E 160
Rosecroft Dri. Wat —9G 136
Rosecroft La. Welw —8N 71
Rosedale. —1F 144
Rosedale. H Reg —4H 45
Rosedale. Wel G —5M 91
Rosedale Av. Chesh —2D 144
Rosedale Clo. Brick W —3N 137
Rosedale Clo. Lut —2M 45
Rosedale Clo. Stan —6J 163
Rosedale Way. Chesh —9E 132
Rose Garden Clo. Edgw —6M 163
Rose Gdns. Wat —7J 149
Roseheath. Hem H —2H 123
Rosehill. Berk —1M 121

St Anne's Rd.—Saxeway Bus. Cen.

St Anne's Rd. Hit —2N 33
St Anne's Rd. Lon C —9L 127
St Ann's Ct. NW4 —9H 165
St Ann's La. Lut —1G 67
St Ann's Rd. Lut —1H 67
St Anthonys Av. Hem H —4D 124
St Audrey Grn. Wel G —1M 111
St Audreys Clo. Hat —3H 129
St Augusta Ct. St Alb —9E 108
St Augustine Av. Lut —6D 46
St Augustines Clo. Brox —2K 133
St Augustines Dri. Brox —2K 133
St Austell Clo. Edgw —9N 163
St Barnabas Ct. Har W —8D 162
St Barnabas Ct. Hem H —2C 124
St Bart's Clo. St Alb —3L 127
St Bernard's Clo. Lut —6E 46
St Bernard's Rd. St Alb —1F 126
St Brelades Pl. St Alb —7L 109
(off Harvest Ct.)
St Bride's Av. Edgw —8N 163
St Catherines Av. Lut —5D 46
St Catherines Ct. Bis S —1H 79
St Catherine's Rd. Brox —1L 133
St Christopher's Clo. Dunst —8J 45
St Christophers Ct. Chor —6G 146
St Clarendon Ct. Hpdn —3C 88
St Cross Ct. Hod —1L 133
St Cuthberts Gdns. Pinn —7A 162
St Cuthbert's Rd. Hod —5N 115
St David's Clo. Hem H —3F 124
St Davids Clo. Stev —7M 35
St David's Dri. Brox —1K 133
St David's Dri. Edgw —8N 163
St David's Way. H Reg —3G 44
(off Kent Rd.)
St Dominics Sq. Lut —5J 45
(off Tomlinson Av.)
St Dunstan's Rd. Hun —7G 96
St Edmunds. Berk —2N 121
St Edmund's Dri. Stan —8H 163
St Edmund's Rd. N9 —9E 156
St Edmunds Wlk. St Alb —3L 127
St Edmund's Way. H'low —2E 118
St Egberts Way. E4 —9N 157
St Elmo Ct. Hit —5N 33
St Ethelbert Av. Lut —5D 46
St Etheldreda's Dri. Hat —9J 111
St Evroul Ct. Ware —5H 95
(off Crib St.)
St Faith's Clo. Enf —3A 156
St Faiths Clo. Hit —1B 34
St Francis Clo. Bunt —4K 39
St Francis Clo. Pot B —7B 142
St Francis Clo. Wat —1K 161
St George's Dri. Wat —3N 161
St Georges End. Ans —5D 28
St George's Rd. Enf —2D 156
St George's Rd. Hem H —6M 123
St George's Rd. Wat —2K 149
St George's Sq. Lut —1G 66
St George's Way. Stev —4K 51
St Giles Av. S Mim —5H 141
St Giles Clo. Tot —2M 63
St Giles Ct. Enf —8G 144
St Giles Ho. New Bar —6B 154
St Giles Rd. Cod —7F 70
St Helens Clo. Wheat —7L 89
St Heliers Rd. St Alb —6J 109
St Ibbs. —8A 34
St Ippollitts. —7B 34
St Ives Clo. Lut —6D 46
St Ives Clo. Welw —4M 91
St James Cen. H'low —2C 118
St James Clo. Barn —6C 154
St James Clo. H Reg —5H 45
St James Ct. St Alb —3H 127
St James Rd. Chesh —1A 144
St James Rd. Hpdn —4C 88
St James Rd. Lut —6D 46
St James Rd. Wat —7K 149
St James's Clo. Pull —3A 18
St James's Ct. Hpdn —3C 88
St James Way. Bis S —3D 78
St John Clo. Lut —3D 66
St Johns. Puck —6B 56
St Johns Arts & Recreation Cen. —2E 118
St John's Av. H'low —2E 118
St Johns Cvn. Pk. Enf —1N 155
St Johns Clo. N14 —8H 155
St Johns Clo. Hem H —4L 123
St John's Clo. Pot B —6D 142
St Johns Clo. Welw —1J 91
St John's Ct. Hpdn —8D 88
St John's Ct. Hert —9B 94
St John's Ct. Lut —3E 66
St John's Ct. N'wd —8G 160
(off Murray Rd.)
St John's Ct. St Alb —9J 109
St John's Cres. Stans —2N 59
St Johns La. Gt Amw —9L 95
St John's La. Stans —2N 59
St John's Path. Hit —4N 33
St John's Rd. Arl —8A 10
St John's Rd. Hpdn —8D 88
St John's Rd. Hem H —4K 123
St John's Rd. Hit —5N 33
St John's Rd. Stans —2N 59
St John's Rd. Wat —4K 149
St John's St. Hert —9B 94
St John's Ter. Enf —1B 156
St Johns Wlk. H'low —2E 118
St John's Well Ct. Berk —9M 103
St John's Well La. Berk —9M 103
St Joseph's Clo. Lut —5C 46
St Joseph's Rd. N9 —9F 156
St Joseph's Rd. Wal X —6J 145
St Julians. —5E 126
St Julian's Rd. St Alb —4E 126
St Katharines Clo. Ickl —8L 21
St Katherine's Way. Berk —7K 103
St Kilda Rd. Lut —5J 45
St Laurence Dri. Brox —5J 133
St Lawrence Clo. Ab L —3G 137
St Lawrence Clo. Bov —9D 122
St Lawrence Clo. Edgw —7N 163
St Lawrences Av. Lut —5E 46
St Lawrence Way. Brick W —3A 138
St Leonard's Clo. Bush —6N 149
St Leonard's Clo. Hert —7C 94
St Leonards Ct. Sandr —5K 109
St Leonards Cres. Sandr —5K 109
St Leonard's Rd. Hert —7B 94
St Leonard's Way. Edl —7J 63
St Luke's Av. Enf —2B 156
St Lukes Clo. Lut —7A 46
St Magnus Ct. Hem H —4D 124
St Margaret's. —2E 104
(Great Gaddesden)
St Margarets. —2M 115
(Hoddesdon)
St Margarets. Stev —7M 51
St Margarets Av. Lut —5D 46
St Margaretsbury Ho. Stan A —2M 115
St Margaret's Clo. Berk —2A 122
St Margarets Clo. S'ley —4B 30
St Margarets Ct. Edgw —5B 164
St Margaret's Rd. Edgw —5B 164
St Margaret's Rd. Stan A —4L 115
St Margarets Way. Hem H —2E 124
St Marks Clo. Col H —4B 128
St Mark's Clo. Hit —1L 33
St Mark's Clo. New Bar —5A 154
St Marks Rd. Enf —8D 156
St Martin's Av. Lut —7H 47
St Martin's Clo. Enf —3F 156
St Martins Clo. Hpdn —3D 88
St Martins Clo. Wat —4L 161
St Martin's Rd. Kneb —3N 71
St Mary Magdalene's Chapel. (Remains of) —2G 120
St Mary's Av. N3 —9L 165
St Mary's Av. N'chu —8H 103
St Mary's Av. N'wd —5G 160
St Mary's Av. Stot —6F 10
St Mary's Chu. Path. Lut —1H 67
(off St Mary's Rd.)
St Mary's Clo. Ast —7D 52
St Marys Clo. Hem H —1M 123
St Mary's Clo. Let —9F 22
St Marys Clo. Pir —7E 20
St Mary's Clo. Redb —1J 107
St Mary's Clo. Wat —6K 149
(off Church St.)
St Marys Clo. Welw —2J 91
St Mary's Ct. Dunst —9E 44
St Mary's Ct. Hem H —1N 123
St Mary's Ct. Pot B —5A 142
St Marys Ct. Welw —3J 91
St Mary's Courtyard. Ware —5H 95
(off Church St.)
St Mary's Cres. NW4 —9H 165
St Mary's Dri. Stans —3N 59
St Mary's Ga. Dunst —9E 44
St Mary's Glebe. Edl —5J 63
St Mary's La. Hert —2L 113
St Mary's Pk. R'ton —7D 8
St Mary's Ri. B Grn —8E 48
St Mary's Rd. N9 —9F 156
St Mary's Rd. Barn —9E 154
St Mary's Rd. Chesh —2G 144
St Mary's Rd. Hem H —1N 123
St Mary's Rd. Lut —1H 67
St Mary's Rd. Stdn —7A 56
St Mary's Rd. Wat —6K 149
St Mary's St. Dunst —9E 44
St Mary's Vw. Wat —6L 149
(off King St.)
St Marys Wlk. St Alb —7J 109
St Mary's Way. Bald —5L 23
St Mary's Way. Chal P —9A 158
St Matthews Clo. Lut —9G 47
St Matthews Clo. Wat —8M 149
St Michaels. St Alb —2C 126
St Michael's Av. N9 —9G 157
St Michaels Av. Hem H —4D 124
St Michaels Av. H Reg —5D 44
St Michael's Clo. N3 —9M 165
St Michaels Clo. Hal —6B 100
St Michaels Clo. H'low —5A 118
St Michaels Clo. Hpdn —8E 88
St Michaels Ct. Stev —1A 52
St Michael's Cres. Lut —6E 46
St Michaels Dri. Wat —6K 137
St Michaels Ho. Wel G —1M 111
St Michael's Mt. Hit —2A 34
St Michael's Pde. Wat —2K 149
St Michael's Rd. Brox —2K 133
St Michaels Rd. Hit —2B 34
St Michael's St. St Alb —2C 126
St Michaels Vw. Hat —7H 111
St Michaels Way. Pot B —3A 142
St Mildreds Av. Lut —6E 46
St Mirren Ct. New Bar —7B 154
St Monicas Av. Lut —6D 46
St Neots Clo. Borwd —2A 152
St Nicholas Clo. Els —8L 151
St Nicholas Ct. Hpdn —4A 88
St Nicholas Fld. Ber —2D 42
St Nicholas Grn. H'low —5E 118
St Nicholas Houses. Ridg —8F 142
St Nicholas Mt. Hem H —2J 123
St Nicholas Pk. —7N 35
St Ninians Ct. Lut —9F 46
St Olam's Clo. Lut —3D 46
St Olives. Stot —6E 10
St Onge Pde. Enf —5B 156
(off Southbury Rd.)
St Pauls Clo. Hpdn —7E 88
St Pauls Ct. Chfd —6N 135
St Pauls Ct. Stev —8M 51
St Paul's Gdns. Lut —3G 66
St Pauls Pl. St Alb —2H 127
St Paul's Rd. Hem H —1N 123
St Paul's Rd. Lut —3G 66
St Paul's Walden. —8A 50
St Paul's Way. N3 —7N 165
St Pauls Way. Wal A —6N 145
St Pauls Way. Wat —4L 149
St Peter's Av. Arl —5A 10
St Peter's Clo. Barn —7H 153
St Peters Clo. Bus H —1E 162
St Peters Clo. Chal P —8B 158
St Peters Clo. Hat —8G 110
St Peters Clo. Mil E —1L 159
St Peter's Clo. St Alb —1E 126
St Peter's Ct. Chal P —8B 158
St Peters Grn. Hol —4J 21
St Peter's Hill. Tring —2M 101
St Peter's Rd. N9 —9F 156
St Peter's Rd. Dunst —9F 44
St Peters Rd. Lut —1D 66
St Peter's Rd. St Alb —2F 126
St Peter's St. St Alb —2E 126
St Peters Way. Chor —6E 146
St Raphaels Ct. St Alb —1F 126
(off Avenue Rd.)
St Ronan's Clo. Barn —2C 154
St Saviour's Cres. Lut —2F 66
St Saviours Vw. St Alb —1G 126
(off Lemsford Rd.)
St Stephens. —4D 126
St Stephen's Av. St Alb —4C 126
St Stephen's Clo. St Alb —5C 126
St Stephen's Ct. Enf —8C 156
(off Park Av.)
St Stephen's Hill. St Alb —4D 126
St Stephen's Rd. Barn —7K 153
St Stephens Rd. Enf —1H 157
St Thomas Ct. Pinn —8N 161
St Thomas Dri. Pinn —8N 161
St Thomas Pl. Wheat —7L 89
St Thomas Rd. N14 —9J 155
St Thomas's Rd. Lut —5H 47
St Vincent Dri. St Alb —5H 127
St Vincent Gdns. Lut —6N 45
St Vincent's Cotts. Wat —6K 149
(off Marlborough Rd.)
St Vincents Way. Pot B —7B 142
St Wilfrid's Clo. Barn —7D 154
St Wilfrid's Rd. New Bar —7D 154
St Winifreds Av. Lut —5E 46
St Yon Ct. St Alb —2M 127
Sakins Cft. H'low —9B 118
Salamander Quay. Hare —7K 159
Salcombe Gdns. NW7 —6J 165
Sale Dri. Clot C —2M 23
Salisbury Av. N3 —9M 165
Salisbury Av. Hpdn —5A 88
Salisbury Av. St Alb —1J 127
Salisbury Clo. Bis S —3H 79
Salisbury Clo. Pot B —5B 142
Salisbury Ct. Edgw —6A 164
Salisbury Ct. Enf —6B 156
(off London Rd.)
Salisbury Cres. Chesh —5H 145
Salisbury Gdns. Wel G —1M 111
Salisbury Ho. St Alb —3D 126
Salisbury Ho. Stan —6H 163
Salisbury Rd. Bald —2L 23
Salisbury Rd. Barn —5L 153
Salisbury Rd. Enf —1K 157
Salisbury Rd. Hpdn —4E 88
Salisbury Rd. Hod —6N 115
Salisbury Rd. Lut —2F 66
Salisbury Rd. Stev —8N 35
Salisbury Rd. Wat —2K 149
Salisbury Rd. Wel G —1M 111
Salisbury Sq. Hat —8J 111
Salisbury Sq. Hert —9B 94
(off Market Pl.)
Salix Ct. N3 —6N 165
Sallowsprings. Whip —6C 64
Sally Deards La. Old K —4H 71
Salmon Clo. Wel G —6N 91
Salmond Clo. Stan —6H 163
Salmon Mdw. Hem H —6N 123
Salmons Clo. Ware —3H 95
Salmons Rd. N9 —9E 156
Saltdean Clo. Lut —5M 47
Salters. Bis S —4E 78
Salter's Clo. Berk —8K 103
Salters Clo. Rick —1A 160
Salters Gdns. Wat —3J 149
Salters Way. Dunst —6C 44
Saltfield Cres. Lut —5M 45
Salusbury La. Offl —8D 32
Salwey Cres. Brox —2K 133
Samian Ga. St Alb —4A 126
Sampson Av. Barn —7K 153
Samsbrooke Ct. Enf —8C 156
Samuel Sq. St Alb —3E 126
(off Pageant Rd.)
Sancroft Rd. Harr —9G 163
Sanctuary Clo. Hare —7M 159
Sandalls Spring. Hem H —9J 105
Sandalwood Clo. Lut —2D 46
Sanday Clo. Hem H —4D 124
Sandbrook Clo. NW7 —6D 164
Sandbrook La. Wils —6H 81
Sandell Clo. Lut —7H 47
Sanderling Clo. Let —3E 22
Sanders Clo. Hem H —6B 124
Sanders Clo. Lon C —9L 127
Sanders La. NW7 —7J 165
(in three parts)
Sanders Rd. Hem H —6C 124
Sandfield Rd. St Alb —2H 127
Sandford Ct. New Bar —5A 154
Sandgate Rd. Lut —7N 45
Sandhurst Cen. Wat —3L 149
Sandhurst Ct. Hpdn —9E 88
Sandhurst Rd. N9 —8G 156
Sandhurst Rd. NW9 —9A 164
Sandifield. Hat —3H 129
Sandland Clo. Dunst —8D 44
Sand La. Sils —4C 18
Sandle Rd. Bis S —1J 79
Sandmere Clo. Hem H —3C 124
Sandon. —2A 26
Sandon Clo. Tring —2L 101
Sandon La. Bunt —6D 26
Sandon La. S'don & R'ton —2B 26
Sandon Rd. Chesh —3G 145
Sandover Clo. Hit —4B 34
Sandown Clo. Lut —2C 46
Sandown Ct. Stan —5K 163
Sandown Rd. Stev —9B 36
Sandown Rd. Wat —2L 149
Sandown Rd. Ind. Est. Wat —1L 149
Sandpit La. St Alb —1F 126
Sandpit Rd. Wel G —2L 111
Sandridge. —4K 109
Sandridgebury. —4H 109
Sandridgebury La. St Alb & Sandr —7F 108
Sandridge Clo. Hem H —5C 106
Sandridge Ct. St Alb —7L 109
(off Twyford Rd.)
Sandridge Ga. Bus. Cen. St Alb —7G 109
Sandridge Pk. Port W —6G 108
Sandridge Rd. St Alb —8G 109
Sandringham Av. H'low —6H 117
Sandringham Clo. Enf —4C 156
Sandringham Cres. St Alb —7H 109
Sandringham Dri. H Reg —5G 45
Sandringham Gdns. Bis S —3G 78
Sandringham Rd. Pot B —3A 142
Sandringham Rd. Wat —1L 149
Sandringham Way. Wal X —7G 145
Sand Rd. F'wck —1A 18
Sandwick Clo. NW7 —7G 165
Sandy Clo. Hert —9N 93
Sandycroft Rd. Amer —2A 146
Sandy Gro. Hit —4N 33
Sandy La. Bush —5D 150
Sandy La. N'wd —2H 161
Sandy Lodge. N'wd —2G 161
Sandy Lodge. Pinn —6B 162
Sandy Lodge Ct. N'wd —5G 160
Sandy Lodge Golf Course. —3F 160
Sandy Lodge La. N'wd —2F 160
Sandy Lodge Rd. Rick —2D 160
Sandy Lodge Way. N'wd —5F 160
Sandymount Av. Stan —5K 163
Sandy Ri. Chal P —8B 158
Sanfoine Clo. Hit —2C 34
Sanfoin Rd. Lut —5K 45
Santers La. Pot B —6L 141
Santingfield N. Lut —2D 66
Santingfield S. Lut —2D 66
Santway, The. Stan —5F 162
Sappers Clo. Saw —5H 99
Saracen Est. Hem I —9D 106
Saracen Ind. Area. Hem I —9C 106
Saracens Head. Hem H —1C 124
Saracens Rugby Football Club. —8G 154
Sarbir Ind. Est. H'low —9E 98
Sargents. Stdn —8C 56
Sarita Clo. Harr —9E 162
Sark Ho. Enf —2H 157
Sarnesfield Rd. Enf —6B 156
Sarratt. —9K 135
Sarratt Av. Hem H —6C 106
Sarratt Bottom. —1H 147
Sarratt Hall. —7J 135
Sarratt La. Loud —4L 147
Sarratt Rd. Sarr —1L 147
Sarum Pl. Hem H —7A 106
Sarum Rd. Lut —5A 46
Sassoon. NW9 —8F 164
Satchell Mead. NW9 —8F 164
Satinwood Ct. Hem H —4A 124
Saturn Way. Hem H —8B 106
Sauncey Av. Hpdn —4C 88
Sauncey Wood. Hpdn —3E 88
Sauncey Wood La. Hpdn —2F 88
Saunders Clo. Chesh —1H 145
Saunders Clo. Let —4J 23
Savernake Ct. Stan —6J 163
Savernake Rd. N9 —8E 156
Savill Clo. Chesh —7A 132
Saville Row. Enf —4H 157
Savoy Clo. Edgw —5A 164
Savoy Clo. Hare —9N 159
Savoy Pde. Enf —5C 156
Sawbridgeworth. —6G 98
Sawbridgeworth Rd. Hat H —4N 99
Sawbridgeworth Rd. L Hall —2J 99
(in two parts)
Sawells. Brox —3K 133
Sawpit La. Bis S —3F 42
Sawtry Clo. Lut —3C 46
Sawtry Way. Borwd —2A 152
Sawyers La. Els —3J 151
Sawyers La. S Mim —6K 141
Sawyers Way. Hem H —2B 124
Saxeway Bus. Cen. Chart —9C 120

Sax Ho.—Silk Mill Rd.

Sax Ho. *Let* —2E **22**
Saxon Av. *Stot* —4F **10**
Saxon Clo. *Dunst* —9B **44**
Saxon Clo. *Hpdn* —3D **88**
Saxon Clo. *Let* —2F **22**
Saxon Ct. *Borwd* —3M **151**
Saxon Cres. *Bar C* —7E **18**
Saxon Rd. *Lut* —7E **46**
Saxon Rd. *Welw* —4H **91**
Saxon Rd. *Wheat* —8L **89**
Saxon Way. *N14* —8J **155**
Saxon Way. *Bald* —2A **24**
Saxon Way. *Mel* —1J **9**
Saxon Way. *Wal A* —6N **145**
Saxted Clo. *Lut* —8M **47**
Saxton M. *Wat* —4J **149**
Sayers Gdns. *Berk* —8L **103**
Sayer Way. *Kneb* —4M **71**
Sayesbury Av. *Saw* —4F **98**
Sayesbury Rd. *Saw* —5G **98**
Sayes Gdns. *Saw* —5H **99**
Saywell Rd. *Lut* —7J **47**
Scales Pk. —3G 29
Scammell Way. *Wat* —8H **149**
Scarborough Av. *Stev* —1G **51**
Scarborough Rd. *N9* —9G **156**
Scarlett Av. *Wend* —8D **100**
Scatterdells La. *Chfd* —3J **135**
Scawsby Clo. *Dunst* —8B **44**
Sceynes Link. *N12* —4N **165**
Scholars Ct. *Col H* —5C **128**
Scholar's Hill. *W'side* —3C **96**
Scholars M. *Wel G* —7K **91**
Scholars, The. Wat —6L 149
(off Lady's Clo.)
Scholars Wlk. *Chal P* —6B **158**
Scholars Wlk. *Hat* —3G **129**
School Clo. *Ess* —8E **112**
School Clo. *Stev* —6A **52**
Schoolfields. *Let* —6J **23**
School Gdns. *Pott E* —8E **104**
School La. *Ard* —7L **37**
School La. *Ast* —7D **52**
School La. *Bar* —3D **16**
School La. *Brick W* —7A **138**
School La. *Bush* —9C **150**
School La. *Chal P* —9A **158**
School La. *Childw* —3C **108**
School La. *Eat B* —2J **63**
School La. *Ess* —8E **112**
School La. *H'low* —3A **118**
School La. *Hat* —8J **111**
School La. *H Lav* —8M **119**
School La. *Lut* —5N **45**
School La. *Offl* —7D **32**
School La. *Pres* —3M **49**
School La. *Tew* —6D **92**
School La. *Wat S* —5K **73**
School La. *Welw* —3H **91**
School La. *W'ton* —1B **36**
School Mead. *Ab L* —5G **136**
School Rd. *Pot B* —3B **142**
School Row. *Hem H* —3J **123**
School, The. *Wils* —7J **81**
School Wlk. *H Reg* —2G **44**
School Wlk. *Let* —5H **23**
School Wlk. *Lut* —2G **67**
Schopwick Pl. Els —8L 151
(off St Nicholas Clo.)
Schubert Rd. *Els* —8L **151**
Scotfield Ct. *Lut* —6M **47**
Scot Gro. *Pinn* —7M **161**
Scotland Grn. Rd. *Enf* —7H **157**
Scotland Grn. Rd. N. *Enf* —6H **157**
Scotscraig. *Rad* —8G **139**
Scots Hill. *Crox G* —8B **148**
Scots Hill Clo. *Rick* —8B **148**
Scotsmill La. *Crox G* —8A **148**
Scott Av. *Stan A* —2M **115**
Scott Clo. *R'ton* —4D **8**
Scott Ct. *Dunst* —8F **44**
Scott Rd. *Bis S* —2G **78**
Scott Rd. *Lut* —2M **45**
Scott Rd. *Stev* —3A **52**
Scotts Clo. *Ware* —7H **95**
Scott's Rd. *Ware* —7H **95**
Scotts Vw. *Wel G* —1J **111**
Scottswood Clo. *Bush* —4N **149**
Scottswood Rd. *Bush* —4N **149**
Scout Way. *NW7* —4D **164**
Scriveners Clo. *Hem H* —2A **124**
Scrubbitts Pk. Rd. *Rad* —8H **139**
Scrubbitts Sq. *Rad* —8H **139**
Scyttels Ct. *Shil* —2A **20**
Seabrook. *Lut* —6L **45**
Seabrook Rd. *K Lan* —9F **124**
Seacroft Gdns. *Wat* —3M **161**
Seaford Clo. *Lut* —6L **47**
Seaford Rd. *Enf* —6C **156**
Seaforth Dri. *Wal X* —7H **145**
Seaforth Gdns. *N21* —9L **155**
Seal Clo. *Leag* —6N **45**
Seaman Clo. *Park* —7E **126**
Seamons Clo. *Dunst* —2G **65**
Searches La. *Bedm* —9L **125**
Sears, The. *Dunst* —3F **62**
Seaton Rd. *Hem H* —5N **123**
Seaton Rd. *Lon C* —8L **127**
Seaton Rd. *Lut* —6B **46**
Sebergham Gro. *NW7* —7G **165**
Sebright Rd. *Barn* —4K **153**
Sebright Rd. *Hem H* —4K **123**
Sebright Rd. *Mark* —2A **86**
Secker Cres. *Harr* —8D **162**
Second Av. *Enf* —7D **156**
Second Av. *H'low* —6N **117**
Second Av. *Let* —5J **23**
Second Av. *Wat* —8M **137**
Sedbury Clo. *Lut* —3C **46**
Sedcote Rd. *Enf* —7G **157**
Sedge Grn. *Naze* —9C **116**
Sedgwick Rd. *Lut* —2L **45**
Sedley Clo. *Enf* —2F **156**
Seebohm Clo. *Hit* —1K **33**
Seed Pl. *Hpdn* —4A **88**
Seeleys. *H'low* —2E **118**
Sefton Av. *NW7* —5D **164**
Sefton Av. *Harr* —9E **162**
Sefton Clo. *St Alb* —1G **127**
Sefton Ct. *Enf* —4N **155**
(in two parts)
Sefton Rd. *Stev* —9A **36**
Selbourne Rd. *Lut* —6B **46**
Selby Av. *St Alb* —2E **126**
Selden Hill. *Hem H* —3N **123**
Sele Mill. *Hert* —9N **93**
Sele Rd. *Hert* —9N **93**
Selina Clo. *Lut* —2M **45**
Sell Clo. *Chesh* —8N **131**
Sellers Clo. *Borwd* —3C **152**
Sellers Hall Clo. *N3* —7N **165**
Sells Rd. *Ware* —5K **95**
Selsey Dri. *Lut* —4L **47**
Selvage La. *NW7* —5D **164**
Selwood Dri. *Barn* —7K **153**
Selwyn Av. *Hat* —1D **128**
Selwyn Ct. *Edgw* —7B **164**
Selwyn Cres. *Hat* —9E **110**
Selwyn Dri. *Hat* —9D **110**
Semphill Rd. *Hem H* —5A **124**
Senate Pl. *Stev* —7A **36**
Sennen Rd. *Enf* —9D **156**
Sentis Ct. *N'wd* —6H **161**
September Way. *Stan* —6J **163**
Septimus Pl. *Enf* —7E **156**
Sequoia Clo. *Bus H* —1E **162**
Sequoia Pk. *Pinn* —6C **162**
Serby Av. *R'ton* —5C **8**
Sergehill La. *Bedm* —9H **125**
Serpentine Clo. *Stev* —8B **36**
Service Rd., The. *Pot B* —5N **141**
Seven Acres. *N'wd* —6K **161**
Sevenoaks Ct. *N'wd* —7E **160**
Severalls, The. *Lut* —6K **47**
Severn Dri. *Enf* —2E **156**
Severnmead. *Hem H* —8A **106**
Severnvale. *Lon C* —9N **127**
Severn Way. *Stev* —7M **35**
Severn Way. *Wat* —7L **137**
Sewardstone. —3N 157
Sewardstone Gdns. *E4* —7M **157**
Sewardstone Rd. *E4 & Wal A* —9M **157**
Sewardstone Rd. *Wal A & E4* —7N **145**
Sewardstone St. *Wal A* —7N **145**
Sewell. —7A 44
Sewell Clo. *St Alb* —2M **127**
Sewell Harris Clo. *H'low* —5B **118**
Sewell La. *Dunst* —7A **44**
Sewells. *Wel G* —5L **91**
Sexton Clo. *Chesh* —7N **131**
Seymour Av. *Lut* —3H **67**
Seymour Clo. *Pinn* —8A **162**
Seymour Ct. *N21* —8L **155**
Seymour Ct. *Hit* —2N **33**
Seymour Ct. *N'chu* —8J **103**
Seymour Ct. *Tring* —2M **101**
Seymour Cres. *Hem H* —2A **124**
Seymour M. *Saw* —8G **98**
Seymour Rd. *E4* —9M **157**
Seymour Rd. *N3* —7N **165**
Seymour Rd. *Lut* —3H **67**
Seymour Rd. *N'chu* —8J **103**
Seymour Rd. *St Alb* —8F **108**
Seymours. *H'low* —9J **117**
Shackledell. *Stev* —7M **51**
Shacklegate La. *Hit* —3M **69**
Shackleton Spring. *Stev* —6N **51**
Shackleton Way. Ab L —5J 137
(off Lysander Way)
Shackleton Way. *Wel G* —9C **92**
Shadybush Clo. *Bush* —9D **150**
Shady La. *Wat* —4K **149**
Shafford Cotts. *St Alb* —8A **108**
Shaftenhoe End. —4E 16
Shaftenhoe End Rd. *Bar* —3D **16**
Shaftesbury Av. *Enf* —4H **157**
Shaftesbury Av. *New Bar* —6B **154**
Shaftesbury Ct. *Crox G* —7E **148**
Shaftesbury Ct. *Stev* —5L **51**
Shaftesbury Ind. Cen. *Let* —4G **23**
Shaftesbury Quay. Hert —9B 94
(off Priory St.)
Shaftesbury Rd. *E4* —9N **157**
Shaftesbury Rd. *Lut* —9D **46**
Shaftesbury Rd. *Wat* —5L **149**
Shaftesbury Way. *K Lan* —1E **136**
Shaftesbury Way. *R'ton* —8E **8**
Shakespeare. *R'ton* —5D **8**
Shakespeare Ct. *Hod* —4M **115**
Shakespeare Ct. *New Bar* —5A **154**
Shakespeare Ind. Est. *Wat* —2J **149**
Shakespeare Rd. *N3* —8N **165**
Shakespeare Rd. *NW7* —4F **164**
Shakespeare Rd. *Hpdn* —6C **88**
Shakespeare Rd. *Lut* —6L **45**
Shakespeare St. *Wat* —2K **149**
Shalcross Dri. *Chesh* —3K **145**
Shaldon Rd. *Edgw* —9N **163**
Shallcross Cres. *Hat* —3G **128**
Shambrook Rd. *Chesh* —7N **131**
Shamrock Way. *N14* —9G **155**
Shangani Rd. *Bis S* —3H **79**
Shanklin Clo. *Chesh* —2D **144**
Shanklin Clo. *Lut* —2C **46**
Shanklin Gdns. *Wat* —4L **161**
Shannon Clo. *L Ston* —1F **20**
Shantock Hall La. *Bov* —2B **134**
Shantock La. *Bov* —3A **134**
Sharmans Clo. *Welw* —3M **91**
Sharon Rd. *Enf* —4J **157**
Sharose Ct. *Mark* —2A **86**
Sharpcroft. *Hem H* —9N **105**
Sharpecroft. *H'low* —6M **117**
Sharpenhoe. —9A 18
Sharpenhoe Rd. *Bar C* —9C **18**
Sharpenhoe Rd. *Bar C & Lut* —1A **30**
Sharpes La. *Hem H* —4E **122**
Sharples Grn. *Lut* —1D **46**
Sharps Way. *Hit* —1A **34**
Shawbridge. *H'low* —9M **117**
Shaw Clo. *Bus H* —2F **162**
Shaw Clo. *Chesh* —1G **144**
Shaw Green. —6J 25
Shawgreen La. *Rush* —7J **25**
Shaw Rd. *Enf* —3H **157**
Shaw's Corner. —1A 90
(National Trust)
Shaws, The. *Wel G* —1B **112**
Shaw Wood La. *Bis S* —2C **58**
Sheafgreen La. *Stev* —4C **52**
Shearers, The. *Bis S* —4E **78**
Sheares Hoppit. *Hun* —6G **97**
Shearwater Clo. *Stev* —5C **52**
Sheepcot Dri. *Wat* —7L **137**
Sheepcote. *Wel G* —3N **111**
Sheepcote La. *Bis S* —7G **43**
Sheepcote La. *Wheat* —7M **89**
Sheepcote Rd. *Hem H* —2B **124**
Sheepcot La. *Wat* —6J **137**
(in two parts)
Sheepcroft Hill. *Stev* —6C **52**
Sheephouse Rd. *Hem H* —4B **124**
Sheering. —7M 99
Sheering Dri. *H'low* —3G **118**
Sheering Lwr. Rd. *H'low & Saw* —8H **99**
Sheering Mill La. *Saw* —5H **99**
Sheering Rd. *H'low* —2G **118**
Sheering Rd. *Hat H* —5N **99**
Sheethanger La. *Fel* —6K **123**
Shefton Ri. *N'wd* —7J **161**
Sheldon Clo. *Chesh* —8C **132**
Sheldon Clo. *H'low* —6G **118**
Sheldon Ct. *Barn* —6A **154**
Shelford Rd. *Barn* —8J **153**
Shellduck Clo. *NW9* —9E **164**
Shelley Clo. *Edgw* —4A **164**
Shelley Clo. *Hit* —3C **34**
Shelley Clo. *N'wd* —5H **161**
Shelley Clo. *R'ton* —4D **8**
Shelley Ct. *Hpdn* —6C **88**
Shelley M. *Hem H* —5L **123**
Shelley Rd. *Lut* —7L **45**
Shelly La. *Hare* —8K **159**
Shelton Way. *Lut* —6J **47**
Shendish Edge. *Hem H* —7B **124**
Shendish Golf Cen. —7N 123
Shenfield Ct. *H'low* —9M **117**
Shenley. —6N 139
Shenleybury. —4M 139
Shenleybury. *Shenl* —3M **139**
Shenleybury Cotts. *Shenl* —4M **139**
Shenley Ct. *Hem H* —6D **106**
Shenley Hill. *Rad* —8J **139**
Shenley La. *Lon C* —7J **127**
Shenley Rd. *Borwd* —6A **152**
Shenley Rd. *Hem H* —5C **106**
Shenley Rd. *Rad* —7J **139**
Shenstone Hill. *Berk* —9B **104**
Shenval Ind. Est. *H'low* —2C **118**
Shenwood Ct. *Borwd* —1A **152**
Shephalbury Pk. —8N 51
Shephall. —6N 51
Shephall Grn. *Stev* —7N **51**
Shephall Grn La. *Stev* —7A **52**
Shephall La. *Stev* —8M **51**
Shephall Vw. *Stev* —4N **51**
Shephall Way. *Stev* —5A **52**
Shepherd Clo. *R'ton* —8E **8**
Shepherd Rd. *Lut* —5H **45**
Shepherds Clo. *Bis S* —4E **78**
Shepherds Ct. *Hert* —6A **94**
Shepherds Grn. *Hem H* —3H **123**
Shepherd's La. *Chor & Mil E* —8G **146**
Shepherds La. *Stev* —3F **50**
Shepherds Mead. *Hit* —9M **21**
Shepherd's Rd. *Wat* —5H **149**
Shepherds Row. Redb —1K 107
(off High St.)
Shepherds Wlk. *Bus H* —2E **162**
Shepherds Way. *Brk P* —9B **130**
Shepherds Way. *Hpdn* —3M **87**
Shepherds Way. *Rick* —9L **147**
Shepley M. *Enf* —1L **157**
Sheppard Clo. *Enf* —3F **156**
Sheppards. *H'low* —9J **117**
Sheppards Clo. *St Alb* —8F **108**
Shepperton Clo. *Borwd* —3D **152**
Sheppey's La. *K Lan & Ab L* —2E **136**
Sherards Orchard. *H'low* —8L **117**
Sheraton Clo. *Els* —7N **151**
Sheraton M. *Wat* —6G **148**
Sherborne Av. *Enf* —4G **156**
Sherborne Av. *Lut* —3F **46**
Sherborne Cotts. Wat —7L 149
(off Muriel Av.)
Sherborne Gdns. *NW9* —9A **164**
Sherborne Pl. *N'wd* —6F **160**
Sherborne Way. *Crox G* —6D **148**
Sherbourne Clo. *Hem H* —3A **124**
Sherbourne Ho. *Wat* —8F **148**
Sherbrook Pl. *Stan* —6H **163**
Sherbrook Gdns. *N21* —9N **155**
Sherd Clo. *Lut* —2B **46**
Sheredes Dri. *Hod* —1K **133**
Sherfield Av. *Rick* —3N **159**
Sheridan Clo. *Hem H* —3L **123**
Sheridan Rd. *Lut* —7E **46**
Sheridan Rd. *Wat* —9M **149**
Sheridan Wlk. *Brox* —2J **133**
Sheriden Clo. *Dunst* —8E **44**
Sheriff Way. *Wat* —6J **137**
Sheringham Av. *N14* —7J **155**
Sheringham Av. *Stev* —9H **35**
Sheringham Clo. *Lut* —2E **46**
Sheringham Ct. *Enf* —5N **155**
Sherington Av. *Pinn* —7B **162**
Sherland Ct. Rad —9H 139
(off Dell, The)
Sherrards Mansion. Wel G —6H 91
(off Rectory Rd.)
Sherrards M. *Wel G* —6H **91**
Sherrardspark. —7J 91
Sherrardspark Rd. *Wel G* —7J **91**
Sherrards Way. *Barn* —7N **153**
Sherwood. *Let* —3F **22**
Sherwood Av. *Pot B* —5L **141**
Sherwood Av. *St Alb* —8J **109**
Sherwood Ct. *Bis S* —1H **79**
Sherwood Ct. *Wat* —7H **137**
Sherwood Ho. *H'low* —8B **118**
Sherwood Pl. *Hem H* —7B **106**
Sherwood Rd. *NW4* —9J **165**
Sherwood Rd. *Lut* —7C **46**
Sherwoods Ri. *Hpdn* —7E **88**
Sherwoods Rd. *Wat* —9N **149**
Shetland Clo. *Borwd* —8D **152**
Shillington. —2A 20
Shillington Rd. *Shil & L Ston* —2B **20**
Shillington Rd. *Shil & Pir* —5N **19**
Shillitoe Av. *Pot B* —5K **141**
Shingle Clo. *Lut* —1C **46**
Ship La. *Pit* —4B **82**
Shire Balk. *Bald* —8B **6**
Shire Clo. *Brox* —8K **133**
Shire Ct. *Hem H* —1C **124**
Shire La. *Chal P* —3E **158**
(in three parts)
Shire La. *C'bry* —7K **101**
Shire La. *Chor* —1D **158**
(Chalfont Rd.)
Shire La. *Chor* —7E **146**
(Old Shire La.)
Shiremeade. *Borwd* —7N **151**
Shire Park. —7L 91
Shires, The. *Lut* —8F **46**
Shires, The. *R'ton* —7E **8**
Shires, The. *Wat* —4K **137**
Shirley Clo. *Brox* —6K **133**
Shirley Clo. *Chesh* —2G **144**
Shirley Clo. *Stev* —1A **52**
Shirley Gro. *N9* —9G **157**
Shirley Rd. *Ab L* —5H **137**
Shirley Rd. *Enf* —5A **156**
Shirley Rd. *Lut* —9E **46**
Shirley Rd. *St Alb* —3G **126**
Shoelands Ct. *NW9* —9D **164**
Shoe La. *H'low* —7H **119**
Shooters Rd. *Enf* —3N **155**
Shootersway. —1J 121
Shootersway. *Berk* —8F **102**
Shootersway La. *Berk* —2K **121**
Shootersway Pk. *Berk* —2K **121**
Shoplands. *Wel G* —5K **91**
Shoreham Clo. *Stev* —1G **50**
Shortcroft. *Bis S* —9M **59**
Shortcroft Ct. *Bar C* —9D **18**
Short Ga. *N12* —4M **165**
Shortgreen La. *Mee* —6J **29**
Shortlands Grn. *Wel G* —1M **111**
Shortlands Pl. *Bis S* —9H **59**
Short La. *Brick W* —2N **137**
Short La. *Stev* —5D **52**
Shortmead Dri. *Chesh* —4J **145**
Short Path. *H Reg* —3F **44**
Shothanger Way. *Bov* —7G **123**
Shottfield Clo. *Sandr* —4K **109**
Shott La. *Let* —5G **23**
Shrubbery Gdns. *N21* —9N **155**
Shrubbery Gro. *R'ton* —9D **8**
Shrubbery, The. *Hem H* —1H **123**
Shrub Hill Rd. *Hem H* —3J **123**
Shrublands. *Brk P* —8A **130**
Shrublands Av. *Berk* —1L **121**
Shrublands Rd. *Berk* —9L **103**
Shrublands, The. *Pot B* —6L **141**
Shrubs Rd. *B Hth* —6B **160**
Shugars Grn. *Tring* —2N **101**
Shurland Av. *Barn* —8C **154**
Sibley Av. *Hpdn* —8E **88**
Sibley Clo. *Lut* —6K **47**
Sibthorpe Rd. *N Mym* —6K **129**
Siccut Rd. *L Wym* —6E **34**
Sicklefield Clo. *Chesh* —8D **132**
Siddons Rd. *Stev* —3B **52**
Sidford Clo. *Hem H* —2J **123**
Sidings, The. *Brox* —4K **133**
Sidings, The. *Hat* —1E **128**
Sidings, The. *Hem H* —2N **123**
Sidmouth Clo. *Wat* —2K **161**
Sidney Ter. *Bis S* —2H **79**
Sidney Ter. *Wend* —9A **100**
Silam Rd. *Stev* —4L **51**
Silecroft Rd. *Lut* —9J **47**
Silk Ho. *NW9* —9D **164**
Silkin Ct. *Stev* —6C **52**
Silkin Way. *Stev* —4K **51**
Silk Mill Ct. *Wat* —8K **149**
Silk Mill Rd. *Redb* —2K **107**

Silk Mill Rd.—Spur Clo.

Silk Mill Rd. *Wat* —9K **149**
Silk Mill Way. *Tring* —1M **101**
Silkstream Pde. *Edgw* —8C **164**
Silkstream Rd. *Edgw* —8C **164**
Silsden Cres. *Chal G* —3A **158**
Silverbirch Av. *Stot* —4F **10**
Silver Chase Ct. *Enf* —2N **155**
Silvercliffe Gdns. *Barn* —6D **154**
Silver Clo. *Harr* —7E **162**
Silver Ct. *Hit* —2M **33**
Silvercourt. *Wel G* —8N **91**
Silverdale. *Enf* —6K **155**
Silverdale Rd. *Bush* —7N **149**
Silver Dell. *Wat* —9H **137**
Silverfield. *Brox* —4K **133**
Silver Hill. *Well E* —9C **140**
Silverston Way. *Stan* —6K **163**
Silver St. *Ans* —6D **28**
Silver St. *A'wl* —9M **5**
Silver St. *Enf* —5B **156**
Silver St. *G Oak* —3N **143**
Silver St. *G Mor* —1A **6**
Silver St. *Lit* —3H **7**
Silver St. *Lut* —1G **66**
Silver St. *Stans* —3M **59**
Silver St. *Wal A* —7N **145**
Silverthorn Dri. *Hem H* —6D **124**
Silver Trees. *Brick W* —3A **138**
Silverwood Clo. *N'wd* —8E **160**
Silvesters. *H'low* —8J **117**
Simmonds Ri. *Hem H* —4N **123**
Simon Ct. *Bush* —8B **150**
Simon Dean. *Bov* —9D **122**
Simon Peter Ct. *Enf* —4N **155**
Simpkins Dri. *Bar C* —7E **18**
Simplicity La. *H'low* —5F **118**
Simpson Clo. *N21* —7K **155**
Simpson Clo. *Lut* —7N **45**
Simpson Dri. *Bald* —3M **23**
Simpsons Ct. *Bald* —3M **23**
Sinclare Clo. *Enf* —3D **156**
Sinderby Clo. *Borwd* —3N **151**
Sinfield Clo. *Stev* —4N **51**
Singleton Scarp. *N12* —5N **165**
Singlets La. *Flam* —5D **86**
Sirdane Ho. *St Alb* —6J **109**
Sir Henry Floyd Ct. *Stan* —2J **163**
Sir Herbert Janes Village. *Lut* —5N **45**
Sirius Rd. *N'wd* —5J **161**
Sir Joseph's Wlk. *Hpdn* —7B **88**
Sir Theodore's Way. Wel G —8K **91**
(off Stonehills)
Sish Clo. *Stev* —3K **51**
(in two parts)
Sish La. *Stev* —3K **51**
Siskin Clo. *Borwd* —6A **152**
Siskin Clo. *Bush* —6N **149**
Siskin Ho. *Wat* —8F **148**
Sisson Clo. *Stev* —7B **52**
Sittingbourne Av. *N21* —8B **156**
Sitwell Gro. *Stan* —5G **162**
Six Acres. *Hem H* —5C **124**
Six Hills Way. *Stev* —6J **51**
Sixth Av. *Let* —5J **23**
Sixth Av. *Wat* —8M **137**
Skegness Rd. *Stev* —1G **51**
Skegsbury La. *Kim* —7G **68**
Skelton Clo. *Lut* —9D **30**
Sketty Rd. *Enf* —5D **156**
Ski Cen. —4B 124
Skidmore Way. *Rick* —1A **160**
Skillen Lodge. *Pinn* —8M **161**
Skimpans Clo. *N Mym* —6K **129**
Skimpot La. *Lut* —8L **45**
Skimpot Rd. *Dunst* —8K **45**
Skinners St. *Bis S* —4E **78**
Skipton Clo. *Stev* —9M **51**
Skua Clo. *Lut* —4K **45**
Skylark Corner. *Stev* —6C **52**
Skylark Pl. *R'ton* —5E **8**
Skys Wood Rd. *St Alb* —7J **109**
Slacksbury Hatch. *H'low* —6L **117**
Slade Ct. *New Bar* —5A **154**
Slade Ct. *Rad* —8H **139**
Slade Oak La. *Ger X* —9E **158**
Slades Clo. *Enf* —5M **155**
Slades Gdns. *Enf* —4M **155**
Slades Hill. *Enf* —5M **155**
Slades Ri. *Enf* —5M **155**
Slapton. —2A 62
Slapton La. *N'all* —3C **62**
Slatter. *NW9* —7F **164**
Sleaford Grn. *Wat* —3M **161**
Sleapcross Gdns. *Smal* —3B **128**
Sleapshyde. —3B 128
Sleaps Hyde. *Stev* —8B **52**
Sleapshyde La. *Smal* —3B **128**
Sleddale. *Hem H* —8A **106**
Sleets End. *Hem H* —9L **105**
Slickett's La. *Edl* —5K **63**
Slimmons Dri. *St Alb* —7H **109**
Slipe La. *Brox* —6K **133**
(in two parts)
Slip End. —6E 66
Slipe, The. *Ched* —9M **61**
Slip La. *Old K* —3H **71**
Slippershill. *Hem H* —1N **123**
Sloan Ct. *Stev* —3M **51**
Sloansway. *Wel G* —6M **91**
Slough Rd. *A Grn* —1B **98**
Slowmans Clo. *Park* —1D **138**
Slype, The. *Hpdn & Wheat* —1G **89**
Small Acre. *Hem H* —2J **123**
Smallcroft. *Wel G* —8A **92**
Smallford. —2B 128
Smallford La. *Smal* —3B **128**
Smallwood Clo. *Wheat* —8M **89**
Smarts Grn. *Chesh* —8D **132**
Smeaton Rd. *Enf* —1L **157**
Smithcombe Clo. *Bar C* —8E **18**
Smithfield. *Hem H* —9N **105**
Smiths Cotts. *L Hall* —6N **43**
Smith's End. —3C 16
Smith's End La. *Bar* —3C **16**
Smiths La. *Chesh* —8B **132**
Smiths La. Mall. Lut —1G **67**
(off Arndale Cen.)
Smith Sq. Lut —1G **67**
(off Arndale Cen.)
Smith St. *Wat* —6L **149**
Smithy, The. *L Had* —7L **57**
Smug Oak. —3C 138
Smug Oak Bus. Cen. *Brick W* —2C **138**
Smug Oak La. *Brick W* —3C **138**
Snailswell. —6M 21
Snailswell La. *Ickl* —6M **21**
Snakes La. *Barn* —5G **155**
Snaresbrook Dri. *Stan* —4L **163**
Snatchup. *Redb* —1J **107**
Snells Mead. *Bunt* —3K **39**
Snipe, The. *W'ton* —1A **36**
Snowdrop Clo. *Bis S* —2E **78**
Snow End. —6D 28
Snowford Clo. *Lut* —2C **46**
Snowhill Cotts. *Ash G* —6K **121**
Snowley Pde. Bis S —8K **59**
(off Manston Dri.)
Soham Rd. *Enf* —1K **157**
Solar Ct. *Wat* —7H **149**
Solar Way. *Enf* —9K **145**
Solesbridge Clo. *Chor* —5J **147**
Solesbridge Ct. *Chor* —5J **147**
Solesbridge La. *Chor* —5J **147**
Sollershott E. *Let* —7F **22**
Sollershott Hall. *Let* —7F **22**
Sollershott W. *Let* —7E **22**
Solna Rd. *N21* —9B **156**
Solomon's Hill. *Rick* —9N **147**
Solway. *Hem H* —9B **106**
Solway Rd. N. *Lut* —5C **46**
Solway Rd. S. *Lut* —6C **46**
Somaford Gro. *Barn* —8C **154**
Somerby Clo. *Brox* —3L **133**
Somercoates Clo. *Barn* —5D **154**
Someries. —3M 67
Someries Arch. *Lut* —3L **67**
Someries Rd. *Hpdn* —3D **88**
Someries Rd. *Hem H* —9J **105**
Somersby Clo. *Lut* —3G **66**
Somerset Av. *Lut* —7J **47**
Somerset Rd. *Enf* —2L **157**
Somerset Rd. *New Bar* —7A **154**
Somersham. *Wel G* —9C **92**
Somers Rd. *N Mym* —6J **129**
Somers Sq. *N Mym* —5J **129**
Somers Way. *Bush* —9D **150**
Sonia Clo. *Wat* —9L **149**
Sonia Ct. *Edgw* —7N **163**
Sonnets, The. *Hem H* —1L **123**
Sootfield Green. —1K 49
Soothouse Spring. *Port W* —7G **108**
Soper M. *Enf* —2L **157**
Soper Sq. *H'low* —5E **118**
Sopers Rd. *Cuff* —2L **143**
Sopwell. —5F 126
Sopwell La. *St Alb* —3E **126**
Sopwith. *NW9* —7F **164**
Sorrel Clo. *Lut* —1C **46**
Sorrel Clo. *R'ton* —8F **8**
Sorrel Gth. *Hit* —4A **34**
Sotheron Rd. *Wat* —5L **149**
Souberie Av. *Let* —6F **22**
Souldern St. *Wat* —7K **149**
South Acre. *NW9* —9F **164**
Southacre Way. *Pinn* —8L **161**
Southall Clo. *Ware* —5H **95**
Southampton Gdns. *Lut* —9A **30**
South App. *N'wd* —3F **160**
South Av. *E4* —9M **157**
S. Bank Rd. *Berk* —8K **103**
South Barnet. —9F 154
South Bedfordshire Golf Course. —9F 30
Southbourne Av. *NW9* —9C **164**
Southbourne Ct. *NW9* —9C **164**
Southbrook. *Saw* —6G **99**
Southbrook Dri. *Chesh* —1H **145**
Southbury Av. *Enf* —6E **156**
Southbury Rd. *Enf* —5C **156**
Southcliffe Dri. *Chal P* —5B **158**
South Clo. *Bald* —4M **23**
South Clo. *Barn* —5M **153**
South Clo. *R'ton* —6B **8**
South Clo. *St Alb* —7C **126**
South Comn. *Redb* —1K **107**
S. Cottage Dri. *Chor* —7J **147**
S. Cottage Gdns. *Chor* —7J **147**
South Dene. *NW7* —3D **164**
South Dene. *Hem H* —7K **85**
Southdown Ct. *Hat* —3G **129**
Southdown Ho. *Hpdn* —7C **88**
Southdown Ind. Est. *Hpdn* —8D **88**
Southdown Rd. *Hpdn* —6C **88**
Southdown Rd. *Hat* —3G **128**
S. Drift Way. *Lut* —2D **66**
South Dri. *Cuff* —3K **143**
South Dri. *St Alb* —2L **127**
South-End. —1L 97
South End. *Bass* —1M **7**
Southend Clo. *Stev* —2K **51**
S. End La. *N'all* —4E **62**
Southern Av. *Henl* —1J **21**
Southern Green. —7M 25
Southern Lodge. *H'low* —9M **117**
Southern Ri. *E Hyde* —8A **68**
(in two parts)
Southern Ter. *Hod* —5M **115**
Southern Way. *H'low* —9K **117**
Southern Way. *Let* —2E **22**
Southern Way. *Stud* —3F **84**
Southernwood Clo. *Hem H* —1C **124**
Southerton Way. *Shenl* —6M **139**
Southfield. *Barn* —8K **153**
Southfield. *Brau* —2C **56**
Southfield. *Wel G* —2K **111**
Southfield Av. *Wat* —2L **149**
Southfield Rd. *Enf* —8F **156**
Southfield Rd. *Hod* —7L **115**
Southfield Rd. *Wal X* —5J **145**
Southfields. *NW4* —9H **165**
Southfields. *Let* —2F **22**
Southfields. *Stdn* —7B **56**
Southfields Rd. *Dunst* —2G **64**
Southfield Way. *St Alb* —8L **109**
Southgate. —9J 155
South Ga. *H'low* —6N **117**
Southgate. *Stev* —5K **51**
Southgate Cir. *N14* —9J **155**
Southgate Ho. *Chesh* —3J **145**
Southgate Ind. Est. *N14* —9J **155**
Southgate Rd. *Pot B* —6B **142**
South Grn. *NW9* —8E **164**
South Hatfield. —2F 128
South Herts Golf Course. —9N 153
South Hill. *N'wd* —8G **160**
South Hill Clo. *Hit* —4A **34**
S. Hill Rd. *Hem H* —2M **123**
South Ley. *Wel G* —3L **111**
S. Ley Ct. *Wel G* —3L **111**
S. Lodge Cres. *Enf* —6J **155**
(in two parts)
S. Lodge Dri. *N14* —6J **155**
South Mead. *NW9* —8F **164**
Southmead Cres. *Chesh* —3J **145**
Southmill Rd. *Bis S* —2J **79**
Southmill Trad. Cen. *Bis S* —2J **79**
South Mimms. —5G 141
S. Ordnance Rd. *Enf* —2L **157**
Southover. *N12* —3N **165**
South Oxhey. —4M 161
South Pde. *Edgw* —9A **164**
South Pde. *Wal A* —6N **145**
S. Park Av. *Chor* —7J **147**
S. Park Gdns. *Berk* —9M **103**
South Pl. *Enf* —7G **157**
South Pl. *H'low* —2C **118**
South Pl. *Hit* —2L **33**
South Riding. *Brick W* —3A **138**
South Rd. *N9* —9E **156**
South Rd. *Bald* —4M **23**
South Rd. *Bis S* —2J **79**
South Rd. *Chor* —7F **146**
South Rd. *Edgw* —8B **164**
South Rd. *H'low* —3C **118**
South Rd. *Lut* —2F **66**
South Rd. *Puck* —7A **56**
Southsea Av. *Wat* —6J **149**
Southsea Rd. *Stev* —1H **51**
South St. *Bis S* —1H **79**
South St. *Enf* —7G **157**
South St. *Hert* —9B **94**
South St. *Lit* —3H **7**
South St. *Stan A* —2N **115**
South St. Commercial Cen. *Bis S* —2H **79**
South Vw. *Let* —6F **22**
Southview Clo. *Chesh* —8C **132**
Southview Rd. *Hpdn* —4D **88**
S. View Rd. *Pinn* —6K **161**
S. View Vs. *Berk* —2B **122**
Southwark Clo. *Stev* —9A **36**
Southwark Ho. Borwd —4A **152**
(off Stratfield Rd.)
Southway. *N20* —2N **165**
South Way. *Ab L* —6F **136**
South Way. *Hat* —4F **128**
S. Weald Dri. *Wal A* —6N **145**
Southwold Clo. *Stev* —3G **50**
Southwold Rd. *Wat* —1L **149**
Southwood Rd. *Dunst* —2H **65**
Sovereign Bus. Cen. *Enf* —5K **157**
Sovereign Ct. *H'low* —9L **117**
Sovereign Ct. *Wat* —6J **149**
Sovereign M. *Barn* —5E **154**
Sovereign Pk. *Hem I* —9D **106**
Sowerby Av. *Lut* —6L **47**
Spandow Ct. Lut —2F **66**
(off Elizabeth St.)
Sparhawke. *Let* —2G **22**
Sparrow Clo. *Lut* —5K **45**
Sparrow Dri. *Stev* —5C **52**
Sparrows Herne. *Bush* —9C **150**
Sparrows Way. *Bush* —9D **150**
Sparrowswick Ride. *St Alb* —6D **108**
Spayne Clo. *Lut* —1D **46**
Spear Clo. *Lut* —3A **46**
Speedwell Clo. *Hem H* —3H **123**
Speedwell Clo. *Lut* —1C **46**
Speke Clo. *Stev* —4C **52**
Spellbrook. —8H 79
Spellbrooke. *Hit* —2L **33**
Spellbrook La. E. *Spel* —8H **79**
Spellbrook La. W. *Saw* —9F **78**
Spencer Av. *Chesh* —8C **132**
Spencer Clo. *N3* —9N **165**
Spencer Clo. *Stans* —3N **59**
Spencer Ga. *St Alb* —9F **108**
Spencer M. *St Alb* —1G **126**
Spencer Pl. *Sandr* —4K **109**
Spencer Rd. *Harr* —9F **162**
Spencer Rd. *Lut* —8E **46**
Spencers Cft. *H'low* —8D **118**
Spencersgreen. —7J 101
Spencer St. *Hert* —8C **94**
Spencer St. *St Alb* —2E **126**
Spencer Wlk. *Rick* —7M **147**
Spencer Way. *Hem H* —8K **105**
Spenser Clo. *R'ton* —4D **8**
Spenser Rd. *Hpdn* —6D **88**
Sperberry Hill. *St I* —8B **34**
Speyhawk Pl. *Pot B* —2B **142**
Speyside. *N14* —8H **155**
Sphere Ind. Est., The. *St Alb* —3H **127**
Spicer Ct. *Enf* —5C **156**
Spicersfield. *Chesh* —9E **132**
Spicers La. *H'low* —2E **118**
Spicer St. *St Alb* —2D **126**
Spilsby Clo. *NW9* —8E **164**
Spindle Berry Clo. *Welw* —9N **71**
Spinney Clo. *Hit* —4B **34**
Spinney Ct. *Hert* —9E **94**
Spinney Ct. *Saw* —4G **98**
Spinney Cres. *Dunst* —9C **44**
Spinney La. *Welw* —6K **71**
Spinney Rd. *Lut* —2N **45**
Spinneys Dri. *St Alb* —4C **126**
Spinney, The. *N21* —9M **155**
Spinney, The. *Bald* —4L **23**
Spinney, The. *Barn* —4A **154**
Spinney, The. *Berk* —2K **121**
Spinney, The. *Brox* —1K **133**
Spinney, The. *Chesh* —3F **144**
Spinney, The. *Hpdn* —4N **87**
Spinney, The. *Hert* —9D **94**
Spinney, The. *Pot B* —4C **142**
Spinney, The. *Stan* —4M **163**
Spinney, The. *Stans* —4N **59**
Spinney, The. *Stev* —2C **52**
Spinney, The. *Wat* —3J **149**
Spinney, The. *Wel G* —1L **111**
Spinning Wheel Mead. *H'low* —9C **118**
Spire Grn. Cen. *H'low* —7H **117**
Spires Shop. Cen., The. *Barn* —5L **153**
Spitalbrook. —1L 133
Spittlesea Rd. *Lut* —2L **67**
Spoondell. *Dunst* —1C **64**
Spooners Dri. *Park* —9D **126**
Sports Cen. —2B 34
(Hitchin)
Sports Cen. —3J 67
(Luton)
Spratts La. *Kens* —6H **65**
Spring Bank. *N21* —8L **155**
Spring Clo. *Barn* —7K **153**
Spring Clo. *Borwd* —3A **152**
Spring Clo. *Hare* —8N **159**
Spring Clo. *Lat* —9A **134**
Spring Cotts. *Brox* —6J **133**
Spring Ct. Rd. *Enf* —2M **155**
Spring Crofts. *Bush* —7B **150**
Spring Dri. *Stev* —9N **51**
Springfield. *Bus H* —1E **162**
Springfield. *Dun* —1E **4**
Springfield Clo. *N12* —5N **165**
Springfield Clo. *Crox G* —7D **148**
Springfield Clo. *Pot B* —4D **142**
Springfield Clo. *Stan* —3H **163**
Springfield Ct. *Bis S* —9G **58**
Springfield Cres. *Hpdn* —3B **88**
Springfield Ho. *Wel G* —2J **111**
Spring Fld. Rd. *Berk* —7K **103**
Springfield Rd. *Chesh* —5J **145**
Springfield Rd. *Eat B* —3A **64**
Springfield Rd. *Hem H* —1B **124**
Springfield Rd. *Lut* —3E **46**
Springfield Rd. *St Alb* —3H **127**
Springfield Rd. *Smal* —2B **128**
Springfield Rd. *Wat* —6K **137**
Springfields. *Brox* —1K **133**
Springfields. New Bar —7A **154**
(off Somerset Rd.)
Springfields. *Wel G* —2H **111**
Spring Gdns. *Wat* —8L **137**
Spring Glen. *Hat* —1F **128**
Springhall Ct. *Saw* —5G **98**
Springhall La. *Saw* —6G **99**
Springhall Rd. *Saw* —5G **98**
Springhead. *A'wl* —9M **5**
Spring Hills. *H'low* —5K **117**
Spring Lake. *Stan* —4J **163**
Spring La. *Bass* —1N **7**
Spring La. *Cot* —5A **38**
Spring La. *Hem H* —9J **105**
Springle La. *Hail* —3K **115**
Spring M. *Saw* —5G **98**
Spring Pl. *N3* —9N **165**
Spring Pl. *Lut* —2F **66**
Spring Rd. *Hpdn* —3J **87**
Spring Rd. *Let* —5E **22**
Springshott. *Let* —6E **22**
Springs, The. *Brox* —7J **133**
Springs, The. *Hert* —8D **94**
Spring Vw. Rd. *Ware* —7G **94**
Spring Villa Rd. *Edgw* —7A **164**
Spring Wlk. *Brox* —4G **133**
Spring Way. *Hem H* —9D **106**
Springwell Av. *Mil E* —2K **159**
Springwell Ct. *Mil E* —2K **159**
Springwell La. *Rick & Hare* —3K **159**
Springwood. *Chesh* —8E **132**
Springwood Clo. *Hare* —8N **159**
Springwood Cres. *Edgw* —2B **164**
Springwood Rd. Lut —3F **46**
(off Ringwood Rd.)
Springwood Wlk. *St Alb* —8L **109**
Spruce Way. *Park* —9C **126**
Spur Clo. *Ab L* —6F **136**

212 A-Z Hertfordshire

Strawplaiters Clo.—Templewood

Strawplaiters Clo. Wool G—6N 71
Straw Plait W. Arl—8A 10
Strayfield Rd. Enf—9M 143
Stream La. Edgw—5B 164
Streamside Ct. Tring—9N 81
(off Morefields)
Streatfield Rd. Harr—9L 163
Streatley. —4C 30
Streatley Rd. S'dn—6A 30
Street, The. Ber—3D 42
Street, The. Brau—2C 56
Street, The. Chfd—4K 135
Street, The. Fur P—5J 41
Street, The. Haul—6D 54
Street, The. Man—7H 43
Street, The. Srng—7K 99
Street, The. Wlgtn—3H 25
Stretton Way. Borwd—2M 151
Stringers La. Ast—8D 52
Stripling Way. Wat—8J 149
Stroma Clo. Hem H—4E 124
Stronnell Clo. Lut—6J 47
Stronsay Clo. Hem H—4E 124
Stuart Ct. Els—8L 151
Stuart Dri. Hit—3B 34
Stuart Dri. R'ton—5D 8
Stuart Pl. Lut—1F 66
Stuart Rd. Bar C—7E 18
Stuart Rd. E Barn—9D 154
Stuart Rd. Harr—9G 163
Stuart Rd. Welw—4H 91
Stuarts Clo. Hem H—4N 123
Stuart St. Dunst—8D 44
Stuart St. Lut—1F 66
Stuart St. Pas. Lut—1F 66
Stuart Way. Chesh—4F 144
Stubbings Hall La. Wal A—1N 145
Stubbs Clo. H Reg—4G 45
Stud Grn. Wat—5J 137
Studham. —3E 84
Studham La. Dagn—2A 84
Studham La. Kens—8D 64
Studios, The. Bush—8B 150
Studio Way. Borwd—4C 152
Studlands Ri. R'ton—7E 8
Stud La. Childw—3C 108
Studley Rd. Lut—8F 46
Sturgeon Rd. Hit—9B 22
Sturgeon's Way. Hit—9B 22
Sturla Clo. Hert—8N 93
Sturlas Way. Wal X—6H 145
Sturmer Clo. St Alb—3K 127
Sturrock Way. Hit—4C 34
Stylecroft Rd. Chal G—2A 158
Stylemans La. L Hall—3K 79
Styles Clo. Lut—7L 47
Such Clo. Let—4H 23
Sudbury Rd. Lut—3L 45
Suez Rd. Enf—6J 157
Suffolk Clo. Borwd—7D 152
Suffolk Clo. Lon C—7K 127
Suffolk Clo. Lut—6K 45
Suffolk Rd. Dunst—2J 65
Suffolk Rd. Enf—7F 156
Suffolk Rd. Pot B—5L 141
Suffolk Rd. R'ton—7E 8
Sugar La. Hem H—4E 122
Sugden Ct. Dunst—9D 44
Sulgrave Cres. Tring—1A 102
Sullivan Cres. Hare—9N 159
Sullivan Way. Els—8K 151
Summer Ct. Hem H—9N 105
Summer Dale. Wel G—5K 91
Summerfield. Hat—3G 129
Summerfield Clo. Lon C—8K 127
Summerfield Ct. Stot—6E 10
Summerfield Rd. Lut—9B 46
Summerfield Rd. Wat—8J 137
Summer Gro. Els—8L 151
Summer Hill. Els—7A 152
Summerhill Ct. St Alb—1G 126
(off Avenue Rd)
Summerhill Gro. Enf—8C 156
Summerhouse La. A'ham—4D 150
Summerhouse La. Hare—7K 159
(in two parts)
Summerhouse Way. Ab L—3H 137
Summerleys. Edl—4J 63
Summer Pl. Wat—8H 149
Summersland Rd. St Alb—7K 109
Summers Rd. Lut—8L 47
Summer St. S End—6E 66
Summers Way. Lon C—9M 127
Summerswood La. Borwd—7E 140
Summer Wlk. Mark—2A 86
Summit Cen. Pot B—3L 141
Summit Clo. Edgw—7A 164
Summit Rd. Pot B—3L 141
Sumners. —9K 117
Sumners Leisure Cen. —9K 117
Sumpter Yd. St Alb—3E 126
Sunbower Av. Dunst—6B 44
Sunbury Av. NW7—5D 164
Sunbury Ct. Barn—6L 153
Sunbury Gdns. NW7—5D 164
Suncote Av. Dunst—6B 44
Suncote Clo. Dunst—7B 44
Sunderland Av. St Alb—1H 127
Sunderland Gro. Leav—7H 137
Sundew Rd. Hem H—3H 123
Sundon La. H Reg—4F 44
Sundon Park. —2M 45
Sundon Pk. Pde. Lut—2M 45
Sundon Pk. Rd. Lut—1L 45
Sundon Rd. Chal—1J 45
Sundon Rd. H Reg & Chal—4F 44
Sundon Rd. S'ley—5B 30
Sundown Av. Dunst—1G 64
Sun Hill. R'ton—8C 8
Sun La. Hpdn—4B 88
Sunmead Rd. Hem H—9N 105
Sunningdale. Bis S—2G 78
Sunningdale. Lut—6H 47
Sunningdale Clo. Stan—6H 163
Sunningdale Ct. Lut—6H 47
Sunningdale Lodge. Edgw
(off Stonegrove) —5N 163
Sunningdale M. Wel G—5L 91
Sunningfields Cres. NW4—9H 165
Sunningfields Rd. NW4—9H 165
Sunny Bank. Ched—9L 61
Sunnybank Rd. Pot B—6N 141
Sunny Brook Clo. Ast C—9C 80
Sunny Cft. H'low—9B 118
Sunnydale Gdns. NW7—6D 164
Sunnydell. St Alb—8C 126
Sunnyfield. NW7—4F 164
Sunnyfield. Hat—6K 111
Sunny Gdns. Pde. NW4—9H 165
Sunny Gdns. Rd. NW4—9H 165
Sunny Hill. NW4—9H 165
Sunny Hill. Bunt—3K 39
(in two parts)
Sunny Hill Pk. —9H 165
Sunnyhill Rd. Hem H—2L 123
Sunnyhill Rd. W Hyd—6G 159
Sunnymead Orchard. A'wl—1F 12
Sunnymede Av. Che—9J 121
Sunny Rd., The. Enf—3H 157
Sunnyside. —5A 34
Sunnyside. Stans—3N 59
Sunnyside Dri. E4—9N 157
Sunnyside Rd. Hit—5A 34
Sunridge Av. Lut—7G 47
Sunrise Cres. Hem H—5A 124
Sunrise Vw. NW7—6F 164
Sunset Av. E4—9M 157
Sunset Dri. Lut—6H 47
Sunset Vw. Barn—4L 153
Sun Sq. Hem H—1N 123
(off Chapel St.)
Sun St. Bald—3L 23
Sun St. Hit—4M 33
Sun St. Saw—6H 99
Sun St. Wal A—6N 145
Sun St. Ind. Units. Saw—6H 99
Surrey Ct. N3—9L 165
Surrey Pl. Tring—3M 101
Surrey St. Lut—2G 67
Sursham Ct. Mark—2A 86
Susan Edwards Ho. Ger X—4B 158
(off Chesham La.)
Sussex Clo. Hod—7L 115
Sussex Clo. Lut—5J 45
Sussex Pl. Lut—7M 47
Sussex Ring. N12—5N 165
Sussex Rd. Wat—1J 149
Sussex Way. Barn—7G 154
Sutcliffe Clo. Bush—6D 150
Sutcliffe Clo. Stev—1N 51
Sutherland Av. Cuff—1J 143
Sutherland Clo. Barn—6L 153
Sutherland Ct. Wel G—8M 91
Sutherland Pl. Lut—3F 66
Sutherland Rd. N9—9F 156
Sutherland Rd. Enf—8H 157
Sutherland Way. Cuff—1J 143
Sutton Acres. L Hall—9M 79
Sutton Clo. Brox—1J 133
Sutton Clo. Tring—9N 81
Sutton Cres. Barn—7K 153
Sutton Gdns. Lut—3N 45
Sutton Path. Borwd—5A 152
Sutton Rd. Dun—1E 4
Sutton Rd. St Alb—3J 127
Sutton Rd. Wat—5L 149
(in two parts)
Swallow Clo. Bush—1D 162
Swallow Clo. Lut—5K 45
Swallow Clo. Rick—9M 147
Swallow Ct. Enf—1G 157
Swallow Ct. Hert—9A 94
Swallow Ct. Wel G—9M 91
Swallowdale La. Hem I—8C 106
Swallow End. Wel G—9M 91
Swallowfields. Wel G—9M 91
(in two parts)
Swallow Gdns. Hat—2G 129
Swallow La. St Alb—5J 127
Swallow Oaks. Ab L—4H 137
Swallows. H'low—2E 118
Swallows, The. Wel G—5M 91
Swan & Pike Rd. Enf—2L 157
Swan Clo. Che—9F 120
Swan Clo. I Ast—7E 62
Swan Clo. Rick—9N 147
Swan Ct. Bis S—2H 79
(off South St.)
Swan Ct. Dunst—9E 44
Swan Dri. NW9—9E 164
Swanfield Rd. Wal X—6J 145
Swangley's La. Kneb—3N 71
Swanhill. Wel G—6N 91
Swanland Rd. N Mym—7H 129
Swanland Rd. S Mim—6H 141
Swan La. G Mor—1A 6
Swan La. Hare S—3A 40
Swanley Bar. —2A 142
Swanley Bar La. Pot B—1A 142
Swanley Cres. Pot B—2A 142
Swan Mead. Hem H—7B 124
Swan Mead. Lut—5K 45
Swan M. Wend—9A 100
Swannells Wood. Stud—3E 84
Swann Rd. Hal—6B 100
Swan Rd. Wal X—7J 145
Swans Clo. St Alb—3M 127
Swans Ct. Wal X—7J 145
Swansea Rd. Enf—6G 156
Swansons. Edl—5K 63
Swanstand. Let—7K 23
Swanston Grange. Lut—7L 45
Swanston Path. Wat—3L 161
Swan St. A'wl—9M 5
Swan Way. Enf—4H 157
Swan Way. Roy M—5D 116
Swasedale Rd. Lut—3B 46
Swasedale Wlk. Lut—3B 46
Sweet Briar. Bis S—2D 78
Sweet Briar. Wel G—1N 111
Sweetbriar Clo. Hem H—8K 105
Sweyns Mead. Stev—2B 52
Sweyns, The. H'low—8E 118
Swift Clo. Let—3E 22
Swift Clo. R'ton—4D 8
Swift Clo. Stan A—3N 115
Swiftfields. Wel G—8N 91
Swifts Grn. Clo. Lut—4K 47
Swifts Grn. Rd. Lut—4K 47
Swillet, The. —8E 146
Swimming Pool. —9M 117
(Kingsmoor)
Swinburne Av. Hit—1K 33
Swinburne Clo. R'ton—4D 8
Swingate. Stev—4K 51
Swing Ga. La. Berk—3A 122
Swinnell Clo. Bass—1A 8
Swiss Av. Wat—6G 149
Swiss Clo. Wat—5G 149
Sword Clo. Brox—2H 133
Sworder Clo. Lut—9B 30
Sworders Yd. Bis S—1H 79
(off North St.)
Sycamore App. Crox G—7E 148
Sycamore Av. Hat—1G 128
Sycamore Clo. Barn—8C 154
Sycamore Clo. Bush—4N 149
Sycamore Clo. Chesh—8D 132
Sycamore Clo. Edgw—4C 164
Sycamore Clo. Lut—1M 45
Sycamore Clo. St I—6A 34
Sycamore Clo. Wat—8K 137
Sycamore Dri. Park—9E 126
Sycamore Dri. Tring—2N 101
Sycamore Fld. H'low—9J 117
Sycamore Ri. Berk—2A 122
Sycamore Rd. Crox G—7E 148
Sycamore Rd. H Reg—3F 44
Sycamores, The. Bald—3L 23
Sycamores, The. Bis S—2K 79
Sycamores, The. Hem H—5J 123
Sycamores, The. Rad—7J 139
Sycamores, The. St Alb—3E 126
Sydenham Av. N21—7L 155
Sydney Rd. Enf—5B 156
(in two parts)
Sydney Rd. Wat—7G 149
Sylam Clo. Lut—2A 46
Sylvan Av. N3—9N 165
Sylvan Av. NW7—6E 164
Sylvan Clo. Hem H—3C 124
Sylvan Ct. N12—3N 165
Sylvandale. Wel G—1B 112
Sylvia Av. Pinn—6N 161
Symonds Ct. Chesh—1H 145
Symonds Green. —2G 51
Symonds Grn. La. Stev—3G 50
Symonds Grn. Rd. Stev—2G 51
(in two parts)
Symonds Hyde. —3B 110
Symonds Rd. Hit—2L 33
Syon Ct. St Alb—3H 127

Tabbs Clo. Let—4H 23
Tabor Ct. Let—4D 22
Tacitus Clo. Stev—1B 52
Tagalie Pl. Shenl—5M 139
Tagmore Green. —6J 71
Tailors. Bis S—3D 78
Talbot Av. Wat—9N 149
Talbot Ct. Hem H—4N 123
Talbot Rd. Ast C—1D 100
Talbot Rd. Harr—9G 163
Talbot Rd. Hat—6G 111
Talbot Rd. Lut—8H 47
Talbot Rd. Rick—1A 160
Talbot St. Hert—9C 94
Talbot St. Hit—2L 33
Talbot Way. Let—2H 23
Talisman St. Hit—3C 34
Tallack Clo. Harr—7F 162
Tallents Cres. Hpdn—4E 88
Tallis Way. Borwd—3L 151
Tall Trees. R'ton—7E 8
Tall Trees. St I—6A 34
Talman Gro. Stan—6L 163
Tamar Clo. Stev—7N 35
Tamar Grn. Hem H—6B 106
Tamarisk Clo. St Alb—7E 108
Tameton Clo. Lut—7A 48
Tamworth Rd. Hert—8D 94
Tancred Rd. Lut—5J 47
Tanfield Clo. Chesh—9E 132
Tanfield Grn. Lut—8N 47
Tangle Tree Clo. N3—9N 165
Tanglewood. Welw—9N 71
Tanglewood Clo. Stan—2F 162
Tangmere Way. NW9—9E 164
Tankerfield Pl. St Alb—2D 126
(off Romeland Hill)
Tanners Clo. St Alb—1D 126
Tanners Cres. Hert—2A 114
Tanners Hill. Ab L—4H 137
Tanners Way. Hun—6F 96
Tanners Wood Clo. Ab L—5G 136
Tanners Wood Ct. Ab L—5G 137
Tanners Wood La. Ab L—5G 136
Tannery Clo. R'ton—7C 8
Tannery Drift. R'ton—6C 8
Tannery, The. Bunt—3J 39
Tannery Yd. W'wll—1N 69
Tannsfield Dri. Hem H—9B 106
Tannsmore Clo. Hem H—9B 106
Tansycroft. Wel G—8A 92
Tanworth Clo. N'wd—6E 160
Tanworth Gdns. Pinn—9K 161
Tanyard La. Welw—8B 70
Tanyard, The. Bass—1M 7
Tany's Dell. H'low—3C 118
Tapster St. Barn—5M 153
Taransay. Hem H—4D 124
Tarlings. H'low—3B 118
Tarn Bank. Enf—7K 155
Tarnside Clo. Dunst—2E 64
Tarpan Way. Brox—8K 133
Tarrant. Stev—9H 35
Tarrant Dri. Hpdn—8E 88
Taskers Row. Edl—4K 63
Tassell Hall. Redb—9H 87
Tate Gdns. Bush—9F 150
Tate Ho. Ger X—5C 158
Tate Rd. Chal P—5C 158
Tates Way. Stev—8H 35
Tatlers La. Ast E—4C 52
Tatmorehills La. Hit—1K 49
Tattershall Dri. Hem H—5D 106
Tattle Hill. Hert—5K 93
Tattlers Hill. W'grv—5A 60
Tatton St. H'low—5E 118
Tauber Clo. Els—6N 151
Taunton Av. Lut—8K 47
Taunton Dri. Enf—5M 155
Taunton Way. Stan—9M 163
Taverners. Hem H—9A 106
Taverners Way. Hod—8L 115
Tavistock Av. St Alb—5D 126
Tavistock Clo. Pot B—4C 142
Tavistock Clo. St Alb—6E 126
Tavistock Cres. Lut—3G 66
Tavistock Pl. N14—9G 155
Tavistock Pl. Dunst—7D 44
Tavistock Rd. Edgw—8A 164
Tavistock Rd. Wat—3M 149
Tavistock St. Dunst—7D 44
Tavistock St. Lut—2G 66
Tawneys Rd. H'low—8A 118
Taylor Clo. Hare—8M 159
Taylor Clo. St Alb—6H 109
Taylor Cotts. Ridge—6F 140
Taylors Av. Hod—9L 115
Taylor's Hill. Hit—4N 33
Taylors La. Barn—3M 153
Taylorsmead. NW7—5G 164
Taylor's Rd. Stot—4F 10
Taylor St. Lut—9H 47
Taylor Trad. Est. Hert—8F 94
Tayside Dri. Edgw—3B 164
Taywood Clo. Stev—7A 52
Tea Green. —6C 48
Teal Dri. N'wd—7E 160
Teal Ho. Wat—9N 137
Teal Way. Hem H—7B 124
Teasdale Clo. R'ton—4D 8
Teasel Clo. R'ton—8E 8
Tebworth Rd. L Buz—1A 44
(in two parts)
Tedder Rd. Hal C—9C 100
Tedder Rd. Hem H—1C 124
Tees Clo. Stev—7M 35
Teesdale. Hem H—8A 106
Teesdale. Lut—4M 45
Tee Side. Hert—8F 94
Teignmouth Clo. Edgw—9N 163
Telford Av. Stev—3A 52
Telford Clo. Wat—8M 137
Telford Ct. St Alb—3F 126
Telford Rd. Lon C—9K 127
Telford Way. Lut—9F 46
Telmere Ind. Est. Lut—2G 67
(off Albert Rd.)
Telscombe Way. Lut—6L 47
Temperance St. St Alb—2D 126
Tempest Av. Pot B—5C 142
Templar Av. Bald—5M 23
Templars Cres. N3—9N 165
Templars Dri. Harr—6E 162
Templars La. Pres—3L 49
Temple Av. N20—9C 154
Temple Bank. H'low—9D 98
Temple Clo. N3—9M 165
Temple Clo. Chesh—4E 144
Temple Clo. Hit—6J 33
Temple Clo. Lut—4G 47
Temple Clo. Wat—4H 149
Temple Ct. Bald—5M 23
Temple Ct. Hert—6B 94
Temple Ct. Pot B—4L 141
Temple End. —6J 33
Temple Fields. —2C 118
Temple Fields. Hert—6B 94
Templefields Enterprise Cen.
H'low—3C 118
Temple Gdns. Let—3J 23
Temple Gdns. Rick—4D 160
Temple Gro. Enf—4N 155
Temple La. Ton—9C 74
Temple Mead. Hem H—9N 105
Temple Mead. Roy—6E 116
Temple Mead Clo. Stan—6J 163
Templepan La. Chan X—1A 148
Temple Pde. Barn—9C 154
(off Netherlands Rd.)
Temple Vw. St Alb—9D 108
Templewood. Wel G—6K 91

Trevelyan Way—Vermont Clo.

Trevelyan Way. Berk —8M 103
Trevera Ct. Enf —7J 157
Trevera Ct. Hod —7L 115
Trevera Ct. Wal X —6J 145
(off Eleanor Rd.)
Treves Clo. N21 —7L 155
Trevor Clo. E Barn —8C 154
Trevor Clo. Harr —7G 163
Trevor Gdns. Edgw —8D 164
Trevor Rd. Edgw —8D 164
Trevor Rd. Hit —2A 34
Trevose Way. Wat —3L 161
Trewenna Dri. Pot B —5C 142
Triangle Pas. Barn —6B 154
Triangle, The. Hit —4N 33
Trident Av. Hat —8E 110
Trident Dri. H Reg —3G 45
Trident Ind. Est. Hod —8N 115
Trident Rd. Wat —7H 137
Triggs Way. C'hoe —6N 47
Trigg Ter. Stev —3L 51
Trimley Clo. Lut —4L 45
Trims Green. —9E 78
Trinder Rd. Barn —7J 153
Tring. —3M 101
Tring By-Pass. Tring —3J 101
Tringford. —7L 81
Tring Ford Rd. T'frd —7L 81
Tring Hill. Ast C & Tring —3G 100
Tring Ho. Wat —9G 149
Tring Pk. —4N 101
Tring Rd. Dunst —8K 63
Tring Rd. I'hoe & Edl —3D 82
Tring Rd. Long M —3G 81
Tring Rd. N'chu —7H 103
Tring Rd. Wend —9B 100
Tring Rd. Wils —6H 81
Tring Rd. W'grv —6B 60
Tring Wharf. —9N 81
Trinity Av. Enf —8D 156
Trinity Clo. Bis S —2H 79
Trinity Clo. N'wd —6G 160
Trinity Ct. Enf —4A 156
Trinity Ct. Hert —7A 94
Trinity Gro. Hert —8A 94
Trinity Hall Clo. Wat —5L 149
Trinity Ho. Wal X —5J 145
Trinity La. Wal X —5J 145
Trinity M. Hem H —3F 124
Trinity Pl. Stev —3K 51
Trinity Rd. Hert H —3G 114
Trinity Rd. Lut —4C 46
Trinity Rd. Stev —3J 51
Trinity Rd. Stot —5F 10
Trinity Rd. Ware —5J 95
Trinity St. Bis S —2H 79
Trinity St. Enf —4A 156
Trinity Wlk. Hem H —3F 124
Trinity Wlk. Hert H —3G 114
Trinity Way. Bis S —2H 79
Tripton Rd. H'low —7A 118
Tristram Rd. Hit —9A 22
Triton Way. Hem H —9B 106
Trojan Ter. Saw —4G 99
Troon Gdns. Lut —3G 46
Trooper Rd. Ald —1G 103
Trotters Bottom. Barn —1G 152
Trotter's Gap. Stan A —2B 116
Trotters Rd. H'low —9C 118
Trout Ri. Loud —5L 147
Troutstream Way. Loud —6K 147
Trouvere Pk. Hem H —9L 105
Trowbridge Gdns. Lut —7G 47
Trowley. Flam —6D 86
Trowley Bottom. —7D 86
Trowley Bottom. Flam —7D 86
Trowley Heights. Flam —5D 86
Trowley Hill Rd. Flam —7D 86
Trowley Ri. Ab L —4G 137
Truemans Rd. Hit —9L 21
Truman Clo. Edgw —7B 164
Trumper Rd. Stev —9L 35
Trumpington Dri. St Alb —5E 126
Truncalls. Lut —3F 66
(off Sutherland Pl.)
Trundlers Way. Bush —1F 162
Truro Ct. Stev —8M 35
Truro Gdns. Lut —4D 46
Truro Ho. Pinn —7A 162
Trust Ind Est. Hit —8A 22
Trust Rd. Wal X —7J 145
Tucker's Row. Bis S —2H 79
Tucker St. Wat —7L 149
Tudor Av. Chesh —4E 144
Tudor Av. Wat —2M 149
Tudor Clo. NW7 —6G 165
Tudor Clo. Bar C —7E 18
Tudor Clo. Chesh —4F 144
Tudor Clo. Hat —3F 128
Tudor Clo. Hun —7G 96
Tudor Clo. Stev —9J 35
Tudor Ct. Bass —1B 8
Tudor Ct. Borwd —4M 151
Tudor Ct. Dunst —1G 64
(off London Rd.)
Tudor Ct. Dunst —8D 44
(off Park St.)
Tudor Ct. Hit —4L 33
Tudor Ct. Mil E —1K 159
Tudor Ct. Saw —4G 98
Tudor Cres. Enf —3A 156
Tudor Dri. H Reg —5H 45
Tudor Dri. Wat —2M 149
Tudor Enterprise Pk. Harr —9E 162
Tudor Gdns. Harr —9E 162
Tudor Heights. Hert —7N 93
Tudor Ho. Pinn —9L 161
(off Pinner Hill Rd.)
Tudor Mnr. Gdns. Wat —5M 137
Tudor Orchard. N'chu —8J 103
Tudor Pde. Rick —9K 147
Tudor Pk. Golf Course. —4B 154
Tudor Ri. Brox —3J 133
Tudor Rd. N9 —9F 156
Tudor Rd. Barn —5N 153
Tudor Rd. Harr —9E 162
Tudor Rd. Lut —7D 46
Tudor Rd. Pinn —9L 161
Tudor Rd. St Alb —7F 108
Tudor Rd. Welw —4H 91
Tudor Rd. Wheat —7M 89
Tudor Vs. Chesh —2C 144
(in two parts)
Tudor Wlk. Wat —1M 149
Tudor Way. N14 —9J 155
Tudor Way. Hert —9M 93
Tudor Way. Mil E & Rick —1K 159
Tudor Way. Wal A —6N 145
Tudor Well Clo. Stan —5J 163
Tuffnell Ct. Chesh —1H 145
(off Coopers Wlk.)
Tuffnells Way. Hpdn —3M 87
Tumbler Rd. H'low —7C 118
Tunfield Rd. Hod —5M 115
Tunnel Wood Clo. Wat —1H 149
Tunnel Wood Rd. Wat —1H 149
Tunnmeade. H'low —5C 118
Turf La. G'ley —6H 35
Turin Rd. N9 —9G 157
Turkey Street. —1G 156
Turkey St. Enf —9E 144
(in two parts)
Turmore Dale. Wel G —1J 111
Turnberry Clo. NW4 —9K 165
Turnberry Ct. Wat —3L 161
Turnberry Dri. Brick W —3N 137
Turner Clo. H Reg —4G 44
Turner Clo. Stev —8J 35
Turner Rd. Bush —6D 150
Turner Rd. Edgw —9M 163
Turners Clo. B'fld —3H 93
Turners Clo. Hpdn —3D 88
Turners Cres. Bis S —4E 78
Turner's Hill. Chesh —2H 145
Turners Hill. Hem H —3A 124
Turners Rd. N. Lut —7J 47
Turners Rd. S. Lut —7J 47
Turners Wood Dri. Chal G —3A 158
Turneys Orchard. Chor —7G 146
Turnford. —8J 133
Turnford Cotts. Turn —8K 133
Turnford Pl. Turn —8J 133
Turnford Vs. Turn —8K 133
Turnors. H'low —6M 117
Turnpike Clo. Dunst —2F 64
Turnpike Dri. Lut —9E 30
Turnpike Grn. Hem H —7B 106
Turnpike La. Ickl —8L 21
Turnstone Clo. NW9 —9E 164
Turnstones, The. Wat —9N 137
Turpin Clo. Enf —1L 157
Turpins Chase. Welw —9M 71
Turpins Clo. Hert —9L 93
Turpin's Ride. R'ton —8D 8
Turpins Ride. Welw —9L 71
Turpin's Ri. Stev —8M 51
Turpin's Way. Bald —4M 23
Turvey Clo. Ast C —1D 100
Tussauds Clo. Crox G —7C 148
Tuthill Ct. Ther —5C 14
Tuxford Clo. Borwd —2M 151
Tweed Clo. Berk —9M 103
Tweedy Clo. Enf —7D 156
Twelve Acres. Wel G —2L 111
Twelve Leys. W'grv —5A 60
Twickenham Gdns. Harr —7F 162
Twigden Ct. Lut —4A 46
Twineham Grn. N12 —4N 165
Twin Foxes. Wool G —6N 71
Twinn Rd. NW7 —6L 165
Twinwoods. Stev —5M 51
Twist, The. Wig —4B 102
Twitchell La. Ast C —1D 100
Twitchell, The. Bald —3M 23
(in two parts)
Twitchell, The. Shil —3N 19
Twitchell, The. Stev —2K 51
Two Acres. Wel G —2M 111
Two Beeches. Hem H —6B 106
Two Dells La. Ash G —6K 121
Two Gates La. Bell —6B 120
Two Oaks Dri. Welw —1B 92
Two Waters. —5N 123
Two Waters Rd. Hem H —4M 123
Two Waters Way. Hem H —6M 123
Twyford Bury La. Bis S —4J 79
Twyford Bus. Cen., The. Bis S —4J 79
Twyford Clo. Bis S —3J 79
Twyford Dri. Lut —7M 47
Twyford Gdns. Bis S —4H 79
Twyford Mill. L Hall —5J 79
Twyford Rd. Bis S —3J 79
Twyford Rd. St Alb —7K 109
Twysdens Ter. N Mym —6J 129
Tyberry Rd. Enf —5F 156
Tyburn La. Pull —3A 18
Tye End. Stev —9A 52
Tye Green. —8B 118
Tye Grn. H'low —8A 118
Tye Grn. Village. H'low —9B 118
Tyfield Clo. Chesh —3G 145
Tykeswater La. Els —4K 151
Tylers. Hpdn —6E 88
Tylers Causeway. —4J 131
Tylers Causeway. New S —5G 130
Tylers Clo. Bunt —3H 39
Tylers Clo. K Lan —1A 136
Tylersfield. Ab L —4H 137
Tylers Mead. Lut —4G 47
Tylers Way. Wat —5D 150
Tylers Wood. Welw —2B 92
Tylney Cft. H'low —8L 117
(in two parts)
Tynedale. Lon C —9N 127
Tynemouth Dri. Enf —2E 156
Typleden Clo. Hem H —9N 105
Tysea Clo. H'low —9B 118
Tysea Rd. H'low —9B 118
Tysoe Av. Enf —9K 145
Tythe M. Edl —5J 63
Tythe Rd. Lut —3M 45
Tyttenhanger. —5M 127
Tyttenhanger Grn. Tyngr —5L 127

Uckfield Rd. Enf —1H 157
Ufford Clo. Harr —7C 162
Ufford Rd. Harr —7C 162
Ugley. —5N 43
Ullswater Clo. Stev —8B 36
Ullswater Rd. Dunst —2E 64
Ullswater Rd. Hem H —4E 124
Ulverston Rd. Dunst —2D 64
Underacre Clo. Hem H —1C 124
Underhill. —7N 153
Underhill. Barn —7N 153
Underhill Ct. Barn —7N 153
Underwood Clo. Lut —9B 30
Underwood Rd. Stev —8J 35
Union Chapel Ho. Lut —2G 66
(off Castle St.)
Union Grn. Hem H —1N 123
Union St. Barn —5L 153
Union St. Dunst —9D 44
Union St. Lut —2G 66
Union Ter. Bunt —3J 39
Unity Rd. Enf —1G 157
University Clo. NW7 —7F 164
University Clo. Bush —6B 150
University of Hertfordshire. —2F 128
Unwin Clo. Let —7E 22
Unwin Pl. Stev —6B 52
Unwin Rd. Stev —6B 52
Upcroft Av. Edgw —5C 164
Updale Clo. Pot B —6L 141
Up End. Saf W —2J 29
Uphill Dri. NW7 —5E 164
Uphill Gro. NW7 —4E 164
Uphill Rd. NW7 —4E 164
Upland Dri. Brk P —7A 130
Uplands. Brau —3C 56
Uplands. Crox G —8B 148
Uplands. Lut —1N 45
Uplands. Stev —1C 52
Uplands. Ware —5K 95
Uplands. Wel G —5J 91
Uplands Av. Hit —4B 34
Uplands Ct. N21 —9M 155
(off Green, The)
Uplands Ct. Lut —3G 66
Uplands Pk. Rd. Enf —4M 155
Uplands, The. Brick W —3N 137
Uplands, The. Hpdn —2B 108
Uplands Way. N21 —7M 155
Uppend. —9D 42
Up. Ashlyns Rd. Berk —2M 121
Up. Barn. Hem H —5B 124
Up. Belmont Rd. Che —9F 120
Up. Bourne End. La. Hem H —7A 122
Up. Bourne End La. Hem H —5E 122
Up. Cavendish Av. N3 —9N 165
Up. Clabdens. Ware —5K 95
Up. Crackney La. Ware —1F 96
Up. Culver Rd. St Alb —9F 108
Up. Dagnall St. St Alb —2E 126
Upper Dunsley. —3A 102
Upperfield Rd. Wel G —2M 111
Up. George St. Lut —1F 66
Upper Green. —9M 17
Upper Green. Tew —4C 92
Up. Green Rd. Tew —4D 92
Up. Hall Pk. Berk —2A 122
Up. Heath Rd. St Alb —9G 108
Up. Highway. Ab L —5E 136
Up. Hill Ri. Rick —8L 147
Upper Hitch. Wat —1N 161
Up. Hook. H'low —8B 118
Up. Icknield Way. Ast C —8B 100
Up. Icknield Way. Bul & Pit —7A 82
Up. King St. R'ton —7D 8
Up. Lattimore Rd. St Alb —2F 126
Up. Marlborough Rd. St Alb —2F 126
Up. Marsh La. Hod —9L 115
Up. Maylins. Let —8J 23
Upper Mealines. H'low —9C 118
Up. Paddock Rd. Wat —8N 149
Upper Pk. H'low —5L 117
Upper Sales. Hem H —3J 123
Upper Sean. Stev —6N 51
Up. Shot. Wel G —8N 91
Upper Shott. Chesh —8D 132
Up. Station Rd. Rad —8H 139
Upper Stondon. —1F 20
Upperstone Clo. Stot —6F 10
Up. Stonyfield. H'low —6L 117
Upper Tail. Wat —3N 161
Up. Tilehouse St. Hit —3M 33
Up. Wingbury Courtyard Bus. Cen. W'grv —3C 60
Uppingham Av. Stan —8J 163
Upton Av. St Alb —1E 126
Upton Clo. Lut —3F 46
Upton Clo. Park —7E 126
Upton End. —1A 20
Upton End Rd. Shil —1N 19
Upton Lodge Clo. Bush —9D 150
Upton Rd. Wat —5K 149
Upway. Chal P —8C 158
Upwell Rd. Lut —7K 47
Upwick Green. —4A 58
Uranus Rd. Hem H —9B 106
Urban Rd. Bis S —1K 79
Uvedale Rd. Enf —7B 156
Uxbridge Rd. Harr & Stan —7D 162
Uxbridge Rd. Mil E & Rick —3J 159
Uxbridge Rd. Pinn —9L 161

Vache La. Chal G —2A 158
Vadis Clo. Lut —2A 46
Vale Av. Borwd —7B 152
Vale Clo. Chal P —8A 158
Vale Clo. Hpdn —3M 87
Vale Cotts. Ware —4H 55
Vale Ct. New Bar —6A 154
Vale Ct. Wheat —8L 89
Vale Dri. Barn —6M 153
Vale Ind. Est. Wat —9D 148
Valence Dri. Chesh —1E 144
Valence End. Dunst —2G 64
Valencia Rd. Stan —4K 163
Valency Clo. N'wd —4H 161
Valentine Way. Chal G —3A 158
Valerian Way. Stev —9C 36
Valerie Clo. St Alb —2J 127
Vale Rd. Bush —7N 149
Vale Rd. Che —9G 121
Valeside. Hert —1M 113
Valeside Ct. Barn —6A 154
Vale, The. N14 —9J 155
Vale, The. Chal P —8A 158
Vallance Pl. Hpdn —8D 88
Vallans Clo. Ware —4H 95
Vallansgate. Stev —8A 52
Valley Clo. Hert —1B 114
Valley Clo. Kens —9B 64
Valley Clo. Pinn —9K 161
Valley Clo. Stud —3E 84
Valley Clo. Wal A —5N 145
Valley Clo. Ware —5F 94
Valley Fields Cres. Enf —4M 155
Valley Grn. Hem H —5D 106
Valley Grn., The. Wel G —8J 91
Valley La. Mark —6M 85
Valleylink Est. Enf —8J 157
Valley Pk. Wat —9E 148
Valley Ri. R'ton —7E 8
Valley Ri. Wat —6K 137
Valley Ri. Wheat —5G 88
Valley Rd. Cod —7F 70
Valley Rd. Let —4D 22
Valley Rd. N'chu —8K 103
Valley Rd. Rick —7K 147
Valley Rd. St Alb —7F 108
Valley Rd. Stud —3E 84
Valley Rd. Wel G —9H 91
Valley Rd. S. Cod —8F 70
Valley Side. E4 —9L 157
Valleyside. Hem H —2J 123
Valley, The. W'wll —1M 69
Valley Vw. Barn —8L 153
Valley Vw. G Oak —1A 144
Valley Wlk. Crox G —7E 148
Valley Way. Stev —7M 51
Valpy Clo. Wig —5B 102
Vanbrugh Dri. H Reg —4G 45
Vancouver Mans. Edgw —8B 164
Vancouver Rd. Edgw —8B 164
Vanda Cres. St Alb —3G 127
Vangaurd. NW9 —7E 164
Vantorts Clo. Saw —5G 99
Vantorts Rd. Saw —6G 99
Vardon Rd. Stev —1L 51
Varna Clo. Lut —6C 46
Varney Clo. Chesh —9E 132
Varney Clo. Hem H —2J 123
Varney Rd. Hem H —2J 123
Vaughan Mead. Redb —1J 107
Vaughan Rd. Hpdn —6C 88
Vaughan Rd. Stot —6E 10
Vauxhall Rd. Hem H —2C 124
Vauxhall Rd. Lut —3K 67
Vauxhall Way. Lut —6J 47
Vega Cres. N'wd —5H 161
Vega Rd. Bush —9D 150
Veitch Rd. Wal A —7N 145
Velizy Av. H'low —5N 117
Velizy Roundabout. H'low —5N 117
Velour Ct. Lut —8H 47
(off Charles St.)
Venetia Rd. Lut —5J 47
Venetia Rd. Footpath. Lut —5J 47
(off Hitchin Rd.)
Ventnor Av. Stan —8J 163
Ventnor Dri. N20 —3N 165
Ventnor Gdns. Lut —2B 46
Ventura Pk. Col S —2G 138
Venue, The. —4C 152
Venus Hill. —4D 134
Venus Hill. Bov —4D 134
Vera Av. N21 —7M 155
Vera Ct. Wat —9M 149
Vera La. Welw —3A 92
Verdure Clo. Wat —5N 137
Verey Rd. Wood E —7F 44
Veritys. Hat —9G 110
Verity Way. Stev —9N 35
Ver Meadows Cvn. Site. Redb —1L 107
Vermont Clo. Enf —6N 155

216 A-Z Hertfordshire

Verney Clo.—Watermill La.

Verney Clo. Berk —9K 103
Verney Clo. Tring —1A 102
Vernon Av. Enf —9J 145
Vernon Clo. St Alb —3E 126
Vernon Ct. Bis S —4G 79
Vernon Ct. Stan —8J 163
Vernon Cres. Barn —8F 154
Vernon Dri. Hare —8M 159
Vernon Dri. Stan —8H 163
Vernon Pl. Dunst —8E 44
Vernon Rd. Bush —7N 149
Vernon Rd. Lut —9E 46
Veronica Ho. Wel G —2A 112
Ver Rd. Redb —9L 87
Ver Rd. St Alb —2D 126
Verulam Clo. Wel G —9M 91
Verulam Gdns. Lut —3B 46
Verulam Golf Course. —4G 127
Verulam Ind. Est. St Alb —4G 126
Verulam Pas. Wat —4K 149
Verulam Rd. Hit —2N 33
Verulam Rd. St Alb —1C 126
Verwood Dri. Barn —5E 154
Verwood Rd. Harr —9D 162
Vespers Clo. Lut —7K 45
Vesta Av. St Alb —5D 126
Vesta Rd. Hem H —9B 106
Vestry Clo. Lut —1F 66
Veysey Clo. Hem H —4L 123
Viaduct Cotts. E Hyde —8N 67
Viaduct Rd. Ware —6J 95
Viaduct Way. Wel G —6M 91
Vian Av. Enf —8J 145
Vicarage Causeway. Hert H —2F 114
Vicarage Clo. Arl —4A 10
Vicarage Clo. Bis S —1H 79
Vicarage Clo. Hem H —4M 123
Vicarage Clo. N'thaw —3E 142
Vicarage Clo. St Alb —5D 126
Vicarage Clo. Shil —3N 19
Vicarage Clo. Stdn —7B 56
Vicarage Clo. Wend —9A 100
Vicarage Gdns. Flam —6D 86
Vicarage Gdns. Mars —5M 81
Vicarage Gdns. Pott E —7E 104
Vicarage La. Ber —2D 42
Vicarage La. Bov —8E 122
Vicarage La. I'hoe —2D 82
Vicarage La. K Lan —2B 136
Vicarage La. Ugley —5N 43
Vicarage La. W'frd —4M 93
Vicarage Rd. Bunt —2J 39
Vicarage Rd. H Reg —4E 44
Vicarage Rd. Mars —5L 81
Vicarage Rd. Pit —3B 82
Vicarage Rd. Pott E —7D 104
Vicarage Rd. Ware —6J 95
Vicarage Rd. Wat —8J 149
Vicarage Rd. Wig —5B 102
Vicarage Rd. Precinct. Wat (off Vicarage Rd.) —6K 149
Vicarage St. Lut —1H 67
Vicarage Wood. H'low —5B 118
Vicars Clo. Enf —4C 156
Vicars Moor La. N21 —9M 155
Vicerons Pl. Bis S —4F 78
Viceroy Ct. Dunst —9F 44
Victoria Av. N3 —8M 165
Victoria Av. Barn —6C 154
Victoria Clo. Barn —6C 154
Victoria Clo. Rick —9N 147
Victoria Clo. Stev —2K 51
Victoria Ct. Wat —5L 149
Victoria Cres. R'ton —6D 8
Victoria Dri. Stot —7G 10
Victoria Ga. H'low —6E 118
Victoria Ho. Edgw —6B 164
Victoria Ho. Ger X —4B 158 (off Micholls Av.)
Victoria La. Barn —6M 153
Victoria M. Bayf —5M 113
Victoria Pas. Wat —6K 149
Victoria Pl. Dunst —9D 44
Victoria Pl. Hem H —2N 123
Victoria Rd. NW7 —5F 164
Victoria Rd. Barn —6C 154
Victoria Rd. Berk —2A 122
Victoria Rd. Bush —1C 162
Victoria Rd. Hpdn —6C 88
Victoria Rd. Wal A —7N 145
Victoria Rd. Wat —2K 149
Victoria St. Dunst —8D 44
Victoria St. Lut —2G 66
Victoria St. St Alb —2E 126
Victoria Way. Hit —2L 33
Victor Smith Ct. Brick W —4B 138
Victors Way. Barn —5M 153
Victory Ct. R'ton —8E 8
Victory Rd. Berk —9L 103
Victory Rd. Wend —9A 100
View Point. Stev —4G 51
View Rd. Pot B —5B 142
Viga Rd. N21 —8M 155
Vigors Cft. Hat —1F 128
Villa Ct. Lut —9F 46
Village Arc. E4 —9N 157
Village Cen. Hem H —3E 124
Village Clo. Hod —6A 116
Village Ct. St Alb —7L 109 (off Twyford Rd.)
Village M. Bov —9D 122
Village Pk. Clo. Enf —8C 156
Village Rd. N3 —9L 165
Village Rd. Enf —7C 156
Village St. Hit —8F 50
Village, The. L Hall —8K 79
Village Way. Amer —4A 146
Village Way. A'wl —1F 12
Villa Rd. Lut —9F 46
Villiers Clo. Lut —6N 45
Villiers Cres. St Alb —8L 109
Villiers Rd. Wat —8N 149
Villiers St. Hert —9C 94
Villiers-Sur-Marne Av. Bis S —2F 78
Vincent. Let —7J 23
Vincent Clo. Barn —5A 154
Vincent Clo. Chesh —1J 145
Vincent Ct. N'wd —8H 161
Vincent Ct. Stev —1H 51
Vincent Rd. Lut —4N 45
Vincenzo Clo. N Mym —5J 129
Vine Clo. Wel G —7L 91
Vine Gro. Gil —1A 118
Vineries Bank. NW7 —5H 165
Vineries, The. N14 —8H 155
Vineries, The. Enf —5C 156
Vines Av. N3 —8N 165
Vines, The. Stot —6E 10
Vinetrees. Wend —9A 100
Vineyard Av. NW7 —7L 165
Vineyard Gro. N3 —8N 165
Vineyard Hill. N'thaw —2F 142
Vineyards Rd. N'thaw —3E 142
Vineyard, The. Ware —5L 95
Vinters Av. Stev —4M 51
Violet Av. Enf —2B 156
Violets La. Fur P —3L 41
Violet Way. Loud —6M 147
Virgil Dri. Brox —5K 133
Virginia Clo. Lut —6H 47
Viscount Clo. Lut —4C 46
Viscount Ct. Lut —8F 46 (off Knights Fld.)
Vista Av. Enf —4H 157
Vivian Clo. Wat —1J 161
Vivian Gdns. Wat —1J 161
Vixen Dri. Hert —9E 94
Vulcan Ga. Enf —4M 155
Vyse Clo. Barn —6J 153

Wacketts. Chesh —9E 132
Waddesdon Clo. Lut —7M 47
Waddington Clo. Enf —6C 156
Waddington Rd. St Alb —2E 126
Wade Ho. Enf —7B 156
Wades Gro. N21 —9M 155
Wades Hill. N21 —8M 155
Wadesmill. —8H 75
Wadesmill Rd. Hert & Chap E —6A 94
Wadesmill Rd. Ware —4G 95
Wades, The. Hat —3G 128
Wade, The. Wel G —3M 111
Wadham Rd. Ab L —4H 137
Wadhurst Av. Lut —5E 46
Wadley Clo. Hem H —3B 124
Wadnall Way. Kneb —4M 71
Wadsworth Clo. Enf —7H 157
Waggoners Yd. Ware —5H 95 (off Baldock St.)
Waggon M. N14 —9H 155
Waggon Rd. Barn —1B 154
Wagon Rd. Barn —9N 141
Wagon Way. Loud —5M 147
Wagtail Clo. NW9 —9E 164
Wain Clo. Pot B —2A 142
Wainwright St. Bis S —3E 78
Wakefields Wlk. Chesh —4J 145
Walcot Av. Lut —7J 47
Walcot Rd. Enf —4K 157
Waldeck Rd. Lut —9E 46
Waldegrave Pk. Hpdn —6E 88
Walden Ct. Bis S —9M 59
Walden End. Stev —5L 51
Walden Pl. Wel G —7K 91
Walden Rd. Wel G —7K 91
Walden Way. NW7 —6K 165
Waleran Clo. Stan —5G 163
Waleys Clo. Lut —1A 46
Walfield Av. N20 —9A 154
Walfords Clo. H'low —3E 118
Walgrave Rd. Dunst —7J 45
Walkern. —9G 36
Walkern Rd. B'tn —6F 52
Walkern Rd. Stev —2J 51 (in two parts)
Walkers Clo. Hpdn —8D 88
Walkers Ct. Bald —3M 23 (off High St.)
Walkers Rd. Hpdn —8C 88
Walkley Rd. H Reg —5E 44
Walk, The. Pot B —5N 141
Wallace Dri. Eat B —2J 63
Wallace M. Eat B —2J 63
Wallace Way. Hit —9A 22
Waller Av. Lut —7B 46
Waller Dri. N'wd —9J 161
Waller's Clo. Gt Chi —2J 17
Waller St. Mall. Lut —1G 66 (off Arndale Cen.)
Wallers Way. Hod —5M 115
Wallfield All. Hert —1A 114
Wallfields. Hert —1A 114
Wallingford Wlk. St Alb —5E 126
Wallington. —3H 25
Wallington Rd. Bald —3N 23
Walmar Clo. Barn —3C 154
Walmington Fold. N12 —6N 165
Walnut Av. Bald —4N 23
Walnut Clo. Hit —4A 34
Walnut Clo. Lut —5K 47
Walnut Clo. M Hud —6J 77
Walnut Clo. Park —9C 126
Walnut Clo. R'ton —7D 8
Walnut Clo. Stot —6F 10
Walnut Cotts. Saw —4G 99 (off Station Rd.)
Walnut Ct. Wel G —3L 111
Walnut Ct. Wheat —7L 89
Walnut Dri. Bis S —5F 78
Walnut Grn. Bush —4A 150
Walnut Gro. Enf —7B 156
Walnut Gro. Hem H —2N 123
Walnut Gro. Wel G —3L 111
Walnut Ho. Wel G —3L 111
Walnut Tree Av. Saw —3G 98
Walnut Tree Clo. Chesh —4H 145
Walnut Tree Clo. Hod —8L 115
Walnut Tree Clo. Stev —5C 52
Walnut Tree Cres. Saw —4G 99
Walnuttree Green. —5B 58
Walnut Tree La. Farnh —5G 58
Walnut Tree Rd. Pir —8E 20
Walnut Tree Wlk. Gt Amw —8H 95
Walnut Way. Ickl —7M 21
Walpole Clo. Pinn —6B 162
Walpole Ct. Stev —1B 72
Walpole Way. Barn —7J 153
Walsham Clo. Stev —1B 72
Walsh Clo. Hit —3L 33
Walshford Way. Borwd —2A 152
Walsingham Clo. Hat —8F 110
Walsingham Clo. Lut —2F 46
Walsingham Rd. Enf —6B 156
Walsingham Way. Lon C —9K 127
Walsworth. —1B 34
Walsworth Rd. Hit —3N 33
Walter Rothschild Zoological Mus., The. —3M 101 (Natural History Mus.)
Walters Clo. Chesh —7N 131
Walters Rd. Enf —6G 157
Walter Wlk. Edgw —6C 164
Waltham Abbey. —6N 145
Waltham Abbey Church. —6N 145 (Remains of)
Waltham Ct. Lut —6L 47 (off Cowdray Clo.)
Waltham Cross. —7J 145
Waltham Dri. Edgw —9A 164
Waltham Gdns. Enf —9G 145
Waltham Ga. Chesh —8K 133
Waltham Point. Wal A —8N 145
Waltham Rd. Hit —4N 33
Waltham Way. E4 —9L 157
Walton Ct. Hod —6M 115
Walton Ct. New Bar —7B 154
Walton Gdns. Wal A —6M 145
Walton Rd. Bush —6M 149
Walton Rd. Hod —6M 115
Walton Rd. Ware —7H 95
Walton St. Enf —3B 156
Walton St. St Alb —9G 108
Walverns Clo. Wat —8L 149
Wanden Green. —3E 68
Wandon Clo. Lut —5L 47
Wandon End. —8B 48
Wansbeck Clo. Stev —7N 35
Wansbeck Ct. Enf —5N 155 (off Waverley Rd.)
Wansford Pk. Borwd —6D 152
Warburton Clo. Harr —6E 162
Ward Clo. Chesh —9E 132
Ward Clo. Ware —5G 94
Ward Cres. Bis S —2G 78
Wardell Clo. NW7 —7E 164
Wardell Fld. NW9 —8E 164
Warden Hill. —1E 46
Warden Hill Clo. Lut —1E 46
Warden Hill Gdns. Lut —1E 46
Warden Hill Rd. Lut —1E 46
Ward Hatch. H'low —3C 118
Wardlow Ct. Lut —7F 46
Wardown Cres. Lut —7G 46
Wardown Pk. —7F 46
Wardown Swimming & Leisure Cen. —7F 46
Wards La. Els —4G 151
Wards Wood La. Lut —8J 31
Ware. —6H 95
Wareham's La. Hert —1A 114
Ware Mus. —6H 95
Warenford Way. Borwd —3A 152
Ware Park. —6D 94
Ware Pk. Rd. Hert —7B 94
Ware Rd. Gt Amw & Hail —3L 115
Ware Rd. Hert —9C 94
Ware Rd. Hod —4L 115
Ware Rd. Ton —9C 74
Ware Rd. Wat S —6K 73
Ware Rd. Wid —3G 96
Wareside. —3B 96
Wareside. Hem H —5C 106
Wareside Clo. Wel G —1A 112
Warham Rd. Harr —9G 162
Warlow Clo. Enf —1L 157
Warmark Rd. Hem H —9H 105
Warminster Clo. Lut —8A 48
Warneford Av. Hal —9C 100
Warneford Pl. Wat —8N 149
Warner Rd. Ware —7H 95
Warners Av. Hod —1K 133
Warners Clo. Stev —6A 52
Warners End. —1H 123
Warners End Rd. Hem H —2K 123
Warren Clo. N9 —9H 157
Warren Clo. Hat —6H 111
Warren Clo. Let —4D 22
Warren Ct. R'ton —8D 8
Warren Ct. Wat —3K 137
Warren Cres. N9 —9D 156
Warren Dale. Wel G —6K 91
Warren Dri., The. Lut —7K 67
Warrenfield Clo. Chesh —4E 144
Warren Fields. Stan —4K 163
Warrengate La. S Mim —4J 141
Warrengate Rd. N Mym —8H 129
Warren Grn. Hat —6H 111
Warren Gro. Borwd —6D 152
Warren La. Clot —4A 24
Warren La. Cot —3N 37
Warren La. Stan —2H 163
Warren Pk. Rd. Hert —8A 94
Warren Pl. Hert —9B 94 (off Railway St.)
Warren Rd. Bus H —1D 162
Warren Rd. Clot —6D 24
Warren Rd. Lut —9B 46
Warren Rd. St Alb —6D 126
Warren's Green. —4C 36
Warrensgreen La. W'ton —5B 36
Warrens Shawe La. Edgw —2B 164
Warren Ter. Hert —7B 94
Warren, The. Chal P —7C 158
Warren, The. Hpdn —1B 108
Warren, The. K Lan —2B 136
Warren, The. Rad —6H 139
Warren, The. R'ton —8D 8
Warren Way. NW7 —6L 165
Warren Way. Welw —4L 91
Warren Wood. —4C 130
Warren Wood Ind. Est. Stap —1L 93
Warrenwood M. Hat —4C 130
Warton Grn. Lut —7N 47
Warwick Av. Cuff —9J 131
Warwick Av. Edgw —3B 164
Warwick Clo. Ast C —1D 100
Warwick Clo. Barn —7C 154
Warwick Clo. Bus H —9F 150
Warwick Clo. Cuff —9J 131
Warwick Clo. Hert —2A 114
Warwick Ct. Lut —9D 46 (off Warwick Rd.)
Warwick Ct. New Bar —7A 154 (off Station Rd.)
Warwick Dri. Chesh —1H 145
Warwick Gdns. Barn —2M 153
Warwick Pde. Harr —9J 163
Warwick Pl. Borwd —5D 152
Warwick Rd. Barn —6A 154
Warwick Rd. Bis S —2J 79
Warwick Rd. Borwd —5D 152
Warwick Rd. Enf —1K 157
Warwick Rd. St Alb —9G 108
Warwick Rd. Stev —3B 52
Warwick Rd. E. Lut —9D 46
Warwick Rd. W. Lut —9D 46
Warwick Way. Crox G —6E 148
Washall Green. —1M 41
Washbrook Clo. Bar C —1E 30
Washbrook La. Pir —6D 20
Washington Av. Hem H —6N 105
Washington Meads. Stans —3N 59
Wash La. S Mim —6H 141
Wash, The. Hert —9B 94
Watchlytes. Wel G —9B 92
Watchmead. Wel G —8N 91
Waterbeach. Wel G —8C 92
Watercress Clo. Stev —4C 52
Watercress Rd. Chesh —8B 132
Waterdale. —3M 137
Waterdale. (Junct.) —4M 137
Waterdale. Brick —3N 137
Waterdale. Hert —2A 114
Waterdell La. St I —7N 33
Water Dri. Rick —1A 160
Water End. —8H 129 (Hatfield)
Water End. —5J 105 (Hemel Hempstead)
Waterend. —7C 90 (Welwyn Garden City)
Waterend La. Redb —1K 107
Waterend La. Wheat & Welw —7C 90
Water End Moor. Wat E —5J 105
Water End Rd. Pott E —8E 104
Waterfield. Chor —9F 146
Waterfield. Wel G —8A 92
Waterfields Way. Wat —6M 149
Waterford. —5M 93
Waterford Comn. W'frd —5N 93
Waterford Grn. Wel G —9A 92
Waterfront, The. Els —8J 151
Water Gdns. Stan —6J 163
Watergate, The. Wat —2M 161
Waterhouse Moor. H'low —7B 118
Waterhouse St. Hem H —2M 123
Waterhouse, The. Hem H —3M 123
Water La. N9 —9F 156
Water La. Bar —5F 16
Water La. Berk —1N 121
Water La. Bis S —9H 59
Water La. Bov —2D 134
Water La. Hert —1A 114
Water La. Hit —1N 33
Water La. K Lan —2D 136
Water La. Lon C —1L 139
Water La. Mel —1J 9
Water La. Roy —9H 117
Water La. Stans —3N 59
Water La. Wat —6L 149
Waterloo La. Hol —5H 21
Waterlow M. L Wym —7E 34
Waterlow Rd. Dunst —8D 44
Waterman Clo. Wat —8K 149
Watermark Way. Fox P —9D 94
Watermead Rd. Lut —3B 46
Watermill Bus. Cen. Enf —4K 157
Watermill Ind. Est. Bunt —4J 39
Watermill La. Hert —6B 94

Water Row—West St.

Water Row. Ware —6H 95
Watersfield Way. Edgw —7L 163
Waterside. Berk —1A 122
Waterside. Eat B —4K 63
Waterside. K Lan —2C 136
Waterside. Lon C —9M 127
(in two parts)
Waterside. Rad —7J 139
Waterside. Stans —3N 59
Waterside. Wel G —7N 91
Waterside Clo. K Lan —2D 136
Waterside Ind. Est. Hod —9A 116
Waterside M. Hare —6K 159
Waterside Pl. Saw —5J 99
Waterslade Grn. Lut —3D 46
Watersmeet. H'low —9L 117
Watersplash Ct. Lon C —9N 127
Waterways Bus. Cen. Enf —2K 157
Waterwick Hill. Lang L —3L 29
Waterworks Cotts. Brox —4J 133
Watery La. Bis S —9E 42
Watery La. Hat —1E 128
Watery La. Mars —6L 81
Watery La. St Alb & Hpdn —5G 86
Watery La. Turn —7J 133
Watford. —6K 149
Watford Arches Retail Pk. Wat —7M 149
Watford By-Pass. Edgw —4B 164
Watford By-Pass. Stan —9J 151
Watford Enterprise Cen. Wat —8G 148
Watford F.C. & Saracens R.U.F.C. —7K 149
Watford Fld. Rd. Wat —7L 149
Watford Heath. —1M 161
Watford Heath. Wat —9M 149
Watford Heath Farm. Wat —9N 149
Watford Metro Cen. Wat —9E 148
Watford Rd. Crox G —8C 148
Watford Rd. Els —8J 151
Watford Rd. K Lan —3C 136
Watford Rd. N'wd —7H 161
Watford Rd. Rad —9F 138
Watford Rd. St Alb —9B 126
Watford Sports & Leisure Cen. —6L 137
Watford Way. NW7 & NW4 —4E 164
Watkins Ct. N'wd —8H 161
Watkins Ri. Pot B —5A 142
Watling. —7D 164
Watling Av. Edgw —8C 164
Watling Clo. Hem H —7A 106
Watling Ct. Dunst —7D 44
Watling Ct. Els —8L 151
Watling Ct. H Reg —5E 44
Watling Farm Clo. Stan —1K 163
Watling Knoll. Rad —6G 139
Watling Mans. Rad —8J 139
Watling Pl. H Reg —5E 44
Watling St. Dunst —3A 44
Watling St. Els —4K 151
Watling St. Kens —4K 65
Watling St. Mark —1A 86
Watling St. Rad & Els —4G 138
Watling St. St Alb —4D 126
Watling St. Cvn. Pk. Park —7D 126
Watlington Rd. H'low —2F 118
Watling Vw. St Alb —5D 126
Watson Av. St Alb —8G 108
Watson's Wlk. St Alb —3F 126
Watton At Stone. —5K 73
Watton Rd. D'wth —7D 72
Watton Rd. Kneb & Stev —3N 71
Watton Rd. Ware —5G 94
Watts Clo. L Had —7M 57
Watts Yd. Man —8J 43
Wauluds Bank Dri. Lut —1N 45
Wavell Clo. Chesh —9J 133
Wavell Ho. St Alb —4J 127
Waveney. Hem H —6B 106
Waveney Rd. Hpdn —4D 88
Waverley Clo. Stev —9N 51
Waverley Ct. Enf —5A 156
Waverley Gdns. N'wd —8J 161
Waverley Gro. N3 —9L 165
Waverley Ind. Est. Harr —9E 162
Waverley Lodge. St Alb —9E 108
(off Falmouth Ct.)
Waverley Rd. Enf —5N 155
Waverley Rd. St Alb —9D 108
Waxwell Clo. Pinn —9M 161
Waxwell Farm Ho. Pinn —9M 161
Waxwell La. Pinn —9M 161
Wayfarers Pk. Berk —1K 121
Wayletts Dri. Bis S —1K 79
Wayre St. H'low —2E 118
Wayre, The. H'low —2E 118
Waysbrook. Let —7H 23
Wayside. Chfd —3L 135
Wayside. Dunst —3G 64
Wayside. Pot B —6C 142
Wayside. Shenl —6L 139
Wayside Av. Bush —8E 150
Wayside Clo. N14 —8H 155
Wayside Ct. Brick W —3A 138
Wayside, The. Hem H —3E 124
Waysmeet. Let —7H 23
Waytemore Castle. —9J 59
Waytemore Rd. Bis S —2G 78
Weald La. Harr —9E 162
Weald Ri. Harr —7G 162
Wealdstone. —9F 162
Wealdwood Gdns. Pinn —6C 162
Weall Grn. Wat —5K 137
Weardale Gdns. Enf —3B 156
Weatherby. Dunst —9B 44
Weatherby Rd. Lut —7N 45
Weavers Rd. Tring —2K 101
Weaver St. Bis S —4E 78
Weavers Way. Bald —3N 23
Webb Clo. Let —6J 23
Webber Clo. Els —8L 151
Webb Ri. Stev —2M 51
Wedgewood Clo. N'wd —7E 160
Wedgewood Dri. H'low —7G 118
Wedgewood Rd. Hit —3B 34
Wedgewood Rd. Lut —5J 45
Wedgwood Ct. Stev —8B 36
Wedgwood Ga. Ind. Est. Stev —8A 36
Wedgwood Pk. Stev —8B 36
Wedgwood Way. Stev —9A 36
Wedhey. H'low —6M 117
Wedmore Rd. Hit —4A 34
Wedon Way. Byg —8B 12
Weighton Rd. Harr —8E 162
Welbeck Clo. Borwd —5A 152
Welbeck Ri. Hpdn —9E 88
Welbeck Rd. Barn —8D 154
Welbeck Rd. Lut —9G 47
Welby Av. Lut —2E 46
Welch Pl. Pinn —8K 161
Welclose St. St Alb —2D 126
Welcote Dri. N'wd —6F 160
Weldon Clo. Lut —8N 47
Weldon Ct. N21 —7L 155
Welham Clo. N Mym —6J 129
Welham Ct. N Mym —6J 129
(off Dixons Hill Rd.)
Welham Green. —6J 129
Welham Mnr. N Mym —6J 129
Welkin Grn. Hem H —1E 124
Wellands. Hat —7G 111
Well App. Barn —7J 153
Wellbrook M. Tring —2N 101
Wellbury Ter. Hem H —2E 124
Well Cft. Hem H —1L 123
Wellcroft. I'hoe —2D 82
Wellcroft Clo. Wel G —2N 111
Wellcroft Rd. Wel G —1N 111
Well End. —2D 152
Well End Rd. Borwd —1C 152
Wellen Ri. Hem H —5A 124
Wellers Gro. Chesh —1E 144
Wellesley Av. N'wd —5H 161
Wellesley Cres. Pot B —6L 141
Wellesley Pk. M. Enf —4N 155
Wellfield Av. Lut —1M 45
Wellfield Clo. Hat —8G 111
Wellfield Ct. Stev —9A 36
Wellfield Rd. Hat —7G 110
Well Gth. Wel G —1L 111
Wellgate Rd. Lut —7N 45
Well Grn. B'fld —3H 93
Well Gro. N20 —9B 154
Well Head. —3A 64
Well Head Rd. Tot —1N 63
Wellhouse Clo. Lut —1C 66
Wellhouse La. Barn —6J 153
Wellingham Av. Hit —1L 33
Wellington Av. Pinn —8A 162
Wellington Clo. Wat —3A 162
Wellington Cotts. Ware —1L 75
Wellington Ct. Lut —2F 66
(off Wellington St.)
Wellington Ct. Pinn —8A 162
(off Wellington Rd.)
Wellington Dri. Wel G —9B 92
Wellington Ho. Wat —4L 149
(off Exeter Clo.)
Wellington Pl. Brox —5G 133
Wellington Rd. Enf —7C 156
Wellington Rd. Harr —9F 162
Wellington Rd. Lon C —8L 127
Wellington Rd. Pinn —8A 162
Wellington Rd. St Alb —3J 127
Wellington Rd. Stev —4B 52
Wellington Rd. Wat —4K 149
Wellington St. Hert —8N 93
Wellington St. Lut —2F 66
Wellington Ter. Dunst —9F 44
Well La. H'low —5K 117
(in two parts)
Well La. L Buz —1G 60
Wellpond Green. —8F 56
Well Rd. Barn —7J 153
Well Rd. N'thaw —1D 142
Well Row. B'frd —8L 113
Wells Clo. Chesh —7A 132
Wells Clo. Hpdn —3N 87
Wells Clo. St Alb —1D 126
Wellside Clo. Barn —6J 153
Wellstead Av. N9 —9H 157
Wells, The. N14 —9J 155
Wellstones. Wat —6K 149
Wellswood Clo. Hem H —1D 124
Wells Yd. Ware —6H 95
(off High St.)
Wells Yd. Wat —5K 149
Welsummer Way. Chesh —1H 145
Weltech Cen. Wel G —9N 91
Weltmore Rd. Lut —3B 46
Welwyn. —2J 91
Welwyn By-Pass Rd. Welw —4J 91
Welwyn Ct. Hem H —7B 106
Welwyn Garden City. —8K 91
Welwyn Garden City Golf Course. —8H 91
Welwyn Hall Gdns. Welw —2J 91
Welwyn Hatfield Sports Cen. —2K 111
Welwyn Heath. —8M 71
Welwyn Rd. Hert —8K 93
Welwyn Roman Baths. —2J 91
Wemborough Rd. Stan —8J 163
Wendover. —9A 100
Wendover By-Pass. Wend —9A 100
Wendover Clo. Hpdn —6E 88
Wendover Clo. St Alb —6K 109
Wendover Ct. Welw —2J 91
Wendover Dri. Welw —2J 91
Wendover Ho. Wat —9G 149
(off Chenies Way)
Wendover Way. Bush —8D 150
Wendover Way. Lut —6H 47
Wendy Clo. Enf —8D 156
Wengeo La. Ware —5F 94
(in two parts)
Wenham Ct. Walk —1G 52
Wenlock Rd. Edgw —7B 164
Wenlock St. Lut —9G 46
Wensley Clo. Hpdn —9E 88
Wensleydale. Hem H —8B 106
Wensleydale. Lut —8G 46
Wensum Rd. Stev —7M 35
Wensum Way. Rick —1N 159
Wenta Bus. Cen. Wat —1M 149
Wentbridge Path. Borwd —2A 152
Wentworth Av. N3 —7N 165
Wentworth Av. Els —7N 151
Wentworth Av. Lut —3M 45
Wentworth Clo. N3 —7N 165
Wentworth Clo. Pot B —4N 141
Wentworth Clo. Wat —2H 149
Wentworth Cotts. Brox —4J 133
Wentworth Dri. Bis S —2F 78
Wentworth Pk. N3 —7N 165
Wentworth Pl. Stan —6J 163
Wentworth Rd. Barn —5K 153
Wentworth Rd. Hert —3A 114
Wenwell Clo. Ast C —2F 100
Wesley Av. Hert —1B 114
Wesley Clo. Arl —8A 10
Wesley Clo. G Oak —1A 144
Wesley Pl. Mark —2A 86
(off Albert St.)
Wesley Rd. Mark —2A 86
Wessex Ct. Barn —6K 153
Wessex Dri. Pinn —7N 161
Westall Clo. Hert —1A 114
West All. Hit —3M 33
Westall M. Hert —1A 114
West Av. N3 —6N 165
West Av. Bald —3L 23
West Av. St Alb —7C 126
West Bank. Enf —4A 156
Westbere Dri. Stan —5L 163
Westbourne M. St Alb —2E 126
Westbourne Mobile Home Pk. Lut —4B 46
Westbourne Rd. Lut —8D 46
Westbrook. H'low —9J 117
Westbrook Clo. Barn —5C 154
Westbrook Clo. Stpl M —5C 6
Westbrook Ct. Hit —5N 33
Westbrook Cres. Cockf —5C 154
Westbrook Sq. Barn —5C 154
West Burrowfield. Wel G —2K 111
Westbury Clo. Hit —2L 33
Westbury Clo. H Reg —6E 44
Westbury Gdns. Lut —6F 46
Westbury Gro. N12 —6N 165
Westbury Pl. Let —6E 22
Westbury Ri. H'low —7F 118
Westbury Rd. N12 —6N 165
Westbury Rd. Chesh —3H 145
Westbury Rd. N'wd —4G 160
Westbury Rd. Wat —7K 149
Westbush Clo. Hod —5K 115
West Chantry. Harr —8C 162
Westchester Dri. NW4 —9K 165
West Clo. Barn —7H 153
West Clo. Cockf —6F 154
West Clo. Hit —1B 34
West Clo. Hod —6L 115
West Clo. Stev —4M 51
Westcombe Dri. Barn —7N 153
West Comn. Hpdn —7C 88
(in two parts)
West Comn. Redb —2J 107
West Comn. Clo. Hpdn —1C 108
West Comn. Gro. Hpdn —9C 88
West Comn. Way. Hpdn —1B 108
Westcott. Wel G —8C 92
West Ct. R'ton —7C 8
West Ct. Saw —4G 98
Westcroft. Tring —3M 101
Westcroft Clo. Enf —2G 157
Westcroft Ct. Brox —1L 133
Westdean La. Chart —9A 120
West Dene. Hem H —7K 85
Westdown Gdns. Dunst —1C 64
West Dri. Arl —8A 10
West Dri. Harr —6E 162
West Dri. Wat —9K 137
West Dri. Gdns. Harr —6E 162
Westell Clo. Bald —3N 23
West End. —9B 112
West End. A'wl —1B 12
W. End La. Barn —6K 153
W. End La. Ess —8D 112
W. End La. Pinn —9M 161
W. End Rd. Brox —4C 132
W. End Rd. L Buz —9L 61
Westerdale. Hem H —8A 106
Westerdale. Lut —5L 45
Western Av. Henl —1J 21
Western Clo. Let —2E 22
Western Ct. N3 —6N 165
Western Mans. New Bar —7A 154
(off Gt. North Rd.)
Western Pde. New Bar —7N 153
Western Rd. Lut —2F 66
Western Rd. Tring —3L 101
Western Ter. Hod —5M 115
Western Way. Barn —8N 153
Western Way. Dunst —8H 45
Western Way. Let —3E 22
Westfield. H'low —7A 118
Westfield. Hat —5M 129
Westfield. Wel G —8N 91
Westfield Av. Hpdn —4B 88
Westfield Av. Wat —2M 149
Westfield Clo. Bis S —9G 58
Westfield Clo. Enf —5J 157
Westfield Clo. Hit —3L 33
Westfield Clo. Wal X —4K 145
Westfield Ct. St Alb —8L 109
Westfield Dri. Hpdn —3C 88
Westfield Ho. H'low —8N 117
Westfield La. Hit —3L 33
Westfield Pk. Pinn —7A 162
Westfield Pl. Hpdn —3C 88
Westfield Rd. NW7 —3D 164
Westfield Rd. Berk —8J 103
Westfield Rd. Bis S —9G 58
Westfield Rd. Dunst —9C 44
Westfield Rd. Hpdn —4B 88
Westfield Rd. Hert —7A 94
Westfield Rd. Hod —7K 115
Westfield Rd. Pit —4A 82
Westfields. St Alb —4B 126
Westfield Wlk. Wal X —4K 145
West Ga. H'low —6M 117
(in two parts)
Westgate Ct. Wal X —8H 145
Westgate Shop. Cen. Stev —4K 51
West Hertfordshire Crematorium. Wat —4M 137
West Herts College. —1M 123
West Herts Golf Course. —4E 148
West Hill. Dunst —3E 64
West Hill. Hit —3L 33
W. Hill Rd. Hod —7K 115
W. Hill Rd. Lut —3G 66
W. Hill Way. N20 —1N 165
Westholm. Let —3F 22
West Hyde. —9L 67
(Luton)
West Hyde. —7H 159
(Rickmansworth)
W. Hyde La. Chal P —7C 158
Westland Clo. Leav —7H 137
Westland Dri. Brk P —9L 129
Westland Green. —9H 57
Westland Rd. Kneb —3M 71
Westland Rd. Wat —4K 149
West La. Offl —8D 32
West La. Pir —6E 20
Westlea. Lut —5M 45
Westlea Av. Wat —1N 149
Westlea Clo. Brox —5K 133
Westlea Rd. Brox —5K 133
Westlecote Gdns. Lut —5F 46
Westleigh Gdns. Edgw —8A 164
West Leith. —5K 101
West Leith. W Lth —4K 101
Westlington Clo. NW7 —6M 165
Westly Wood. Wel G —8N 91
West Mead. Wel G —3A 112
Westmeade Clo. Chesh —2F 144
Westmere Dri. NW7 —3D 164
Westmill. —7K 39
(Buntingford)
Westmill. —9K 21
(Hitchin)
Westmill La. Hit —9K 21
W. Mill Lawns. Hit —1L 33
Westmill Rd. Hit —9K 21
Westmill Rd. Ware —3E 94
Westminster Ct. Chesh —6L 145
Westminster Ct. Hpdn —8D 88
Westminster Ct. St Alb —4D 126
Westminster Gdns. H Reg —3F 44
Westminster Ho. Har W —7G 162
Westminster Ho. Wat —4L 149
(off Hallam Clo.)
Westminster Lodge. —4D 126
Westmoor Gdns. Enf —4H 157
Westmoor Rd. Enf —4H 157
Westmorland Av. Lut —4B 46
Weston. —1A 36
Weston Av. R'ton —6C 8
Weston Clo. Pot B —5M 141
Weston Dri. Stan —8J 163
Westonia Ct. Enf —9H 145
Weston Rd. Ast C —2A 100
Weston Rd. Enf —4B 156
Weston Rd. Stev —1L 51
(in three parts)
Weston Way. Bald —3L 23
West Pde. Dunst —9D 44
West Pas. Tring —3M 101
(off Albert St.)
Westpole Av. Barn —6F 154
Westray. Hem H —4E 124
West Reach. Stev —7M 51
Westridge Clo. Hem H —2J 123
West Riding. Brick W —3A 138
West Riding. Tew —2C 92
West Rd. Barn —9F 154
West Rd. Berk —9L 103
West Rd. Bis S —2G 79
West Rd. H'low —2C 118
West Rd. Saw —4D 98
West Rd. Stans —4N 59
Westron Gdns. Tring —2N 101
West Side. NW4 —9H 165
West Side. Hem H —7B 124
West Side. Turn —7J 133
West Sq. H'low —5M 117
West St. Dunst —1C 64
West St. Hert —1A 114

218 A-Z Hertfordshire

West St.—Winchester Ho.

West St. Lil —9M 31
West St. Ware —6H 95
West St. Wat —4K 149
W. Valley Rd. Hem H —7M 123
West Vw. Hat —7G 110
West Vw. Let —7D 22
W. View Ct. Els —8L 151
Westview Cres. N9 —9C 156
W. View Gdns. Els —8L 151
Westview Ri. Hem H —1N 123
W. View Rd. St Alb —1E 126
West Wlk. E Barn —9F 154
West Wlk. H'low —6M 117
West Watford. —6J 149
West Way. Edgw —6B 164
West Way. Hpdn —5D 88
Westway. Lut —5L 47
West Way. Rick —1L 159
West Ways. N'wd —9J 161
Westwick Clo. Hem H —3F 124
Westwick Pl. Wat —7L 137
Westwick Row. Hem H —2F 124
West Wing. N'chu —7H 103
Westwood Av. Hit —4A 34
Westwood Clo. Amer —3A 146
Westwood Clo. Pot B —3N 141
Westwood Dri. Amer —3A 146
West Wood Pk. —2A 146
Wetheral Dri. Stan —8J 163
Wetherby Clo. Stev —1B 52
Wetherby Rd. Borwd —3M 151
Wetherby Rd. Enf —3A 156
Wetherfield. Stans —2M 59
Wetherly Clo. H'low —2H 119
Wetherne Link. Lut —4M 45
Wexham Clo. Lut —1A 46
Weybourne Clo. Hpdn —5E 88
Weybourne Dri. Lut —2E 46
Weymouth Av. NW7 —5E 164
Weymouth St. Hem H —6N 123
Weymouth Wlk. Stan —6H 163
Weyver Ct. St Alb —1F 126 (off Avenue Rd.)
Whaley Rd. Pot B —6B 142
Wharf Clo. Wend —9A 100
Wharfdale. Lut —4M 45
Wharfedale. Hem H —8A 106
Wharf La. Dud —5F 102
Wharf La. Rick —1A 160
Wharf Rd. Bis S —2H 79
Wharf Rd. Brox —5K 133 (in two parts)
Wharf Rd. Enf —8J 157
Wharf Rd. Hem H —4L 123
Wharf Rd. Wend —9A 100
Wharf Rd. Ind. Est. Enf —8J 157
Wharley Hook. H'low —9B 118
Wheatbarn. Wel G —8A 92
Wheat Clo. Sandr —7H 109
Wheatcotes. D'wth —7B 72
Wheat Cft. Bis S —4G 78
Wheatcroft. Chesh —1F 144
Wheatfield. Hat —8H 111
Wheatfield. Hem H —9N 105
Wheatfield Av. Hpdn —1B 108
Wheatfield Ct. Lut —5H 45
Wheatfield Cres. R'ton —7E 8
Wheatfield Rd. Hpdn —1A 108
Wheatfield Rd. Lut —5H 45
Wheatfields. Enf —3J 157
Wheatfields. H'low —9E 98
Wheathampstead. —6L 89
Wheathampstead Rd. Hpdn & Wheat —7E 88 (in two parts)
Wheat Hill. Let —4E 22
Wheatlands. Stev —2B 52
Wheatley Clo. NW4 —9G 165
Wheatley Clo. Saw —6E 98
Wheatley Clo. Wel G —2N 111
Wheatley Rd. Wel G —1N 111
Wheatleys. St Alb —9K 109
Wheatley Way. Chal P —6B 158
Wheatlock Mead. Redb —1J 107
Wheatsheaf Dri. Ware —4F 94
Wheatsheaf Rd. Hun —6G 97
Wheelers La. Hem H —4A 124
Wheelers Orchard. Chal P —6B 158
Wheelwright Clo. Bush —8C 150
Wheel Wright Clo. Shil —2A 20
Wheelwrights Clo. Bis S —4E 78
Whelpley Hill. —8A 122
Whelpley Hill Pk. Whel —8A 122
Whempstead. —1N 73
Whempstead La. Ware —2M 73
Whempstead Rd. B'tn & Ware —6L 53
Whetstone Clo. Welw —8L 71
Whetstone Ct. Welw —8L 71
Whieldon Grange. H'low —7G 118
Whinbush Gro. Hit —2N 33
Whinbush Rd. Hit —3N 33
Whinnett's Way. Pull —2A 18
Whippendell Hill. Ab L —3M 135
Whippendell Rd. Wat —7G 148
Whipperley Ct. Lut —3E 66
Whipperley Ring. Lut —2C 66
Whipperley Way. Lut —2D 66
Whipsnade. —8D 64
Whipsnade Mobile Home Pk. Whip —7C 64
Whipsnade Park Golf Course. —2B 84
Whipsnade Park Zoo. —9D 64
Whipsnade Rd. Kens —1C 64
Whisper Wood. Loud —5L 147
Whisperwood Clo. Harr —8F 162
Whistler Gdns. Edgw —9N 163
Whitby Gdns. NW9 —9A 164
Whitby Rd. Lut —8E 46
Whitchurch Av. Edgw —7N 163
Whitchurch Clo. Edgw —6N 163
Whitchurch Clo. Lut —7M 47
Whitchurch Gdns. Edgw —6N 163
Whitchurch La. Edgw —7L 163
Whitchurch Pde. Edgw —7A 164
White Acre. NW9 —9E 164
Whitebarns. Fur P —5K 41
Whitebarns La. Fur P —6K 41
Whitebeam Clo. Shenl —6N 139
Whitebeam Clo. Wal X —8M 132
Whitebeams. Hat —3G 129
White Beams. Park —1D 138
Whitebear. Stans —1N 59
Whitebroom Rd. Hem H —9H 105
Whitechurch Gdns. Let —8J 23
White Craig Clo. Pinn —5B 162
White Cres. Hal —7C 100
Whitecroft. St Alb —5J 127
Whitecroft Rd. Lut —9J 47
White Crofts. Stot —5E 10
Whitefield Av. Lut —2M 45
Whitefield Ho. Hat —7J 111
Whitefields Rd. Chesh —1G 144
Whitefriars Av. Harr —9F 162
Whitefriars Dri. Harr —9E 162
Whitefriars Trad. Est. Harr —9E 162
Whitegale Clo. Hit —4A 34
Whitegate Gdns. Harr —7G 162
Whitegates Clo. Crox G —6C 148
Whitehall College. —8G 58
Whitehall Est. H'low —7H 117
Whitehall La. Bis S —8H 59
Whitehall Rd. Bis S —8G 59
Whitehall Rd. K Wal —4G 49
Whitehall Village. Bis S —8G 59
Whitehands Clo. Hod —8K 115
White Hart Clo. Bunt —2J 39
White Hart Dri. Hem H —3B 124
White Hart Rd. Hem H —3C 124
Whitehaven. Chesh —1C 144
Whitehaven. Lut —9B 30
White Hedge Dri. St Alb —1D 126
Whitehicks. Let —2G 22
Whitehill. —4G 91
White Hill. B Hth —6C 160
White Hill. Berk —6N 121 (Ashley Green)
Whitehill. Berk —9A 104 (Berkhamstead)
White Hill. Cro —7H 37
White Hill. Flam —7D 86
White Hill. Hem H —3J 123
White Hill. Welw —5G 91
Whitehill Av. Lut —3F 66
Whitehill Clo. Hit —5A 34
Whitehill Cotts. Welw —4G 91
Whitehill Ct. Berk —9A 104
Whitehill Golf Course. —2E 74
White Hill Rd. Bar C —8E 18
Whitehill Rd. Hit —4A 34
White Horse La. Lon C —8L 127
Whitehorse La. Wool G —7A 72
Whitehorse St. Bald —3M 23
Whitehorse Va. Lut —9A 30
Whitehouse Av. Borwd —5B 152
White Ho. Clo. Chal P —7B 158
Whitehouse Clo. H Reg —5E 44
White Ho. Clo. Wat S —5K 73
Whitehouse Ct. B'wy —8A 16
White Ho. Dri. Stan —4K 163
Whitehouse La. Bedm —8K 125
Whitehouse La. Enf —3A 156
White Ho., The. Chesh —1H 145
Whitehurst Av. Hit —1N 33
Whitelands Av. Chor —5E 146
White La. Hit —3C 50
Whiteleaf Rd. Hem H —5M 123
Whiteley Clo. D End —1C 74
Whiteley La. Bkld —4G 26
White Lion Ho. Hat —8H 111 (off Wellfield Rd.)
White Lion Retail Pk. Dunst —8F 44
White Lion Sq. Hat —8G 111 (off Robin Hood La.)
White Lion St. Hem H —6N 123
White Orchards. N20 —9M 153
White Orchards. Stan —5H 163
White Post Fld. Saw —5F 98
White Rose Trad. Est. Barn —7C 154 (off Margaret Rd.)
White Shack La. Chan X —1B 148
Whitesmead Rd. Stev —2K 51
Whitestone Wlk. Hem H —8K 105
White Stubbs La. B'frd & Brox —2K 131
Whitethorn. Wel G —1A 112
Whitethorn Gdns. Enf —7B 156
Whitethorn La. Let —8G 22
Whitethorn Way. Lut —2C 66
Whitewaites. H'low —6A 118
Whiteway. Let —7J 23
Whitewaybottom La. Lut & Kim —2F 68
Whiteway, The. Stev —2B 52
Whitewebbs Golf Course. —9B 144
Whitewebbs La. Enf —8C 144
Whitewebbs Mus. of Transport & Industry, The. —8N 143
Whitewebbs Pk. —9A 144
Whitewebbs Rd. Enf —8N 143
Whitewood Rd. Berk —1L 121
Whitfield Way. Mil E —1J 159
Whit Hern Ct. Chesh —3G 144
Whitings Clo. Hpdn —3E 88
Whitings Rd. Barn —7J 153
Whiting Way. Mel —1J 9
Whitlars Dri. K Lan —1B 136
Whitley Clo. Ab L —5J 137
Whitley Ct. Hod —6M 115
Whitley Rd. Hod —6M 115
Whitmores Wood. Hem H —1D 124
Whitney Dri. Stev —9J 35
Whitney Wood. Stev —9J 35
Whittingham Clo. Lut —8A 48
Whittingstall Rd. Hod —6M 115
Whittington La. Stev —5L 51
Whittington Way. Bis S —5G 79
Whittlesea Clo. Harr —7D 162
Whittlesea Path. Harr —8D 162
Whittlesea Rd. Harr —7D 162
Whitwell. —1M 69
Whitwell Clo. Lut —1D 46
Whitwell Rd. Wat —8M 137
Whitwell Rd. W'wll —1N 69
Whitworth Rd. Stev —7A 36
Whomerley Rd. Stev —5L 51
Whydale Rd. R'ton —8E 8
Whytingham Rd. Tring —2A 102
Wick Av. Wheat —7L 89
Wicken Fields. Ware —4G 95
Wickets End. Shenl —6M 139
Wickets, The. Lut —8F 46
Wickfield Clo. Wool G —6N 71 (in two parts)
Wickham Clo. Enf —5F 156
Wickham Clo. Hare —8N 159
Wickham Rd. Harr —9E 162
Wickhams Wharf. Ware —6J 95
Wickham Way. Puck —6B 56
Wick Hill. Kens —8J 65
Wicklands Rd. Hun —7G 97
Wickliffe Av. N3 —9L 165
Wickmere Clo. Lut —2E 46
Wick Rd. Wig —6A 102
Wickstead Av. Lut —6A 46
Wick, The. Hert —6N 93
Wick, The. Kim —7L 69
Wickwood Ct. St Alb —9J 109
Widbury Gdns. Ware —6K 95
Widbury Hill. Ware —6K 95
Widford. —3G 97
Widford Rd. M Hud & Wid —9H 77
Widford Rd. Wel G —9A 92
Widford Rd. Wid —5G 96
Widford Ter. Hem H —5C 106
Widgeon Way. Wat —1N 149
Widmore Clo. Asher —8C 120
Widmore Cotts. Hem H —8H 85
Widmore Dri. Hem H —9C 106
Wieland Rd. N'wd —7J 161
Wiggenhall Rd. Wat —7K 149
Wiggenhall Rd. Goods Yd. Wat —8K 149
Wiggington Bottom. Wig —6B 102
Wiggins Mead. NW9 —7F 164
Wigginton. —5B 102
Wigginton Bottom. —6B 102
Wigmore La. Lut —5K 47
Wigmore Pk. Cen. —8N 47
Wigmore Pk. Cen. Lut —8N 47
Wigmores N. Wel G —8K 91
Wigmores S. Wel G —9K 91
Wigram Way. Stev —5A 52
Wigton Gdns. Stan —8M 163
Wilbrahams Almshouses. Barn —4M 153
Wilbury Clo. Let —4C 22
Wilbury Dri. Dunst —7H 45
Wilbury Hills Rd. Let —5C 22
Wilbury Rd. Let —4D 22
Wilbury Way. Hit —8A 22
Wilcon Way. Wat —7M 137
Wilcot Av. Wat —9N 149
Wilcot Clo. Wat —9N 149
Wilcox Clo. Borwd —3C 152
Wildacres. N'wd —4H 161
Wild Cherry Dri. Lut —3F 66
Wildcroft Gdns. Edgw —6L 163
Wilderness, The. Berk —1N 121 (off Church La.)
Wildhill. —3C 130
Wildhill Rd. Hat —5L 129
Wild Marsh Ct. Enf —1J 157 (off Manly Dixon Dri.)
Wild Oaks Clo. N'wd —6H 161
Wildwood. N'wd —6F 160
Wildwood Av. Brick W —3A 138
Wildwood Ct. Chor —6J 147
Wildwood La. Stev —5M 51
Wilford Clo. Enf —5B 156
Wilford Clo. N'wd —7F 160
Wilga Rd. Welw —2G 91
Wilkins Green. —1C 128
Wilkin's Grn. La. Smal —1C 128
Wilkins Grn Ter. Smal —2B 128
Wilkins Gro. Wel G —1K 111
Wilkinson Clo. Chesh —8A 132
Wilkinson Way. Hem H —6B 124
Willenhall Av. New Bar —8B 154
Willenhall Clo. Lut —2C 46
Willenhall Ct. New Bar —8B 154
William Allen Ho. Edgw —7N 163
William Ct. Hem H —6N 123
William Covell Clo. Enf —2L 155
William Pl. Stev —6N 51
Williamson St. Lut —1G 66 (off Manchester St.)
Williamson Way. NW7 —6L 165
Williamson Way. Rick —1K 159
William St. Berk —1A 122
William St. Bush —5M 149
William St. Lut —8G 46
William St. Mark —2A 86
William Sutton Ct. Lut —4K 47
Williams Way. Rad —8J 139
Willian. —9G 23
Willian Chu. Rd. W'ian —9G 23
Willian Rd. Hit & W'ian —1C 34
Willian Way. Bald —5L 23
Willian Way. Let —7G 22
Willinghall Clo. Wal A —5N 145
Willis's La. Saf W —1M 43 (in two parts)
Williton Rd. Lut —7K 47
Willoughby Clo. Brox —3J 133
Willoughby Ct. Lon C —8L 127
Willoughby La. Mee —6K 29
Willoughby Rd. Hpdn —3C 88
Willoughby Way. Hit —4A 34
Willoughy Clo. Dunst —1F 64
Willowbrook. Wend —7A 100
Willow Clo. Bis S —9G 58
Willow Clo. Chesh —8C 132
Willow Clo. Gt Hor —2D 40
Willow Clo. Ware —7H 15
Willow Corner. B'frd —8L 113
Willow Ct. Edgw —4M 163
Willow Ct. Harr —8G 163
Willow Ct. Lut —4A 46
Willow Cres. St Alb —2K 127
Willow Dene. Bus H —9F 150
Willowdene. Chesh —9J 133
Willow Dene. Pinn —9M 161
Willowdene Ct. N20 —9B 154 (off High Rd.)
Willow Dri. Barn —6L 153
Willow Edge. K Lan —2C 136
Willow End. N20 —2N 165
Willow End. N'wd —6J 161
Willowfield. H'low —8N 117
Willowgate Trad. Est. Lut —1L 45
Willow Grn. NW9 —8E 164
Willow Grn. Borwd —7D 152
Willow Gro. Wel G —4K 91
Willow La. Hit —4L 33
Willow La. St I —8B 34
Willow La. Wat —7J 149
Willowmead. Hert —1M 113
Willow Mead. Saw —6G 98
Willow Pl. H'wd —9H 119
Willow Rd. Enf —5C 156
Willows Clo. Pinn —9L 161
Willowside. Lon C —9M 127
Willowside Ct. Enf —5N 155
Willowside Way. R'ton —5C 8
Willows La. Wat E —5J 105
Willows Link. Stev —9N 51
Willow Springs. Bis S —9F 58
Willows, The. —5N 41
Willows, The. Borwd —3A 152
Willows, The. Bunt —2H 39
Willows, The. Edl —5K 63
Willows, The. Hem H —9D 106
Willows, The. Hit —5A 34
Willows, The. Rick —2K 159
Willows, The. St Alb —6J 127
Willows, The. Stev —8N 51
Willows, The. Wat —9K 149
Willow St. E4 —9N 157
Willow, The. Stan A —2M 115
Willow Tree Clo. Hit —9M 21
Willow Wlk. N21 —8L 155
Willow Wlk. Welw —8J 71
Willow Way. N3 —7N 165
Willow Way. Hpdn —3D 88
Willow Way. Hat —3F 128
Willow Way. Hem H —9L 105
Willow Way. H Reg —3G 44 (off Kent Rd.)
Willow Way. Lut —4A 46
Willow Way. Pot B —6A 142
Willow Way. Rad —9F 138
Willow Way. St Alb —9B 126
Wills Gro. NW7 —5G 164 (in two parts)
Wilmott Rd. Bass —1N 7
Wilsden Av. Lut —2E 66
Wilshere Av. St Alb —4D 126
Wilshere Cres. Hit —2C 34
Wilshere Rd. Welw —2G 91
Wilsmere Dri. Har W —7F 162
Wilson Clo. Bis S —3J 79
Wilson Clo. Stev —9K 35
Wilsons La. A'wl —9L 5
Wilson St. N21 —9M 155
Wilstone. —6H 81
Wilstone Bridge. —6J 81
Wilstone Dri. St Alb —6K 109
Wilstone Green. —7J 81
Wilstone Reservoir Nature Reserve. —8H 81
Wilton Clo. Bis S —1K 79
Wilton Ct. Wat —5L 149 (off Estcourt Rd.)
Wilton Cres. Hert —3A 114
Wilton Rd. Cockf —6E 154 (in two parts)
Wilton Rd. Hit —1M 33
Wilton Way. Hert —3A 114
Wiltron Ho. Stev —3H 51
Wiltshire Clo. NW7 —5F 164
Wiltshire Rd. Stev —5N 51
Wimborne Clo. Saw —5F 98
Wimborne Dri. NW9 —9A 164
Wimborne Gro. Wat —1G 149
Wimborne Rd. Lut —9D 46
Wimple Rd. Lut —7K 45
Winch Clo. Cod —8F 70
Winchdells. Hem H —5C 124
Winchester Clo. Bis S —4F 78
Winchester Clo. Enf —7C 156
Winchester Clo. Stev —8N 35
Winchester Gdns. Lut —9A 30
Winchester Ho. St Alb —3D 126

A-Z Hertfordshire 219

Workers Rd. H'low & H Lav —7K 119
Works Rd. Let —4H 23
World's End. —5L 155
World's End La. N21 & Enf —7L 155
Worley Rd. St Alb —1E 126
Wormley. —5J 133
Wormleybury. —5H 133
Wormley Ct. Brox —6K 133
Wormley Lodge Clo. Brox —5J 133
Wormley West End. —4C 132
Wormley Wood Nature Reserve. —4N 131
Worsdell Way. Hit —3B 34
Worsted La. Hare S —3B 40
Wortham Rd. R'ton —9E 8
Wortham Way. Stev —7A 52
Worthington Rd. Dunst —9C 44
Wraglings, The. Bis S —3K 79
Wratten Clo. Hit —4M 33
Wratten Rd. E. Hit —4M 33
Wratten Rd. W. Hit —4L 33
Wrayfields. Stot —5H 11
Wraysbury Clo. Lut —6N 45
Wrenbrook Rd. Bis S —3H 79
Wren Clo. Kim —7J 69
Wren Clo. Lut —3L 47
Wren Clo. Stev —3A 52
Wren Cres. Bush —1D 162
Wrensfield. Hem H —2K 123
Wrens, The. H'low —6L 117
Wren Wlk. Edl —4J 63
Wren Wood. Wel G —8A 92
Wrestlers Clo. Hat —7J 111
Wrest Pk. Gardens. —1G 18
Wrexham Ter. R'ton —6D 8
Wright Clo. Wheat —8L 89
Wright's Bldgs. Wat —4K 149 (off Langley Rd.)
Wrights Ct. H'low —8E 118
Wright's Green. —9M 79
Wright's Grn. La. L Hall —9L 79
Wrights Mdw. Walk —1G 52
Wrights Orchard. Ast —7D 52
Writtle Ho. NW9 —9F 164
Wrotham Pk. —9M 141
Wrotham Rd. Barn —4L 153
Wroxham Av. Hem H —4N 123
Wroxham Gdns. Enf —8N 143
Wroxham Gdns. Pot B —4K 141
Wroxham Way. Hpdn —4D 88
Wulfrath Way. Ware —4G 94
Wulstan Pk. Pot B —5C 142
Wulwards Clo. Lut —2D 66
Wulwards Ct. Lut —2D 66
Wyatt Clo. Bus H —9E 150
Wyatt Clo. Ickl —7L 21
Wyatt's Clo. Chor —5K 147
Wyatt's Rd. Chor —6J 147
Wyburn Av. Barn —5M 153
Wychdell. Stev —9B 52
Wych Elm. H'low —5M 117
Wych Elm La. Welw —5L 71
Wych Elms. Park —1C 138
Wycherley Cres. New Bar —8A 154
Wychford Dri. Saw —6E 98
Wychwood Av. Edgw —6L 163
Wychwood Av. Lut —6G 46
Wychwood Clo. Edgw —6L 163
Wychwood Way. N'wd —7H 161
Wycklond Clo. Stot —6E 10
Wycliffe Clo. Lut —3E 46
Wycliffe Ct. Ab L —5G 137
Wycombe Pl. St Alb —8J 109 (off Wycombe Way)
Wycombe Way. Lut —1E 46
Wycombe Way. St Alb —8J 109
Wyddial. —7L 27
Wyddial Grn. Wel G —9A 92
Wyddial Rd. Bunt —2J 39
Wyedale. Lon C —9N 127
Wye, The. Hem H —6C 106
Wykeham Ri. N20 —1L 165
Wyken Clo. Lut —2C 46
Wykeridge Clo. Che —9F 120
Wyldwood Clo. H'low —9E 98
Wyllyotts Clo. Pot B —5M 141
Wyllyotts La. Pot B —5M 141
Wyllyotts Pl. Pot B —5M 141
Wylo Dri. Barn —8G 152
Wymondley Clo. Hit —3A 34
Wymondley Rd. Gt Wym & W'ian —2F 34
Wymondley Rd. Hit —4A 34
Wynches Farm Dri. St Alb —2L 127
Wynchgate. N14 & N21 —9J 155
Wynchgate. Harr —7F 162
Wynchlands Cres. St Alb —2L 127
Wynd Arc., The. Let —5F 22 (off Openshaw Way)
Wyndcroft Clo. Enf —5N 155
Wyndham Rd. Lut —7M 45
Wyndhams End. Wel G —4M 111
Wynd, The. Let —5F 22
Wynlie Gdns. Pinn —9K 161
Wynn Clo. Bald —2N 23
Wynyard Clo. Sarr —9K 135
Wyre Gro. Edgw —3B 164
Wyrley Dell. Let —8G 23
Wysells Ct. Let —4D 22
Wyton. Wel G —9C 92
Wyvern Clo. Lut —6A 46

Yardley. Let —7H 23
Yardley Av. Pit —3A 82
Yardley Clo. E4 —7M 157
Yardley Ct. Hpdn —6C 88
Yardley La. E4 —7M 157
Yarmouth Rd. Stev —2G 51
Yarmouth Rd. Wat —2L 149
Yately Clo. Lut —2F 46
Yearling Clo. Gt Amw —8K 95
Yeatman Ho. Wat —9J 137
Yeats Clo. R'ton —4D 8
Ye Corner. Wat —8M 149
Yeomanry Dri. Bald —2N 23
Yeomans Av. Hpdn —4M 87
Yeomans Clo. Thor —2F 78
Yeomans Ct. Hem H —5C 106
Yeomans Ct. Hert —9C 94 (off Ware Rd.)
Yeomans Dri. Ast —7D 52
Yeomans Ride. Hem H —5C 106
Yeomans Way. Enf —4G 156
Yeovil Ct. Lut —7K 47
Yeovil Rd. Lut —7K 47
Yew Clo. Chesh —9C 132
Yew Gro. Wel G —1B 112
Yewlands. Hod —9L 115
Yewlands. Saw —6G 99
Yews Av. Enf —9F 144
Yewstone Ct. Wat —5J 149
Yew St. H Reg —2G 44
Yew Tree Clo. N21 —9M 155
Yew Tree Clo. Eat B —3K 63
Yew Tree Clo. I'hoe —2C 82
Yew Tree Ct. Els —8L 151
Yew Tree Ct. Hem H —4K 123
Yew Tree Dri. Bov —1E 134
Yewtree End. Park —9D 126
Yew Tree Pl. Bis S —9H 59
Yew Wlk. Hod —9L 115
York Av. Stan —8J 163
York Clo. Bar C —7F 18
York Clo. K Lan —2C 136
York Cres. Borwd —4D 152
Yorke Clo. Ast C —1D 100
Yorke Ga. Wat —4J 149
Yorke Rd. Crox G —8C 148
Yorkes. H'low —9B 118
York Ga. N14 —9K 155
York Ho. Borwd —4A 152 (off Canterbury Rd.)
York Ho. Enf —3B 156
York Ho. St Alb —3D 126
York Rd. N21 —9B 156
York Rd. Hit —2M 33
York Rd. New Bar —7B 154
York Rd. N'wd —9J 161
York Rd. St Alb —1G 126
York Rd. Stev —9M 35
York Rd. Wal X —6J 145
York Rd. Wat —7L 149
York St. Lut —9H 47
York Ter. Enf —2A 156
York Way. Borwd —4D 152
York Way. Hem H —3A 124
York Way. R'ton —6B 8
York Way. Wat —9M 137
York Way. Welw —4J 91
Youngfield Rd. Hem H —1J 123
Youngmans Clo. Enf —3A 156
Youngsbury. —8L 75
Youngsbury La. Wad —8H 75
Youngs Ri. Wel G —9J 91
Yule Clo. Brick W —3A 138

Zambesi Rd. Bis S —3H 79

HOSPITALS and HOSPICES
covered by this atlas
with their map square reference

N.B. Where Hospitals and Hospices are not named on the map,
the reference given is for the road in which they are situated.

BARNET HOSPITAL —6K **153**
Wellhouse La.
BARNET
Hertfordshire
EN5 3DJ
Tel: 020 82164000

BISHOPS WOOD BMI HOSPITAL —5D **160**
Rickmansworth Rd.
NORTHWOOD
Middlesex
HA6 2JW
Tel: 01923 835814

BUSHEY BUPA HOSPITAL —9G **150**
Heathbourne Rd.
Bushey Heath
BUSHEY
Hertfordshire
WD23 1RD
Tel: 020 89509090

CHALFONTS & GERRARDS CROSS HOSPITAL, The.
—8A **158**
Hampden Rd.,
Chalfont St Peter
GERRARDS CROSS
Buckinghamshire
SL9 9DR
Tel: 01753 883821

CHASE FARM HOSPITAL —2M **155**
127 Ridgeway, The
ENFIELD
Middlesex
EN2 8JL
Tel: 020 83666600

CHESHUNT COMMUNITY HOSPITAL —4J **145**
King Arthur Ct.
Cheshunt
WALTHAM CROSS
Hertfordshire
EN8 8XN
Tel: 01992 622157

COLINDALE HOSPITAL —9E **164**
Colindale Av.
LONDON
NW9 5HG
Tel: 020 89522381

DANESBURY HOME (HOSPITAL) —3H **91**
School La.
WELWYN
Hertfordshire
AL6 9SB
Tel: 01707 365300

DEBENHAM HOUSE —4B **158**
Chesham La., Chalfont St Peter
GERRARDS CROSS
Buckinghamshire
SL9 0RJ
Tel: 01494 871588

EDGWARE COMMUNITY HOSPITAL —7B **164**
Burnt Oak B'way
EDGWARE
Middlesex
HA8 0AD
Tel: 020 89522381

FARLEY HILL DAY HOSPITAL —2D **66**
Whipperley Ring
LUTON
LU1 5QY
Tel: 01582 708222

GARDEN HOSPITAL, THE —9J **165**
46-50 Sunny Gdns. Rd.
LONDON
NW4 1RP
Tel: 020 84574500

GARDEN HOUSE HOSPICE —6H **23**
Gillison Clo.
LETCHWORTH
Hertfordshire
SG6 1QU
Tel: 01462 679540

HAREFIELD HOSPITAL —8M **159**
Hill End Rd., Harefield
UXBRIDGE
Middlesex
UB9 6JH
Tel: 01895 823737

HARPENDEN BUPA HOSPITAL —3B **88**
Ambrose La.
HARPENDEN
Hertfordshire
AL5 4BP
Tel: 01582 763191

HARPENDEN MEMORIAL HOSPITAL —5C **88**
Carlton Rd.
HARPENDEN
Hertfordshire
AL5 4TA
Tel: 01582 760196

HARPERBURY HOSPITAL —4K **139**
Harper La., Shenley
RADLETT
Hertfordshire
WD7 9HQ
Tel: 01923 854861

HEMEL HEMPSTEAD GENERAL HOSPITAL —3N **123**
Hillfield Rd.
HEMEL HEMPSTEAD
Hertfordshire
HP2 4AD
Tel: 01442 213141

HERTFORD COUNTY HOSPITAL —9N **93**
North Rd., HERTFORD
SG14 1LP
Tel: 01707 328111

HERTS & ESSEX HOSPITAL —2K **79**
Haymeads La.
BISHOP'S STORTFORD
Hertfordshire
CM23 5JH
Tel: 01279 655191

HITCHIN HOSPITAL —2L **33**
Talbot St., HITCHIN
Hertfordshire
SG5 2QU
Tel: 01438 781380

HOSPICE OF ST FRANCIS —1L **121**
27 Shrublands Rd.
BERKHAMSTED
Hertfordshire
HP4 3HX
Tel: 01442 862960

ISABEL HOSPICE —2A **112**
Hall Gro.
WELWYN GARDEN CITY
Hertfordshire
AL7 4PH
Tel: 01707 334222

KEECH COTTAGE CHILDREN'S HOSPICE —9C **30**
Bramingham La., LUTON
LU3 3NT
Tel: 01582 492339

KING'S OAK BMI HOSPITAL, THE —2M **155**
Ridgeway, The, ENFIELD
Middlesex
EN2 8SD
Tel: 020 83709500

KNEESWORTH HOUSE HOSPITAL —1C **8**
Old North Rd., Bassingbourn
ROYSTON
Hertfordshire
SG8 5JP
Tel: 01763 255700

LISTER HOSPITAL —8H **35**
Coreys Mill La.
STEVENAGE
Hertfordshire
SG1 4AB
Tel: 01438 314333

LUTON & DUNSTABLE HOSPITAL —7M **45**
Lewsey Rd., LUTON
LU4 0DZ
Tel: 01582 491122

MEADOWS, THE, E.M.I UNIT —2N **151**
Castleford Clo.
BOREHAMWOOD
Hertfordshire
WD6 4AL
Tel: 020 89534954

MICHAEL SOBELL HOUSE (HOSPICE) —6D **160**
Mount Vernon Hospital, Rickmansworth Rd.
NORTHWOOD
Middlesex
HA6 2RN
Tel: 01923 844302

MOUNT VERNON HOSPITAL —6D **160**
Rickmansworth Rd.
NORTHWOOD
Middlesex
HA6 2RN
Tel: 01923 826111

NATIONAL SOCIETY FOR EPILEPSY, THE —5B **158**
Chesham La., Chalfont St Peter
GERRARDS CROSS
Buckinghamshire
SL9 0RJ
Tel: 01494 601300

NORTH LONDON NUFFIELD HOSPITAL, THE —4M **155**
Cavell Dri.
ENFIELD
Middlesex
EN2 7PR
Tel: 020 83662122

NORTHWOOD & PINNER COMMUNITY HOSPITAL
—8J **161**
Pinner Rd.
NORTHWOOD
Middlesex
HA6 1DE
Tel: 01923 824182

PASQUE HOSPICE —9C **30**
Bramingham La.
LUTON
LU3 3NT
Tel: 01582 492339

PEACE HOSPICE, THE —5J **149**
Peace Dri.
WATFORD
WD1 3AD
Tel: 01923 330330

PINEHILL HOSPITAL —3B **34**
Benslow La.
HITCHIN
Hertfordshire
SG4 9QZ
Tel: 01462 422822

POTTERS BAR COMMUNITY HOSPITAL —7B **142**
Barnet Rd.
POTTERS BAR
Hertfordshire
EN6 2RY
Tel: 01707 653286

PRINCESS ALEXANDRA HOSPITAL, THE —5M **117**
Hamstel Rd., HARLOW
Essex
CM20 1QX
Tel: 01279 444455

PROSPECT HOUSE, E.M.I. UNIT —5J **149**
Peace Dri., off Cassiobury Dri.
WATFORD
WD1 3XE
Tel: 01923 693900

QUEEN ELIZABETH II HOSPITAL —4N **111**
Howlands
WELWYN GARDEN CITY
Hertfordshire
AL7 4HQ
Tel: 01707 328111

QUEEN VICTORIA MEMORIAL HOSPITAL —3H **91**
73 School La.
WELWYN
Hertfordshire
AL6 9PW
Tel: 01707 365291

RIVERS HOSPITAL, THE —6E **98**
High Wych Rd.
SAWBRIDGEWORTH
Hertfordshire
CM21 0HH
Tel: 01279 600282

ROYAL NATIONAL ORTHOPAEDIC HOSPITAL —2J **163**
Brockley Hill
STANMORE
Middlesex
HA7 4LP
Tel: 020 89542300

ROYSTON & DISTRICT HOSPITAL —9D **8**
London Rd.
ROYSTON
Hertfordshire
SG8 9EN
Tel: 01763 242134

ST ALBANS CITY HOSPITAL —9D **108**
Waverley Rd.
ST ALBANS
Hertfordshire
AL3 5PN
Tel: 01727 866122

ST MARY'S DAY HOSPITAL —1F **66**
Vestry Clo.
LUTON
LU1 1AR
Tel: 01582 721261

WATFORD GENERAL HOSPITAL —7K **149**
60 Vicarage Rd.
WATFORD
WD18 0HB
Tel: 01923 244366

WESTERN HOUSE HOSPITAL —5H **95**
Collett Rd.
WARE
Hertfordshire
SG12 7LZ
Tel: 01920 468954

RAIL & LONDON UNDERGROUND STATIONS

with their map square reference

Albans Abbey Station. Rail —4E **126**
Apsley Station. Rail —7A **124**
Ashwell & Morden Station. Rail —2J **13**

Bayford Station. Rail —9N **113**
Berkhamsted Station. Rail —9N **103**
Bishop's Stortford Station. Rail —2J **79**
Bricket Wood Station. Rail —3B **138**
Brimsdown Station. Rail —4J **157**
Brookmans Park Station. Rail —9L **129**
Broxbourne Station. Rail —2L **133**
Burnt Oak Station. Tube —8C **164**
Bush Hill Park Station. Rail —8D **156**
Bushey Station. Rail —8M **149**

Canons Park Station. Tube —7M **163**
Carpenders Park Station. Rail —3M **161**
Chalfont & Latimer Station. Rail —3A **146**
Cheddington Station. Rail —6M **61**
Cheshunt Station. Rail —3K **145**
Chorleywood Station. Rail & Tube —6G **146**
Cockfosters Station. Tube —6F **154**
Colindale Station. Tube —9E **164**
Crews Hill Station. Rail —7L **143**
Croxley Green Station. Rail —7F **148**
Croxley Station. Tube —8D **148**
Cuffley Station. Rail —2L **143**

Edgware Station. Tube —6B **164**
Elstree & Borehamwood Station. Rail —6A **152**
Enfield Chase Station. Rail —5A **156**
Enfield Lock Station. Rail —1J **157**
Enfield Town Station. Rail —5C **156**

Finchley Central Station. Tube —8N **165**

Garston Station. Rail —8N **137**
Gordon Hill Station. Rail —3N **155**
Grange Park Station. Rail —7N **155**

Hadley Wood Station. Rail —2B **154**
Harlow Mill Station. Rail —1E **118**
Harlow Town Station. Rail —3N **117**
Harpenden Station. Rail —6C **88**
Hatch End Station. Rail —7B **162**
Hatfield Station. Rail —8J **111**
Headstone Lane Station. Rail —8C **162**
Hemel Hempstead Station. Rail —5K **123**
Hertford East Station. Rail —9C **94**
Hertford North Station. Rail —9N **93**
High Barnet Station. Tube —6N **153**
Hitchin Station. Rail —3A **34**
How Wood Station. Rail —1D **138**

Kings Langley Station. Rail —3E **136**
Knebworth Station. Rail —3M **71**

Leagrave Station. Rail —5A **46**
Letchworth Station. Rail —5F **22**
Luton Airport Parkway Station. Rail —2K **67**
Luton Station. Rail —9G **47**

Mill Hill Broadway Station. Rail —6E **164**
Mill Hill East Station. Tube —7L **165**
Moor Park Station. Tube —3F **160**

New Barnet Station. Rail —7C **154**
Northwood Hills Station. Tube —9J **161**
Northwood Station. Tube —7G **160**

Oakleigh Park Station. Rail —9C **154**
Oakwood Station. Tube —7H **155**

Park Street Station. Rail —8E **126**
Ponders End Station. Rail —7J **157**
Potters Bar Station. Rail —5M **141**

Radlett Station. Rail —8H **139**
Rickmansworth Station. Rail & Tube —9N **147**
Roydon Station. Rail —5E **116**
Royston Station. Rail —6C **8**
Rye House Station. Rail —6N **115**

St Albans Abbey Station. Rail —2E **126**
St Albans Station. Rail —2G **126**
Sawbridgeworth Station. Rail —4H **99**
Southbury Station. Rail —6F **156**
Stanmore Station. Tube —4L **163**
Stansted Mountfitchet Station. Rail —3N **59**
Stevenage Station. Rail —4J **51**

Theobalds Grove Station. Rail —5H **145**
Tring Station. Rail —1E **102**
Turkey Street Station. Rail —1G **156**

Waltham Cross Station. Rail —7K **145**
Ware Station. Rail —7J **95**
Watford High Street Station. Rail —6L **149**
Watford Junction Station. Rail —4L **149**
Watford North Station. Rail —1L **149**
Watford Stadium Station. Rail —8J **149**
Watford Station. Tube —5H **149**
Watford West Station. Rail —7H **149**
Watton at Stone Station. Rail —5J **73**
Welham Green Station. Rail —5J **129**
Welwyn Garden City Station. Rail —1K **111**
Welwyn North Station. Rail —4M **91**
Wendover Station. Rail —9A **100**
West Finchley Station. Rail —6N **165**
Winchmore Hill Station. Rail —9N **155**
Woodside Park Station. Tube —4N **165**

Printed and bound in the United Kingdom by Polestar Wheatons Ltd., Exeter.